# Aktuell '96

W9-BAO-913

## Lexikon A-Z

## Staaten der Welt

## Bundesländer und Kantone

## Größte Städte

## Nekrolog

## Register

## Lexikon A–Z

Das Inhaltsverzeichnis aller Einträge im Lexikon A–Z ist nach Sachgebieten geordnet; das ausführliche Register finden Sie am Ende des Lexikons.

5

## Themen des Jahres

# Abkürzungsverzeichnis

| Abk. | Abkürzung |
|---|---|
| Abs. | Absatz |
| AG | Aktiengesellschaft |
| Art. | Artikel |
| Az. | Aktenzeichen |
| BGB | Bürgerliches Gesetzbuch |
| BIP | Bruttoinlandsprodukt |
| BRT | Bruttoregistertonnen |
| BSP | Bruttosozialprodukt |
| bzw. | beziehungsweise |
| C | Celsius |
| ca. | circa |
| CDU | Christlich-Demokratische Union |
| CSU | Christlich-Soziale Union |
| CVP | Christlich-Demokratische Volkspartei |
| DAG | Deutsche Angestellten-Gewerkschaft |
| DDR | Deutsche Demokratische Republik |
| DGB | Deutscher Gewerkschaftsbund |
| d. h. | das heißt |
| DM | Deutsche Mark |
| Dr. | Doktor |
| DVU | Deutsche Volksunion |
| ECU | Europäische Währungseinheit |
| EU | Europäische Union |
| engl. | englisch |
| e. V. | eingetragener Verein |
| F | Die Freiheitlichen |
| FDP | Freie Demokratische Partei |
| FPÖ | Freiheitliche Partei Österreichs |
| franz. | französisch |
| GG | Grundgesetz |
| ggf. | gegebenenfalls |
| GmbH | Gesellschaft mit beschränkter Haftung |
| h | Stunde |
| griech. | griechisch |
| ha | Hektar |
| i. d. R. | in der Regel |

| IG | Industriegewerkschaft |
|---|---|
| inkl. | inklusive |
| insbes. | insbesondere |
| ital. | italienisch |
| IWF | Internationaler Währungsfonds |
| J | Joule |
| Jh. | Jahrhundert |
| k. A. | keine Angabe |
| kBit | Kilobit |
| kcal | Kilokalorien |
| Kfz | Kraftfahrzeug |
| kJ | Kilojoule |
| km | Kilometer |
| kW | Kilowatt |
| l | Liter |
| lat. | lateinisch |
| LKW | Lastkraftwagen |
| lt. | laut |
| m | Meter |
| Mbit | Megabit |
| MdB | Mitgl. d. Bundestags |
| MdL | Mitgl. d. Landtags |
| mg | Milligramm |
| MHz | Megahertz |
| min | Minute |
| Mio | Million |
| MJ | Megajoule |
| mm | Millimeter |
| Mrd | Milliarde |
| MW | Megawatt |
| NATO | Organisation des Nordatlantik-Vertrages |
| NPD | Nationaldemokratische Partei |
| NRW | Nordrhein-Westfalen |
| OECD | Organisation für wirtschaftliche Zusammenarbeit und Entwicklung |
| OPEC | Organisation Erdöl exportierender Länder |
| öS | Österreichischer Schilling |

| OSZE | Konferenz für Zusammenarbeit in Europa |
|---|---|
| ÖVP | Österreichische Volkspartei |
| PDS | Partei des demokratischen Sozialismus |
| Pf | Pfennig |
| PKW | Personenkraftwagen |
| PLO | Palästinensische Befreiungsorganisation |
| rd. | rund |
| russ. | russisch |
| sec | Sekunde |
| sfr | Schweizer Franken |
| SKE | Steinkohleeinheit |
| sog. | sogenannt |
| span. | spanisch |
| SED | Sozialistische Einheitspartei Deutschlands |
| SPD | Sozialdemokratische Partei Deutschlands |
| SPÖ | Sozialdemokratische Partei Österreichs |
| SPS | Sozialdemokratische Partei der Schweiz |
| StGB | Strafgesetzbuch |
| SVP | Schweizer Volkspartei |
| TA | Technische Anleitung |
| u. a. | unter anderem/ und andere |
| UdSSR | Union der sozialistischen Sowjetrepubliken |
| UKW | Ultrakurzwelle |
| UNO | Vereinte Nationen |
| USA | Vereinigte Staaten von Amerika |
| VR | Volksrepublik |
| W | Watt |
| z. B. | zum Beispiel |
| z. T. | zum Teil |

# A

## Abfallbeseitigung

→ Übersichtsartikel S. 12

## Abgasgrenzwerte

Zulässige Höchstmengen an Schadstoffen in Kfz-Abgasen zur Verminderung der Luftverschmutzung. Ab 1996 dürfen PKW in der EU je Kilometer Fahrleistung höchstens 2,2 g Kohlenmonoxid (CO), 0,5 g Stickoxide ($NO_x$) und Kohlenwasserstoffe sowie 0,08 g Rußpartikel (Dieselmotoren) ausstoßen. Die EU unterscheidet bei Einführung bzw. Verschärfung von A. zwischen Vorschriften für neue Motorenmodelle, sog. Typen, und den Werten für die neue Serienproduktion. Neue PKW-Typen müssen die Grenzwerte ab 1. 1. 1996 erreichen, Fahrzeuge aus der Serienproduktion ab 1. 1. 1997. Ab Oktober 1995 werden die A. für LKW-Typen und Serienproduktion verschärft. Der Ausstoß von Rußpartikeln etwa soll 0,15 g/kWh (vorher: 0,4 g/kWh) betragen.

→ Dieselruß → Luftverschmutzung

## Abitur

Anfang 1995 kündigte die Kultusministerkonferenz der Bundesländer (KMK) bis Ende des Jahres eine Entscheidung über eine Novellierung der Oberstufenreform für Gymnasien von 1972 an. Ziel der Reform ist eine Verbesserung des Leistungsvermögens und des Allgemeinwissens der Abiturienten. Unternehmer und Politiker beklagten Mitte der 90er Jahre, daß durch zu geringe Anforderungen viele Schüler auf ein Studium oder hochqualifizierte Tätigkeiten in der Wirtschaft nicht ausreichend vorbereitet seien.
**Abiturientenanstieg:** 1995 erlangten in Deutschland rd. 315 000 Schüler mit dem A. die Hochschulreife (inkl. Fachhochschulreife). Bis 2008 soll die Zahl der Schulabgänger mit Studien-

berechtigung auf rd. 420 000 steigen, ihr Anteil von 32,7% (1993) auf rd. 44%. Trotz der Kritik an der Qualität des A. steigt die Abiturientenzahl aufgrund der vergleichsweise guten Berufsaussichten. Das Nürnberger Institut für Arbeitsmarkt- und Berufsforschung errechnete 1995 bis 2015 einen Bedarf von 35–40% Abiturienten pro Schülerjahrgang, um der Industrie den Nachwuchs von Fach- und Führungskräften zu sichern.
**Lerninhalte:** Die KMK plante, daß Schüler ab 1996/97 in den letzten drei Jahren bis zum A. die Fächer Deutsch, Mathematik und eine Fremdsprache beibehalten müssen. Bayern und Baden-Württemberg forderten eine Ausweitung der A.-Prüfungen von vier auf fünf Fächer. Die Bundesregierung aus CDU, CSU und FDP befürwortete das sog. Zentral-A., das je Bundesland einheitliche Prüfungsfragen vorsieht, um die Abschlüsse der Bundesländer besser untereinander vergleichen zu können. Universitätsrektoren sprachen sich dafür aus, den Hochschulzugang durch zusätzliche Eignungsprüfungen zum A. zu erschweren.
**Schulzeit:** Bis 2000 können die Bundesländer entscheiden, ob das A. nach zwölf oder, wie in Westdeutschland üblich, 13 Schuljahren erfolgen soll. Anfang 1995 wollten Mecklenburg-Vorpommern, Sachsen und Thüringen an einer zwölfjährigen Schulzeit festhalten, Brandenburg und Sachsen-Anhalt verlängerten die Schulzeit auf 13 Jahre.

→ Gesamtschule → Hochschulen → Schule

| Abitur: Schulabgänger | |
|---|---|
| Schulabschluß[1] | Anteil[2] (%) |
| Ohne Hauptschulabschluß | 9,1 |
| Mit Hauptschulabschluß | 27,4 |
| Realschulabschluß, mittlere Reife | 39,1 |
| Fachhochschulreife | 0,8 |
| Allgemeine Hochschulreife | 23,7 |

Stand: 1993; 1) nur allgemeinbildende Schulen; 2) Abweichung von 100% wegen Rundung; Quelle: Kultusministerkonferenz

| Abitur: Zeit bis zur Hochschulreife | |
|---|---|
| Land | Stunden[1] |
| Irland | 5660 |
| Luxemburg | 3215 |
| Niederlande | 2405 |
| Frankreich | 2375 |
| Italien | 1645 |
| Belgien | 1165 |
| Deutschland | 1065 |
| Spanien | 1045 |
| Portugal | 1010 |
| Dänemark | 980 |
| Griechenland | 965 |
| Großbritannien | 959 |

Stand: 1993; 1) à 60 min; Quelle: Die Woche, 11. 3. 1993

| Abitur: Entwicklung der Quoten | |
|---|---|
| Jahr | Abiturientenquote (%)[1] |
| 1981 | 25,3 |
| 1983 | 28,6 |
| 1985 | 27,9 |
| 1987 | 28,4 |
| 1989 | 30,4 |
| 1991 | 32,5 |
| 1993 | 32,7 |
| 1995[2] | 37,5 |

1) Anteil der Abiturienten (inkl. Fachhochschulreife), bis 1991 nur Westdeutschland; 2) Schätzung für Westdeutschland, Der Spiegel, 6. 6. 1995; Quelle: KMK

# Müllberge wachsen trotz verstärkter Verwertung

Bis Mitte der 90er Jahre stiegen die Müllmengen in Deutschland stetig an, die Deponiekapazitäten waren nahezu erschöpft und Recyclingtechniken nicht so weit ausgereift, daß der anfallende Abfall in ausreichenden Mengen recycelt werden konnte. Ab Ende der 80er Jahre wurden wegen fehlender Deponiekapazitäten und billigerer Entsorgungsmöglichkeiten im Ausland große Müllmengen, darunter auch Giftmüll, legal und illegal exportiert. Dort bedrohten sie wegen unsachgemäßer Lagerung die menschliche Gesundheit und die Umwelt. 1994 erreichte das Müllaufkommen in Deutschland 310 Mio t (1993: 300 Mio t). Davon entfielen 146 Mio t auf Bauschutt, 124 Mio t auf Industrieabfälle, 34,0 Mio t auf Hausmüll und 4,7 Mio t auf Klärschlamm.

**Neues Abfallgesetz kritisiert:** 1996 wird das sog. Kreislaufwirtschaftsgesetz in Kraft treten, das Industrie, Handel und Verbraucher verpflichtet, nicht wiederverwertbaren Abfall weitgehend zu vermeiden. Unvermeidbare Rückstände sollen als Sekundärrohstoffe in den Kreislauf der Wirtschaft zurückgeführt werden. Unter Abfall werden nur noch solche Rückstände verstanden, die nicht wiederverwertbar sind. Industrie und Handel kritisierten die hohen Wiederverwertungsquoten; ab 1995 müssen 60% aller Verpackungen eingesammelt, davon 80–90% wiederverwertet werden. Für die Industrie würden sich durch kostspielige Recyclingtechniken Mehrkosten ergeben. Diese Kosten würden auf die Preise der Produkte aufgeschlagen. Umweltschützer kritisierten, daß mit dem Gesetz lediglich der Begriff Abfall neu definiert wird, ohne daß konkrete Vorgaben für eine Reduzierung gemacht werden.

**Mülltourismus soll bekämpft werden:** 1994 trat eine EU-Richtlinie in Kraft, die alle Mitgliedstaaten verpflichtet, Abfälle im Inland zu entsorgen und Müllexporte nur in Ausnahmefällen, z. B. wenn Abkommen zwischen den betroffenen Staaten den Export erlauben, zu ermöglichen. Ab 1998 ist die Ausfuhr von Giftmüll, d. h. Abfall, der umwelt- und gesundheitsgefährdend, explosiv oder brennbar ist und Erreger von Krankheiten enthält, aus den 24 OECD-Staaten in die übrige Welt grundsätzlich verboten. Während z. B. in Deutschland die Vernichtung giftiger Abfälle in Verbrennungsanlagen zwischen 1200 DM und 11 000 DM je t kostete, betrugen die Kosten in Entwicklungsländern und im ehemaligen Ostblock einen Bruchteil. An den Grenzen wurde der Müll oft als Wirtschaftsgut oder humanitäre Hilfe deklariert.

**Umstrittene Müllverbrennung:** Mitte der 90er Jahre wurde in Deutschland ein Drittel des anfallenden Mülls in 52 Müllverbrennungsanlagen verbrannt. Bis 2005 will die CDU/CSU/FDP-Bundesregierung 50–70 weitere Anlagen bauen. Ärzte und Umweltschützer kritisierten diese Art der Abfallbeseitigung, weil ihre Gefährlichkeit nicht abschätzbar sei. Bei der Verbrennung wird u. a. Dioxin freigesetzt, das Krebs verursachen kann. Die Technische Anleitung Siedlungsabfall von 1993 schreibt vor, daß maximal 5–10% des Abfallgewichts auf organische Substanzen (Pappe, Lebensmittelreste usw.) entfallen darf, wenn Müll auf Deponien gelagert werden soll. Damit sollen biologisch-chemische Prozesse verhindert werden, bei denen Schadstoffe u. a. ins Grundwasser gelangen können. Dieser Wert kann nach dem entwicklungstechnischen Stand von 1995 nur mit Hilfe der Müllverbrennung erreicht werden. Das Umweltbundesamt (Berlin) ging davon aus, daß sich das Müllaufkommen wegen des wachsenden Umweltbewußtseins der Verbraucher und der steigenden Verwertung von Abfall – bedingt durch die Verpackungsverordnung von 1991 – reduzieren wird. Das Bundesamt lehnte daher den Bau neuer Verbrennungsanlagen in dem von der Bundesregierung geplanten Maß ab.

**Problematisches Duales System:** Die von Industrie-, Verpackungs- und Handelsunternehmen 1991 gegründete Entsorgungsgesellschaft Duales System Deutschland (DSD), die mit der kommunalen Müllabfuhr das sog. duale System der Müllentsorgung bildet, übernahm die Aufgabe, Verkaufsverpackungen (Verpackungen, die die Ware unmittelbar umgeben wie Schachteln) zu sammeln, zu sortieren und dem Recycling zuzuführen. Umweltschutzorganisationen kritisierten die DSD, weil die Entsorgungskosten durch höhere Produktpreise ausgeglichen wurden. Die DSD könne als profitorientiertes Unternehmen kein Interesse an Müllreduzierung haben. (MA)

→ Duales System → Kunststoffrecycling → Recycling → Verpackungsmüll

## Abrüstung: Verhandlungen und Verträge

| Gremium/Verhandlungen | Thematik | Teilnehmer | Abschlüsse |
|---|---|---|---|
| UNO-Abrüstungs-konferenz | Massenvernichtungswaffen, Atomtests Rüstungsausgaben, -export, Handel mit spaltbarem Material | 39 (62 ab 1995) | Vertragsentwürfe C-Waffen-Konvention (1992) u. Atom-teststoppvertrag (1994/95) |
| Überprüfungskonferenz | B-Waffen-Konvention | 137 | Unterzeichnung 1972 |
| Zeichnungskonferenz | C-Waffen-Konvention | 133 | Unterzeichnung 1993 |
| Überprüfungs-konferenz | Nichtverbreitung von Atomwaffen | 178 | Atomwaffensperrvertrag 1968/1995 |
| KSE | Konventionelle Streitkräfte in Europa | NATO, Warschauer Pakt[1] | KSE-Vertrag 1990 (Konventionelle Waffen) KSE-Ia-Vertrag 1992 (Militärpersonal) |
| Vertrauensbildende Maßnahmen (VSBM) | Verhinderung militärischer Konfrontation | KSZE[2] | VSBM-Verträge 1990/92 |
| OSZE-Forum für Sicherheitskooperation (FSK) | Rüstungskontrolle, Abrüstung, Konflikt-verhütung, Krisenmanagement | OSZE[2] | – |
| Offener Himmel | Militärische Luftüberwachung | OSZE[2] | Vertrag 1992 |
| USA-UdSSR/GUS/Rußland[3] | Strategische Atomwaffen Chemische Waffen Atomtests | – – – | START (1991: I, 1993: II) Vertrag 1990 Verträge 1963/67/71/93 |

Stand: Mitte 1995; 1) bis 1991; 2) bis 1994 KSZE; 3) Auswahl

## Abrüstung

→ Atomtests → Atomwaffen → KSE-Vertrag

## Abschiebung

Staatlich erzwungene und überwachte Ausweisung eines Ausländers aus einem Staatsgebiet, in dem er sich unberechtigt aufhält. Das seit Mitte 1993 geltende Asylverfahren auf Flughäfen erlaubt die kurzfristige A. von Bewerbern mit offensichtlich unbegründeten Anträgen durch Verwaltungsbeamte.

**Abschiebehaft:** Mitte 1994 gab es in Deutschland rd. 5000 Abschiebehäftlinge (größte Gruppe: Algerier). Die Abschiebehäftlinge waren meist gemeinsam mit Untersuchungs- oder Strafgefangenen oder in Polizeigewahrsam untergebracht. Überbelegung, unhygienische Zustände, Ungewißheit über die Haftdauer, die Trennung von Familien und Zukunftsangst führten zu Spannungen unter den Häftlingen, die sich 1994/95 mehrfach in gewaltsamen Häftlingsrevolten entluden. Länder wie Algerien entzogen sich ihrer völkerrechtlichen Pflicht zur Rücknahme ihrer Staatsangehörigen. Dadurch verlängerte sich oft die Abschiebehaft.

**Schutzbestimmungen:** Sachsen-Anhalt verfügte im Februar 1995 als erstes Bundesland einen Abschiebestopp für Opfer von Frauenhandel und Zwangsprostitution. Betroffenen, denen bei Rückführung in ihre Heimatländer Gewalthandlungen drohen, wird künftig die Duldung ausgesprochen.

### Abschiebung: Glossar

**Abschiebehaft:** Nach § 57 des Ausländergesetzes können Ausländer zur Vorbereitung und Sicherung ihrer A. in Haft genommen werden, wenn der Verdacht besteht, daß sie sich der A. entziehen wollen. Abschiebehaft kann nur auf richterliche Anordnung und für begrenzte Zeit verhängt werden.

**Abschiebestopp:** Die obersten Landesbehörden können nach § 54 des Ausländergesetzes aus völkerrechtlichen oder humanitären Gründen die A. von Ausländern für maximal sechs Monate aussetzen. Soll die A. über einen längeren Zeitraum ausgesetzt werden, bedarf es der Zustimmung des Bundesinnenministeriums.

**Sicherungshaft:** Form der Abschiebehaft (Dauer: maximal sechs Monate) für Ausländer, die sich illegal in Deutschland aufhalten. Verhindert ein Ausländer seine A. (z. B. durch Vernichtung seiner Ausweispapiere), kann die Sicherungshaft um bis zu zwölf Monate verlängert werden.

**Vorbereitungshaft:** Form der Abschiebehaft. Sie trifft insbes. ausländische Straftäter, die ihr Bleiberecht verwirkt haben, und ist auf sechs Wochen begrenzt.

13

Aus Hessen dürfen seit August 1994 unbegleitete minderjährige Flüchtlinge nicht mehr abgeschoben werden, wenn ihre Betreuung in ihrer Heimat nicht gesichert ist.

**Kurden:** Bundesinnenminister Manfred Kanther (CDU) stimmte im Dezember 1994 einem von den Bundesländern beschlossenen Abschiebestopp für Kurden aus der Türkei zu (bis Juni 1995). Grund war die Verurteilung von acht kurdischen Abgeordneten in Ankara/Türkei zu langjährigen Haftstrafen wegen angeblicher Aktivitäten für die verbotene Kurdische Arbeiterpartei PKK. Gegen den Willen des Bundesinnenministers verfügte das von einer Koalition aus SPD und Bündnis 90/Grüne geführte Hessen als einziges Bundesland im Juni 1995 einen erneuten sechsmonatigen Abschiebestopp, obwohl der Hessische Verwaltungsgerichtshof (VGH) bereits im März 1995 eine Verlängerung ohne Zustimmung des Bundesinnenministeriums für rechtswidrig erklärt hatte.

→ Asylbewerber → Ausländer → Illegale Einwanderung → Kirchenasyl → Kurden → Vietnamesen

| Abschiebung: Bundesländer 1994 | | |
|---|---|---|
| **Bundesland** | **Abschiebungen** | **Aufnahmequoten (%)[1]** |
| Baden-Württ. | 4674 | 12,2 |
| Bayern | 2779 | 14,0 |
| Berlin | 1302 | 2,2 |
| Brandenburg | 2987 | 3,5 |
| Bremen | 503 | 1,0 |
| Hamburg | 1901 | 2,6 |
| Hessen | 1491 | 7,4 |
| Mecklenburg-V. | 998 | 2,7 |
| Niedersachsen | 3042 | 9,3 |
| Nordrhein-Westf. | 5664 | 22,4 |
| Rheinland-Pfalz | 513 | 4,7 |
| Saarland | 514 | 1,4 |
| Sachsen | 2854 | 6,5 |
| Sachsen-Anhalt | 860 | 4,0 |
| Schleswig-Holst. | 773 | 2,8 |
| Thüringen | 908 | 3,3 |

1) Quoten für die Aufnahme von Asylbewerbern gemäß § 45 Asylverfahrensgesetz; Quelle: Bundesinnenministerium

## Abtreibungspille

(RU 486), Präparat zum medikamentösen Schwangerschaftsabbruch als Alternative zur operativen Abtreibung (Absaugen, Ausschaben). Die A. wird in China, Frankreich, Großbritannien und Schweden bis zum 42. Tag (in Großbritannien bis zum 63.) nach der Befruchtung der Eizelle eingesetzt und bewirkt innerhalb von 48 Stunden eine Fehlgeburt. 1994 begannen auf Druck der Regierung in den USA die für die Zulassung der A. erforderlichen klinischen Tests. In Deutschland war sie weiterhin umstritten. Der Hersteller, die Hoechst-Gruppe, weigerte sich aus Angst vor Boykotts von Abtreibungsgegnern, die Zulassung zu beantragen.

**Wirkung:** Die A. blockiert das Schwangerschaftshormon Progesteron, so daß die befruchtete Eizelle sich nicht in der Gebärmutter einnisten kann. Ein 48 Stunden später als Tablette verabreichtes Wehenmittel verursacht die Abstoßung der Eizelle. Nur in Ausnahmen kommt es zu starken Blutungen.

**Anwendungsbereiche:** 1994 wurden weitere Wirkungen der A. entdeckt. Chilenische Forscher fanden heraus, daß der Wirkstoff der A., täglich in geringer Dosis verabreicht, auch als Verhütungsmittel erfolgreich ist. In Schottland verhinderte die A. bei 800 Frauen nach ungeschütztem Geschlechtsverkehr die Einnistung von befruchteten Eizellen und damit eine Schwangerschaft („Pille danach"). Mediziner in Hamburg entdeckten positive Effekte der A. und eines ähnlichen Stoffes (Onapriston) bei der Krebsbehandlung. Als Nebenwirkung löste die A., deren Langzeitwirkung nicht erforscht war, Schlafstörungen aus.

**Diskussion:** Abtreibungsgegner forderten das Verbot der A., weil sie befürchteten, daß die A. Verhütungsmittel ersetzen und die Zahl der ungewollten Schwangerschaften und Abbrüche erhöhen könnte. Befürworter forderten, Frauen alle Möglichkeiten für einen Abbruch zugänglich zu machen.

→ Schwangerschaftsabbruch

## Afrikanische Entwicklungsbank

**Abkürzung** AfDB (African Development Bank, engl.)

**Sitz** Abijan/Côte d'Ivoire

**Gründung** 1963

**Mitglieder** 52 afrikanische und 24 nicht-afrikanische Staaten

**Präsident** Babacar N'Diaye/Senegal, 1992–1995 (Kandidaten für Neuwahl im August 1995: Timothy Thahane/Lesotho und Omar Kabbaj/Marokko)

**Funktion** Entwicklungshilfe in Afrika

## Agrarpolitik

Im Juni 1995 einigten sich die Land-wirtschaftsminister der EU, Bauern aus sog. Hartwährungsländern weiterhin gegen Verluste abzusichern, die sich bei der Umrechnung von in ECU festge-setzten Garantiepreisen für Agrarpro-dukte in nationale Währungen ergeben. Die Umrechnungskurse für Beihilfen an Landwirte wurden eingefroren, ihr Wert blieb damit stabil. Finanzhilfen sollen Flächenstillegungen sowie Preis-senkungen für Getreide, Rindfleisch und andere Produkte ausgleichen, die von der EU in der Agrarreform von 1993 beschlossen wurden. Der ECU war gegenüber der DM von Dezember 1994 bis Juni 1995 von 1,905 DM auf 1,866 DM gefallen.

**EU-Vorschlag:** Die EU-Kommission konnte sich mit einem Plan von Anfang 1995 nicht durchsetzen, nach dem Währungsverluste nur teilweise ersetzt werden sollten. Die Umsetzung dieses EU-Vorschlags hätte aufgrund des hohen Kurses der Währungen für deut-sche Landwirte, aber auch für Bauern in den Beneluxländern, Dänemark und Österreich finanzielle Verluste bedeu-tet. Die EU-Kommission begründete die Pläne mit Zusatzkosten für ihren Haushalt von rd. 1,9 Mrd DM 1995, die bei währungsangepaßten Ausgleichs-zahlungen entstehen würden. Der Deut-sche Bauernverband lehnte den EU-Vorschlag ab, weil den 593 000 land-wirtschaftlichen Betrieben in Deutsch-land in dieser Zeit infolge des DM-

Kurses vor allem durch zurückgehende Exporteinnahmen Verluste in Höhe von etwa 1 Mrd DM entstanden waren. Der Milchpreis z. B. sank durch die DM-Aufwertung von Anfang bis Mitte 1995 von 0,62 DM auf 0,51 DM je l.

**Reformerfolge:** Die Agrarreform von 1993 bewirkte durch Flächenstillegun-gen und Reduzierung von Tierbestän-den den Abbau der durch die Über-schußproduktion entstandenen Lager-bestände an Lebensmitteln. Die Vorräte an Rindfleisch in der EU z. B. sanken von Ende 1992 bis Ende 1994 um rd. 900 000 t auf 120 000 t, für Mitte 1995 wurde der vollständige Abbau aller Rindfleisch-Lagerbestände erwartet.

**Subventionen:** Die EU wendet etwa 50% ihres Jahresetats für die A. auf (1994: 78,9 Mrd DM). Die EU-Kom-mission setzt jährlich Garantiepreise fest, die den Bauern auch bei mangeln-dem Absatz ihrer Produkte wegen des Überangebots Einnahmen sichern. Die Subventionierung gab jedoch neuen Produktionsanreiz. Da die Garantie-preise über Weltmarktniveau lagen, wurden Mitte der 90er Jahre jährlich rd. 19 Mrd DM Exportsubventionen gelei-

### Agrarpolitik: Struktur der EU-Landwirtschaft

| Land | Agrarfläche (1000 km²) | Betriebs-größe (ha)[1] | Arbeitskräfte-rückgang (%)[2] |
|---|---|---|---|
| Belgien | 14 | 14,8 | – 2,6 |
| Dänemark | 30 | 32,2 | – 2,0 |
| Deutschland | 171 | 16,8 | – 7,0 |
| Frankreich | 304 | 28,6 | – 3,4 |
| Griechenland | 57 | 4,0 | – 3,1 |
| Großbritannien | 178 | 64,4 | – 2,1 |
| Irland | 44 | 22,7 | – 5,0 |
| Italien | 172 | 5,6 | – 0,5 |
| Luxemburg | 1 | 30,2 | – 4,5 |
| Niederlande | 20 | 15,3 | – 2,6 |
| Portugal | 45 | 5,2 | 0,0 |
| Spanien | 264 | 13,8 | – 2,8 |
| EU | 1300 | 13,3 | – 2,5 |
| Neue Mitglieder ab 1995[3] | | | |
| Finnland | 26 | 12,8 | k. A. |
| Österreich | 35 | 13,2 | k. A. |
| Schweden | 34 | 29,0 | k. A. |

Stand: 1993; 1) Durchschnitt; 2) 1993/94 gegenüber Vorjahr; 3) Angaben für 1991/92; Quelle: Eurostat

stet, um Ausfuhren zu verbilligen. Importe aus Nicht-EU-Ländern wurden mengenmäßig beschränkt und mit Zöllen verteuert. Die EU hatte 1994 bei den GATT-Verhandlungen (sog. Uruguay-Runde) zugesichert, ihre Zölle um rd. ein Drittel abzubauen und ihre Exportsubventionen bis 2001 um 20% zu kürzen, um den Agrarweltmarkt zu liberalisieren.

**EU-Osterweiterung:** Nach Studien der EU-Kommission würde ein EU-Beitritt von Bulgarien, Polen, Rumänien, der Tschechischen Republik, der Slowakei und Ungarn im Agrarsektor Mehrkosten von rd. 71 Mrd DM verursachen, wenn das Preisstützungssystem auf diese Region ausgedehnt würde. Mitte der 90er Jahre profitierten die EU-Landwirte von den Märkten in Osteuropa: Die Exporte der EU in diese Region stiegen 1988–1993 um 257% auf 2,5 Mrd ECU (4,7 Mrd DM), während die Importe nur um 24% auf 2 Mrd ECU (3,7 Mrd DM) anwuchsen.

**Entwicklungsländer:** Die A. von EU, USA und Japan führte ab den 80er Jahren zu Überproduktion in diesen Ländern und zur Ausweitung des Hungers in der sog. Dritten Welt. Weltweit wären genügend Lebensmittel zur Ernährung aller Menschen vorhanden, die Überschüsse wurden jedoch vor allem in den Industriestaaten unter hohem Einsatz von Maschinen, Düngemitteln und Pestiziden erwirtschaftet. Die verbilligte Lieferung z. B. Getreide in Entwicklungsländer zerstört die Konkurrenzfähigkeit ihrer Landwirtschaft.

→ Entwicklungsländer → Europäische Union → Fischereistreit → Hunger → Landwirtschaft → Protektionismus → WTO

| Agrarpolitik: Größte Agrarhandelsnationen | | | |
|---|---|---|---|
| Land | Export (Mrd DM) | Land | Import (Mrd DM) |
| USA | 79,1 | Deutschland | 55,7 |
| Frankreich | 54,3 | Japan | 52,5 |
| Niederlande | 48,7 | USA | 47,6 |
| Deutschland | 34,1 | Frankreich | 35,8 |
| Belgien/Luxemburg | 22,9 | Großbritannien | 34,6 |

Stand: 1993; Quelle: FAO

## Aids

(Acquired immune deficiency syndrome, engl.; erworbenes Immunschwäche-Syndrom), nach Schätzungen der Weltgesundheitsorganisation (WHO, Genf) waren 1995 weltweit 18,5 Mio Menschen, davon 1,5 Mio Kinder, mit A. infiziert, 4,5 Mio waren erkrankt. Bis 2000 rechnete die WHO mit 40 Mio–50 Mio Infizierten und 10 Mio Erkrankten überwiegend in den Entwicklungsländern.

**Ausbreitung:** Am stärksten war Schwarzafrika betroffen, wo 1995 rd. 11 Mio Menschen A.-infiziert waren. In Asien vervielfachte sich die Zahl der Infizierten 1994 auf 3 Mio. Bis 2000 erwartete die WHO 10 Mio Infizierte, womit sich A. in Asien weltweit am schnellsten ausbreiten würde.

**Wirtschaftliche Konsequenzen:** Das BSP in Schwarzafrika wird sich nach einer Studie der Welternährungsorganisation (FAO, Rom) von 1994 infolge der A.-Epidemie bis zum Jahr 2000 halbieren. A. verursacht hohe Kosten im Gesundheitswesen und Arbeitsausfälle der Erkrankten. Kinder müssen erkrankte Eltern z. B. bei der Feldarbeit ersetzen, ihre Schulbildung leidet.

**Deutschland:** Anfang 1995 waren beim Robert-Koch-Institut (Berlin) 66 617 Infizierte gemeldet, 12 379 waren seit 1983 an A. erkrankt, davon 1211 Frauen, 7522 Menschen waren daran erkrankt. Die Zahl der Infizierten erhöhte sich jährlich um 2000–3000. 10% der Neuinfektionen wurden durch sog. Sextourismus verursacht, bei dem sich Bundesbürger über sexuelle Kontakte auf Urlaubsreisen nach Afrika und Asien ansteckten.

**Ansteckung:** A. wird durch Blut und Körperflüssigkeiten wie Sperma und Scheidenflüssigkeit übertragen. Etwa drei Viertel aller Infektionen sind auf heterosexuelle Kontakte zurückzuführen. Daneben wird A. bei homo- bzw. bisexuellen Kontakten und durch mit verseuchtem Blut verunreinigte Spritzen von Drogenabhängigen übertragen. Ein Infektionsrisiko besteht auch bei Bluttransfusionen und Organ- bzw. Gewebetransplantationen von infizierten Spendern.

**Ausbruch:** 1995 gelang es Wissenschaftlern vom Deutschen Krebsforschungszentrum (Heidelberg), den Mechanismus zu erklären, der A. bei Infizierten zum Ausbruch bringt. Verantwortlich dafür sind zwei von A.-Viren im Blut freigesetzte Virus-Eiweiße. Treffen die Eiweiße auf Zellen des Immunsystems, so erzeugen diese das sog. Fas-Protein, das in ihnen ein genetisches Selbstmordprogramm auslöst und zugleich umliegende Zellen zur Selbstzerstörung anregt. Die Zellen des Immunsystems sterben ab, auch ohne direkt mit HIV in Kontakt gekommen zu sein.

**Behandlung:** Am erfolgreichsten erwiesen sich Mitte der 90er Jahre Kombinationen aus zwei bis drei A.-Medikamenten. Infizierte wurden entweder nach Absinken der Zahl von Immunzellen (T-Helfer-Zellen) unter einen Minimalwert oder ab einer bestimmten Anzahl von A.-Viren im Blut (50 000–100 000/ml) mit virushemmenden Mitteln behandelt.

**Passive Immuntherapie:** Erfolge zeichneten sich 1994 bei der Behandlung mit der in den USA entwickelten passiven Immuntherapie (PIT) ab, bei der Patienten im fortgeschrittenen Stadium Blutplasma von Neuinfizierten injiziert wird, das kurz nach der Ansteckung eine große Zahl von Antikörpern gegen HIV enthält. Bei Studien in Frankreich und den USA 1995 waren die PIT-Patienten bei besserer Gesundheit als Vergleichspatienten.

**Impfung:** Während die USA im Juni 1994 die Versuche zur Erprobung von Impfstoffen gegen A. wegen Erfolglosigkeit einstellten und vorerst keine weiteren zulassen wollten, plante die WHO Impftests 1996 in Thailand und Brasilien. Die Entwicklung eines Impfstoffs, der vor der Infektion schützt, ist problematisch, weil die Virustypen HIV1 und 2 bis 1995 zahlreiche Untergruppen gebildet hatten. Ein Impfstoff muß gegen alle wirken.

**Forschung:** 1994/95 konzentrierte sich die Suche nach einem Impfstoff auf sog. Langzeitüberlebende, bei denen A. bis zu 15 Jahren nach der Infektion nicht ausgebrochen war. Bei einem von ihnen wurde eine veränderte Version des HIV entdeckt. Wenn dieses Virus den Ausbruch von A. verhindert, könnte es als Grundlage für einen Impfstoff dienen. Wissenschaftler des Paul-Ehrlich-Institut (Langen) fanden heraus, daß ein Zellhormon die Affenart Meerkatzen vor A. schützt. Die Forscher suchten nach dem Gen, das für die Produktion des Hormons verantwortlich ist, um es gentechnisch nachzubauen.

→ Blutpräparate

🔲 Deutsche Aids-Hilfe e. V., Postfach 61 01 49, 10921 Berlin

🔲 Deutsche Aids-Stiftung „Positiv leben", Pipinstr. 7, 50667 Köln

## AKP-Staaten

→ Lomé-Abkommen

## Aleviten

Im 13. Jh. aus dem schiitischen Islam hervorgegangene liberale Glaubensrichtung in der Türkei mit ca. 12 Mio Mitgliedern. Die A. werden von moslemischen Fundamentalisten, die einen islamischen Gottesstaat fordern, wegen ihres Glaubens und ihrer politischen Haltung verfolgt. Bei Auseinandersetzungen zwischen A. und Polizei in Istanbul im März 1995 kamen 23 Menschen ums Leben.

**Anschläge:** Die Unruhen wurden durch Anschläge von islamischen Fundamentalisten auf Treffpunkte der A. ausgelöst, bei denen zwei Menschen erschossen wurden. 1993 hatten Fundamentalisten einen Anschlag auf ein Hotel verübt, bei dem 37 A. starben.

**Glaube:** Die A. legen die Gebote des Islams weniger streng aus als die Sunniten (ca. 80% der Gläubigen in der Türkei). Die Frauen gelten als gleichberechtigt und verbergen ihr Haar nicht unter einem Schleier. Frauen und

### Aids: Tests mangelhaft

Neun von 18 angebotenen Tests für die Aidserkennung nahm ein Nachfolgeinstitut des Bundesgesundheitsamts, das Paul-Ehrlich-Institut (Langen), Ende 1994 vom Markt, weil sie sich als unzuverlässig erwiesen hatten. Sie zeigten z. B. Rheuma-Kranke fälschlich als positiv an und reagierten nicht auf neue Virusvarianten. Doch auch vier der verbliebenen Tests erkannten den 1995 erstmals in Deutschland aufgetauchten, aus Kamerun stammenden Virus-Subtyp 0 nicht.

Männer beten gemeinsam. Sie verzichten auf das fünfmalige tägliche Ritualgebet und den Fastenmonat Ramadan. Moslems anderer Glaubensrichtungen werfen den A. vor, mit ihrer Glaubenspraxis von den Regeln des Korans abzuweichen. In Deutschland lebten 1995 etwa 600 000 A.

**Minderheit:** Die alevitische Minderheit in der Türkei setzt sich für die von Staatsgründer Kemal Atatürk (1881–1938) eingeführte Trennung von Staat und Religion ein. Die A. kritisierten, daß Polizei und Behörden sie nicht vor Übergriffen fundamentalistischer und nationalistischer Kräfte schützten.
→ Islam

## Alkoholismus

Häufigste Suchtkrankheit in Deutschland. Die Deutsche Hauptstelle gegen die Suchtgefahren (DHS, Hamm) schätzte die Zahl der behandlungsbedürftigen Alkoholiker in Deutschland 1995 auf 2,5 Mio. Hinzu kommt eine schwer zu ermittelnde Dunkelziffer, da der Beginn der Abhängigkeit nicht exakt zu bestimmen ist. Ende 1995 soll in Deutschland erstmals ein Medikament, Acamprosat, angeboten werden, das Rückfälle von Alkoholikern nach dem Entzug verhindern soll. Bis 1995 wurden 80% der therapierten Alkoholiker innerhalb eines Jahres rückfällig.

**Konsum, Ursachen, Konsequenzen:** 1993 konsumierten die Bundesbürger mit 11,5 l reinen Alkohols pro Kopf 0,6 l weniger als 1992. 5–8% der Beschäftigten waren alkoholgefährdet oder abhängig, was u. a. auf Unter- bzw.

Überforderung, Belastungen wie Lärm und Hitze sowie schlechtes Betriebsklima zurückzuführen war. Wissenschaftlichen Studien von 1995 zufolge war jeder dritte Alkoholiker erblich vorbelastet. Wie in den Vorjahren starben etwa 40 000 Menschen an den Folgen ihres Alkoholmißbrauchs. Die volkswirtschaftlichen Schäden durch A. bezifferte die DHS auf 30 Mrd–80 Mrd DM pro Jahr.

**Acamprosat:** Das Medikament greift in den Hirnstoffwechsel ein und verhindert Erregungs- und Spannungszustände, die bei Alkoholikern auch nach dem Entzug das zwanghafte Verlangen nach Alkohol und somit den Rückfall auslösen. Studien ergaben 1994, daß der Anteil der Acamprosat-Patienten, die ein Jahr nach dem Entzug abstinent waren, mit 40% etwa doppelt so hoch war wie in einer Vergleichsgruppe. Nach dem Absetzen des Mittels traten keine Entzugserscheinungen auf, leichte Durchfälle wurden als Nebenwirkung festgestellt.

**Schäden:** A. schädigt nahezu alle menschlichen Organe und kann psychische Krankheiten verursachen. Er begünstigt Erkrankungen wie Krebs. Wenn Frauen täglich mehr als 20 g reinen Alkohols zu sich nehmen (etwa 0,5 l Bier und 0,2 l Wein) und Männer mehr als 60 g, ist mit gesundheitlichen Schäden zu rechnen. Jedes Jahr kommen in Deutschland rd. 2200 Kinder mit schwersten körperlichen und geistigen Behinderungen infolge des Alkoholkonsums der Mutter zur Welt.

## Allergie

Überempfindlichkeit des menschlichen Organismus gegenüber körperfremden Stoffen (Allergene). Zu den Stoffen, die am häufigsten eine A. auslösen, gehören Schimmelpilze, Lebensmittel, Haus- und Blütenstaub sowie Milben. 1995 litten nach Angaben des Deutschen Allergiker- und Asthmatikerbundes (DAAB, Mönchengladbach) rd. 30 Mio Deutsche an einer A. Etwa jeder fünfte Allergiker

**Alkoholismus: Getränkeverbrauch in Deutschland**

| Getränk | Verbrauch pro Kopf (l) | | | | | | |
|---------|------|------|------|------|------|------|------|
| | 1950 | 1960 | 1970 | 1980 | 1990 | 1992 | 1993 |
| Bier | 36,5 | 95,3 | 141,1 | 145,9 | 142,7 | 144,2 | 137,5 |
| Wein | 4,7[1] | 10,8[1] | 15,3 | 21,4 | 22,0 | 19,0 | 17,5 |
| Sekt | –[2] | –[2] | 1,9 | 4,4 | 5,1 | 5,0 | 5,1 |
| Spirituosen | 2,5 | 4,9 | 6,8 | 8,0 | 6,2 | 7,4 | 7,2 |
| Insgesamt | 42,8 | 111,0 | 165,1 | 179,7 | 176,0 | 175,6 | 167,3 |

1) Inkl. Schaumwein; 2) nicht gesondert erhoben; Quelle: Deutsche Hauptstelle gegen die Suchtgefahren (Hamm), Ifo-Institut (München)

leidet an Heuschnupfen, jeder zehnte an der Haut-A. Neurodermitis und jeder 20. an Bronchialasthma, an dem in Deutschland 1994 rd. 7000 Menschen starben.
**Ursachen:** 1995 gingen Forscher davon aus, daß A. nahezu zur Hälfte auf Vererbung zurückzuführen sind. Studien ergaben, daß der westliche Lebensstil A. begünstigt. In Westdeutschland waren doppelt so viele Menschen betroffen wie im Osten, besonders deutlich bei ab 1960 Geborenen. Mediziner führten dies auf die ab 1960 zunehmend bessere Isolierung der Wohnungen, die mit Teppich ausgelegt sind, und schlechte Belüftung zurück, wodurch sich Allergene wie Hausstaub ansammelten. Zudem sei das Immunsystem der Westdeutschen wegen größerer Hygiene nicht durch Infektionen und Parasitenbefall in der Kindheit trainiert worden, so daß eine Überreaktion auf das Allergen erfolgt. Bis dahin war Luftverschmutzung als Hauptursache angenommen worden.
**Arbeitsplatz:** 1994 nahmen die Berufs-A. nach der Lärmschwerhörigkeit den zweiten Platz auf der Liste anerkannter Berufskrankheiten ein. Jährlich müssen rd. 9000 Friseure ihren Beruf wegen einer A. aufgeben. 600 bis 800 Bäcker erkranken durch Mehlstaub an Asthma. Ärzte leiden an A. gegen Desinfektionsmittel und Latex, ausgelöst von Substanzen zum Desinfizieren der Operationssäle bzw. in Operationshandschuhen. Berufsgenossenschaften zahlten 1993 rd. 305 Mio DM für Umschulungen, Entschädigungen usw. von Arbeitnehmern mit A.
**Lebensmittel:** In Deutschland reagierten 1995 rd. 6 Mio Menschen allergisch auf Lebensmittelbestandteile wie Kuhmilch und Hühnereiweiß. Der DAAB forderte, daß Einzelteile präziser angegeben werden müssen. Zusammengesetzte Zutaten mußten 1995 nicht aufgeschlüsselt werden, wenn sie weniger als 25% am Produkt ausmachten. Ein Allergen kann bei Nahrungsmittelallergikern im Extremfall zum Tod führen.

**Behandlung oft unsachgemäß:** Der Allergologenverband wies 1995 darauf hin, daß A.-Patienten gefährdet seien, weil sie zunehmend von Hausärzten behandelt und bei unsachgemäßen A.-Tests ernstzunehmenden Risiken ausgesetzt würden. Weder die Stoffe für A.-Tests noch die Allergene, die bei der sog. Immuntherapie (auch Hyposensibilisierung) in steigenden Dosen injiziert werden, bis der Körper den Stoff toleriert, unterliegen einer Zulassungspflicht oder Kontrolle. In Deutschland darf jeder Arzt A. therapieren, die einjährige Zusatzausbildung zum Allergologen ist keine Pflicht. In den 80er Jahren wurden in Europa 22 Todesfälle, in Deutschland 16, durch Hausstaub-Allergen-Extrakte bei der Immuntherapie registriert.

ℹ️ Deutscher Allergiker- und Asthmatikerbund e. V., Hindenburgstr. 110, 41061 Mönchengladbach

## Alpen

Die Funktion der A. als Trinkwasserspeicher, Klimaregulator und Erholungsgebiet war Mitte der 90er Jahre durch Luftverschmutzung, Waldsterben, Bodenerosion und Massentourismus bedroht. Im Dezember 1994 unterzeichneten die A.-Länder Deutschland, Frankreich, Italien, Liechtenstein, Österreich, Schweiz und Slowenien sowie die EU Protokolle zur A.-Konvention von 1991, in der sie sich zu einer grenzüberschreitenden Zusammenarbeit verpflichtet hatten. Die Konvention trat am 5. 3. 1995 in Kraft und verfolgt das Ziel, den Lebens-, Wirtschafts-, Kultur- und Erholungsraum A. zu schützen und im Interesse der ansässigen Bevölkerung zu erhalten.
Umweltschutzorganisationen betrachten die A. als ein stark gefährdetes Ökosystem. Anzeichen seien die Schädigung der Bergwälder durch Luftschadstoffe aus Verkehr und Industrie sowie durch den Massentourismus und die zunehmende Lawinengefahr.
→ Luftverschmutzung → Waldsterben

## Alpentransit

Der Anteil des Bahntransports im A. sank 1991–1993 von 41% auf 36%. Lärm und Abgase des LKW-Verkehrs belasteten die Umwelt. 1995 plante die Schweiz Gebühren für die 350 000 LKW, die jährlich ihre Hauptalpenpässe befahren. Für Lastwagen über 28 t bleibt ein Fahrverbot bestehen.

**Schweiz:** Die Gebühr soll die Straßennutzung für in- und ausländische Lastwagen verteuern, so daß der Bahntransport von LKW und Gütern konkurrenzfähig wird. In der Schweiz ist die Beförderung von Transitgütern auf Straßen ab 2004 verboten. Der Alpenstaat muß laut einem Abkommen mit der EU von 1993 ihre Kapazität für den Kombinierten Verkehr zwischen Straße und Schiene bis 2003 verdreifachen.

**NEAT:** Die Schweiz will Neue Eisenbahn-Alpentransversalen (NEAT) mit Tunneln unter dem Gotthard (Länge: ca. 57 km) und dem Lötschberg (Länge: ca. 28 km) bis 2006 fertigstellen. Die Kosten für die Projekte belaufen sich auf 15 Mrd–30 Mrd sfr (18 Mrd–36 Mrd DM).

**Österreich:** Ein Vertrag zwischen Österreich und der EU von 1993 zur Begrenzung des Güterverkehrs sieht die Senkung des vom A. ausgehenden Schadstoffausstoßes bis 2004 um 60% vor. EU-Mitglieder bekommen jährlich Transitgenehmigungen für 1,3 Mio LKW. Am A. interessierte Speditionen erhalten sog. Ökopunkte. Für jede Fahrt werden Punkte abgezogen, deren Anzahl sich nach dem Schadstoffausstoß bemißt. Österreich muß im Gegenzug bis 1996 ca. 6 Mrd DM in den Ausbau des Kombinierten Verkehr investieren.

**Brenner:** Der größte Teil des A. durch Österreich (75%) läuft über die Brenner-Autobahn. Ein Tunnel zwischen Innsbruck und Franzensfeste/Italien (Länge: 55 km, Kosten: 12 Mrd DM, Fertigstellung: 2005) soll Österreich mit Italien verbinden.

→ Kombinierter Verkehr

## Alter

1994 waren in Deutschland 16,4 Mio Menschen (20% der Bevölkerung) über 60 Jahre alt. Bis 2030 wird ihr Anteil auf ein Drittel ansteigen. Die durchschnittliche Lebenserwartung betrug 1994 für Männer 73 Jahre, für Frauen 79 Jahre (weltweit 1992: 64 bzw. 68 Jahre). Die Zahl der Hochbetagten mit 90 Jahren und älter ist von 20 000 im Jahr 1950 auf etwa 339 000 Bundesbürger 1993 gestiegen. Im Jahr 2010 wird es 458 000 Hochbetagte geben.

**Rentenversicherung:** Der zunehmende Anteil von älteren Menschen an der Bevölkerung stellt nach Ansicht von Politikern und Wissenschaftlern die sozialen Sicherungssysteme auf eine Bewährungsprobe. Versorgten 1993 in Deutschland 100 Erwerbstätige mit ihren Beiträgen zur Rentenversicherung rd. 35 Ruheständler, wird 2030 das Verhältnis 100 : 61 betragen. Während 1965 in den Industrieländern rd. 80% der 60–65jährigen einer Beschäftigung nachgingen, waren es 1994 in Österreich nur noch 13%, in Finnland 24% und in Deutschland 35%.

**Pflege:** 1994 waren rd. 63% der 800 000 in Alteneinrichtungen lebenden Menschen pflegebedürftig. Durch die Veränderung der Bevölkerungsstruktur wird sich das Verhältnis zwischen Leistungszahlern und -empfängern in der Pflegeversicherung verschieben, so daß Experten langfristig mit steigenden Beiträgen rechnen.

| Alpentransit: Alte und geplante Tunnel im Vergleich | | |
|---|---|---|
| Merkmal | Gotthard | Lötschberg |
| **Alte Tunnel 1993** | | |
| Güterzüge/Tag[1] | 120 | 36 |
| Güter (Mio t) | 13,3 | 4,5 |
| Fahrgäste (Mio) | 5,0 | 2,0 |
| **Neue Tunnel 2020** | | |
| Inbetriebnahme (Jahr) | 2006 | 2004 |
| Güterzüge/Tag[1] | 300 | 104 |
| Güter (Mio t) | 50,0 | 19,0 |
| Fahrgäste (Mio) | 11,0 | 2,7 |

1) Lötschberg inkl. Simplon; Quelle: NZZ, 3. 2. 1995

## Alter: Bevölkerungsaufbau in Deutschland

| 1900 | 1992 | 2030¹⁾ |

(Bevölkerungspyramiden für 1900, 1992 und 2030 mit Altersgruppen; x-Achse: Männer (in 1000) links, Frauen (in 1000) rechts, Skala 4000 3000 2000 1000 0 1000 2000 3000 4000)

1) Prognose; Quelle: Statistisches Bundesamt

© Harenberg

**Kaufkraft:** Das Geldvermögen der über 60jährigen wurde 1994 in Deutschland auf 650 Mrd DM geschätzt, das Immobilienvermögen auf 760 Mrd DM. Bis 2005 soll ihr Gesamtvermögen auf rd. 3000 Mrd DM ansteigen. Mit einem frei verfügbaren Einkommen von 15 Mrd DM im Monat besaß die Altersgruppe rd. 30% mehr Kaufkraft als die 14–19jährigen. Gleichzeitig waren 1994 viele Rentner, besonders Frauen, auf Sozialhilfe angewiesen. 57% der Frauen bezogen eine monatliche Rente, die unter 1200 DM lag (Männer: 24%). → Bevölkerungsentwicklung → Pflegeversicherung → Rentenversicherung

## Alter: Fernsehvorlieben

| Sender | Zuschauerbeteiligung (%) 50–64 Jahre | ab 65 Jahre |
|--------|------|------|
| ARD | 18,2 | 20,4 |
| ZDF | 18,8 | 26,6 |
| RTL | 16,2 | 14,5 |
| SAT.1 | 16,1 | 14,5 |
| PRO 7 | 5,8 | 2,7 |

Stand: 1994; Quelle: media control

## Alterspille

Hormonähnlicher Stoff (Dehydroepiandrosteron, DHEA), der bei alten Menschen einen jugendlicheren Zustand des Körpers, der Psyche und des Geistes wiederherstellen kann. 1994/95 bestätigten Ergebnisse von Forschungsreihen mit DHEA in den USA und Frankreich diese Wirkung. Der Entdecker des Stoffes, Etienne Emile Baulieu, der mit RU 486 eine Pille zum medikamentösen Schwangerschaftsabbruch entwickelt hatte, wies 1995 darauf hin, daß die A. das genetische Höchstalter von rd. 120 Jahren nicht verlängern könne.

**DHEAS:** Baulieu hatte in den 60er Jahren eine Variante des Stoffes, DHEAS, entdeckt, das von den Nebennieren erzeugt wird und im Blut nachweisbar ist. DHEAS ist beim Embryo im Mutterleib und dann erst wieder beim siebenjährigen Kind vorhanden. Seine Konzentration steigt bis zum Alter von etwa 25 Jahren stetig an und sinkt danach. Ein 70jähriger Mensch weist

## Alter: Kaufkraft

| Altersgruppe | Einkommen (DM)¹⁾ |
|--------------|------------------|
| 14–19 | 283 |
| 20–29 | 578 |
| 30–39 | 603 |
| 40–49 | 616 |
| 50–59 | 600 |
| 60–69 | 639 |
| 70 u. älter | 588 |

Stand: 1993; 1) monatlich verfügbares Pro-Kopf-Einkommen; Quelle: Allensbacher Werbeträger-Analyse

21

lediglich 10% der Konzentration eines 25jährigen auf. Der Alterszustand eines Menschen läßt sich an seinem DHEAS-Spiegel ablesen. Baulieu vermutete 1995, daß DHEAS individuell das Hormon DHEA im Körper freisetzt.

**Jugendlicheres Alter:** Bei Testreihen bestätigten ältere Personen nach DHEAS-Gaben, daß sie sich aktiver, stärker und nicht mehr depressiv fühlten. Sie waren zufriedener mit ihren geistigen Leistungen. Die im Alter nachlassende Libido wurde nicht gesteigert.

**Krankheitsbekämpfung:** Mit dem Aidsvirus Infizierte und an Krebs Erkrankte wiesen einen besonders niedrigen DHEAS-Wert auf. Forscher hofften 1995, mit DHEAS-Gaben das Immunsystem dieser Patienten stärken und so die Krankheiten indirekt bekämpfen zu können.

## Altlasten

Ablagerungen von Abfällen und kontaminierte Industriestandorte, von denen eine Bedrohung der menschlichen Gesundheit und der Umwelt ausgeht. Die Schadstoffe aus A. tragen zur Boden- und Luftverschmutzung sowie Trinkwasserverunreinigung bei. Der Sachverständigenrat für Umweltfragen empfahl Anfang 1995, ein bundesweites A.-Kataster aufzubauen, um einheitliche Kriterien für die Bewertung der Gefahren durch Schadstoffe und für die Sanierung zu erhalten.

1995 gab es im Bundesgebiet rd. 130 000 Verdachtsflächen, davon ca. 60 000 in den neuen Bundesländern. Es wird angenommen, daß die tatsächliche Zahl höher liegt. Bei den Verdachtsflächen handelte es sich vor allem um wilde Müllkippen, veraltete Industrieanlagen und frühere Braunkohletagebaustätten. Die Kosten für die Sanierung der A. veranschlagte das Umweltbundesamt auf rd. 390 Mrd DM.

→ Bodenverschmutzung → Rüstungsmüll → Trinkwasserverunreinigung

### Altlasten: Bundesländer

| Bundesland | Verdachtsflächen | |
|---|---|---|
| | erfaßt | geschätzt |
| Baden-Württemb. | 6 960 | 35 000 |
| Bayern | 4 939 | k. A. |
| Berlin | 4 988 | 5 290 |
| Brandenburg | 13 565 | 15 000 |
| Bremen | 4 289 | 4 290 |
| Hamburg | 604 | 2 600 |
| Hessen | 3 400 | 13 400 |
| Mecklenb.-Vorp. | 11 958 | k. A. |
| Niedersachsen | 7 488 | 57 550 |
| Nordrhein-Westf. | 18 196 | k. A. |
| Rheinland-Pfalz | 14 760 | k. A. |
| Saarland | 1 700 | 4 250 |
| Sachsen | 18 642 | 22 000 |
| Sachsen-Anhalt | 14 953 | 17 000 |
| Schleswig-Holst. | 6 693 | k. A. |
| Thüringen | 5 587 | 12 000 |
| Insgesamt | 138 722 | 244 926 |

Stand: 31. 12. 1993; Quelle: Bundesumweltministerium

## Alzheimer-Krankheit

Schleichender Abbau von Gehirnsubstanz. Die A. tritt i. d. R. nach dem 60.–70. Lebensjahr auf, die vermutlich ererbte A. (rd. 5–10% der Fälle) nach dem 40. Lebensjahr. Die Krankheit macht sich durch Nachlassen des Gedächtnisses bemerkbar, es folgen Störungen des Denkvermögens, der Orientierungsfähigkeit und der Sprache. Im fortgeschrittenen Stadium wird der Kranke bettlägrig. Die A. mündet in eine allgemeine Geistesverwirrung und führt bei ererbter A. nach durchschnittlich sieben, sonst nach rd. elf Jahren zum Tod.

**Erkrankte:** 1995 litten rd. 800 000 Deutsche an der nach dem Neurologen Alois Alzheimer (1864–1905) benannten Krankheit, bis 2010 wird die Zahl infolge der zunehmenden Zahl alter Menschen um rd. 30% steigen. Die Pflegekosten wurden jährlich auf 20 Mrd DM geschätzt.

**Ursachen:** Die Ursachen der A. waren 1995 ungeklärt. Ererbte A. wurde auf Auffälligkeiten auf den Chromosomen 14, 19 und 21 zurückgeführt. Ablagerungen im Gehirn, die bis 1994 für die Symptome der A. verantwortlich gemacht wurden, kommen auch im Gehirn gesunder Menschen vor. Wissenschaftler gingen 1995 davon aus, daß das Absterben von Kontaktstellen zwischen den Nervenzellen im Gehirn (sog. Synapsen) Ursache der A. ist. Die Forschung konzentrierte sich auf die Untersuchung, welche Faktoren den Verlust der Synapsen herbeiführen.

**Test:** Mediziner aus Boston/USA entdeckten Ende 1994, daß sich die A. frühzeitig anhand ein kostengünstigen Augentests erkennen läßt. Bis dahin konnte die A. definitiv nur anhand von Gewebeproben diagnostiziert werden.

**Medikament:** Der Hersteller des einzigen Arzneimittels gegen die A., Tacrine, das in den USA 1993 zugelassen worden war, beantragte Mitte 1995 die europaweite Zulassung. Das Mittel kann die A. nicht heilen, bremst aber ihr Fortschreiten.

**Tierversuche:** 1995 gelang Pharmafirmen in San Francisco und Indianapolis (beide USA), die A. gentechnisch auf Mäuse zu übertragen. Die Nagetiere zeigten krankhafte Hirnveränderungen, die denen von A.-Patienten glichen. Damit war es erstmals möglich, die Wirksamkeit von Medikamenten im Tierversuch zu prüfen.

## Amalgam

Vor allem als Zahnfüllung verwendete grauschwarze Legierung von Quecksilber mit Anteilen an Silber, Kupfer, Zink und Zinn. Das giftige Metall Quecksilber lagert sich z. T. im Körper ab und steht im Verdacht, Kopf- und Magenbeschwerden sowie Nierenschäden zu verursachen. Das Institut für Arzneimittelsicherheit (BfArM, Berlin), Nachfolgebehörde des Bundesgesundheitsamtes, schränkte den Gebrauch von A. zum 1. 7. 1995 weiter ein. Das Material soll bei Frauen im gebärfähigen Alter, insbes. aber während Schwangerschaft und Stillzeit, nicht mehr verwendet werden.

**Anwendung:** Bereits seit 1992 soll A. lediglich bei Backenzähnen eingesetzt werden, für die es keine gleichwertige Alternativfüllung gibt. Bei Schwangeren und Kindern unter drei Jahren sollte es nicht verwendet werden. Mit der Einschränkung reagierte das BfArM auf Untersuchungen der Universität München, die 1993 gezeigt hatten, daß Quecksilber über die Plazenta auf Embryos übertragen wird. Es war nicht erwiesen, ob das Schwermetall den Fötus schädigt.

**Quecksilberaufnahme:** Ein gesundheitliches Risiko besteht lt. BfArM nicht, solange das Quecksilber in A.-Füllungen gebunden ist. Kleine Mengen des Schwermetalls werden jedoch beim Kauen, Zähneknirschen und -putzen freigesetzt.

**Gegner und Befürworter:** Selbsthilfeorganisationen von Menschen, die ihre Leiden auf A. zurückführen, Verbraucherinitiativen und naturheilkundlich tätige Zahnärzte forderten ein Verbot von A. Andere Zahnärzte wiesen darauf hin, daß es keinen vergleichbaren Ersatzstoff gebe. Unverträglichkeiten seien nicht erwiesen, mit Ausnahme der selten auftretenden Quecksilberallergie.

**Ersatzstoff:** Wissenschaftler des Fraunhofer-Instituts für Silicatforschung (Würzburg) entwickelten Ende 1994 einen Ersatzstoff für A., Ormocer. Das Material soll alle positiven Eigenschaften von A. haben wie gute Formbarkeit und Belastbarkeit sowie ungiftig sein. Die Substanz härtet unter Lichteinwirkung aus.

## Amnestie

Strafbefreiung, die sich im Unterschied zur Begnadigung auf eine unbestimmte Zahl rechtskräftig verurteilter Täter bezieht. Die A. führt zur Einstellung der betroffenen Strafverfahren, Urteile werden nicht vollstreckt. Die im Bundestag vertretenen Parteien erwogen, zum fünften Jahrestag der deutschen Einheit am 3. 10. 1995 eine A. für in der DDR begangene politi-

| Analphabetismus: Höchste Raten | |
|---|---|
| Land | Analphabetenrate (%) |
| Burkina Faso | 80 |
| Sierra Leone | 76 |
| Benin | 75 |
| Guinea | 73 |
| Nepal | 73 |
| Somalia | 73 |
| Sudan | 72 |
| Gambia | 70 |
| Niger | 69 |
| Afghanistan | 68 |

Stand 1992; Quelle: UNDP

sche Vergehen zu erlassen (Ausnahme: schwere Straftaten wie Tötungsdelikte). Eine A. würde vor allem den mittelschweren Fällen zugute kommen. Ende 1995 laufen die Verjährungsfristen für minderschwere DDR-Straftaten (z. B. Hausfriedensbruch durch die Stasi) ab, mittelschwere Fälle (Freiheitsstrafe zwischen einem und fünf Jahren) verjähren Ende 1997. Bürgerrechtler lehnten eine A. ab, von der vor allem Stasi-Mitarbeiter profitieren würden.

Brandenburgs Justizminister Hans Otto Bräutigam (parteilos) befürwortete im März 1995 ein A.-Gesetz für Wahlfälschung, Verletzung des Post- und Fernmeldegeheimnisses sowie Rechtsbeugung. Fälle von Menschenrechtsverletzungen sollten dabei ausgenommen werden. Der Präsident des Bundesgerichtshofes (Karlsruhe), Walter Odersky, sprach sich für eine Teil-A. aus, um die Vereinigung Deutschlands im Innern zu erleichtern und Rechtsfrieden zu schaffen.

→ Rechtsbeugung → Regierungskriminalität → Spionage-Urteil

## Amnesty International

→ Menschenrechte

## Analphabetismus

Fehlende oder unzureichende Lese- und Schreibkenntnisse bei Erwachsenen. Mitte der 90er Jahre schätzte die UNO-Organisation für Erziehung, Wissenschaft und Kultur (UNESCO, Paris) die Zahl der Analphabeten weltweit auf rd. 1 Mrd. 95% davon lebten in Entwicklungsländern, rd. 80% in zehn Staaten. Weltweit konnte etwa jede dritte Frau und jeder fünfte Mann nicht lesen und schreiben.

**Entwicklungsländer:** A. und Armut bilden einen Teufelskreis, dem viele Menschen in der sog. Dritten Welt nicht entrinnen können. Geringe Bildungsausgaben führen zum Mangel an Lehrern und Schulen, durch die schlechte Ausbildung sinkt die Chance der Kinder auf Arbeit. Nach Angaben der Weltbank führten in den afrikanischen Ländern Mitte der 90er Jahre 76% der Kinder ihre Schulausbildung nicht zu Ende, da sie aufgrund der Armut zum Lebensunterhalt der Familie beitragen mußten. Etwa 130 Mio Kinder im Grundschulalter, davon zwei Drittel Mädchen, besuchten nach Schätzungen von UNESCO keine Schule.

**Deutschland:** Mitte der 90er Jahre wurde die Zahl der sog. funktionalen Analphabeten, die zwar über Grundkenntnisse in Lesen und Schreiben verfügen, den Erfordernissen des Alltags aber nicht gewachsen sind, in Europa auf 30 Mio geschätzt, davon 3 Mio–4 Mio in Deutschland. Zwischen Anfang der 80er und Mitte der 90er Jahre gab die Bundesregierung 8,5 Mio DM für die Erforschung des A. und Alphabetisierungskurse aus, an denen 1994 etwa 15 000 Menschen teilnahmen. Ende 1993 schlossen sich 65 Organisationen, darunter die Stiftung Lesen (Mainz) und der Deutsche Volkshochschulverband (Bonn), zur Bundesarbeitsgemeinschaft Alphabetisierung zusammen. Die Arbeitsgruppe will die Maßnahmen gegen A. koordinieren und für Kurse werben.

→ Armut → Entwicklungsländer

## Analphabetismus: Geringste Schulbesuchsdauer

| Rang | Land | Durchschnittl. Schulbesuch (Jahre) | | |
|---|---|---|---|---|
| | | Gesamt | Jungen | Mädchen |
| 1 | Burkina Faso | 0,2 | 0,3 | 0,2 |
| 2 | Niger | 0,2 | 0,4 | 0,2 |
| 3 | Bhutan | 0,3 | 0,5 | 0,2 |
| 3 | Somalia | 0,3 | 0,5 | 0,2 |
| 3 | Tschad | 0,3 | 0,5 | 0,2 |
| 6 | Guinea-Bissau | 0,4 | 0,7 | 0,1 |
| 6 | Mali | 0,4 | 0,7 | 0,1 |
| 6 | Mauretanien | 0,4 | 0,7 | 0,1 |
| 9 | Burundi | 0,4 | 0,7 | 0,3 |
| 10 | Gambia | 0,6 | 0,9 | 0,2 |
| 11 | Benin | 0,7 | 1,1 | 0,3 |
| 12 | Sudan | 0,8 | 1,0 | 0,5 |
| 13 | Äquatorial-Guinea | 0,8 | 1,3 | 0,3 |
| 14 | Sierra Leone | 0,9 | 1,4 | 0,4 |
| 15 | Jemen | 0,9 | 1,5 | 0,2 |

Stand: 1992; Quelle: UNDP

## ANC

(African National Congress, engl.; Afrikanischer Nationalkongreß), 1912 gegründete, Oppositionsbewegung der schwarzen Bevölkerungsmehrheit in Südafrika, die aus den ersten nichtrassistischen Wahlen vom April 1994 als politisch dominierende Kraft hervorging. Nelson Mandela, seit Mai 1994 erster schwarzer Staatspräsident Südafrikas, wurde im Dezember 1994 auf dem ersten Parteitag nach dem Wahlsieg als Präsident des ANC bestätigt.

**Parteitag:** Zum stellvertretenden Parteipräsidenten wählten die Delegierten Thabo Mbeki, der als möglicher Nachfolger von Mandela (*1918) gilt. Cyril Ramaphosa wurde als Generalsekretär im Amt bestätigt. Programmatisch unterstützte der Parteitag die gemäßigte Wirtschaftspolitik der größten Regierungspartei. Erstmals ließ der ANC, der in der Nationalversammlung 252 der 400 Sitze stellt, in einer Resolution die Privatisierung staatlicher Betriebe zu. Die Erlöse sollen zur staatlichen Schuldentilgung verwendet werden. Mandela kündigte eine Umstrukturierung des öffentlichen Dienstes, der Armee und der Polizei an. Ziel ist die stärkere Vertretung der farbigen Bevölkerungsmehrheit in der Beamtenschaft.

**Finanzkrise:** Ein Finanzbericht für 1994 weist 40 Mio Rand (17 Mio DM) Schulden aus dem Wahlkampf aus. Von seinen über 1 Mio Mitgliedern, die nur teilweise Beiträge entrichteten, konnte der ANC lediglich 700 000 Rand (300 000 DM) eintreiben.

**Skandale:** Im März 1995 entließ Mandela seine seit 1992 von ihm getrennt lebende Ehefrau Winnie als stellvertretende Ministerin für Kultur, Wissenschaft und Technologie. Die Vorsitzende des ANC-Frauenbunds, die auch Mitglied im Parteivorstand ist, hatte die Regierungspolitik als unsozial kritisiert. Außerdem wurde ihr vorgeworfen, die Miete für ein Privatflugzeug nicht bezahlt und Bestechungsgelder angenommen zu haben.

Eine Regierungskommission sprach im April 1995 den ANC-Politiker und ehemaligen Präsidenten des Weltbundes Reformierter Kirchen, Allan Boesak, vom Vorwurf frei, skandinavische Spendengelder veruntreut zu haben. Allerdings habe er die von ihm geleitete Stiftung für Frieden und Gerechtigkeit schlecht überwacht. Der Geistliche war nicht in der Lage, ausreichend Auskunft über den Verbleib von 1,3 Mio DM zu geben.

→ Inkatha

## Andenkrieg

Im Januar 1995 ausgebrochener militärischer Konflikt zwischen Peru und Ecuador um den gemeinsamen Grenzverlauf. Bis zum Waffenstillstand vom 28. 2. 1995 starben bei den Kämpfen etwa 200 Menschen. Ein Friedensabkommen sieht für Mitte 1995 die Schaffung einer entmilitarisierten Zone vor.

In dem umstrittenen Gebiet sind Erdölvorkommen bekannt. Das sog. Protokoll von Rio beendete 1942 einen Krieg zwischen beiden Staaten. Das Abkommen sprach Peru etwa 200 000 km$^2$ des ecuadorianischen Staatsgebietes zu, ließ aber einen 78 km langen Grenzabschnitt ohne Demarkation. Ein 430 km$^2$ großes Territorium wird seitdem von beiden Staaten beansprucht. Unter Vermittlung von Argentinien, Brasilien, Chile und der USA, der Garantiemächte des Rio-Protokolls, einigten sich Ecuador und Peru auf das Friedensabkommen, das u. a. die Entsendung von 40 internationalen Beobachtern vorsieht. Im Mai 1995 zogen Ecuador und Peru ihre Truppen ab.

## Antarktis

Dem A.-Vertrag von 1959 liegen die Grundprinzipien einer friedlichen Nutzung des Südpolargebietes, der Nichtnuklearisierung, der Forschungsfreiheit und der wissenschaftlichen Zusammenarbeit zugrunde. 1994 erarbeiteten die 40 Mitgliedstaaten des

**Thabo Mbeki**
*8. 6. 1942 in Idutywa. Der Wirtschaftswissenschaftler trat 1956 in die ANC-Jugendliga ein. 1975 wurde er ins Exekutivkomitee des ANC gewählt. 1993 übernahm er den ANC-Vorsitz. Im Dezember 1994 wurde Mbeki zum Vize-Parteipräsidenten gewählt.

**Antarktis: Sauberster See entdeckt**

Unter der rd. 4000 m mächtigen Eisdecke der zentralen Antarktis entdeckten Forscher Anfang 1995 in der Nähe der russischen Forschungsstation Wostok einen 550 m tiefen See. Messungen ergaben, daß er etwa ein Drittel so groß ist wie der Baikal-See, der tiefste Binnensee der Erde. Das Wasser des Sees dürfte das sauberste der Welt sein, wichtige Klimainformationen enthalten und Organismen außergewöhnliche Lebensbedingungen bieten.

## Antarktis: Erforschung

| Jahr | Ereignis |
|------|----------|
| 1772–75 | J. Cook überquert als erster den Südpolarkreis |
| 1819–21 | A.-Umsegelung einer russischen Expedition |
| 1839–43 | J. C. Ross entdeckt Victoria-Land und den Vulkan Erebus |
| 1898 | C. E. Borchgrevink erkundet das Ross-Schelfeis |
| 1900–10 | Diverse Expeditionen (u. a. E. Drygalski, O. Nordenskjöld) |
| 1909 | E. Shackleton findet den südlichen Magnetpol |
| 1911 | R. Amundsen erreicht als erster den geograph. Südpol |
| 1912 | R. F. Scott gelangt zum Südpol, stirbt auf dem Rückweg |
| 1928 | Die USA errichten eine Station an der Bay of Whales |
| 1929 | R. E. Byrd überfliegt als erster den Südpol |
| 1935 | L. Ellsworth gelingt A.-Überfliegung |
| ab 1944 | Zahlreiche Staaten gründen A.-Stationen |
| 1957/58 | V. Fuchs gelingt die erste Transantarktisexpedition |
| 1959 | Zwölf Staaten unterzeichnen den A.-Vertrag (D 1979) |
| 1981 | Die BRD errichtet eine Forschungsstation (DDR 1987) |
| 1989/90 | A. Fuchs und R. Messner durchqueren die A. zu Fuß |
| 1994 | Umweltschutzprotokoll zum Antarktis-Vertrag |

Das Umweltschutzprotokoll sieht u. a. ein völliges Verbot von Bergbau in der A. vor. Im Zusatzabkommen zum A.-Vertrag von 1991 war der Abbau von Bodenschätzen ab 1991 lediglich für 50 Jahre untersagt. In Deutschland wurde 1995 für alle Expeditionen und Reisen in die A. eine Genehmigungspflicht eingeführt.

Die Polarregion reagiert auf globale Veränderungen empfindlicher als andere Klimazonen. Jede Umweltveränderung kann das Ökosystem der A. stören. Wegen der niedrigen Temperaturen werden umweltgefährdende Stoffe wie z. B. FCKW nur langsam abgebaut. In der A. werden die Grundlagen für die Nahrungskette in den Ozeanen gebildet: Algen, kleine Krebse und Fische kommen in ungleich höherer Zahl als in anderen Meeren vor.

Vertrages ein Umweltschutzprotokoll zum A.-Vertrag, das die strengsten ökologischen Regelungen enthält, die jemals für eine Region in einem internationalen Abkommen festgelegt wurden. Es kann in Kraft treten, wenn es von 26 Staaten des A.-Vertrages ratifiziert wurde; Mitte 1995 hatten es 19 Staaten, inkl. Deutschland, ratifiziert.

## Antarktis

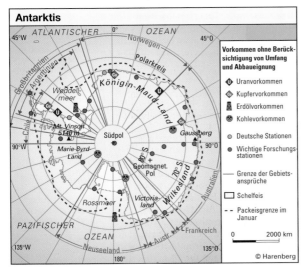

| Vorkommen ohne Berücksichtigung von Umfang und Abbaueignung | |
|---|---|
| ♦ | Uranvorkommen |
| ◈ | Kupfervorkommen |
| ● | Erdölvorkommen |
| ■ | Kohlevorkommen |
| ○ | Deutsche Stationen |
| ● | Wichtige Forschungsstationen |
| — | Grenze der Gebietsansprüche |
| ☐ | Schelfeis |
| - - | Packeisgrenze im Januar |

0    2000 km

© Harenberg

## Antibiotika

Von Mikroorganismen, vor allem von Schimmelpilzen, gebildete Stoffwechselprodukte und ihre chemischen Abwandlungsformen, die vermehrungshemmend oder abtötend auf Bakterien wirken. Mitte der 90er Jahre nahm nach Angaben der Weltgesundheitsorganisation (WHO, Genf) die Zahl der Bakterien, gegen die ein oder mehrere A. wirkungslos waren (sog. resistente Bakterien) weltweit schnell zu. Forscher trieben die Entwicklung natürlicher A. aus Substanzen, die Tiere und Menschen selbst bilden, voran, um wieder auftretende Infektionskrankheiten wie Tuberkulose, Diphtherie und Ruhr mit z. T. resistenten Bakterienstämmen bekämpfen zu können. Natürliche A. sollen unwirksam gewordene A. ersetzen.

**Wirkung und Resistenz:** A. können jeweils gegen einen oder als sog. Breitband-A. gegen mehrere Krankheitserreger verabreicht werden. Gegen Viren und Pilze sind sie wirkungslos. Bakterien verändern ihr Erbmaterial, so daß sie ein Eindringen von A. verhindern oder A. zerstören können. Die Erreger geben die Veränderung in ihrer Erbinformation auch an andere Bakterienstämme weiter.

**Ursachen:** Zu den Gründen für die Resistenzentstehung rechnete die WHO 1995 den weitverbreiteten Einsatz von A., häufig gegen Krankheiten, die auch anders zu bekämpfen sind. In Krankenhäusern bilden sich infolge der massiven Desinfektionsmittelverwendung besonders resistente Bakterienstämme. In deutschen Kliniken infizieren sich jährlich rd. 1 Mio Patienten mit Bakterien, etwa 30 000 sterben, weil A. unwirksam sind. Bakterien von Tieren entwickeln gegen in der Tiermast eingesetzte A. Widerstandsfähigkeiten. Beim Verzehr von Fleisch und anderen tierischen Produkten werden die Bakterien nach Erkenntnissen des Robert-Koch-Instituts (Berlin) von 1994 auf den Menschen übertragen und geben ihre Resistenz an die menschlichen Bakterien weiter.

**Natürliche Waffen:** In der Haut von Krallenfröschen ist eine Substanz (Magainin) vorhanden, die das Tier vor Bakterien, Pilzen und Parasiten schützt. Ähnliche Stoffe wurden in den 90er Jahren bei Insekten und Menschen festgestellt. Säugetiere bilden in der Luftröhre und im Dünndarm antibakterielle Stoffe. Eine breit und stark wirksame Substanz gegen viele Arten von Erregern wurde im Blut und Gewebe von Dornhaien nachgewiesen. → Malaria → Tuberkulose → Weltgesundheit

---

## Antiimperialistische Zellen

→ Rote Armee Fraktion

---

## Antisemitismus

Vorurteile, politische Bestrebungen und gewaltsame Ausschreitungen gegen Juden oder jüdische Einrichtungen. Eine Studie der Universität Tel Aviv/Israel registrierte 1994 eine weltweite Zunahme von Gewaltakten gegen Juden, Mordversuchen, Zerstörungen auf jüdischen Friedhöfen und Verbreitung antisemitischer Publi-

kationen. Die Steigerung wurde auf die verstärkte Zusammenarbeit fundamentalistischer Moslems mit rechtsradikalen Kreisen vor allem in Frankreich, den USA und Deutschland zurückgeführt.

Das Auftreten von A. steht i. d. R. in einer Wechselwirkung mit Aktivitäten rechtsextremistischer Parteien und Gruppierungen. Rechtsradikal motivierte Gewalttaten gegen Juden wurden meist von rechtsradikalen Jugendlichen begangen, unter denen rassistisches Gedankengut und Ausländerhaß verbreitet sind (Skinheads). Das Bundeskriminalamt (BKA, Wiesbaden) verzeichnete 1366 antisemitisch motivierte Straftaten (1994). 1995 waren rd. 42 000 Deutsche in rechtsextremen Gruppen organisiert.

Eine Umfrage des Allensbacher Instituts für Demoskopie ergab 1994, daß 15% der Deutschen antisemitische Vorurteile hegten, 8% davon waren massiv antisemitisch eingestellt. A. war insbes. in der älteren Generation verbreitet.

→ Auschwitzlüge → Gewalt → Rechtsextremismus

---

## APEC

**Name** Asia-Pacific Economic Cooperation, engl.; asiatisch-pazifische wirtschaftliche Zusammenarbeit

**Sitz** Singapur

**Gründung** 1989

**Mitglieder** 18 Staaten im asiatisch-pazifischen Raum

**Exekutivdirektor** Shojiro Imanishi/Japan (seit 1995)

**Funktion** Errichtung einer Freihandelszone im asiatisch-pazifischen Raum

Beim zweiten Gipfeltreffen der APEC in Bogor/Indonesien im November 1994 vereinbarten die Mitglieder die Errichtung einer Freihandelszone bis zum Jahr 2020. Bis 2010 sollen die industrialisierten APEC-Staaten (u. a. Japan, USA) ihre gegenseitigen Handelsbarrieren abbauen. Die Schwellen- und Entwicklungsländer haben zehn Jahre länger Zeit, um ihre Wirtschaften

**Antisemitismus: Vorsitz des Zentralrats der Juden**

**Ignatz Bubis**
* 15. 1. 1927 in Breslau, deutscher Immobilienkaufmann. Bubis wurde 1943 wegen seiner jüdischen Abstammung von den Nationalsozialisten ins Arbeitslager Tschenstochau verschleppt, der Großteil seiner Familie wurde ermordet. Ab 1988 Mitglied im FDP-Landesvorstand Hessen, wählte ihn der Zentralrat der Juden in Deutschland 1992 zum Vorsitzenden.

Arabische Liga:
Generalsekretär

**Ismat Abd-al Majid**
* 22. 3. 1923 in Alexandria/Ägypten, Dr. jur., ägyptischer Diplomat. 1970 Staatsminister für Regierungsangelegenheiten, 1972–1983 Leiter der Ständigen UNO-Vertretung Ägyptens in New York, ab 1984 Außenminister. Ab Mai 1991 Generalsekretär der Arabischen Liga.

auf den Zusammenschluß vorzubereiten. Als 18. Mitglied trat Chile der APEC bei.

Der asiatisch-pazifische Raum, in dem etwa 2 Mrd Menschen (40% der Weltbevölkerung) leben, erzeugte 1995 rd. 50% des Welt-BSP und galt mit seinem hohen Wirtschaftswachstum als Zukunftsmarkt des 21. Jh. Der Anteil am Welthandel stieg von 1980 bis Mitte der 90er Jahre von 24% auf rd. 40%.

Die nächsten Gipfel in Osaka/Japan im Herbst 1995 und auf den Philippinen 1996 sollen detaillierte Bestimmungen zur Umsetzung der Freihandelszone erarbeiten. Das Treffen in Bogor ließ Konflikte ungelöst zwischen den industrialisierten Staaten, die auf eine schnelle Handelsliberalisierung und Erweiterung der Märkte drängen, und Ländern wie Malaysia, die bei einem vorzeitigen Freihandel eine Verschärfung der wirtschaftlichen Unterschiede erwarten. Auch China forderte, daß jedes Land entsprechend dem Entwicklungsstand Handelsgrenzen abbauen solle.
→ ASEAN → Schwellenländer

## Arabische Liga

**Name** Liga der arabischen Staaten
**Sitz** Kairo/Ägypten
**Gründung** 1945
**Mitglieder** 21 arabische Staaten und PLO
**Generalsekretär** Ismat Abd-al Majid/Ägypten (1991–1996)
**Funktion** Bündnis arabischer Staaten für politische, wirtschaftliche und kulturelle Zusammenarbeit

Im März 1995 feierte die A. ihr 50jähriges Bestehen. Die Liga besaß Mitte der 90er Jahre nur geringen politischen Einfluß, da die arabischen Staaten seit dem Golfkrieg 1990/91, bei dem der Irak den Nachbarstaat Kuwait besetzt hatte, uneinig sind. Seit 1993 bemüht sich der ägyptische Generalsekretär Ismat Abd-al Majid um einen Ausgleich mit Israel und eine schrittweise Lockerung des seit 1948 bestehenden Wirtschaftsboykotts gegen den jüdischen Staat. Mitglieder wie Syrien und der Libanon fordern dagegen zunächst die Rückgabe aller besetzten Gebiete durch Israel.
**Reformpläne:** Auf der 103. Sitzung der Außenminister im März 1995

| APEC: Mitglieder im Vergleich | | | | | |
|---|---|---|---|---|---|
| Land | Einw. 1993 (Mio) | BSP 1993 (Mrd Dollar) | BSP pro Einw. 1993 (Dollar) | BSP-Wachstum 1985–1993 (%) | BIP-Anteil des Exports 1993 (%) |
| Australien | 17,8 | 310,0 | 17 500 | 1,1 | 18 |
| Brunei | 0,3 | k. A. | 16 730 | k. A. | k. A. |
| Chile | 13,5 | 42,5 | 3 170 | 6,1 | 28 |
| China | **1 175,4** | 581,1 | 490 | 6,5 | 22 |
| Hongkong | 5,9 | 104,7 | 18 060 | 5,3 | 143 |
| Indonesien | 188,2 | 137,0 | 740 | 4,8 | 28 |
| Japan | 124,7 | 3 926,7 | **31 490** | 3,6 | 10 |
| Kanada | 28,1 | 574,9 | 19 970 | 0,4 | 27 |
| Korea-Süd | 44,0 | 338,1 | 7 660 | 8,1 | 29 |
| Malaysia | 19,1 | 60,1 | 3 140 | 5,7 | 80 |
| Mexiko | 90,0 | 325,0 | 3 610 | 0,9 | 13 |
| Neuseeland | 3,5 | 44,7 | 12 600 | 0,2 | 31 |
| Papua-Neuguinea | 3,9 | 4,7 | 1 130 | 1,1 | 49 |
| Philippinen | 65,0 | 54,6 | 850 | 1,6 | 32 |
| Singapur | 2,9 | 55,4 | 19 850 | 6,1 | **169** |
| Taiwan | 20,9 | k. A. | 10 570 | k. A. | k. A. |
| Thailand | 57,8 | 120,2 | 2 110 | **8,4** | 37 |
| USA | 257,9 | **6 387,7** | 24 740 | 1,2 | 11 |

Der höchste Wert in jeder Spalte ist halbfett markiert; Quellen: BfAI, Weltbank

## Arabische Liga: Mitglieder im Vergleich

| Land | Einwohner Mio | Rang | BSP/Kopf Dollar | Rang | Land | Einwohner Mio | Rang | BSP/Kopf Dollar | Rang |
|------|------|------|------|------|------|------|------|------|------|
| Ägypten | 57,1 | 1 | 660 | 16 | Libyen | 4,6 | 11 | 6 000[2] | 6 |
| Algerien | 27,0 | 2 | 1 780 | 8 | Marokko | 26,5 | 3 | 1 040 | 13 |
| Bahrain | 0,5 | 19 | 8 030 | 5 | Mauretanien | 2,2 | 14 | 500 | 19 |
| Dschibuti | 0,6 | 18 | 780 | 15 | Oman | 1,7 | 16 | 4 850 | 7 |
| Irak | 19,4 | 5 | 850[1] | 14 | Saudi-Arabien | 17,4 | 6 | 8 050 | 4 |
| Jemen | 12,5 | 8 | 540 | 18 | Somalia | 8,0 | 10 | 120 | 21 |
| Jordanien | 3,8 | 12 | 1 190 | 11 | Sudan | 25,0 | 4 | 400[2] | 20 |
| Katar | 0,5 | 20 | 15 030 | 3 | Syrien | 13,4 | 7 | 1 250 | 10 |
| Komoren | 0,5 | 21 | 560 | 17 | Tunesien | 8,5 | 9 | 1 720 | 9 |
| Kuwait | 1,4 | 17 | 19 360 | 2 | VAE | 2,0 | 15 | 21 430 | 1 |
| Libanon | 2,9 | 13 | 1 075[1] | 12 | | | | | |

Stand: 1993, Palästina (vertreten durch die PLO) ist Vollmitglied seit 1976; 1) 1992; 2) Schätzung 1992; Quellen: Encyclopaedia Britannica, Weltbank

schlug Generalsekretär Majid Reformen vor, die u. a. die Einrichtung eines Obersten Arabischen Gerichtshofs und einer Arabischen Friedenstruppe vorsahen. Die Institutionen sollen Grenzstreitigkeiten wie Anfang 1995 zwischen Jemen und Saudi-Arabien lösen. Die Umsetzung der Pläne galt aufgrund der hohen Kosten als unwahrscheinlich, weil die Mitglieder bei einem Jahresbudget von 27 Mio Dollar 1995 (38 Mio DM) mit 100 Mio Dollar (141 Mio DM) Beitragszahlungen im Rückstand waren.

**Abrüstung:** Die A. schlug einen Abrüstungspakt zwischen den arabischen Staaten, Israel und Iran vor, der die Errichtung einer Zone ohne Massenvernichtungswaffen vorsieht. Die A. betrachtete Israels Atomwaffenprogramm als Gefährdung der regionalen Sicherheit.

→ Nahost-Konflikt → PLO

## Aralsee

Das zu Kasachstan und Usbekistan gehörende Gewässer, einst viertgrößtes Binnenmeer der Erde, verlor von 1985 bis 1995 rd. zwei Drittel der Wassermenge, weil das Wasser seiner Zuflüsse ab den 60er Jahren zur Bewässerung der umliegenden Baumwollplantagen abgezapft wurde. Der übermäßige Einsatz von Chemikalien für die Baumwollkulturen schädigte zusätzlich das Ökosystem des Sees. Der Wasserspiegel sank von 53,4 m über Normalnull auf 36,9 m. Der Salzgehalt verdreifachte sich. Ohne

## Arabische Liga: Chronik

| Datum | Ereignis |
|-------|----------|
| 22. 3. 1945 | Ägypten, Irak, Jemen, Transjordanien, Libanon, Saudi-Arabien und Syrien gründen die Liga |
| 1948 | Die Liga verhängt einen Boykott gegen Israel und alle Staaten, die mit Israel Handel treiben |
| 1950 | Nach dem Nahostkrieg 1948/49 beschließt die Arabische Liga einen militärischen Sicherheitspakt |
| 1957 | Beginn der wirtschaftlichen Zusammenarbeit |
| 1976 | Die PLO (gegr. 1964) wird als Vertretung eines palästinensischen Staates Vollmitglied in der Liga |
| 1974 | König Hussein von Jordanien verzichtet auf die israelisch besetzte Westbank zugunsten der Palästinenser |
| 1979 | Nach dem Frieden mit Israel friert Ägypten seine Mitgliedschaft ein, um einem Ausschluß zuvorzukommen |
| 1989 | Wiederaufnahme Ägyptens, der Sitz wechselt nach zehn Jahren in Tunis/Tunesien wieder nach Kairo |
| 1990/91 | Irakische Besetzung Kuwaits und Golfkrieg, in dem zwölf Mitglieder gegen Irak kämpfen, spalten die Liga |
| 1993 | Die Liga unterstützt das Gaza-Jericho-Abkommen, das den Palästinensern Teilautonomie gewährt |
| 1995 | Die Liga fordert vergeblich vom UNO-Sicherheitsrat, die von Israel veranlaßten Enteignungen palästinensischer Grundstücke in der Westbank zu verurteilen |

29

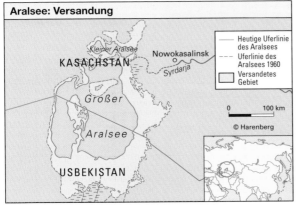

**Aralsee: Versandung**

KASACHSTAN
Kleiner Aralsee
Nowokasalinsk
Syrdarja
Großer
Aralsee
USBEKISTAN

Heutige Uferlinie des Aralsees
Uferlinie des Aralsees 1960
Versandetes Gebiet

0 — 100 km

© Harenberg

Gegenmaßnahmen würde der A. bis zum Jahr 2000 austrocknen.

Bis 1995 stellten Weltbank und westliche Staaten 40 Mio Dollar (56,3 Mio DM) für eine Studie mit der Fragestellung bereit, wie die weitere Austrocknung verhindert werden kann. Die zentralasiatischen Republiken der ehemaligen UdSSR (Kasachstan, Kirgistan, Tadschikistan, Turkmenistan und Usbekistan) und Rußland beschlossen ab Mitte der 90er Jahre jeweils 1% ihres jährlichen Staatshaushalts in einen Fonds zur Rettung des A. einzuzahlen. Mit dem Geld sollen Verfahren zum Wassersparen entwickelt und Entsalzungsanlagen gebaut werden, um die Wassermenge zu erhöhen und seine Qualität zu verbessern.

→ Desertifikation

## Arbeitnehmerpauschbetrag

→ Werbungskosten

## Arbeitsbeschaffungsmaßnahmen

(ABM), Arbeitsplätze, die für bestimmte Zeit (i. d. R. ein Jahr) von der Bundesanstalt für Arbeit (BA, Nürnberg) finanziert und an Arbeitslose vergeben werden. Schwervermittelbare Personengruppen wie Behinderte, Ältere und Langzeitarbeitslose werden

bei der Vergabe von A. bevorzugt. Ziel ist, A. in Dauerarbeitsplätze umzuwandeln. Die Arbeit in A. muß zusätzlich und gemeinnützig sein.

Ab 1. 1. 1995 wurde das Entgelt für in A. Beschäftigte auf 90% des Durchschnittsentgelts vergleichbarer ungeförderter Arbeiten beschränkt (vorher: 100%). Im Zuge allgemeiner Haushaltseinsparungen reduzierte die BA die Förderung für A. 1994 um rd. 2 Mrd DM auf 9 Mrd DM (1995: 9,6 Mrd DM). 80% der A. waren 1994 in Ostdeutschland eingerichtet. Die Zahl der in A. Beschäftigten verringerte sich in Gesamtdeutschland gegenüber dem Vorjahr um 61 000 auf 253 000 Personen. Die BA begründete den Rückgang mit der ab Anfang 1994 praktizierten dezentralen Verwaltung der Fördergelder, die zu Umsetzungsschwierigkeiten bei den Arbeitsämtern geführt habe. Einer Befragung der BA von 1994 zufolge war der Hälfte aller Ostdeutschen, die 1991–1993 an einer A. teilgenommen hatten, der berufliche Wiedereinstieg gelungen.

→ Arbeitslosigkeit → Bundesanstalt für Arbeit → Lohnkostenzuschuß → Zweiter Arbeitsmarkt

| **ABM: Teilnehmer und Ausgaben** | | |
|---|---|---|
| Jahr | Teilnehmer[1][2] | Ausgaben[1] (Mio DM) |
| 1980 | 41 300 | 947 |
| 1981 | 38 500 | 901 |
| 1982 | 29 200 | 869 |
| 1983 | 44 700 | 1 177 |
| 1984 | 71 000 | 1 724 |
| 1985 | 87 000 | 2 177 |
| 1986 | 102 400 | 2 710 |
| 1987 | 114 700 | 3 177 |
| 1988 | 114 900 | 3 432 |
| 1989 | 96 900 | 3 070 |
| 1990 | 83 400 | 2 425 |
| 1991 | 266 284 | 8 100 |
| 1992 | 466 241 | 12 400 |
| 1993 | 314 000 | 10 990 |
| 1994 | 253 000 | 9 000 |

1) Bis 1990 Westdeutschland; 2) jeweils im Jahresdurchschnitt; Quelle: Bundesanstalt für Arbeit

## Arbeitslosenversicherung

Pflichtversicherung für Arbeitnehmer in Deutschland gegen die materiellen Folgen der Arbeitslosigkeit. Träger ist die Bundesanstalt für Arbeit (BA, Nürnberg). Aus der A. wird u. a. Arbeitslosen- und Kurzarbeitergeld gezahlt. Die Kosten für Arbeitslosenhilfe trägt der Bund. Die A. wird hälftig aus Arbeitgeber- und Arbeitnehmerbeiträgen finanziert. 1995 betrug der Beitragssatz 6,5% des monatlichen Bruttoeinkommens. Die Beitragsbemessungsgrenze, aus der sich die Höchstbeiträge zur A. errechnen, wurde 1995 von monatlich 7600 DM brutto auf 7800 DM (Westen) bzw. von 5900 DM auf 6400 DM (Osten) erhöht.

**Arbeitslosengeld:** Erwerbslose, die in den letzten drei Jahren mindestens 360 Tage beitragspflichtig gearbeitet haben, erhalten Arbeitslosengeld (maximale Unterstützungsdauer: 2,5 Jahre). Personen, die zwei Jahre Beiträge gezahlt haben, erhalten ein Jahr Arbeitslosengeld. Erwerbslose mit Kind haben Anspruch auf 67% des während der letzten sechs Monate durchschnittlich bezogenen Nettolohns, für Arbeitslose ohne Kind verringert sich die Zahlung auf 60%. Arbeitslos gewordene Teilzeiterwerbstätige erhalten seit August 1994 ein Arbeitslosengeld, das an der vorangegangenen Beschäftigung mit höherer Arbeitszeit bemessen wird. Voraussetzung ist, daß die Teilzeit die tarifliche Arbeitszeit um mindestens 20% unterschreitet. Die längere Arbeitszeit muß mindestens sechs Monate ausgeübt worden sein und darf maximal drei Jahre zurückliegen.

**Arbeitslosenhilfe:** Bedürftige Erwerbslose, die zwölf Monate Arbeitslosengeld bezogen oder mindestens 150 Tage beitragspflichtig gearbeitet haben, erhalten 57% (Berechtigte mit Kind) bzw. 53% (ohne Kind) des letzten durchschnittlichen Nettolohns. Einkommen des Ehegatten oder Lebenspartners werden bei der Bewilligung der Arbeitslosenhilfe angerechnet. Die Zahlungsdauer ist unbefristet.

**Kürzung:** Aufgrund des 1995 erhobenen Solidaritätszuschlags und des Beitrags zur Pflegeversicherung erhalten Erwerbslose seit Januar 1995 geringere Arbeitslosengeld- und Arbeitslosenhilfebezüge. Der Deutsche Gewerkschaftsbund (DGB) bezeichnete die Kürzungen als rechtswidrig. Schätzungen zufolge lagen Anfang 1995 bundesweit rd. 100 000 Klagen vor. Das Gelsenkirchener Sozialgericht erklärte im Februar 1995 die Kürzung für rechtmäßig, ließ aber aufgrund der Auswirkungen des Urteils eine Revision zu und verwies die Klage zum Bundessozialgericht. Das Bundesarbeitsministerium plante für April 1996 Leistungskürzungen.

→ Arbeitslosigkeit → Bundesanstalt für Arbeit → Teilzeitarbeit

| Arbeitslosen- versicherung | |
|---|---|
| Jahr | Empfänger (Mio)[1] |
| 1987 | 1,4 |
| 1988 | 1,5 |
| 1989 | 1,4 |
| 1990 | 1,3 |
| 1991 | 1,2 |
| 1992 | 2,8 |
| 1993 | 3,4 |
| 1994 | 3,5 |

1) Arbeitslosengeld und -hilfe, bis 1991 Westdeutschland; Quelle: BA

## Arbeitslosigkeit

Die konjunkturelle Belebung der deutschen Wirtschaft hatte bis Mitte 1995 nur geringe Auswirkungen auf die Beschäftigungssituation in Deutschland. Viele Unternehmen setzten ihren Stellenabbau fort. Die Arbeitslosenquote erreichte Ende 1994 einen Stand von 9,6%. 3,7 Mio aller erwerbsfähigen Deutschen waren 1994 als arbeitslos registriert, rd. 300 000 mehr als 1993. Statistisch nicht erfaßt wurden 1,6 Mio Personen, die 1994 mit Hilfe arbeitsmarktpolitischer Mittel wie Arbeitsbeschaffungs- und Umschulungsmaßnahmen staatlich abgesichert waren. Die Kosten der Arbeitslosigkeit (Steuerausfälle, Lohnersatzleistungen) wurden 1993 mit 116,3 Mrd DM oder ca. 34 000 DM pro Arbeitslosen angegeben (Anteil an Ausgaben der öffentlichen Haushalte: 7%).

| Arbeitslosigkeit: Ostdeutschland | | | |
|---|---|---|---|
| Jahr | Quote (%) | Frauen (%) | Männer (%) |
| 1991 | 10,3 | 11,2 | 8,0 |
| 1992 | 14,8 | 18,9 | 10,0 |
| 1993 | 15,1 | 20,2 | 10,4 |
| 1994 | 16,0 | 21,3 | 10,4 |

Quelle: Bundesanstalt für Arbeit

31

## Arbeitslosigkeit: Ost-West-Gefälle in Deutschland

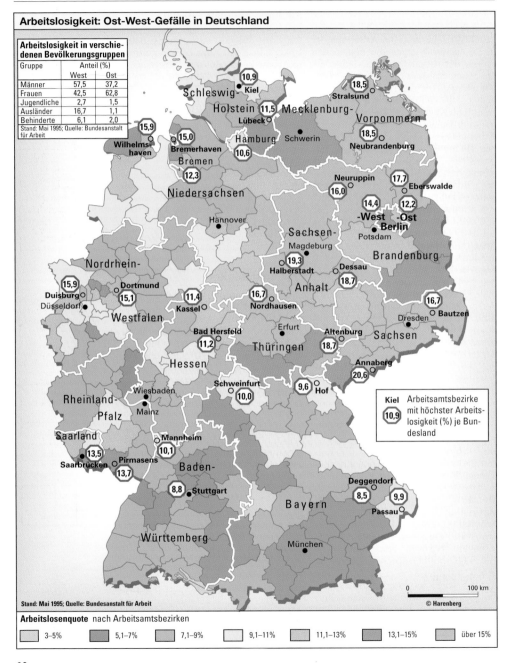

| Arbeitslosigkeit in verschiedenen Bevölkerungsgruppen | | |
|---|---|---|
| Gruppe | Anteil (%) | |
| | West | Ost |
| Männer | 57,5 | 37,2 |
| Frauen | 42,5 | 62,8 |
| Jugendliche | 2,7 | 1,5 |
| Ausländer | 16,7 | 1,1 |
| Behinderte | 6,1 | 2,0 |

Stand: Mai 1995; Quelle: Bundesanstalt für Arbeit

**Kiel** (10,9) Arbeitsamtsbezirke mit höchster Arbeitslosigkeit (%) je Bundesland

Stand: Mai 1995; Quelle: Bundesanstalt für Arbeit

© Harenberg

**Arbeitslosenquote** nach Arbeitsamtsbezirken

| 3–5% | 5,1–7% | 7,1–9% | 9,1–11% | 11,1–13% | 13,1–15% | über 15% |

**Problemgruppen:** 1,2 Mio Menschen suchten 1994 in Deutschland seit mehr als einem Jahr einen Arbeitsplatz. Ihr Anteil an allen Arbeitslosen erhöhte sich gegenüber 1993 von 27% auf 32%. In Westdeutschland gehörten 60% der 854 000 Langzeitarbeitslosen zu der Altersgruppe der über 44jährigen. In Ostdeutschland waren rd. 75% aller Langzeitarbeitslosen Frauen, die meist durch den wirtschaftlichen Strukturwandel im Osten, der mit der deutschen Vereinigung einherging, ihre Arbeitsstelle verloren hatten.

**Beschäftigungshilfen:** Im Februar 1995 verlängerte die CDU/CSU/FDP-Bundesregierung das Programm zur Bekämpfung der Langzeit-A. von 1989 und stellte 3 Mrd DM zur Verfügung (befristet bis 1998). Unternehmen, die Langzeitarbeitslose einstellen, erhalten auf ein Jahr befristete Lohnkostenzuschüsse, deren Höhe nach Dauer der vorausgegangenen A. gestaffelt ist. Der Zuschuß beträgt bei einer A. von drei Jahren und länger im ersten Halbjahr 80%, im zweiten 60% des tariflichen oder ortsüblichen Entgelts (zwei bis drei Jahre: 70 bzw. 50%, ein bis zwei Jahre: 60 bzw. 40%). Bis Ende 1999 sollen 180 000 Langzeitarbeitslose mit Hilfe des Zuschusses vermittelt werden.

**Lösungskonzepte:** Die Deutsche Bundesbank machte 1995 vor allem zu hohe Arbeitskosten und unzureichende Lohndifferenzierung für die anhaltende Beschäftigungskrise verantwortlich und forderte von der CDU/CSU/FDP-Bundesregierung die Senkung der Sozialabgaben und von den Gewerkschaften gemäßigte Lohnforderungen bei Tarifverhandlungen. Auch staatliche Regulierungen, wie z. B. die Begrenzung der Öffnungszeiten im Handel (Ladenschlußgesetz), würden das

### Arbeitslosigkeit: Bundesländer

| Bundesland | Arbeitslosenquote (%) | | | |
|---|---|---|---|---|
| | 1991 | 1992 | 1993 | 1994 |
| Sachsen-Anhalt | 10,3 | 15,3 | 17,2 | 17,6 |
| Mecklenburg-Vorpommern | 12,5 | 16,8 | 17,5 | 17,0 |
| Thüringen | 10,2 | 15,4 | 16,3 | 16,5 |
| Sachsen | 9,1 | 13,6 | 14,9 | 15,7 |
| Brandenburg | 10,3 | 14,8 | 15,3 | 15,3 |
| Bremen | 10,7 | 10,7 | 12,4 | 13,7 |
| Berlin-West | 9,4 | 11,1 | 12,3 | 13,3 |
| Berlin-Ost | 12,2 | 14,3 | 13,7 | 13,0 |
| Saarland | 8,6 | 9,0 | 11,2 | 12,1 |
| Nordrhein-Westfalen | 7,9 | 8,9 | 9,6 | 10,7 |
| Niedersachsen | 8,1 | 8,1 | 9,7 | 10,7 |
| Hamburg | 8,7 | 7,9 | 8,6 | 9,8 |
| Schleswig-Holstein | 7,3 | 7,2 | 8,3 | 9,0 |
| Rheinland-Pfalz | 5,4 | 5,7 | 7,5 | 8,4 |
| Hessen | 5,1 | 5,5 | 7,0 | 8,2 |
| Baden-Württemberg | 3,7 | 4,4 | 6,3 | 7,5 |
| Bayern | 4,4 | 4,9 | 6,4 | 7,2 |

Quelle: Bundesanstalt für Arbeit

### Arbeitslosigkeit: Europäische Union

| Land | Arbeitslosenquote (%) | | | |
|---|---|---|---|---|
| | Insgesamt | Männer | Frauen | < 25 Jahre |
| Belgien | 9,7 | 7,7 | 12,4 | 22,0 |
| Dänemark | 10,7 | 10,3 | 11,2 | 13,8 |
| Deutschland | 8,6 | 7,4 | 10,3 | 8,2 |
| Finnland | 19,4 | 21,4 | 17,2 | 37,4 |
| Frankreich | 12,2 | 10,6 | 14,1 | 27,2 |
| Griechenland | 9,4 | 6,1 | 15,0 | 28,8 |
| Großbritannien | 9,7 | 11,5 | 7,3 | 16,6 |
| Irland | 15,2 | 15,0 | 15,7 | 24,1 |
| Italien | 11,4 | 9,0 | 15,6 | 31,8 |
| Luxemburg | 3,4 | 3,1 | 3,8 | 6,3 |
| Niederlande | 7,6 | 6,5 | 9,1 | 11,1 |
| Österreich | 6,5 | k. A. | k. A. | k. A. |
| Portugal | 6,7 | 5,9 | 7,8 | 14,5 |
| Schweden | 9,6 | 11,3 | 7,8 | 23,4 |
| Spanien | 24,4 | 20,1 | 31,5 | 45,4 |

Stand: April 1994 (Griechenland: April 1993, Österreich: Durchschnittsquote 1994); Quellen: Statistisches Amt der EU, Bundesministerium für Wirtschaft (Österreich)

### Arbeitslosigkeit: Strukturmerkmale der Langzeitarbeitslosigkeit

| Gebiet | Insgesamt | Männer (%) | Frauen (%) | 40–49 J. (%) | 50–59 J. (%) | über 60 J. (%) | ohne Ausbildung (%) |
|---|---|---|---|---|---|---|---|
| Westdeutschland | 798 000 | 55,2 | 44,8 | 19,0 | 43,6 | 6,2 | 50,2 |
| Ostdeutschland | 361 000 | 23,0 | 77,0 | 22,9 | 36,5 | 1,0 | 25,6 |

Stand: Ende September 1994; Quelle: Bundesarbeitsministerium

| Arbeitsmarkt: Stellenabbau | |
|---|---|
| **Industrie-zweig** | **Abbau[1] (1000)** |
| Maschinenbau | 100 |
| Elektrotechnik | 73 |
| Auto | 55 |
| Chemie | 39 |
| Metall | 21 |
| Nahrungsmittel | 14 |
| Stahl | 11 |
| Holz | 6 |
| Kunststoff | 5 |

1) Veränderung 1994 gegenüber 1993; Quelle: Statistisches Bundesamt

Wirtschaftswachstum bremsen. Die Arbeitgeber forderten flexiblere Arbeitszeiten, um die Produktion zu steigern und neue Arbeitsplätze zu schaffen. Die Gewerkschaften sprachen sich für Arbeitszeitverkürzungen und die Förderung von beruflicher Ausbildung und Weiterqualifizierung aus. Als Lösung für die Beschäftigungskrise der Industriestaaten bezeichnete die OECD die Umstrukturierung der Volkswirtschaften durch den Ausbau des Dienstleistungsbereichs und die Förderung von Zukunftstechnologien wie Umwelt- und Medizintechnik. → Arbeitsbeschaffungsmaßnahmen → Arbeitslosenversicherung → Lohnkostenzuschuß → Wirtschaftliche Entwicklung

## Arbeitsmarkt

Von 1970 bis 1994 wuchs die Zahl der Erwerbstätigen in Deutschland insbes. wegen des Eintritts der geburtenstarken Jahrgänge ins Erwerbsleben und der Wiedervereinigung um rd. 5 Mio auf ca. 35 Mio. Während sich der Stellenabbau in Westdeutschland trotz steigender Unternehmensgewinne fortsetzte und die Zahl der Beschäftigten 1994 mit 28,6 Mio um 216 000 unter dem Vorjahresniveau lag, nahm die Erwerbstätigkeit in Ostdeutschland ab Mitte 1994 zu und stieg um 150 000 auf 6,4 Mio Beschäftigte an. Die Zahl der Arbeitslosen erhöhte sich in Deutschland 1994 um 300 000 Personen auf 3,7 Mio.

**Prognosen:** Wirtschaftsexperten rechneten erst in der zweiten Jahreshälfte 1995 mit einem Anstieg der offenen Stellen um ca. 200 000 auf rd. 480 000, weil Unternehmen zur Produktionssteigerung zunächst vorhandene Personalreserven nutzten und Überstunden ansetzten. Das Deutsche Institut für Wirtschaftsforschung (Berlin) prognostizierte für 1995 einen Rückgang der Arbeitslosenquote auf 9,1% (1994: 9,6%). In Westdeutschland wird die Zahl der Erwerbsfähigen 1995 erstmals seit Mitte der 80er Jahre nicht mehr zunehmen, weil die Folgen des Geburtenrückgangs nicht mehr durch eine stärkere Berufstätigkeit der Frauen oder durch die Zuwanderung ausländischer Arbeitnehmer ausgeglichen werden.

**Wirtschaftssektoren:** Nur das Baugewerbe mit insgesamt 2,8 Mio Beschäftigten (West: + 1,1%, Ost: + 9,2%) und der Dienstleistungsbereich (West: + 2,3%, Ost: + 0,3%) wiesen 1994 einen Stellenzuwachs gegenüber dem Vorjahr auf. In Westdeutschland verzeichnete das Verbrauchsgütergewerbe mit 5,8% den stärksten Beschäftigungsrückgang, in Ostdeutschland die Energiewirtschaft (– 14,7%). Die Bundesanstalt für Arbeit (BA, Nürnberg) schätzte, daß bis 2000 in Deutschland rd. 3 Mio neue Dienstleistungsstellen entstehen könnten. Als zukunftsträchtige Branchen mit großem Beschäftigungspotential für höher qualifizierte Arbeitskräfte galten vor allem die Bereiche Umweltschutz und Telekommunikation sowie der Gesundheits- und Ausbildungssektor.

**Beschäftigungskonzepte:** Zur Bewältigung der Beschäftigungskrise

| Arbeitsmarkt: Beschäftigungsprognose | |
|---|---|
| **Branche** | **Stellenentwicklung 1993–2005 (%)** |
| Hotel- und Gaststättengewerbe | + 20 |
| Privatwirtschaftliche Dienstleistungen[1] | + 17 |
| Staatliche Dienstleistungen[2] | + 4 |
| Chemie u. Mineralölverarbeitung | + 3 |
| Baugewerbe | + 2 |
| Elektrotechnik | – 1 |
| Banken, Versicherungen | – 3 |
| Groß- und Einzelhandel | – 6 |
| Papierverarbeitung, Druckindustrie | – 6 |
| Maschinenbau | – 7 |
| Nahrungs- und Genußmittel | – 7 |
| Textilindustrie | – 8 |
| Verkehr und Nachrichten | – 11 |
| Fahrzeugbau | – 12 |
| Landwirtschaft | – 19 |
| Bergbau | – 36 |

1) Telekommunikation, Reinigung, Sicherheits- und Informationsdienste, EDV-Programmierung u. a.; 2) Schulen und Bildung, Altenpflege, Polizei u. a.; Quelle: Prognos-Institut (Basel/Schweiz)

setzten Politiker, Wirtschaftsvertreter und Gewerkschaften 1994/95 auf neue Arbeitszeit-Modelle. Flexible Schichtarbeit und die Ausweitung der Arbeitszeit auf den Samstag sollen zur Verlängerung der Maschinenlaufzeiten sowie erhöhter Produktivität führen und damit die Voraussetzungen für Investitionen und neue Arbeitsplätze schaffen. Der Ausbau der Teilzeitarbeit und Modelle zur Arbeitszeitverkürzung wie die Vier-Tage-Woche sollen die vorhandene Arbeit auf eine größere Zahl von Arbeitnehmern verteilen.
→ Lehrstellenmarkt

## Arbeitsschutz

Maßnahmen zur Sicherung der Erwerbstätigen vor gesundheitsschädlichen Einflüssen und Unfällen am Arbeitsplatz. 1994 wurden dem Hauptverband der Gewerblichen Berufsgenossenschaften (HVBG) zufolge 1,7 Mio Arbeits- und Wegeunfälle registriert, 1% weniger als 1993. Die tödlichen Unfälle gingen 1994 um 7,3% auf 2064 zurück. Besonders unfallträchtig war die Bauwirtschaft mit einem Anstieg der Arbeitsunfälle von 4% gegenüber 1993. Die angezeigten Berufskrankheiten verringerten sich 1994

| Arbeitsschutz: Krebsrisiko | |
|---|---|
| Branche | Krankheitsfälle[1] |
| Chemiegewerbe | 1001 |
| Schlossergewerbe | 669 |
| Baugewerbe | 500 |
| Metallgewerbe | 444 |
| Bergbaugewerbe | 311 |
| Holzgewerbe | 275 |
| Lager-, Transportgewerbe | 224 |
| Elektrogewerbe | 206 |
| Installateurgewerbe | 189 |
| Textilgewerbe | 159 |
| Isoliergewerbe | 158 |
| Maler-, Lackierergewerbe | 86 |
| Sonstige | 728 |

1) Im Zeitraum von 1978–1992 als Berufskrankheit anerkannte Krebsfälle; Quelle: HVBG

im Vergleich zum Vorjahr um 7,6% auf 85 000 (größter Anteil: Lärmschwerhörigkeit und Allergien).
Bis Mitte 1995 hatte die CDU/CSU/-FDP-Bundesregierung die EU-Rahmenrichtlinie, die über die deutschen Bestimmungen zum A. hinausgehende Regelungen enthält, nicht in deutsches Recht übertragen. Der Deutsche Gewerkschaftsbund (DGB) kritisierte die fehlende Umsetzung und mahnte zudem die Aufnahme von fünf EU-Einzelrichtlinien u. a. für Bildschirmarbeit, Baugewerbe und schwere körperliche Arbeit an.

## Arbeitsvermittlung

Aufgrund des Arbeitsplatzmangels und der hohen Langzeitarbeitslosigkeit in Deutschland hob die CDU/CSU/FDP-Bundesregierung zur Entlastung der Bundesanstalt für Arbeit (BA, Nürnberg) 1994 deren Monopol (seit 1927) auf und öffnete den Markt für private A. Mit Hilfe eines elektronischen Datennetzes konnte 1994 die Stellensuche auf den Europäischen Binnenmarkt ausgeweitet werden.
**Vermittlungsoffensive:** Mitte 1994 startete die BA mit der sog. ABC-Aktion (Akquisition, Beratung, Chancen für die Vermittlung verbessern) eine bundesweite Stellenvermittlungsoffensive, die in 198 000 Betrieben 88 000 freie Stellen akquirierte. 56 500 davon wurden mit Arbeitslosen besetzt.
**Private Vermittler:** Ende 1994 existierten rd. 1800 Unternehmen zur privaten A., vor allem überregionale Leiharbeitsunternehmen, die auf ein flächendeckendes Filialnetz und Kontakte zu Personalabteilungen zurückgreifen konnten. 74% der Bewerber, die die Dienste der privaten A. kostenlos beanspruchen können, waren Fachkräfte. 60% des Klientels stand zur Zeit der Kontaktaufnahme in einem Arbeitsverhältnis. Unternehmen, die die Dienste der privaten A. in Anspruch nehmen, zahlen eine Gebühr von ein bis zwei Monatsgehältern bzw. 10–15% des Jahreseinkommens.

| Arbeitsschutz: Arbeitsunfälle | |
|---|---|
| Jahr | Anzahl[1] |
| 1963 | 108 |
| 1968 | 93 |
| 1973 | 89 |
| 1978 | 74 |
| 1983 | 62 |
| 1988 | 54 |
| 1993[2] | 52 |
| 1994[2] | 53 |

1) Je 1000 Arbeitskräfte; 2) Gesamtdeutschland; Quelle: Hauptverband der Gewerblichen Berufsgenossenschaften

| Private Arbeitsvermittlung | |
|---|---|
| Land | Anteil (%)[1] |
| Schweiz | 86 |
| Niederlande | 41 |
| Großbrit. | 17 |
| Dänemark | 11 |

Stand: 1994; 1) an Besetzung offener Stellen; Quelle: IAB

| Arbeitszeit: Produktionszeit in der EU | |
|---|---|
| Land | Maschinenlaufzeiten[1] |
| Luxemburg | 113 |
| Belgien | 96 |
| Griechenland | 88 |
| Niederlande | 81 |
| Italien | 79 |
| Portugal | 72 |
| Frankreich | 68 |
| Großbritannien | 67 |
| Irland | 66 |
| Spanien | 65 |
| Deutschland | 60 |

Stand: 1994; 1) Stunden pro Woche; Quelle: Europäische Kommission

**Europaweite Vermittlung:** Im November 1994 wurde in Deutschland das von der EU-Kommission eingerichtete Datennetz EURES (European Employment Services) in Betrieb genommen. Neben Stellenangeboten können Informationen über Arbeitsbedingungen in den EU-Mitgliedstaaten abgerufen werden. Vermittler sind sog. Euroberater, die 1994 in 600 Arbeitsämtern deutscher Grenzregionen und Ballungsgebieten angesiedelt waren.

→ Arbeitslosigkeit → Bundesanstalt für Arbeit → Leiharbeit

## Arbeitszeit

Anfang 1995 signalisierten Arbeitgeberverbände und Gewerkschaften Kompromißbereitschaft im Streit um neue A.-Regelungen, die die hohe Arbeitslosigkeit durch die Sicherung bestehender und die Schaffung neuer Arbeitsplätze bekämpfen sollen. Der Deutsche Gewerkschaftsbund (DGB) rückte von seiner Forderung nach Verkürzung der A. bei vollem Lohnausgleich ab. Die Arbeitgeber verzichteten auf eine Verlängerung der Wochenarbeitszeit, verlangten aber statt dessen die Ausweitung der Maschinenlaufzeiten durch Samstagsarbeit. Durch Einführung einer flexiblen Jahres-A. mit neuen Schicht- und Teilzeitmodellen sollten saisonale Schwankungen der Auftragslage berücksichtigt werden.

**Verkürzung:** In Deutschland betrug die durchschnittliche tarifliche Wochen-A. 1994 im Westen 37,5 Stunden (Osten: 39,7 Stunden). Während sich die A. in Westdeutschland im Zeitraum 1984–1990 um 2,3 Stunden pro Woche verringerte, ging sie 1990–1994 um nur 12 Minuten zurück. 22,5% der westdeutschen Arbeitnehmer hatten 1994 eine tariflich vereinbarte 35-Stunden-Woche.

**Bestandsaufnahme:** 1994 waren in Deutschland einer Befragung des Instituts zur Erforschung sozialer Chancen (Köln) zufolge rd. drei Viertel aller abhängig Beschäftigten in Arbeitsverhältnissen mit flexibler A. tätig. 9,1% der deutschen Industriearbeiter leisteten Mitte der 90er Jahre Nachtarbeit (EU: 6%), 15,7% Schichtarbeit (EU: 14,7%). Neben der vor allem in der deutschen Autobranche praktizierten Vier-Tage-Woche existierten 1995 zahlreiche A.-Modelle, die Produktivitätssteigerungen bei gleichzeitiger A.-Verkürzung zum Ziel hatten.

**Flexible Modelle:** Der Daimler-Benz-Konzern, Deutschlands größtes Privatunternehmen mit 250 000 Mitarbeitern im Inland, startete im Herbst 1994 eine Teilzeitoffensive, die zur Erprobung auf die Produktionsbereiche und die Bedürfnisse der Mitarbeiter zugeschnittener A.-Konzepte wie die Zwei- und Drei-Tage-Woche und den wochenweisen Belegschaftswechsel dienen soll. Andere Firmen richteten sog. Zeitkonten ein, die den Mitarbeitern unter Berücksichtigung einer Mindeststundenzahl eine freie Arbeitseinteilung erlauben. Zusätzlich geleistete Arbeitsstunden werden als Zeitguthaben angespart, Überstundenzuschläge entfallen.

→ Arbeitslosigkeit → Teilzeitarbeit

| Arbeitszeit: Urlaubsanspruch im Vergleich | | |
|---|---|---|
| Land | Tarifl. Jahresarbeitszeit (Stunden) | Tarifl. Jahresurlaub (Tage)[1] |
| USA | 1896 | 12 |
| Portugal | 1882 | 22 |
| Japan | 1880 | 11 |
| Schweiz | 1838 | 24 |
| Griechenland | 1832 | 22 |
| Schweden | 1824 | 25 |
| Irland | 1794 | 21 |
| Luxemburg | 1784 | 27 |
| Spanien | 1772 | 24,5 |
| Frankreich | 1755 | 25 |
| Großbritannien | 1752 | 25 |
| Italien | 1744 | 35 |
| Finnland | 1732 | 37,5 |
| Belgien | 1729 | 20 |
| Österreich | 1722 | 26,5 |
| Niederlande | 1714 | 32,5 |
| Dänemark | 1687 | 25 |
| Deutschland (West) | 1620 | 30 |

Stand: 1994; 1) inkl. zusätzlicher freier Tage aufgrund von Arbeitszeitverkürzung; Quelle: BDA

## Ariane

Von der europäischen Raumfahrtbehörde ESA entwickelte Trägerrakete für den Transport von Nutzlasten, Satelliten, Raumsonden u. a. in den Weltraum. Der Erstflug von A. 5, einer neuen Version der Rakete, soll Ende 1995 erfolgen. Der Anteil der Betreibergesellschaft Arianespace (Evry bei Paris) an der kommerziellen Raumfahrt betrug 1995 etwa 65%.

**Mißerfolge:** Im Januar und Dezember 1994 stürzten jeweils durch Versagen der dritten Raketenstufe zwei Raketen ins Meer, drei Satelliten gingen verloren. Fachleute schätzten den Gesamtschaden auf 700 Mio Dollar (986 Mio DM). Von 74 Flügen seit der Aufnahme der kommerziellen A.-Flüge 1979 bis Juni 1995 scheiterten sieben. Dennoch galt A. als zuverlässiger als die US-Raumfähre Space Shuttle und andere Trägerraketen.

**Startfolge:** Der Absturz vom Dezember 1994 und die erforderlichen technischen Verbesserungen zwangen Arianespace zu einer viermonatigen Startpause. Nach der Wiederaufnahme der Transporte im März 1995 wurden acht Flüge pro Jahr angestrebt. Zu diesem Zeitpunkt hatte das Unternehmen Aufträge für 38 Satellitentransporte im Wert von rd. 5 Mrd DM.

**Konkurrenz:** Einen größeren Anteil am Satellitenmarkt versuchte Mitte der 90er Jahre vor allem Rußland zu erobern. Mit der luxemburgischen Betreibergesellschaft des Rundfunksatelliten Astra vereinbarte das Gemeinschaftsunternehmen LKEI, eine Gründung der russischen Raumfahrtorganisation Chrunitschew und des US-Konzerns Lockheed, im März 1995 fünf Satellitentransporte mit der Rakete Proton. Japan will ab 1997 mit der Schwerlastrakete H 2 (Erstflug: 1994) kommerzielle Aufträge erfüllen. Weitere Konkurrenten waren 1995 die USA (Atlas-Centaur und Delta) sowie China (Langer Marsch). Brasilien und Indien kündigten für 1995 den Erstflug selbstentwickelter Trägerraketen an.

**Ariane 5:** Gegenüber A. 4 erhöht sich die maximale Nutzlast um ca. 60% auf 6,8 t für die geostationäre Bahn (36 000 km Höhe). Die Schubkraft vergrößert sich gegenüber A. 4 von 540 t auf 1200 t. Der Preis pro Start soll von 100 Mio DM beim Vorgängermodell auf 90 Mio DM sinken. An Entwicklung und Bau von A. 5 sind 100 europäische Unternehmen mit rd. 15 000 Beschäftigten beteiligt (deutscher Anteil an der A.-Produktion: 20,3%, 3500–4000 Beschäftigte).
→ Astra 1 E → Hot Bird 1 → Raumfähre → Raumfahrt → Satelliten

## Armut

→ Übersichtsartikel S. 38

## Artenschutz

Maßnahmen zum Schutz, zur Pflege und zur Wiederansiedlung verdrängter oder vom Aussterben bedrohter Tier- und Pflanzenarten. Das Bundesumweltministerium gab an, daß pro Tag weltweit etwa 50 von rd. 1,4 Mio erfaßten Arten aussterben. 40% der Arten leben in tropischen Feuchtwaldgebieten. Mitte der 90er Jahre standen etwa 48 000 Tier- und Pflanzenarten unter A. In Deutschland waren 1995 rd. 50% aller Tier- und Pflanzenarten bedroht (1970: rd. 30%). Als Ursachen für das Artensterben gelten vor allem Umweltverschmutzung und -zerstörung, die den natürlichen Lebensraum von Tieren und Pflanzen bedrohen. Auch die Ansiedlung fremder Arten bedrohte die heimische Tier- und Pflanzenvielfalt.
Das Washingtoner A.-Abkommen (CITES) von 1973 will gefährdete Tiere und Pflanzen schützen, indem es den Handel mit ihnen verbietet oder nur unter strengen Auflagen zuläßt. 120 Staaten unterzeichneten das Abkommen bis 1995, es fehlten jedoch in zahlreichen Ländern (bei etwa 30% der Unterzeichnerstaaten) Gesetze, die den illegalen Handel mit den Tieren und Pflanzen unterbinden würden.
→ Naturschutz → Tropenwälder

**Artenschutz: Vom Aussterben bedrohte Arten weltweit**

| Art | Anteil (%) |
|---|---|
| Säugetiere | 12 |
| Vögel | 11 |
| Fische | 4 |
| Reptilien | 4 |
| Amphibien | 1 |

Stand: 1993; Quelle: Umweltstiftung WWF (Frankfurt/M.)

**Artenschutz: Bedrohte Arten in Deutschland**

| Art | Anteil (%) |
|---|---|
| Reptilien | 75 |
| Fische[1] | 70 |
| Amphibien | 58 |
| Säugetiere | 39 |
| Vögel | 28 |
| Wirbellose Tiere | 27 |
| Pflanzen[2] | 24 |

Stand: 1993; 1) Süßwasserfische; 2) ohne Moose, Flechten, Pilze, Algen; Quelle: OECD

# Ungleiche Lebenschancen führen zur Weltkrise

Etwa 1,3 Mrd Menschen, ein Fünftel der Weltbevölkerung, lebten Mitte der 90er Jahre in absoluter Armut. Sie waren bedroht von Hunger und Seuchen. Das Verhältnis zwischen den Einkommen des ärmsten und des reichsten Fünftels der Menschheit verschlechterte sich trotz Entwicklungshilfe in nur drei Jahrzehnten von 1:30 auf 1:60 Mitte der 90er Jahre. UNO-Generalsekretär Butros Butros Ghali warnte auf dem Weltsozialgipfel im März 1995 in Kopenhagen/Dänemark, die ungleiche Einkommensverteilung könne durch überregionale Kriege, Flüchtlingsströme und Kriminalität eine Weltkrise auslösen, die auch die wohlhabenden Industriestaaten treffen würde.

**Extreme Not in der Dritten Welt:** Die Zahl der Menschen, die mit weniger als 1 Dollar pro Tag auskommen mußten, stieg nach Schätzungen der Weltbank zwischen Anfang der 70er und Mitte der 90er Jahre um rd. 50% auf 1 Mrd. Mehr als zwei Drittel von ihnen waren Frauen. 800 Mio Menschen litten unter Hunger. Die Internationale Arbeitsorganisation (ILO) nannte als Ursachen der extremen A. in Entwicklungsländern Analphabetismus, Arbeitslosigkeit, starkes Bevölkerungswachstum, Diskriminierung von Minderheiten und ungleiche Landbesitzverteilung. Die höchsten Armutsraten wiesen laut UNESCO mit 45–50% die Länder Südasiens und Schwarzafrikas auf. In Lateinamerika und im Nahen Osten lebten 25–30% unterhalb der absoluten Armutsgrenze.

**Absichtserklärung statt Verpflichtung:** Auf dem Weltsozialgipfel beschlossen 184 Staaten ein Aktionsprogramm gegen die weltweite Armut, dessen Umsetzung jedoch freigestellt wurde. Innerhalb von zehn Jahren könnte für alle Menschen durch den Ausbau sozialer Hilfsmaßnahmen eine Grundversorgung mit Bildung, Gesundheit und Nahrung geschaffen werden. Die Durchsetzung des Prinzips galt aber als unwahrscheinlich, da viele Industriestaaten und die asiatischen Schwellenländer den Anteil wirtschaftlicher Hilfe, die auch der eigenen Exportförderung dient, nicht zugunsten sozialer Hilfe senken wollten. Aufgrund der weltweiten Rezession hatten die OECD-Staaten die Entwicklungshilfe Anfang der 90er Jahre gekürzt und zunehmend an ökonomische Reformen in den Empfängerländern gebunden.

**Freier Markt auf Kosten der Armen:** Wirtschaftsexperten von regierungsunabhängigen Organisationen (NGO) warfen den Geberländern, der Weltbank und dem Internationalen Währungsfonds 1995 vor, ihre Auflagen für Hilfen und Kredite ließen die Armut in Entwicklungsländern ansteigen. Forderungen nach Privatisierungen und Kürzungen der Staatsausgaben zugunsten einer freien Marktwirtschaft würden meist zu Kürzungen im Bildungs- und Sozialbereich führen. Soziale Spannungen würden verschärft und könnten in Bürgerkriegen eskalieren. Folgen seien häufig Hungersnöte, Seuchen und Flüchtlingselend. Französische Wissenschaftler rechneten 1994 mit rd. 30 Mio Armutsflüchtlingen, die bis 2015 aus Nordafrika nach Europa drängen werden.

**Wohlstandsgefälle in den Industrieländern:** In den 90er Jahren verschlossen die Staaten in Westeuropa und Nordamerika ihre Grenzen gegen Armutsflüchtlinge, gleichzeitig wuchsen die Einkommensunterschiede im Innern. 1994 waren in der EU 52 Mio Menschen von relativer Armut betroffen. Sie verfügten über weniger als die Hälfte des durchschnittlichen Nettoeinkommens. Wohlfahrtsverbände und DGB schätzten die Zahl der Armen in Deutschland 1994 auf 7,25 Mio, darunter 1,5 Mio Kinder. Die Zahl der Sozialhilfeempfänger in Deutschland stieg 1980–1994 von 1,3 Mio auf rd. 5 Mio. Gleichzeitig nahm die Zahl der Haushalte mit Einkommen von mindestens 10 000 DM netto pro Monat von 350 000 auf rd. 1,7 Mio zu.

**Armut auf Zeit:** Sozialwissenschaftler der Universität Bremen differenzierten 1994 die Thèse von einer Zwei-Drittel-Gesellschaft, nach der ein Drittel der Deutschen dauerhaft arm sei. Sie stellten fest, daß immer mehr Menschen, auch aus der Mittelschicht, zeitweise in Armut leben müßten. 1984–1992 waren 20% der westdeutschen Bevölkerung ein bis vier Jahre lang arm, etwa 10% über vier Jahre. Armut betraf kinderreiche Familien, Rentner und Langzeitarbeitslose, kurzfristig aber auch arbeitslose Hochschulabsolventen. Wohlfahrtsverbände forderten Erhöhungen von Kinder- und Wohngeld sowie der Sozialhilfe. (FH)
→ Bevölkerungsentwicklung → Entwicklungspolitik → Existenzminimum → Flüchtlinge → Hunger → NGO → Sozialhilfe → Weltsozialgipfel

# Arzneimittel

In Westdeutschland nahm der Umsatz mit A. 1994 im Vergleich zu 1993 um 6,6% auf rd. 37 Mrd DM zu. Die Ausgaben der Gesetzlichen Krankenversicherungen (GKV) für A. stiegen in Westdeutschland um 3,9%, in Ostdeutschland um 12,1%. Für 1996 befürchteten die GKV einen Anstieg der A.-Kosten, weil die Begrenzung für die ärztliche Verordnung von A. (sog. Budgetierung), wie sie die Gesundheitsreform von 1993 vorsieht, Ende 1995 ausläuft.

**Selbstmedikation:** Infolge der Beschränkung für die ärztliche Verschreibung stieg der Umsatz mit nicht rezeptpflichtigen Medikamenten (Selbstmedikation des Patienten) auf 7,5 Mrd DM. Dies entsprach einem Anstieg gegenüber 1993 von rd. 6% im Westen und 12% im Osten Deutschlands. Experten gingen davon aus, daß die Ausgaben der Patienten für verordnungsfreie Präparate weiterhin steigen.

**Höchstbeträge:** Die Budgetierung, die eine Obergrenze für die Ausgaben der GKV durch verordnete A. pro Jahr festlegt, soll bundesweit durch A.-Richtgrößen abgelöst werden, die für jede Facharztgruppe A.-Höchstbeträge pro Behandlungsfall festsetzen. Ende 1994 waren erstmals Richtgrößen für A. festgesetzt worden. Die von der Kassenärztlichen Vereinigung Bayern und den bayerischen Krankenkassen vereinbarten Beträge sollen rückwirkend ab 1994 gelten. Praktischen Ärzten steht ein Höchstbetrag pro Behandlungsfall und -quartal von 77,34 DM für Versicherte und 200,99 DM für Rentner zu. Überschreitungen bis zu 30% werden toleriert, darüber hinaus wird die Verordnungspraxis des Arztes überprüft, ab 40% Überschreitung soll der Arzt die Mehrkosten i. d. R. tragen. Die Regelung soll Möglichkeiten verbessern, die Wirtschaftlichkeit von Behandlungen zu prüfen.

**Reimporte:** Anfang 1995 untersagte der Bundesgerichtshof (BGH, Karlsruhe) dem pharmazeutischen Großhandel den Boykott von sog. Reimportmedikamenten, die in Deutschland hergestellt und ins Ausland exportiert werden, wo sie den Marktbedingungen entsprechend i. d. R. preiswerter angeboten werden. Zurück nach Deutschland importierte A. waren 1995 bis zu 30% billiger als das deutsche Produkt. Bis dahin hatten sich die Pharmahändler geweigert, Reimporte wegen des geringeren Umsatzes zu vertreiben. Die GKV erwarteten jährliche Einsparungen bei den Ausgaben für A. durch Reimporte von rd. 500 Mio DM.

**Fusionen:** Mitte der 90er Jahre versuchten nahezu alle europäischen Staaten, die Kosten im Gesundheitswe-

Im Januar 1995 nahm die 1993 von der EG vereinbarte Europäische Arzneimittelagentur in London ihre Arbeit auf. Sie soll neue pharmazeutische Produkte auf ihre Unbedenklichkeit hin prüfen. Die nationale Zulassung in einzelnen EU-Staaten entfällt. Die Mittel können nach der Freigabe mit einheitlichen Gebrauchsbedingungen unionsweit vertrieben werden.

## Arzneimittel: Die umsatzstärksten Pharmaunternehmen der Welt 1994

| Rang | Unternehmen (Land) | Umsatz (Mrd Dollar) Gesamt | Pharma[1] | Anstieg zu 1993 (%) |
|---|---|---|---|---|
| 1 | Merck & Co. (USA) | 14,969 | 9,416 | 7,3 |
| 2 | Glaxo (Großbritannien)[2] | 8,484 | 8,409 | 5,3 |
| 3 | Bristol-Myers-Squibb (USA) | 11,980 | 6,970 | 6,8 |
| 4 | Smithkline Beecham (GB) | 9,340 | 6,549 | 7,5 |
| 5 | Hoechst (Deutschland) | 30,640 | 6,343 | 5,3 |
| 6 | Hoffmann-La Roche (Schweiz) | 10,844 | 6,115 | 15,1 |
| 7 | Pfizer (USA) | 8,281 | 5,811 | 13,3 |
| 8 | Sandoz (Schweiz) | 10,600 | 5,291 | 5,9 |
| 9 | Eli Lilly (USA) | 5,711 | 5,248 | 10,3 |
| 10 | American Home (USA)[3] | 8,966 | 5,200 | 8,9 |

Alle Daten nach Angaben der Unternehmen bzw. nach Geschäftsbericht; 1) inkl. Selbstmedikation; Umrechnung nach Jahresdurchschnittskursen; 2) Geschäftsjahr 1993/94; 3) ohne OTC-Arzneimittel; Quelle: Handelsblatt, 2./3. 6. 1995

sen durch Reformen zu senken, die u. a. Preisfestsetzungen für A. vorsahen. Pharmakonzerne reagierten mit Fusionen und Übernahmen anderer A.-Hersteller, um drohende Umsatzeinbußen mit größeren Marktanteilen auszugleichen. 1994 übernahm die Hoechst-Gruppe für die Kaufsumme von 10 Mrd DM die US-amerikanische Marion Merrel Dow. Die BASF-Tochterfirma Knoll kaufte Anfang 1995 das britische Unternehmen Boots für 2,1 Mrd DM.

→ Gesundheitsreform → Krankenversicherungen → Positivliste

## Asbest

→ Wohngifte

## ASEAN

**Name** Association of South East Asian Nations, engl.; Vereinigung südostasiatischer Nationen

**Sitz** Jakarta/Indonesien

**Gründung** 1967

**Mitglieder** Brunei, Indonesien, Malaysia, Philippinen, Singapur, Thailand, Vietnam

**Generalsekretär** Dato Ajit Singh/Malaysia (1993–1996)

**Funktion** Förderung politischer, wirtschaftlicher und sozialer Zusammenarbeit zwischen den Mitgliedstaaten

ASEAN: Mitgliedstaaten

Mitte der 90er Jahre war die südostasiatische Ländergemeinschaft die Region mit dem weltweit höchsten Wirtschaftswachstum (Durchschnitt: etwa 7%). Im Juli 1995 wurde Vietnam siebtes ASEAN-Mitglied.

**AFTA:** Ende 1994 beschlossen die ASEAN-Wirtschaftsminister, die geplante Freihandelszone AFTA von 2008 auf 2003 vorzuverlegen. Ein stufenweiser Zollabbau für Industrie- und nichtverarbeitete Agrarprodukte, an dessen Ende gegenseitige Tarife von maximal 5% stehen (Zölle 1994: rd. 20%), soll den Binnenhandel fördern und der Konkurrenz durch Freihandelszonen (Europäischer Binnenmarkt, NAFTA) begegnen.

**Wirtschaftserfolge:** Experten sagen für Indonesien, Malaysia, Singapur und Thailand bis etwa 2020 BIP-Zuwachsraten von 5–8% pro Jahr und den Wandel von Schwellenländern zu Industriestaaten voraus. Den Hauptbeitrag zum BIP leisteten Mitte der 90er Jahre der Export von verarbeiteten Industrieprodukten und Landwirtschaftserzeugnissen.

**Sicherheit:** Im Juli 1994 fand in Bangkok/Thailand die erste asiatisch-pazifische Sicherheitskonferenz (Asiatisches Regionalforum, ARF) statt. An dem Treffen nahmen neben den Mitgliedern der ASEAN auch die Länder mit Beobachterstatus, Laos, Myanmar, Papua-Neuguinea und Vietnam (voraussichtliche Mitgliedschaft bis 1999), sowie sechs pazifische Staaten teil (u. a. China, Rußland, USA). Die ARF soll zum sicherheitspolitischen Kernstück der ASEAN ausgebaut werden.

→ APEC → Schwellenländer

## Asiatische Entwicklungsbank

**Abkürzung** ADB (Asian Development Bank, engl.)

**Sitz** Manila/Philippinen

**Gründung** 1966

**Mitglieder** 42 asiatische und 16 nichtasiatische Staaten

**Präsident** Mitsuo Sato/Japan (seit 1993)

**Funktion** Entwicklungshilfe in Asien

## ASEAN: Mitglieder im Vergleich

| Land | Fläche (km²) | Einw. (Mio) | BSP pro Kopf (Dollar) | Investitionen (% des BIP) | Exporte (% des BSP) |
|------|------|------|------|------|------|
| Brunei | 5 765 | 0,3 | 16 730 | k. A. | k. A. |
| Indonesien | 1 919 317 | 188,2 | 740 | 31 | 28 |
| Malaysia | 330 442 | 19,1 | 3 140 | 33 | 80 |
| Philippinen | 300 076 | 65,0 | 850 | 24 | 32 |
| Singapur | 633 | 2,9 | 19 850 | 44 | 169 |
| Thailand | 513 115 | 57,8 | 2 100 | 39 | 37 |
| Vietnam | 331 033 | 70,9 | 170 | 21 | 28 |

Stand: 1993; Quelle: Weltbank

## Asteroiden

(auch Kleinplaneten, Planetoiden), Kleinkörper auf elliptischer Bahn um die Sonne. Die US-amerikanische Weltraumbehörde NASA kündigte 1995 an, innerhalb von zehn Jahren A. mit einem Durchmesser über 1 km zu identifizieren, die die Umlaufbahn der Erde kreuzen könnten. A., die von der Schwerkraft der Erde angezogen werden und in die Erdatmosphäre eindringen könnten, sollen aufgespürt werden. Wissenschaftler fürchteten, daß ein A.-Einschlag auf der Erde schwere Zerstörungen hervorrufen kann. Die Forschungen sollen Voraussetzungen für Abwehrmaßnahmen schaffen.

**Explosionen:** 1975–1992 explodierten 136 mindestens hausgroße A. nahe der Erde. A. mit einem Durchmesser von bis zu 100 m explodieren in kleinste Teilchen bzw. verglühen durch die Reibungshitze der Erdatmosphäre. Größere schlagen Krater, die 20–40mal größer sind als sie selbst. A., die auf die Erde treffen, heißen Meteoriten.

**Einschlagswahrscheinlichkeit:** Die NASA schätzte, daß 1000–4000 A. von mindestens 800 m Durchmesser die Erdbahn kreuzen, 150 waren den Astronomen bekannt. Himmelskörper dieser Größe würden im Durchschnitt alle 300 000 Jahre mit der Erde kollidieren. Die Zahl der erdnahen A. ab 100 m Durchmesser wurde auf rd. 300 000 geschätzt. Mit einem Einschlag von A. mit einem Durchmesser von rd. 50 m rechnete die NASA alle 200–300 Jahre.

**Gefahren:** Träfen A. mit einigen hundert Metern Durchmesser die Erde, würden durch Explosion, Schock- und Flutwellen Millionen Menschen sterben. Die aufgewirbelten Stäube könnten den Himmel verdunkeln und die Temperaturen senken, so daß Leben auf der Erde gefährdet würde.

## Astra 1 E

Rundfunksatellit zur Verbreitung von digitalen Hörfunk- und Fernsehprogrammen. Mit A., dessen Inbetriebnahme für Mitte 1995 geplant war, und Astra 1 F, der 1996 starten soll, erweitert die luxemburgische Betreiberfirma Société Européenne des Satellites (SES) das Angebot der analog ausstrahlenden Astra 1 A–D von 64 Kanälen (sog. Transponder) um rd. 300. Ab Mai 1995 tritt Hot Bird 1 vom Betreiber Eutelsat in Konkurrenz zu den Astra-Satelliten.

Alle Astra-Satelliten sind mit nur einer Satellitenantenne zu empfangen. Für den Empfang von Astra 1 D war die Umrüstung der bis 1994 genutzten Satellitenanlagen erforderlich (Kosten 1995: rd. 100 DM). Voraussetzung für den Empfang von A. und Astra 1 F ist ein Zusatzgerät zur Entschlüsselung der digitalen Signale.

In Europa versorgte die SES als Marktführer 50 Mio Fernsehhaushalte mit ihren Programmen, im deutschsprachigen Raum 97% aller Satellitenhaushalte (88% ausschließlich).

→ Digitales Fernsehen → Hot Bird 1
→ Kabelanschluß

| Asylbewerber: Herkunft 1994 | |
|---|---|
| **Land** | **Anzahl** |
| Jugoslawien | 30 404 |
| Türkei | 19 118 |
| Rumänien | 9 581 |
| Bosnien-H. | 7 297 |
| Afghanistan | 5 642 |
| Sri Lanka | 4 813 |
| Togo | 3 488 |
| Iran | 3 445 |
| Vietnam | 3 427 |
| Bulgarien | 3 367 |

Quelle: Presse- und Informationsamt der Bundesregierung

## Asylbewerber

In ihrem Heimatland aus politischen, rassischen oder religiösen Gründen Verfolgte, die in einem anderen Land Zuflucht gefunden haben. 1994 sank die Zahl der A. in Deutschland gegenüber 1993 um 60,6% auf 127 210 Personen. Der Rückgang wurde auf die Einschränkung des Asylrechts 1993 und die verstärkte Grenzsicherung zurückgeführt. Die Zahl der A. aus den Staaten Ost- und Südosteuropas sank 1994 von 213 558 Personen (66,2% aller A.) auf 58 043 (45,6%).

**Bilanz:** Das Bundesamt für die Anerkennung ausländischer Flüchtlinge (Zirndorf) entschied 1994 über die Anträge von 352 572 Personen (1993: 513 561). Die Anerkennungsquote von A. stieg 1994 von 3,2% auf 7,2% (25 578 Personen). Grund hierfür war der hohe Anteil sog. Altfälle. Durch personelle Verstärkung beim Bundesamt wurde die Zahl der unerledigten Verfahren, die Mitte 1993 einen Höchststand von 493 000 erreicht hatte, bis Ende 1994 auf 107 829 reduziert. Abgelehnt wurden die Anträge von 238 386 Personen (67,6%).

**Asylcard:** Eine Arbeitsgruppe der Bundesregierung und der Länder prüfte seit Januar 1995 Pläne des Bundesinnenministeriums, A. zum Mitführen einer maschinenlesbaren Chipkarte mit Daten über ihre Identität, den Stand ihres Asylverfahrens und die erhaltenen Leistungen zu verpflichten. Die Asylcard soll eine schnelle Identifizierung der A. gewährleisten und vor Leistungsmißbrauch schützen. Die Datenschutzbeauftragten von Hessen, Niedersachsen und Nordrhein-Westfalen lehnten die Asylcard als Eingriff in den Datenschutz der A. ab.

**Aufenthaltsbefugnis:** Als erstes Bundesland kündigte Sachsen-Anhalt im April 1995 eine Aufenthaltsbefugnis für alle Bürgerkriegsflüchtlinge aus Bosnien-Herzegowina an. Bis dahin waren zahlreiche bosnische Flüchtlinge nur geduldet worden. Die Duldung stellt eine ständige Ausreiseforderung dar, die jedoch nicht erzwungen wird, und benachteiligt die Flüchtlinge z. B. auf dem Arbeits- und Wohnungsmarkt. Gleichzeitig wurde die Aufenthaltsbefugnis in Sachsen-Anhalt von sechs Monaten auf ein Jahr verlängert.

→ Abschiebung → Ausländerfeindlichkeit → Illegale Einwanderung → Kirchenasyl → Schengener Abkommen

## Atomenergie

Die Zukunft der A. in Deutschland war neben der Finanzierung der Steinkohle Hauptthema der Gespräche über einen Energiekonsens zwischen der Bundesregierung aus CDU, CSU und FDP sowie der SPD-Opposition 1995. Ein Drittel (1993: 37%) des Stroms (rd. 150 Mrd kWh) stammte aus der Kernspaltung.

**Positionen:** Die Sozialdemokraten verlangten den Ausstieg aus der A., verzichteten jedoch darauf, die Restlaufzeit der bestehenden Kraftwerke zu befristen, was Entschädigungsforderungen der Stromwirtschaft nach sich ziehen würde. Sie wandten sich gegen den Vorschlag der Bundesregierung, eine neue Generation von Atomkraftwerken mit hohen Sicherheitsstandards zu bauen. Das geplante Endlager für hochradioaktive Abfälle in Gorleben (Niedersachsen) soll aufgegeben werden. Die Energieversorger hatten 1993 auf den Bau neuer Atomkraftwerke (Kosten: ca. 8 Mrd–9 Mrd DM) von einem politischen Konsens in der Energiepolitik abhängig gemacht.

| Asylbewerber: Anträge in EU-Ländern | | | | |
|---|---|---|---|---|
| **Land** | **1988** | **1990** | **1992** | **1994**[1] |
| Belgien | 4 500 | 12 900 | 17 600 | 14 000 |
| Dänemark | 4 700 | 5 300 | 13 900 | 7 000 |
| Deutschland | 103 100 | 193 100 | 438 200 | 127 200 |
| Frankreich | 34 400 | 54 800 | 27 000 | 25 000 |
| Großbrit. | 5 700 | 30 300 | 32 000 | 32 000 |
| Niederlande | 7 500 | 21 200 | 20 300 | 53 000 |
| Spanien | 4 500 | 8 600 | 11 700 | 11 000 |

1) Z. T. Schätzungen; Quellen: Presse- und Informationsamt der Bundesregierung, Bundesinnenministerium

## Atomenergie: Anlagen in Deutschland

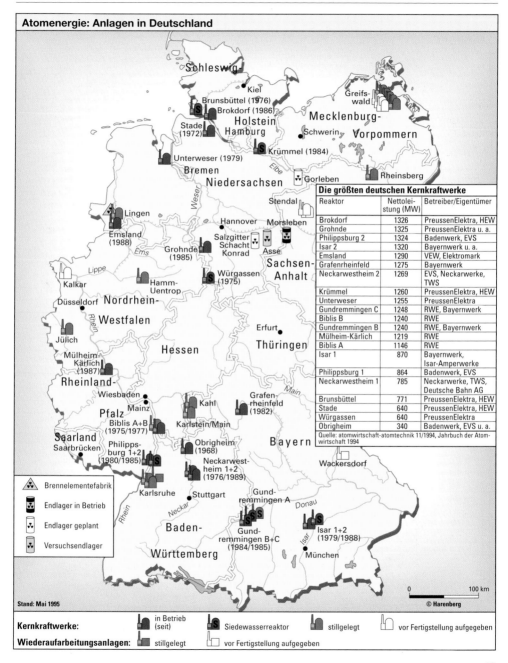

### Die größten deutschen Kernkraftwerke

| Reaktor | Nettolei-stung (MW) | Betreiber/Eigentümer |
|---|---|---|
| Brokdorf | 1326 | PreussenElektra, HEW |
| Grohnde | 1325 | PreussenElektra, u. a. |
| Philippsburg 2 | 1324 | Badenwerk, EVS |
| Isar 2 | 1320 | Bayernwerk u. a. |
| Emsland | 1290 | VEW, Elektromark |
| Grafenrheinfeld | 1275 | Bayernwerk |
| Neckarwestheim 2 | 1269 | EVS, Neckarwerke, TWS |
| Krümmel | 1260 | PreussenElektra, HEW |
| Unterweser | 1255 | PreussenElektra |
| Gundremmingen C | 1248 | RWE, Bayernwerk |
| Biblis B | 1240 | RWE |
| Gundremmingen B | 1240 | RWE, Bayernwerk |
| Mülheim-Kärlich | 1219 | RWE |
| Biblis A | 1146 | RWE |
| Isar 1 | 870 | Bayernwerk, Isar-Amperwerke |
| Philippsburg 1 | 864 | Badenwerk, EVS |
| Neckarwestheim 1 | 785 | Neckarwerke, TWS, Deutsche Bahn AG |
| Brunsbüttel | 771 | PreussenElektra, HEW |
| Stade | 640 | PreussenElektra, HEW |
| Würgassen | 640 | PreussenElektra |
| Obrigheim | 340 | Badenwerk, EVS u. a. |

Quelle: atomwirtschaft-atomtechnik 11/1994, Jahrbuch der Atom-wirtschaft 1994

Brennelementefabrik

Endlager in Betrieb

Endlager geplant

Versuchsendlager

**Stand: Mai 1995**

© Harenberg

0    100 km

**Kernkraftwerke:**    in Betrieb (seit)    Siedewasserreaktor    stillgelegt    vor Fertigstellung aufgegeben

**Wiederaufarbeitungsanlagen:**    stillgelegt    vor Fertigstellung aufgegeben

43

**Demontage:** Mit dem 1974 stillgelegten Kraftwerk Niederaichbach (Bayern) wird 1994–1996 erstmals ein Atomreaktor vollständig abgerissen (Kosten: 280 Mio DM). Aufgrund des langwierigen Genehmigungsverfahrens sowie von Auseinandersetzungen mit Atomkraftgegnern und der Nachbarstadt Landshut verzögerte sich die Beseitigung der radioaktiven Bauteile (1% der Abfallmenge) um 13 Jahre. Mitte 1995 wurden Reaktoren in Greifswald, Gundremmingen, Kahl, Karlstein und Rheinsberg abgebaut. Die Kosten für die Beseitigung aller deutschen kerntechnischen Anlagen und Atomkraftwerke (rd. 350 000 t radioaktiver Abfall) schätzte das Bundesforschungsministerium auf etwa 40 Mrd DM.

**Neue Reaktortypen:** Mit dem Europäischen Druckwasserreaktor (EPR, Leistung: ca. 1450 MW) entwickelten Siemens/KWU (Deutschland) und Framatome (Frankreich) ab 1991 einen Kraftwerkstyp, der die Auswirkungen einer Kernschmelze, des größten anzunehmenden Unfalls (GAU), auf das Reaktorinnere beschränken soll. Dies fordert eine 1994 beschlossene Änderung des Atomgesetzes. In Entwicklung, Planung und Bau (Deutschland, Japan, Schweden, USA) waren 1994/95 weitere Leichtwasser- und gasgekühlte

### Atomenergie: Abhängigkeit

| Land | Anteil (%)[1] | Bruttoleistung (MW) |
|---|---|---|
| Litauen | 87,2 | 3 000 |
| Frankreich | 77,7 | 61 044 |
| Belgien | 59,0 | 5 807 |
| Slowakei | 53,6 | 1 760 |
| Ungarn | 43,3 | 1 840 |
| Slowenien | 43,3 | 664 |
| Schweden | 42,0 | 10 386 |
| Korea-Süd | 40,3 | 7 610 |
| Schweiz | 37,9 | 3 141 |
| Bulgarien | 36,9 | 3 760 |
| Spanien | 36,0 | 7 400 |
| Ukraine | 32,9 | 13 818 |
| Finnland | 32,4 | 2 400 |
| Japan | 30,9 | 38 541 |
| Deutschland | 29,7 | 23 920 |
| Tschech. Rep. | 29,2 | 1 782 |
| Großbritannien | 26,3 | 13 820 |
| USA | 21,2 | 104 788 |
| Kanada | 17,3 | 16 713 |
| Argentinien | 14,2 | 1 015 |
| Rußland | 12,5 | 21 242 |
| Niederlande | 5,1 | 538 |
| Südafrika | 4,5 | 1 930 |
| Mexiko | 3,0 | 675 |
| Indien | 1,9 | 2 035 |
| Pakistan | 0,9 | 137 |
| Kasachstan | 0,5 | 150 |
| China | 0,3 | 2 200 |
| Brasilien | 0,2 | 657 |
| Taiwan | k. A. | 5 144 |

Stand: 1993/94; 1) An der Stromerzeugung des Landes; Quelle: IAEA; atomwirtschaft - atomtechnik 11/1994

Reaktoren. Als kostengünstige Variante gelten Hochtemperaturreaktoren mit geringer Leistung, die zur Elektrizitäts- und Wärmeerzeugung eingesetzt werden können. Der sog. Schnelle Brüter, der mehr spaltbaren Brennstoff, darunter Plutonium, herstellt, als er zur Energiegewinnung verbraucht, wurde Mitte der 90er Jahre nur in Japan (Monju) kommerziell genutzt.

**Welt:** Anfang 1995 waren 425 Atomkraftwerksblöcke in 29 Ländern mit 360 263 MW in Betrieb (Anteil an der Stromproduktion 1993: 17%, EU: 34%) und 60 Reaktoren in Bau, davon

### Atomenergie: Die größten Kernkraftwerke der Welt

| Rang | Name (Land) | Bruttoleistung (MW) | Blöcke |
|---|---|---|---|
| 1 | Fukushima (Japan) | 9096 | 10 |
| 2 | Bruce (Kanada) | 7280 | 8 |
| 3 | Gravelines (Frankreich) | 5706 | 6 |
| 4 | Paluel (Frankreich) | 5528 | 4 |
| 5 | Kashiwazaki Kariwa (Japan) | 5500 | 5 |
| 6 | Cattenom (Frankreich) | 5448 | 4 |
| 7 | Saporoschje (Ukraine) | 5000 | 5 |
| 8 | Ohi (Japan) | 4710 | 4 |
| 9 | Pickering (Kanada) | 4328 | 8 |
| 10 | Balakowo (Rußland) | 4000 | 4 |
| | Kursk (Rußland) | 4000 | 4 |
| | Sosnowij Bor (Rußland) | 4000 | 4 |

Stand: September 1994; Quelle: atomwirtschaft - atomtechnik 11/1994

## Atomenergie: Weltweite Nutzung

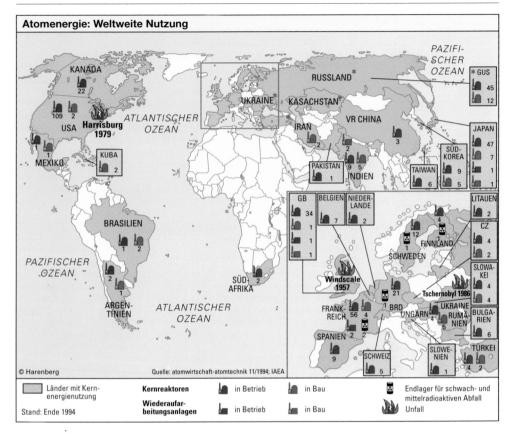

© Harenberg — Quelle: atomwirtschaft-atomtechnik 11/1994; IAEA

Stand: Ende 1994

| | | |
|---|---|---|
| Länder mit Kernenergienutzung | **Kernreaktoren** in Betrieb / in Bau | Endlager für schwach- und mittelradioaktiven Abfall |
| | **Wiederaufarbeitungsanlagen** in Betrieb / in Bau | Unfall |

mehr als die Hälfte in Osteuropa und Asien. In Rußland und China wird sich der Strombedarf nach einer Prognose der Internationalen Atomenergieagentur von 1994 in 15–20 Jahren verdoppeln bzw. verdreifachen.
→ Energiekonsens → Entsorgung → Neutronenreaktor → Plutonium → Reaktorsicherheit

## Atomschmuggel

Im August 1994 wurde in Deutschland erstmals Schmuggel mit atomwaffenfähigem Plutonium, einem hochgiftigen radioaktiven Schwermetall, aufgedeckt. Ein parlamentarischer Untersuchungsausschuß soll Vorwürfe unter-

suchen, der Bundesnachrichtendienst habe den A. inszeniert, um Verkäufer zu enttarnen. Bei den 1994 vom Bundeskriminalamt registrierten 267 Fällen von A. (1993: 241) waren 85 Scheingeschäfte. Das Material stammte aus Osteuropa und der GUS.
**Risiken:** Mit dem Zusammenbruch der Sowjetunion und dem Zerfall staatlicher Autorität verschlechterten sich die Kontrollmöglichkeiten über die zivile und militärische Atomindustrie (1994: rd. 1 Mio Beschäftigte). Forschung und Produktion waren in der UdSSR in geschlossenen, vom Geheimdienst KGB kontrollierten Atomstädten angesiedelt, von denen bis 1994 zehn aufgegeben wurden.

## Atomschmuggel: Fahndungsbilanz

| Datum | Ort (Land) | Sichergestellte Menge |
|---|---|---|
| 3.11.1992 | Flensburg (D) | 0,8 g Plutonium |
| 26.11.1992 | Frankfurt/M. (D) | 307 g Uran |
| 19.1.1993 | Grenze F/CH | 4 kg Cäsium 133 |
| 7.3.1993 | Gdingen (PL) | 6 kg Uran 238 |
| 30.4.1993 | Braunsberg (PL) | 25 kg Cäsium 137 |
| 6.10.1993 | Istanbul (TR) | 2,5 kg angereichertes Uran |
| 27.11.1993 | Bursa (TR) | 4,5 kg Uran |
| 23.12.1993 | Odessa (UA) | 300 g Nukleargemisch |
| 10.5.1994 | Tengen-Wiech (D) | 6 g Plutonium 239 |
| 13.6.1994 | Landshut (D) | 0,8 g Uran 235 |
| 22.7.1994 | Istanbul (TR) | 10 kg Uran |
| 10.8.1994 | München (D) | 300 g Plutonium 239 |
| 12.8.1994 | Bremen (D) | 0,05 mg Plutonium 239 |
| 19.12.1994 | Prag (CZ) | 3 kg Uran 235 |
| 10.5.1995 | Haapsalu (EW) | 5 kg Uran |
| 9.6.1995 | New York (USA) | 7 t Zirkonium |

1994/95 waren die Uranproduktion und Atomforschungszentren über elf Nachfolgestaaten der UdSSR verteilt. Die Vorschriften über Aufbewahrung, Transport und Verarbeitung radioaktiven Materials in der GUS entsprachen nicht internationalen Standards. Anlagen waren unzureichend gesichert. 1992–1994 wurden in Rußland rd. 200 Diebstähle radioaktiver Substanzen aufgedeckt. Sicherheitsbehörden befürchten, daß atomwaffenfähiges Material in Staaten, die Atomwaffen entwickelten, oder in die Hände von Terroristen und Erpressern gelangt. Komplette Atomsprengköpfe zu ver-

schieben, galt wegen der Vielzahl der Sicherheitsvorkehrungen als nahezu unmöglich.

**Kontrolle:** Im August 1994 vereinbarten Deutschland und Rußland, bei der Bekämpfung des A. zusammenzuarbeiten. Über eine Aufwertung der Internationalen Atomenergie-Agentur (IAEA) zu einer Datensammel- und Informationsstelle über A. wurde 1994/95 diskutiert. Die IAEA darf nur in den Staaten, die dem Atomwaffensperrvertrag als Nicht-Atommächte beigetreten sind, zivile Atomanlagen mit deren Erlaubnis kontrollieren.
→ Atomwaffen → Plutonium

## Atomtests

Als einzige Atommacht führte China von 1993 bis Mitte 1995 vier A. durch. Großbritannien, Rußland und die USA verzichteten ab 1991/92 freiwillig auf die Erprobung von Atomwaffen. Anfang 1995 verlängerten die USA ihr Moratorium um ein Jahr bis September 1996. Im Juni 1995 kündigte Frankreich die Wiederaufnahme der 1992 unterbrochenen A. an, um die Glaubwürdigkeit der eigenen Atomstreitmacht aufrechtzuerhalten. Von September 1995 bis Mai 1996 sollen auf dem Moruroa-Atoll (Südpazifik) acht unterirdische A. durchgeführt werden. Auf der UNO-Abrüstungskonferenz (Genf/Schweiz) verhandelten 62 Staaten über ein umfassendes Teststoppabkommen (engl.: Comprehensive Test Ban Treaty), das bis Ende 1996 beschlossen werden soll. China forderte weitere A. zu wissenschaftlichen Zwecken, um den Entwicklungsrückstand zu den anderen Nuklearmächten aufzuholen. Umstritten waren Mitte 1995 die Mittel zur Kontrolle des Teststoppvertrags. A. können im Labor simuliert werden (sog. hydronukleare Tests). Zur Kernspaltung geeignetes Material (z. B. Uran, Plutonium) wird zum größten Teil durch herkömmlichen Sprengstoff ersetzt, eine Atomexplosion vermieden.
→ Atomwaffen

## Atomtests: Entwicklung 1945–1995

| Land | Oberirdisch[1] | Unterirdisch | Insgesamt |
|---|---|---|---|
| USA | 217 | 815 | 1032 |
| UdSSR | 207 | 508 | 715 |
| Frankreich | 46 | 145 | 191 |
| Großbritannien | 21 | 24 | 45[2] |
| China | 23 | 19 | 42 |
| Indien | 0 | 1[3] | 1 |

Stand: Juni 1995; 1) Großbritannien führte nach 1958 keine Atomtests in der Atmosphäre durch, 1963 UdSSR und USA (gemäß Atomteststoppabkommen), 1975 Frankreich, 1981 China; 2) gemeinsam mit den USA in Nevada; 3) 1974; Quelle: R. Ferm, Nuclear explosions, 1945–94, in: SIPRI-Yearbook 1995

## Atomtransport

Der erste Transport von hochradioakti-ven, abgebrannten nuklearen Brenn-stäben in das Zwischenlager Gorleben (Niedersachsen) verzögerte sich wegen Rechtsstreitigkeiten zwischen Bund und niedersächsischer Landesre-gierung um fast ein Jahr bis April 1995. In Deutschland wurden 1973–1993 nach Angaben des Bundesum-weltministeriums 1376 A. mit 4470 t abgebrannten Brennstäben durchge-führt (rd. 445 000 A. pro Jahr).

**CASTOR-Transport:** Die Landesre-gierung lehnte den A. wegen Sicher-heitsbedenken ab. Bei der Verladung der Behälter (Typ CASTOR) im Atom-kraftwerk Philippsburg (Baden-Würt-temberg) im Juli 1994 waren techni-sche Probleme aufgetreten. Der A. sei überflüssig, weil Philippsburg bis 2011 über ausreichend Lagerraum für ausgedientes Brennmaterial verfüge. CASTOR-Behälter wurden 1994/95 außerdem vom 1993 stillgelegten Hochtemperaturreaktor Hamm-Uen-trop in das Zwischenlager Ahaus (Nordrhein-Westfalen) befördert.

**Gorleben:** Ab 1995 ist Deutschland völkerrechtlich verpflichtet, Nuklear-abfälle aus Frankreich (La Hague) und Großbritannien (Sellafield) zurückzu-nehmen, die bei der Wiederaufarbei-tung deutschen Materials entstanden. Sie sollen in Gorleben zwischengela-gert werden. Im Juni 1995 genehmigte das Bundesamt für Strahlenschutz die Einlagerung der in Glas eingeschmol-zenen Abfälle. Bis zum Ende der 90er Jahre erwartet die Gesellschaft für Nuklearservice für Gorleben 130–160 A. 1995 waren drei A. vorgesehen.

**Schiffstransport:** Aus Japan werden seit 1992 abgebrannte Brennelemente zur Wiederaufarbeitung per Schiff nach Frankreich gebracht (Geltung der Verträge: bis 2020). Mit 14 t Atommüll aus der Wiederaufarbeitungsanlage La Hague verließ im Februar 1995 ein bri-tisches Frachtschiff Frankreich. Umweltschützer versuchten die A., darunter hochgiftiges und spaltbares

### Atomtransport: Streit um CASTOR

| Datum | Ereignis |
|---|---|
| 1983 | Zwischenlager Gorleben (Niedersachsen) für die Aufnahme hochradioaktiver Abfälle betriebsbereit |
| ab 1988 | Einlagerung von sog. CASTOR-Behältern möglich |
| 21.7.1994 | Betreiber des Atomkraftwerks Philippsburg beantra-gen beim niedersächsischen Umweltministerium Transport eines CASTOR-Behälters mit abgebrann-ten Brennstäben nach Gorleben |
| Juli 1994 | Erste Protestaktionen, Verkehrsblockaden, Anschläge von Atomkraftgegnern |
| Aug. 1994 | Wegen Sicherheitsbedenken weigert sich Nieder-sachsen, den Transport zu erlauben |
| 26.10.1994 | Atomrechtliche Weisung des Bundesumwelt-ministeriums, die Überführung zu genehmigen |
| 14.11.1994 | Landesumweltministerin Monika Griefahn stimmt Transport zu |
| 21.11.1994 | Verwaltungsgericht Lüneburg beanstandet Bela-dungsvorschriften für CASTOR-Behälter und hebt Anordnung des Bundesumweltministeriums auf |
| 21.1.1995 | Oberverwaltungsgericht Lüneburg gibt Beschwerde des Bundes statt und erklärt Transport für rechtens |
| 9.2.1995 | Niedersachsen widerruft Transportgenehmigung |
| 15.2.1995 | Erneute bundesrechtliche Weisung (Frist: bis 22.2.1995). Niedersachsen erteilt Erlaubnis |
| 7.4.1995 | Umweltministerin Angela Merkel (CDU) fordert von Niedersachsen, den Transport für sofort vollziehbar zu erklären |
| 21.4.1995 | Oberverwaltungsgericht Lüneburg weist Antrag auf Aufschub des Transports ab |
| 25.4.1995 | CASTOR-Transport erreicht Gorleben |

Plutonium, zu verhindern. Sie bemän-gelten die unzureichenden Schutzvor-kehrungen im Fall eines Feuers oder einer Kollision auf See.

→ Atomenergie → CASTOR → Ener-giekonsens → Entsorgung → Zwi-schenlagerung

## Atomwaffen

→ Übersichtsartikel S. 48

## Aum Shinri Kyo

(japanisch; wahre Lehre Aum), 1987 in Japan gegründete Sekte, die verdäch-tigt wird, im März 1995 Giftgasan-schläge auf U-Bahn-Stationen in Tokio und Yokohama verübt zu haben (zwölf Tote, 5500 Verletzte). Ihr Gründer und

## Atomwaffen

# Werkzeuge gegen nukleare Gefahr bleiben stumpf

Fast 50 Jahre nach dem ersten und einzigen Einsatz von Atomwaffen wurde im Mai 1995 der Nichtverbreitungsvertrag von 1970 (Sperrvertrag, Mitte 1995: 178 Mitglieder) unbefristet verlängert. Er beschränkt Herstellung und Besitz von Nuklearwaffen auf die fünf offiziellen Atommächte China, Frankreich, Großbritannien, Rußland und die USA. Die Staaten, die als inoffizielle Atommächte gelten, Israel, Indien und Pakistan, weigerten sich, wegen regionaler Konflikte auf Kernwaffen zu verzichten und dem Sperrvertrag beizutreten.

**Bilanz – 25 Jahre Sperrvertrag:** Infolge der weltweiten Verbreitung von ziviler Nukleartechnik – Kernkraftwerke, Urananreicherung, Wiederaufarbeitung abgebrannter Brennstäbe aus Reaktoren – konnten Mitte der 90er Jahre mindestens 20 Länder Atomwaffen bauen. Die Förderung der Kernenergie zu friedlichen Zwecken ist im Sperrvertrag ausdrücklich vorgesehen. Kontrollen der Internationalen Atomenergie-Agentur (IAEA) in Staaten, die dem Sperrvertrag als Nicht-Atommacht beigetreten sind, setzen das Einverständnis des Betroffenen voraus. Sie dämmten eine Weiterverbreitung von atomwaffenfähigem Material und Know-how zum Bau von Atombomben nicht wirkungsvoll ein (z. B. Irak, Korea-Nord). Die Abrüstung von Atomwaffenarsenalen, wie in Artikel VI ausdrücklich gefordert, wurde erst durch das Ende des Ost-West-Konflikts erreicht. Politischer Druck und Finanzhilfen (Korea-Nord), militärische Gewalt (Irak) und die innenpolitische Demokratisierung (Südafrika, Argentinien, Brasilien) führten zur Aufgabe geheimer Atomprogramme.

**Exklusive Verfügungsrechte zementiert:** Entwicklungs- und Schwellenländer setzten sich auf der Überprüfungskonferenz in New York (17. 4.–12. 5. 1995) nicht mit ihrer Forderung nach Befristung des Sperrvertrags durch. Sie hielten die Beschränkung der Verfügungsgewalt über Atomwaffen und die IAEA-Kontrollen für diskriminierend und wollten die Atommächte zur Abrüstung zwingen. Die Mehrheit der Staaten, darunter die Atommächte, befürwortete dagegen eine rechtsverbindliche Verlängerung ohne Befristung. Sie wurde am 7. 5. 1995 im Konsensverfahren ohne förmliche Abstimmung angenommen. In einer von 14 arabischen Staaten beantragten Resolution wurden alle Nahost-Staaten aufgefordert, dem Vertrag beizutreten. Die Arabische Liga hatte Anfang 1995 mit der Unterschriftsverweigerung ihrer Mitglieder gedroht, wenn Israel nicht dem Sperrvertrag beitritt. Israel machte dies jedoch von einem umfassenden Nahost-Frieden abhängig.

**Zugeständnisse der Atommächte:** Die Atommächte verpflichteten sich im April 1995, mit Verhandlungen über einen weltweiten Produktionsstopp für waffenfähiges Nuklearmaterial zu beginnen und 1996 ein Abkommen über ein Atomtestverbot zu schließen. Als einziger Staat führte China 1994 Versuche durch. Frankreich will acht Tests bis Mai 1996 durchführen. Bis 1995 hatten sich Großbritannien, Rußland und die USA bereit erklärt, auf die Herstellung von Plutonium und hochangereichertem Uran zu verzichten. Die Vorräte aus abgerüsteten Atomsprengköpfen und aus Atomkraftwerken machten eine Neuproduktion z. T. überflüssig. Im April 1995 verpflichteten sich Frankreich, Großbritannien, Rußland und die USA, keine Kernwaffen gegen Staaten einzusetzen, die keine solchen besitzen und den Sperrvertrag unterzeichnet haben, ausgenommen bei einem bewaffneten Angriff. China dehnte die Schutzerklärung auf alle Nicht-Atomstaaten aus und verzichtete auf die Möglichkeit eines Erstschlags.

**Abrüstung kommt langsam voran:** Anfang 1995 begannen die gegenseitigen Abrüstungskontrollen, wie sie das im Dezember 1994 in Kraft getretene Abkommen zwischen den USA und der damaligen UdSSR über die Reduzierung strategischer Waffen vorsieht (START I). Als letzter Nachfolgestaat der UdSSR mit Atomwaffen unterzeichnete die Ukraine im Dezember 1994 den Sperrvertrag. Die Waffen werden Rußland, das einzige GUS-Atommacht wird, zur Verschrottung übergeben. Material aus den Sprengköpfen wird in niedrig angereicherten Brennstoff für Kraftwerke umgewandelt und z. T. von den USA aufgekauft. Für 1995 war die Ratifizierung des START-II-Vertrags zwischen Rußland und den USA verabredet. Er sieht bis 2003 eine Reduzierung der Atomsprengköpfe auf 3000–3500 für jede Seite vor. 1994/95 gab es insgesamt 45 000 Sprengköpfe, in Waffen, in Reserve und zur Demontage bestimmt. (au)

→ Atomschmuggel → Atomtests → Plutonium

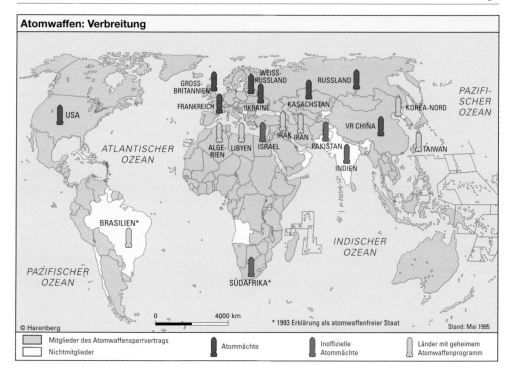

**Atomwaffen: Verbreitung**

USA · GROSS-BRITANNIEN · WEISS-RUSSLAND · RUSSLAND · FRANKREICH · UKRAINE · KASACHSTAN · KOREA-NORD · PAZIFISCHER OZEAN · ATLANTISCHER OZEAN · IRAK · IRAN · VR CHINA · ALGERIEN · LIBYEN · ISRAEL · PAKISTAN · TAIWAN · INDIEN · BRASILIEN* · INDISCHER OZEAN · PAZIFISCHER OZEAN · SÜDAFRIKA*

0 — 4000 km

\* 1993 Erklärung als atomwaffenfreier Staat

© Harenberg · Stand: Mai 1995

| | |
|---|---|
| Mitglieder des Atomwaffensperrvertrags | Atommächte |
| Nichtmitglieder | Inoffizielle Atommächte · Länder mit geheimem Atomwaffenprogramm |

Führer Shoko Asahara sowie weitere Sektenmitglieder wurden verhaftet. Angehörige der Sekte gaben ihre Beteiligung an den Anschlägen zu. In Gebäuden von A. fand die Polizei Chemikalien und Laboratorien, mit denen das bei den Anschlägen verwendete Nervengas Sarin hergestellt werden kann. Mitte 1995 planten die Behörden ein Verbot von A. Die Sekte hat nach eigenen Angaben 10 000 Anhänger u. a. in Japan, Rußland und Deutschland. Nach der Lehre von A. wird die Welt 1999 untergehen, nur erleuchtete A.-Mitglieder können überleben.
→ Sekten → Terrorismus

## Auschwitzlüge

Leugnung bzw. Verharmlosung der Ermordung von rd. 6 Mio Juden durch Nationalsozialisten in den Konzentrationslagern von Auschwitz, Birkenau,

**Atomwaffen: Stationierte Sprengköpfe**

| Waffenart | GUS[1] | USA[1] | Frankr. | GB | China |
|---|---|---|---|---|---|
| Landgestützt | 4833 | 2090 | 48 | – | 110 |
| Seegestützt | 2320 | 2880 | 384 | 196[2] | 24 |
| Auf Bombern stationiert | 1374 | 2800 | 80 | 100 | 150 |
| Insgesamt | 8527 | 7770 | 512 | 296[2] | 284 |

Stand: Januar 1995; 1) strategische Waffen; 2) maximal; Quelle: Albright/Arkin/Berkhout/Norris/Walker: Inventories of fissile materials and nuclear weapons, in: SIPRI-Yearbook 1995

Majdanek u. a. 1933–1945. Um der Verbreitung der A. in Deutschland durch Rechtsextremisten Einhalt zu gebieten, verabschiedete die CDU/CSU/FDP-Bundesregierung mit den Stimmen der SPD im September 1994 im Rahmen des sog. Verbrechensbekämpfungsgesetzes eine Änderung von § 130 StGB und erweiterte die Strafvorschriften für Volksverhetzung. **Strafverschärfung:** Mit Freiheitsstrafe bis zu fünf Jahren oder mit Geldstrafe wegen Volksverhetzung wird belegt, wer den unter der Herrschaft des Nationalsozialismus begangenen Völkermord an den Juden öffentlich oder in Versammlungen billigt, leugnet oder verharmlost. Bis 1994 lag der Straftatbestand der Volksverhetzung erst vor, wenn mit dem Bestreiten des Völkermordes die Menschenwürde der Betroffenen in Zweifel gezogen wurde. Das war vor allem dann der Fall, wenn der Angeklagte sich mit der NS-Rassenideologie identifizierte.

**Deckert-Urteil:** Im April 1995 wurde der NPD-Vorsitzende Günter Deckert vom Landgericht Karlsruhe wegen Volksverhetzung und Aufstachelung zum Rassenhaß zu zwei Jahren Freiheitsstrafe ohne Bewährung verurteilt, weil er die Ermordung von Juden in Gaskammern geleugnet hatte. Der Bundesgerichtshof (BGH, Karlsruhe) hatte im Dezember 1994 zum zweiten Mal (erste Aufhebung: März 1994) die Verurteilung Deckerts wegen Volksverhetzung durch das Landgericht Mannheim aufgehoben. Die Karlsruher Richter befanden das Strafmaß für zu gering. Deckert war zu einem Jahr Haft mit Bewährung verurteilt worden. → Antisemitismus → Rechtsextremismus

## Ausländer

Die Zahl der A. in Deutschland erreichte 1994 mit 6,9 Mio einen Höchststand, rd. 1,53 Mio waren Bürger aus EU-Staaten. 97% der A. hatten ihren Wohnsitz in den alten Bundesländern. Bundesweit betrug der Anteil der A. an der Bevölkerung 8,5%, in den neuen Bundesländern inkl. Ost-Berlin nur 1,4% (alte Bundesländer inkl. West-Berlin: 10%). 25% der A. lebten länger als 20 Jahre in Deutschland. Die größte Volksgruppe bildeten Türken (rd. 1,92 Mio).

## Ausländer: Voraussetzungen für die Einbürgerung in Europa

| Land[1] | Mindestaufenthaltsdauer bis zur Einbürgerung | Erwerb der Staatsbürgerschaft durch Geburt im Land | Einbürgerung ausländ. Ehepartner von Staatsbürgern |
|---|---|---|---|
| Belgien | 5 Jahre ohne, 10 Jahre mit Wahlrecht | wenn ein Elternteil vor der Geburt des Kindes 5 Jahre im Land gelebt hat | Option nach 6 Monaten Lebensgemeinschaft im Land |
| Deutschland | 10 Jahre | Kinderstaatszugehörigkeit bis zum 18. Lebensjahr geplant, wenn ein Elternteil im Land geboren ist und beide seit 10 Jahren im Land leben | nach Ermessen: nach 4 Jahren Ehe im Land, in Härtefällen nach 3 Jahren |
| Frankreich | 5 Jahre | nicht möglich | Option nach 2 Jahren Ehe |
| Großbritannien | 5 Jahre | wenn ein Elternteil eine unbefristete Aufenthaltserlaubnis hat | nach Ermessen nach 3 Jahren Aufenthalt |
| Italien | 10 Jahre, für EU-Bürger 4 Jahre | nicht möglich | Option nach 6 Monaten Aufenthalt oder 3 Jahren Ehe |
| Niederlande | 5 Jahre | wenn ein Elternteil im Land geboren ist und dort lebt | nach 3 Jahren Ehe oder Lebensgemeinschaft |
| Österreich | 10 Jahre | nicht möglich | Option nach 10 Jahren |
| Portugal | 6 Jahre | wenn ein Elternteil seit 6 Jahren im Land lebt | Option direkt nach der Eheschließung |
| Schweden | 5 Jahre | nicht möglich | nach 3 Jahren Aufenthalt und 2 Jahren Ehe oder Lebensgemeinschaft |
| Spanien | 10 Jahre | wenn ein Elternteil im Land geboren ist | Option nach 1 Jahr |

1) Mit Ausnahme von Deutschland und Österreich ist in diesen Ländern die doppelte Staatsbürgerschaft zulässig; Quelle: Die Woche, 16. 12. 1994

**Arbeitsmarkt:** 1994 waren in Deutschland rd. 2,2 Mio A. sozialversicherungspflichtig beschäftigt. Die Arbeitslosenquote unter A. lag bei 15,3% (Deutschland: 9,6%). Der Anteil an der Zahl der Lehrlinge betrug durchschnittlich 7,2%. Um die sinkende Geburtenrate auszugleichen und Arbeitskräftemangel sowie einen Generationenkonflikt bei der Finanzierung der Renten zu vermeiden, müßte die EU nach Angaben des Instituts der Deutschen Wirtschaft (Berlin) bis 2020 rd. 28 Mio Menschen aus Nichtmitgliedsländern aufnehmen.

**Wahlrecht:** Nach dem Maastrichter Vertrag von 1993 dürfen EU-Bürger das kommunale Wahlrecht an ihrem Wohnort in der EU spätestens ab 1996 wahrnehmen. Die SPD-geführten Bundesländer forderten 1995, in Deutschland lebenden EU-Bürgern die Teilnahme an Bürgerbegehren und -entscheiden zu ermöglichen. Bundesinnenminister Manfred Kanther (CDU) wies die Forderung als verfassungswidrig zurück. Bei Bürgerbegehren und -entscheiden übe das deutsche Staatsvolk seine Staatsgewalt aus.

**Binationale Ehen:** Die SPD legte im März 1995 einen Gesetzentwurf zum A.-Recht vor. Kernpunkt war ein eigenständiges Aufenthaltsrecht für ausländische Ehepartner von deutschen Staatsbürgern. Nach dem 1995 geltenden Recht wurden ausländische Ehepartner bei Scheidung und Tod nur dann nicht ausgewiesen, wenn sie mindestens vier Jahre im Bundesgebiet als Ehepaar oder in eheähnlicher Gemeinschaft gelebt haben. Die SPD will diese Frist auf zwei Jahre verkürzen. Um der Gefahr von Scheinehen zur Erlangung der deutschen Staatsangehörigkeit zu begegnen, soll nur in Härtefällen die verlangte Mindestdauer der Ehe entfallen. Die Änderung des A.-Gesetzes soll insbes. Frauen schützen, die bei einer Abschiebung verstoßen und getötet werden. → Abschiebung → Asylbewerber → Doppelte Staatsbürgerschaft → EU-Bürgerschaft → Illegale Einwanderung

## Ausländerfeindlichkeit

1994 sank die Zahl der ausländerfeindlichen Delikte in Deutschland um 53% auf rd. 3100. Die Menschenrechtsorganisation Human Rights Watch bezifferte die Zahl der ausländerfeindlich motivierten Gewalttaten auf 1233 (1993: 1609), darunter rd. 400 Körperverletzungsdelikte und etwa 80 Brandanschläge. Die Aufklärungsquote stieg 1994 um 8% auf rd. 30%, die Polizei ermittelte gegen rd. 1700 Tatverdächtige. 50% von ihnen waren Wiederholungstäter, 9% gehörten einer rechtsextremistischen Gruppe oder Organisation an, 7% waren Skinheads. → Gewalt → Jugend → Rechtsextremismus

## Außenwirtschaft

Wirtschaftliche Beziehungen eines Staates mit dem Ausland. In der Leistungsbilanz, die von der Deutschen Bundesbank jährlich erstellt wird, wies der deutsche Waren- und Dienstleistungsaustausch mit den Staaten der Welt für 1994 ein negatives Ergebnis von 33,4 Mrd DM aus (1993: –25,8 Mrd DM). Die führenden Wirtschaftsforschungsinstitute sagten in ihrem Frühjahrsgutachten für 1995 eine Verringerung des Leistungsbilanzdefizits auf 30 Mrd DM voraus (1% des BIP). **Entwicklung:** Bei den Dienstleistungen und laufenden Übertragungen er-

### Außenwirtschaft: Zahlungsbilanz

| Position | Wert (Mrd DM) | | |
|---|---|---|---|
| | 1992 | 1993 | 1994[1] |
| Saldo Handelsbilanz | + 33,66 | + 61,89 | + 74,13 |
| Saldo Dienstleistungen | – 31,26 | – 41,32 | – 50,78 |
| davon Reiseverkehr | – 39,88 | – 44,73 | – 50,04 |
| Saldo laufende Übertragungen[2] | – 55,10 | – 57,49 | – 61,16 |
| davon EU | – 25,30 | – 27,29 | – 31,91 |
| Saldo Ergänzungen Warenverk. | – 3,57 | – 7,11 | – 3,60 |
| Saldo Erwerbs-/Vermögenseink. | + 22,55 | + 18,20 | + 8,01 |
| Saldo Leistungsbilanz insgesamt | – 33,72 | – 25,83 | – 33,40 |
| Saldo Kapitalbilanz | + 90,31 | + 6,15 | + 57,14 |

1) Vorläufige Werte; 2) Leistungen an Haushalte internat. Organisationen, Entwicklungsländer etc.; Quelle: Deutsche Bundesbank

## Außenwirtschaft: Handel nach Warengruppen

| Waren | Wert 1994 (Mrd DM) | | |
|---|---|---|---|
| | Einfuhr | Ausfuhr | Ausfuhrsaldo |
| Rohstoffe | 32,89 | 6,81 | − 26,08 |
| Halbwaren | 55,51 | 34,53 | − 20,98 |
| Fertigwaren | 434,40 | 595,09 | + 160,69 |
| Industriegüter zus. | 522,80 | 636,43 | + 113,63 |
| Ernährungsgüter | 63,32 | 36,50 | − 26,82 |
| Rückwaren/Ersatzlief. | 25,02 | 12,34 | − 12,68 |
| Insgesamt | 611,14 | 685,27 | + 74,13 |

Alle Werte vorläufig; Quelle: Statistisches Bundesamt

### Außenwirtschaft: Größte Exporteure

| Land | Ausfuhr 1994 (Mrd $) |
|---|---|
| USA | 513 |
| Deutschland | 422 |
| Japan | 397 |
| Frankreich | 236 |
| Großbrit. | 205 |
| Italien | 189 |
| Kanada | 166 |
| Hongkong | 153 |
| Niederlande | 149 |
| Belgien/Lux. | 131 |

Quelle: World Trade Organization

gaben sich 1994 Defizite von 50,8 Mrd bzw. 61,2 Mrd DM. Im Außenhandel wurde ein Ausfuhrüberschuß von 74,13 Mrd DM erzielt. Die Exporte stiegen um ca. 9,1% gegenüber dem Vorjahr auf 685,27 Mrd DM, die Importe um 7,9% auf 611,14 Mrd DM. Deutschland belegte 1994 mit Ausfuhren von umgerechnet 422 Mrd Dollar weltweit den zweiten Platz hinter den USA (513 Mrd Dollar, rd. 722 Mrd DM) und vor Japan (397 Mrd Dollar, rd. 559 Mrd DM). Dem deutschen Warenverkehr mit dem Ausland kam in erster Linie die Konjunkturerholung in Westeuropa zugute. Die Ausfuhren in die Staaten der EU hatten 1994 einen Anteil von 48,9% am Gesamtexport. Nach dem Einbruch im Rezessionsjahr 1993 (−14,1% gegenüber 1992) stieg die Ausfuhrrate 1994 um 7,0% an. Importe aus EU-Ländern machten 47,2% der Wareneinfuhr aus. Sie nahmen um 5,6% gegenüber dem Vorjahr zu (1993: −17,7%). In der Kapitalbilanz wurde ein Überschuß von rd. 57,1 Mrd DM erzielt.

**Bewertung:** Als Ziel der konjunkturellen Entwicklung gilt ein außenwirtschaftliches Gleichgewicht. Einerseits fördern Ausfuhrüberschüsse die exportabhängige Wirtschaft und steigern das Geldeinkommen bzw. das BIP, andererseits stehen die exportierten Güter der eigenen Bevölkerung nicht zur Verfügung. Eine exportorientierte A. fordert protektionistische Maßnahmen der Handelspartner heraus.
→ Bruttoinlandsprodukt → Europäischer Binnenmarkt → Protektionismus → Wirtschaftliche Entwicklung

## Aussiedler

Aus Ost- und Südosteuropa nach Deutschland übergesiedelte deutschstämmige Personen, ihre nichtdeutschen Ehegatten und deren Kinder. Die Zahl der A. stieg 1994 gegenüber 1993 um 1,7% auf 222 591 Personen. 1994 stellten 237 291 Personen einen Aufnahmeantrag (Rückgang gegenüber 1993: 1,6%). Etwa 96% der A. kamen 1994 aus der ehemaligen UdSSR.

Das Bundesinnenministerium führte die nur geringfügig veränderten Zuwanderungszahlen auf die infolge deutscher Wirtschaftshilfe verbesserten Zukunftsperspektiven der Deutschstämmigen vor allem in Westsibirien/Rußland zurück. Rußlanddeutsche aus Kasachstan und Mittelasien seien aufgrund nationalistischer und islamistischer Tendenzen in den asiatischen Nachfolgestaaten der Sowjetunion entschlossen, nach Westsibirien auszuwandern. 1994 lebten dort rd. 600 000 Rußlanddeutsche.

Die CDU/CSU/FDP-Bundesregierung stellte 1995 rd. 115 Mio DM für die

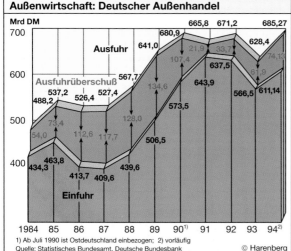

## Außenwirtschaft: Deutscher Außenhandel

Mrd DM

Ausfuhr 665,8 671,2 685,27
680,9
641,0 21,9 33,7 628,4
107,4 74,13
567,7 637,5
Ausfuhrüberschuß 134,6 643,9 61,9
537,2 527,4 566,5 611,14
488,2 526,4 573,5
73,4 128,0
54,0 112,6 117,7 506,5
463,8 439,6
434,3 413,7 409,6
Einfuhr

1984 85 86 87 88 89 90[1] 91 92 93 94[2]

1) Ab Juli 1990 ist Ostdeutschland einbezogen; 2) vorläufig
Quelle: Statistisches Bundesamt, Deutsche Bundesbank © Harenberg

| Aussiedler: Herkunft | | |
|---|---|---|
| Jahr | Aufnahme-anträge (Personen) | Aussiedler-zuzug (Personen) |
| **Ehemalige Sowjetunion** | | |
| 1992 | 356 233 | 195 576 |
| 1993 | 223 368 | 207 347 |
| 1994 | 228 938 | 213 214 |
| **Polen** | | |
| 1992 | 28 684 | 17 742 |
| 1993 | 10 396 | 5 431 |
| 1994 | 4 042 | 2 440 |
| **Rumänien** | | |
| 1992 | 15 277 | 16 146 |
| 1993 | 5 991 | 5 811 |
| 1994 | 3 495 | 6 615 |

Quelle: Bundesinnenministerium

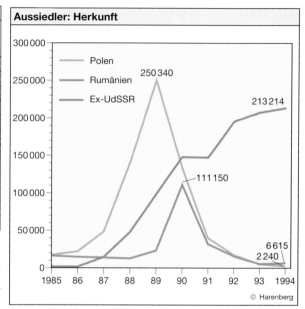

Aussiedler: Herkunft — Polen, Rumänien, Ex-UdSSR — 250 340 — 213 214 — 111 150 — 6 615 — 2 240 — © Harenberg

deutschen Minderheiten in Ost- und Südosteuropa bereit (Ende 1994: rd. 4 Mio Menschen). Das Geld soll zur Schaffung von Wohnraum und Arbeitsplätzen investiert werden und den deutschen Minderheiten eine Alternative zur Aussiedlung bieten.

## Autobahngebühr

Bis Ende 1995 will das Bundesverkehrsministerium über die Einführung einer A. für PKW entscheiden, nachdem 1994/95 mit 20 Kfz Systeme zur Gebührenerhebung auf einem 10 km langen Stück der A 555 zwischen Köln und Bonn getestet worden waren.
Die A. soll mit Mautanlagen an den Autobahnen eingezogen werden. Die meisten Anbieter arbeiten zur elektronischen Erfassung von A. mit Mikrowellen oder Infrarotstrahlen. Meßstellen sind in Schilderbrücken oder an Baken am Straßenrand untergebracht und registrieren durchfahrende Kfz. Beim Passieren der letzten Meßstelle wird die gefahrene Strecke per Funk einer Empfangseinheit im Fahrzeug übermittelt. Von einer Chipkarte im PKW, die in ihrer Funktionsweise einer Telefonkarte ähnelt, wird ein entsprechender Geldwert abgebucht.

Kritiker wiesen auf die Möglichkeit der Zahlungsverweigerung durch Autofahrer hin. Da der Kfz-Halter nicht haftbar ist, müßte der Fahrer des PKW zur Einziehung der Gebühren ausfindig gemacht werden.
→ Autoverkehr → Chipkarte → LKW-Verkehr → Privatstraßenbau

## Autobranche

1994 stagnierte die Zulassung fabrikneuer Kfz in Deutschland mit 3,9 Mio (PKW: 3,2 Mio) auf dem Vorjahresniveau. Für 1995 rechnete der Verband der Automobilindustrie (VDA, Frankfurt/M.) mit einer Steigerung der Zulassungen auf 4,3 Mio Kfz. Die großen Hersteller der A. erzielten nach Verlusten im Vorjahr 1994 Gewinne, die auf wachsende Produktivität, u. a. durch Reduzierung der Belegschaft, zurückgeführt wurden.
**Deutschland:** Die A. war 1994 mit Ausfuhren im Wert von 115 Mrd DM (Schätzung) der größte Exporteur deutscher Waren. Von der Autoproduk-

| Aussiedler: Verlauf der Zuwanderung | |
|---|---|
| Jahr | Aussiedler |
| 1985 | 36 387 |
| 1986 | 38 905 |
| 1987 | 78 488 |
| 1988 | 202 645 |
| 1989 | 377 036 |
| 1990 | 397 073 |
| 1991 | 221 974 |
| 1992 | 230 565 |
| 1993 | 218 888 |
| 1994 | 222 591 |

Quelle: Bundesausgleichsamt

| Autobranche: Beliebteste PKW | |
| --- | --- |
| Modell | Verkauf 1994 |
| VW Golf | 299 571 |
| Opel Astra | 173 601 |
| Mercedes C | 112 778 |
| VW Passat | 107 402 |
| BWM 3er | 106 706 |
| Opel Corsa | 91 236 |
| Ford Fiesta | 82 614 |
| Audi 80 | 81 307 |
| Ford Escort[1] | 72 120 |
| Ford Mondeo | 65 572 |

1) Inkl. Orion; Quelle: Kraftfahrt-Bundesamt (Flensburg)

tion waren direkt (Produktion, Zulieferer) und indirekt (z. B. Handel, Handwerk) 5 Mio Arbeitsplätze abhängig. Die Firmen wollen den Personalabbau 1995 fortsetzen. Anfang 1995 beschäftigte die A. 655 000 Personen, über 150 000 weniger als 1991. Die Produktivität der A. stieg 1994 gegenüber dem Vorjahr um 8%.

**Europa**: In den Mitgliedsländern der EU sowie in der Schweiz und Norwegen wurden 1994 mit 11,9 Mio 5,9% mehr Neuwagen zugelassen als 1993. Marktführer blieb Volkswagen (Anteil: 16%), gefolgt von General Motors (13%). Der Anteil japanischer Hersteller sank von 12,3% auf 10,9%. Wegen des gestiegenen Werts der japanischen Währung Yen mußten höhere Preise für Autos aus Japan gezahlt werden.

**Zulieferer:** Von den 2000 deutschen Autoteile-Produzenten, die ihr Hauptgeschäft mit der Belieferung der sieben großen Autohersteller machten, müssen nach einer Studie der Essener Unternehmensberatung Fraser bis 2000 ca. 1500 schließen. Ursachen waren höhere Qualitätsansprüche der Autofirmen an Teile und deren Versuch, niedrigere Preise durchzusetzen. Mittelständische Teile-Lieferer waren von Großaufträgen der wenigen Autoproduzenten abhängig. 1995 suchten laut Fraser 90% der deutschen Autozulieferer Kooperationspartner, um kostengünstiger produzieren zu können.

**Graumarkt:** 1994 kauften Deutsche ca. 2000 Autos im EU-Ausland, wo sie bis zu 20% billiger waren. Die EU-Kommission setzte Mitte 1995 eine Verordnung in Kraft, die es Herstellern und Autohändlern verbietet, PKW, die im EU-Ausland gekauft wurden, die Herstellergarantie zu verweigern.

**Handel:** Im Juni 1995 einigten sich die USA und Japan auf die Lockerung von Einfuhrbeschränkungen für US-amerikanische Autos und Autoteile nach Japan. Die US-Regierung hatte Japan gedroht, japanische Luxusautos bei der Einfuhr in die USA mit Zöllen bis zu 100% zu belegen. Kfz und Zubehör machten etwa zwei Drittel des US-amerikanischen Handelsdefizits mit Japan aus.

→ Autoverkehr

## Autobranche: Firmenspitzen

**Jürgen E. Schrempp, Vorstandsvorsitz Daimler-Benz**
* 15. 9. 1944 in Freiburg. 1989 Chef der Daimler-Benz-Tochter Deutsche Aerospace, ab Mai 1995 Leitung des größten deutschen Konzerns (Umsatz 1994: 104 Mrd DM).

**Ferdinand Piëch, Vorstandsvorsitz Volkswagen**
* 17. 4. 1937 in Wien. Ab 1988 Vorstandsvorsitz von Audi. Ab 1992 Vorsitzender des Vorstands des Volkswagen-Konzerns, der 1994 ca. 80 Mrd DM umsetzte.

**Bernd Pischetsrieder, Vorstandsvorsitz BMW**
* 15. 2. 1948 in Münchenr. 1973 Eintritt bei BMW. 1991 Vorstand für den Fertigungsbereich, 1993 Vorstandsvorsitz. 1994 Übernahme der Autofirma Rover (Großbritannien).

**Hermann Scholl, Geschäftsführer Bosch**
* 21. 6. 1935 in Stuttgart. 1962 Eintritt bei Bosch, ab 1971 Leitung elektrische und elektronische Motorenausrüstung. 1993 Geschäftsführer des größten deutschen Kfz-Ausrüsters.

## Autodiebstahl

1994 sank nach Angaben des Bundeskriminalamtes (BKA, Wiesbaden) die Zahl der in Deutschland gestohlenen PKW und Kombifahrzeuge gegenüber dem Vorjahr um 2000 auf 142 000. Dauerhaft verschwunden blieben 55 000 Kfz (1993: 59 000). Der Rückgang der A. wurde auf verstärkte Kontrollen an den Grenzen zu Osteuropa zurückgeführt. Die meisten A. wurden von organisierten kriminellen Vereinigungen begangen, die vor allem im Raum Hamburg und Berlin tätig waren. Die gestohlenen Autos wurden z. T. über Polen, die Tschechische Republik und Ungarn in die Staaten der GUS geschafft. Ab 1997 müssen Autoproduzenten in der EU neue Modelle und ab 1998 neue Fahrzeuge mit elektronischen Wegfahrsperren ausrüsten, die A. verhindern sollen.
→ Kriminalität → Mafia → Wegfahrsperre, Elektronische

## Autofreie Stadt

Sperrung von Stadtvierteln für Autos mit dem Ziel, Lärm, Luftverschmutzung und Verkehrsstaus zu vermeiden. Lübeck will ab Juni 1996 als erste deutsche Großstadt seine Innenstadt für Autos sperren. Im August 1994 wurden Hauptstraßen geschlossen, um den Durchgangsverkehr von der Innenstadt fernzuhalten. Nur Taxen und Busse, Anwohner mit Parkausweis und Fahrradfahrer dürfen die Straßen passieren.
In Bremen entsteht ab Mitte 1995 eine Siedlung, in der sich 250 von 1000 Mietern vertraglich verpflichten, auf ein eigenes Kfz zu verzichten. Der Durchgangsverkehr soll unterbunden, der Anliegerverkehr durch enge Straßen und Schikanen behindert werden. Die Stadt stellt Gelder für die Anschaffung von 15 PKW im Rahmen eines Car-Sharing-Modells zur Verfügung.
In Athen wurde das historische Geschäftszentrum im April 1995

### Autobranche: Größte Fahrzeugproduzenten

| Rang | Hersteller/Land | PKW | Kfz insgesamt |
|---|---|---|---|
| 1 | General Motors/USA | 4 989 938 | 6 865 828 |
| 2 | Ford/USA | 3 685 415 | 5 744 294 |
| 3 | Toyota/Japan | 3 649 640 | 4 487 891 |
| 4 | Volkswagen/Deutschland | 3 119 997 | 3 285 696 |
| 5 | Nissan/Japan | 2 222 985 | 2 898 185 |
| 6 | Peugeot/Frankreich | 2 252 121 | 2 437 726 |
| 7 | Renault/Frankreich | 1 929 858 | 2 264 331 |
| 8 | Chrysler/USA | 727 928 | 1 982 676 |
| 9 | Fiat/Italien | 1 557 556 | 1 800 400 |
| 10 | Honda/Japan | 1 629 666 | 1 762 197 |

Stand: 1993; Quelle: Financial Times, 4. 10. 1994

### Autobranche: PKW-Neuzulassungen in Deutschland

| Hersteller | Zulassungen 1994 | Veränderung zu 1993 (%) | Marktanteil (%) |
|---|---|---|---|
| Volkswagen | 670 000 | +0,7 | 20,9 |
| Opel/GM[1] | 520 000 | +2,0 | 15,9 |
| Ford | 326 000 | +8,2 | 10,2 |
| Mercedes-Benz | 262 000 | +17,0 | 8,1 |
| BMW | 214 000 | +5,8 | 6,7 |
| Audi | 167 000 | −1,6 | 5,2 |
| Renault | 153 000 | −1,8 | 4,8 |
| Fiat | 118 000 | +1,9 | 3,7 |
| Peugeot | 94 000 | −5,7 | 2,9 |
| Nissan | 92 000 | −13,0 | 2,9 |

1) General Motors; Quelle: Kraftfahrtbundesamt (Flensburg)

### Autobranche: Lohnstückkosten im Vergleich

| Land | Lohnstückkosten (Indexwert)[1] | | | |
|---|---|---|---|---|
| | 1980 | 1985 | 1990 | 1995 |
| Deutschland | 100 | 100 | 100 | 100 |
| Großbritannien | 125 | 93 | 93 | 93 |
| Italien | 92 | 95 | 82 | 79 |
| Spanien | 87 | 118 | 72 | 79 |
| Frankreich | 98 | 102 | 68 | 71 |
| Japan | 60 | 64 | 56 | 56 |
| USA | 86 | 85 | 66 | 55 |

1) Lohnkosten je Wertschöpfungseinheit, bei Kfz- und Teileherstellern; Quelle: Verband der Automobilindustrie (Frankfurt/M.)

wegen Lärm Luftverschmutzung für drei Monate für den Autoverkehr gesperrt. Wenn sich die Sperrung bewährt, soll sie von Dauer sein. 1975–1995 stieg die Zahl der in Athen zugelassenen Autos von 175 000 auf 1,4 Mio.
→ Autoverkehr → Car Sharing → City-Maut → Öffentlicher Nahverkehr

## Autodiebstahl: Verschiebung gestohlener Autos

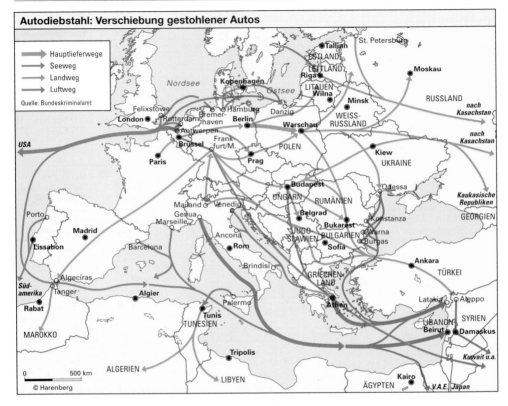

Hauptlieferwege
Seeweg
Landweg
Luftweg

Quelle: Bundeskriminalamt

© Harenberg

0    500 km

### Autorecycling

(recycling, engl.; Wiederverwertung), Aufbereitung und Rückführung von Schrottfahrzeugteilen in die industrielle Produktion. Das Recycling von 2,8 Mio PKW (1995) in Deutschland und 14 Mio in der EU soll das Müllaufkommen senken und Rohstoffe sparen.

**Autowracks:** Ein Auto bestand 1995 zu 73% aus wiederverwertbarem Metallschrott und zu 27% aus Nichtmetallen (Kunststoff, Gummi, Glas, Lack). In Deutschland wurden 2 Mio t Metalle zu fast 100% recycelt. 450 000 t nichtmetallische PKW-Reste, darunter 280 000 t Kunststoffe, wurden in Shredder-Anlagen (einer Art Reißwolf) zerkleinert und auf Deponien gebracht. 30 Mio l Kraftstoff und 21 Mio l Kühlflüssigkeit wurden entsorgt.

**Entsorgungskosten:** Das umweltgerechte A. eines PKW kostete Mitte der 90er Jahre etwa 650 DM. Der Verkauf der wiederverwertbarer Teile erbringt 250 DM.

**Verordnung:** 1994/95 plante das Bundesumweltministerium eine Verordnung zur umweltverträglichen Entsorgung von Autos. Hersteller von Autos und Kfz-Teilen sollen zur Rücknahme ihrer Produkte verpflichtet werden, die für den Fahrzeugbesitzer kostenlos ist. Ziel der Verordnung ist es, Autozubehör mit längerer Lebensdauer zu produzieren, das leicht demontiert werden kann und dessen Bauteile möglichst wiederverwendbar oder als Roh-

## Autorecycling: Verwertungsmethoden

**Bauteilerecycling:** Der Verwerter schlachtet intakte Bauteile (Motor, Lichtmaschine, Anlasser etc.) aus und bietet sie für andere gleichartige Autotypen an.
**Chemisches Recycling:** Unsortierte oder unsaubere Kunststoffabfälle werden durch chemische Bearbeitung aufbereitet und können als sortenreine Materialien wiederverwertet werden. Das teure Verfahren befand sich Mitte der 90er Jahre im Stadium der Erprobung.
**Energetische Verwertung:** Verbrennung von Kunststoffrückständen in den Hochöfen der Stahlwerke. 1 kg Plastikmüll ersetzt etwa 1 l Heizöl.
**Hochwertrecycling:** Fahrzeug-Produzenten entnehmen von ihnen hergestellten Autos verschleißarme, teure Teile wie elektronische Bauelemente und führen sie in die Produktion zurück. 1995 noch in der Erprobungsphase.
**Materialrecycling:** Sammeln und sortieren sortenreinen Materials, z. B. Stahl. Nach Einschmelzung wiederverwendbar. Das Kunststoffrecycling ist problematisch, weil die Materialien häufig als Gemisch nicht gekennzeichneter Sorten vorliegen, das sich nur zu minderwertigen Produkten verarbeiten läßt.

stoffe einer erneuten Verwertung zugeführt werden können. Die Verordnung hat folgende Kernpunkte:
▷ Die Automobilhersteller müssen für die Einrichtung geeigneter Rücknahmeeinrichtungen mindestens in der Dichte des Vertriebsnetzes sorgen
▷ Die Autofirmen sind zur sog. Trockenlegung (Ablassen z. B. von Motor- und Getriebeöl oder Bremsflüssigkeit) des Fahrzeugs verpflichtet
▷ Die Hersteller sollen u. a. 20% der Kunststoffe und 40% der Reifen wiederverwenden.
→ Abfallbeseitigung → Recycling

## Autoverkehr
→ Übersichtsartikel S. 58

# B

## BAföG

Das Bundesausbildungsförderungsgesetz regelt die staatliche finanzielle Unterstützung der Ausbildung von Schülern und Studenten in Deutschland. Im Juni 1995 setzte die Bundesregierung aus CDU, CSU und FDP im Vermittlungsausschuß von Bundestag und Bundesrat eine Erhöhung der BAföG-Sätze und Freibeträge um 4% ab Oktober 1995 durch. Die SPD hatte als Ausgleich für gestiegene Lebenshaltungskosten eine Erhöhung um 6%

gefordert. Erste Leistungsnachweise werden von den Geförderten weiterhin nach dem vierten Semester verlangt. Bundesbildungsminister Jürgen Rüttgers (CDU) plante, daß ab 1996 BAföG-Darlehen von Banken zu üblichen Zinsen vergeben werden sollen.
**Fördersätze:** Die Höchstfördersätze werden ab Herbst 1995 für Schüler und Studenten auf monatlich 990 DM in Westdeutschland und – aufgrund des niedriger bemessenen Wohnzuschlags – 980 DM in Ostdeutschland steigen. Jeder zweite geförderte Student erhielt Mitte 1995 weniger als 700 DM. 1995 erhielten rd. 500 000 Schüler und Studenten BAföG, rd. 330 000 weniger als 1980.
**Freibeträge:** Der Anspruch ergibt sich aus der Höhe des Elterneinkommens, von dem Steuern, Sozialversicherung und BAföG-Freibeträge abgerechnet werden. Nach Abzug eines Grundfreibetrags (abhängig von Kinderzahl, Alter der Kinder, Familienstand der Eltern) bleiben 50% anrechnungsfrei, für jedes weitere Kind 5% mehr. Im März 1995 entschied das Bundesverfassungsgericht, daß bei getrennt lebenden Ehepaaren das Einkommen des Ehegatten bei der Berechnung nicht berücksichtigt werden darf.
**Meister-BAföG:** Die Bundesregierung plante 1995 die Förderung weiterbildender Maßnahmen von Fachkräften zu Meistern und mittleren Führungskräften. Etwa 90 000 Betroffene sollen Darlehen für Lebenshaltungs- und Zuschüsse für Kurskosten erhalten.
→ Tabelle S. 59

**Autorecycling: Firmenverbund**

Die Autohersteller Volkswagen und Audi sowie die Preussag Recycling nahmen Ende 1994 in Bremen ein Kfz-Demontagezentrum in Betrieb. Die etwa 100 VW/Audi-Vertragshändler der Region können zurückgenommene Altfahrzeuge zur Demontage abgeben. Metalle, Kunststoffe, Reifen und Glas werden ausgebaut und wiederverwertet, Betriebsflüssigkeiten werden entsorgt. Bis 1997 sollen in dem Zentrum 10 000 Kfz jährlich entsorgt werden. Dann will der Firmenverbund mit 80–100 Demontagezentren das Recycling von VW- und Audi-Altfahrzeugen sicherstellen.

# Massenmotorisierung gefährdet Ressourcen der Erde

Das Wirtschaftswachstum in asiatischen und südamerikanischen Ländern führte Mitte der 90er Jahre zur steigenden Nachfrage nach Autos. Das Umwelt- und Prognose-Institut (UPI, Heidelberg) ging von einem Anstieg des weltweiten PKW-Bestands von 1995 ca. 500 Mio auf rd. 2,3 Mrd 2030 aus. Folgen sind die Verknappung der Erdölreserven und zunehmende Luftverschmutzung.

**Kfz-Nachfrage in Entwicklungsländern steigt:** Der weltweite jährliche Verkauf von Autos wird sich bis 2000 um ein Drittel auf 42,8 Mio Fahrzeuge erhöhen, weil die Wirtschaftsleistung in asiatischen und südamerikanischen Entwicklungsländern steigt. Während die Kfz-Märkte 1995 in den Industrieländern mit zwei bis drei Personen pro Auto nahezu gesättigt waren, teilten sich in den Entwicklungsländern durchschnittlich zwölf Menschen ein Auto. Um die Automärkte in Entwicklungs- und Schwellenländern kostengünstig zu beliefern, baute z. B. General Motors (USA), größter Autohersteller weltweit, seine Produktionsstätten in Brasilien aus und plante neue Werke u. a. in China, Kolumbien, Malaysia, Mexiko, Pakistan, Philippinen und Zimbabwe.

**„Familienauto" für Chinesen:** Bis 2000 soll in China die Produktion von Kfz von 315 000 auf 1,1 Mio jährlich gesteigert werden. Bis 2030 soll jede Familie ein Auto besitzen. Im bevölkerungsreichsten Land der Erde (1993: 1,2 Mrd Einwohner) kam 1995 ein Auto auf 200 Personen. Eine Untersuchung ergab, daß die Zahl der Dorfbewohner, die sich einen PKW leisten können, um 250% stiege, wenn das Durchschnittseinkommen um 25% wachsen würde.

**Grenzen der Motorisierung:** Das Wachstum der Autobestände in Entwicklungsländern wird gebremst durch fehlenden Raum für Straßen und Parkplätze. Der Boden wird für Acker- und Weideland benötigt, um die zunehmende Bevölkerung zu ernähren. Nur wenige Länder der sog. Dritten Welt werden Geld für Bau und Folgekosten eines Straßennetzes aufbringen können. In den USA etwa liegen die volkswirtschaftlichen Kosten für den Individualverkehr bei 2500 DM pro Jahr und Einwohner, mehr als das BSP pro Kopf der meisten Menschen in Asien und Afrika.

**Luft und Erdöl werden knapp:** Die in Autoabgasen enthaltenen Stickoxide, Kohlenwasserstoffe und Kohlendioxide verschmutzen die Luft und führen zu Klimaveränderung und Waldsterben. Laut UPI-Prognose verdoppelt sich bis 2030 die durch den Autoverkehr jährlich mit diesen Schadstoffen belastete Luft weltweit auf 600 Mio km³, was einem Zwölftel des Luftvolumens der Erde entspricht. Der jährliche Kraftstoffverbrauch stiege 1995–2030 von 650 Mio t auf 1,3 Mrd t. Allein PKW würden 1995–2030 ca. 41 Mrd t Erdöl oder 30% der 1995 bekannten Weltrohölreserven (136 Mrd t) verbrauchen.

**Kfz-Bestand in Deutschland auf Rekordhöhe:** Das Kraftfahrt-Bundesamt (Flensburg) registrierte 1994 in Deutschland einen Anstieg der zugelassenen Kfz um 1 Mio auf den Rekordstand von 51 Mio (PKW: 40 Mio). 80% der insgesamt 906 Mrd zurückgelegten Personenkilometer im Verkehr erbrachten PKW. Von 1600 vom BAT-Freizeitforschungsinstitut (Hamburg) 1995 befragten Autofahrern gaben 42% an, in der Freizeit Auto zu fahren. Nur jeder fünfte nutzte es beruflich.

**Luftverschmutzer Nr. 1:** Der Anteil des Straßenverkehrs am Ausstoß von giftigem Kohlenmonoxid betrug Mitte der 90er Jahre 74%, bei Stickoxiden 68%, bei Kohlenwasserstoffen 52% und bei Kohlendioxid 18%. Eine weitere Verschärfung der Abgasgrenzwerte für Kfz 1996 und die Senkung des durchschnittlichen Kraftstoffverbrauchs je 100 km 1995–2010 von 9 l auf 7 l werden nicht zur Senkung der Luftverschmutzung durch den Autoverkehr führen, weil die Zahl der zugelassenen PKW um 20% auf 50 Mio steigt, und der Straßengüterfernverkehr sich nach Angaben des Deutschen Instituts für Wirtschaftsforschung 1988–2010 verdoppeln wird. 1995 fuhren in Deutschland nur wenige tausend umweltfreundliche Elektro- und Erdgasautos. Umweltschützer forderten eine Erhöhung der Mineralölsteuer auf bis zu 5 DM/l, um die Zahl der Autofahrten zu verringern und um Anreize für die Herstellung von Fahrzeugen mit geringem Kraftstoffverbrauch zu schaffen. (ad)

→ Autobranche → Elektroauto → Erdgasauto → Fünfliter-Auto → Luftverschmutzung → Verkehr → Verkehrs-Leitsystem

## BahnCard

Jahreskarte der Deutschen Bahn, die den Inhaber berechtigt, Fahrkarten zum halben Preis zu kaufen (Kosten der B.: 220 DM für 2. Klasse). 1995 war die B. im Rhein-Main-Verkehrsverbund erstmals außerhalb des Bereichs der Deutschen Bahn gültig. Ab Juli 1995 können B. mit zusätzlicher Funktion als Zahlungsmittel erworben werden. Die VISA B. kann in weltweit 10 Mio Vertragsstellen wie Läden, Restaurants und Hotels, die VISA-Kreditkarten akzeptieren, als Kreditkarte benutzt werden. In Deutschland kann mit der multifunktionalen Karte an 240 000 Stellen bezahlt werden. An Bankschaltern und Geldautomaten, die mit dem VISA-Emblem gekennzeichnet sind, kann Bargeld abgehoben werden.
Die Electron B. ermöglicht bargeldloses Bezahlen. Der Kunde richtet bei einer Bank ein Konto ein. Bezahlt er mit der B., wird die Summe abgebucht.
→ Chipkarte

## Bahn, Deutsche

(DB), das Eisenbahnunternehmen versuchte Mitte der 90er Jahre seine Wettbewerbsfähigkeit gegenüber PKW, LKW und Luftverkehr durch Hochgeschwindigkeitszüge, ein für Kunden attraktiveres Preissystem und den Aus-

### BAföG: Ausgaben und Geförderte

| Jahr | Ausgaben (Mio DM) | | Geförderte (1000)[1] | |
|------|---------|------------|---------|------------|
| | Schüler | Studenten | Schüler | Studenten |
| 1980 | 1670 | 1996 | 490 | 341 |
| 1990 | 507 | 2010 | 80 | 291 |
| 1991 | 944 | 2976 | 163 | 442 |
| 1992 | 854 | 3038 | 144 | 441 |
| 1993 | 729 | 2788 | 124 | 408 |
| 1994 | 677 | 2428 | k. A. | k. A. |

Bis 1990 Westdeutschland; 1) durchschnittlicher Monatsbestand; Quelle: Bundesbildungsministerium

bau des Kombinierten Güterverkehrs Straße–Schiene zu steigern. Die B. war bei der Bahnreform 1994 als bundeseigene AG aus westdeutscher Bundesbahn und ostdeutscher Reichsbahn gebildet worden.
**Preisgestaltung:** Das Unternehmen führte 1995 ein Schönes-Wochenende-Ticket für bis zu fünf Personen ein (Preis Mitte 1995: 30 DM). Die Bahn-Card, mit der Fahrkarten zum halben Preis erworben werden können, hat ab Mitte 1995 Kreditkartenfunktionen.
**Zugarten:** Im Nahverkehr führte die B. neue Bezeichnungen für Züge ein:
▷ Der RegionalExpress (RE) löst den Eilzug ab und befördert Pendler mit Reiseweiten über 30 km
▷ Die RegionalBahn (RB) ersetzt den Nahverkehrszug und ist Zubringer zum RE
▷ Der StadtExpress (SE) wickelt den Vorortverkehr in Ballungsräumen

### BahnCard: Preise und Leistungen

| Karte | Preis (DM) | | Gültigkeitsbereich |
|-------|-----------|-----------|--------------------|
| | 2. Klasse | 1. Klasse | |
| BahnCard First | – | 440 | 1. und 2. Klasse für 23–59jährige |
| BahnCard | 220 | – | 2. Klasse für 23–59jährige |
| BahnCard First für Ehepartner | 110 | 220 | Für Ehepartner von Inhabern einer BahnCard, einer Junioren- oder Senioren BahnCard |
| BahnCard/BahnCard First für Familien | 110 | 220 | Eltern oder Alleinerziehende mit mindestens einem Kind unter 18 Jahre |
| BahnCard/BahnCard First für Kinder | 50 | 100 | Kinder im Alter von 4 bis 11 Jahre |
| BahnCard/BahnCard First für Jugendliche | 50 | 100 | Kinder im Alter von 12 bis 17 Jahre |
| BahnCard/BahnCard First für Junioren | 110 | 220 | Junge Erwachsene von 18 bis 22 Jahre, Schüler und Studenten bis 26 Jahre |
| BahnCard/BahnCard First für Senioren | 110 | 220 | ab 60 Jahre |

Die BahnCard berechtigt zu 50% Ermäßigung auf den Fahrpreis der Deutschen Bahn im Bundesgebiet; Quelle: Deutsche Bahn

## Bahn: Deutsches Fernbahnnetz 1995/96

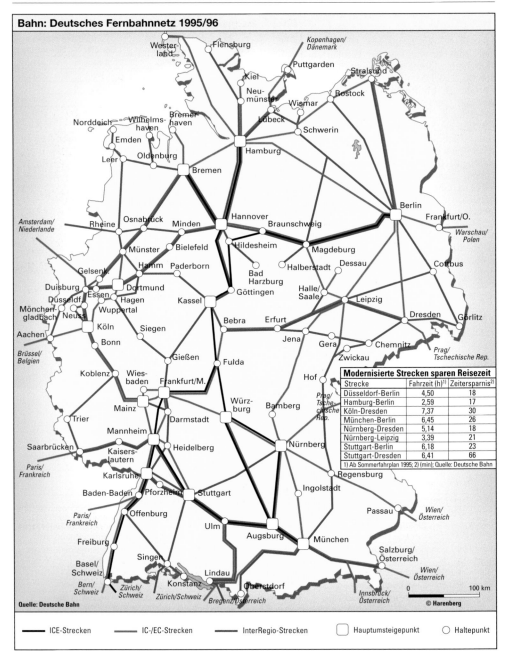

| Modernisierte Strecken sparen Reisezeit | | |
|---|---|---|
| Strecke | Fahrzeit (h)[1] | Zeitersparnis[2] |
| Düsseldorf-Berlin | 4,50 | 18 |
| Hamburg-Berlin | 2,59 | 17 |
| Köln-Dresden | 7,37 | 30 |
| München-Berlin | 6,45 | 26 |
| Nürnberg-Dresden | 5,14 | 18 |
| Nürnberg-Leipzig | 3,39 | 21 |
| Stuttgart-Berlin | 6,18 | 23 |
| Stuttgart-Dresden | 6,41 | 66 |
| 1) Ab Sommerfahrplan 1995; 2) (min); Quelle: Deutsche Bahn | | |

Quelle: Deutsche Bahn

© Harenberg

—— ICE-Strecken  —— IC-/EC-Strecken  —— InterRegio-Strecken  ☐ Hauptumsteigepunkt  ○ Haltepunkt

ab. Außerhalb des S-Bahn-Netzes hält er an allen Stationen, innerhalb an nur wenigen.

**Fuhrpark:** Die meist aus den 60er und 70er Jahren stammenden Loks mußten Mitte der 90er Jahre ersetzt werden, weil sie störanfällig waren und 20% der täglichen Störungen im Betriebsablauf der B. verursachten. 1994 bestellte die B. neben 143 kompletten Zügen 420 Lokomotiven und 339 S-Bahnen im Wert von 4 Mrd DM, die ab 1996 ausgeliefert werden. 500 weitere Loks und 200 S-Bahnen (Wert: 3,5 Mrd DM) sollen folgen.

**Unternehmen:** Im ersten Geschäftsjahr nach der Privatisierung erwirtschaftete das Unternehmen 1994 einen Überschuß von 180 Mio DM (Defizit 1993: 15,6 Mrd DM). Der Umsatz stieg um 2,2% auf 23,8 Mrd DM. Während sich der Umsatz im Personennahverkehr um 5,7% erhöhte, ging er im Güterverkehr um 0,5% zurück. Der Personalbestand soll 1994–1996 um 67 000 auf 260 000 sinken. Die B. betrieb 1994 mit etwa 40 000 km das EU-weit längste Streckennetz. Sitz des Unternehmens war Berlin, die Hauptverwaltung befand sich in Frankfurt/M. Vorstandsvorsitzender war Heinz Dürr.

→ Berliner Zentralbahnhof → Güter-Ringzug → Hochgeschwindigkeitszüge → Hotelzüge → Kombinierter Verkehr → Neigezüge → Öffentlicher Nahverkehr → Schnellbahnnetz → Schönes-Wochenende-Ticket → Verkehr

## Bahnreform

Zur Verwirklichung des Ziels, Wirtschaftlichkeit und Konkurrenzfähigkeit des umweltfreundlicheren Schienenverkehrs gegenüber Auto- und Luftverkehr zu verbessern, soll die Deutsche Bahn AG bis 2002 privatisiert werden. Regional- und Nahverkehr werden ab 1996 auf Länder und Gemeinden übertragen.

**Privatisierung:** Zwischen 1997 und 1999 sollen die Bereiche Personen-

| Deutsche Bahn: Fahrpreise | | |
|---|---|---|
| Nutzer (Klasse) | Fahrpreis pro Kilometer (Pf) | |
| | Westdeutschland | Ostdeutschland |
| Erwachsene (1./2.) | 38/25 | 30/20 |
| Kinder 4–11 Jahre (1./2.) | 19/13 | 15/10 |

Stand: Mitte 1995; Quelle: Deutsche Bahn

fernverkehr und Personennahverkehr, Güterverkehr und Fahrweg der 1994 als bundeseigene AG gegründeten Deutschen Bahn in vier AG umgewandelt werden. Die Bahnunternehmen sollen nach Gewinn streben; die Fahrweg AG soll durch Gebühren Einnahmen erzielen. 2002 ist die Auflösung der Deutschen Bahn als Verwaltungsgesellschaft und der Verkauf der vier Betriebe vorgesehen. Privatisierungsgegner befürchten eine Angebotsverschlechterung durch Konkurrenz statt Zusammenarbeit bei der Abstimmung zwischen den Einzelunternehmen.

**Bund:** 1994 übernahm der Bund die Finanzierung des Schienennetzes, so wie er auch Bau und Unterhaltung von Straßen und Kanälen trägt.

**Regionalisierung:** Die Deutsche Bahn wird den Regional- und Nahverkehr ab 1996 weiter betreiben, Bundesländer und Gemeinden müssen die Leistung jedoch bezahlen. Preisgünstige Tarife im Berufs- und Schulverkehr sowie der Betrieb geringgenutzter Strecken, die dem Nahverkehr der Bahn Verluste einbrachten, müssen durch Subventionen finanziert werden. Der Bund zahlt den Ländern dafür Zuschüsse, die sich 1996 auf 8 Mrd DM, ab 1997 auf 12 Mrd DM jährlich belaufen.

**Gleisnutzung:** Mitte 1994 stellte die Deutsche Bahn anderen Unternehmen das Schienennetz zur Verfügung. Nach Protesten von Bundesländern und ländereigenen Eisenbahngesellschaften gegen hohe Preise senkte die Deutsche Bahn ab 1. 1. 1995 das Entgelt für den Zugkilometer im Nahverkehr für Fremdnutzer um 0,90 DM auf 9 DM. Mitte 1995 nutzten 30 Unternehmen das Schienennetz der Deutschen Bahn, 300 Nahverkehrsbetriebe und Unternehmen waren interessiert.

| Deutsche Bahn: Vorstand |
|---|

**Heinz Dürr**
* 16. 7. 1933 in Stuttgart. 1980–1990 Vorstandsvorsitzender des Elektrokonzerns AEG, Einleitung seiner Sanierung. 1991–1993 Chef der deutschen Bahnen, ab 1994 Vorstandsvorsitzender der Deutschen Bahn AG.

| Bahn: Transportmittel im Güterverkehr | |
|---|---|
| Verkehrs–mittel | Leistung (Mrd tkm) |
| LKW | 245 |
| Eisenbahn | 72 |
| Binnenschiff | 65 |
| Pipeline | 16 |
| Flugzeug | 1 |

Stand: 1995; Quelle: Ifo-Institut für Wirtschaftsforschung

61

**Wirtschaftlichkeit:** Die Bahn konnte 1994 aufgrund der Befreiung von staatlichen Vorschriften (z. B. bei Investitionen, Beförderungen) einen Gewinn von 180 Mio DM verbuchen (Verlust 1993: 15,6 Mrd DM).

**Wettbewerb:** Der Marktanteil der Bahn betrug in Deutschland Mitte der 90er Jahre beim Personenverkehr 6%, beim Güterverkehr 18%. Durch komfortablere und schnellere Züge soll der Anteil ausgebaut werden. Den Güterverkehr (Umsatzrückgang 1994: 0,5%) will die Bahn durch den Bau neuer Umschlagterminals und die Verbesserung des Kombinierten Verkehrs Straße–Schiene steigern.

→ Kombinierter Verkehr → Öffentlicher Nahverkehr

## Balkan-Konflikt

→ Übersichtsartikel S. 63

## Bananen

Der Europäische Gerichtshof (EuGH, Luxemburg) wies im Oktober 1994 die deutsche Nichtigkeitsklage gegen die B.-Marktordnung der EU vom Juli 1993 in allen Punkten ab. Die CDU/CSU/FDP-Bundesregierung hatte ihre Klage mit Hinweisen auf Formfehler, eine willkürliche Verknappung des Angebots an sog. Dollar-B. (B. aus Lateinamerika) und die Diskriminierung deutscher Importeure begründet. Nach der Marktordnung erhalten die Unternehmen, die traditionell Dollar-B. einführen, 66,5% des gesamten B.-Einfuhrkontingents. Deutschland, das B. bis 1993 zollfrei einführte, war 1992 mit 1,4 Mio t Hauptabnehmer der in die EU aus Lateinamerika eingeführten B. (1992: 2,4 Mio t).

**EU-Marktordnung:** Die B.-Regelung von 1993 sieht einen Zoll von 20% auf Importe von B. aus Lateinamerika in die EU vor. Nach dem EU-Beitritt von Finnland, Österreich und Schweden am 1. 1. 1995 erhöhte die EU-Kommission die Einfuhrquote für Dollar-B. von 2,12 Mio t auf 2,55 Mio t im Jahr. Darüber hinausgehende Importe wurden mit einem Zoll von 170% belegt.

**Ziele:** Mit der Regelung will die EU Produzenten in Griechenland, Portugal, Spanien und den überseeischen Gebieten Frankreichs sowie in den Entwicklungsländern, die mit der EU durch das Lomé-Abkommen verbunden sind, vor der preiswerteren lateinamerikanischen Konkurrenz schützen.

**Gegner:** Im September 1994 und Februar 1995 klagte die Bundesregierung erneut beim EuGH wegen Diskriminierung des deutschen Handels bei B.-Importen. Ein Abkommen der EU-Kommission mit vier lateinamerikanischen Staaten vom März 1994, das diesen feste Absatzmengen garantiert, benachteilige traditionelle deutsche B.-Lieferländer. Eine Erhöhung des Einfuhrkontingents für Dollar-B. nach Ernteausfällen in der Karibik kam 1994 nur britischen und französischen Händlern zugute, obwohl Aufstockungen nach einem bestimmten Schlüssel verteilt werden müßten.

**Lizenzen:** Die Importeure von B. aus dem EU- oder dem afrikanisch-karibisch-pazifischen Raum, denen 30% des Einfuhrkontingents übertragen worden war, verkauften die Lizenzen wie Wertpapiere an Händler von Dollar-B.

### Bananen: Importe in die Europäische Union

| Ursprungs-land | Bananenausfuhren in die EU (t)[1] | | | | |
|---|---|---|---|---|---|
| | 1989 | 1990 | 1991 | 1992 | 1993 |
| Ecuador | 273 899 | 352 260 | 600 766 | 677 061 | 605 729 |
| Costa Rica | 449 118 | 548 520 | 569 373 | 462 510 | 480 300 |
| Kolumbien | 331 305 | 401 910 | 512 347 | 518 627 | 417 421 |
| Panama | 400 497 | 527 507 | 484 574 | 478 710 | 413 108 |
| Honduras | 148 846 | 123 480 | 138 396 | 197 784 | 193 546 |
| Guatemala | 61 827 | 9 370 | 13 186 | 37 408 | 26 945 |
| Nicaragua | 29 037 | 47 600 | 65 218 | 26 532 | 9 576 |
| USA | 282 | 3 678 | 1 965 | 761 | 1 914 |
| Philippinen | 19 973 | 5 024 | 165 | 0 | 1 858 |
| Venezuela | 179 | 50 | 41 | 45 | 146 |
| Mexiko | 19 | 41 | 39 | 9 989 | 112 |
| Bolivien | 0 | 17 | 0 | 0 | 2 |
| El Salvador | 8 | 0 | 86 | 0 | 0 |
| Kuba | 19 | 73 | 40 | 0 | 0 |

1) Ab 1993 Einfuhrbeschränkung (2 Mio t/Jahr) und Zollerhöhung;
Quelle: Europäische Kommission

# UNO-Friedenstruppen geraten zwischen alle Fronten

Mitte 1995 eskalierten die Kämpfe in den Kriegsregionen im ehemaligen Jugoslawien, die in Kroatien zwischen Serben und Kroaten sowie in Bosnien-Herzegowina zwischen Serben auf der einen sowie Kroaten und Moslems auf der anderen Seite geführt wurden. Weder den Vereinten Nationen noch der Europäischen Union gelang es, den 1991 ausgebrochenen Krieg in Bosnien-Herzegowina zu beenden und in Kroatien einen dauerhaften Frieden zu schaffen. Die 1992 in dem gesamten Gebiet stationierte 25 000 Mann starke UNO-Friedenstruppe mit mangelhafter oder gar keiner Waffenausrüstung war weder fähig, die Zivilbevölkerung vor militärischen Übergriffen zu schützen, noch die Vertreibung der Menschen aus ihren Heimatgebieten zu verhindern. Im Juli 1995 eroberten Serben die ostbosnische Stadt Srebrenica, die 1993 zusammen mit fünf anderen, mehrheitlich moslemischen Städten von der UNO zur Schutzzone erklärt wurde.

**Hintergründe der Kämpfe:** Die jahrzehntealten Nationalitätenkonflikte im ehemaligen Vielvölkerstaat Jugoslawien weiteten sich zu einem Krieg aus, nachdem sich Mitte 1991 die Teilrepubliken Slowenien und Kroatien und 1992 das angrenzende Bosnien-Herzegowina für unabhängig erklärt hatten. Die serbische Bevölkerung im ehemaligen Jugoslawien, die in allen Teilrepubliken mit einer Minderheit vertreten war, aber während des Kommunismus politisch eine dominierende Rolle innehatte, fürchtete Machteinbußen. Der Serbe Slobodan Milošević, der 1990 zum Präsidenten der Teilrepublik Serbien gewählt wurde, rief zur Schaffung eines Großserbischen Staates auf. Mit Hilfe der serbisch dominierten Jugoslawischen Volksarmee, die zu den größten Armeen in Europa zählte, eroberten die Serben ab 1991 etwa ein Drittel von Kroatien und 70% von Bosnien-Herzegowina. Zusammen mit Serbien und Montenegro, seit 1992 Bundesrepublik Jugoslawien, sollten diese Eroberungen Großserbien bilden. Auch die südliche ehemalige jugoslawische Teilrepublik Mazedonien (Unabhängigkeitserklärung 1991) wollten serbische Extremisten Großserbien angliedern.

**Brutaler Eroberungskrieg:** Ziel serbischer Angriffe war die Vertreibung aller Nichtserben aus den Gebieten, die sie für sich beanspruchten (sog. ethnische Säuberung), und die Zerstörung aller kulturellen Denkmäler, die von nichtserbischer Kunst, Kultur und Religion zeugten. Als Kriegsmittel setzten die Aggressoren Massenvergewaltigungen (40 000 bis 70 000 Fälle) ein und richteten Gefangenenlager ein, in denen Hunderttausende Menschen, vorwiegend Zivilisten, mißhandelt und getötet wurden. 300 UNO-Soldaten nahmen serbische Truppen im Mai 1995 für mehrere Wochen als Geiseln. Auf die Rückeroberung eines Teils der besetzten Gebiete durch die kroatische Armee reagierten die Serben mit Raketenbeschuß der Hauptstadt Zagreb im Mai 1995. Mit etwa 2,5 Mio Menschen führte der Krieg in Ex-Jugoslawien zur größten Flüchtlingswelle in Europa nach dem Zweiten Weltkrieg.

**Halbherziges Eingreifen der NATO:** Das westliche Verteidigungsbündnis griff im Auftrag der UNO 1994/95 mehrmals serbische Stellungen in Bosnien-Herzegowina und einmal in Kroatien an, weil die Serben Waffenstillstandsvereinbarungen mißachtet hatten. Es handelte sich um das erste militärische Eingreifen der NATO in einen Krieg seit Gründung der Allianz 1949. Moslems und Kroaten warfen der NATO vor, nicht entschieden genug gegen die Serben vorgegangen zu sein.

**Versagen der UNO:** Die 1992 in Kroatien und Bosnien-Herzegowina stationierten UNO-Schutztruppen (UNPROFOR und ab Anfang 1995 UNCRO in Kroatien) waren nicht in der Lage, ihren ursprünglich festgelegten Auftrag, Sicherung von Waffenstillständen und humanitäre Hilfe, zu erfüllen. In Kroatien sollten serbische Verbände in den besetzten Gebieten entwaffnet und die Rückkehr der vertriebenen kroatischen Bevölkerung (rd. 250 000 Personen) in ihre Heimatorte ermöglicht werden. Der kroatische Präsident Franjo Tudjman stimmte auf Druck des Auslands der Verlängerung des Mandats der UNO-Truppen bei verringerter Stärke (5000 Mann) bis November 1995 zu. Der bosnische Präsident Alija Izetbegović, der die moslemische Bevölkerungsmehrheit vertritt, kündigte im Juli 1995 an, das im November auslaufende UNO-Mandat für Bosnien-Herzegowina nicht verlängern zu wollen. Alle Kriegsparteien unterliefen das 1991 verhängte UNO–Waffenembargo. (MA)
→ Kriegsverbrechertribunal → NATO → UNO-Friedenstruppen

| Banken: Größte Institute weltweit | |
|---|---|
| **Name/ Land** | **Bilanz (Mrd $)**[1] |
| Fuji/J | 507,2 |
| Dai-Ichi/J | 506,6 |
| Sumitomo/J | 497,8 |
| Sakura/J | 496,0 |
| Sanwa/J | 493,6 |
| Mitsubishi/J | 459,0 |
| Norinchukin/J | 429,2 |
| Industr. Bank/J | 386,9 |
| Crédit Lyon./F | 338,8 |
| Ind. & Com./[2] | 337,8 |
| Deutsche B./D | 322,4 |
| Tokai/J | 311,5 |
| HSBC/GB | 305,2 |
| Long-Term/J | 302,2 |
| Crédit Agric./F | 282,9 |

1) 1993; 2) China; Quelle: Der Spiegel, 3. 4. 1995

So gelangten mehr B. aus Lateinamerika in die EU als vor der B.-Marktordnung, jedoch zu höheren Preisen. In Deutschland stiegen die B.-Preise 1994 um 60%. Weil sich Privatleute Einfuhrlizenzen verschafft und diese an B.-Händler verkauft hatten, begrenzte die EU-Kommission die Vergabe von B.-Einfuhrlizenzen an Geschäftsneulinge, denen 3,5% des Einfuhrkontingents zustand, 1994 auf Händler mit Importerfahrung.
→ Lomé-Abkommen

## Banken

Die Bundesregierung aus CDU/CSU/-FDP arbeitete 1995 an Vorschlägen, wie der Beteiligungsbesitz der B. an Unternehmen begrenzt werden kann, um den Einfluß der B. auf die Wirtschaft zu verringern. Sie lehnte einen Vorschlag der SPD zur Beschränkung der B.-Macht als zu weitgehend ab.

**Machtbeschränkung:** Die SPD schlug folgende Beschränkungen vor:
▷ Die Zahl der gesetzlich zulässigen Aufsichtsratsmandate von B.-Angehörigen soll auf fünf halbiert werden, wobei das Amt des Vorsitzenden doppelt zählt
▷ Der Anteil von branchenfremden Unternehmen im Besitz von B. und Versicherungen darf 5% nicht übersteigen
▷ Das pauschale Stellvertreter-Stimmrecht für die Kleinaktionäre von Aktiengesellschaften soll von B. auf unabhängige, von den Ak-

tionären gewählte Vertreter (z. B. Wirtschaftsprüfer) übergehen.
**Ablehnung:** B. lehnten die Vorschläge der Politiker ab. Nach ihren Angaben sank der Anteilsbesitz der zehn größten Privat-B. an Kapitalgesellschaften in Deutschland 1976–1994 von 1,3% auf 0,4%. Erfaßt waren Beteiligungen von mehr als 10% an Unternehmen über 1 Mio DM Grundkapital.
**Ergebnisse:** Wegen gesunkener Aktienkurse und steigender Zinsen gingen 1994 die Gewinne der fünf Groß-B. gegenüber dem Vorjahr zurück. Die Bayerische Hypotheken- und Wechselbank erwirtschaftete einen Verlust von 117 Mio DM (1993: 251 Mio Gewinn), bei den übrigen schrumpfte der Gewinn um 70–98%.
**Mega-Institut:** Wenn im April 1996 die Fusion der Bank of Tokyo und der Mitsubishi Bank vollzogen wird, entsteht die größte B. der Welt mit einer Bilanzsumme von ca. 1 Bio DM.
→ Bundesbank, Deutsche → Electronic Banking → Leitzinsen → Postbank → Telefonbanking

### Bank für internationalen Zahlungsausgleich

**Abkürzung** BIZ
**Sitz** Basel/Schweiz
**Gründung** 1930
**Mitglieder** 33 Zentralbanken
**Generaldirektor** Andrew Crockett/Großbritannien (seit 1994)
**Funktion** Förderung der Zusammenarbeit der Mitgliedsbanken

### Banken: Fünf deutsche Großbanken im Vergleich

| Position (Konzern) | Deutsche Bank | | Dresdner Bank | | Commerzbank | | Bayer. Vereinsb. | | Hypo-Bank[1] | |
|---|---|---|---|---|---|---|---|---|---|---|
| | **1994** | **1993** | **1994** | **1993** | **1994** | **1993** | **1994** | **1993** | **1994** | **1993** |
| Bilanzsumme (Mrd DM) | 573,0 | 556,5 | 400,1 | 380,8 | 342,1 | 285,4 | 318,2 | 289,2 | 275,4 | 265,5 |
| Kredite (Mrd DM) | 331,1 | 332,8 | 253,4 | 267,4 | 220,4 | 181,3 | 254,0 | 231,8 | 215,1 | 199,3 |
| Zinsüberschuß (Mrd DM) | 11,5 | 11,7 | 6,5 | 6,2 | 5,1 | 4,8 | 4,3 | 3,7 | 4,1 | 3,6 |
| Provisionen[2] (Mrd DM) | 5,9 | 5,8 | 2,9 | 3,2 | 1,8 | 2,0 | 1,1 | 1,1 | 0,9 | 0,9 |
| Verwaltung[3] (Mrd DM) | 12,4 | 11,7 | 6,6 | 6,3 | 4,9 | 4,8 | 3,5 | 2,8 | 3,0 | 2,7 |
| Ergebnis (Mrd DM) | 4,1 | 5,3 | 1,6 | 2,0 | 0,7 | 1,1 | 1,1 | 1,2 | 1,1 | 1,0 |
| Überschuß (Mrd DM) | 1,4 | 2,2 | 1,0 | 1,1 | 1,1 | 0,6 | 0,6 | 0,6 | 0,5 | 0,5 |
| Mitarbeiter | 73 470 | 73 176 | 44 884 | 46 425 | 28 706 | 28 241 | 22 029 | 21 546 | 15 281 | 17 995 |

1) Bayerische Hypotheken- und Wechselbank; 2) Überschuß; 3) Kosten; Quelle: Aktuell-Recherche

## Basketball

Weltweit ist der US-B. Mitte der 90er Jahre die Mannschaftssportart mit den höchsten Gagen (jährlich bis zu 8 Mio Dollar, 11,3 Mio DM) und Werbeverträgen (jährlich bis zu 20 Mio Dollar, 28,1 Mio DM) pro Spieler. 1994 lagen die Nebeneinnahmen der US-amerikanischen Profiliga NBA (National Basketball Association, engl.; Nationaler B.-Verband) durch den Verkauf von Bällen, Kappen etc. außerhalb der USA mit 350 Mio Dollar (492,8 Mio DM) erstmals höher als die Merchandising-Einnahmen anderer Sportarten wie Baseball oder American Football. In den USA wurden 1994 mit dem Merchandising von NBA-Abzeichen und -Artikeln 2,5 Mrd Dollar (3,52 Mrd DM) umgesetzt. Nach Fußball und Tennis war B. 1994 weltweit der Sport mit den meisten Fernsehübertragungsstunden.

In Deutschland hatte der Deutsche B.-Bund (Hagen) Mitte der 90er Jahre von allen Sportverbänden die größte Zuwachsrate an Mitgliedern; von 1993 bis Anfang 1995 stieg die Spielerzahl um 23 000 auf 178 000. Ausgelöst wurde der Boom durch den Auftritt des sog. US-Dream-Teams, in dem die Spitzenspieler der NBA antraten, bei den Olympischen Spielen 1992 in Barcelona/Spanien und den erstmaligen Gewinn der Europameisterschaft durch Deutschland 1993.

## Batterien

Die CDU/CSU/FDP-Bundesregierung plante für 1995 eine B.-Verordnung, die Herstellung, Verkauf und Rücknahme schadstoffhaltiger B. und Akkus regelt. Sie soll die freiwillige Verpflichtung von Industrie und Handel von 1988 zur Erfassung, Verwertung und Entsorgung von B. gesetzlich verankern. Die EU-Richtlinie von 1991 wird im deutschen Recht verschärft, weil auch Zink-Kohle-B. und quecksilberarme Alkali-Mangan-B. von der Rücknahmepflicht erfaßt sind.

Folgende Regelungen sind geplant:

▷ Alkali-Mangan-B. mit mehr als 0,025 Gewichtsprozent Quecksilber werden verboten

▷ B. und Akkus mit mehr als 0,025 Gewichtsprozent Cadmium, 0,4 Gewichtsprozent Blei und 0,0025 Gewichtsprozent Quecksilber müssen gekennzeichnet werden

▷ Der Einbau von B. und Akkus ist zugelassen, wenn sie problemlos wieder entfernt werden können

▷ Einsammeln und Verwerten verbrauchter B. durch Industrie und Handel muß gewährleistet sein.

Eine Pfandpflicht wird nicht vorgeschrieben.

→ Recycling

## Bauwirtschaft

→ Wohnungsbau

### Basketball: Bester NBA-Spieler

**Michael Jordan**
* 17. 2. 1963 in Brooklyn/New York. 1982 College-Meisterschaft. 1984 und 1992 olympische Goldmedaille mit US-Team. 1984–1993 Profi bei den Chicago Bulls, 1991, 1992 und 1993 NBA-Meisterschaft. NBA-Spieler mit der höchsten Trefferquote aller Zeiten (32,3 Punkte pro Spiel). Nach seinem Rücktritt 1993 erneut Profi ab März 1995.

## Basketball: Glossar

**Drei-Punkte-Linie:** Außerhalb dieser 6,25 m vom Korb entfernt liegenden Linie erzielte Korbtreffer zählen drei Punkte, innerhalb nur zwei Punkte.

**Dunking:** Der Angreifer springt aus dem Anlauf heraus hoch und drückt den Ball spektakulär von oben in den Korb.

**Fast Break:** Schneller Gegenzug, der dem Gegner keine Zeit läßt, seine Abwehr zu organisieren.

**Freiwurf:** Ungehinderter Wurf von der Freiwurflinie nach einem Foul. Der erfolgreiche Abschluß wird mit einem Punkt gewertet.

**Fouls:** Unterschieden werden persönliche Fouls im Kontakt mit dem Gegner und technische Fouls. Nach fünf persönlichen Fouls wird ein Spieler disqualifiziert.

**NBA:** 1947 gegründete US-amerikanische Profiliga mit 27 Teams (1994/95). Gespielt wird in zwei Gruppen, die Eastern Conference (Atlantic und Central Division) und Western Conference (Midwest und Pacific Division). Der Meister wird im Playoff-Verfahren (K.-o.-System) unter den jeweils acht besten Mannschaften der beiden Gruppen ermittelt.

**Rebound:** Zurückprallen des Balles von Korbring oder Spielbrett nach einem Wurf. Angreifer dürfen nur drei Sekunden im Freiwurfraum unter dem Korb bleiben.

**Streetball:** In den Gettos von New York und Los Angeles entstandene Form des B. auf Straßen und freien Plätzen. Gespielt wird drei gegen drei auf einen Korb. Sporthersteller veranstalten Mitte der 90er Jahre Turniere mit Popmusik-Begleitung und werben für spezielle Ausrüstung (knielange Shorts, weite T-shirts, knöchelhohe Turnschuhe, Kappen).

**Beamte: Personalkosten in Ländern**[1]

| Bundesland | Anteil am Etat (%) |
|---|---|
| Bayern | 43,2 |
| Niedersachsen | 41,8 |
| Baden-Württ. | 40,8 |
| Rheinland-Pfalz | 40,8 |
| Nordrhein-W. | 40,4 |
| Hessen | 40,3 |
| Schleswig-H. | 39,8 |
| Saarland | 39,2 |
| Hamburg | 38,0 |
| Bremen | 35,0 |
| Berlin | 34,2 |
| Sachsen | 25,4 |
| Sachsen-Anhalt | 25,4 |
| Thüringen | 24,4 |
| Mecklenb.-V. | 23,9 |
| Brandenburg | 21,1 |

1) Personalausgaben für Beschäftigte im öffentlichen Dienst 1994; Quelle: Der Spiegel, 16. 1. 1995

## BDA

**Name** Bundesvereinigung der Deutschen Arbeitgeberverbände
**Sitz** Köln
**Gründung** 1949
**Aufbau** 16 Landesverbände, 46 Fachspitzenverbände
**Präsident** Klaus Murmann (seit 1986)
**Funktion** Wahrung von sozialpolitischen Belangen der privaten Unternehmen in Deutschland, die über den Bereich eines Wirtschaftszweiges hinausgehen

## Beamte

Angehörige des öffentlichen Dienstes, die zu ihrem Arbeitgeber (Bund, Länder und Kommunen) in einem besonderen Treueverhältnis stehen. In Deutschland ist das Berufsbeamtentum in Art. 33 Abs. 5 GG geschützt. Bundesinnenminister Manfred Kanther (CDU) legte im April 1995 ein Konzept zur Reform des öffentlichen Dienstrechts vor. Ziel ist es, die Arbeitseffektivität der Verwaltungen zu erhöhen und die Kostenbelastung durch den öffentlichen Dienst (z. B. Pensionszahlungen an B.) zu senken.

**Reformplan:** Kanthers Konzept tastete die Grundsätze des Berufsbeamtentums, z. B. Unkündbarkeit für B. auf Lebenszeit, nicht an, eine Verfassungsänderung war daher nicht notwendig. Kernpunkte der Reform waren:
▷ Erprobungszeiten in Führungspositionen (zwei Jahre) und vor Beförderungen (drei bis zwölf Monate)
▷ Einführung leistungsabhängiger Prämien
▷ Ausbau der Teilzeitbeschäftigung im öffentlichen Dienst
▷ Erleichterung von Versetzungen mit Verpflichtung zur Umschulung
▷ Modernisierung des Besoldungsrechts (bessere Bezahlung jüngerer B., niedrigere Anhebungen aufgrund des Dienstalters)
▷ Anhebung der Altersgrenze, von der an B. ohne gesundheitliche Gründe in den vorzeitigen Ruhestand gehen können, von 62 auf 63 Jahre.

Um die Änderung des Dienstrechts kostenneutral durchzuführen, sollen maximal 10% der B. leistungsabhängige Prämien erhalten.
**Pensionen:** Nach einer Analyse der Verwaltungshochschule Speyer wächst die Belastung von Bund, Ländern und Gemeinden durch Pensionsausgaben für B. von 35 Mrd DM (1995) auf 164,5 Mrd DM (2030). B. erhalten nach dem Ende ihrer Dienstzeit 75% ihrer letzten Besoldung. Pensionen müssen versteuert werden. Insbes. die Bundesländer, die 1994 durchschnittlich rd. 40% ihres Etats für Personalkosten aufwendeten, waren von steigenden Pensionszahlungen betroffen. Anfang 1995 beschloß Schleswig-Holstein als erstes Bundesland, über einen Pensionsfonds die Versorgung seiner B. zu sichern. Bund und Länder planten 1995, Frühpensionierungen wegen Dienstunfähigkeit zu erschweren. Betroffene B. sollen höhere Einbußen bei ihren Pensionen in Kauf nehmen. 1994 betrug das durchschnittliche Pensionsalter rd. 58 Jahre.
**Rechte und Pflichten:** B. haben in der Bundesrepublik Deutschland die Verpflichtung, für die freiheitlich-demokratische Grundordnung einzutreten. Sie sind unkündbar, wenn sie nicht auf Probe, Zeit oder Widerruf abgestellt werden. B. dürfen nicht streiken und zahlen keine Sozialabgaben. 65% der Krankheitskosten werden von der staatlichen Beihilfe übernommen. Die Pension der B. ist im Gegensatz zu Renten nicht steuerfrei. Das Gehalt der B. richtet sich u. a. nach der Besoldungsgruppe (einfacher, mittlerer, gehobener, höherer Dienst) und der Dienstzeit.

## Behinderte

Im November 1994 wurde die Verpflichtung zum Schutz von B., die eine Benachteiligung verbietet, im Grundgesetz verankert. In Deutschland waren Ende 1993 rd. 6,4 Mio Menschen (im Westen jeder zwölfte, im Osten jeder 19. Einwohner) als

Schwerbehinderter anerkannt (ab einem Grad der Erwerbsunfähigkeit von 50%). Zu den häufigsten Behinderungen zählten die Beeinträchtigung innerer Organe (32%) sowie Deformierungen der Wirbelsäule, des Rumpfes und der Gliedmaßen (31%).

**Beschäftigungsquote:** Öffentliche Behörden und Unternehmen mit mindestens 16 Arbeitsplätzen sind gesetzlich verpflichtet, 6% der Stellen an Schwerbehinderte zu vergeben. Wird die Quote nicht erfüllt, erhebt der Gesetzgeber eine Ausgleichsabgabe von 200 DM monatlich pro ausstehendem Arbeitsplatz (Stand: 1995). 1993 waren 5,7% (1992: 5,5%) der Stellen im öffentlichen Dienst und 4,3% in der Privatwirtschaft mit Schwerbehinderten besetzt. Der Bund zahlte 1993 eine Ausgleichsabgabe von 4,78 Mio DM an die Hauptfürsorgestellen. Die Bundesarbeitsgemeinschaft Hilfe für B. forderte 1994 eine Erhöhung der Abgabe, um den Anreiz zur Einstellung von Schwerbehinderten zu verstärken.

**Werkstätten:** 1994 erzielten die 1150 Werkstätten für B. in Deutschland einen Umsatz von 1,53 Mrd DM (Anstieg zu 1993: 16,3%). In einem Reformkatalog forderte die Bundesarbeitsgemeinschaft der Werkstätten für B. im Dezember 1994, den monatlichen Leistungsausgleich von durchschnittlich 250 DM auf 500 DM pro B. anzuheben und die rechtliche Stellung der geistig behinderten Mitarbeiter zu ändern, die als nicht geschäftsfähig gelten und keine rechtskräftigen Arbeitsverträge abschließen können.

## Belt-Überbrückung

→ Ostsee-Überbrückung

## Berliner Zentralbahnhof

(auch Lehrter Bahnhof), größter Bahnhofsneubau des 20. Jh. in Deutschland. 1995–2002 soll in der Nähe des entstehenden Parlaments- und Regierungsviertels ein zentraler Umsteigebahnhof für die Fernbahnstrecken sowie den Regional- und Nahverkehr entstehen. Eine Nord-Süd-Tunnelstrecke soll die bestehende Ost-West-Linie kreuzen. Die Bahn erwartet 25 Mio Fahrgäste jährlich. Private Investoren sollen zur Finanzierung des Gebäudes mit Geschäften, Büros und Gaststätten beitragen. Die Kosten allein für die Bahnanlagen werden auf 700 Mio DM geschätzt.

→ Bahn, Deutsche

## Berufliche Fortbildung

Inner- und außerbetriebliche Maßnahmen zur beruflichen Weiterbildung werden in Deutschland von der Bundesanstalt für Arbeit (BA, Nürnberg), von Unternehmen, Gewerkschaften, Kirchen und anderen Organisationen angeboten. Mit B. sollen die Chancen von Erwerbslosen auf dem Arbeitsmarkt verbessert und die Arbeitslosigkeit abgebaut sowie Qualifikationen von Berufstätigen auf dem neuesten Stand erhalten werden. Die Mittel der BA für Fortbildung und Umschulung stiegen 1995 gegenüber dem Vorjahr um 0,4 Mrd DM auf 15,4 Mrd DM. Deutsche Unternehmen gaben 1994 rd. 50 Mrd DM für die B. ihrer Mitarbeiter aus. Um Arbeitsausfälle zu verhindern, verlagerten viele Betriebe ihre Weiterbildungsmaßnahmen in die Freizeit der Mitarbeiter. Externe Lehrgänge wurden durch kostengünstigere interne Maßnahmen ersetzt.

→ Bundesanstalt für Arbeit

### Fortbildung: Beliebte Themen

| Thema | Marktanteil (%) | |
|---|---|---|
| | 1994 | Prognose |
| Allg. Management | 11 | 7 |
| Zeitmanagement | 9 | 5 |
| EDV | 6 | 3 |
| Unternehmenskultur | 4 | 6 |
| Betriebswirtschaft | 3 | 2 |
| Fitneß/Gesundheit | 3 | 6 |
| Recht | 2 | 1 |
| Gehirn und Lernen | 2 | 6 |
| Personalführung | 1 | 3 |

Quelle: Training aktuell

### Behinderte: Sonderschüler

| Behinderung | Anzahl (1000) |
|---|---|
| Lernbehinderte | 205 |
| Geistige Behind. | 49 |
| Sprachbehind. | 29 |
| Körperbehind. | 19 |
| Gehörbehinderte | 10 |
| Sehbehinderte | 4 |

Stand: 1992; Quelle: Bundesarbeitsministerium

### Fortbildung: Unternehmensangebote

| Branche | Angebot[1] |
|---|---|
| Kreditinstitute | 99 |
| Versicherungen | 90 |
| Kfz-Handel | 82 |
| Chem. Industrie | 76 |
| Maschinenbau | 76 |
| Energieversorg. | 75 |
| Großhandel | 68 |
| Transport | 69 |
| Bergbau | 66 |
| Metallindustrie | 65 |
| Einzelhandel | 64 |
| Papier u. Druck | 63 |
| Baugewerbe | 53 |
| Lebensmittel | 46 |
| Textilien | 37 |
| Gaststätten | 24 |

Stand: 1993; 1) je 100 Unternehmen der jeweiligen Branche; Quelle: Institut der Deutschen Wirtschaft

| Betriebssystem: Nutzer weltweit | | |
|---|---|---|
| System | Anwender 1993 (Mio) | |
| MS-DOS | 67,4 | |
| Windows | 36,7 | |
| MacOS | 11,7 | |
| OS/2 | 5,6 | |
| Sonstige | 2,7 | |

Quelle: Der Spiegel, 14. 11. 1994

## Betriebsrat

→ Euro-Betriebsrat

## Betriebssystem

(auch Systemsoftware), permanent auf einem Computer installiertes Programm, das Voraussetzung für die Arbeit mit anderen Computerprogrammen wie Textverarbeitung (Anwendersoftware) ist. Das B. wird i. d. R. beim Anschalten des Computers automatisch in den Arbeitsspeicher geladen. Ende 1994 versuchte IBM, mit der Markteinführung des B. OS/2, Version 3.0 Warp die Vorherrschaft des Softwareherstellers Microsoft auf dem weltweiten B.-Markt zu brechen. Mit MS-DOS und Windows hatte Microsoft 1994 bei den B. für PC einen Weltmarktanteil von rd. 80%. Microsoft verschob den Erscheinungstermin B.

Windows 95 von Anfang 1995 auf August des Jahres.

OS/2 ist ein 32-Bit-B., d. h. es kann mehr Daten parallel bearbeiten als herkömmliche 16-Bit-B. wie MS-DOS und die Windows x.x-Versionen. Für OS/2 existierten nur rd. 3000 Anwenderprogramme, während es 12 000 Angebote für speziell auf das Microsoft-B. zugeschnittene Anwendersoftware gab. Unter OS/2 konnten auch Windows x.x- und DOS-Programme, jedoch keine Anwendungen für Windows 95 betrieben werden.

→ PC → Software

## Beutekunst

Im Krieg vom Gegner erbeutete Kulturgüter, insbes. Kunstwerke, die sowjetische Soldaten in den letzten Monaten des Zweiten Weltkriegs von Deutschland in die Sowjetunion brach-

## Betriebssystem: Systemsoftware-Typen für Personalcomputer

| Programm | Hersteller | Einführung | Befehlseingabe | Multitasking[1] | Sonstige Fähigkeiten |
|---|---|---|---|---|---|
| MS-DOS | Microsoft | 1981 | Tastenkombinationen | Nein | 3000 Anwenderprogramme |
| MacOS | Apple | 1984 | Grafische Benutzeroberfläche (von Apple entwickelt) | Uneingeschränkt möglich | 6000 Programme, wichtigstes Einsatzgebiet: Desktop Publishing und Grafikdesign, Plug-and-play[3] |
| OS/2 | IBM | 1987 | Grafische Benutzeroberfläche | Uneingeschränkt möglich | 32-Bit-Betriebssystem, eingeschränktes Plug-and-play[3], 3000 Programme, steuert Windows 3.x- und MS-DOS-Programme |
| UNIX | Bell Laboratories | 1989 | Grafische Benutzeroberfläche | Uneingeschränkt möglich | Herstellerunabhängig, d. h. steuert PC mit unterschiedlichen Prozessoren, Netzwerkbetriebssystem |
| Windows 3.0/3.1 | Microsoft | 1990 | Grafische Benutzeroberfläche | Eingeschränkt möglich | 12 000 Anwenderprogramme, Erweiterung von MS-DOS |
| Windows NT | Microsoft | 1993 | Grafische Benutzeroberfläche | Uneingeschränkt möglich | 32-Bit-Betriebssystem, nutzt Windows- und MS-DOS-Programme, verschiedene Prozessortypen, netzwerkfähig |
| Windows 95 | Microsoft | 1995[2] | Grafische Benutzeroberfläche | Uneingeschränkt möglich | 32-Bit-Betriebssystem, Plug-and-play[3], Anschluß an geplanten Online-Dienst Microsoft Network |

1) Betriebssystem kann mehrere Anwenderprogramme gleichzeitig betreiben; 2) Einführung für Mitte 1995 geplant; 3) Rechner kann um zusätzliche Platinen oder Peripheriegeräte erweitert werden, ohne daß der Anwender Hand anlegen muß, der Computer konfiguriert sich selbst; Quelle: Aktuell-Recherche

ten. Die mit dem Zerfall der Sowjetunion und der Öffnung der Grenzen zum Westen aufgekommene Diskussion um die Rückgabe der B. erreichte im März 1995 einen Höhepunkt, als in der St. Petersburger Eremitage eine Ausstellung mit B. aus Deutschland eröffnet wurde. Erstmals nach 50 Jahren wurden der Öffentlichkeit 74 Werke des Impressionismus aus deutschen Privatsammlungen gezeigt. Insgesamt befinden sich in Rußland und den Staaten der ehemaligen Sowjetunion rd. 200 000 Museumsobjekte, 2 Mio Bücher und 3 km Archivakten aus dem besiegten Deutschland.

Im Mai 1995 erarbeitete der Kulturausschuß des russischen Parlaments einen Gesetzesvorschlag, der die Rückgabe der erbeuteten Kunst gegen vermißte russische Kunstwerke bzw. gegen finanzielle Entschädigung vorsieht. Ein Gesetzentwurf von Ende 1994 verbot die Rückgabe von B.

## Bevölkerungsentwicklung

→ Übersichtsartikel S. 70

## Bibliothèque de France

Am 30. 3. 1995 wurde nach dreijähriger Bauzeit im Südosten von Paris an der Seine der Neubau der Französischen Nationalbibliothek eingeweiht (Architekt: Dominique Perrault). Sie ist die zweitgrößte Bibliothek der Welt und rd. 7,8 Mrd FF (2,2 Mrd DM) das teuerste der von Staatspräsident François Mitterrand angeregten Bauwerke (z. B. Grande Arche de la Défense, Louvre-Pyramide, Opéra de la Bastille). In der alten B. im Pariser Stadtzentrum verbleiben die Sondersammlungen (Handschriften, Manuskripte, Karten, Münzen). Die Eröffnung der B. ist für Ende 1997 geplant. Die B. nimmt rd. 11 Mio Bände, 1 Mio Ton- und Bilddokumente und 350 000 Zeitschriftentitel auf. Vorgesehen ist ein mit anderen Bibliotheken und Datenbanken vernetztes EDV-Benutzersystem.

## Bildtelefon

Die Telefongesellschaft British Telecom stellte Ende 1994 den Prototyp eines tragbaren B. vor, das in einer Art Telefonzelle (BOT, Broadband Optical Telepoint, engl.; optischer Breitband-Telepunkt) Bilder empfängt. Die größten Absatzchancen wurden 1995 Video-Desktop-Konferenzsystemen (desktop, engl.; Auftisch) eingeräumt, bei dem ein PC als B. dient.

**British Telecom:** Das mobile B. hat etwa die Größe eines tragbaren Kassettenrekorders und besitzt einen kleinen Bildschirm. Im BOT endet ein Glasfaserkabel in einem Gerät, das die emp-

In der Ausstellung mit dem Titel „Verborgene Schätze" (30. 3. – 29. 10. 1995) waren Bilder französischer Impressionisten wie Paul Gauguin erstmals seit 50 Jahren wieder zu sehen.

Die Bücher der Bibliothèque Nationale de France am Pariser Seine-Ufer werden in den obersten elf Etagen der vier Bibliothekstürme (Höhe: 80 m) und unterirdisch gelagert.

Bevölkerungsentwicklung

# Hohe Geburtenraten verschärfen Nord-Süd-Konflikt

1995 lebten rd. 5,69 Mrd Menschen auf der Erde. Nach einer Studie der Vereinten Nationen wächst die Weltbevölkerung jährlich um rd. 90 Mio Menschen. Falls die Geburtenrate schrittweise bis zum Jahr 2050 auf 2,1 Kinder pro Frau sinkt (1994: 3,3 Kinder pro Frau), wird sich die Weltbevölkerung 2100 bei rd. 12 Mrd Menschen stabilisieren. Ein mit der Bevölkerung zunehmender Bedarf an Wasser, Landwirtschaftsfläche und Energie erhöht die Umweltbelastung. Westliche Politiker befürchteten bei wachsender Verelendung der armen Länder für das 21. Jh. Flüchtlingswellen in Industrieländer. Auf der dritten UNO-Weltbevölkerungskonferenz im September 1994 in Kairo/Ägypten standen ethische Kontroversen über das Recht auf Abtreibung, künstliche Schwangerschaftsverhütung, voreheliche und gleichgeschlechtliche Beziehungen und den Status der Frau im Mittelpunkt.

**Konferenz ohne Neuansätze:** Zum Abschluß der Weltbevölkerungskonferenz verabschiedeten 182 Staaten ein nichtbindendes Maßnahmenpaket, das auf die Senkung der Geburtenraten in den Entwicklungsländern und die Verbesserung der Lebenssituation von Frauen abzielt. Der Vatikan, der mit islamischen Fundamentalisten gegen die Legalisierung der Abtreibung und der künstlichen Schwangerschaftsverhütung kämpfte, stimmte dem Schlußdokument nur in Teilen zu. Nach den Absprachen bei der Konferenz sollen die Industrieländer zwei Drittel der Kosten für bevölkerungspolitische Programme (1994: rd. 5 Mrd Dollar, 7 Mrd DM) tragen. Zu den geplanten Maßnahmen zählen die Verbreitung empfängnisverhütender Mittel, Sexualerziehung, Gesundheitskunde und die stärkere Einbeziehung von Frauen in das Berufsleben. Sprecher von Entwicklungsländern forderten eine gerechtere Verteilung der Ressourcen und Hilfe der Industriestaaten beim Kampf gegen Hunger, Armut, Analphabetismus und hohe Sterblichkeit.

**Bevölkerungswachstum verstärkt Armut:** Hohe Geburtenraten machen Armutsbekämpfung in der sog. Dritten Welt oft zunichte. Die Menge der produzierten Nahrungsmittel wächst in vielen Dritte-Welt-Staaten langsamer als die Bevölkerung, Hungersnöte sind die Folge. In Entwicklungsländern, wo bis zu 40% der Bevölkerung unter 15 Jahre alt sind (Deutschland: rd. 15%), müßte das Wirt-

schaftswachstum mindestens 5–6% pro Jahr betragen, um genügend Arbeitsplätze für die Heranwachsenden zu schaffen. Der Ausbau des Bildungs- und Gesundheitswesens hält in diesen Ländern nicht Schritt mit dem Bevölkerungswachstum. Die indische Bevölkerung z. B. wird in den nächsten 30 Jahren nach UNO-Schätzungen von 911 Mio (1994) auf 1,4 Mrd (2025) anwachsen. Die indische Regierung müßte jedes Jahr zusätzlich rd. 130 000 Schulen einrichten, um einen Anstieg der Analphabetenrate (1990: 52%) zu verhindern.

**Schlüsselrolle der Frauen:** 1994 nutzten rd. 55% der Bevölkerung in den Entwicklungsländern moderne Verhütungsmethoden zur Familienplanung. Wie viele Kinder eine Frau zur Welt bringt, hängt insbes. von der Einstellung der Gesellschaft zur Kinderzahl, der wirtschaftlichen Entwicklung eines Landes, religiösen Überzeugungen sowie von Bildung und sozialer Stellung der Frau ab. Erst wenn Frauen selbst über die Zahl ihrer Kinder entscheiden können und nicht nur als Mütter gesellschaftliche Anerkennung finden, wird eine Senkung der Geburtenraten möglich. Mitte der 90er Jahre ersetzten Nachkommen die fehlende Sozialversicherung in den Entwicklungsländern. Zwei Kinder genügten nicht, um die Existenz der Eltern abzusichern und den religiösen und kulturellen Normen zu entsprechen.

**Überalterung in Deutschland:** Die Zahl der Geburten sank 1994 in Deutschland mit 770 000 auf den niedrigsten Stand der Nachkriegszeit. Nach einem Forschungsbericht des Bundesfamilienministeriums 1994 ließen sich die sozialen Folgen des Geburtenrückgangs – immer weniger Beitragszahler müssen immer mehr Rentner finanzieren, der Generationenvertrag gerät ins Wanken – nur stoppen, wenn jährlich 500 000 Ausländer in die Bundesrepublik übersiedeln würden. Aufgrund der steigenden Lebenserwartung (1992: 76,0 Jahre; 1960: 69,7 Jahre) und niedriger Fruchtbarkeitsrate (1992: 1,5 Kinder pro Frau) wird sich die Überalterung der Gesellschaft verschärfen. Prognosen zufolge wird sich der Anteil der über 65jährigen an der deutschen Bevölkerung von Anfang der 90er Jahre bis 2040 auf 27% fast verdoppeln. (CL)
→ Alter → Armut → Entwicklungsländer → Flüchtlinge → Frauen → Hunger → Mega-Städte

## Bevölkerungsentwicklung: Kennzahlen für ausgewählte Länder

| Land | Bevölkerung (Mio) 1993 | Bevölkerung (Mio) 2000 | Wachstum 1993–2000 (%) | Einwohner je Arzt[1] | Kindersterblichkeit[2] | Benutzung von Verhütungsmitteln (%)[3] | Geburten pro Frau[4] | Lebenserwartung (Jahre)[5] |
|---|---|---|---|---|---|---|---|---|
| **Europa** | | | | | | | | |
| Belgien | 10 | 10 | 0,3 | 310 | 6 | 79 | 1,6 | 77 |
| Bulgarien | 9 | 9 | −0,5 | 320 | 14 | 76 | 1,9 | 71 |
| Dänemark | 5 | 5 | 0,1 | 390 | 7 | 78 | 1,7 | 75 |
| Deutschland | 81 | 82 | 0,2 | 370 | 6 | 75 | 1,5 | 76 |
| Finnland | 5 | 5 | 0,4 | 410 | 5 | 80 | 1,8 | 76 |
| Frankreich | 57 | 59 | 0,4 | 350 | 7 | 80 | 1,8 | 77 |
| Großbrit. | 58 | 59 | 0,3 | 710 | 7 | 81 | 1,9 | 76 |
| Irland | 4 | 4 | 0,3 | 630 | 7 | 60 | 2,2 | 75 |
| Italien | 57 | 57 | 0,0 | 210 | 8 | 78 | 1,3 | 78 |
| Niederlande | 15 | 16 | 0,6 | 410 | 7 | 76 | 1,7 | 78 |
| Norwegen | 4 | 4 | 0,4 | 500 | 8 | 76 | 1,9 | 77 |
| Österreich | 8 | 8 | 0,5 | 230 | 7 | 71 | 1,5 | 76 |
| Polen | 38 | 39 | 0,2 | 490 | 15 | 75 | 2,1 | 71 |
| Portugal | 10 | 10 | 0,0 | 490 | 10 | 66 | 1,5 | 75 |
| Schweden | 9 | 9 | 0,5 | 370 | 5 | 78 | 2,0 | 78 |
| Schweiz | 7 | 7 | 0,9 | 630 | 6 | 71 | 1,6 | 78 |
| Spanien | 39 | 40 | 0,1 | 280 | 7 | 59 | 1,4 | 78 |
| Tschechien[6] | 10 | 10 | 0,1 | 310 | 9 | 77 | 2,0 | 71 |
| Ungarn | 10 | 10 | −0,4 | 340 | 15 | 73 | 1,8 | 69 |
| **Afrika** | | | | | | | | |
| Ägypten | 56 | k. A. | k. A. | 1 320 | 64 | 46 | 4,2 | 64 |
| Äthiopien[7] | 52 | 64 | 3,0 | 33 330 | 117 | 4 | 4,0 | 48 |
| Ghana | 16 | 20 | 2,9 | 25 000 | 79 | 13 | 6,1 | 56 |
| Kenia | 25 | 30 | 2,5 | 71 430 | 61 | 33 | 6,4 | 58 |
| Madagaskar | 14 | 17 | 3,1 | 8 330 | 93 | 17 | 6,6 | 57 |
| Nigeria | 105 | 129 | 2,9 | 66 670 | 83 | 6 | 6,6 | 51 |
| Südafrika | 40 | 46 | 2,2 | 1 640 | 52 | 50 | 4,2 | 63 |
| Tschad | 6 | 7 | 2,8 | 33 330 | 120 | k. A. | 5,9 | 48 |
| **Amerika** | | | | | | | | |
| Argentinien | 34 | 37 | 1,2 | 330 | 24 | k. A. | 2,8 | 72 |
| Brasilien | 156 | 175 | 1,6 | 670 | 57 | 66 | 2,9 | 67 |
| Chile | 14 | 15 | 1,5 | 2 170 | 16 | 56 | 2,7 | 74 |
| Kanada | 29 | 31 | 1,1 | 450 | 7 | 73 | 1,8 | 78 |
| Mexiko | 90 | 102 | 1,8 | 1 850 | 35 | 53 | 3,3 | 71 |
| USA | 258 | 275 | 0,9 | 420 | 9 | 74 | 2,0 | 76 |
| **Asien** | | | | | | | | |
| Bangladesch | 115 | k. A. | k. A. | 6 670 | 106 | 40 | 4,8 | 56 |
| China | 1178 | 1255 | 0,9 | 730 | 30 | 83 | 2,3 | 69 |
| Indien | 898 | 1022 | 1,8 | 2 440 | 80 | 43 | 4,0 | 61 |
| Israel | 5 | 6 | 2,1 | 350 | 9 | k. A. | 2,9 | 77 |
| Japan | 124 | 126 | 0,2 | 610 | 4 | 64 | 1,7 | 80 |
| Türkei | 60 | 68 | 1,8 | 1 260 | 62 | 63 | 3,6 | 67 |
| **Ozeanien** | | | | | | | | |
| Australien | 18 | 19 | 1,3 | 440 | 7 | 76 | 1,9 | 78 |
| Neuseeland | 3 | 4 | 1,1 | 580 | 9 | 70 | 2,1 | 76 |

1) 1990; 2) pro 1000 Geburten 1993; 3) 1985–1992; 4) 1992; 5) 1993; 6) bis 1992 Ex-ČSFR; 7) ab 1993 ohne Eritrea; Quelle: UNO, Weltentwicklungsbericht 1995

fangenen Daten in Infrarotsignale umwandelt. Die Signale werden im B. in Bilder und Sprache umgesetzt.

**PC-Kommunikation:** Video-Desktop-Systeme für den PC waren Mitte 1995 inkl. Software, Videokamera und Kopfhörer ab ca. 5000 DM erhältlich. Hauptsächlich wurden sie von Unternehmen genutzt. Für die meisten Systeme war ein digitaler Telefonanschluß (ISDN) nötig, weil das analoge Telefonnetz die große Menge an Daten nicht ausreichend schnell übertragen konnte. Die Übertragungsgeschwindigkeit des analogen Netzes reichte für Systeme, die mit Datenkomprimierung arbeiteten (Kosten: rd. 80 000 DM).
→ ISDN → PC

## Binnenschiffahrt

Ende 1994 bewilligte Bundesverkehrsminister Wissmann (CDU) Finanzhilfen für die B. von 100 Mio DM als Ausgleich für die Aufhebung garantierter Frachttarife in Deutschland 1994 und 60 Mio DM als Abwrackprämie zur Beseitigung von Überkapazitäten bei Schiffen. Von dem ab 1. 1. 1995 für EU-Schiffe geltenden uneingeschränkten Zugang zum deutschen Markt befürchteten die Binnenschiffer Wettbewerbsnachteile gegenüber der ausländischen Konkurrenten, die weniger Steuern und Sozialabgaben zahlen. **Subventionen:** Nach der Freigabe der Frachttarife, für die zuvor von Binnen-

schiffern und Auftraggebern Mindestpreise abgesprochen wurden, waren die Frachterlöse der deutschen Schiffer um 30% bis 40% gesunken. Mit der Freigabe der Frachttarife wollte die Bundesregierung aus CDU, CSU und FDP die B. mit dem Eisenbahn- und Straßenverkehr gleichstellen. Einer Auszahlung von Abwrackprämien hatte die EU Mitte 1995 noch nicht zugestimmt.

**EU-Konkurrenz:** Vor 1995 durften ausländische Schiffe nur dann innerdeutsche Transporte übernehmen, wenn sie im grenzüberschreitenden Verkehr Ware in Deutschland abgeliefert hatten. Wettbewerbsnachteile entstehen deutschen Schiffern, weil sie jährlich z. B. 7000–15 000 DM Beiträge zur Berufsgenossenschaft und bis zu 20 000 DM Gewerbesteuern zahlen müssen. Die deutschen Binnenschiffer forderten die Abschaffung des sog. Tour-de-Rôle-Systems in den Benelux-Ländern und Frankreich, das einheimischen Schiffern Ladung und Preise garantiert.

**Bestand:** 1993 gab es 2762 deutsche Schiffe (1992: 2832), auf denen 8205 Personen beschäftigt waren. In Deutschland existierten 7368 km Wasserstraßen, davon 2772 km in den neuen Bundesländern. 1993 wurden etwa 80% der in Deutschland transportierten 220 Mio t Güter auf dem Rhein transportiert.
→ Donau-Ausbau → Verkehr

| Binnenschiffahrt: Kanäle in Deutschland | | | | |
|---|---|---|---|---|
| Eröffnung | Name | Verbindung | Länge (km) | Max. Tragfähigkeit (t) |
| 1899 | Dortmund-Ems-Kanal | Dortmund–Ems–Emdener Hafen | 269 | 1350 |
| 1900 | Elbe-Lübeck-Kanal | Elbe–Lübecker Hafen | 62 | 1000 |
| 1906 | Teltow-Kanal | Havel–Potsdam–Berlin | 38 | 1000 |
| 1914 | Rhein-Herne-Kanal | Duisburg–Herne (Dortmund) | 45 | 1350 |
| 1929 | Wesel-Datteln-Kanal | Rhein–Dortmund-Ems-Kanal | 60 | 2400 |
| 1935 | Oder-Spree-Kanal | Berlin–Frankfurt/Oder | 84 | 1000 |
| 1938 | Mittellandkanal | Dortmund-Ems-Kanal (Bevergern)–Magdeburg | 321 | 1000 |
| 1952 | Havel-Kanal | Potsdam–Oranienburg | 35 | 1000 |
| 1976 | Elbeseiten-Kanal | Mittellandkanal (Wolfsburg)–Elbe (Lauenburg, Hamburg) | 112 | 1500 |

## Biochip

Aus gentechnisch hergestellten Eiweißmolekülen zusammengesetzter Computerbaustein, dessen Entwicklung sich Mitte der 90er Jahre im experimentellen Stadium befindet. B. sind billiger als herkömmliche Siliziumchips und können auf kleinerem Raum Daten speichern, weil Eiweißmoleküle nur wenige Nanometer (Milliardstel eines Meters) groß sind.

→ Biotechnik → Chip

## Bioethik

Teilgebiet der Ethik, das sich mit den Normen menschlichen Handelns im Hinblick auf Fortschritte der biologisch-medizinischen Forschung und Therapie befaßt. B. beschäftigt sich insbes. mit moralischen Fragen von Embryonenschutz, Gentechnik, Leihmutterschaft, Schwangerschaftsabbruch, Sterbehilfe, Organtransplantation und Versuchen an Menschen. Im Sommer 1995 wird der EU-Ministerrat über eine B.-Konvention entscheiden, die folgende Regelungen vorsieht:

▷ Menschliche Embryonen dürfen grundsätzlich nicht zu Forschungszwecken hergestellt werden, sondern nur für die Fortpflanzung

▷ Die Forschung an Behinderten ist nur erlaubt, wenn es den betroffenen Patienten dient, nicht dem Allgemeinwohl

▷ Das menschliche Erbgut darf nur für therapeutische oder diagnostische Zwecke verändert werden

▷ Schärfere nationale Regelungen gelten weiterhin.

Gegner kritisierten den Entwurf, weil er die Menschenwürde und -rechte nicht umfassend schütze. So müsse untersagt werden, die Ergebnisse von Gentests an Dritte wie Arbeitgeber oder Versicherungen weiterzugeben. Auch enthalte die Konvention keine Regelungen, ob menschliche Gene patentiert und kommerziell verwendet werden könnten.

→ Embryonenschutz → Genpatent → Gentechnik → Künstliche Befruchtung

## Biogas

Brennstoff, der bei der bakteriellen Zersetzung von pflanzlichen und tierischen Abfällen, z. B. Lebensmittelresten oder Gülle, entsteht. Etwa 40% des jährlich in Deutschland anfallenden Hausmülls (rd. 9 Mio t) bestehen aus biologischem Material. Hauptbestand von B. ist Methan. Es zählt zu den erneuerbaren Energien, weil bei der Verbrennung nur soviel Kohlendioxid entsteht, wie vorher der Luft entzogen wurde. B. wird zur Gewinnung von Wärme und Strom sowie als Treibstoff für Fahrzeuge verwendet. Neben B. wird bei der Vergärung umweltschonender und weitgehend geruchsfreier Dünger (Kompost) gewonnen.

→ Biotreibstoff → Energien, Erneuerbare → Nachwachsende Rohstoffe

| Biogas: Heizwert-Vergleich | |
|---|---|
| **Brennstoff** | **MJ/kg** |
| Biomasse | |
| Biogas | 22,0 |
| Holz | 16,0 |
| Getreide | 15,0 |
| Schilf | 14,5 |
| Stroh | 14,3 |
| Fossile Energieträger | |
| Heizöl | 42,0 |
| Steinkohle | 32,0 |
| Erdgas | 30,0 |
| Braunkohle | 20,0 |

## Biologische Waffen

(auch B-Waffen), lebende Organismen (Viren und Bakterien) oder von ihnen abstammende Gifte, die bei Lebewesen Krankheit oder Tod verursachen und zu militärischen Zwecken eingesetzt werden. Die B-Waffen-Konvention von 1972 (Mitte 1995: 131 Mitglieder) verbietet Herstellung, Verbreitung und Lagerung von B., erlaubt jedoch Forschung zum Schutz vor B. 82 Unterzeichner der Konvention konnten sich auf einer internationalen Konferenz in Genf/Schweiz im September 1994 nicht auf Kontrollmaßnahmen zur Überprüfung des B-Waffen-Verbots einigen. Bis Ende 1996 soll ein Vertragsentwurf ausgearbeitet werden. Grundlage der Beratung ist ein 1991–1994 erstellter Bericht über die technischen und wissenschaftlichen Möglichkeiten zur Verifikation. Vor allem Entwicklungsländer wandten sich gegen eine obligatorische Überprüfung. Sie befürchteten eine Behinderung des Technologietransfers und der biotechnischen Forschung. Schwierigkeiten bereitet die Unterscheidung von ziviler und militärischer Nutzung. Die UNO-Kommission zur Zerstörung irakischer Massenvernichtungsmittel hielt es Anfang 1995 für möglich, daß der Irak B. entwickelt. Das Land habe 1988–1990 erheblich größere Mengen Nährlösungen für Bakterienkulturen (mindestens 39 t) importiert, als medizinisch benötigt würde.

Beim Abschluß der B-Waffen-Konvention wurden B. keine militärische Bedeutung beigemessen. Ein kontrollierter Einsatz wurde nicht für möglich gehalten und auf Überwachungsregeln daher verzichtet. Fortschritte in der Bio- und Gentechnik erlaubten jedoch Mitte der 90er Jahre eine langfristige Lagerung von B. und die Züchtung von Krankheitserregern mit zeitlich begrenzter Lebensdauer.

→ Atomwaffen → Chemische Waffen

## Biomasse

→ Biogas → Nachwachsende Rohstoffe

## Bionik

(Kurzwort für Biologie und Technik), Wissenschaftszweig, der sich mit der Übertragung natürlicher Funktionen und Strukturen auf technische Geräte befaßt. Ein Schwerpunkt ist die Konstruktion neuronaler Netze, die Nervenschaltungen des Gehirns imitieren und sowohl als medizinische Prothesen als auch in sog. intelligenten Maschinen eingesetzt werden können. Bis 1998 fördert das Bundesministerium für Forschung und Technologie z. B. die Entwicklung eines Netzhautersatzes mit 14 Mio DM.

→ Biotechnik → Neurocomputer

## Biotechnik

Nutzung natürlicher oder gentechnisch veränderter Kleinstlebewesen (Mikroorganismen) sowie Zell- und Gewebekulturen für technische Prozesse (z. B. Hefen oder Bakterien bei der Brot- und Bierherstellung). In der Medizin, Umwelttechnik und Chemie genutzte Stoffe sollen mit B. billiger und umweltschonender produziert oder bearbeitet werden als mit chemischen Verfahren. B. gilt als Schlüsseltechnologie des 21. Jh. Experten rechnen allein für Europa mit Umsatzsteigerung von 10 Mrd DM (1993) auf 170 Mrd DM (2000).

**Anwendungsbereiche:** Wichtig ist die B. auch in der Medizin- und Sensortechnik. 70% der Forschungsgelder flossen Mitte der 90er Jahre in die Arzneimittelproduktion mit Hilfe gentechnisch manipulierter Mikroorganismen. Weitere Schwerpunkte bildeten die Herstellung genmanipulierter Pflanzen für die Landwirtschaft, die Produktion biologisch abbaubarer Chemikalien durch Bakterien und die Umwelttechnik, z. B. Säuberung von Abwasser und Böden mit Hilfe von Bakterien.

**Förderung:** In ihrem vierten Rahmenprogramm (1994 bis 2000) stellte die EU rd. 522 Mio ECU (rd. 976 Mrd DM) zur Verfügung. Das Bundesministerium für Forschung und Technologie förderte die B. von 1990 bis 1995 mit insgesamt 1,4 Mrd DM.

→ Gentechnik

## Biotreibstoff

Kraftstoff, der ganz oder teilweise aus Pflanzen gewonnen wird, z. B. Biodiesel und -alkohol. Im Herbst 1994 gab die Volkswagen AG als erstes Serienfahrzeug den Golf Ecomatic für den Betrieb mit Rapsmethylester (RME) frei. Es wird damit gerechnet, daß andere Autohersteller den Betrieb ihrer Dieselfahrzeuge mit RME zulassen, sobald es eine DIN-Norm für diesen B. gibt. B. war 1995 in der Herstellung teurer als mineralischer Treibstoff und nur durch

### Biotechnik: Weltmarktpotential

| Bereich | Anteil (%) | |
|---|---|---|
| | 1990 | 2000 |
| Landwirtschaft, Nahrungsmittel | 46,9 | 47,6 |
| Pharma-, Gesundheitssektor | 23,4 | 28,6 |
| Chemikalien | 1,6 | 17,1 |
| Umweltschutz | 7,8 | 3,8 |
| Geräte | 20,3 | 2,9 |

Quelle: Focus, 29. 5. 1995, SAGB

Subventionen der EU und eine Mineralölsteuerbefreiung in Deutschland konkurrenzfähig. Hauptargumente für die Förderung von B. sind eine Verminderung der Abhängigkeit vom Erdöl, die Sicherung landwirtschaftlicher Strukturen und Arbeitsplätze sowie eine bessere Umweltverträglichkeit gegenüber Kraftstoff aus Mineralöl.

**Produktion:** Bei der Herstellung von RME, dem gebräuchlichsten B., wird das im Rapsöl enthaltene Glyzerin durch Methanol ersetzt. Alle Nebenprodukte werden weiterverwertet: Glyzerin in der chemischen Industrie, Rapsschrot als Tiernahrung. Die deutschen Kapazitäten zur Herstellung von RME sollen bis 1997 auf 230 000 t jährlich ausgeweitet werden. Auf 1 ha Anbaufläche werden 1200 l Rapsöl gewonnen. Wegen der begrenzten Nutzflächen können maximal 10% des deutschen Dieselverbrauchs durch B. ersetzt werden. Anfang 1995 kostete B. rd. 1,15 DM/l.

**Umweltverträglichkeit:** B. enthält keinen Schwefel wie üblicher Diesel, der Ausstoß von Kohlendioxid ist bei B.-Motoren deutlich geringer. B. wird biologisch schnell abgebaut und ist wegen des hohen Flammpunkts (über 100° C) ungefährlicher.

Kritiker verweisen auf den höheren Stickoxidausstoß von B.-Motoren, die für die RME-Erzeugung benötigten hohen Energiemengen sowie den hohen Einsatz von Düngemitteln und Pestiziden beim Anbau von Raps.

→ Biogas → Nachwachsende Rohstoffe

---

| **Blockfreie Staaten** |
|---|
| **Name** Non-aligned Movement (engl.) |
| **Sitz** Jakarta/Indonesien |
| **Gründung** 1961 |
| **Mitglieder** 112 Staaten |
| **Sprecher** Nana Sutristna/Indonesien (1995) |
| **Funktion** Interessenvertretung der Entwicklungsländer |

Als Hauptaufgabe bezeichneten die B. Mitte der 90er Jahre den Kampf gegen Armut, Hunger und Kriege in der sog. Dritten Welt. Im April 1995 konferierten die Mitglieder auf dem Gipfeltreffen in Bandung/Indonesien, wo 40 Jahre zuvor das erste Vorbereitungstreffen zur Gründung der B. stattfand. Anfang 1995 beantragten die B., die Zahl der Mitglieder des UNO-Sicherheitsrats, dem höchsten Entscheidungsgremium der UNO, von 15 auf 26 zu erhöhen. Die B. sahen die Interessen kleinerer Länder im Sicherheitsrat nicht ausreichend vertreten.

→ Entwicklungsländer

---

| **Blutpräparate** |
|---|

Steril abgefülltes und mit gerinnungshemmenden Flüssigkeiten versehenes Blut für Transfusionen. In Deutschland setzt die Pharmaindustrie, die jährlich rd. 4 Mio Blutspenden sammelt, etwa 500 Mio DM pro Jahr mit B. um. Ende 1994 warf der vom Bundestag eingesetzte Untersuchungsausschuß, der die Umstände der Aidsinfektion von rd. 2500 Blutern und anderen Klinikpatienten durch B. in den 80er Jahren prüfte, Politikern, Ärzten und Pharmaindustrie schuldhaftes Verhalten vor.

**Bedarf:** Deutschland deckt seinen Bedarf an Blut i. d. R. durch inländische Spenden ab. Die jährlich benötigten 2 Mio l Blutplasma, das u. a. für die Herstellung von gerinnungsfördernden Medikamenten für Bluter erforderlich ist, werden zu rd. 50% importiert, 90% davon aus den USA.

**Untersuchungsergebnis:** 60% der Infektionen wären vermeidbar gewesen, wenn sich Hersteller, Ärzte und Behörden nach dem jeweiligen Erkenntnisstand verhalten hätten. Entgegen der Behauptung des Bundesgesundheitsamtes (BGA, Berlin), erst 1985 hätten gesicherte Erkenntnisse und Verfahren zur Vermeidung von Infektionen mit Aids und Hepatitis vorgelegen, kam der Ausschuß zu dem Schluß, daß ab 1980 die Infektion von Nicht-Blutern durch Blutgerinnungsmittel bei Operationen hätte vermieden werden können. Das Verfahren, mit dem Hepatitis-Viren abgetötet wurden, habe auch gegen das 1983 entdeckte Aids-Virus (HIV) gewirkt. Spätestens ab 1982/83 hätten B., die nicht virusinaktiviert waren, nur noch mit dem ausdrücklichen Warnhinweis auf mögliche HI- und Hepatitis-Viren verkauft werden dürfen. Ein verfügbares virusinaktiviertes Mittel hätte vorgeschrieben werden müssen.

**Rente für Opfer:** Im Juni 1995 beschloß der Deutsche Bundestag die Gründung einer Stiftung, in die Bund und Länder 100 Mio DM bzw. 50 Mio DM sowie Pharmaindustrie und DRK 100 Mio DM einzahlen. Ab Juli 1995 sollen durch B. mit Aids infizierte Bluter 1500 DM Rente monatlich erhalten, Erkrankte 3000 DM, rückwirkend ab 1994.

**Kritik:** SPD und Deutsche Hämophiliegesellschaft (DHG, Hamburg) bemängelten die Stiftungssumme von 250 Mio DM als zu niedrig. Zudem verzichten Bluter, die die Rente annehmen, auf alle Ansprüche gegen Pharmafirmen und Versicherer. In Vergleichen mit der Pharmaindustrie hatten Opfer bis 1995 Entschädigungen von bis zu 300 000 DM erstritten. Das Ende der i. d. R. mehrjährigen Prozesse erlebten Aidskranke jedoch häufig nicht mehr.

**Sicherheit:** Ab Mitte 1994 untersucht eines der vier Nachfolgeinstitute des BGA, das Paul-Ehrlich-Institut (Langen), erstmals in Deutschland Blutgerinnungspräparate für Bluter, ab 1995 unterliegen alle B. aus menschlichem Blutplasma der staatlichen Prüfung. Bis dahin waren die Hersteller für Prüfungen verantwortlich. Ärzte sollen B. sparsamer einsetzen. Es soll erreicht werden, daß die erforderlichen B. von einer Gruppe getesteter Spender aus dem Inland gewonnen werden.

→ Aids

## Bodenverschmutzung

Verunreinigung von Erdreich durch Schadstoffe aus der Luftverschmutzung, Altlasten und Müll auf Deponien. Mitte der 90er Jahre waren rd. 20 Mio km² der Erde (15% der etwa 130 Mio km² eisfreien Landoberfläche) verschmutzt. 3 Mio km² Bodenfläche (2%) waren irreversibel zerstört.

Die CDU/CSU/FDP-Bundesregierung arbeitete 1995 an einem Bodenschutzgesetz, das bundeseinheitlich die Verursacher von Bodenbelastungen zur Gefahrenabwehr und zur Beseitigung von Altlasten verpflichtet.

Bis 1995 hatten in Ostdeutschland Pestizide in der Landwirtschaft und der Braunkohletagebau etwa 40% der Fläche ökologisch beeinträchtigt. Das Bundesumweltministerium bezifferte die jährlichen Folgekosten durch B. mit 22 Mrd–60 Mrd DM. Sie betreffen vor allem Sanierung und Entgiftung des durch Schadstoffe im Boden verunreinigten Grundwassers.

→ Abfallbeseitigung → Altlasten → Luftverschmutzung → Pestizide → Trinkwasserverunreinigung

## Bookbuilding

Verfahren zur Feststellung von Angebot und Nachfrage vor der Neuausgabe von Aktien (engl.: Going Public) und von Kapitalerhöhungen börsennotierter Unternehmen. Mit B. sollen Kursverluste infolge eines überhöhten Ausgabekurses vermieden werden. 1994 machten in Deutschland lediglich drei von elf Börsenneulingen Gewinne. B. wurde erstmals Ende 1994 bei Kapitalerhöhungen von Daimler-Benz und Buderus sowie beim Börsengang der SGL Carbon angewandt.

Vor der Festsetzung von Emissionskurs und -umfang wird das Interesse von wichtigen Anlegern an der betreffenden Aktie festgestellt und bewertet (Preis, Kaufmenge und -zeitpunkt, Streuung). Die Interessenten geben ein Gebot ab, das innerhalb einer bestimmten Bandbreite liegt. In Deutschland vermitteln ausschließlich Banken den Zugang eines Unternehmens zur Börse. Bis 1994 wurde der Emissionskurs von Unternehmen und Banken im beiderseitigem Einvernehmen festgelegt.

→ Börse

## Boreale Wälder

Vorwiegend Nadelwälder im Norden von Europa, Asien und Amerika. Der größte Teil (73%) liegt in Rußland. Da diese Waldgebiete große Mengen an Kohlendioxid speichern, spielen sie eine entscheidende Rolle bei der globalen Klimasteuerung. Auf der Konferenz zum Schutz der B. in Berlin im März 1995 forderten Naturschutzorganisationen, den Holzeinschlag in unberührten Altholzbeständen, vor allem in Rußland, zu beenden und eine UNO-Konvention zum Schutz der B. Die Umweltschutzorganisation Greenpeace erklärte 1995, daß 50–90% der B. gefährdet sind. Bei einer Verdopplung der atmosphärischen Kohlendioxidkonzentration, die maßgeblich an der Luftverschmutzung beteiligt ist und damit das Waldsterben fördert, innerhalb der nächsten 30–50 Jahre könnten alle B. zerstört sein. Weltweit wurde Mitte der 90er Jahre angestrebt, die Kohlendioxid-Emissionen bis zum Jahr 2000 auf dem Stand von 1990 zu stabilisieren und danach weiter zu reduzieren.

Stark gefährdet waren die B. Mitte der 90er Jahre auch durch großflächige Rodungen und einen übergroßen Wildbestand. Vor allem für die Papier- und Holzindustrie sowie den Bergbau werden jährlich rd. 5 Mio ha B. abgeholzt, davon etwa 1 Mio ha in Kanada. Die skandinavischen Staaten, Kanada, die USA und Rußland exportieren viermal soviel Holz wie alle Tropenländer zusammen.

→ Tropenwälder → Waldsterben

## Börse

Handelsplatz für Wertpapiere, insbes. Aktien und Festverzinsliche (engl.: bonds). Im November 1994 nahm das Bundesaufsichtsamt für den Wertpapierhandel (BAW, Frankfurt/M.) die Arbeit auf (Präsident: Georg Wittich). **Aufsicht:** Informationen, die Einfluß auf die Aktienkurse haben (sog. Ad-hoc-Publizität), und Beteiligungen von

## Börse: Welthandelsplätze

| Platz | Land | Börsenindex Ende 1994 | Veränderung (%) 1993/94[1] | 1/1995[2] |
|---|---|---|---|---|
| Tokio | Japan | 19 723,06 | +13,41 | –14,26 |
| New York | USA | 3 834,44 | + 2,11 | +12,13 |
| Mailand | Italien | 632,48 | + 0,89 | – 3,97 |
| Amsterdam | Niederlande | 414,47 | – 1,00 | – 1,40 |
| Toronto | Kanada | 4 213,60 | – 2,75 | + 2,27 |
| Zürich | Schweiz | 2 628,80 | – 5,10 | – 1,55 |
| Frankfurt/M. | Deutschland | 2 106,58 | – 7,83 | – 4,75 |
| London | Großbritannien | 3 065,50 | –10,32 | + 4,70 |
| Sydney | Australien | 1 912,70 | –11,08 | + 4,95 |
| Wien | Österreich | 1 055,28 | –11,17 | – 10,12 |
| Madrid | Spanien | 3 087,68 | –13,15 | – 4,02 |
| Paris | Frankreich | 1 881,15 | –16,49 | + 2,47 |
| Hongkong | Großbritannien | 8 191,04 | –24,74 | + 9,96 |

1) 31. 12. 1993–29. 12. 1994; 2) 2. 1.–25. 4. 1995; Quelle: Handelsblatt, 5. 4. 1995; Die Presse, 2. 1. 1995; Wirtschaftswoche, 27. 4. 1995

## Börse: Aktienbesitz in Deutschland

| Anlegergruppen | Verteilung (%) | | |
|---|---|---|---|
| | 1993 | 1975 | 1960 |
| Unternehmen | 42 | 45 | 44 |
| Ausländer | 17 | 10 | 6 |
| Private Haushalte | 17 | 22 | 27 |
| Banken | 10 | 8 | 6 |
| Versicherungen | 5 | 4 | 3 |
| Öffentliche Haushalte | 5 | 11 | 14 |
| Anlagegesellschaften | 4 | – | – |

Quelle: Deutsche Bundesbank

## Börse: Entwicklung der Aktienkurse

**Deutscher Aktienindex (DAX)**

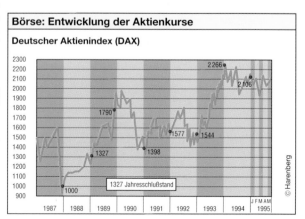

77

## Börse: Aktienbesitz der Kreditinstitute

| Gruppe | Wertpapiervermögen (Mrd DM) | Kundendepotanteil (%) |
|---|---|---|
| Private Banken | 2234 | 32,5 |
| Sparkassen, Girozentralen | 467 | 22,6 |
| Kreditgenossenschaften[1] | 189 | 13,7 |
| Kapitalanlagegesellschaften | 42 | 25,4 |
| Sonstige | 262 | 5,7 |

1) Inkl. Genossenschaftliche Zentralbanken; Quelle: Bundesverband deutscher Banken; Handelsblatt, 24. 10. 1994

mehr als 5% des Aktienkapitals müssen dem BAW gemeldet werden. Das Amt überwacht das Verbot des Insiderhandels, bei dem Personen ihren Wissensvorsprung für Wertpapiergeschäfte ausnutzen. Es ergänzt die Aufsicht der B. und der Staatskommissariate der Bundesländer mit einer B.

**Zusammenarbeit:** Die Frankfurter Wertpapierbörse (FWB) und die zwei umsatzstärksten der sieben deutschen Regional-B., Düsseldorf und München (Anteil 1994: insgesamt 88%), vereinbarten im Mai 1995 eine gemeinsame Handelsüberwachung und B.-Zulassung sowie eine einheitliche Preisfindung bei Aktien, die im Deutschen Aktienindex (DAX) 100 und im elektronischen Handelssystem IBIS enthalten sind. Andere Wertpapiere sollen nur an einer der drei B. gehandelt werden. Die Kooperation wurde als Vorstufe zur Fusion der drei B. und zur Abschaffung der sieben deutschen

Regional-B., die Präsenz-B. sind, gewertet.

**Zentralisierung:** Drei Viertel des deutschen Wertpapierhandels (1994: 7486 Mrd DM) und fast der gesamte Handel mit Titeln, die den DAX bilden (30 umsatzstärkste Aktien, engl.: blue chips), wurde 1994 über die FWB abgewickelt. Die Deutsche Börse AG, die die finanzielle und technische Abwicklung des B.-Handels sowie FWB und Deutsche Terminbörse (DTB) unter ihrem Dach vereint, will die vollständige Umstellung auf den Computerhandel erreichen (sog. Zeus-Projekt). Ab 1998 sollen die umsatzstärksten Wertpapiere ausschließlich über Bildschirm ge- und verkauft werden (geplante Investitionen bis 2000: rd. 330 Mio DM).

**Computerbörse:** Mit 250 Teilnehmern war IBIS nach der FWB (239 Benutzer) das größte deutsche B.-Handelssystem (Anfang 1995: 38,5% der DAX-Werte). An IBIS-Bildschirmen werden neben DAX-Titeln andere umsatzstarke Aktien (insgesamt: 40), Optionsscheine und rd. 20 Anleihen gehandelt. Wegen vorgeschriebenen Mindestabschlußhöhen (z. B. Nennwert für Rentenpapiere: 1 Mio DM) wird IBIS ausschließlich von Banken, Wertpapierhäusern, Versicherungen und Investmentgesellschaften genutzt.

**Europäische Initiativen:** 21 europäische und US-amerikanische Finanzin-

## Deutsche Börse: Gewinner

| Firma | Aktienkurs (DM)[1] | Anstieg (%)[2] |
|---|---|---|
| SAP | 1022 | 186,11 |
| Jungheinrich | 352 | 40,68 |
| Fresenius | 745 | 39,04 |
| Grohe | 465 | 29,53 |
| FAG Kugelfischer | 235 | 27,03 |
| Klöckner-Werke | 124 | 23,88 |
| Lufthansa | 199 | 22,14 |
| Beiersdorf | 985 | 18,67 |
| Hochtief | 926 | 17,26 |
| BMW | 769 | 15,42 |

1) 22. 12. 1994; 2) seit 22. 12. 1993; Quelle: Die Zeit, 30. 12. 1994

## Deutsche Börse: Verlierer

| Firma | Aktienkurs (DM)[1] | Verlust (%)[2] |
|---|---|---|
| Metallgesellschaft | 133 | 55,30 |
| Computer 2000 | 422 | 50,35 |
| AVA | 480 | 41,46 |
| Moksel | 125 | 36,71 |
| DSL Holding | 176 | 29,60 |
| Herlitz | 291 | 28,19 |
| Asko | 766 | 27,97 |
| AMB | 1060 | 27,89 |
| Strabag Bau | 432 | 27,88 |
| Volksfürsorge | 522 | 26,48 |

1) 22. 12. 1994; 2) seit 22. 12. 1993; Quelle: Die Zeit, 30. 12. 1994

stitute planten für Ende 1995 die Gründung einer Computer-B. für Unternehmen mit weniger als drei Betriebsjahren und hohen Gewinnerwartungen (Name: Easdaq). Im Jahr 2000 sollen 500 Unternehmen notiert sein. Auf Veranlassung der Europäischen B.-Föderation (17 Mitglieder) begann Mitte 1995 der Handel von Aktien kapitalstarker Unternehmen (1 Mrd ECU, 1,9 Mrd DM) an mehreren B. (Eurolist) mit gemeinsamen Kursen. Bedingung waren ein jährliches Handelsvolumen von 250 Mio ECU (468 Mio DM) und die Zulassung an drei B. **Kursentwicklung:** Als einziger bedeutender B.-Platz der Welt verbuchte Tokio 1994 zweistellige Zuwachsraten (rd. 13%). Hauptursache für die weltweiten Kursverluste waren die Leitzinserhöhungen der US-Zentralbank und der Kurssturz des Dollars an den Devisenmärkten. In Deutschland verteilten sich die Einbußen auf nahezu alle Branchen. Im Lauf des Jahres 1994 stieg der DAX um 2,7% auf 2106,60 Punkte (1993: 45%). Die New Yorker B. NYSE gilt als die größte Aktien-B. der Welt (rd. 2200 Inlandsgesellschaften). Der deutsche Rentenmarkt ist nach den USA der zweitgrößte der Welt.

→ Bookbuilding → Derivate → Dollarkurs → Insider → Investmentfonds → → Terminbörse → Währungskrise

## Bossing

(boss, engl.; Chef, Vorgesetzter), Kunstwort, das die systematische Schikane der Arbeitnehmer durch die Unternehmensleitung bezeichnet. Im Zuge von Stellenabbau und Firmenumstrukturierung werden schwer kündbare Arbeitnehmer von Vorgesetzten gezielt unter Druck gesetzt. Die Methoden reichen vom Betrugsvorwurf bis zur sozialen Isolierung. Sie sollen zur Kündigung des Arbeitnehmers führen, so daß der Arbeitgeber Gerichtskosten und Abfindungszahlungen vermeiden kann.

→ Mobbing

## Boxen

Der deutsche Halbschwergewichtsweltmeister Henry Maske verteidigte mit einem Punktesieg über den Berliner Graciano Rocchigiani im Mai 1995 zum siebtenmal seit 1993 seinen Titel des größten internationalen Boxverbandes International Boxing Federation (IBF). Der Kampf brachte dem Privatfernsehsender RTL mit rd. 13 Mio Zuschauern die beste Einschaltquote seines Bestehens. Im April 1995 erschien die erste deutsche Boxzeitschrift (Boxen and more, Startauflage: 150 000).

**Fernsehen:** Privatsender betrachten Profi-B. als Sportart mit idealen Vermarktungsmöglichkeiten, weil die Einnahmen pro Werbebeitrag während der Übertragung bis 125 000 DM betragen. Besonders die Erfolge des ehemaligen DDR-Amateurs Henry Maske, der als sog. Gentleman im Ring präsentiert wurde, sorgten für einen positiven Imagewandel.

**Deutsche Weltmeister:** Weitere deutsche Profibox-Weltmeister bei dem kleineren Boxverband World Boxing Organization (WBO) waren Mitte 1995 Dariusz Michalczewski im Halbschwergewicht (seit 1994) und Ralf Rocchigiani im Cruisergewicht (seit Juni 1995). Der deutsche Profi Axel Schulz unterlag dem US-amerikanischen Weltmeister im Schwergewicht George Foreman im April 1995 knapp nach Punkten. Da Foreman im Juni 1995 seinen Titel freiwillig zurückgab, ordnete die IBF einen Titelkampf zwischen Schulz und dem Südafrikaner Francois Botha bis Ende 1995 an.

### Boxen: Die ältesten Weltmeister

| Alter[1] | Name | Jahr |
|---|---|---|
| 46/3 | George Foreman | 1995 |
| 43/6 | Bob Fitzsimmons | 1905 |
| 42/11 | Archie Moore | 1956 |
| 39/4 | Jersey Joe Walcott | 1953 |
| 38/9 | Muhammad Ali | 1980 |
| 38/2 | Larry Holmes | 1988 |

1) Jahre/Monate; Quelle: Focus, 1. 5. 1995

**Henry Maske**
* 6. 1. 1964 in Treuenbrietzen. 1983 DDR-Meister. 1985, 1987 und 1989 Europameister. 1988 Olympisches Gold, 1989 Amateur-Weltmeister. 1990 Wechsel ins Profilager, 1993 Weltmeister im Halbschwergewicht. Profibilanz bis Mitte 1995: 27 Siege.

## Braunkohle

B. war Mitte der 90er Jahre wichtigster inländischer Energieträger (Beitrag 1994: 41%). Drei Viertel der Förderung wurde 1994 zur Stromerzeugung eingesetzt (West: 85%, Ost: 64%). Nahezu die gesamte Förderung wird im Inland verbraucht. Die Hälfte der B. wird im rheinischen Revier abgebaut. Wegen des hohen Wassergehalts ist B. nicht für lange Transporte im grenzüberschreitenden Handel geeignet. Deutschland ist nach den USA weltweit zweitgrößter B.-Produzent.

**Garzweiler II:** Mit Garzweiler II genehmigte die nordrhein-westfälische SPD-Regierung Anfang 1995 den größten europäischen B.-Tagebau (Fläche: 48 km², geplante Förderung 2005–2045: 1,3 Mrd t). Etwa 7600 Bewohner aus 12 Ortschaften sollen umgesiedelt werden. In der Koalitionsvereinbarung mit der SPD setzten die Grünen im Juni 1995 einen Aufschub der Betriebsgenehmigung bis zur Entscheidung über die Klagen der betroffenen Gemeinden und der Verfassungsbeschwerde der Grünen durch. Der Abbau soll zunächst auf ein Drittel der Fläche beschränkt werden.

**Laubag:** Für rd. 2,1 Mrd DM verkaufte die Berliner Treuhandanstalt im September 1994 rückwirkend zum 1. 1. die Lausitzer Braunkohle AG (Laubag) an westdeutsche Energieunternehmen. Hauptaktionäre sind Rheinbraun (Kapitalanteil: 39,5%), PreussenElektra (30%), Bayernwerk (15%) und RWE Energie (5,5%). Bei der Laubag bleiben langfristig 8000 Arbeitsplätze (1994: rd. 23 000) und fünf von neun Abbaustätten erhalten, in denen bis zu 55 Mio t B. gefördert werden sollen. Bis 2015 waren Investitionen von 6 Mrd DM vorgesehen.

**Ostdeutschland:** Die Zahl der B.-Arbeitsplätze verringerte sich 1989–1994 um 78% auf rd. 30 000. Die Förderung sank um ein Drittel auf 101,7 Mio t. Ursachen waren der Rückgang des ostdeutschen Stromverbrauchs (−45%) und die zunehmende Verwendung von Erdgas zur Wohnungsheizung. In eine Studie des Energiekonzerns Esso von 1994 wird mit einem Rückgang des B.-Anteils am ostdeutschen Primärenergieverbrauch bis 2010 auf ein Viertel (1994: rd. 44%) gerechnet.

**Neubau und Sanierung:** Als Ersatz für alte B.-Kraftwerke, die Anforderungen zur Luftreinhaltung nicht erfüllten, waren Mitte 1995 sieben Kraftwerksblöcke in Bau bzw. in Planung, acht Anlagen in der Lausitz wurden modernisiert. Gegenüber 1989 soll sich die Umweltbelastung mit Staub und Schwefeldioxid um 97%, mit Stickoxiden um 30% und Kohlendioxid um 40% verringern. Der Bund und die vier ostdeutschen Bundesländer, in denen B. gefördert wird, stellen

### Braunkohle: Förderung in Deutschland

| Revier | Fördermenge (Mio t) | | | | |
|---|---|---|---|---|---|
| | 1990 | 1991 | 1992 | 1993 | 1994 |
| Rheinland | 102,2 | 106,4 | 107,5 | 102,1 | 101,4 |
| Lausitz | 168,0 | 116,8 | 93,1 | 87,4 | 79,4 |
| Mitteldeutschland | 80,9 | 50,9 | 36,3 | 28,2 | 22,3 |
| Helmstedt | 4,3 | 4,5 | 4,7 | 3,9 | 3,8 |
| Hessen | 1,0 | 0,8 | 0,1 | 0,2 | 0,1 |
| Bayern | 0,1 | 0,1 | 0,1 | 0,1 | 0,1 |
| Insgesamt | 356,5 | 279,4 | 241,0 | 221,9 | 207,1 |

Quelle: Braunkohlen-Industrie-Verein, Statistik der Kohlenwirtschaft

### Braunkohle: Garzweiler II

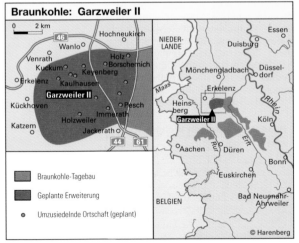

Braunkohle-Tagebau

Geplante Erweiterung

Umzusiedelnde Ortschaft (geplant)

© Harenberg

1994–2002 jährlich 1,5 Mrd DM zum
Abriß von Industrieanlagen, Sanierung
von Altlasten und Rekultivierung der
Tagebau- und Abraumflächen zur Verfügung (1991–1994: 3,65 Mrd DM).
→ Energieverbrauch → Energieversorgung → Kohle → Kraftwerke

## Brennstoffzelle

Wie in einer Batterie wird in einer B.
durch die Reaktion eines Brennstoffs
(Wasserstoff, Erdgas, Kohlegas) mit
Sauerstoff (Oxidation) chemische
Energie in elektrische umgewandelt.
Anders als eine Batterie entlädt sich
eine B. nicht, da ihr ständig Brennstoff
zugeführt wird. Der elektrische Wirkungsgrad (Verhältnis zwischen eingesetzter und nutzbarer Energie) der B.
ist höher als bei herkömmlichen Kraftwerken. Serien- und Marktreife von B.
werden nicht vor 2010 erwartet.

**Funktion:** Die B. besteht wie eine Batterie aus zwei Metallelektroden und
einem Elektrolyten, der die Elektroden
umgibt. Die Spannung der B. wird
konstant gehalten, indem ihr kontinuierlich brennbare Gase und Luft als
Oxidationsmittel zugeführt werden.

**Emissionen:** Der Stickstoffausstoß
bei der Energieerzeugung mit der
B. wird gegenüber herkömmlichen
Kraftwerken um 50–90% reduziert, es
entstehen kaum Schwefeldioxid und
giftige Kohlenwasserstoffe. Die B.
setzt 30–50% weniger Kohlendioxid
frei.

**Anwendung:** Die B. unterscheiden
sich durch ihr Elektrolytmaterial (Fest-
oxid, Phosphorsäure, Schmelzcarbo-
nat) und ihre Betriebstemperatur bei
der Stromerzeugung (Nieder-, Mittel-
und Hochtemperaturzellen). Den größten Wirkungsgrad erzielen Mittel-
(Betriebstemperatur: 200 °C) und
Hochtemperaturzellen (650–1000 °C).
In Kraftwerken können nachge-
schaltete Dampfturbinen angetrieben
und zusätzliche Wärme erzeugt (Kraft-
Wärme-Kopplung) werden. Am weitesten entwickelt waren Mitte der 90er
Jahre die erdgasbefeuerte B. mit Phos-

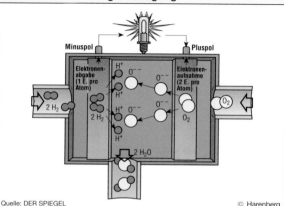

**Brennstoffzelle: Energieerzeugung**

Minuspol / Pluspol

Elektronen-abgabe (1 E. pro Atom) / Elektronen-aufnahme (2 E. pro Atom)

$2 H_2$ / $2 H_2$ / $O_2$

$2 H_2O$

Quelle: DER SPIEGEL     © Harenberg

Die Brennstoffzelle liefert Strom durch direkte Umwandlung von chemischer in
elektrische Energie. Der aus einem Tank eingeführte Wasserstoff (H) gibt pro
Atom ein Elektron ab. Gleichzeitig nehmen die auf der anderen Seite der Zelle
eintretenden Sauerstoffatome (O) je zwei Elektronen auf. Daraus ergibt sich
eine elektrische Spannung. Es fließt ein Strom, der eine Glühbirne zum Leuchten bringt oder einen Elektromotor speist. Als Reaktionsprodukt entsteht
Wasser ($H_2O$).

phorsäure. Sie sind insbes. für Kleinkraftwerke geeignet. Mit 25,3 Mio DM
öffentlich gefördert wurde 1994/95 die
Entwicklung von Niedertemperatur-
zellen für Elektroautos, in denen Wasserstoff aus Methanol gewonnen wird.
→ Elektroauto → Wasserstoff

## Brent Spar

→ Ölplattform

## Bruttoinlandsprodukt

(BIP), Meßgröße für die wirtschaftliche
Gesamtleistung innerhalb der staatlichen Grenzen. In Deutschland wird das
B. vom Statistischen Bundesamt (Wiesbaden) mit der Volkswirtschaftlichen
Gesamtrechnung ermittelt. Es umfaßt
den Geldwert aller in einem Zeitraum
erzeugten Waren und Dienstleistungen.
1994 wurden bundesweit 3321,1 Mrd
DM erwirtschaftet (1993: 3159,1 Mrd
DM). Die Wachstumsrate lag real
(inflationsbereinigt) bei 2,9% gegenüber dem Vorjahr.

Berücksichtigung finden im B. nur statistisch erfaßbare Güter. Leistungen, die durch unbezahlte Haus- oder Schwarzarbeit erbracht wurden, gehen ebensowenig in die Berechnung ein wie Kosten, die aufgrund produktionsbedingter Umweltschäden entstehen. Aufwendungen zur Schadensbeseitigung tragen sogar zur Steigerung des B. bei. Das Statistische Bundesamt begann 1990 mit der Erfassung von umweltbezogenen Wirtschaftsdaten in einem Ökosozialprodukt und 1991 mit der Ermittlung des Wertes von Hausarbeit. Das B. wird als Volkseinkommen an private Haushalte und Unternehmen verteilt, die es insbes. für den privaten Verbrauch und Investitionen verwenden. Im Unterschied zum B. zeigt das Bruttosozialprodukt (BSP), welcher Wert von den Staatsbürgern geschaffen wurde. Einkommen von Inländern im Ausland werden eingerechnet, Einkommen von Ausländern im Inland dagegen abgezogen. Für Gesamtdeutschland belief sich das BSP 1994 auf 3297,0 Mrd DM (1993: 3157,6 Mrd DM). Der reale Anstieg betrug 2,1%.
→ Hausarbeit → Investitionen → Ökosozialprodukt → Verbrauch, Privater → Wirtschaftliche Entwicklung → Wirtschaftswachstum

## Buchmarkt

1994 steigerte die Branche in Deutschland den Umsatz mit Büchern nach Schätzungen des Börsenvereins des

| Bruttoinlandsprodukt: Entstehung und Verwendung in Deutschland | | | | | | |
|---|---|---|---|---|---|---|
| Position | Betrag 1994 (Mrd DM) | | | Veränderung zu 1993 (%)[1] | | |
| | Insgesamt | West | Ost | Insgesamt | West | Ost |
| **Entstehung (Auswahl)** | | | | | | |
| Bruttowertschöpfung insgesamt[2] | 3209,9 | – | – | 2,8 | – | – |
| Land-, Forstwirtschaft, Fischerei | 35,9 | – | – | – 2,2 | – | – |
| Produzierendes Gewerbe | 1138,9 | 1013,4 | 125,5 | 3,5 | 2,3 | 16,3 |
| Handel/Verkehr | 455,0 | 412,9 | 42,1 | 0,8 | 0,2 | 7,5 |
| Dienstleistungsunternehmen | 1129,7 | 1035,1 | 94,6 | 4,2 | 4,0 | 7,5 |
| Staat, private Haushalte u. ä. | 450,4 | 380,4 | 70,0 | 0,7 | 0,8 | – 0,2 |
| Bruttoinlandsprodukt | 3321,1 | 2977,7 | 343,4 | 2,9 | 2,3 | 9,2 |
| Bruttosozialprodukt | 3297,0 | 2945,3 | 351,7 | 2,1 | 1,6 | 8,4 |
| Volkseinkommen (Nettosozialprod.) | 2479,7 | 2197,0 | 282,7 | – | – | – |
| **Verwendung** | | | | | | |
| Privater Verbrauch | 1906,4 | 1644,5 | 261,9 | 1,3 | 0,8 | 4,5 |
| Staatsverbrauch | 639,9 | 520,2 | 119,7 | 1,2 | 1,1 | 1,8 |
| Anlageinvestitionen insgesamt | 742,9 | 564,1 | 178,8 | 4,3 | 1,2 | 16,5 |
| Ausrüstungen | 259,6 | 205,6 | 54,0 | – 1,1 | – 3,1 | 7,4 |
| Bauten | 483,3 | 358,5 | 124,8 | 7,9 | 4,1 | 21,6 |
| Vorratsinvestitionen | 12,9 | 8,0 | 4,8 | – | – | – |
| Außenbeitrag (Ausfuhr minus Einfuhr) | 19,0 | 240,9 | – 221,8 | – | – | – |
| Ausfuhr | 731,5 | 984,8 | 67,6 | 7,2 | 7,7 | 22,6 |
| Einfuhr | 712,5 | 743,9 | 289,4 | 6,1 | 7,1 | 9,2 |
| Bruttoinlandsprodukt | 3321,1 | 2977,7 | 343,4 | 2,9 | 2,3 | 9,2 |
| **Verteilung (Auswahl)** | | | | | | |
| Nettolohn/-gehalt | 963,5 | 813,5 | 150,0 | – | – | – |
| Bruttolohn/-gehalt | 1462,6 | 1245,0 | 217,6 | – | – | – |
| Einkommen aus unselbst. Arbeit | 1815,8 | 1554,0 | 261,8 | – | – | – |
| Sonstiges Einkommen[3] | 663,9 | 643,0 | 20,9 | – | – | – |
| Volkseinkommen (Nettosozialprod.) | 2479,7 | 2197,0 | 282,7 | – | – | – |

1) Real; 2) ohne Abzug der Entgelte für Bankdienstleistungen; 3) aus Unternehmen und Vermögen; Quelle: Statistisches Bundesamt

Deutschen Buchhandels (Frankfurt/ M.) gegenüber 1993 um rd. 3,7% auf etwa 14,4 Mrd DM. Der Weltmarkt für Bücher betrug 1993 einer Studie des Londoner Marktforschungsunternehmens Euromonitor zufolge 69,72 Mrd Dollar (98,2 Mrd DM.) Bis 1998 prognostizierte Euromonitor eine Steigerung um 13% auf 78,8 Mrd Dollar (111 Mrd DM). Der Anteil der elektronischen Publikationen z. B. auf CD-ROM soll dann bei 15–40% liegen.

**Umsätze:** Der Umsatz der Buchhandlungen stieg 1994 dem Branchenmagazin Buchreport zufolge bedingt durch den heißen Sommer lediglich um 1,8% (Steigerung 1993: 3,6%). Diese Entwicklung beeinflußte auch den Verlagserlös. Der Umsatz der 100 größten deutschsprachigen Verlage wuchs mit durchschnittlich 2,7% um 2 Prozentpunkte weniger als 1993.

**Preisbindung:** Die EU-Kommission erklärte die grenzüberschreitende Preisbindung für Bücher im deutschsprachigen Raum im August 1994 mit EU-Recht vereinbar. Die Regelung, die feste Preise für Bücher im gesamten Verbreitungsgebiet vorschreibt, hielten 1994 rd. 7000 Firmen des herstellenden und verbreitenden Buchhandels ein. 90% aller Bücher unterlagen der Preisbindung. Ohne sie würde sich nach Ansicht von Branchenkennern die Zahl der Bücher, Buchhandlungen und Verlage verringern.

**Preisangriff:** Weltbild, Marktführer im Versandbuchhandel, eröffnete Ende 1994 mit dem führenden stationären Buchhandelsunternehmen Hugendubel als Dienstleister eine Ladenkette mit zunächst drei Buchhandlungen in Fürth, Landsberg und Weilheim, in denen überwiegend Modernes Antiquariat und Ramschtitel aus dem Weltbild-Katalog angeboten werden. Die Weltbild-plus-Kette hat pro Laden 3500–5000 Titel präsent, davon 15% zu Originalpreisen, der Rest ist reduziert. Weltbild plus will ein breites Lesepublikum ansprechen und steht mit seinem Konzept in Konkurrenz zum Buchclub-Monopolisten Bertels-

| **Buchmarkt: Buch-Hits in Deutschland 1994** | | |
|---|---|---|
| **Rang** | **Belletristik (Autor)** | **Sachbuch (Autor)** |
| 1 | Sofies Welt (Jostein Gaarder) | Nieten in Nadelstreifen (Günter Ogger) |
| 2 | Fräulein Smillas Gespür für Schnee (Peter Høeg) | Das magische Auge (Tom Baccei) |
| 3 | Die Akte (John Grisham) | Sorge Dich nicht, lebe! (Dale Carnegie) |
| 4 | Der Klient (John Grisham) | Das Kartell der Kassierer (Günter Ogger) |
| 5 | Wilder Thymian (Rosamunde Pilcher) | Das magische Auge II (Tom Baccei) |
| 6 | Der Schamane (Noah Gordon) | Und Gott schuf Paris (Ulrich Wickert) |
| 7 | Die Wälder von Albion (Marion Zimmer-Bradley) | Scientology – Ich klage an (Renate Hartwig) |
| 8 | Enthüllung (Michael Crichton) | Die Fünf „Tibeter" (Peter Kelder) |
| 9 | Francis – Felidae II (Akif Pirinçci) | Das magische Auge III (Tom Baccei) |
| 10 | Die Muschelsucher (Rosamunde Pilcher) | Wir treffen uns wieder in meinem Paradies (Isabell Zachert) |

Quelle: Der Spiegel, 26. 12. 1994

| **Buchmarkt: Literaturpreisträger 1994/95** | | |
|---|---|---|
| **Jahr** | **Preis** | **Preisträger** |
| 1994 | Geschwister-Scholl-Preis | Heribert Prantl (* 1953) |
| 1994 | Heinrich-Böll-Preis | Jürgen Becker (* 10. 6. 1932) |
| 1994 | Kleist-Preis[1] | Herta Müller (* 17. 8. 1953) |
| 1995 | Friedenspreis des Deutschen Buchhandels | Annemarie Schimmel (* 7. 4. 1922) |
| 1995 | Georg-Büchner-Preis | Durs Grünbein (* 9. 10. 1962) |
| 1995 | Ingeborg-Bachmann-Preis | Franzobel (* 1967) |

1) Ab 1994 alle zwei Jahre verliehen

mann (Mitglieder 1995: rd. 6 Mio, Jahresumsatz: rd. 1,4 Mrd DM).

**Medienhaus:** Nach dem Megastore des britischen Virgin-Konzerns, der Mitte 1994 schloß, gab auch das Medienhaus des französischen Unternehmens Fnac Ende 1994 in Berlin auf. Das Konzept Medienhaus, in dem neben Büchern auch Unterhaltungselektronik und Computer angeboten wurden, war wirtschaftlich gescheitert.

**Großflächen:** Der Trend zu großen Verkaufsflächen, die mit einem breiten Angebot Publikum anziehen sollen, verlagerte sich 1994/95 wegen der

**Jostein Gaarder**
* 1952 in Norwegen.
Der Philosophielehrer
Gaarder hatte seinen
größten Erfolg in
Deutschland mit
„Sofies Welt" (1993),
eine Einführung in
die Geschichte der
Philosophie, einge-
bettet in eine span-
nende Handlung.
1995 folgte „Das
Kartengeheimnis".

**Bernhard Jagoda**
* 29. 7. 1940 in Kirch-
walde. 1955–1970
Angestellter Stadtver-
waltung Treysa. 1970–
1980 für die CDU Mit-
glied des Hessischen
Landtags, 1980–1987
MdB, von 1987 bis
1993 Staatssekretär
im Bundesarbeitsmi-
nisterium. 1993 Präsi-
dent der Bundesan-
stalt für Arbeit.

begrenzten Zahl rentabler Standorte
auf die mittleren Großflächen. Die
Zahl der Buchhandlungen mit 1000–
2000 m² Gesamtverkaufsfläche stieg
1994 gegenüber 1993 von 31 auf 38.
Nur ein Laden eröffnete auf mehr als
2000 m² (Mayersche in Duisburg).

**Elektronisches Buch:** 1994/95 verstärkte sich das Interesse von Verlagen
und Kunden an elektronisch gespeicherten Büchern. Computerhersteller
gingen davon aus, daß Verlage ab
1998–2000 ihre Bücher auch per
Datenfernübertragung (sog. Online)
anbieten.
→ CD-ROM → Online-Dienste

## Bundesamt für Verfassungsschutz

→ Verfassungsschutz

## Bundesanstalt für Arbeit

**Abkürzung** BA
**Sitz** Nürnberg
**Gründung** 1927
**Präsident** Bernhard Jagoda (seit 1993)
**Funktion** Zentrale Bundesbehörde in
Deutschland für Arbeitsvermittlung, Abwick-
lung der Arbeitslosenversicherung, Berufs-
beratung und Fortbildung

Die konjunkturelle Erholung des
Arbeitsmarktes in Deutschland führte
1994 bei der BA zu Einsparungen.
Einnahmen in Höhe von 89,7 Mrd DM
standen Ausgaben von 99,9 Mrd DM
gegenüber, so daß der Bundeszuschuß
um 7,4 Mrd DM geringer ausfiel als
ursprünglich veranschlagt.

**Einsparungen:** Beim Arbeitslosen-
und Kurzarbeitergeld entstanden Min-
derausgaben von 4,8 Mrd DM, weil die
Zahl der Leistungsempfänger zurück-
ging. Einsparungen von 2,4 Mrd DM
ergaben sich bei Verwaltungs-, Perso-
nal- und Sachkosten. Die geringeren
Ausgaben für Fortbildung, Umschulung und Arbeitsbeschaffungsmaßnahmen (22,4 Mrd DM statt 24,4 Mrd
DM) resultierten insbes. aus der ab
Anfang 1994 praktizierten dezentralen
Verwaltung der Gelder durch die Lan-

**Bundesanstalt für Arbeit:
Haushaltsplan 1995**

| Merkmal | Betrag (Mrd DM) |
|---|---|
| Einnahmen | 89,1 |
| Bundeszuschuß | 8,0 |
| Gesamtausgaben | 100,5[1] |
| Fortbild./Umschulung | 15,4 |
| ABM | 9,6 |
| Lohnkostenzuschüsse | 3,0 |
| Altersübergangsgeld | 8,9 |
| Arbeitslosengeld | 47,3 |
| Kurzarbeitergeld | 1,4 |

1) Haushaltsplanung nach Festlegung des
Bundeszuschusses auf 8,0 Mrd DM anstelle
von 11,5 Mrd DM nicht geändert; Quelle:
Bundesarbeitsministerium

desarbeitsämter, die zu Umsetzungsschwierigkeiten führte. Höhere Ausgaben ergaben sich beim Altersruhegeld und den Lohnkostenzuschüssen.

**Haushalt:** Für den Haushalt 1995 wurden Ausgaben von 100,5 Mrd DM
genehmigt. Das erwartete Defizit soll
durch einen Bundeszuschuß von 8 Mrd
DM ausgeglichen werden. Der Haus-
haltsbeschluß der CDU/CSU/FDP-
Bundesregierung fiel geringer aus als
der Entwurf des BA-Verwaltungsrates,
der Ausgaben von 103,8 Mrd DM und
einen Zuschuß von 14,6 Mrd DM veranschlagt hatte. Arbeitnehmer- und
SPD-Vertreter warfen der Regierung
vor, ihrer Verantwortung für die Be-
schäftigungspolitik nicht nachzukommen. Die bewilligten Zuschüsse für die
BA reichten nicht aus, um genügend
Maßnahmen zur Bekämpfung der Arbeitslosigkeit anbieten zu können.

**Reform:** Gewerkschaften und Arbeitgeberverbände forderten eine Finanz-
reform der BA. Versicherungsfremde
Leistungen wie Arbeitsbeschaffungsmaßnahmen und Umschulungen sollen
aus Steuermitteln bezahlt werden,
während die BA nur noch für die
Arbeitslosenversicherung zuständig
sein soll. Der hälftig von Arbeitgebern
und Arbeitnehmern zu leistende Beitragssatz zur Arbeitslosenversicherung
von 6,5% (1995) des Bruttomonatseinkommens könne gesenkt werden, so

daß Unternehmen bei den Lohnnebenkosten und Arbeitnehmer bei den Sozialabgaben entlastet würden.
→ Arbeitslosigkeit → Arbeitslosenversicherung → Arbeitsvermittlung → Kurzarbeit → Lohnkostenzuschuß

## Bundesarbeitsgericht

**Abkürzung** BAG
**Sitz** Kassel
**Gründung** 1953
**Präsident** Thomas Dieterich (seit 1994)
**Funktion** Oberstes Bundesgericht in Deutschland auf dem Gebiet des Arbeitsrechts

## Bundesbank, Deutsche

**Sitz** Frankfurt/M.
**Gründung** 1957
**Entscheidungsgremium** Zentralbankrat zusammengesetzt aus Direktorium (Präsident, Vizepräsident, bis zu 6 Direktoren), Präsidenten der neun Landeszentralbanken
**Präsident** Hans Tietmeyer (CDU), seit 1993
**Funktion** Inflationsbekämpfung, Förderung der wirtschaftlichen Entwicklung

Die Zentralbank (auch Notenbank) in Deutschland ist unabhängig von Regierungsweisungen. Sie benutzt als Steuerungsinstrument u. a. die Leitzinsen, mit denen sie das allgemeine Zinsniveau beeinflußt. Ferner gibt sie die Banknoten heraus, sorgt für die Abwicklung des Zahlungsverkehrs und greift durch An- bzw. Verkäufe von ausländischem Geld regulierend in das Weltwährungssystem ein.
1994 erzielte die B. einen Jahresüberschuß von rd. 10,9 Mrd DM. Davon führte sie ca. 10,2 Mrd DM zur Schuldentilgung an den Bund ab. Der Rückgang gegenüber dem Vorjahr um rd. 46% resultierte vor allem aus geringeren Zinserträgen.
Die B. nimmt am Europäischen Zentralbankensystem teil, das die Europäische Währungsunion vorbereitet.
→ Banken → Europäische Zentralbank → Inflation → Leitzinsen → Währungskrise

## Bundesfinanzhof

**Abkürzung** BFH
**Sitz** München
**Gründung** 1950
**Präsident** Klaus Offerhaus (seit 1994)
**Funktion** Oberstes Bundesgericht in Deutschland auf dem Gebiet des Finanzrechts

## Bundesgerichtshof

**Abkürzung** BGH
**Sitz** Karlsruhe
**Gründung** 1950
**Präsident** Walter Odersky (seit 1988)
**Funktion** Oberstes Bundesgericht in Deutschland in Zivil- und Strafsachen

## Bundesgrenzschutz

(BGS), deutsche Polizei, die dem Bundesinnenministerium untersteht. Der B. ist zuständig für die Sicherung der Staatsgrenze und den Schutz von Bundesorganen und Ministerien sowie für die Sicherheit auf Bahnhöfen und Großflughäfen. Am 1. 11. 1994 trat das Gesetz zur Neuregelung der Vorschriften über den B. in Kraft, das dem B. zusätzliche polizeiliche Befugnisse einräumt.
**Gesetz:** Der B. kann künftig im Grenzgebiet bis zu 30 km in das jeweilige Bundesland hinein Personenkontrollen durchführen. Zur Bekämpfung der Schlepper-Kriminalität darf er Wohnungen durchsuchen, die Schleppern als Treffpunkt dienen, und verdeckte Ermittler einsetzen. Die Arbeit der B.-Fernmeldeeinheit wird gesetzlich geregelt. Die Einheit darf den Funkverkehr im Ausland und extremistische Gruppen abhören und ihre Erkenntnisse an das Bundesamt für Verfassungsschutz weiterleiten. Zur Verhinderung von Landfriedensbruch können Gewalttäter bis zu vier Tagen in sog. Unterbindungsgewahrsam genommen werden.
**Verstärkung:** Die Personallücke von rd. 2800 Beamten (1994) soll bis Ende 1996 geschlossen sein. Dem B. werden dann rd. 29 000 Beamte angehören.

| Bundesbank: Gewinnentwicklung | |
| --- | --- |
| Jahr | Gewinn (Mrd DM) |
| 1981 | 13,1 |
| 1982 | 11,3 |
| 1983 | 11,8 |
| 1984 | 13,2 |
| 1985 | 12,9 |
| 1986 | 7,8 |
| 1987 | 0,3 |
| 1988 | 11,5 |
| 1989 | 10,3 |
| 1990 | 9,1 |
| 1991 | 15,2 |
| 1992 | 14,7 |
| 1993 | 18,8 |
| 1994 | 10,9 |

Quelle: Deutsche Bundesbank

1995 sollen 1670 Polizeivollzugsbeamte eingestellt werden. Zudem wird der B. 1995 um 400 Planstellen verstärkt. Tätigkeitsschwerpunkt des B. ist die Sicherung der Grenzen zu Polen und zur Tschechischen Republik.

**Berlin:** Die Berliner Polizei und der B. kündigten 1995 an, gemeinsam an der deutschen Ostgrenze gegen Schlepper vorzugehen, die Ausländer illegal einschleusen. Nach Angaben des Berliner Polizeipräsidenten war die deutsche Hauptstadt Zentrum des Menschenhandels.

→ Abschiebung → Illegale Einwanderung → Verdeckte Ermittler

## Bundeshaushalt

→ Haushalte, Öffentliche

## Bundesnachrichtendienst

**Abkürzung** BND

**Sitz** Pullach bei München

**Gründung** 1956

**Präsident** Konrad Porzner (seit 1990)

**Ziel** Beschaffung und Auswertung geheimer politischer, militärischer, wirtschaftlicher und wissenschaftlich-technischer Informationen aus dem Ausland

Die CDU/CSU/FDP-Bundesregierung erweiterte im September 1994 mit den Stimmen der SPD im Rahmen des Verbrechensbekämpfungsgesetzes die Kompetenzen des BND (Änderung des Gesetzes zu Art. 10 GG).

**Abhörerlaubnis:** Der BND darf den internationalen nicht leitungsgebundenen Telefonverkehr (Satellit, Richtfunk) bei Verdacht auf Terrorismus und organisierte Kriminalität (Waffen- und Drogenhandel, Geldfälschung und Geldwäsche) abhören, speichern und die aufgezeichneten Gespräche mit Suchbegriffen prüfen. Personennamen dürfen nicht als Suchbegriffe verwendet werden. Erkenntnisse kann der BND an die Strafverfolgungsbehörden weiterleiten. Bis dahin mußte er Informationen über Straftaten vernichten, die bei der Überwachung von Post- und Fernmeldeverkehr zufällig anfie-

len. Kritiker sehen in der Erweiterung der BND-Kompetenzen eine unzulässige Vermischung von Polizei- und Geheimdienstaufgaben.

**Kontrolle:** Der Bundestag wählte im Januar 1995 mit Manfred Such erstmals ein Mitglied von Bündnis 90/Die Grünen in die Parlamentarische Kontrollkommission (PKK). Die Zahl der PKK-Mitglieder war zuvor von acht auf neun erhöht worden. Such wird mit vier Unions-Abgeordneten, drei SPD-Parlamentariern und einem FDP-Abgeordneten in geheimen Sitzungen über die nachrichtendienstliche Tätigkeit des BND, des Verfassungsschutzes und des Militärischen Abschirmdienstes (MAD) informiert. Bis dahin hatte sich insbes. die Union der Wahl von Grünen in die PKK widersetzt, weil diese Partei die Geheimhaltung nicht gewährleiste.

**Plutonium-Schmuggel:** Im April 1995 geriet der BND in Verdacht, den im August 1994 in München aufgedeckten Schmuggel mit waffenfähigem Plutonium veranlaßt zu haben. Verbindungsleute des BND und Mitarbeiter des bayerischen Landeskriminalamtes sollen Schmuggler dazu angestiftet haben, Plutonium aus Rußland nach Deutschland zu bringen. Der Bundestag richtete im Mai 1995 einen Untersuchungsausschuß zur Klärung der Hintergründe des Nuklear-Schmuggels ein. Die SPD forderte Mitte 1995, die Aufsicht über die Geheimdienste einem vom Parlament mit Zweidrittelmehrheit gewählten Bundesbeauftragten zu übergeben, der Akteneinsicht und Auskunftsrechte erhalten müsse.

→ Kriminalität → Mafia → Plutonium → Terrorismus → Verfassungsschutz

## Bundespräsident, Deutscher

**Sitz** Berlin

**Einrichtung** 1949

**Amtsinhaber** Roman Herzog (CDU), seit 1994

**Funktion** Bundesorgan der vollziehenden Gewalt in Deutschland

---

**Bundesnachrichtendienst: Präsident**

**Konrad Porzner**
* 4. 2. 1935 in Larrieden. 1975–1980 und 1983–1990 parlamentarischer Geschäftsführer der SPD-Fraktion im Bundestag, 1981 Berliner Finanzsenator, 1981/82 Staatssekretär im Bundesministerium für wirtschaftliche Zusammenarbeit, ab 1990 Präsident des Bundesnachrichtendienstes (Pullach).

## Bundesrat: Sitzverteilung

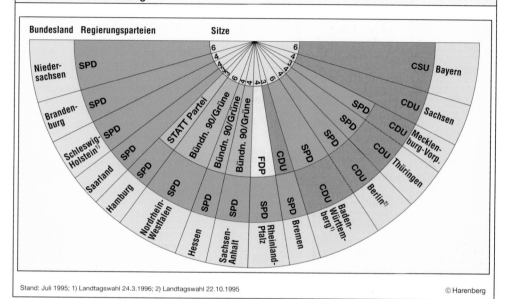

Bundesland  Regierungsparteien          Sitze

Nieder-sachsen — SPD — 6 4 ... 4 6 — CSU Bayern
Branden-burg — SPD
Schleswig-Holstein[1] — SPD
Saarland — SPD
Hamburg — SPD
Nordrhein-Westfalen — SPD
Hessen — SPD
Sachsen-Anhalt — SPD
Rheinland-Pfalz — SPD
Bremen — SPD
STATT Partei
Bündn. 90/Grüne
Bündn. 90/Grüne
Bündn. 90/Grüne
FDP
CDU
CDU
CDU
CDU Berlin[2]
Baden-Württem-berg[1]
Thüringen CDU
Mecklen-burg-Vorp. CDU
Sachsen CDU
SPD
SPD
SPD

Stand: Juli 1995; 1) Landtagswahl 24.3.1996; 2) Landtagswahl 22.10.1995                    © Harenberg

## Bundesrat, Deutscher

**Sitz** Bonn
**Gründung** 1949
**Mitglieder** 16 Bundesländer, 68 Sitze
**Präsident** Johannes Rau (SPD), 11/1995 bis 11/1996 Edmund Stoiber (CSU)
**Funktion** Bundesorgan der Gesetzgebung in Deutschland

Im föderativen Verfassungsorgan wirken die Bundesländer bei der Gesetzgebung und Verwaltung des Bundes mit. Die Mitglieder des B. werden von den Regierungen der Länder bestellt und abberufen. Die von der SPD z. T. in Koalition geführten Länder verfügten Mitte 1995 über eine Mehrheit von 41 Stimmen. Zur Beschlußfassung ist eine absolute Mehrheit von 35 Stimmen nötig, wobei den Bundesländern nur eine geschlossene Stimmabgabe erlaubt ist. Wichtigste Funktion des B. ist die Zustimmung zu Bundesgesetzen, die Länderkompetenzen berühren. Gegen andere Gesetze kann der B., der das Recht zur Gesetzesinitiative hat,

Einspruch erheben, er kann jedoch vom Bundestag überstimmt werden. Der Beschluß von 1991, den Sitz in Bonn zu belassen, soll in den nächsten Jahren überprüft werden.
→ Grundgesetz → Vermittlungsausschuß

## Bundesregierung, Deutsche

**Sitz** Bonn
**Einrichtung** 1949
**Mitglieder** Bundeskanzler, 17 Minister
**Bundeskanzler** Helmut Kohl (CDU), seit 1982
**Funktion** Oberstes Bundesorgan der vollziehenden Gewalt in Deutschland

Am 15. 11. 1994 wählte der Deutsche Bundestag Helmut Kohl zum fünften Mal zum deutschen Bundeskanzler. Im Bundestag verfügt die Regierungskoalition aus CDU/CSU/FDP über 341 der 672 Mandate. 337 Stimmen waren für die Kanzlerwahl erforderlich, Kohl erhielt 338. Die Zahl der Bundesministerien verringerte Kohl durch die

**Bundespräsident**

**Roman Herzog**
* 5. 4. 1934 in Landshut, Prof. Dr. jur. 1970 CDU-Mitglied, 1978 bis 1980 Minister für Kultus und Sport, 1980–1983 Innenminister in Baden-Württemberg, 1987 Präsident des Bundesverfassungsgerichts. Ab Juli 1994 Bundespräsident (Amtszeit bis 1999).

## Bundesregierung

**Helmut Kohl,**
**deutscher Bundes-**
**kanzler**
(seit 1982), * 3. 4. 1930
in Ludwigshafen/
Rhein, Dr. phil., CDU-
Mitglied.

**Norbert Blüm,**
**Bundesminister für**
**Arbeit und Soziales**
(seit 1982), * 21. 7.
1935 in Rüsselsheim,
Dr. phil., CDU-
Mitglied.

**Friedrich Bohl,**
**Minister im Bundes-**
**kanzleramt**
(seit 1991), * 5. 3. 1945
in Rosdorf (Nieder-
sachsen), CDU-
Mitglied.

**Jochen Borchert,**
**Bundesminister für**
**Ernährung, Landwirt-**
**schaft und Forsten**
(seit 1993), * 25. 4.
1940 in Nahrstedt,
CDU-Mitglied.

**Wolfgang Bötsch,**
**Bundesminister für**
**Post und Telekom-**
**munikation**
(seit 1993), * 8. 9. 1938
in Würzburg, Dr. jur.,
CSU-Mitglied.

**Manfred Kanther,**
**Bundesminister des**
**Innern**
(seit 1993), * 26. 5.
1939 in Schweidnitz
an der Weistritz, CDU-
Mitglied.

**Klaus Kinkel,**
**Bundesminister des**
**Auswärtigen**
(seit 1991), * 17. 12.
1936 in Metzingen/
Kreis Reutlingen, Dr.
jur., FDP-Mitglied.

**Sabine Leutheusser-**
**Schnarrenberger,**
**Bundesministerin der**
**Justiz**
(seit 1992), * 26. 7.
1951 in Minden/West-
falen, FDP-Mitglied.

**Angela Merkel,**
**Bundesministerin für**
**Umwelt, Naturschutz,**
**Reaktorsicherheit**
(seit 17. 11. 1994),
* 17. 7. 1954 in Ham-
burg, Dr. rer. nat., CDU.

Zusammenlegung der Ressorts Forschung/Technologie und Bildung/Wissenschaft einerseits sowie Frauen/Jugend und Familie/Senioren andererseits. Die Verringerung der Ressorts ging zu Lasten der FDP, die drei der 17 Minister stellt (vorher: fünf von 19 Ministern). Gleichzeitig stieg die Zahl der Parlamentarischen Staatssekretäre von 26 auf 27. Neu ins Kabinett nahm Kohl Claudia Nolte (CDU, Ministerin für Familie, Senioren, Frauen, Jugend) und Jürgen Rüttgers (CDU, Minister für Bildung, Wissenschaft, Forschung, Technologie) auf.

## Bundessozialgericht

**Abkürzung** BSG

**Sitz** Kassel

**Gründung** 1953

**Präsident** Matthias von Wulffen (ab September 1995)

**Funktion** Oberstes Bundesgericht in Deutschland auf dem Gebiet des Sozialrechts

## Bundestag, Deutscher

**Sitz** Bonn

**Gründung** 1949

**Mitglieder** 672 Abgeordnete

**Präsidentin** Rita Süssmuth (CDU), seit 1988

**Funktion** Oberstes Bundesorgan der Gesetzgebung in Deutschland

Der B. wurde am 16. 10. 1994 neu gewählt. 16 Überhangmandate erhöhten die Zahl der Abgeordneten von 656 auf 672. Das Berlin/Bonn-Gesetz vom März 1994 legt fest, daß der Umzug des B. in den Reichstag in Berlin bis 2000 abgeschlossen sein soll.

**Fraktionen:** Im zweiten gesamtdeutschen B. (1994–1998) stellen CDU und CSU mit 294 Mandaten die stärkste Parlamentsfraktion (SPD: 252, Bündnis 90/Die Grünen: 49, FDP: 47). Die 30 Mandatsträger von der PDS haben keinen Fraktionsstatus und sind in Ausschüssen nicht stimmberechtigt.

**Vizepräsidenten:** Rita Süssmuth wurde im November 1994 in ihrem Amt als B.-Präsidentin bestätigt. Zu

Vizepräsidenten wurden Hans Klein (CSU), Hans-Ulrich Klose (SPD), Antje Vollmer (Bündnis 90/Die Grünen) und Burkhard Hirsch (FDP) gewählt. Die SPD verlor einen Vizepräsidentenposten, den sie traditionell bekleidet hatte, an Bündnis 90/Die Grünen, die erstmals im Präsidium des B. vertreten sind. Die Wahl Vollmers wurde von der Union und der FDP unterstützt.

**Verkleinerung:** Politiker aus CDU und SPD plädierten 1995 für eine Verkleinerung des B. auf rd. 600 Abgeordnete. 1995 war der B. weltweit das größte demokratisch gewählte Parlament. Klose regte die Verkleinerung für den Beginn der Legislaturperiode 2002 bis 2006 an. Dadurch soll die Arbeit des Parlaments effektiver werden, und die Kosten sollen reduziert werden. CDU-Finanzexperten hatten errechnet, daß die Verkleinerung Einsparungen u. a. bei Abgeordnetenbezügen von rd. 100 Mio DM jährlich ermöglichen würde. Die CDU schlug vor, die Wahlkreise zu vergrößern. Die SPD befürwortete eine Verringerung der Zahl der Listenmandate. Die kleineren Parteien CSU, FDP und Bündnis 90/Die Grünen lehnten eine Verkleinerung des Parlaments ab, weil sie die Kontrolle der Verwaltung und die Präsenz in den vergrößerten Wahlkreisen für die kleineren Parteien erschwere.

**Reichstag:** Das Bonn/Berlin-Gesetz beschränkt die Kosten für den Umbau des Reichstags auf 605 Mio DM. Dem britischen Architekten Norman Foster, der 1994 die Entwurfsplanung für den Umbau übernommen hatte, wurde Anfang 1995 ein Budget von 600 Mio DM zur Verfügung gestellt, das sämtliche Baukosten inkl. Kuppel abdecken soll. Die Baukommission entschied im Mai 1995, daß das Reichstagsgebäude eine begehbare gläserne Kuppel (Durchmesser: 30 m) erhält. Die Rekonstruktion der von dem deutschen Architekten Paul Wallot 1884–1894 erbauten Kuppel hätte Mehrkosten von 50 Mio–70 Mio DM verursacht. Der Umbau des Reichstagsgebäudes soll

## Bundesregierung

**Claudia Nolte,**
**Bundesministerin für**
**Familie, Senioren,**
**Frauen und Jugend**
(seit 17. 11. 1994),
* 7. 2. 1966 in Rostock,
CDU-Mitglied.

**Günter Rexrodt,**
**Bundesminister für**
**Wirtschaft**
(seit 1993), * 12. 9.
1941 in Berlin, Dr. rer.
pol., Diplomkaufmann,
FDP-Mitglied.

**Volker Rühe,**
**Bundesminister der**
**Verteidigung**
(seit 1992), * 25. 9.
1942 in Hamburg-
Harburg, CDU-Mit-
glied.

**Jürgen Rüttgers,**
**Bundesminister für**
**Bildung, Wissenschaft,**
**Forschung, Technologie**
(seit 17. 11. 1994),
* 26. 6. 1951 in Köln,
Dr. jur., CDU-Mitglied.

**Horst Seehofer,**
**Bundesminister für**
**Gesundheit**
(seit 1992), * 4. 7. 1949
in Ingolstadt, Diplom-
verwaltungswirt, CSU-
Mitglied.

**Carl-Dieter Spranger,**
**Bundesminister für**
**wirtschaftliche**
**Zusammenarbeit**
(seit 1991), * 28. 3.
1939 in Leipzig, CSU-
Mitglied.

**Klaus Töpfer,**
**Bundesminister für**
**Raumordnung, Bau-**
**wesen, Städtebau**
(seit 17. 11. 1994), * 29. 7.
1938 in Waldenburg,
Prof. Dr. rer. pol., CDU.

**Theo Waigel,**
**Bundesminister der**
**Finanzen**
(seit 1989), * 22. 4.
1939 in Oberrohr
(Schwaben), Dr. jur.,
CSU-Mitglied.

**Matthias Wissmann,**
**Bundesminister für**
**Verkehr**
(seit 1993), * 15. 4.
1949 in Ludwigsburg
am Neckar, Jurist,
CDU-Mitglied.

Bundestagspräsidentin Rita Süssmuth mit einer Computergrafik für die geplante Reichstagskuppel (Entwurf von Norman Foster)

## Bundesverfassungsgericht

**Abkürzung** BVerfG (auch BVG)

**Sitz** Karlsruhe

**Gründung** 1951

**Aufbau** Zwei Senate mit je acht Richtern

**Präsidentin** Jutta Limbach (SPD), seit 1994

**Funktion** Oberstes Bundesorgan der Rechtsprechung in Deutschland

Das B. entscheidet über die Vereinbarkeit von Bundes- oder Landesrecht mit dem GG und von Landesrecht mit Bundesrecht (Normenkontrolle) sowie über Streitigkeiten zwischen Bundesorganen oder zwischen Bund und Ländern (Organstreitigkeiten). Am häufigsten befaßt sich das B. mit Verfassungsbeschwerden von Bürgern, die sich durch die öffentliche Gewalt in ihren Grundrechten verletzt fühlen. Im September 1994 wählte der Richterwahlausschuß des Deutschen Bundestages Jutta Limbach (SPD) einstimmig zur Präsidentin des höchsten deutschen Gerichts. Limbach ist die erste

nach dem Abschluß von Christos Reichstagsverhüllung im Sommer 1995 beginnen und bis 1999 beendet sein.
→ Regierungsumzug → Überhangmandate → Vermittlungsausschuß → Wahlen

## Bundestag: Abgeordnete 1949–1995

Abgeordnete[1]

| Jahr | CSU | CDU | FDP | SPD | B '90/ PDS Grüne | Sonstige | Abgeordnete[1] |
|------|-----|-----|-----|-----|------|------|------|
| 1949 | 24 | 115 | 52 | 80 | | 131 | 402 |
| 1953 | 52 | 191 | 48 | 45 | | 151 | 487 |
| 1957 | 55 | 215 | 41 | 17 | | 169 | 497 |
| 1961 | 50 | 192 | 67 | 190 | | | 499 |
| 1965 | 49 | 196 | 49 | 202 | | | 496 |
| 1969 | 49 | 193 | 30 | 224 | | | 496 |
| 1972 | 48 | 177 | 41 | 230 | | | 496 |
| 1976 | 53 | 190 | 39 | 214 | | | 496 |
| 1980 | 52 | 174 | 53 | 218 | | | 497 |
| 1983 | 53 | 191 | 34 | 193 | 27 | | 498 |
| 1987 | 49 | 174 | 46 | 186 | 42 | | 497 |
| 1990 | 51 | 268 | 79 | 239 | 8 | 17 | 662 |
| 1994 | 50 | 244 | 47 | 252 | 49 | 30 | 672 |

1) Bis 1987 ohne Berliner Abgeordnete    ☐ Sonstige    © Harenberg

Frau an der Spitze des B. Evelyn Haas (CDU) übernahm die Richterstelle, die durch die Wahl Roman Herzogs (CDU) zum Bundespräsidenten frei geworden war. Zum Vorsitzenden des Ersten Senats und Vizepräsidenten des B. wählte der Bundesrat Johann Friedrich Henschel (FDP), der dem B. seit 1983 angehört.

→ Grundgesetz → Sitzblockaden → Soldatenurteil → Spionage-Urteil

## Bundesverwaltungsgericht

**Abkürzung** BVerwG
**Sitz** Berlin
**Gründung** 1952
**Präsident** Everhardt Franßen (seit 1991)
**Funktion** Oberstes Bundesorgan in Deutschland auf dem Gebiet des Verwaltungsrechts

## Bundeswehr

Im März 1995 stellte das Bundesverteidigungsministerium eine neue Streitkräfteplanung vor. Die B. wird 1995 von rd. 370 000 auf 338 000 Soldaten, der Grundwehrdienst von zwölf auf zehn Monate verringert. 53 000 Soldaten aus Verbänden von Heer, Luftwaffe und Marine sind als Teil der NATO-Eingreiftruppe international zur Bewältigung von Konflikten vorgesehen (Krisenreaktionskräfte). Bis 2000 werden 16 von 734 Militärstandorten geschlossen, 32 verkleinert. Seit 1991 wurden rd. 200 Standorte geschlossen sowie 330 Truppenteile und Dienststellen aufgelöst.

**Struktur:** Die B. wird 200 000 Berufs- und Zeitsoldaten, 135 000 Wehrpflichtige und 3000 Reservisten umfassen. 84% der Soldaten werden in den Hauptverteidigungsstreitkräften eingesetzt, die der Landesverteidigung dienen und erst im Mobilmachungsfall ihre volle Stärke erreichen. Mit Hilfe der Reservisten kann die B. im Verteidigungsfall auf 680 000 Soldaten aufgestockt werden. 100 000–140 000 Reservisten sollen jährlich zu Wehrübungen einberufen werden. Im Januar

1995 wurde im Verteidigungsministerium ein Führungszentrum eingerichtet, das Einheiten von Heer, Luftwaffe und Marine erstmals in einer gemeinsamen Operation einsetzen kann. Es ist zuständig für deutsche Militär- und Friedensmissionen im Auftrag der UNO.

**Kosten:** Der Militäretat soll bis 1997 bei rd. 47,9 Mrd DM eingefroren werden. 1991–1994 wurden die Verteidigungsausgaben um rd. 12% auf 47,2 Mrd gekürzt. Der Anteil für Investitionen, darunter Forschung und Entwicklung, Waffenbeschaffung und Verbesserung der Infrastruktur, verringerte sich von 30% auf 21%. Zu den wichtigsten Rüstungsvorhaben zählten 1994/95 Transport- und Kampfunterstützungshubschrauber (NH-90, Uhu) für das Heer sowie das Kampfflugzeug Eurofighter und ein europäischer Großraum-Transporter (engl.: Future Large Aircraft, FLA, Entwicklungskosten: ca. 8 Mrd DM). Seit 1994 werden die Auslandseinsätze der B. aus dem Verteidigungsetat finanziert. 1995 waren rd. 90 Mio DM eingeplant (1992–1994: rd. 676 Mio DM).

**Ausland:** Grundsätzlich will die CDU/CSU/FDP-Bundesregierung die B. außerhalb des NATO-Territoriums nur zusammen mit den Bündnispartnern und mit Zustimmung der UNO einsetzen sowie das Einsatzgebiet auf Europa und sein Umfeld beschränken. Kampfeinsätzen und Friedensmissionen der B. im Ausland muß lt. Entscheidung des Bundesverfassungsgerichts vom Juli 1994 der Bundestag zustimmen. Im Juni 1995 billigte das Parlament die Entsendung von Sanitä-

**Bundestag: Präsidentin**

**Rita Süssmuth**
* 17. 2. 1937 in Wuppertal, Prof. Dr. phil. 1985–1988 Bundesministerin für Jugend, Familie, Frauen und Gesundheit, 1986 CDU-Präsidiumsmitglied und Vorsitzende der CDU-Frauenvereinigung, ab 1987 MdB, ab 1988 Bundestagspräsidentin.

**Bundesverfassungsgericht: Präsidentin**

**Jutta Limbach**
* 27. 3. 1934 in Berlin, Prof. Dr. jur. 1989 bis 1994 Senatorin für Justiz in Berlin. März 1994 Vizepräsidentin am Bundesverfassungsgericht, September 1994 Nachfolgerin des zum Bundespräsidenten gewählten Roman Herzog als BVG-Präsidentin.

| Bundeswehr: Führungswechsel | |
|---|---|
| **Funktion** | **Name** |
| Generalinspekteur ab 1. 10. 1995 | Hartmut Bagger |
| Inspekteur Heer ab 1. 10. 1995 | Helmut Willmann |
| Inspekteur Luftwaffe ab 1. 10. 1994 | Bernhard Mende |
| Inspekteur Marine 1. 4. 1995 | Hans-Rudolf Böhmer |

**Bundeswehr: Generalinspekteur**

**Hartmut Bagger**
* 17. 7. 1938 in Braunsberg/Ostpreußen (heute: Rußland), deutscher General. 1958 Eintritt in die Bundeswehr, 1984 Brigade-, 1992 Divisionskommandeur, 1992 stellvertretender Inspekteur des Heeres, 1994 Heeresinspekteur. Ab Oktober 1995 als Nachfolger von Klaus Naumann Generalinspekteur der Bundeswehr.

## Bundeswehr: Auslandseinsätze

| Land/Gebiet | Zeitraum | Aufgabe |
|---|---|---|
| Irak | ab 1991 | Transport von UNO-Inspektoren |
| Kambodscha | Mai 1992–Nov. 1993 | 120 Sanitäter im Rahmen der UNO-Friedensmission |
| Adria | ab Juli 1992 | Überwachung des UNO-Waffen- und Handelsembargos gegen Jugoslawien (WEU, NATO) |
| Bosnien-Herzegowina | ab 1992/93 | Überwachung des militärischen Flugverbots durch die NATO und Hilfsgütertransporte bzw. -abwürfe zur Versorgung der Zivilbevölkerung |
| Somalia | Mai 1993–März 1994 | 1700 Soldaten im Rahmen der UNO-Einsatzes zur Einhaltung des Waffenstillstands im Bürgerkrieg (Humanitäre Hilfe in Belet Uen) |
| Zaïre | Juli–Dez. 1994 | Beteiligung an der UNO-Luftbrücke für Flüchtlinge aus Ruanda |

## Bundeswehr: Streitkräfteplanung

| Bereich | Soldaten |
|---|---|
| Insgesamt | 338 000 |
| *Truppenkategorie* | |
| Krisenreaktionskräfte | 53 600 |
| Heer | 37 000 |
| Luftwaffe | 12 300 |
| Marine | 4 300 |
| Hauptverteidigungskräfte | 284 400 |
| *Teilstreitkraft* | |
| Heer | 233 400 |
| Luftwaffe | 77 400 |
| Marine | 27 200 |

Quelle: Bundesverteidigungsministerium

tern, Transport- und Kampfflugzeugen nach Bosnien-Herzegowina (Transall, ECR-Tornado) als Teil der europäischen Eingreiftruppe zur Unterstützung der UNO-Blauhelme.
→ Eurofighter → NATO → Soldatenurteil → Wehrpflicht → WEU

## Bündnis 90/Die Grünen

**Gründung** 1993
**Mitglieder** 43 870 (Stand: 1995)
**Sprecher** K. Sager, J. Trittin (seit 1994)
**Ausrichtung** ökologisch-sozial

B. war die einzige Partei im Bundestag, die 1994 ihre Mitgliederzahl gegenüber dem Vorjahr steigern konnte (um rd. 4000 auf 43 870). Mit einem Stimmenanteil von 7,3% stellten B. nach der Bundestagswahl vom 16. 10. 1994 die drittstärkste politische Kraft

in Deutschland (Westen: 7,8%, Osten: 5,7%). Im Dezember 1994 wurden Krista Sager und Jürgen Trittin zu Parteisprechern gewählt. Die Bundesgeschäftsstelle soll bis Ende 1998 nach Berlin verlegt werden.
Das 1995 erarbeitete Konzept für eine ökologische Steuerreform der Bundestagsfraktion stieß beim B.-Bundesvorstand auf Kritik. Das Modell sieht eine kombinierte Energie/$CO_2$-Steuer vor. Das Aufkommen soll binnen zehn Jahren von 18,5 Mrd DM auf 120 Mrd DM steigen. Das Geld soll über niedrigere Sozialabgaben, Einkommen- und Unternehmensteuern an Firmen und Bürger zurückfließen. Beim Familienlastenausgleich schlugen B. 1995 Streichung des Kinderfreibetrags und Kindergelderhöhung auf 300 DM vor. Innerhalb der Partei war 1995 umstritten, ob sich die Bundeswehr an Kampfeinsätzen der UNO im Balkankonflikt beteiligen sollte. B. hatten 1995 mit 59,2% von allen Parteien die mit Abstand höchste Frauenquote im Bundestag.

## Bürgergeld

(auch negative Einkommensteuer), Konzept der FDP und des Arbeitnehmerflügels der CDU, die rd. 90 in Deutschland existierenden Sozialleistungen durch eine steuerfinanzierte Grundversorgung zu ersetzen. Mit dem B. sollen das Sozialleistungsrecht vereinfacht und Verwaltungskosten gespart werden.

**Regelung:** Das B. soll jedem Bürger das Existenzminimum (1995: 11 500 DM pro Jahr) garantieren. Das Finanzamt zahlt Personen ohne Einkommen ein monatliches B., das mit steigendem Erwerbseinkommen gegen fällige Steuern verrechnet wird. Erwerbslose sollen einen Anreiz zur Aufnahme einer auch niedrig bezahlten Tätigkeit erhalten, indem nur die Hälfte des Arbeitseinkommens auf das B. angerechnet wird.

**Kritik:** Das Deutsche Institut für Wirtschaft (DIW, Berlin) gab den Steuerausfall durch B.-Einführung 1994 mit 65 Mrd–173 Mrd DM an. Das B. verursache nur dann geringere Ausgaben beim Staat als das bestehende Sozialsystem, wenn das Existenzminimum erheblich niedriger festgelegt werde.

**Grundsicherung:** Bündnis 90/Die Grünen veranschlagten für ihr B.-Modell der Grundsicherung jährliche Kosten von rd. 30 Mrd DM, die durch eine Erhöhung der Grund- und Erbschaftsteuer aufgebracht werden sollen. Die Grundsicherung, die auch Rentner erhalten sollen, besteht aus einer jährlich vom Bundestag festzulegenden existenzsichernden Pauschale sowie den tatsächlichen Wohnkosten und soll mindestens 50% des Durchschnittseinkommens betragen.

# C

## Car Sharing

(engl.; sich ein Auto teilen), in 70 deutschen Städten existierten 1995 C.-Organisationen, deren 7000 Mitglieder Autos miteinander teilen. C. soll den Autoverkehr und damit die Belastung der Umwelt, vor allem die Luftverschmutzung, verringern. C. ist für Autofahrer billiger, die pro Jahr weniger als 12 000 km fahren. Nach einer vom Bundesverkehrsministerium in Auftrag gegebenen Studie kann der

**Bündnis 90/Die Grünen: Parteiführung**

**Jürgen Trittin, Sprecher Bündnis 90/Die Grünen**
* 25. 7. 1954 in Bremen. 1980 Beitritt zu den Grünen. 1985/86 und 1988–1990 Fraktionsvorsitzender im Landtag in Hannover. 1994 Sprecher des Bundesvorstands.

**Krista Sager, Sprecherin Bündnis 90/Die Grünen**
* 1953 in Bremen. 1982 Mitglied der Hamburger Grün-Alternativen Liste (GAL). 1989 Einzug in die Bürgerschaft. Dezember 1994 Sprecherin des Bundesvorstands.

**Joschka Fischer, Fraktionschef**
* 12. 4. 1948 in Gerabronn. 1983–1985 Mitglied des Deutschen Bundestages, 1985–1987 und 1991 hessischer Umweltminister, 1994 Fraktionschef der Partei.

Bestand von 40 Mio PKW in Deutschland um 1,2 Mio gesenkt werden, wenn das Potential von geschätzten 2,4 Mio C.-Nutzern ausgeschöpft würde. Dem Dachverband European Car Sharing (ECS, Luzern/Berlin) gehörten 1995 ca. 35 C.-Vereine aus Deutschland, der Schweiz, den Niederlanden und Österreich an. Die größte C.-Initiative in Deutschland (Stattauto Berlin) hatte 1995 ca. 2500 Mitglieder, die sich 120 Autos teilten.

Angehörige von C.-Initiativen bezahlen eine Beitrittsgebühr (ca. 250 DM) und erwerben einen Genossenschaftsanteil an dem Unternehmen (Wert: ca. 1000 DM). Gegen einen Kilometerbeitrag (je nach Wagentyp 0,42–0,46 DM, inkl. Benzin) und eine Benutzungsgebühr (ca. 5 DM pro Stunde) können sie Kfz benutzen. Die monatliche Teilnahmegebühr beträgt etwa 20 DM. Der Fahrer bestellt das Auto über eine Telefonzentrale und holt es von einem festen Standplatz ab. Schlüssel und Fahrzeugpapiere sind in einem Tresor in der Nähe des Standortes deponiert.

→ Autoverkehr → Luftverschmutzung

## CASTOR

(Abk. für cask for storage and transport of radioactive material, engl.; Behälter für Lagerung und Transport von radioaktivem Material). Mit C. wird in Europa und den USA abgebranntes Brennmaterial aus Atomkraftwerken zur Zwischenlagerung oder Wiederaufarbeitung befördert. In Deutschland bietet das Zwischenlager Gorleben (Niedersachsen) Platz für 420 C. (Stückpreis: 2,4 Mio DM), die dort bis zu 40 Jahre aufbewahrt werden sollen. Streit zwischen dem Bund und der niedersächsischen SPD-Regierung verzögerte den ersten Transport von C. nach Gorleben um ein Jahr bis April 1995. Im Zwischenlager Ahaus (Nordrhein-Westfalen) wurden 1992–1994 ca. 300 C. eingelagert.
→ Atomtransport → Zwischenlagerung

## CASTOR: Behälteraufbau

Längsrippen zur Wärmeabstrahlung

Behälter aus Gußeisen mit Kugelgraphit, Wandstärke 44 cm, von innen mit Nickel beschichtet zur Verhinderung von Korrosion

Länge: 6 m
Breite: 2 m
Gewicht (beladen): 120 t

Meßgeräte/Stromversorgung

Brennelemente

Zwei übereinanderliegende Deckel, mit Metalldichtungen verschlossen, dazwischen Helium unter Überdruck

CASTOR wurde in Deutschland für maximal 19 hochradioaktive Brennelemente aus Druck- und Siedewasserreaktoren oder für 25 t in Glas eingeschlossenen Atommüll entwickelt. Vor der Zulassung muß der Transport- und Lagerbehälter Falltests aus 9 m Höhe auf ein Beton-Stahl-Fundament und einen halbstündigen Feuertest bei 800 °C überstehen. Eventuell austretende Radioaktivität kann mit Meßgeräten in einem mit Gas gefüllten Unterdruckraum von CASTOR festgestellt werden. Die Strahlendosis darf 2,0 Millisievert pro Stunde (mS/h) nicht überschreiten. Wärme wird über Kühlrippen an die Umgebung abgegeben (Außentemperatur des Behälters: rd. 50 °C). © Harenberg

## CD

(Compact Disc), optische Speicherplatte, auf der Daten digital festgehalten und von einem Laserstrahl abgetastet werden. Die CD ist wegen der großen Speicherkapazität, der hohen Aufnahme- und Wiedergabequalität sowie der Abnutzungsfreiheit wichtigstes Speichermedium in der Unterhaltungselektronik. 1994 waren ca. 60% der deutschen Haushalte mit CD-Abspielgeräten ausgestattet, der CD-Bestand betrug rd. 710 Mio Exemplare. 1994/95 entwickelten Elektronikfirmen wiederbespielbare CD für den Massenmarkt, sog. CD-E (Compact Disc-Erasable, engl.; löschbar).
**Typen:** CD lassen sich nach ihrer Beschreibbarkeit unterscheiden:
▷ CD-ROM (Read Only Memory, engl.; nur lesbarer Speicher) können vom Benutzer nicht beschrieben werden und dienen vorwiegend als Datenspeicher für PC
▷ MO-CD (Magnet-Optische-CD) besitzen eine mehrfach beschreibbare magnetische Oberfläche. Wegen ihrer hohen Speicherkapazität könnten sie Festplatten zur Datenspeicherung ablösen, waren aber Mitte 1995 noch nicht ausgereift
▷ Bei WORM-Systemen (Write Once Read Multiple, engl.; einmal beschreibbar, häufig lesbar) können Daten einmal eingegeben werden. WORM-Systeme eignen sich für die Archivierung großer Datenbestände.
**Aufnahmeverfahren:** Ton-, Schrift- und Bildsignale werden in kleinste Informationseinheiten zerlegt (engl.: bit) und mit einem Zahlencode aus den Ziffern eins und null belegt, die vom Laser entschlüsselt und von der Elektronik des Abspielgeräts z. B. in Tonsignale umgewandelt werden. Bei einmal beschreibbaren CD werden Informationen in Vertiefungen auf der Oberfläche der CD (engl.: pit) festgehalten, die etwa 16 Tausendstel cm auseinanderliegen. Bei MO-CD wird die Polung der Magnetoberfläche verändert.

**Vorteile:** Auf einer CD können ca. 350 000 Schreibmaschinenseiten festgehalten werden (Speicherkapazität: 650 Mbyte). Entwickelt wurden 1995 CD mit größerer Speicherkapazität. Die Informationen werden vom Laser berührungsfrei gelesen, so daß kleinere Beschädigungen der CD die Qualität der Übertragung nicht beeinträchtigen (Haltbarkeit: 50–100 Jahre).
**Wiederbespielbarkeit:** Zehn Elektroniikkonzerne planten Anfang 1995 die Entwicklung einer CD-E (vorgesehener Stückpreis: 25–100 Dollar, 35–140 DM). Matsushita arbeitete zugleich an einem CD-Rekorder für rd. 1000 Dollar (1400 DM), der CD sowohl abspielen als auch bespielen kann.
→ Digitaltechnik → Lasertechnik → Mini Disc → Multimedia → Unterhaltungselektronik → Video Disc

## CD-ROM

(Compact Disc Read Only Memory, engl.; CD mit nur lesbarem Speicher), Speicherplatte, auf der nicht löschbare Daten festgehalten werden, die vom Laserstrahl eines C.-Laufwerks eines Personalcomputers (PC) abgetastet

| Name | Speicherung von | Speicher-medium | Aufnahme-/ Wiedergabe-qualität | Preis | Spielzeit/ Aufnahme-kapazität | Format | Gerät (Preis) | Markt-reife |
|---|---|---|---|---|---|---|---|---|
| CD-I | Ton, Film, Schrift, vor allem Spiele, Lehrmaterial | CD, nicht wiederbe-spielbar | Ton: CD-Qualität Film: TV-Qualität | 30 bis 100 DM pro CD | Video: rd. 72 min Ton: max. 16 h[1] | 12 cm Ø | CD-I-Player (ab 750 DM) | Mitte 1992 |
| CD-E | Ton, Schrift, Bild | CD, mehr-fach be-spielbar | Ton: CD-Qualität | 25 bis 100 $ pro CD | Ton: rd. 60 min | 12 cm bzw. 9 cm Ø | Player PD (1000 $) | Anfang 1996 |
| CD-ROM | Text, Ton, Bild | CD, nicht wiederbe-spielbar | Ton: CD-Qualität | ab 10 DM | 350 000 Seiten | 12 cm Ø | PC-Lauf-werk (ab 190 DM) | 1990/91 |
| CD-ROM-XA | Text, Ton, Bild, Film | CD, nicht wiederbe-spielbar | Ton: CD-Qualität Film: TV-Qualität | ab ca. 200 DM | Video: rd. 72 min Ton: max. 16 h[1] | 12 cm Ø | CD-ROM-Laufwerk (ab 190 DM) | Anfang 1992 |
| DAT | Ton | Magnet-band | CD-Qualität | ab 22 DM | max. 120 min | ca. 73 x 54 mm | DAT-Re-korder (1500 DM) | Anfang 1992 |
| DCC | Ton | Magnet-band | Reduktion von Da-ten, die mensch-liches Gehör nicht wahrnimmt | ab 22 DM pro DCC | ca. 90 min | 100 x 65 mm | DCC-Re-korder (rd. 800 DM) | Anfang 1993 |
| Foto-CD | Fotos her-kömmlicher Kleinbild-kameras | CD, ein-mal be-spielbar | Auflösung viermal höher als bei HDTV | 30 DM Leer-CD/24 Fotos | 100 Fotos | 12 cm Ø | Foto-CD-Player (rd. 900 DM) | Mitte 1992 |
| Laser-Disc (LD) | Bewegte Bilder und Ton | CD, nicht wiederbe-spielbar | Ton: CD-Qualität Bild: TV-Qualität | 50 bis 100 DM | ca. 60 min | max. 30 cm Ø | LD-Player (900 DM) | 1990 |
| Mini Disc (MD) | Ton | CD, mehr-fach be-spielbar | Datenreduktion wie bei DCC | 12 bis 15 DM | 72 min | 6,4 cm Ø | MD-Player (1500 DM) | Ende 1992 |
| Video Disc (VD) | Bild, Film, Ton, Schrift | CD, nicht wiederbe-spielbar | Ton: CD-Qualität Bild: TV-Qualität | 30 bis 100 DM | max. 360 min | 12 cm Ø | VD-Player (ab 500 $) | Ende 1995 |

**CD: Digitale Datenspeicher in der Unterhaltungselektronik**

1) Bei geringer Tonqualität; Quelle: Aktuell-Recherche

## CD-ROM: Technische Standards

**CD-ROM-XA:** (Extended Archi-tecture, engl.; erweiterte Architektur), CD-ROM, die Schrift-, Ton- und Videosignale speichern
**High Sierra:** Technische Bezeichnung für einen Standard für die Speicherung von Daten, 1986 von Soft- und Hardwareherstellern im Hotel High Sierra (Kalifornien) festgelegt

**Multisession:** (engl.; Mehrfachsitzung), CD-ROM, die in mehreren Durchgängen bespielt wurden; zum Abspielen sind spezielle Laufwerke notwendig
**Yellowbook:** (engl.; gelbes Buch), Festlegung eines Standards der Elektronikkonzerne Philipps und Sony für die Datenstruktur und die Fehlererkennung beim Abspielen

werden. Die Vorteile der C. gegenüber magnetischen Speichern (Diskette, Festplatte) liegen vor allem in der hohen Speicherkapazität und der Datensicherheit. 1994 stieg der Absatz von C. mit 53,9 Mio weltweit um 227% gegenüber dem Vorjahr; 66% der C. wurden kostenlos beim Kauf eines C.-Laufwerks oder eines PC mit abgegeben. Marktführer mit einem Anteil von 15,4% an den abgesetzten C. war der US-amerikanische Softwarehersteller Microsoft, gefolgt vom Spielehersteller Mindscape (12,4%) und dem Verlag Grolier (9,4%).

**Anwendung:** Wegen ihrer Speicherkapazität – eine C. kann etwa 350 000 Schreibmaschinenseiten fassen (650 Mbyte) – werden C. zur Aufbewahrung umfangreicher Datensätze genutzt (z. B. Grafiken, Illustrationen). Datenbanken, Enzyklopädien und Adreßverzeichnisse auf C. machen dem Nutzer

Der von IBM entwickelte Prototyp einer Mehrlagen-CD kann das Zehnfache an Daten einer herkömmlichen Compact Disc speichern.

Informationen unmittelbar zugänglich. Grafiken, Bilder etc. können in Computerdokumente eingesetzt werden. Den größten Anteil am Verkauf (ca. 30%) hatten C. mit Spielen und pornographischem Bildmaterial. Der durchschnittliche Preis einer C. lag 1994 bei 11 Dollar (15 DM). Mitte 1995 existierten rd. 10 000 C.-Titel.

**Laufwerke:** 1994 wurden rd. 9,6 Mio C.-Laufwerke weltweit verkauft (Umsatz: ca. 2,4 Mrd Dollar, 3,4 Mrd DM), zumeist in Verbindung mit einem sog. Multimedia-PC. Der Absatz soll 1995 um ein Drittel und bis 2000 jährlich um ca. 21% wachsen. Die Zahl der weltweit installierten C.-Laufwerke stieg 1994 um 137% auf 26,9 Mio. Ein Laufwerk war Mitte 1995 – je nach Geschwindigkeit – ab rd. 190 DM erhältlich.

**Mehrlagentechnik:** Der Computerhersteller IBM entwickelte 1994 einen C.-Prototyp, der die Speicherkapazität auf rd. 6,5 Gigabyte (Mrd Bytes) verzehnfacht. Statt aus einer besteht die C. aus bis zu zehn Datenschichten. Diese Technik würde die Unterbringung eines Films als hochauflösendes Digital-Video auf einer einzigen C. ermöglichen, herkömmliche C. fassen maximal 75 min Film. Mit der Entwicklung von Blaulichtlasern, deren kürzere Wellenlänge eine feinere Abtastung ermöglicht als Rotlichtlaser, könnte die Kapazität der Mehrlagen-C. auf rd. 30 Gigabyte gesteigert werden.
→ Computer → Lasertechnik → Multimedia → Pay-CD → Video Disc

## CDU

**Name** Christlich-Demokratische Union
**Gründung** 1945
**Mitglieder** 670 800 (Stand: Ende 1994)
**Vorsitzender** Helmut Kohl (seit 1973)
**Ausrichtung** Christlich-konservativ

Die Christdemokraten bildeten ab 1982 zusammen mit CSU und FDP die Bundesregierung. Bei der Bundestagswahl im Oktober 1994 errang die CDU 244 von 672 Sitzen und war nur noch zweitstärkste politische Kraft hinter der SPD (252 Sitze) im Parlament. Mitte 1995 war die CDU an sechs von 16 Landesregierungen beteiligt und damit im Bundesrat in der Minderheit. Bei acht Landtagswahlen Mitte 1994 bis Mitte 1995 (Brandenburg, Sachsen, Mecklenburg-Vorpommern, Saarland, Thüringen, Hessen, Bremen, Nordrhein-Westfalen) mußte sie in vier Ländern Stimmenverluste bis zu 10,7 Prozentpunkte (Brandenburg) hinnehmen. In vier Ländern konnte sie Stimmengewinne verbuchen, insbes. im Saarland (5,2 Prozentpunkte) und in Sachsen (4,3 Prozentpunkte). Nur in einem Bundesland (Sachsen) regierte die CDU Mitte 1995 mit absoluter Mehrheit (SPD: vier Bundesländer).

**Regierungspolitik:** Die vom Parteivorsitzenden Helmut Kohl geführte Koalitionsregierung konzentrierte sich 1994/95 auf die Realisierung folgender Ziele:

▷ Aufbau der Wirtschaft und Infrastruktur in den neuen Bundesländern u. a. mittels des Solidaritätszuschlags

▷ Eine Unternehmensteuerreform soll durch niedrigere Besteuerung der Gewinne die Wettbewerbsfähigkeit der deutschen Wirtschaft erhöhen

▷ Umfassende Verwaltungsreform, die mit Probezeiten, leistungsabhängigen Prämien u. a. die Arbeitseffektivität der Behörden steigern und die Kosten senken soll

▷ Steuerliche Entlastung von Familien und Alleinerziehenden durch einen neuen Familienlastenausgleich.

**Frauenquote:** 1994 sank die Mitgliederzahl der CDU im Vergleich zum Vorjahr um rd. 15 000 auf rd. 670 800 (593 000 in West- und 77 800 in Ostdeutschland). Die CDU war 1995 von Männern dominiert (Frauenanteil: 25%). Der Frauenanteil in der CDU/CSU-Bundestagsfraktion betrug 14,3% (SPD: 33,7%, Bündnis 90/Die Grünen: 59,2%). Um die Anziehungskraft der Partei zu erhöhen und den Mitglieder-

### CDU: Parteiführung

**Wolfgang Schäuble, Vorsitz der CDU-Bundestagsfraktion**
* 18. 9. 1942 in Freiburg/Br., Dr. jur. 1989–1991 Bundesinnenminister, ab 1991 Fraktionsvorsitzender der CDU/CSU im Bundestag.

**Peter Hintze, Generalsekretär der CDU**
* 25. 4. 1950 in Bad Honnef. 1984 bis 1990 Bundesbeauftragter für den Zivildienst, 1990 MdB, 1992 Nachfolger von Volker Rühe als Generalsekretär der CDU.

schwund zu stoppen, beschloß die CDU auf ihrem Parteitag im November 1994 eine Frauenquote, die auf dem Parteitag im Herbst 1995 in der Parteisatzung verankert werden soll. Künftig sollen Frauen ein Drittel aller Parteiämter und Mandate besetzen.

→ Familienlastenausgleich → Parteienfinanzierung → Steuern → Unternehmensteuerreform → Wahlen

| CDU/CSU: Bundestagswahlergebnisse | |
|---|---|
| Jahr | Stimmenanteil (%) |
| 1980 | 44,5 |
| 1983 | 48,8 |
| 1987 | 44,3 |
| 1990 | 43,8 |
| 1994 | 41,5 |

### CEFTA

**Name** Central European Free Trade Association, engl.; mitteleuropäisches Freihandelsabkommen

**Sitz** ohne festen Sitz

**Gründung** 1993

**Mitglieder** Polen, Slowakei, Tschechische Republik, Ungarn

**Vorsitz** ohne Vorsitz

**Ziele** Errichtung einer Freihandelszone der Mitglieder, Aufnahme in die Europäische Union

Die Zusammenarbeit der CEFTA litt 1994/95 unter den unterschiedlichen wirtschaftlichen Voraussetzungen der bis 1989/90 sozialistischen Mitglied-

**CEFTA: Mitglieder im Vergleich**

| Land | Wirtschafts-wachstum (%) | Arbeitslosen-quote (%) | Exporte in CEFTA (%)[1] |
|---|---|---|---|
| Polen | 4,7 | 16,9 | 0,4 |
| Slowakei | 4,8 | 14,8 | 49,4[2] |
| Tschech. Rep. | 2,7 | 3,1 | 25,1[3] |
| Ungarn | 3,0 | 10,9 | 0,5 |

Stand: 1994; 1) Anteil am Gesamtexport 1993; 2) 43,2% in die Tschechische Republik; 3) 20,1% in die Slowakei; Quelle: BfAI, Handelsblatt 26. 9. 1994

staaten und der Konkurrenzsituation um Anteile am westeuropäischen Markt. Vor allem die Tschechische Republik, deren Umgestaltung zur Marktwirtschaft am weitesten fortgeschritten war, strebte eine schnelle EU-Mitgliedschaft im Alleingang an. Die C. beruht auf der 1991 geschlossenen Visegrád-Allianz, die die politischen, militärischen und wirtschaftlichen Bestrebungen der Mitglieder zur Integration in EU und NATO koordiniert.

**Interner Handel:** Ab März 1993 durften etwa 30% der Exportgüter ohne Zölle und Abgaben ein- und ausgeführt werden. Bis 1998 sollen alle gegenseitigen Zölle abgebaut werden.

Die bei einem Bombenangriff am 23. 2. 1943 zerstörte Neue Synagoge war Mittelpunkt der jüdischen Gemeinde Berlins (rd. 173 000 Mitglieder) und mit 3000 Plätzen größtes jüdisches Gebetshaus in Deutschland. Die Vorhalle mit Kuppel wurde restauriert.

Die CEFTA plante für den Herbst 1995 eine Entscheidung über den Beitritt der baltischen Staaten sowie Bulgariens, Rumäniens und Sloweniens.

**Exporthandel:** Wichtigster Handelspartner Mitte der 90er Jahre war die EU, deren Anteil am Außenhandel bis zu 70% betrug (Polen). Im Januar 1995 gewährte die EU der CEFTA den freien Marktzugang für gewerbliche Waren. Für Eisen- und Stahlerzeugnisse sowie Textilien soll die Öffnung 1996 bzw. 1998 erfolgen. Verhandlungen über eine Mitgliedschaft stellte die EU ab 1996/97 in Aussicht.

→ Europäische Union → NATO

## Centrum Judaicum

Am 7. 5. 1995 wurde im wiederaufgebauten Teil der Berliner Neuen Synagoge mit dem C. die erste zentrale Einrichtung zur Erforschung der jüdischen Geschichte in Deutschland eingeweiht. Träger des C. ist eine Stiftung, die 1988 vom Ministerrat der früheren DDR ins Leben gerufen wurde. Das C., das Bibliothek, Archiv, Ausstellungs- und Vortragsräume beherbergt, dient dem Andenken der jüdischen Opfer des Nationalsozialismus, als Gebetsstätte und zur Pflege jüdischer Kultur und Tradition. Dem Museum mit der Dauerausstellung „Tuet auf die Pforten. Die Neue Synagoge 1866–1995" ist ein Wissenschaftszentrum angegliedert. Bis Januar 1996 wird die Ausstellung „Jüdische Geschichte in Berlin – Bilder und Dokumente" gezeigt.

## CERN

**Name** Conseil Européen pour la Recherche Nucléaire (franz.; Europäischer Rat für Kernforschung)

**Sitz** Genf/Schweiz

**Gründung** 1952

**Aufbau** 14 europäische Mitgliedstaaten

**Generaldirektor** Christopher Llewellyn Smith/Großbritannien (seit 1994)

**Funktion** Internationale Forschungsorganisation zur Zusammenarbeit auf dem Gebiet der Kern-, Hochenergie- und Teilchenphysik

## CGB

**Name** Christlicher Gewerkschaftsbund Deutschlands

**Sitz** Bonn

**Gründung** 1959

**Mitglieder** 306 481 (Stand: 1994)

**Vorsitzender** Peter Konstroffer (seit 1991)

**Funktion** Gewerkschaft zur Vertretung christlich-sozialer Ordnungsvorstellungen mit dem Ziel einer Gesellschaftsordnung auf christlichen Grundwerten in Deutschland

→ Gewerkschaften

## Chemieindustrie

Die deutsche C. verzeichnete 1994 erstmals nach vier Jahren ein Wachstum bei Produktion und Umsatz (Anstieg: rd. 4%). Der größte deutsche Chemiekonzern, die Hoechst AG, steigerte den Gewinn 1994 um 80% auf rd. 1,4 Mrd DM. Der zweitgrößte Konzern, BASF, verdoppelte den Gewinn 1994 auf 2,1 Mrd DM. Die Bayer AG als drittgrößter Konzern verzeichnete einen Gewinnsprung von 50% auf rd. 2 Mrd DM.

Verantwortlich für den Aufschwung waren die Konjunktur in den USA und Asien, die deutsche C.-Exporte förderte, sowie ein Arbeitskräfteabbau. Verglichen mit 1991 waren in der zweiten Hälfte 1994 mit 534 000 rd. 10,6% weniger Personen beschäftigt. Der Personalabbau soll 1995 verlangsamt fortgesetzt werden.

### Chemieindustrie: Größte deutsche Konzerne

**Jürgen Dormann, Vorstandsvorsitz Hoechst AG**
\* 12. 1. 1940 in Heidelberg. Seit 1963 bei der Hoechst AG beschäftigt, ab 1984 Vorstandsmitglied. Seit 1994 Vorstandsvorsitzender des 1994 größten deutschen Chemie-Konzerns.

**Jürgen Strube, Vorstandsvorsitz BASF AG**
\* 19. 8. 1939 in Bochum, Dr. jur. Ab 1969 bei der BASF. 1985–1989 Mitglied des Vorstands, ab 1990 Vorstandsvorsitzender des 1994 zweitgrößten deutschen Chemie-Konzerns.

**Manfred Schneider, Vorstandsvorsitz Bayer AG**
\* 21. 12. 1938 in Bremerhaven, Dr. rer. pol. Ab 1966 Mitarbeiter bei Bayer, 1987–1992 Vorstandsmitglied, 1992 Vorstandsvorsitzender des 1994 drittgrößten deutschen Chemie-Konzerns.

geben. C.-Hersteller und Importeure mußten für rd. 2000 Stoffe, die in Mengen von mehr als 1000 t pro Jahr hergestellt oder eingeführt werden, bis Juni 1994 Daten liefern. Für rd. 8000 Stoffe, von denen 10–1000 t pro Jahr produziert werden, gilt eine Frist bis Juni 1998. Von den 100 000 Altstoffen in der EU galten 1995 ca. 15 000 für Menschen und Umwelt als gefährlich.
→ Arbeitsschutz → Pestizide → Wohngifte

## Chemikalien

Von den bekannten rd. 50 Mio C. sind etwa 100 000 von industrieller Bedeutung. Der Umgang mit C. wird in Deutschland durch die MAK-Werte-Liste (MAK, maximale Arbeitsplatzkonzentration) und die Gefahrstoffverordnung geregelt. Eine EU-Regelung von 1993 schreibt für C., die vor 1982 in einem EU-Land auf dem Markt waren, sog. Altstoffe, komplette Datensätze vor, die Aufschlüsse über die Zusammensetzung und Verträglichkeit der C. für Mensch und Umwelt

## Chemische Waffen

(auch C-Waffen), chemische Substanzen, die wegen ihrer giftigen Wirkung für militärische Zwecke verwendet werden. Bis Mai 1995 ratifizierten 28 Staaten die internationale Konvention von 1993 über das Verbot, C. zu entwickeln, herzustellen und zu lagern. Der Einsatz von C. war durch das Genfer Protokoll von 1925 geächtet worden. Eingesetzt wurden C. im Ersten Weltkrieg (91 000 Todesopfer), im Krieg zwischen China und Japan (1937–1945), im Golfkrieg zwischen

Iran und dem Irak (1980–1988) gegen die Kurden und vermutlich im Golfkrieg 1991 gegen Streitkräfte der USA. **Abkommen:** Die C-Waffen-Konvention wurde bis Mitte 1995 von 159 Staaten unterzeichnet. Die Ratifizierung verzögerte sich nach Angaben des Vorbereitungskomitees der internationalen Überwachungsorganisation (OPCW, Den Haag/Niederlande) wegen der aufwendigen Umsetzung der Vorschriften in nationales Recht, die z. B. den Inspektoren den Zugang zu den Produktionsstätten der chemischen Industrie sichern sollen. Die Konvention tritt erst 180 Tage nach der Ratifizierung durch mindestens 65 Staaten in Kraft. Vorhandene Bestände und Produktionsanlagen für C. müssen gemeldet und innerhalb von zehn Jahren zerstört werden.

**Kontrolle:** Die Konvention teilt die giftigen Substanzen und Ausgangsstoffe für C. nach dem Grad ihrer Gefährlichkeit und Verbreitung in vier Kategorien ein, für die Produktionsauflagen und regelmäßige Inspektionsintervalle gelten. Hat ein Mitgliedsland Zweifel an der Einhaltung der Konvention durch einen anderen Vertragspartner, kann er bei der OPCW eine Überprüfung beantragen. Die ca. 210 Kontrolleure haben auch Zutritt zu militärischen Anlagen. Jeder Staat muß Verdachtsinspektionen erlauben, wenn das ständige Entscheidungsgremium der OPCW, der Exekutivrat (41

Mitglieder), mit Zweidrittelmehrheit zustimmt. **Bestände:** Die Vorräte an C. werden weltweit auf rd. 100 000 t geschätzt. Mindestens 30 Staaten sollen C. besitzen. In den USA lagern an acht Standorten 31 000 t Giftgas, Rußland beherbergt 40 000 t in sieben Lagern. Die UdSSR soll bis in die 80er Jahre rd. 4,5 Mio Giftgasgranaten im Nördlichen Eismeer, im Ochotskischen Meer und in der Ostsee versenkt haben.

**Vernichtung:** In den USA sollen die C. in der Nähe der Lagerstätten bei hohen Temperaturen (rd. 1500 °C) verbrannt werden (Kosten: mindestens 10 Mrd Dollar, 14 Mrd DM). Bis Ende 1995 soll die zweite US-Anlage in Tooele/Utah in Betrieb genommen werden (Baukosten: 450 Mio Dollar, 630 Mio DM). In den Tooele-Depots lagern 42% der US-Vorräte an C. Im ersten Entsorgungskomplex auf dem Johnston-Atoll im Pazifik wurden 1990–1994 etwa 45 000 Giftgasgranaten verbrannt. Rußland plante zwei Entsorgungsanlagen. In Europa war Mitte 1995 eine in Betrieb (Munster/Deutschland).

→ Atomwaffen → Aum Shinri Kyo → Biologische Waffen → Rüstungsmüll

## Chip

(engl.; Plättchen, auch Halbleiter), elektronischer Baustein eines Computers, der Informationen speichert oder als miniaturisierter Rechner (Mikroprozessor) Steuerfunktionen wahrnimmt. In der Autoelektronik sowie in der Telekommunikation (z. B. Mobilfunk) wurden C. Mitte der 90er Jahre eingesetzt. Der weltweite Umsatz mit C. wuchs 1994 gegenüber dem Vorjahr um 32% auf 109,7 Mrd Dollar (154,4 Mrd DM). Marktführer für Computer-C. war die US-amerikanische Firma Intel (Umsatz 1994: 11,5 Mrd Dollar, 16,2 Mrd DM). **Steigerungsraten:** Die Branchenorganisation World Semiconductor Trade Statistics schätzte, daß die C.-Hersteller bis 2000 ihre Umsätze jährlich um

| Chip: Größte Hersteller der Welt | | | |
|---|---|---|---|
| Rang | Unternehmen (Land) | Umsatz (Mio $) | Marktanteil (%) |
| 1 | Intel Corporation (USA) | 7950 | 9,3 |
| 2 | NEC (Japan) | 6141 | 7,2 |
| 3 | Motorola (USA) | 5957 | 7,0 |
| 4 | Toshiba (Japan) | 5727 | 6,7 |
| 5 | Hitachi (Japan) | 5015 | 5,9 |
| 6 | Texas Instruments (USA) | 4083 | 4,8 |
| 7 | Samsung (Korea-Süd) | 3044 | 3,6 |
| 8 | Fujitsu (Japan) | 2928 | 3,4 |
| 9 | Mitsubishi (Japan) | 2823 | 3,3 |
| 10 | IBM (USA) | 2510 | 2,9 |

Stand 1993; Quelle: Dataquest

| Chip: Geplante Investitionen in Europa | | | |
|---|---|---|---|
| Konzern | Investition (Mio DM)[1] | Land/Ort | Maßnahme |
| AMD | 2000 | Dresden | Chipwerkneubau |
| Digital Eqiupment | 163 | Schottland | Fabrikerweiterung |
| Intel Corporation | 1300 | Leixlip/Irland | Chipwerkneubau |
| Mitsubishi | 102 | Alsdorf | Fabrikerweiterung |
| NEC | 1700 | Schottland | Chipwerkneubau |
| Philips | 450 | Niederlande | Fabrikerweiterung |
| Siemens | 2800 | Dresden | Chipzentrumsgründung |
| Texas Instruments | 85 | Porto/Portugal | Fabrikerweiterung |

1) Ende 1994 geplant; Quelle: Focus, 29. 8. 1994

**Chip: Präsident der Intel Corporation**

**Andrew S. Grove**
* 1936 in Budapest/ Ungarn, Dr. Ing. 1967 Chef der Entwicklungsabteilung für Halbleiter der Fairchild Semiconductor Corporation, 1968 Eintritt in die Intel Corporation und Entwicklung der LSI Technologie, die es erlaubte, mehrere tausend Transistoren auf einem Chip zu installieren. 1994 war Intel der größte Chip-Hersteller der Welt.

durchschnittlich 15% steigern werden. Um leistungsfähigere C. produzieren zu können und die steigende Nachfrage zu befriedigen, müßten die Produzenten nach eigener Schätzung in diesem Zeitraum rd. 150 Mrd Dollar (211 Mrd DM) investieren. Größter Absatzmarkt 1994 waren die USA (Umsatz: rd. 33 Mrd Dollar, 46,5 Mrd DM).
**Europa:** Der europäische C.-Markt wuchs 1994 um ca. 30% auf 20 Mrd Dollar (28 Mrd DM). Größter C.-Lieferant war mit 2,6 Mrd Dollar (3,7 Mrd DM) Intel, gefolgt von Motorola (USA) und Siemens (Deutschland). Dominiert wurde der europäische Markt von US-amerikanischen und europäischen Herstellern, die größte Zuwachsrate erzielte jedoch mit 97% der koreanische Konzern Samsung (Umsatz: 1 Mrd Dollar, 1,4 Mrd DM).
**Marktführer:** Etwa 80% aller Personalcomputer (PC) waren Mitte der 90er Jahre mit C. der Intel Corporation ausgestattet, deren Umsatz 1994 das Vorjahresergebnis um 31% übertraf. Anfang 1995 stellte Intel den Nachfolger ihres bis dahin leistungsstärksten C., des Pentium, vor. Der P6, der Ende 1995 auf den Markt kommen soll, bietet mit 5,5 Mio Transistoren eine doppelt so große Arbeitsgeschwindigkeit wie der Pentium (3,1 Mio Bauteile). Er soll 300 Mio Instruktionen/sec ausführen können (Pentium: 150 Mio).
**Konkurrenz:** PC-Hersteller (z. B. Compaq) planten 1995, ihre Rechner z. T. mit Prozessoren anderer Hersteller wie AMD, Cyrix und NexGen (alle USA) auszustatten, um die marktbe-

herrschende Stellung von Intel zu brechen. Die PC-Produzenten warfen Intel vor, Preise und Abnahmemargen zu diktieren.
**Rechenleistung:** Nachdem im September 1994 Samsung das Muster eines 256-Mbit-C. vorgestellt hatte, teilten die Konzerne NEC und Hitachi (beide Japan) Anfang 1995 unabhängig voneinander die Entwicklung eines 1-Gigabit-C. mit (1 Gigabit = 1 Mrd bit). Beide Typen sollen um 2000 serienreif sein. Ein 256-Mbit-C. kann etwa 16 000 Schreibmaschinenseiten speichern, ein 1-Gigabit-C. ca. die vierfache Menge. 1995 hatten C. eine Speicherkapazität von 16 Mbit.
**Verkleinerung:** Die Mitte der 90er Jahre für die C.-Herstellung verwendete Licht-Lithografie kann die Leitungen auf einem C. auf 0,35 Mikrometer (1 Mikrometer = 0,001 mm) verkleinern. Für die Produktion von 1-Gigabit-C. darf die Bauteilgröße 0,18 Mikrometer nicht überschreiten. Mit der sog. Ionen-Lithografie, bei der statt mit Licht Strukturen mit Wasserstoff- oder Heliumionen auf eine Siliziumscheibe geätzt werden, kann diese Größe erreicht werden. Geforscht wurde Mitte der 90er Jahre an einem Verfahren, an bestimmten Stellen auf dem C. Atome und Moleküle zu positionieren, die Informationen durch ihre Eigenschwingung weiterleiten und die Leistungsfähigkeit von C. auf das Hundertfache der C. von 1995 erhöhen könnten.
→ Computer → Flash-Chip → PC → RISC

| Chip: Speicherkapazitäten | |
|---|---|
| Chip | Speicher (Seiten)[1] |
| 4 Kbit | 1/4 |
| 16 Kbit | 1 |
| 256 Kbit | 16 |
| 4 Mbit | 256 |
| 64 Mbit | 4 000 |
| 256 Mbit | 16 000 |

1) Schreibmaschinenseiten; Quelle: Dataquest

# Mit elektronischer Geldbörse zum gläsernen Bürger

Die Sorge um den Mißbrauch von Daten stand im Mittelpunkt der Diskussion um Chipkarten, die Mitte der 90er Jahre verstärkt eingesetzt wurden. Die Plastikkarten mit einem eingebauten Halbleiter (Kleinstcomputer bzw. Mikroprozessor) können als Ausweis, Datenträger und Bargeldersatz gleichzeitig genutzt werden. Als problematisch beurteilen Datenschützer die Möglichkeit, bei den Abrechnungsstellen große Datenmengen der Benutzer zusammenfließen zu lassen, aus denen ein Bewegungs- und Einkaufsprofil des Nutzers zusammengestellt werden könnte (sog. gläserner Bürger). Chipkarten ersetzten in Deutschland als sog. Krankenversichertenkarte ab 1994 Krankenscheine, als Telefonkarte konnte mit ihnen bargeldlos telefoniert werden. Erprobt wurde u. a. das elektronische Bezahlen mit Chipkarten in öffentlichen Verkehrsmitteln. Der Chip dieser sog. elektronischen Geldbörsen kann an einem Automat bei Banken wieder mit einer Geldsumme aufgeladen werden.

**Hohe Marktzuwächse prognostiziert:** Der Umsatz mit Chipkarten, die im Vergleich zu Magnetstreifenkarten (z. B. Eurochequekarte) mit ihrer vom Benutzer veränderbaren Identifikationsnummer (PIN) als fälschungssicher gelten, wird nach Ansicht der Hersteller von 1995 bis 2000 weltweit um 1500% auf rd. 3,4 Mrd DM steigen. Bis 2000 werden Prognosen zufolge europaweit rd. 1 Mrd Telefonkarten, 300 Mio Karten mit Krankendaten und 190 Mio Kundenkarten von Banken im Umlauf sein. Im Gegensatz zu anderen Bereichen der Mikroelektronik waren europäische Firmen führend in der Chipkartenherstellung. Den Markt beherrschten 1994 mit einem Anteil von zusammen 83% die Firmen Siemens (Deutschland) und SGS Thomson (Frankreich) sowie Motorola (USA). Etwa 90% aller Chipkarten wurden bis 1995 in Europa abgesetzt. In den USA und Japan wurden 1995 zumeist Magnetstreifenkarten genutzt.

**Kleinstcomputer in der Brieftasche:** Während die Krankenversicherten- und die Telefonkarte Speicherchips mit einer Kapazität von bis zu 64 000 Zeichen haben, verfügen multifunktional einsetzbare Karten über einen Mikroprozessor, der das Leistungsvermögen eines Personalcomputers besitzt, der Mitte der 80er Jahre hergestellt wurde (8-Bit-Prozessor). Ein Betriebssystem überprüft nach Eingabe der Geheimzahl die Zugangsberechtigung. Wie beim PC können neue Programme geladen werden.

**Vor- und Nachteile der Guthabenkarte:** Über ein Lesegerät und Datenfernübertragung kann eine Verbindung mit der Bank hergestellt werden, um elektronisch einen Betrag vom Konto nachzuladen (Guthabenkarte; Gegensatz: Kreditkarte). Beim Einkauf wird das Geld vom Händler abgebucht, die Wechselgeldrückgabe entfällt. Vorteil für die Banken ist, daß sie während der bargeldlosen Transaktionen weiter über das Geld verfügen können. Für den Kunden entfällt das Risiko, Falschgeld zu erhalten, und er verfügt durch die Wiederaufladbarkeit ständig über Zahlungsmittel. Im Ausland ist kein Umtausch nötig. Jedoch weiß der Kunde ohne Lesegerät nicht, welche Geldsumme noch auf der Karte geladen ist. Im Januar 1995 begann im Stuttgarter Raum erstmals ein Feldversuch mit multifunktionalen EC-Karten. Mit der Entwicklung sog. kontaktfreier Chipkarten wird z. B. beim Einstieg in öffentliche Verkehrsmittel das Fahrgeld abgebucht, ohne daß die Karte aus der Brieftasche genommen werden müßte. In Marburg wird ab Mai 1995 das Bezahlen mit Chipkarten im Nahverkehr getestet, ab 1996 soll das System für alle Fahrgäste eingeführt werden.

**Rechtliche und soziale Folgen unübersehbar:** Datenschützer warnten 1995 davor, daß bei multifunktionalen Karten niemand gewährleisten könne, daß beim Zugriff auf einzelne Daten andere unberechtigt mit eingesehen werden. Dies könne nur verhindert werden, wenn jede Anwendung mit einer Geheimzahl gesichert würde. Eine Vielzahl von Nummern können sich Nutzer jedoch nur schwer merken. Sozial Schwache, die nicht über ausreichende Kreditwürdigkeit verfügen, könnten stärker aus der Gesellschaft ausgegrenzt werden, ebenso alte Menschen, die sich ihre Geheimzahl nicht merken können oder mit der Technik nicht zurechtkommen. Auch müßten die Daten für den Verlustfall gespeichert werden. Hersteller versuchten 1995, mit einer sog. elektronischen Unterschrift Chipkarten vor Mißbrauch zu schützen.          (sim)
→ BahnCard → Chip → Datenschutz → E-Cash → Eurochequekarte → Girokonto

## Chirurgie, Minimal invasive

(invadere, lat.; eindringen, auch Schlüssellochchirurgie), Operationstechnik, bei der durch natürliche oder künstliche Öffnungen Röhrchen (sog. Trokare) ins Körperinnere geschoben werden, durch die der Chirurg mit seinen Instrumenten an die Operationsstelle vordringt. Mit C. werden große Schnitte und Narben sowie nachoperative Verwachsungen vermieden. Die Methode wurde 1994 vor allem für die Entfernung von Blinddarm und Gallenblase sowie für Bandscheiben- und Meniskusoperationen angewandt. Das Bundesministerium für Forschung (BMFT) fördert die Entwicklung neuer Verfahren der C. 1994–1997 mit jährlich 60 Mio DM.

**Operationstechnik:** Eine Lichtquelle mit Minivideokamera (sog. Endoskop), die Bilder auf einen Bildschirm überträgt, wird durch Trokare zur Operationsstelle vorgeschoben, wo sie der Orientierung des Chirurgen dient. Mit Hilfe eines speziellen Endoskops wird anstelle des zweidimensionalen Bildes ein dreidimensionaler Eindruck ermöglicht.

**Roboter als Operateure:** Im Kernforschungszentrum Karlsruhe (KfK) wurde Ende 1994 ein Roboter entwickelt, der die Minikamera im Körperinneren steuert und auf Sprachbefehle reagiert. Ein Chirurg kann die Operation allein ausführen. Fernziel ist es, auch die Instrumente vom Roboter steuern zu lassen. Der Arzt sieht das Körperinnere des Patienten dann durch eine an die Kamera und den Computer angeschlossene Brille dreidimensional und dirigiert den Roboter per Steuerknüppel (sog. Joystick).

**Vor- und Nachteile:** Da nur kleine Operationswunden zurückbleiben, hat der Patient weniger Schmerzen. Sein Aufenthalt in der Klinik wird wegen der schnelleren Heilung verkürzt, die Kosten werden gesenkt. Blutungen können die Sicht der Minikamera beeinträchtigen. Die Gefahr unbemerkter innerer Verletzungen ist groß.

## Chronische Müdigkeit

(Chronic Fatigue Syndrome, engl.; Chronisches Müdigkeitssyndrom), Krankheit, die ständige Müdigkeit und Schlafstörungen verursacht. Von C. waren Mitte der 90er Jahre 1,2 Mio–1,6 Mio Bundesbürger betroffen, weltweit 1,5% der Bevölkerung. Im August 1994 erkannte das Bundesgesundheitsministerium C. als Krankheit an, für 1995 wurde erwartet, daß sich die Krankenkassen zur Übernahme der Behandlungskosten bereit erklären.

**Symptome:** C. geht mit Kopf-, Gelenk- und Muskelschmerzen, Kribbeln und Zittern in den Gliedern, Atemnot, Fieber sowie Schwellungen der Lymphknoten einher. In manchen Fällen ist C. Vorläufer schwerwiegender Organerkrankungen überwiegend an Herz und Gehirn.

**Ursachen:** 1995 war die Entstehung ungeklärt. Als Ursache wurden Infektionen durch Viren und andere Mikroben wie Pilze angenommen. Auslöser waren Streß und Überlastung, die entstehen, weil Ruhebedürfnisse des Körpers in der modernen Arbeitswelt ignoriert werden. Das Düsseldorfer Institut für angewandte Immunologie führte CFS auf eine Schwächung des Immunsystems zurück, die durch Umweltbelastungen verursacht wird.

**Therapie:** CFS war 1995 nicht heilbar. Die in Düsseldorf entwickelte Behandlung zielt auf eine Stärkung des Immunsystems u. a. mit Produkten aus Abwehrzellen, Vitaminen und Mineralstoffen, die die Symptome lindern sollen. C. endet in den meisten Fällen nach unterschiedlicher Krankheitsdauer bis zu mehreren Jahren abrupt und ohne erkennbaren Grund.

## CIA

| | |
|---|---|
| **Name** | Central Intelligence Agency, engl.; Zentrale Nachrichtenbehörde |
| **Sitz** | Washington D. C./USA |
| **Gründung** | 1947 |
| **Direktor** | John Deutch (seit Mai 1995) |
| **Funktion** | Geheimdienst der USA |

**CIA: Direktor**

**John Deutch**
* 27. 7. 1938 in Brüssel/Belgien. 1946 US-Staatsbürger. In den 70er und 80er Jahren Professor am Massachusetts Institute of Technology. 1977–1980 im Energieministerium. 1994 stellvertretender Verteidigungsminister. Ab Mai 1995 CIA-Direktor.

| Computer: Bestand weltweit 1994 | |
|---|---|
| **Land** | **Computer (Mio)** |
| USA | 74,2 |
| Japan | 12,2 |
| Deutschland | 10,2 |
| Großbritann. | 9,4 |
| Frankreich | 7,4 |
| Kanada | 5,2 |
| Italien | 4,4 |
| Australien | 3,4 |
| Spanien | 3,1 |
| Niederlande | 2,1 |

Quelle: Computerwoche, 29. 7. 1994

## City-Maut

Elektronische Gebührenerhebung für Kfz, die in Innenstädte fahren. Die C. soll Stadtzentren vom Verkehr entlasten. Ein Gerät im Fahrzeug empfängt Funksignale von Satelliten und kann den Standort des Kfz bestimmen. Die Position wird einem Computer im Auto gemeldet, der geographische Daten mautpflichtiger Stadtbezirke und Gebührensätze gespeichert hat. Gebühren werden durch den Computer von einer Chipkarte abgebucht. Der Autofahrer kann die Chipkarte an Tankstellen und Bankautomaten aufladen. Einzelhändler befürchteten bei Einführung der C. eine Abwanderung von Kunden aus Innenstädten.
→ Autofreie Stadt → Chipkarte → Satelliten-Navigation → Verkehrs-Leitsystem

## Commonwealth

**Name** Commonwealth of Independent States (engl.; Völkergemeinschaft unabhängiger Staaten)

**Sitz** London

**Gründung** 1931

**Mitglieder** 53 Staaten

**Generalsekretär** E. Chukwuemeka Anyaoku/Nigeria (seit 1993)

**Ziel** Vereinigung Großbritanniens, Australiens, Neuseelands und ihrer ehemaligen Kolonien zur Förderung politischer, wirtschaftlicher und kultureller Zusammenarbeit

## Compuserve

→ Online-Dienste

## Computer

Als Zukunftsmarkt sahen C.-Hersteller Mitte der 90er Jahre die Integration von Ton, bewegten Bildern und Text in sog. multimedialen C., die die technischen Möglichkeiten von Telekommunikation, Unterhaltungselektronik und herkömmlichen Rechnerfunktionen verbinden. Auch arbeiteten die Produzenten an der immer stärkeren Verkleinerung von mobilen Rechnern (sog. Notebooks). 1994 wurden weltweit rd. 173 Mio C. eingesetzt, davon wurden ca. 43% in den USA betrieben. Den größten Anteil am C.-Umsatz (rd. 50%) hatte der Verkauf von Personalcomputern (PC).

**Technische Entwicklungen:** Die C.-Forschung konzentrierte sich Mitte der 90er Jahre auf folgende Bereiche:
▷ Rechner mit parallel arbeitenden Prozessoren (Parallelcomputer)
▷ C., die menschliche Fähigkeiten wie das Verstehen von Sprache, Entscheiden, Sehen oder Lernen nachahmen

| Computer: Virentypen |
|---|
| **Klassische Computerviren** |
| Zerstören den Datenspeicher oder überschreiben Festplatten mit sinnlosen Zeichen |
| **Trojanische Pferde** |
| Programme werden zugunsten des Virenproduzenten verändert, ohne den ordnungsgemäßen Ablauf zu beeinträchtigen |
| **Computerwürmer** |
| Beanspruchen durch ständiges Kopieren Speicherkapazität und Rechenzeit, so daß andere Operationen blockiert sind |

| Computer: Deutscher Markt | | | |
|---|---|---|---|
| **Computertyp** | **Umsatz 1994 (Mrd DM)** | **Veränderung zu 1993 (%)** | **Veränderung 1995 zu 1994 %)[1]** |
| Systeme ≥ 500 000 DM | 5,2 | –5,4 | –8,0 |
| Systeme 100 000–500 000 DM | 3,5 | +2,0 | +5,0 |
| Systeme ≤ 100 000 DM | 1,2 | +2,6 | +5,0 |
| Workstations | 1,5 | +3,5 | +3,0 |
| Personalcomputer | 9,1 | +7,5 | +9,0 |
| Sonstige (Prozeßrechner usw.) | 5,5 | +5,7 | +5,0 |
| Insgesamt | 26,0 | +3,0 | +4,0 |

1) Prognose; Computerwoche, 9. 12. 1994

## Computer: Firmenspitzen

**Louis V. Gerstner, IBM-Vorsitzender**
* 1. 3. 1942 in Mineola (New York/USA). 1993 Vorstandsvorsitzender des weltweit größten Computerherstellers IBM (Umsatz 1994: 64,1 Mrd Dollar, 90,3 Mrd DM).

**Heinrich von Pierer, Siemens-Vorsitzender**
* 26. 1. 1941 in Erlangen, Dr. jur. 1969 Eintritt in die Siemens AG, 1989 Mitglied des Zentralvorstands. 1993 Vorstandsvorsitzender des größten europäischen Computerherstellers.

können (Neurocomputer, künstliche Intelligenz)
▷ Dreidimensionale Computersimulationen (Cyberspace, engl.; virtuelle Realität)
▷ Neue Methoden zur Dateneingabe wie berührungsempfindliche Bildschirme, Datenhandschuhe mit elektronischen Meßfühlern (Sensoren) und Sensoren, die Gehirnströme des Benutzers zur C.-Steuerung messen.
**Einheitsstecker:** Anfang 1995 einigten sich führende C.-Hersteller, die Verkabelung von C. zu vereinfachen. Von 1996 an sollen an einen runden Einheitsstecker nicht nur Tastatur und Maus, sondern auch Drucker, Telefon und Scanner (Einlesegerät für Text und Bild) angeschlossen werden können (Universal Serial Bus). Bis zu 63 Zusatzgeräte sollen in Reihe geschaltet an eine Buchse angeschlossen werden können.
→ Betriebssystem → Chip → Datenautobahn → Multimedia → Netzwerk → Parallelcomputer → PC → Software → Virtuelle Realität

## Computeranimation

Darstellung von mehrdimensionalen bewegten Bildern mit Hilfe eines Rechners. C. wurde Mitte der 90er Jahre vor allem in Computerspielen, in der Werbung sowie in Spielfilmen (1994/95: „Forrest Gump") eingesetzt. 1994 wurde in Deutschland der Prototyp eines Fernsehstudios (ELSET) vorgestellt, das Dekorationen durch elektronische Bilder ersetzt.
**Filmeffekte:** Mit C. erzeugte Filmeffekte übertreffen die traditionelle Trickfilmtechnik in der Wirklichkeitstreue. C. ermöglicht die Verfremdung von Personen und Gegenständen der Filmhandlung sowie die nachträgliche Veränderung von Filmen. C. können Kulissen und Stunts ersetzen.
**Technik:** Für Filmsequenzen mit C. werden Objekte vom Laserstrahl eines Scanners (engl.; Laserabtastgerät) abgetastet, der dem Computer ein dreidimensionales Abbild übermittelt. Ein Programm ermöglicht die Veränderung von Farbe, Größe und Oberfläche des Objekts am Bildschirm und die Simulation von Bewegungsabläufen. Die Szenen werden ohne das Objekt gedreht und für die Bearbeitung im Computer digitalisiert. Filmszene und C. werden anschließend am Bildschirm kombiniert.
**ELSET:** ELSET arbeitet mit der sog. Blue-Box-Tricktechnik (engl.; Blauer Kasten). Statt Dekorationen ist nur ein blaugestrichener Raum nötig. Der Blauton wird durch eine elektronische

### Computeranimation: Filmtricks

| Typ/Eigenschaften |
| --- |
| **Mapping** (engl.; Ausfüllen): Das Füllen von Flächen mit Farben und Mustern, z. B. Gesichter, Kulissen etc. |
| **Morphing** (engl.; Verwandlung): Z. B. die Verwandlung einer Person in ein Tier |
| **Rendering** (engl.; Übersetzen): Die nachträgliche Veränderung von Oberflächen durch Licht und Schatten |
| **Tweening** (engl.; die kontinuierliche Verformung von Körpern): Z. B. eine 180°-Kopfdrehung |

Projektion des gewünschten Hintergrunds ersetzt. Zwar wurde die Technik bereits in alten Filmen eingesetzt, die Kamera mußte jedoch statisch bleiben, weil der eingeblendete gleichbleibende Hintergrund sonst aus verschiedenen Blickwinkeln gezeigt worden wäre. Bei ELSET ist an die Kamera ein Computer angeschlossen, der die künstliche Dekoration an die wechselnde Kameraposition anpaßt. Das System soll die Kosten für Studioproduktionen um 25–30% verringern.
→ Multimedia → Virtuelle Realität

### Computer, Mobile
→ Notebook

### Computerspiele

Bildschirmspiele, deren Spielfiguren mit einer Tastatur oder einem Steuerhebel (engl.: Joystick) bewegt werden. C. können mit tragbaren, etwa handflächengroßen Geräten mit Flüssigkristallbildschirmen (Gameboys, engl.; Spieljungen), mit Spezialcomputern (Spielkonsolen), die mit dem Fernseher verbunden werden, sowie mit PC gespielt werden. Im Jahr 2000 wird Prognosen zufolge weltweit mit Unterhaltungssoftware ein größerer Umsatz erzielt als mit PKW. 1994 stieg der Umsatz gegenüber dem Vorjahr um rd. 2% auf 13,5 Mrd £ (30,4 Mrd DM) an. Ursache war u. a. der hohe Kurs des japanischen Yen, der zu steigenden Preisen führte. Marktführer waren Nintendo und Sega (beide Japan).

**Fernsehkanal:** 1995 richtete Sega gemeinsam mit dem Medienkonzern Time Warner (USA) in zwölf US-amerikanischen Bundesstaaten einen Kabelfernsehkanal für C. ein. Die Kunden können für einen Monatsbetrag zwischen 12 und 15 Dollar (17–21 DM) C. abrufen. In Japan existiert bereits ab Ende der 80er Jahre ein Spielekanal.

**Vergnügungsparks:** Sega plante 1995 weltweit 100 elektronische Vergnügungsparks nach Vorbild des Anfang der 90er Jahre eröffneten Joypolis in Yokohama (Japan, Baukosten: rd. 70 Mio DM). Mit Spezialbrillen ausgestattete Besucher werden z. B. in ein simuliertes Raumschiff versetzt. Eine Kabine setzt sich in Bewegung, so daß der Besucher das Gefühl hat, an einem Raumflug teilzunehmen.

**Spracherkennung:** Für Ende 1995 kündigte Nintendo neue Geräte für C. an, die mit 64-Bit-Prozessoren anstatt der 1994 üblichen 16-Bit-Chips ausgestattet sind. Die höhere Rechenleistung soll es u. a. ermöglichen, die Spielfiguren mittels gesprochener Befehle zu steuern anstelle manueller Kontrolle.
→ Spielsucht → Spracherkennungs-Software → Video → Virtuelle Realität

### Computerzeitung
→ Elektronische Medien

### Contracting

(contract, engl.; Vertrag), Drittfinanzierung von Energiesparmaßnahmen. Projekte, z. B. eine moderne Heizungsanlage, werden von einem Contractor finanziert, in Deutschland i. d. R. von Energieversorgern. Je nach Vertragsausgestaltung wird auch Planung, Bauausführung und Betrieb übernommen. Der Kunde zahlt die eingesparten Energiekosten an den Contractor, z. B. über einen unveränderten Strompreis, bis die Investition ausgeglichen ist. C. ist häufig billiger als die Kreditfinanzierung von Energiesparmaßnahmen. Bei einem EU-weiten Einsatz von C. im öffentlichen Bereich verspricht sich die Europäische Kommission eine Verringerung des Energieverbrauchs um 11%.

In Deutschland wird C., das seit den 80er Jahren in den USA praktiziert wird, vor allem von Kommunen, Industrie und Gewerbe wahrgenommen. Als Vermittler treten z. T. die Energieagenturen der Bundesländer (Anzahl Mitte 1995: zwölf) auf, die vor allem Unternehmen und Gemeinden beim Energiesparen beraten. Im Januar 1995

vereinbarten die Stadt Frankfurt/M. und der Stromversorger PreussenElektra bis 2000 C.-Projekte in Höhe von rd. 2 Mio DM. Frankfurt/M. will den Kohlendioxidausstoß bis 2010 gegenüber 1987 um die Hälfte reduzieren.
→ Energieverbrauch → Kraftwerke

## CO₂-Steuer

→ Energiesteuer

## CSU

**Name** Christlich-Soziale Union
**Gründung** 1945/46
**Mitglieder** 175 600 (Januar 1995)
**Vorsitz** Theo Waigel (seit 1988)
**Ausrichtung** Christlich-konservativ

Die Schwesterpartei der CDU, die nur in Bayern vertreten ist, erreichte im September 1994 bei der Landtagswahl 52,8% der Stimmen (1990: 54,9%). Seit 1966 regiert die CSU mit absoluter Mehrheit (Ministerpräsident ab 1993: Edmund Stoiber). 1996 stehen in Bayern Kommunalwahlen an.
**Bundestag:** Bei der Bundestagswahl vom Oktober 1994 entfielen auf die CSU 51,2% der Zweitstimmen (Anteil bundesweit: 7,3%). Sie erhielt 44 von 45 möglichen bayerischen Direktmandaten. Die CSU bildet eine Fraktionsgemeinschaft mit der CDU. Ihre Landesgruppe stellt 50 Abgeordnete (Vorsitz ab 1993: Michael Glos).
**Mitglieder:** Mit der Möglichkeit, in der CSU mitzuarbeiten, ohne Mitglied zu sein (sog. Schnuppermitgliedschaft, ab 1995), und der Erhöhung des Frauenanteils (Anfang 1995: 15,8%) will die CSU ihre Attraktivität erhöhen. 1991–1994 ging die Zahl der CSU-Mitglieder um 5,3% zurück (Junge Union: –14,6%). Mitte 1995 waren von vier stellvertretenden Vorsitzenden zwei Frauen, sie stellten jedoch keinen Bezirksvorsitzenden und nur vier von 108 Kreisvorsitzenden. Nur ein Drittel der CSU-Frauen-Union (rd. 26 000 Mitglieder, Vorsitz: Gerda Hasselfeldt) gehörte der Partei an.

**Positionen:** Anfang 1995 forderte Ministerpräsident Stoiber aus Kostengründen die Auflösung der Arbeitsgemeinschaft der Rundfunkanstalten Deutschlands (ARD) bei gleichzeitiger Stärkung der Regionalsender. In der Energiepolitik trat die CSU für den Neubau von Atomkraftwerken und die schrittweise Abschaffung der Subventionen für die deutsche Steinkohle ein. Sie lehnte eine doppelte Staatsbürgerschaft und und eine Amnestie für SED- und Stasi-Straftaten ab. Zu einem Schwerpunkt ihrer Politik bestimmte die CSU die Förderung von Familien über Steuererleichterungen (Existenzminimum), die Erhöhung von Kinderfreibetrag und Kindergeld (Familienlastenausgleich) sowie die finanzielle Förderung von Wohneigentum. Der CSU-Vorsitzende, Bundesfinanzminister Theo Waigel, stellte für 1998 eine Abschaffung des Solidaritätszuschlags in Aussicht.
→ Parteienfinanzierung → Wahlen

## CVP

**Name** Christlich-Demokratische Volkspartei
**Land** Schweiz
**Gründung** 1912
**Mitglieder** Rd. 80 000 (Mitte 1995)
**Präsident** Anton Cottier (seit 1994)
**Ausrichtung** Christlich-konservativ

Die in der katholischen Innerschweiz beheimatete CVP bildet seit 1959 gemeinsam mit FDP, SPS und SVP die Schweizer Regierung, den Bundesrat. Sie stellt mit Flavio Cotti (Äußeres) und Arnold Koller (Justiz) zwei der sieben Minister. Bei den 23 kantonalen Wahlgängen seit der Nationalratswahl 1991 verlor die CVP insgesamt 49 von 732 Parlamentssitzen, darunter bei Wahlgängen in Basel-Landschaft, Luzern und Zürich (1995) neun Sitze. Schwerpunkte im Wahlkampfprogramm der Partei für die Nationalratswahl am 22. 10. 1995 sind die stärkere Förderung von Frauen innerhalb der Partei und eine Betonung der christlichen Orientierung. Hauptthemen sind

**CSU: Generalsekretär**

**Bernd Protzner**
* 23. 8. 1952 in Kulmbach, Dr. phil. 1980–1990 Studienrat im Hochschuldienst, ab 1978 Kreisrat, 1987–1990 stellvertretender Landrat, 1990 und 1994 Wahl in den Deutschen Bundestag, ab Dezember 1994 als Nachfolger von Erwin Huber CSU-Generalsekretär.

**CVP: Nationalratswahlergebnisse**

| Jahr | Stimmenanteil (%) |
|---|---|
| 1979 | 21,5 |
| 1983 | 20,6 |
| 1987 | 20,0 |
| 1991 | 18,3 |

innere Sicherheit, Förderung der Familie und Stärkung der Wirtschaft. Die Schweizer Christdemokraten traten für eine Erhöhung der Zahl der Bundesräte von sieben auf elf ein.

Im Februar 1995 legte die CVP ein Konzept zur Ausländerpolitik vor. Kernpunkte waren die Vereinheitlichung des Aufenthaltsrechts in der Schweiz, der freie Personenverkehr mit der EU und die Bekämpfung der Fluchtursachen von Ausländern aus ihrer Heimat mit den Mitteln der Entwicklungspolitik. Die Zuwanderung von Arbeitskräften aus Staaten, die nicht der EU oder dem EWR angehören, soll erschwert werden.

## Cyberspace

→ Virtuelle Realität

# D

## DAG

**Name** Deutsche Angestellten-Gewerkschaft
**Sitz** Hamburg
**Gründung** 1949
**Mitglieder** 520 709 (Stand: 1994)
**Vorsitzender** Roland Issen (seit 1987)
**Funktion** Zusammenschluß aller Angestellten in Deutschland auf demokratischer Grundlage

→ Gewerkschaften

## Datenautobahn

→ Übersichtsartikel S. 109

## Datenfernübertragung

→ Datenautobahn

## Datenschutz

Zum D. zählen der Schutz der persönlichen Daten des einzelnen (z. B. Adresse, Krankengeschichte) sowie die Garantie der Sicherheit von Daten wie z. B. Geheimzahlen für Euro-

cheque-Karten. Wegen der wachsenden Zahl der Anschlüsse von Computern an globale Datennetze und dem Einsatz von sog. multifunktionalen Chipkarten gewann der D. Mitte der 90er Jahre an Bedeutung. Im Februar 1995 verabschiedete der EU-Ministerrat eine Richtlinie, die die Regeln für den D. in den Mitgliedstaaten vereinheitlicht. Die Richtlinie soll den grenzüberschreitenden Datenaustausch ermöglichen, der bis dahin wegen verschiedener Vorschriften der EU-Mitglieder erschwert wurde. Die Vorschriften müssen innerhalb von drei Jahren von den EU-Staaten in nationales Recht umgewandelt werden.

**Datensicherheit:** Die Zahl der Computerstraftaten stieg 1993 gegenüber dem Vorjahr weltweit um rd. 17% auf 14 000 an. Neue Techniken wie das Bezahlen von Waren im Internet mit einer persönlichen Geheimzahl (E-Cash) machen aufwendigere Verfahren zur Verschlüsselung von Daten notwendig. In den USA wurde 1994 ein Mikroprozessor, der sog. Clipper-Chip, entwickelt, der Daten automatisch ver- und entschlüsselt.

# Vision vom globalen Dorf scheitert noch an Technik

Mitte der 90er Jahre wurde die Bezeichnung Datenautobahn (auch Information Highway) für fast jedes Netz zur Fernübertragung von Sprache, Bild, Text und Ton wie das digitale Telefonnetz (ISDN) oder für die weltumspannende Computerdatenbank Internet benutzt. Auf der Datenautobahn sollen digitalisierte Informationen transportiert werden, jeder soll jederzeit Zugriff auf alle möglichen Informationen haben. Für den Datentransport existierte jedoch weltweit bis Mitte 1995 kein flächendeckendes Kabel- oder Telefonleitungsnetz, das die Voraussetzungen für eine Datenautobahn erfüllt (z. B. hohe Übertragungsraten, Schnelligkeit). Von 1994 bis 1996 waren weltweit 90 Pilotprojekte für den Aufbau von Datenautobahnen für Privatanwender geplant, davon sechs in Deutschland. Der Information Highway ist die Voraussetzung für Multimedia, der Verbindung von Telekommunikation, Computertechnik und Unterhaltungselektronik, sowie für den Aufbau einer weltumspannenden Informationsgesellschaft, dem sog. globalen Dorf.

**Riesiger Markt prognostiziert:** Der Anteil von Telekommunikationsdiensten am Bruttosozialprodukt wird in Deutschland 2005 Schätzungen zufolge so hoch liegen wie Mitte der 90er Jahre der der wirtschaftlich erfolgreichsten Branche, der Automobilindustrie. Telearbeiter können daheim arbeiten, wenn sie über eine Datenleitung mit der Firma verbunden sind, Informationen können weltweit aus Datenbanken abgerufen werden. Über die Datenautobahn soll der Nutzer sein Fernsehprogramm selbst bestimmen sowie in Filme und Shows von zu Hause aus eingreifen können (sog. interaktives Fernsehen). Er kann vom Bildschirm aus einkaufen (Teleshopping) und mit anderen Menschen kommunizieren.

**Technische Grenzen:** Über das analoge Telefonnetz konnten 1995 mit einem Personalcomputer und einem Modem, das analoge in digitale Informationen umwandelt, rd. 14 400 Bit/sec übertragen werden. Dies entspricht etwa einer halben Schreibmaschinenseite. Im digitalen ISDN-Netz lassen sich ca. 64 000 Bit/sec transportieren (ca. zwei Schreibmaschinenseiten). Eine Bild- oder Filmübertragung erfordert jedoch höhere Übertragungsraten, wie sie z. B. über Glasfaserkabel möglich sind (1995: 2,5 Gigabit/sec; Gigabit = 1 Mrd Bit). Diese Rate ermöglicht die Übermittlung von 82 000 Schreibmaschinenseiten/sec. In Deutschland waren Mitte 1995 rd. 90 000 km Glasfaserkabel verlegt, doch hatten fast nur Geschäftskunden einen Anschluß. Ein Anschluß mit einer Übertragungsrate von 3 Mbit/sec 1995 kostete rd. 360 000 DM/Jahr, was ihn für Privatkunden uninteressant machte. Für die Kommunikation z. B. beim interaktiven Fernsehen ist außerdem ein sog. Rückkanal für die Zweiwege-Kommunikation nötig.

**Methoden der Datenübertragung:** Als die zukunftsträchtigste Technik für die Datenübertragung wurde Mitte 1995 die asynchrone Übertragung (ATM) angesehen, die die nötige Leistung von kleinen Bandbreiten für Telefongespräche bis zu großen für Bilder oder Filme innerhalb eines Netzes je nach Bedarf bereitstellt. Voraussetzung für ATM war ein digitales Breitbandnetz (B-ISDN), dessen Aufbau in Deutschland mit einem Pilotprojekt 1994 begonnen wurde (Kosten: rd. 250 Mio DM). Geklärt war nicht, ob das Endgerät für die Datenautobahn ein PC oder ein Fernseher sein soll. Für den PC sprach u. a. die digitale Datenverarbeitung, für den Fernseher die hohe Verbreitung. Während nur 25% der Haushalte in Deutschland über einen PC verfügten, besaßen 90% einen oder mehrere Fernseher. Privatunternehmen bemängelten, daß sie bis zur Aufhebung des Netzmonopols der Deutschen Telekom AG 1998 kaum eine Chance hätten, eigene Netze für die Datenautobahn zu testen und deshalb den Anschluß an die internationale Konkurrenz verlören.

**Weltweite Informationsgesellschaft:** Die sieben größten Industriestaaten (G 7) einigten sich im Februar 1995 auf Grundsätze, die die Offenheit der weltweiten Informationsgesellschaft garantieren sollen. Alle Bürger sollen gleiche Chancen und Rechte beim Zugriff auf Informationen haben, geistiges Eigentum soll urheberrechtlich geschützt werden, die Datennetze sollen untereinander zugänglich sein. Die G 7 planten die Einrichtung einer Datenbank, die Projekte für die Entwicklung der Informationsgesellschaft erfaßt. (sim)

→ Glasfaserkabel → Internet → Interaktives Fernsehen → Internet → Multimedia → Telekommunikation → Video on demand

**Chipkarten:** D.-Experten warnten, Chipkarten multifunktional einzusetzen (z. B. beim Einkauf, als Ausweis oder Krankenkarte), weil dadurch ein detailliertes Bewegungs- und Konsumprofil des Karteninhabers entstehe. Die Daten könnten beim Ausgeber der Karten zentral gesammelt werden; ein Mißbrauch (z. B. Verkauf von Daten) wäre nicht ausgeschlossen. Beim Einsatz von Plastikgeld sollten wiederaufladbare Chipkarten ohne persönliche Daten verwendet werden.
→ Chipkarte → E-Cash → Hacker → Internet → Hacker

licht z. B. die Auswahl von Diensten mit der Computermaus anstatt der Zahleneingabe über Tastatur sowie eine Übertragung von Bildern und kurzen Videosequenzen. Die KIT-Software kostete 1995 rd. 10 DM. D. soll bis Ende 1995 bundesweit zum Ortstarif mit einer Datenübertragungsgeschwindigkeit von 14 400 Bit/sec (bis dahin: 2400 Bit/sec) zur Verfügung stehen. Die größere Geschwindigkeit ist die Voraussetzung für die Nutzung von KIT.
→ Internet → Online-Dienste → Telekom

| Datex J: Nutzungsgebühren | |
|---|---|
| **Leistung** | **Kosten (DM)** |
| Anschluß | 50,00 |
| Grundgebühr/Monat | 8,00 |
| Verbindung/min | |
| Normaltarif[1] | 0,06 |
| Billigtarif | 0,02 |
| Übermittlung pro Seite | 0,30 |

Stand: Mitte 1995; 1) werktags von 8 bis 18 Uhr; Quelle: Telekom

## Datex J

Kommunikationsdienst der deutschen Telekom AG, bei dem Texte, Daten und Grafiken über die Telefonleitung übertragen und mit einem Zusatzgerät (Modem oder Decoder) auf einem Bildschirm sichtbar gemacht werden. 1994 wuchs die Zahl der D.-Teilnehmer um 43% auf 700 000 (Mitte 1995: 750 000). Damit war D. der Online-Dienst (engl.; am Netz) in Deutschland mit den meisten Teilnehmern. Die Telekom erwartete, daß sich Gewinne und Verluste bei D. 1996 erstmals ausgleichen. Geplant war, D. Ende 1995 in Telekom-Online umzubenennen (1984 bis 1993: Btx) .

**Nutzung:** D. bietet neben dem Zugriff auf zentral gespeicherte Daten der Telekom (z. B. elektronisches Telefonbuch) die Möglichkeit, elektronische Post zu verschicken, per Bildschirm einzukaufen (Teleshopping) oder die Bankgeschäfte von zu Hause aus zu erledigen (sog. Home- oder Telebanking). Ende 1995 soll D. den Nutzern als zusätzlichen Dienst einen Zugriff auf den größten Online-Dienst der Welt, das Internet, eröffnen. 85% der Anwender nutzten D. mit ihrem PC, 15% mit einem Fernseher.

**KIT:** Eine Ende 1994 erstmals angebotene grafisch gestaltete Bildschirmoberfläche (Kernsoftware für Intelligente Terminals, KIT) soll die Nutzung von D. vereinfachen. KIT ermög-

## DBB

**Name** Deutscher Beamtenbund
**Sitz** Bonn
**Gründung** 1918 (Neugründung 1949)
**Mitglieder** 1 089 213 (Stand: 30. 9. 1994)
**Vorsitzender** Werner Hagedorn (seit 1987)
**Funktion** Organisation zur Vertretung und Förderung berufsbedingter politischer, rechtlicher und sozialer Belange der Einzelmitglieder der Mitgliedsverbände

→ Gewerkschaften

## DCC

Digital Compact Cassette → CD

## DDR-Unrecht

→ Regierungskriminalität

## Derivate

Finanzprodukte, deren Wert vom Preis eines oder mehrerer zugrundeliegender Vermögenswerte abgeleitet wird (Wertpapiere, Indizes, z. B. der Dow Jones, Rohstoffe, Zinsen oder Währungen). D. werden an der Börse oder außerbörslich gehandelt (engl.: over the counter, OTC; am Schalter, auch Freiverkehr). Zwei Drittel sind Zins-D. Anfang 1995 führten Fehlspekulationen des britischen Börsenhändlers Nick Leeson in Singapur mit D. zum Bankrott der Londoner Privatbank Baring Brothers (Verluste: 916 Mio £,

2,1 Mrd DM). Die veröffentlichen Verluste mit D. betrugen 1994 weltweit rd. 10 Mrd Dollar, 14 Mrd DM).

**Prinzip:** Grundtypen der D. sind Optionen und Termingeschäfte, mit denen der Inhaber das Recht bzw. die vertragliche Verpflichtung erwirbt, Basiswerte zu einem bestimmten Termin und zu einem im voraus festgelegten Preis zu kaufen oder zu verkaufen. Sie dienen Anlegern und Banken zur Absicherung von Vermögen oder Geschäftsrisiken gegen Kursschwankungen (hedging, engl.; absichern), z. B. bei Auslandsinvestitionen bzw. -krediten, und zu Spekulationszwecken. Die Spekulation mit D. gilt als risikoreicher bzw. ist mit höheren Gewinnmargen verbunden als Wertpapiergeschäfte. Kursschwankungen auf dem Aktienmarkt werden überproportional an die Preise für D. weitergegeben (sog. Hebeleffekt).

**Baring-Affäre:** Der Baring-Angestellte Leeson kaufte an den Börsen von Singapur und Osaka/Japan Terminkontrakte mit einem zugrundeliegenden Wert von rd. 27 Mrd Dollar (38 Mrd DM) und spekulierte auf einen steigenden Nikkei-Aktienindex. Da dieser jedoch ebenso wie die japanischen Aktienkurse infolge des Erdbebens von Kobe im Januar 1995 fiel, mußte Leeson als Sicherheitsleistung die Differenz zwischen Kontraktpreis und dem tatsächlichen Nikkei-Index ausgleichen. Seine Gegengeschäfte mit Verkaufsoptionen auf die Index-Kontrakte an Baring erhöhte die Verluste. Diese überstiegen im Februar 1995 Eigenkapital und Reserven der Bank sowie ihre finanziellen Verpflichtungen aus den Termingeschäften. Baring

wurde unter Zwangsverwaltung gestellt und im März 1995 an die niederländische Bankengruppe ING verkauft.

**Kontrolle:** Der Basler Ausschuß bei der Bank für Internationalen Zahlungsausgleich, dem Bankenaufsichtsbehörden der zehn wichtigsten Industriestaaten angehören, schlug im April 1995 vor, für Banken bis 1998 international gültige Standards zur Risikoabdeckung von Geschäften mit D. aufzustellen. Verluste sollen mit ausreichend Eigenkapital abgesichert, die Positionen täglich überprüft werden. Ende 1994 hatte eine Untersuchung ergeben, daß nur 43% der Kreditinstitute regelmäßig eine Analyse des Marktrisikos ihrer D.-Positionen durchführen. Unternehmen, die ihre Jahresabschlüsse nach den Regeln des International Accounting Standards Committee (IASC, London) aufstellen wollen, müssen ab 1996 in ihren Geschäftsbe-

---

## Derivate: Termingeschäfte im Überblick

**Forward:** Klassisches Termingeschäft. Kontrakt, der eine Partei zum Kauf, die andere zum Verkauf eines Produkts zu einem bestimmten Preis und festgelegten Termin verpflichtet (außerbörslich).

**Future:** Auch Finanzterminkontrakt. Vertrag, Basiswerte, z. B. Aktien, zu einem im voraus festgelegten Preis und Zeitpunkt an der Börse zu kaufen oder verkaufen. Beim Abschluß der Transaktion braucht nicht der volle Marktpreis, sondern nur ein bestimmter Prozentsatz des Kontraktwertes (Einschuß, engl.: margin) gezahlt werden. Finanz-

terminkontrakte werden i. d. R. nicht physisch erfüllt.

**Option:** Recht, z. B. Wertpapiere, Devisen oder Indizes gegen Zahlung einer Prämie zu einem vereinbarten Kurs zu kaufen (Call) oder zu verkaufen (Put). Das Recht kann innerhalb eines festgelegten Zeitraums oder zu einem bestimmten Termin ausgeübt werden (Börse und außerbörslich).

**Swap:** Tauschgeschäft (außerbörslich von Banken vermittelt) zur Absicherung von Zins- und Währungsrisiken, z. B. werden festverzinsliche Anleihen gegen variabel verzinsliche getauscht.

---

## Derivate: Verhaftung Leeson

Der britische Börsenhändler Nick Leeson saß Mitte 1995 in Frankfurt/M. in Auslieferungshaft. Die Singapurer Behörden warfen ihm u. a. Untreue, Betrug und Urkundenfälschung vor. Seine Fehlspekulationen hatten zur Pleite der Barings-Bank geführt. Die britische Bankenaufsicht stellte schwere Versäumnisse von Barings bei der Kontrolle ihrer Derivategeschäfte und bei Transaktionen der Zentrale mit Singapun in rechtswidriger Höhe fest.

---

## Derivate: Umsatz an Deutscher Terminbörse

| Produkte | Grundlage | Umsatzanteil (%) |
|---|---|---|
| Bund-Futures[1] | Bundesschuldverschreibungen | 48 |
| DAX-Futures und DAX-Optionen | Deutscher Aktienindex (DAX) | 22 |
| Bobl-Futures[2] | Bundesschuldverschreibungen | 19 |
| Fibor-Futures | Inter-Banken-Zins | 6 |
| Aktienoptionen, Sonstige | Standardaktien | 5 |

Stand: 1994; 1) Laufzeit: 8,5–10 Jahre; 2) Laufzeit: 3,5–5 Jahre; Quelle: DTB

richten ihre Transaktionen mit D. aufführen.

**Umfang:** Das Volumen der D.-Geschäfte wurde Anfang 1995 weltweit auf etwa 35 000 Mrd Dollar (49 000 Mrd DM) geschätzt. 1994 wurden etwa 45% mehr D. gehandelt als 1993. Zwei Drittel der D. werden außerbörslich direkt zwischen Banken, Finanz- und anderen Unternehmen gehandelt. Die Teilnahme am OTC-Markt ist weniger Regeln und behördlichen Kontrollen unterworfen als an der Börse. Nach Angaben der Deutschen Bundesbank überstieg 1994 der Nominalwert der bei deutschen Kreditinstituten ausstehenden D.-Geschäfte (inkl. Devisentermingeschäfte) deren Bilanzsumme um 132%, bei US-Banken z. T. um das Zehnfache. In der EU wird der Umfang der D.-Geschäfte nicht in ihrer Bilanz ausgewiesen. In den USA war der D.-Handel auf sieben Banken und fünf Wertpapierhäuser konzentriert.

→ Dollarkurs → Terminbörse

## Desertifikation

(lat.; Verwüstung), die vom Menschen verursachte Ausdehnung wüstenartiger Regionen betrifft die Randzonen bereits vorhandener Wüsten in den Entwicklungsländern, aber auch Gebiete in den USA und Europa. Bis 2000 droht ein Drittel der Landfläche der Erde (52 Mio km$^2$) Wüste zu werden oder zu versteppen. Für 900 Mio Menschen würde mit dem Verlust fruchtbaren Bodens auch ihre Lebensgrundlage verlorengehen. Nach Schätzungen des Umweltprogramms der UNO (UNEP) verursachte D. Anfang der 90er Jahre jährliche wirtschaftliche Verluste in Höhe von 26 Mrd DM.

**Ursachen:** Hauptgrund für D. ist neben natürlichen Faktoren wie eine geringe Niederschlagsmenge (unter 600 mm pro Jahr) mit 62% die Landwirtschaft. Durch intensiven Ackerbau wird der Boden ausgelaugt, Viehherden vernichten die Vegetation. Die Erde wird von Wind und Regen abgetragen, weil

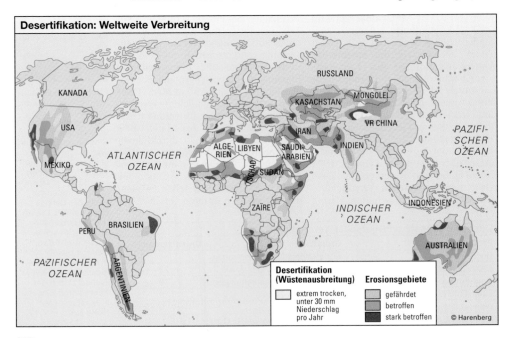

**Desertifikation: Weltweite Verbreitung**

Desertifikation (Wüstenausbreitung)
□ extrem trocken, unter 30 mm Niederschlag pro Jahr

Erosionsgebiete
gefährdet
betroffen
stark betroffen

© Harenberg

sie nicht von Wurzeln zusammengehalten wird. Wälder werden abgeholzt, um neue Weideflächen zu schaffen.

**Bekämpfung:** Vertreter von 87 Ländern unterzeichneten im Oktober 1994 die vier Monate zuvor verabschiedete UNO-Konvention gegen die Ausbreitung von Wüsten. Das Dokument, dessen Ausarbeitung auf dem Umweltgipfel von Rio de Janeiro/Brasilien 1992 beschlossen worden war, setzt Rahmenbedingungen für nationale Programme gegen die Versteppung von Trockengebieten und die Wüstenausbreitung. Es kann in Kraft treten, wenn es 50 Länderparlamente gebilligt haben. Die Konvention sieht u. a. vor, Technologien zwischen Industrie- und Entwicklungsländern auszutauschen.
→ Aralsee → Entwicklungsländer → Tropenwälder

## DGB

| | |
|---|---|
| **Name** | Deutscher Gewerkschaftsbund |
| **Sitz** | Düsseldorf |
| **Gründung** | 1949 |
| **Mitglieder** | 9,8 Mio (Stand: 1994) |
| **Vorsitzender** | Dieter Schulte (seit 1994) |
| **Funktion** | Dachorganisation für 16 Einzelgewerkschaften |

Der Mitgliederschwund setzte sich 1994 beim DGB fort, dessen Mitgliederzahl 1991–1994 um rd. 2 Mio auf 9,8 Mio sank. Den stärksten Rückgang im Vergleich zu 1993 verzeichneten die Einzelgewerkschaften Textil-Bekleidung sowie Leder und Holz. Der Dachverband führte den Rückgang auf die hohe Erwerbslosigkeit zurück. Arbeitslose würden häufig aus der Gewerkschaft austreten, um den Mitgliedsbeitrag zu sparen.

**Finanzielle Defizite:** Wegen sinkender Beiträge entstanden dem DGB 1994 Mindereinnahmen in dreistelliger Millionenhöhe. Die IG Metall war mit einem Minus von 60 Mio DM die am stärksten betroffene Einzelgewerkschaft. Der DGB plante 1995, bundesweit rd. 300 der insgesamt 2600 Stellen abzubauen. Der HBV-Vorstand schlug seinen Beschäftigten einen

### DGB: Neue Gewerkschaftsvorsitzende

**Herbert Mai, Vorsitzender der ÖTV**
* 5. 9. 1947 in Dalheim-Rödgen. 1982 Bezirksvorsitzender in der ÖTV Hessen. Ab Februar 1995 als Nachfolger von Monika Wulf-Mathies Vorsitzender der ÖTV.

**Margret Mönig-Raane, HBV-Vorsitzende**
* 3. 6. 1948 in Schmallenberg. 1993 kommissarischer Vorsitz der Gewerkschaft Handel, Banken und Versicherungen. 1995 im Amt bestätigt.

**Hubertus Schmoldt, IG Chemie-Vorstand**
* 14. 1. 1945 in Posen. Designierter Nachfolger des im September 1995 ausscheidenden Vorsitzenden der Industriegewerkschaft Chemie, Hermann Rappe.

dreijährigen Lohnverzicht in Höhe von 10% vor, um weitere Entlassungen zu vermeiden. Durch die Schließung von Bezirksvertretungen und die Bildung von Bürogemeinschaften wurden Verwaltungskosten gesenkt. Eine Fusion der IG Bau-Steine-Erden mit der Gewerkschaft Gartenbau war für November 1995 geplant. Die Einzelgewerkschaften Chemie, Papier, Keramik sowie Bergbau und Leder strebten für September 1997 eine Vereinigung an.

**Kompetenzstreitigkeiten:** 1994 stritten die Gewerkschaften des DGB um die Interessenvertretung in Wirtschaftsbereichen. IG Chemie und IG Bau betrachteten sich beide als Ansprechpartner für die Beschäftigten im Bereich Umwelt. ÖTV, IG Metall und IG Chemie erhoben Anspruch auf die Arbeiter und Angestellten der Entsorgungswirtschaft. Für die neuen Multimedia-Dienstleistungsberufe erklärten sich sowohl die ÖTV als auch die IG Medien und die Gewerkschaft Handel, Banken und Versicherungen zuständig. → Tabelle S. 114
→ Arbeitszeit → Gewerkschaften → Streikparagraph → Tarifverträge

### DGB: Vorsitzender

**Dieter Schulte,**
* 13. 1. 1940 in Duisburg. 1990 Wahl zum Vorsitzenden des Gesamtbetriebsrats der Thyssen Stahl AG. 1991 Berufung in den Thyssen-Aufsichtsrats und den IG-Metall-Vorstand. Ab 1994 Vorsitzender des Deutschen Gewerkschaftsbundes.

| DGB: Mitglieder in den Einzelgewerkschaften | | |
|---|---|---|
| Gewerkschaft | Vorsitz | Mitglieder |
| IG Metall | Klaus Zwickel | 2 995 738 |
| Gew. Öffentliche Dienste, Transport u. Verkehr (ÖTV) | Herbert Mai | 1 877 651 |
| IG Chemie, Papier, Keramik | Hermann Rappe | 742 367 |
| IG Bau-Steine-Erden (BSE) | Bruno Köbele | 652 964 |
| Deutsche Postgew. (DPG) | Kurt van Haaren | 546 906 |
| Gew. Handel, Banken u. Versicherungen (HBV) | Margret Mönig-Raane | 545 270 |
| Gew. der Eisenbahner Deutschlands (GdED) | Rudi Schäfer | 423 163 |
| IG Bergbau u. Energie | Hans Berger | 390 000 |
| Gew. Nahrung-Genuß-Gaststätten (NGG) | Franz-Josef Möllenberg | 336 239 |
| Gew. Erziehung u. Wissenschaft (GEW) | Dieter Wunder | 316 196 |
| Gew. Textil-Bekleidung (GTB) | Willi Arens | 234 240 |
| IG Medien, Druck u. Papier | Detlef Hensche | 215 155 |
| Gew. der Polizei | Hermann Lutz | 197 482 |
| Gew. Holz u. Kunststoff (GHK) | Gisbert Schlemmer | 179 678 |
| Gew. Gartenbau, Land- u. Forstwirtschaft (GLF) | Hans-Joachim Wilms | 90 281 |
| Gew. Leder | Werner Dick | 25 043 |

Mitgliederstand zum 31. 12. 1994; Quelle: DGB

## Diabetes

(eigentl. Diabetes mellitus, auch Zuckerkrankheit), Störung des Fett-, Kohlehydrat- und Eiweißstoffwechsels, die durch die Zerstörung von insulinbildenden Zellen in der Bauchspeicheldrüse (Typ I) ausgelöst wird oder im Alter durch zunehmende Resistenz des Körpers gegen eigenproduziertes Insulin (Typ II) entsteht. D. führt zu einer Erhöhung des Blutzuckers (Glucose), einer Steigerung der Harnmenge und in seiner gefährlichsten Form zum lebensbedrohenden Zuckerkoma. Spätfolgen können Nierenversagen, Erblindung und Blutgefäßverstopfungen sein, die zu Fuß- bzw. Handamputationen führen. Nach Schätzungen litten in Deutschland 1995 rd. 4 Mio Menschen an D., 400 000 von ihnen an Typ I.

**Medikament:** Wissenschaftlern der Universität in San Diego (Kalifornien/USA) gelang es 1995, bei Zellkulturen die Insulinresistenz von D. Typ II mit dem Wirkstoff Troglitazone abzubauen und den Zuckerstoffwechsel zu normalisieren. Der Wirkstoff könnte zur Vorbeugung von Typ II eingesetzt werden, der sich meist Jahre vor Ausbruch abzeichnet.

**Spätschäden:** Mit fortschreitender D. tritt häufig ein Funktionsverlust von Nervenenden auf und daraus resultierendes Brennen an Händen und Füßen, Blasenschwäche, Impotenz und Verdauungsbeschwerden sowie Durchblutungsstörungen. Diese Spätschäden sind nach Erkenntnissen eines Forschers der Colorado State University/USA von 1995 auf die mangelnde Produktion insulinähnlicher Wachstumsfaktoren (IGD-1, IGF-2) zurückzuführen, die zum Krankheitsbild der D. gehört. Bis dahin wurde als Ursache der hohe Blutzuckerspiegel angenommen. Im Tierversuch mit Ratten konnten die Störungen durch Injektionen eines Wachstumsfaktors verhindert werden, obwohl der Blutzuckerspiegel erhöht blieb.

ℹ️ Bund diabetischer Kinder u. Jugendlicher e. V., Hahnbrunner Str. 46, 67659 Kaiserslautern

ℹ️ Deutscher Diabetiker-Bund e. V., Danziger Weg 1, 58511 Lüdenscheid

## Diäten

Aufwandsentschädigungen für Parlamentarier, deren finanzielle Unabhängigkeit sichergestellt werden soll. Über die Erhöhung der D. beschließen in Deutschland die Parlamente. Der Bundestag beschloß im September 1994, sowohl die Abgeordnetenentschädigung in Höhe von 10 366 DM/Monat als auch die steuerfreie Kostenpauschale von 5978 DM/Monat unverändert zu lassen. Damit verzichtete der Bundestag wie schon 1993 auf eine Erhöhung der Bezüge und reagierte auf die Kritik an der Praxis der D.-Bewilligung, die als Selbstbedienung der Abgeordneten verurteilt wurde. Im Juni 1995 schlug die Rechtsstellungskommission unter Vorsitz von Bundestags-Vizepräsident Hans-Ulrich Klose (SPD) vor, die D. der Bundestagsabgeordneten bis 1998 in vier Stufen auf 13 800 DM/Monat anzuheben. Im laufenden Jahr sollen die D. rückwirkend zum 1. 1. 1995 auf 11 227 DM/Monat ansteigen. Ab 1998 soll sich die Höhe der D. an den Bezügen der obersten Bundesrichter orientieren. Für diese Regelung ist eine Grundgesetzänderung erforderlich. Die steuerfreie Kostenpauschale soll 1995 unverändert bleiben und ab 1996 an die Steigerung der allgemeinen Lebenshaltungskosten angepaßt werden. Ausgeschiedene Abgeordnete sollen nur 18 Monate (bisher 36 Monate) Übergangsgeld erhalten, auf das vom vierten Monat an alle sonstigen Einkünfte angerechnet werden. Der Höchstsatz für das Altersruhegeld wird von 75% der Bezüge auf 69% gekürzt.

Die Parlamente in den neuen Bundesländern beschlossen 1995 z. T. deutliche D.-Erhöhungen (Brandenburg: 8,5%, Sachsen-Anhalt: 16%, Sachsen: 20%, Thüringen: 43%). In Thüringen gibt es im Unterschied zu anderen Bundesländern keine unabhängige, beratende D.-Kommission. Die thüringische Landesverfassung schreibt vor, daß sich die Höhe der D. nach der all-

gemeinen Einkommensentwicklung, die der Aufwandsentschädigung nach der Preissteigerung zu richten hat.

### Diäten: Bundestagsabgeordnete

| Jahr | Betrag/Monat (DM) | | |
|------|-------------------|---|---|
| | Entschädigung[1] | Pauschale[2] | Insgesamt[3] |
| 1984 | 7 820 | 4 700 | 12 520 |
| 1985 | 8 000 | 4 800 | 12 800 |
| 1986 | 8 224 | 4 915 | 13 139 |
| 1987 | 8 454 | 5 003 | 13 457 |
| 1988 | 8 729 | 5 078 | 13 807 |
| 1989 | 9 013 | 5 155 | 14 168 |
| 1990 | 9 664 | 5 443 | 15 107 |
| 1991 | 10 128 | 5 765 | 15 893 |
| 1992 | 10 366 | 5 978 | 16 344 |
| 1993 | 10 366 | 5 978 | 16 344 |
| 1994 | 10 366 | 5 978 | 16 344 |

1) Steuerpflichtig; 2) Tagegeld, Unkostenersatz, Reisekostenersatz (Durchschnittswerte); 3) Durchschnitt; Quelle: Aktuell-Recherche

### Dienstleistungshaftung

Ersatzpflicht des Dienstleisters für Schäden, die Kunden aufgrund nicht ordnungsgemäßer Leistung entstehen. Anstelle einer allgemeinen Harmonisierung der D. bereitet die Europäische Kommission ab Juni 1994 Richtlinien

### Diäten: Landtagsabgeordnete

| Rang | Bundesland | Abgeordnete | Betrag (DM)/Monat | | |
|------|------------|-------------|-------------------|---|---|
| | | | Diäten[1] | Kostenpausch.[2] | Insgesamt[3] |
| 1 | Bayern | 204 | 8 700 | 4 711 | 13 411 |
| 2 | Hessen | 110 | 10 970 | 850 | 11 820 |
| 3 | Niedersachsen | 161 | 9 500 | 1 800 | 11 300 |
| 4 | Rheinland-Pfalz | 101 | 8 779 | 1 950 | 10 729 |
| 5 | Nordrhein-Westfalen | 239 | 7 833 | 2 191 | 10 024 |
| 6 | Sachsen | 120 | 6 592 | 3 360 | 9 952 |
| 7 | Saarland | 51 | 7 625 | 1 796 | 9 421 |
| 8 | Thüringen | 88 | 7 007 | 2 367 | 9 374 |
| 9 | Baden-Württemberg | 146 | 6 900 | 1 829 | 8 729 |
| 10 | Schleswig-Holstein | 89 | 6 930 | 1 600 | 8 530 |
| 11 | Brandenburg | 88 | 6 230 | 2 181 | 8 411 |
| 12 | Mecklenburg-Vorp. | 71 | 5 620 | 1 920 | 7 540 |
| 13 | Sachsen-Anhalt | 99 | 5 600 | 1 800 | 7 400 |
| 14 | Berlin | 241 | 4 980 | 1 400 | 6 380 |
| 15 | Bremen | 100 | 4 241 | 727 | 4 968 |
| 16 | Hamburg | 121 | – | 1 920 | 1 920 |

Stand: März 1995; 1) zu versteuern; 2) steuerfrei; 3) Mindestbeträge; Quelle: Frankfurter Allgemeine Zeitung, 24. 3. 1995

für einzelne Sektoren vor. Dienstleister befürchteten eine Verschlechterung der gesetzlichen Rahmenbedingungen. Die neuen Richtlinien sehen eine umgekehrte Beweislast wie bei der Produkthaftung vor, d. h. der Dienstleister muß seine Unschuld beweisen, falls Kunden Schaden erleiden. Nach Protesten des Europäischen Parlaments hatte die EU-Kommission im Juni 1994 ihren Vorschlag zur Harmonisierung der D. in der EU zurückgezogen.

Die vom Bundesjustizministerium eingesetzte sog. Schuldrechtskommission schlug 1994 eine Verjährungsfrist von drei Jahren für vertragliche Ansprüche vor. Für Bauwerke und Baumaterialien soll eine fünfjährige Schadenshaftung gelten. Bei schuldhafter Verletzung der vertraglichen Leistungspflichten entstünde Anspruch auf Schadenersatz.

## Dieselruß

Schadstoff im Abgas von Dieselmotoren, der aus einem Kohlenstoffkern (Rußkern) und angelagerten Kohlenwasserstoffen besteht. 1995/96 werden EU-weit die Grenzwerte für den Ausstoß von Rußpartikeln von Dieselmotoren in LKW und PKW gesenkt. Mineralölunternehmen bieten ab Mitte 1995 flächendeckend schwefelarmen Diesel in Deutschland an. Sie erfüllen damit eine ab Oktober 1996 gültige EU-Norm, wonach der Schwefelgehalt im Dieselkraftstoff 0,05% (zuvor: 0,2%) betragen darf. Schwefeldioxid erhöht die giftige Wirkung von D. und ist ein Bestandteil von Smog.

Der niedrigere Schwefelgehalt verringert die D.-Emissionen um 15%. D. belastet die Umwelt und ist in Deutschland als krebserregend eingestuft. Einatmen von D. in hohen Konzentrationen führt zu Tumoren in der Lunge, wobei vor allem der Rußkern giftig wirkt. Eine Schweizer Studie ergab, daß die Sterblichkeit von Lastwagen- und Busfahrern durch Lungenkrebs um 48% höher lag als bei anderen Berufsgruppen.

→ Abgasgrenzwerte → Autoverkehr

| Dieselruß: Neuzugelassene Dieselautos | |
|---|---|
| Jahr | Anteil[1] (%) |
| 1991 | 12,0 |
| 1992 | 15,0 |
| 1993 | 14,9 |
| 1994 | 16,9 |

1) PKW und Kombi mit Dieselmotor; Quelle: Verband der Automobilindustrie

## Digital Audio Broadcasting

→ Digitales Radio

## Digitale Jeans

Ende 1994 erstmals in einem Jeans-Geschäft in San Francisco (Kalifornien) angebotene Fertigungsmethode, bei der ein Computer nach den Maßen von Kunden den optimalen Hosenschnitt errechnet. Dieser wird per Datenfernübertragung an den Jeanshersteller in Tennessee übermittelt. Für die D. war 1995 ein Aufpreis von 10 Dollar (14 DM) zu zahlen.

Der Anbieter der D. rechnete damit, daß sie langfristig Lagerhaltung überflüssig mache und die Notwendigkeit entfalle, Preise zu reduzieren, um die Lager zu räumen.

## Digitale Kamera

Fotoapparat, der statt eines Negativ- oder Diafilms eine PC-Card nutzt, auf der die Bilder digital gespeichert werden. Die Fotos können ohne den Umweg der Bildentwicklung und das maschinelle Einlesen in den Computer (sog. Scannen) vom Fotografen elektronisch bearbeitet werden. Beim Scannen litt häufig die Qualität der Bilder. Die Filmentwicklung war außerdem mit einem Zeitverlust verbunden. Die Fotos der D. können über Datenfernübertragung zu Presseagenturen, Zeitungen usw. gesandt werden, die sie zur Drucklegung nicht weiter bearbeiten müssen. Ende 1994 stellten Nikon (Japan) und Kodak (USA) erstmals D. vor, die professionell genutzt werden können. Die D. kostete Mitte 1995 ab 30 000 DM.

→ Digitaltechnik → PC-Card

## Digitales Fernsehen

Übertragung von TV-Signalen mit Digitaltechnik. Das ab 1996 geplante D. ermöglicht die Ausstrahlung von bis zu zehn Programmen über einen Kanal, der bis dahin lediglich eins übertrug. Ab 1996 sollen rd. 150 Programme in Deutschland empfangen werden können, ab 2000 ca. 500. D. ist Voraussetzung für das sog. interaktive Fernsehen, bei dem Zuschauer über einen Rückkanal (z. B. Telefonleitung) an der Programmgestalung teilhaben sollen. 1995 gab es in Deutschland sechs Pilotprojekte mit D.

**Datenreduktion:** Mit der Umwandlung von analogen in digitale Signale wird die Datenfülle des Fernsehbilds verringert, indem nur die Daten übertragen werden, die vom vorhergehenden Bild abweichen. Gleiche Bildteile werden im Empfangsgerät wiederholt. Die Folge ist eine erhöhte Kapazität der Kanäle für Fernsehen. Dieser Standard zur Datenreduktion heißt MPEG-2 (Motion Picture Experts Group, engl.; Film-Experten-Gruppe).

**Übertragung:** Für D. ist ein spezielles TV-Gerät oder ein Zusatzgerät zur Entschlüsselung der digitalen Fernsehsignale (sog. Set-Top-Box, engl.; Aufsatzgerät) nötig. Beim D. werden analoge Signale der Bilder vom Sender in digitale Informationen umgewandelt, die vom Empfangsgerät entschlüsselt werden. Bis Mitte 1997 will die Luxemburger Firma SES drei Satelliten mit 56 Kanälen starten, die je bis zu zehn Programme anbieten können.

**Berlin:** 1996 soll das gesamte Kabelnetz für D. geöffnet werden. Voraussichtlich werden 16 Kanäle für D. zur Verfügung gestellt (96–160 zusätzliche Programme).

**Programmvielfalt:** Bei einer größeren Anzahl von Kanälen wird das Anmieten eines Kanals für die Fernsehgesellschaften voraussichtlich billiger, so daß es sich Sender z. B. leisten könnten, zeitversetzt auf 50–60 Kanälen die gleichen Spielfilme zu senden. Dies bietet sich insbes. für Pay-per-view-Sender (engl.; Bezahlen für Gesehenes) an, die durch Mehrfachverwertung eines Films eine größere Anzahl von Nutzern erreichen könnten.

**Kostendeckung:** Das Baseler Prognos-Institut rechnete Ende 1994 damit, daß 2000 in Deutschland rd. 3 Mio–4 Mio Haushalte D. nutzen werden. Monatlich würde jeder Haushalt rd. 90 DM für Fernsehprogramme ausgeben. Die Kosten je Programm pro Jahr schätzte Prognos auf mindestens 100 Mio DM. 400 000 Haushalte müßten pro Monat 20 DM für dies eine Programm ausgeben, damit es kostendeckend arbeitet.

→ Datenautobahn → Interaktives Fernsehen → Video on demand

## Digitales Radio

Hörfunkprogramme, deren Tonsignale in digitalen Sendeimpulsen (1 und 0) verschlüsselt ausgestrahlt werden. D. übertrifft in Wellenform (analog) übertragenen Hörfunk an Reichweite und

### Digitales Radio: Systeme

| Name/System | Sendestart | Merkmale |
|---|---|---|
| Digital Satellite Radio (DSR) | 1989 | 16 deutsche Programme, die über Kabel und Satellit Kopernikus verbreitet werden |
| Audio on demand | Erste Angebote 1994 im Internet | Radiosendungen und Musiktitel, die aus Datenbanken abgerufen werden können |
| Digital Audio Broadcasting (DAB) | Pilotprojekte 1995, Regelbetrieb 1997 | UKW-Nachfolgesystem mit besserem Klang; im Auto zu empfangen; Übertragung von Texten |
| Astra- und Eutelsat-Digital-Radio | 1995 | Europäische Radioprogramme, die über Parabolantenne empfangen werden können |
| Pay-Radio | 1995 | Programme der Anbieter DMX und MC Europe – finanziert aus Abo-Gebühren und werbefrei; über Kabel und Satellit Astra zu empfangen |
| Direktempfangbares Satellitenradio | ab etwa 2007 | Ausstrahlung über Satellit; kann ohne Parabolantenne von mobilen Geräten empfangen werden |

Quelle: journalist 1/1995

ist frei von Störgeräuschen. D. erreicht CD-Qualität, wenn keine Datenreduktion stattfindet, die die Zahl der Programme erhöht. Ab Mitte 1995 starten in Deutschland Pilotprojekte mit D., das über UKW-Frequenzen gesendet werden und bis 2010 das analoge Radio ersetzen soll (Digital Audio Broadcasting, DAB). Über die Satelliten der Betreiber Astra und Eutelsat ist eine Ausstrahlung von Programmen in Digitalqualität ebenfalls ab Mitte 1995 geplant. Die Deutsche Telekom strahlte ab 1989 über Satellit D. aus. Für D. sind spezielle Empfangsgeräte nötig, die die verschlüsselten Signale in Ton zurückwandeln.

**DAB:** In Baden-Württemberg, Bayern, Berlin, Brandenburg, NRW, Rheinland-Pfalz, Sachsen und Thüringen werden die Versuche mit DAB u. a. aus öffentlichen Geldern finanziert (Kosten z. B. in Bayern: rd. 42 Mio DM). DAB soll vorerst nur auf sechs Frequenzen übertragen werden. Die Kosten für eine vollständige Umstellung des UKW-Bereichs auf DAB (u. a. Technikumstellung) wurden bundesweit auf ca. 500 Mio DM geschätzt.

**Funktionsweise:** Bei DAB werden akustische Informationen, die für das menschliche Ohr nicht wahrnehmbar sind, herausgefiltert. Zur Darstellung visueller Informationen haben DAB-Radios (Preis: ab 1000 DM) einen kleinen Bildschirm. DAB hat gegenüber D., das von Satelliten ausgestrahlt wird, den Vorteil, daß es von mobilen Radios (ca. 80% aller Geräte) empfangen werden kann. Für Satellitenempfang ist eine Parabolantenne nötig.

**Satellitenempfang:** Bei D. über Astra und Eutelsat werden wie bei DAB Daten reduziert, um mehr Kanäle für Radioprogramme zu bekommen. Ein Empfangsgerät soll ab 800 DM erhältlich sein. Die Telekom hatte ab 1989 bereits D. ohne Datenreduktion über die Satelliten TV-SAT 2 und Kopernikus ausgestrahlt (sog. Digital Satellite Radio). Wegen mangelnder Nachfrage stellte die Telekom die Ausstrahlung über TV-SAT 2 Anfang 1995 ein.

| Digitaltechnik: Binärer Code | | | |
|---|---|---|---|
| Ziffer | Binärzahl | Buchstabe | Binärzahl |
| 0 | 00000 | A | 110001 |
| 1 | 00001 | B | 110010 |
| 2 | 00010 | C | 110011 |
| 3 | 00011 | D | 110100 |
| 4 | 00100 | E | 110101 |
| 5 | 00101 | F | 110110 |

Mit Kombinationen aus den Ziffern 0 und 1 lassen sich sämtliche Buchstaben und Zahlen darstellen. Auf diesem binären Code beruhen Informatik und Nachrichtentechnik

## Digitaltechnik

Teilbereich der Informationsverarbeitung und Elektronik, der sich mit der Zerlegung von Informationen (Sprache, Bilder, Daten) in kleinste Einheiten befaßt. D. bildet die Voraussetzung für die elektronische Speicherung, Verarbeitung und Übertragung von Daten. In der Unterhaltungselektronik wird D. bei der Aufnahme von Sprache und Bild genutzt. Die Umwandlung in digitalisierte Signale erfolgt über sog. Analog/Digitalwandler. Spracheinheiten werden z. B. je nach Größe, Stärke und Anzahl mit einem Zahlenwert belegt und in ein Zahlensystem übertragen, d. h. bei binärer Codierung in eine Zahlenfolge von 0 und 1 umgesetzt. Das Binärsystem stellt die ideale Grundlage für die elektronische Datenverarbeitung dar, da es mit lediglich zwei Ziffern auskommt, die von einem Computer als Spannung bzw. keine Spannung entschlüsselt werden. → CD → Computer → Datenautobahn → Digitales Fernsehen → Interaktives Fernsehen → Multimedia

## Dioxin

Sammelbegriff für eine Gruppe von chemisch verwandten Stoffen (Dibenzoparadioxine), deren giftigster das sog. Seveso-D. ist (2,3,7,8-Tetrachlordibenzoparadioxin, kurz TCDD). D. entsteht bei chemischen Prozessen, z. B. bei der Herstellung von Pflanzen- und Holzschutzmitteln, bei der Chlorbleiche von Zellstoff und bei Verbrennung. D. kann Hautschäden und Krebs verursachen. Der Mensch nimmt D. zu 90% über die Nahrung auf.

1994 trat in Deutschland eine Verordnung in Kraft, die weltweit die niedrigsten Grenzwerte für D. in Stoffen und Zubereitungen festlegt. Der Grenzwert für das Seveso-D. wurde auf 1 pg (Pikogramm, 1 pg = 0,000 000 000 001 g) pro kg Körpergewicht und Tag halbiert. Die Zahl der in Deutschland verbotenen chlorierten D. wurde von acht auf 17 erhöht. Zwischenprodukte, in denen D.-Gehalte überschritten werden, unterliegen einer Anzeigepflicht.

Ab 1996 dürfen Müllverbrennungsanlagen in Deutschland im Rauchgas nur noch 0,1 ng (Nanogramm, 1 ng = 0,000 000 001 g) D. pro m³ ausstoßen, bis dahin sind 10 ng/m³ erlaubt. Für neue Anlagen wurde der Grenzwert 1990 eingeführt.

→ Chemikalien → Krebs → Müllverbrennung

## documenta

Ausstellung internationaler zeitgenössischer Kunst, die seit 1954 im Abstand von vier bis fünf Jahren in Kassel ausgerichtet wird. Die d. X findet 1997 unter der Leitung der französischen Kunsthistorikerin Cathérine David statt. Für die d. steht ein Etat

von rd. 20 Mio DM zur Verfügung, 4 Mio DM mehr als 1992.

Im September 1995 will David ihr Ausstellungskonzept vorstellen. Als Ausstellungsorte sind das Museum Friedericianum, die d.-Halle und Räume im Ottoneum vorgesehen.

## Dollarkurs

Die Kursentwicklung des US-amerikanischen Dollar gegenüber anderen Währungen war in den 90er Jahren für die Weltwirtschaft von Bedeutung, weil ein großer Teil des Welthandels und -kapitalverkehrs in dieser Währung abgewickelt wurde. Ein Verfall des D. gegenüber anderen Währungen verteuert die Exporte der betroffenen Länder und begünstigt die Ausfuhren der USA als weltgrößte Exportnation 1994. Am 19. 4. 1995 erreichte der Preis des Dollar mit 1,3620 DM seinen absoluten Tiefstand. Damit war der vorläufige Endpunkt einer Abwärtsentwicklung erreicht, die Anfang 1994 eingesetzt hatte. Mitte 1995 entsprach ein Dollar rd. 1,41 DM.

Für Schwankungen des D. waren verschiedene Faktoren verantwortlich:

▷ Überschuß der Einfuhren über die Ausfuhren der USA (Außenhandelsdefizit); ein fallender D. trägt zum Ausgleich bei, da sinkende Preise von US-Waren ihre Wettbewerbsfähigkeit im Ausland steigern

**Cathérine David**
* 1954 in Paris. 1972 bis 1980 Studium der Kunstgeschichte, 1981 Kuratorin am Musée National d'Art Moderne im Centre Pompidou (Paris), 1990 Mitglied der Leitung der Nationalgalerie Jeu de Paume. Ab 1994 als Nachfolgerin von Jan Hoet Direktorin der documenta.

## Dollarkurs: Entwicklung

**Wert von 1 US-Dollar (DM)**

Stand: Mitte 1995

© Harenberg

▷ Spekulationsgeschäfte und persönliche Erwartungen, die den D. in unvorhersagbarer Weise beeinflussen; täglich werden bis zu 2000 Mrd Dollar (2816 Mrd DM) an den Devisenmärkten gehandelt

▷ Internationale Krisen, die zu einer Kapitalflucht in die USA als stärkste Militärmacht führen, tragen zu einem Anstieg des D. bei.

Finanzminister und Notenbankpräsidenten der Industrieländer bemühen sich bei extremen Schwankungen um Stabilisierung des D. durch Kauf bzw. Verkauf von Dollarbeständen.

→ Bundesbank, Deutsche → ECU → Währungskrise → Weltwirtschaft

## Donau-Ausbau

Mitte der 90er Jahre geplante Kanalisierung des 70 km langen, letzten frei fließenden Donaustücks südlich des Main-Donau-Kanals durch die Rhein-Main-Donau-AG (RMD). Die RMD begründete den D. zwischen Straubing und Vilshofen mit der geringen Fahrrinnentiefe des Flusses an ca. 210 Tagen pro Jahr. Schiffe müssen je nach Wasserstand auf einen Teil ihrer Ladung verzichten. Damit stehe der Nutzen des 1992 fertiggestellten Main-Donau-Kanals zwischen Bamberg und Kelheim, als letztes Teilstück einer 3500 km lange Wasserstraße von Rotterdam/Niederlande bis zum Schwarzen Meer, in Frage. Nach einer Fahrrinnenvertiefung auf 2,80 m können große Schiffe das Teilstück passieren. Ein Kanal soll die Flußbiegungen zwischen Osterhofen und Pleinting abkürzen. Der Bayerische Oberste Rechnungshof bezweifelte, daß die jährliche mit dem D. erreichte Frachtkapazität von 35 Mio t benötigt würde.

→ Binnenschiffahrt

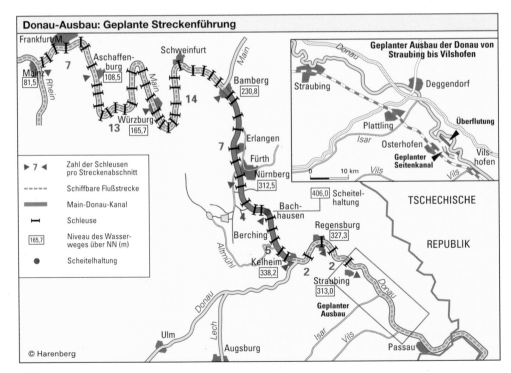

Donau-Ausbau: Geplante Streckenführung

## Doping

Die Anzahl der Fälle, in denen Athleten des Deutschen Sportbundes der Einnahme muskelbildender und leistungsfördernder Stoffe überführt wurden, verdoppelte sich 1994 gegenüber 1993 auf 34 Fälle. Weltweit wurden jährlich etwa 1300 Sportler (1993) überführt. D. ist verboten, weil es den Wettbewerb verzerrt und gesundheitsschädlich ist. Durch Professionalisierung und Kommerzialisierung vieler Sportarten steigt aber der Anreiz für die Athleten, sich zu dopen. Zu den Sportarten mit den meisten D.-Fällen zählten Bodybuilding, Gewichtheben, Leichtathletik, Profiradsport und Schwimmen.

**Kontrollen:** D.-Experten forderten 1994/95 eine internationale Vereinheitlichung der Anti-D.-Vorschriften und die Einführung von Blutkontrollen, die genauere Untersuchungen als die üblichen Urinkontrollen ermöglichen. Der Internationale Leichtathletikverband (IAAF) kündigte im Oktober 1994 eine 50%ige Erhöhung der weltweiten Trainingskontrollen auf 1200 für 1995 an.

**China:** Im Oktober 1994 wurde die chinesische Schwimmerin Aihua Yang, seit September 1994 Weltmeisterin über 400 m Freistil, des D. mit dem männlichen Hormon Testosteron überführt und für zwei Jahre von internationalen Wettkämpfen ausgeschlossen. 1994 wurde insgesamt 38 Sportlern aus China die Einnahme von unerlaubten leistungsfördernden Mitteln nachgewiesen. Das chinesische Außenministerium wies die Behauptung westlicher Experten, in China werde planmäßig gedopt, zurück.

## Doppelte Staatsbürgerschaft

Die CDU/CSU/FDP-Bundesregierung legte im November 1994 einen Gesetzentwurf zur Einführung einer sog. Kinderstaatszugehörigkeit als Kompromiß in der Frage der D. vor. Die SPD-Opposition reichte im Januar 1995

### Doping: Spektakuläre Fälle

| Datum | Ereignis |
|---|---|
| April 1987 | Die 26jährige Leichtathletin Birgit Dressel stirbt nach jahrelanger Medikamenteneinnahme an Allergieschock |
| Sept. 1988 | Der kanadische Sprinter Ben Johnson wird nach seinem Olympiasieg über 100 m des Dopings überführt |
| Sept. 1992 | Die Sprinterinnen Katrin Krabbe, G. Breuer und M. Derr werden wegen Medikamentenmißbrauchs suspendiert |
| März 1993 | Ben Johnson wird erneut des Dopings überführt; lebenslanger Ausschluß von internationalen Wettkämpfen |
| Okt. 1993 | Der Internat. Gewichtheberverband suspendiert Rußland u. Polen nach Trainingskontrollen von allen Wettkämpfen |
| Juni 1994 | Bei der Fußball-WM in den USA wird Argentiniens Diego Maradona des Dopings überführt; 15 Monate Sperre |
| Sept. 1994 | Bei den Commonwealth-Spielen in Victoria/Kanada gibt es innerhalb von zehn Tagen sechs Dopingfälle |
| Okt. 1994 | Sieben chinesische Schwimmer und Schwimmerinnen wird Doping mit Testosteron nachgewiesen |
| Jan. 1995 | Der Fußball-Bundesligaspieler R. Wohlfahrt dopt sich unbeabsichtigt mit Appetitzügler: zwei Monate Sperre |
| April 1995 | Die Sprinterin Susen Tiedtke wird nach positiver Dopingprobe von Sportwettkämpfen suspendiert |

einen Antrag zur Erleichterung der Einbürgerung ein. In Deutschland war 1995 die Nationalität der Eltern für die Staatsbürgerschaft maßgeblich, in den meisten anderen Ländern Europas war der Geburtsort. Bis Mitte 1995 war eine D. nur in Ausnahmefällen möglich, z. B. wenn das Herkunftsland den Antragsteller nicht aus der Bürgerschaft entließ. Anfang 1995 lebten rd. 1,2 Mio Menschen mit deutschem und ausländischem Paß in Deutschland.

**Kinderstaatszugehörigkeit:** Die Kinderstaatszugehörigkeit ist keine Staatsangehörigkeit, sondern ein Ausländerstatus, der mit der Wahlmöglichkeit der deutschen Staatsangehörigkeit bei Volljährigkeit verbunden ist. Die Kinderstaatszugehörigkeit stellt ausländische Kinder der dritten Generation mit nicht volljährigen Deutschen weitgehend gleich. Voraussetzungen waren:
▷ Ein Elternteil ist in Deutschland zur Welt gekommen. Beide ausländischen Elternteile haben sich in den letzten zehn Jahren vor der Geburt des Kindes rechtmäßig in Deutschland aufgehalten und besitzen eine unbefristete Aufenthaltsgenehmigung

### Doping: Schadenersatz für Sprinterin

Im Mai 1995 erkannte das Münchner Landgericht der deutschen Sprinterin Katrin Zimmermann (geb. Krabbe) Schadenersatz für eine zweijährige Wettkampfsperre zu, die die IAAF im August 1993 wegen Medikamentenmißbrauchs verhängt hatte. Die IAAF rief die nächste Gerichtsinstanz an. Krabbe und zwei weitere deutsche Sprinterinnen waren im Juli 1992 des Dopings überführt worden. Eine einjährige Sperre durch den deutschen Verband (DLV) bezeichnete das Gericht als rechtmäßig.

## Doppelte Staatsbürgerschaft vom Gericht abgelehnt

Der hessische Verwaltungsgerichtshof (VGH) wies im Mai 1995 die Klage eines Türken auf doppelte Staatsangehörigkeit zurück. Er könne in der Bundesrepublik nur eingebürgert werden, wenn er seine türkische Staatsangehörigkeit aufgebe. Auch drohende wirtschaftliche Nachteile (z. B. Schwierigkeiten beim Verkauf von Grundstücken in der Türkei) ließen eine Ausnahme von dieser Regel nicht zu (Az.: 12 UE 2145/95).

▷ Das Kind erwirbt mit der Geburt die deutsche Kinderstaatszugehörigkeit zu der elterlichen Staatsangehörigkeit hinzu, wenn die Eltern diese vor Vollendung des 12. Lebensjahres des Kindes beantragen

▷ Binnen eines Jahres nach Vollendung des 18. Lebensjahres müssen sich die Kinder für die deutsche oder die ausländische Staatsangehörigkeit entscheiden.

Die D. lehnte die Union ab. Loyalitätskonflikte der Mehrfachstaatsbürger z. B. im Kriegsfall wurden befürchtet. Pflichten wie Steuerzahlung und Wehrdienst könnten ihnen doppelt auferlegt werden.

**SPD-Initiative:** Nach dem Antrag der SPD soll das Abstammungsprinzip (Staatsangehörigkeit der Eltern ist entscheidend) um das Territorialprinzip (Geburtsort ist ausschlaggebend) ergänzt werden. Kinder ausländischer Eltern sollen mit der Geburt die deutsche Staatsbürgerschaft erhalten, wenn mindestens ein Elternteil in Deutschland geboren wurde und hier lebt. Einen Rechtsanspruch auf Einbürgerung sollen Ausländer erhalten, die acht Jahre in Deutschland leben oder der hier aufgewachsenen zweiten Ausländergeneration angehören. Das soll auch für ausländische Ehepartner von Deutschen nach drei Jahren Aufenthalt in der Bundesrepublik und zwei Jahren Ehe gelten.

→ Ausländer → EU-Bürgerschaft

heit bekannten Drei Schluchten in der Provinz Sichuan soll die Region vor Überschwemmungskatastrophen schützen. Das Wasserkraftwerk in der Staumauer soll mit jährlich 84 Mrd kWh etwa ein Achtel der Stromproduktion Chinas erzeugen. Die Kosten für das Projekt wurden 1995 auf 100 Mrd Yuan (18,2 Mrd DM) veranschlagt, ein Drittel davon wird auf die Umsiedlung der Menschen entfallen.

## Dresdner Frauenkirche

Der Wiederaufbau der D. bis 2006 – in dem Jahr feiert Dresden sein 800jähriges Stadtjubiläum – ist eines der aufwendigsten Restaurierungsprojekte in Europa (geschätzte Kosten: 250 Mio DM). Der Sächsische Landtag lehnte im März 1995 Pläne der CDU-Landesregierung ab, 25 Mio DM, die aus dem Verkauf von Liegenschaften des früheren DDR-Rundfunks stammen und gesetzlich für kulturelle Zwecke bestimmt sind, für den Wiederaufbau der D. bereitzustellen.

Die Rekonstruktion der D. wird mit Spenden (bis Mitte 1995: rd. 20 Mio DM), öffentlichen Geldern und Sponsoring finanziert. 1995 gab der Bund 10-DM-Sondermünzen heraus, deren Verkauf 45 Mio DM einbringen soll.

## Dritte Welt

→ Entwicklungsländer

## Drei-Schluchten-Damm

Im Dezember 1994 begann China mit dem Bau des D., des weltgrößten Staudamms, am Oberlauf des Yangtse. Er soll 185 m hoch, 2000 m lang und 300 m dick sein. Die vorgesehene Bauzeit beträgt 18 Jahre. Der D. wird den Fluß zu einem See von 600 km Länge und 175 m Tiefe mit 39 Mrd m³ Wasserinhalt aufstauen. 1,2 Mio–1,5 Mio Menschen müssen dafür umgesiedelt werden.

Der Damm zwischen den bis zu 1000 m hohen Klippen der als Naturschön-

## Drogen

Eine weltweite Zunahme von D.-Mißbrauch und -Handel sowie des illegalen Einschleusens von Gewinnen in den Geldkreislauf (sog. Geldwäsche) verzeichnete der Suchtstoffkontrollrat der UNO (INCB, Wien) 1994. Ebenso wie der INCB hielt die CDU/CSU/FDP-Bundesregierung an konsequenter Strafverfolgung von D.-Mißbrauch fest. Dem stand auf Länder- und kommunaler Ebene der Trend zu einer liberaleren, die Gesundheitsschäden durch D. vermindernden Politik gegenüber.

**Abhängigkeit:** 1995 galt der Hauptstelle gegen die Suchtgefahren (Hamm) zufolge jeder 20. Deutsche als suchtkrank. Von illegalen D. wie Haschisch, Marihuana, Heroin und Kokain Abhängige machten rd. 3% aller Suchtkranken aus. 150 000–200 000 Menschen waren von sog. harten D. (z. B. Heroin, Kokain) abhängig. Die Zahl der Medikamentensüchtigen wurde auf 1,4 Mio geschätzt. Von der legalen D. Alkohol waren rd. 2,5 Mio Menschen abhängig. 6 Mio Raucher waren der Hauptstelle zufolge behandlungsbedürftig.

**Opfer:** Die Zahl der Rauschgiftopfer sank 1994 wie im Vorjahr um 6,6% auf 1624 (Höchststand 1991: 2125). Gleichzeitig stieg die Zahl der polizeilich registrierten Erstkonsumenten harter D. um 11,2% auf 14 512. Es zeichnete sich ein Trend zu euphorisierenden D. wie LSD und sog. Designer-D. ab (z. B. Ecstasy). Während 1992 rd. 70% der Erstkonsumenten Heroin genommen hatten, sank der Anteil 1994 auf rd. 53%.

**Frankfurter Weg:** Das von SPD und Bündnis 90/Die Grünen regierte Frankfurt/M. verzeichnete Mitte der 90er Jahre Erfolge beim Kampf gegen D.-Mißbrauch mit verstärkten Hilfsangeboten an die Süchtigen. Sieben Zentren bieten Abhängigen sanitäre Einrichtungen, soziale Betreuung und Programme mit der Ersatz-D. Methadon. Als erste deutsche Stadt richtete Frankfurt sog. Fixerräume ein, in denen Süchtige ihre D. unter hygienisch einwandfreien Umständen konsumieren. Die Zahl der D.-Toten sank 1992–1994 von 148 auf 58, die Ausbreitung von Aids unter Süchtigen wurde nahezu gestoppt, der Anteil der Beschaffungskriminalität bei Raub und Diebstahl sank um 35% auf unter 10%.

**Heroin vom Staat:** 1994 legte der SPD-dominierte Bundesrat einen Gesetzentwurf vor, der die staatlich kontrollierte Abgabe von Heroin an Schwerstabhängige, die Therapie oder Methadonbehandlung ablehnten, über einen zunächst befristeten Zeitraum

**Drogen: Schmuggelrouten über Europa**

○ Prag  Hauptumschlagplatz
→ Hauptlieferweg

0        500 km

© Harenberg

von fünf Jahren in ausgewählten Städten ermöglichen soll. Die Regierung hatte einen ersten Entwurf der Länderkammer 1993 abgelehnt, weil sie einen Anstieg des D.-Mißbrauchs befürchtete. Der Innenausschuß des Europäischen Parlaments verabschiedete 1995 eine Empfehlung, die Abgabe von Heroin auf Rezept und Straffreiheit des Konsums weicher D. vorsieht.

**Trennung der Märkte:** Schleswig-Holstein setzte sich Mitte 1995 dafür ein, weiche D. wie Haschisch als kontrollbedürftige Genußmittel in Apotheken anzubieten. Ziel war es, Konsumenten weicher D. vom kriminellen Milieu harter D. fernzuhalten. Hasch und andere Cannabisprodukte sind nach Auffassung von Wissenschaftlern weniger gefährlich als Alkohol, sie

| Drogen: Sichergestellte Mengen in Deutschland | | |
|---|---|---|
| Droge | Sichergestellte Menge (kg) | Veränderung |
| | 1994 | 1993 | (%) |
| Heroin | 1590 | 1095 | +45,2 |
| Kokain | 767 | 1051 | –27,1 |
| Amphetamin | 120 | 117 | +2,6 |
| LSD[1] | 29 627 | 23 442 | +26,4 |
| Haschisch | 4033 | 4245 | –5,0 |
| Marihuana | 21 660 | 7107 | +204,8 |

1) Angabe in Trips; Quelle: Bundesinnenministerium

| Drogen: Opfer in Deutschland 1994 | |
|---|---|
| Bundesland | Tote |
| Nordrhein-Westfalen | 397 |
| Baden-Württemberg | 247 |
| Bayern | 246 |
| Hessen | 166 |
| Hamburg | 151 |
| Niedersachsen | 139 |
| Berlin | 108 |
| Bremen | 63 |
| Schleswig-Holstein | 44 |
| Rheinland-Pfalz | 37 |
| Saarland | 20 |
| Sachsen-Anhalt | 3 |
| Mecklenburg-Vorpommern | 1 |
| Sachsen | 1 |
| Thüringen | 1 |
| Brandenburg | 0 |

Quelle: Bundesinnenministerium

erzeugen allenfalls eine psychische Abhängigkeit. Die Union lehnte die Legalisierung weicher D. ab, weil sie Harmlosigkeit vorspiegele und Hemmschwellen senke.

**Haschisch-Urteile:** Nach dem Urteil des Bundesverfassungsgerichts von 1994, dem zufolge der Besitz geringer Mengen weicher D. zum Eigenverbrauch nicht mehr strafbar ist, legten die Bundesländer 1994/95 unterschiedliche Mengenbegrenzungen für die Strafverfolgung des D.-Besitzes fest. Der Besitz einer nicht geringen Menge weicher D. wurde 1995 in der deutschen Rechtsprechung als Verbrechen gewertet und mit mindestens einem Jahr Haft geahndet. Das Lübecker Landgericht beurteilte in einem Verfahren Ende 1994 den Besitz von rd. 4 kg Haschisch nicht mehr als Verbrechen, sondern als Vergehen. Die Höchststrafe sank damit von 15 auf fünf Jahre Haft. Die Richter begründeten dies mit der relativen Unbedenklichkeit des Haschkonsums im Vergleich zum Gebrauch harter D. sowie der legalen D. Alkohol und Nikotin. Das Oberlandesgericht in Schleswig-Holstein bestätigte das Urteil im April 1995 und legte es dem Bundesgerichtshof vor, der die Grenze von Vergehen zu Verbrechen bei 150 g Haschisch angesiedelt hatte.

**Autoverkehr:** Ein Gesetzentwurf der Bundesregierung vom Juni 1995 sah vor, Autofahren unter Einfluß von D. ab 1996 zu verbieten. Der Nachweis im Blut soll ausreichen, um Fahrverbote bis zu drei Monaten bzw. Geldstrafen bis zu 3000 DM zu verhängen. 1991 wurden in regionalen Untersu-

chungen in rd. 25% der bei Verkehrsunfällen entnommenen Blut- und Urinproben Cannabisspuren festgestellt. Betroffen waren vor allem Fahrer bis 30 Jahre.

→ Ecstasy → Methadon

## Dschihad Islami

(arabisch; Islamischer Heiliger Krieg), die militant-fundamentalistische Organisation in Palästina verfolgt die Gründung eines islamischen Staates und die Zerstörung des Staates Israel. Der 1983 gegründete D. ist der radikalste Gegner der von der PLO begonnenen Aussöhnung mit Israel und verübte bis Mitte 1995 zahlreiche antiisraelische Terroranschläge. Zu den Führern der unter iranischem Einfluß stehenden Organisation gehören Abdul Aziz Odeh, Fathi Shaki und Scheich Assad Tamini.

Im Januar 1995 sprengte ein Selbstmordattentäter der D. in Netanya eine Bushaltestelle und tötete 22 Israelis. Die Polizeikräfte der palästinensischen Regierungsbehörde nahmen 250 Aktivisten fest, darunter den religiösen Führer Scheich Abdallah Schami.

→ Hamas → Hisbollah → Islam → Nahost-Konflikt → Palästinensische Autonomiegebiete → PLO

## Duales System

Duales System Deutschland (DSD), von Industrie-, Verpackungs- und Handelsunternehmen 1991 gegründete Entsorgungsgesellschaft, die mit der kommunalen Müllabfuhr das sog. duale System der Müllentsorgung bildet. Die DSD übernahm in Deutschland die Aufgabe, Verkaufsverpackungen (Verpackungen, die die Ware direkt umgeben wie Schachteln, Gläser, Tuben) zu sammeln, zu sortieren und dem Recycling zuzuführen.

**Sammelmengen:** 1994 erfüllte die DSD erstmals für alle Verpackungen die gesetzlich festgelegten Erfassungsquoten. Durchschnittlich wurden 65,7% der Verpackungen eingesam-

| Drogen: Polizeilich registrierte Erstkonsumenten | | | |
|---|---|---|---|
| Droge | Erstkonsumenten 1994 | 1993 | Zunahme (%) |
| LSD | 321 | 168 | 91,1 |
| Kokain | 4307 | 3234 | 33,2 |
| Amphetamin | 2333 | 1880 | 24,1 |
| Heroin | 8501 | 8377 | 1,5 |
| Sonstige | 490 | 334 | 46,7 |

Quelle: Bundesinnenministerium

melt (Anstieg zu 1993: rd. 10%). Für 1996 ist eine Quote von 80% für alle Packmittel vorgesehen, was von der DSD wegen technischer Probleme als unrealistisch angesehen wird.

**Grüner Punkt:** Gegen Gebühren vergibt die DSD an Hersteller Lizenzen für den Grünen Punkt, die ihnen erlauben, Verpackungen als recycelbar zu kennzeichnen und in die Entsorgung durch die DSD einzuschließen. Für 1995 war vorgesehen, 80% aller Verpackungen mit dem Grünen Punkt zu versehen (1993: 67%, 1994: rd. 75%). Mit der Gebühr, je nach Entsorgungskosten 0,40 DM–3 DM pro kg, wurde die Entsorgung des Mülls finanziert.

**Kritik:** Umweltschutzorganisationen kritisierten das D., weil die Gebühren für den Grünen Punkt durch höhere Produktpreise ausgeglichen wurden. Sie bezifferten die zusätzlichen Kosten für einen vierköpfigen Haushalt auf rd. 200 DM/Jahr, die DSD sprach von 47 DM (1994). Es würde kein Abfall vermieden, weil die DSD als profitorientiertes Unternehmen kein Interesse an einer Müllreduzierung habe.

**Trittbrettfahrer:** Unternehmen, die keine Lizenzgebühren an die DSD zahlten, deren Produkte aber von den Verbrauchern in die Sammelsysteme der DSD geworfen wurden, verursachten der Gesellschaft bis 1995 Einnahmeausfälle von 300 Mio DM/Jahr.

→ Abfallbeseitigung → Kunststoffrecycling → Recycling → Verpackungsmüll

## Dunkle Materie

Das Universum soll nach der physikalischen Standardtheorie von der Entstehung des Weltalls, der Urknall-Theorie, zu rd. 90% aus D. bestehen. D. konnte bis 1995 nicht nachgewiesen werden, weil sie keine meßbare Strahlung aussendet. Dennoch vermuteten Astronomen, daß weitere Masse in Form von D. existiert, da im gegenteiligen Fall die Galaxien aufgrund fehlender Gravitationskräfte auseinanderfliegen müßten, weil sie sich rasend schnell umeinander bewegen. D. wurde Mitte 1995 u. a. in sog. Machos vermutet, schwach leuchtenden Objekten, sowie in zusammengefallenen Sternen, den Braunen Zwergen und Schwarzen Löchern. Auch schätzten die Forscher, daß die D. zum Teil aus winzigen subatomaren Teilchen, sog. Neutrinos und WIMPs, besteht.

**Machos:** Ende 1994 bestätigten Astronomen die Existenz von Massive Astrophysical Compact Halo Objects (engl.; massereiche astrophysikalische kompakte Halo-Objekte). Diese Kleinsterne wurden im sog. Halo, den Randbezirken der Milchstraße, vermutet. In der Großen Magellanschen Wolke beobachteten Forscherteams das Phänomen, daß ein Stern plötzlich zur siebenfachen Strahlkraft aufglühte. Zwei Monate lang leuchtete er stark, bis er in seinen ursprünglichen Zustand zurückfiel. Die Forscher führten die Erhöhung der Leuchtkraft auf den Einfluß eines Machos zurück. Einer der Kleinsterne, die so wenig Masse haben, daß sie praktisch keine Strahlung produzieren, sei durch die Sichtlinie zwischen Teleskop und aufleuchtendem Stern hindurchgewandert. Die Schwerkraft des Macho habe dabei das Sternenlicht wie eine Linse gebündelt (sog. Gravitationslinseneffekt). Als Ergebnis dieser Beobachtungen kamen die Astronomen zu dem Schluß, daß die Masse der Machos nur ausreicht, um 20% der gesamten D. zu bilden.

**Neutrinos und WIMPs:** Nur wenn Neutrinos eine Masse haben, können sie Bestandteil von D. sein (vermuteter Anteil: 20%). Annahmen von Forschern aus Los Alamos (New Mexico/USA) zufolge könnten Neutrinos eine Masse zwischen 0,5 und 5 Elektronenvolt besitzen. Astronomen gingen aufgrund von Beobachtungen mit dem Großteleskop Keck auf Hawaii davon aus, daß es in den Außenbereichen der Milchstraße Sterne gibt, die aus einer anderen Materie als die Erde bestehen, aus massiven Teilchen mit schwacher Wechselwirkung (sog. WIMPs). Sie senden keine Strahlung ab und können in einer stabilen Form zur D. beitragen.

**Schwarze Löcher:** Im Spiralnebel NGC 4258 fanden Astronomen Ende 1994 den bis dahin stärksten Hinweis auf ein sog. Schwarzes Loch. Das physikalische Modell von Schwarzen Löchern besagt, daß Sterne in einem späten Entwicklungsstadium in sich zusammenstürzen, weil sich die Materie verdichtet. Im letzten Stadium entsteht ein Schwarzes Loch, in dem die Masse unendlich komprimiert wird. Die Massenanziehung saugt Materie aus der Umgebung in das Loch hinein. In NGC 4258 registrierten die Forscher eine Masse des Zentralkörpers, die 36millionenfach größer ist als die der Sonne der Erde. Die Masse ist 40mal dichter gepackt als im Zentrum unserer Milchstraße. Die Wissenschaftler erklärten die Massedichte mit einem Schwarzen Loch.

**Zukunftsmodelle:** Von Existenz und Menge von D. machen Physiker ihre Vorstellung von der Zukunft des Universums abhängig. Die Inflationstheorie, nach der das All sich ewig ausdehnt, wird widerlegt, wenn D. nachgewiesen wird. Denn die gegenseitige Anziehung von Masse verhindert weitere Ausdehnung. Das Vorhandensein von D. läßt die Theorie vom big crunch (engl.; großer Zusammenbruch) wahrscheinlicher werden. Danach bremst die Masse der D. langsam die Expansion. Die Massenanziehung zieht das Weltall zusammen, die Menge der D. steigt, bis ein Energieball entsteht, wie er für die Zeit kurz vor dem Urknall angenommen wird.

→ Universumsalter

# E

**Ebola-Virus**

(auch Maridi-Virus), stäbchenförmiger Erreger aus der Gruppe der Filoviren, der in rd. 90% der Infektionen zum Tod führt. Hauptverbreitungsgebiet des tropischen Virus ist ein breiter Streifen entlang dem Äquator in Afrika. 1995 brach im zentralafrikanischen Staat Zaïre eine Ebola-Epidemie aus, der nach Angaben der Weltgesundheitsorganisation (WHO, Genf) bis Mitte des Jahres rd. 120 Menschen von etwa 160 Infizierten zum Opfer fielen. Infektionen mit unbekannten Viren sind nach Ansicht von Epidemiologen jederzeit möglich, weil der Mensch immer tiefer in die Regenwälder eindringt und mit exotischen Tieren in Kontakt kommt, die Viren übertragen können.

**Epidemie:** Die Krankheit trat im Mai 1995 im Krankenhaus von Kikwit auf und verbreitete sich über weitere Städte. In den vorangegangenen 30 Jahren brachen etwa sieben Epidemien mit dem E. in Afrika mit zahlreichen Todesopfern aus, zuletzt 1976 im Gebiet des zaïrischen Flusses Ebola und in den südsudanesischen Städten Zara und Maridi.

**Infektion:** Welches Tier als Wirt für das E. fungiert, war 1995 nicht geklärt. Als Zwischenwirt, der das Virus auf den Menschen überträgt, waren Affen sowie infizierte Mücken und Zecken bekannt. Von Mensch zu Mensch wird das E. über Körperflüssigkeiten wie Blut weitergegeben. Von der Infektion bis zum Ausbruch der Krankheit vergehen fünf bis 20 Tage. Die E. befallen die Zellen, die die Blutgefäße auskleiden, sowie Leber, Milz, Lymphknoten, Lunge und Knochenmark. Nach grippeähnlichen Symptomen kommt es zu hohem Fieber und schweren inneren Blutungen, die in den meisten Fällen innerhalb von acht Tagen zum Tod führen. 1995 existierten weder Impfung noch Therapien gegen das E.

**Ausbreitung:** Die meist schnelle Verbreitung des E. in Afrika wurde 1995 auf mangelnde Hygiene in den Krankenhäusern zurückgeführt, wo Spritzen ohne Desinfizieren mehrfach benutzt wurden und das Pflegepersonal nicht ausreichend z. B. mit Handschuhen und Kleidung zum Schutz vor Infektionen ausgestattet war.

## Ebola-Virus: Neue Erreger aus der 2. Hälfte des 20. Jahrhunderts

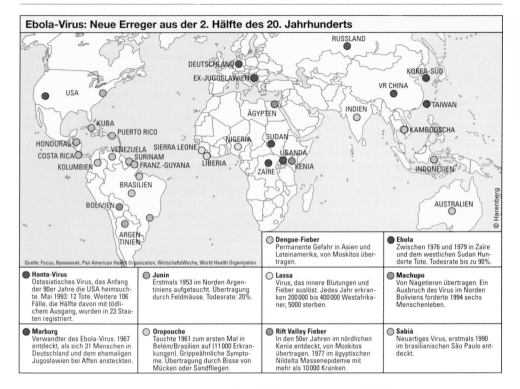

Quelle: Focus, Newsweek, Pan American Health Organization, WirtschaftsWoche, World Health Organization

**○ Dengue-Fieber**
Permanente Gefahr in Asien und Lateinamerika, von Moskitos übertragen.

**● Ebola**
Zwischen 1976 und 1979 in Zaïre und dem westlichen Sudan Hunderte Tote. Todesrate bis zu 90%.

**● Hanta-Virus**
Ostasiatisches Virus, das Anfang der 90er Jahre die USA heimsuchte. Mai 1993: 12 Tote. Weitere 106 Fälle, die Hälfte davon mit tödlichem Ausgang, wurden in 23 Staaten registriert.

**○ Junin**
Erstmals 1953 im Norden Argentiniens aufgetaucht. Übertragung durch Feldmäuse. Todesrate: 20%.

**○ Lassa**
Virus, das innere Blutungen und Fieber auslöst. Jedes Jahr erkranken 200 000 bis 400 000 Westafrikaner, 5000 sterben.

**○ Machupo**
Von Nagetieren übertragen. Ein Ausbruch des Virus im Norden Boliviens forderte 1994 sechs Menschenleben.

**● Marburg**
Verwandter des Ebola-Virus. 1967 entdeckt, als sich 31 Menschen in Deutschland und dem ehemaligen Jugoslawien bei Affen ansteckten.

**○ Oropouche**
Tauchte 1961 zum ersten Mal in Belém/Brasilien auf (11 000 Erkrankungen). Grippeähnliche Symptome. Übertragung durch Bisse von Mücken oder Sandfliegen.

**● Rift Valley Fieber**
In den 50er Jahren im nördlichen Kenia entdeckt, von Moskitos übertragen. 1977 im ägyptischen Nildelta Massenepidemie mit mehr als 10 000 Kranken.

**○ Sabiá**
Neuartiges Virus, erstmals 1990 im brasilianischen São Paulo entdeckt.

© Harenberg

## E-Cash

(Electronic Cash, engl.; elektronisches Bargeld; auch Cyberdollars oder Netcash, engl.; Netzbargeld), das bargeldlose Bezahlen von Waren oder Dienstleistungen im größten Computernetzwerk der Welt, dem Internet, war ab März 1995 möglich. Ende 1994 eröffnete mit der Netbank die erste Bank im Internet.

**Funktionsweise:** Ein Kunde erhält von seiner ans Internet angeschlossenen Bank eine Codenummer für sein Konto, die zum Abbuchen von Geld berechtigt. Das Finanzinstitut sendet ihm den Betrag als verschlüsselte Zahlenfolge über das Internet. Verknüpft mit seiner persönlichen Codenummer kann der Kunde das E. für im Internet angebotene Waren ausgeben. Das E. wird elektronisch an den Warenanbieter übermittelt. Der Betrag wird dem Konto des Anbieters von der Bank des Kunden gutgeschrieben.

**Wachstum:** Mitte 1995 hatten rd. 400 Banken Filialen im Internet; 3000 Firmen meldeten monatlich einen Internet-Zugang an, um ihre Waren elektronisch zu vermarkten. US-amerikanische Marktforscher schätzten, daß in internationalen Netzen im Jahr 2000 ein Handelsumsatz von 600 Mrd Dollar (845 Mrd DM) erzielt wird.

**Sicherheit:** 1995 bestanden Zweifel, daß die Codenummern wirksam vor Mißbrauch, z. B. von Hackern, geschützt sind. Es gab juristische Probleme, weil das Handels- und Datenschutzrecht in den meisten Ländern für das Bezahlen mittels Computern keine Regelungen vorsah.
→ Chipkarte → Datenschutz → Internet

127

| ECU: Zusammensetzung | |
|---|---|
| **Währung** | **Betrag**[1] |
| Belg./Lux. Franc[2] | 3,431 |
| Britisches Pfund | 0,08784 |
| Dänische Krone | 0,1976 |
| Deutsche Mark | 0,6242 |
| Französ. Franc | 1,332 |
| Griechische Drachme | 1,440 |
| Irisches Pfund | 0,008552 |
| Italienische Lira | 151,8 |
| Niederländ. Gulden | 0,2198 |
| Portugies. Escudo | 1,393 |
| Spanische Peseta | 6,885 |

Stand: Mitte 1995; 1) Landeswährung; 2) Währungsunion; Quelle: Deutsche Bundesbank

## Ecstasy

(engl.; Ekstase, Rausch, auch XTC, Partysmarties), synthetische Droge (sog. Designer-Droge), die euphorisierend wirkt. Die Zahl der E.-Konsumenten verdreifachte sich Schätzungen zufolge in Deutschland 1992–1994 auf 300 000. Die als Pille vertriebene Droge aus Methylendioxymethylamphetamin (MDMA) wurde Mitte der 90er Jahre insbes. in Diskotheken und auf Tanzveranstaltungen mit sog. Techno-Musik eingenommen (Preis/Stück: 30–60 DM). Mediziner warnten vor körperlichen Schäden im Extremfall mit Todesfolge.

**Wirkung:** Der Effekt der hauptsächlich in illegalen Labors in den Niederlanden und Polen für wenige Pfennige pro Stück hergestellten Droge war 1995 nicht vollständig geklärt. E. regt die Produktion von Botenstoffen im Gehirn an: Adrenalin steigert die Aktivität des Körpers, Serotonin verändert die Stimmungslage. Pulsfrequenz und Körpertemperatur steigen. Der Konsument verliert die Scheu gegenüber fremden Menschen. Die Libido läßt nach. Die Wirkung hält rd. fünf Stunden an, innerhalb von zwei Tagen baut der Körper die Substanz ab. Erst nach sechs Wochen Abstinenz spüren die Konsumenten wieder die volle Wirkung einer weiteren Dosis.

**Gefahren:** E. macht nicht körperlich, sondern psychisch abhängig. Es unterdrückt das Durstgefühl. Bei steigender Körpertemperatur kommt es zu einer fieberähnlichen Wirkung, die Kreislauf- sowie Organversagen und innere Blutungen verursachen kann. In Großbritannien sterben jährlich rd. 20 E.-Konsumenten an Hitzschlag. Bis 1995 waren in Deutschland zwei Todesfälle bekannt. Bereits eine halbe Tablette E. kann Leberzerfall auslösen. Als Nachwirkungen von E. wurden Schlafstörungen, Leberschäden, Depressionen und Psychosen beobachtet. In den USA deuteten Tests mit Affen auf Hirnschäden durch E. hin. Die Hersteller mixten E. oft, so daß das Risiko des Konsums unkalkulierbar wurde.

→ Drogen

## ECU

(European Currency Unit, engl.; Europäische Währungseinheit), Rechengröße des Europäischen Währungssystems (EWS) und eine der wichtigsten Währungen neben Dollar, DM und japanischem Yen für internationale Kredit- und Anlagengeschäfte. Sie soll bei Gründung der Europäischen Währungsunion (geplant bis 1999) EU-Zahlungsmittel werden. Aufgrund technischer Schwierigkeiten bei der Einführung (z. B. Druck bzw. Prägung von Banknoten und Hartgeld, Umrüstung von Automaten) kalkulierten Experten etwa drei Jahre für die Umstellung von nationalem auf das Europageld. Die Europäische Kommission will den ECU bereits vor dem Jahr 2002 in Umlauf bringen. Mitte 1995 entsprach 1 ECU rd. 1,87 DM.

**Zusammensetzung:** Der 1979 gemeinsam mit dem EWS geschaffene ECU ist eine sog. Korbwährung. Sie setzt sich aus den Währungen der EU-Mitgliedstaaten zusammen, deren Anteile nach dem wirtschaftlichen Gewicht der beteiligten Länder bestimmt

### ECU: Währungskorb

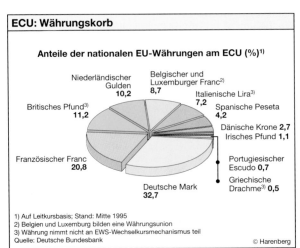

**Anteile der nationalen EU-Währungen am ECU (%)**[1]

Niederländischer Gulden **10,2**
Belgischer und Luxemburger Franc[2] **8,7**
Italienische Lira[3] **7,2**
Britisches Pfund[3] **11,2**
Spanische Peseta **4,2**
Dänische Krone **2,7**
Irisches Pfund **1,1**
Französischer Franc **20,8**
Portugiesischer Escudo **0,7**
Griechische Drachme[3] **0,5**
Deutsche Mark **32,7**

1) Auf Leitkursbasis; Stand: Mitte 1995
2) Belgien und Luxemburg bilden eine Währungsunion
3) Währung nimmt nicht an EWS-Wechselkursmechanismus teil
Quelle: Deutsche Bundesbank
© Harenberg

werden. Dadurch hat der ECU eine höhere Stabilität als andere Währungen wie z. B. der Dollar. Kursbewegungen der Mitgliedswährungen beeinflussen den gesamten Korb nur wenig oder können sich sogar ausgleichen.
**Gestaltung:** Die Stückelung der zukünftigen Banknoten soll sieben Scheine zu 5, 10, 20, 50, 100, 200 und 500 ECU umfassen. Münzen soll es in den Werten 0,01, 0,02, 0,05, 0,1, 0,2, 0,5, 1 und 2 ECU geben. Name und Design sowie Legierungen des Hartgeldes waren offen.
→ Dollarkurs → Europäische Währungsunion

## EFTA

**Name** European Free Trade Association, engl.; Europäische Freihandelsvereinigung
**Sitz** Genf/Schweiz
**Gründung** 1960
**Mitglieder** Island, Liechtenstein, Norwegen, Schweiz
**Generalsekretär** Kjartan Johannson/Island (seit 1994)
**Funktion** Förderung des Freihandels zwischen den Mitgliedern

Das Freihandelsbündnis befand sich 1995 in einer Phase der politischen Neuorientierung, nachdem durch den EU-Beitritt Finnlands, Österreichs und Schwedens Anfang des Jahres drei Mitglieder ausgeschieden waren. Eine Auflösung der E. oder eine schnelle Osterweiterung lehnten die Mitglieder Anfang 1995 ab, Norwegen sprach sich für ein verstärktes Engagement im Rahmen des EWR aus. Ende 1994 bekundete Slowenien ein Interesse an der Mitgliedschaft. Die E. bot zunächst einen Freihandelsvertrag an.
→ Europäischer Binnenmarkt → Europäische Union → EWR

## Eigentumsfrage

Insgesamt 1,3 Mio Antragsteller machten bis 1995 rd. 2,7 Mio Ansprüche auf Rückgabe von Vermögenswerten geltend, die 1945–1949 unter sowjetischer Besatzung und nach 1949 von DDR-Behörden unrechtmäßig enteignet worden waren. Nach Angaben des Bundesamtes zur Regelung offener Vermögensfragen (BARoV, Berlin) war Mitte 1995 erst die Hälfte der Anträge entschieden. Das Entschädigungs- und Ausgleichsleistungsgesetz von 1994 sieht Zuwendungen für Vertriebene in den neuen Bundesländern, Entschädigungen für Enteignungen nach 1949 und Ausgleichsleistungen für die Opfer der unumkehrbaren Enteignungen zwischen 1945 und 1949 vor. Die mit dem Gesetz verbundenen Gesamtkosten wurden auf 19 Mrd DM geschätzt.
**Vertriebene:** Heimatvertriebene, die sich nach dem Ende des Zweiten Weltkriegs in der DDR niederließen und daher nicht vom westdeutschen Lastenausgleich profitierten, erhalten eine einmalige Zahlung von 4000 DM.
**Entschädigung:** Der Anspruchsberechtigte muß sich innerhalb von zwei Monaten nach Inkrafttreten des Gesetzes (1. 12. 1994) entscheiden, ob er sein Eigentum zurückerhalten oder entschädigt werden will. Entschädigungen werden als Schuldverschreibungen geleistet, die ab dem Jahr 2004 in fünf gleich hohen Jahresraten ausbezahlt werden. Bei land- und forstwirtschaftlichen Flächen wird als Entschädigung der dreifache Einheitswert von 1935 zugrunde gelegt, bei Mietwohngrundstücken das 4,8fache und bei unbebauten Grundstücken das 20fache.
**Bodenreform:** 1945–1949 waren in der Sowjetischen Besatzungszone rd. 12 000 Bauern, darunter etwa 7000 Großgrundbesitzer, enteignet worden. Die Bundesregierung hatte die Bodenreform im Rahmen des Einigungsvertrags von 1990 als unumkehrbar akzeptiert. Bodenreformopfer können auf der Grundlage des neuen Gesetzes für die ihnen zustehende Ausgleichsleistung Land der Treuhandanstalt zu Vorzugspreisen kaufen. Neben diesen Alteigentümern haben auch Neu- und Wiedereinrichter landwirtschaftlicher Betriebe sowie juristische Personen

**Eigentumsfrage: Liste-3-Enteignungen unumkehrbar**
Das Bundesverwaltungsgericht (Berlin) entschied im Februar 1995, daß 1580 Grundstücke der sog. Liste 3 in Ost-Berlin (Wert: rd. 40 Mrd DM), die Ende 1949 kurz nach der Gründung der DDR enteignet worden waren, nicht an die Alteigentümer zurückgegeben werden müssen. Die meisten dieser Grundstücke fielen 1990 dem Bund und dem Land Berlin zu. Das Gericht urteilte, die Enteignungen seien noch auf besatzungsrechtlicher Grundlage erfolgt und damit laut Einigungsvertrag unumkehrbar (Az.: BVerwG 7 C 53 und 60/94).

129

| Einkommen: Westdeutschland | |
|---|---|
| Status | Einkommen (DM)[1] |
| Selbständige | 6148 |
| Pensionäre | 3018 |
| Beamte | 2370 |
| Angestellte | 2341 |
| Rentner | 2150 |
| Arbeiter | 1623 |
| Landwirte | 1421 |
| Arbeitslose | 1128 |
| Sozialhilfe-empfänger | 1017 |

Stand: 1994; 1) durchschnittliches Monatsnettoeinkommen je Haushaltsmitglied; Quelle: DIW

| Einkommen: Lohnangleichung in Ostdeutschland | |
|---|---|
| Branche | Lohn (%)[1] |
| Gebäudereinigung | 100,0 |
| Versicherung | 88,0 |
| Bau | 87,1 |
| Einzelhandel | 86,8 |
| Banken | 86,5 |
| Druck | 85,0 |
| Kfz-Gewerbe | 80,6 |
| Öffentl. Dienst | 80,0 |
| Papierverarb. | 80,0 |
| Eisen, Stahl | 80,0 |
| Holz, Kunststoff | 78,5 |
| Metall, Elektro | 78,4 |
| Energie | 77,3 |
| Chemie | 70,4 |
| Textil | 69,9 |
| Bekleidung | 68,5 |
| Hotelgewerbe | 65,2 |
| Transport, Verkehr | 64,3 |

Stand: Mitte 1994; 1) tarifl. Grundvergütung in % des Westverdienstes; Quelle: WSI

(Nachfolger der landwirtschaftlichen Produktionsgenossenschaften, LPGs) das Recht, bis zu 140 ha Staatsland günstig zu erwerben. Voraussetzung ist, daß sie am 1. 10. 1996 ehemals volkseigene, von der Treuhandanstalt zu privatisierende landwirtschaftliche Flächen langfristig gepachtet haben.

**Bebaute Grundstücke:** Im Oktober 1994 trat das Sachenrechtsänderungsgesetz in Kraft, das einen Interessenausgleich zwischen Grundstückseignern und den Nutzern, die in der ehemaligen DDR aufgrund eines Nutzungsrechts oder mit Billigung des Staates fremde Grundstücke bebaut haben, herbeiführen soll. Nach dem Gesetz kann der Nutzer zwischen dem Kauf des bebauten Grundstücks zum halben Verkehrswert oder der Inanspruchnahme eines zinsgünstigen Erbbaurechts wählen.

## Einheitswerte

Grundlage für die Bemessung der Vermögens-, Gewerbekapital-, Erbschaft-, Schenkung- und Grundsteuer auf Grundstücke und Gebäude in Deutschland. Für den Herbst 1995 wurde eine Entscheidung des Bundesverfassungsgerichts erwartet, ob die E. mit dem GG vereinbar sind.

**Besteuerungsverfahren:** Da der Marktwert (sog. Verkehrswert) einer Immobilie Verhandlungssache ist und die Besteuerung gerecht erfolgen soll, werden als Besteuerungsgrundlage E. verwendet. Die E. werden vom Finanzamt festgelegt und sollen alle sechs Jahre erneuert werden. Die letzte Festlegung in Westdeutschland fand jedoch 1964 statt, in Ostdeutschland 1935. Wegen des aufwendigen Bewertungsverfahrens wurden seitdem nur pauschale Zuschläge auf die alten E. vorgenommen. Weil nicht der Wert aller Immobilien im gleichen Maße steigt, wurden die Zuschläge niedrig angesetzt, um keine überhöhten Steuern zu fordern. Infolgedessen betrugen die E. Mitte der 90er Jahre oft nur 10–30% der Verkehrswerte.

**Verfassungsmäßigkeit:** Mitte 1995 wurde erwartet, daß das Gericht die E. für verfassungswidrig erklärt. Da Grundvermögen nach den niedrigen E., Geldvermögen, Wertpapiere und Betriebe aber nach ihrem Marktwert besteuert werden, könnte ein Verstoß gegen das Gleichheitsgebot vorliegen. Gerechtfertigt werden kann die Besteuerung nach E. dadurch, daß Grundbesitz im Unterschied zu anderem Vermögen weniger leicht verkauft werden kann. Der Bundesfinanzhof, das oberste Gericht auf dem Gebiet des Finanzrechts, sprach sich gegen eine Besserstellung von Vermögen an Grundstücken und Gebäuden aus, weil es sicherer vor Wertminderungen durch Inflation sei.

**Pläne:** CDU/CSU/FDP-Bundesregierung und SPD-Opposition wollten für den Fall, daß die E. für verfassungswidrig erklärt werden, keine höhere Besteuerung des Grundeigentums. Sie sprachen sich ggf. für eine Senkung der Steuersätze und höhere Freibeträge aus.

→ Steuern

## Einkommen

Das Nettoeinkommen der westdeutschen Arbeitnehmerhaushalte erhöhte sich 1994 gegenüber dem Vorjahr um 0,3–2,2% (nominal). Unter Berücksichtigung der Preissteigerung ging das Nettoeinkommen real um 0,7–2,5% zurück. Die Veränderung der realen Nettoverdienste in Ostdeutschland betrug 1994 für Arbeiterhaushalte –0,5% bis +1,1%, die Angestelltenhaushalte erreichten einen realen Zuwachs von 3,4–4%. 1995 werden für Westdeutschland aufgrund der steigenden Abgabenbelastung durch Solidaritätszuschlag und Pflegeversicherung reale E.-Verluste prognostiziert.

**Verteilung:** Der Anteil der E. aus unselbständiger Arbeit (sog. Lohnquote) am Volkseinkommen (Bruttoeinkommen aus unselbständiger Arbeit, Unternehmertätigkeit und Vermögen inkl. Abschreibungen) stieg 1994 auf

## Einkommen: West-Ost-Vergleich

| Merkmal | Westdeutschland | | Ostdeutschland | |
|---|---|---|---|---|
| | 1994[1] | Veränd. (%)[2] | 1994[1] | Veränd. (%)[2] |
| Beschäftigte (Mio) | 25,3 | − 1,1 | 5,8 | + 0,3 |
| Bruttolöhne und -gehälter (Mrd DM) | 307,7 | + 0,1 | 51,1 | + 5,0 |
| Durchschnittseinkommen (DM/Monat) | 4052 | + 1,2 | 2913 | +4,6 |

1) III. Quartal; 2) Veränderung gegenüber dem Vorjahreszeitraum; Quelle: Deutsches Institut für Wirtschaftsforschung (DIW, Berlin)

73,2% (1993: 71,7%). Nach Berechnungen des Deutschen Instituts für Wirtschaft (DIW, Berlin) erhöhte sich die Zahl der Menschen, die unter der Armutsgrenze lebten, in Ostdeutschland auf 8,9% (1990: 3,5%) der Bevölkerung, in Westdeutschland auf 11,3% (1990: 10%). Die als 50% des Durchschnittsverdienstes definierte Armutsgrenze lag 1994 bei 1376 DM (Osten) bzw. 1817 DM (Westen). Der Anteil der Reichen (mehr als das Doppelte des Durchschnittseinkommens) verringerte sich von 4,5% (1990) auf 2%.

**Löhne und Gehälter:** Die Tarifverhandlungen zwischen Gewerkschaften und Arbeitgebern ergaben 1994 einen Anstieg der Tariflöhne und -gehälter von 2% in Westdeutschland und 6,4% in Ostdeutschland (1993: 3,2% bzw. 12,5%). Die Bruttomonatsverdienste der Angestellten in der westdeutschen Industrie erhöhten sich 1994 um 2,3% auf 5933 DM. Der Lohnanstieg der westdeutschen Industriearbeiter um 4,1% auf 4125 DM im Monat resultierte vor allem aus der Zunahme der bezahlten Überstunden von 1,3 Stunden (1993) auf 1,6 Stunden pro Woche und dem Rückgang der Kurzarbeit.

**Bruttoverdienst:** 1994 wuchsen die Bruttoeinkommen aus unselbständiger Arbeit gegenüber dem Vorjahr in Westdeutschland um 1,2% (Ostdeutschland: 8,5%). Während die Bruttolohn- und -gehaltssumme pro Arbeitnehmer, die sich nach Abzug der Sozialabgaben der Arbeitgeber von den Bruttoeinkommen aus unselbständiger Arbeit ergibt, 1994 um 2,5% auf 1462,6 Mrd DM zunahm, erhöhte sich das Bruttoeinkommen aus Unternehmertätigkeit und Vermögen um 9% auf 663,9 Mrd DM.

**Ostdeutschland:** Mit 217,6 Mrd DM stieg die Bruttolohn- und -gehaltssum-

## Einkommen: Entwicklung in Deutschland

| Einkommen | Deutschland | | | Westdeutschland | | | Ostdeutschland | | |
|---|---|---|---|---|---|---|---|---|---|
| | 1993 | 1994 | 1995 | 1993 | 1994 | 1995[1] | 1993 | 1994 | 1995 |
| Volkseinkommen (Mrd DM) | 2386,0 | 2479,7 | 2613,5 | 2129,2 | 2197,1 | 2300,0 | 256,7 | 282,7 | 313,5 |
| Bruttoeinkommen aus Unternehmertätigkeit u. Vermög. (Mrd DM) | 608,8 | 663,9 | 721,5 | 593,3 | 643,0 | 690,0 | 15,5 | 20,9 | 31,5 |
| Anstieg zum Vorjahr (%) | − 2,5 | 9,0 | 8,5 | − 5,4 | 8,4 | 7,5 | k. A. | 34,8 | 50,7 |
| Bruttoeinkommen aus unselbständiger Arbeit (Mrd DM) | 1777,2 | 1815,8 | 1892,0 | 1535,9 | 1554,0 | 1610,0 | 241,2 | 261,8 | 281,5 |
| Anstieg zum Vorjahr (%) | 2,3 | 2,2 | 4,0 | 1,5 | 1,2 | 3,5 | 8,2 | 8,5 | 7,5 |
| Bruttolohn- u. -gehaltssumme (Mrd DM) | 1441,2 | 1462,6 | 1523,5 | 1239,5 | 1245,0 | 1289,5 | 201,8 | 217,6 | 234,0 |
| Nettolohn- u. -gehaltssumme (Mrd DM) | 967,6 | 963,5 | 977,5 | 825,5 | 813,5 | 820,5 | 142,1 | 150,0 | 157,0 |
| Sozialleistungen u. a. Einkommensübertragungen (Mrd DM) | 566,0 | 589,1 | 608,5 | 459,0 | 473,9 | 488,5 | 107,1 | 115,4 | 120,0 |
| Verfügbares Einkommen (Mrd DM) | 2088,9 | 2141,8 | 2211,0 | 1811,3 | 1849,9 | 1905,5 | 277,6 | 291,9 | 305,5 |

1) Prognose der führenden deutschen Wirtschaftsforschungsinstitute 1994; Quelle: Deutsches Institut für Wirtschaftsforschung (DIW, Berlin)

me 1994 in den neuen Bundesländern gegenüber 1993 um 7,8% und hatte einen Anteil von 14,9% am Wert für Gesamtdeutschland. Die ostdeutschen Bruttomonatsverdienste lagen 1994 bei 68,1% des Westniveaus. Nach Berücksichtigung von Kaufkraftunterschieden erreichten sie 80% des westdeutschen Durchschnittseinkommens. → Bruttoinlandsprodukt → Inflation → Sozialabgaben → Tarifverträge → Unternehmensgewinne

geheim, um Manipulationen auszuschließen.
**Messung:** Am TV-Gerät jedes Testhaushalts ist ein Computer installiert, der Ein-, Um- und Abschaltungen erfaßt. Der Zuschauer meldet sich über eine Fernbedienung mit der für ihn vorgesehenen Personentaste an, wenn er fernsieht. Die Daten werden an den Zentralrechner der GfK übermittelt. → Fernsehen → Fernsehwerbung → Privatfernsehen

## Einschaltquote

Seit 1985 von der Gesellschaft für Konsumforschung (GfK, Nürnberg) ermittelte Zuschauerzahl bei Fernsehsendungen. 1994/95 geriet die Messung der GfK wegen falscher Angaben in die Diskussion. Die E. wird im Auftrag von sieben TV-Sendern festgestellt. Sie ist Grundlage für Werbeschaltungen und entscheidet über die Preise, die Werbekunden an TV-Sender zahlen (Werbeeinnahmen der TV-Sender 1994: rd. 5,6 Mrd DM). Die Werbewirtschaft forderte 1995, zusätzlich zur Sehbeteiligung den Zuschauertyp zu ermitteln für Rückschlüsse auf das Konsumverhalten und die optimale Plazierung des Spots.
**Testhaushalte:** 1995 wurde die Zahl der Testhaushalte, auf deren TV-Beteiligung die Meßdaten beruhen, zwecks größerer Genauigkeit von 3096 auf 4400 erhöht. Die Testbeteiligten sind

## Elektroauto

Kfz mit Elektromotoren, die von wiederaufladbaren Batterien mit Antriebsenergie versorgt werden. Während der Fahrt erzeugen E. keine Abgase und sind bei niedrigen Geschwindigkeiten nahezu geräuschlos.
**Umweltbilanz:** Bei nicht mit Sonnenenergie betriebenen E. verlagert sich der Schadstoffausstoß von den Kfz zu Kraftwerken, die fossile Energien verarbeiten. Im Vergleich zu kraftstoffbetriebenen Kfz führt der Betrieb von E. zu geringerem Ausstoß von Kohlenmonoxid und Kohlenwasserstoffen, jedoch zur höheren Emission von Schwefeldioxid. US-amerikanische Wissenschaftler kritisierten 1995 den Einsatz von E., die mit Bleibatterien betrieben werden. Durch Produktion, Betrieb und Recycling der Batterien gelange pro gefahrenem Kilometer 60mal soviel giftiges Blei in die

| Elektroauto: Modelle in Deutschland | | | | | |
|---|---|---|---|---|---|
| Modell | Anbieter | Sitze | Höchstgeschwindig-keit (km/h)[1] | Reichweite (km[1]) | Preis (DM) |
| VW Golf RIWA | RIWA, Groß-Leine | 4 | 110 | 80 | 65 000 |
| Opel Corsa El | Kamm, Konstanz | 2+2 | 110 | 60 | 55 000 |
| VW Golf Citystromer | VW, Wolfsburg | 4 | 110 | 70 | 49 500 |
| Fiat 126 Pop and go | Ing.-Büro f. Solarenergie[2] | 2 | 90 | 50 | 39 738 |
| Hotzenblitz | Hotzenblitz-Mobile, Suhl | 2+2 | 120 | 80 | 35 500 |
| Daihatsu Cuore | Manthey, Berlin | 4 | 90 | 45 | 34 300 |
| Renault Twingo E | Arton, Stahnsdorf | 4 | 110 | 80 | 33 800 |
| Trabant Elektrabi | Manthey, Berlin | 2+2 | 85 | 45 | 29 900 |
| Erad Elektra 6 E1 | Eikenkötter, Oelde | 2 | 60 | 60 | 22 200 |
| Puli 2E | E-mobil, Stuttgart | 2 | 70 | 75 | 19 800 |

Auswahl; 1) bei 20 °C; 2) Konstanz; Quelle: Focus, 27. 2. 1995

Umwelt wie bei Autos, die mit bleihaltigem Benzin fahren.

**Markt:** In Deutschland waren 1995 4400 E. in Betrieb. Der bevölkerungsreichste US-Bundesstaat Kalifornien schreibt gesetzlich vor, daß 2% der PKW ab 1998 mit abgasfreiem Antrieb ausgerüstet sein müssen (Anteil 2003: 10%), den nur E. gewährleisten.

**Batterie:** Problem beim Bau von E. war, Batterien mit hoher Speicherkapazität und niedrigem Gewicht (1995: ca. 300 kg) zu produzieren. Die Zink-Luft-Batterie hat mit 200 Wh/kg die doppelte Energiedichte wie die Natrium-Schwefel-Batterie und die Achtfache einer Blei-Batterie. Ihr Gewicht beträgt bei gleicher Leistung nur den siebten Teil einer Blei-Batterie.

→ Car Sharing → Energien, Erneuerbare → Luftverschmutzung

## Electronic Banking

(engl.; elektronische Erledigung von Bankgeschäften), Bankenleistungen mit Unterstützung der elektronischen Datenverarbeitung. Banken senken mit E. Kosten durch Einsparung von Personal. Kunden können Leistungen unabhängig von den Schalteröffnungszeiten in Anspruch nehmen. 1995 berechneten Kreditinstitute geringere Gebühren für Buchungen (z. B. Überweisungen), die elektronisch erledigt wurden.

E. wurde in Deutschland vor allem in folgenden Bereichen eingesetzt:

▷ Im Zahlungsverkehr können sich Kunden an 29 500 Geldausgabeautomaten und an Kontoauszugsdruckern selbst bedienen

▷ Kunden können an 35 000 elektronischen Kassen im Einzelhandel und an Tankstellen ihre Einkäufe bargeldlos und ohne Scheck mit der Eurocheque-Karte bezahlen (Electronic Cash)

▷ Mit Personalcomputer, Telefon und einem Modem können Bankkunden mit dem Datex-J-System ihre Bankgeschäfte von zu Hause aus führen

▷ Mit Telefon und einer persönlichen Geheimnummer oder einem Codewort können Kunden Banken Aufträge per Telefon übermitteln.

Unberechtigte Zugriffe auf Konten versuchen die Banken durch die Ausgabe von Kundenkarten und persönlichen Geheimnummern zu verhindern.

→ Banken → Datex-J → Eurocheque-Karte → Telefonbanking

## Elektronik-Schrott

1995 arbeitete die Bundesregierung aus CDU, CSU und FDP an einem Gesetzentwurf zur Entsorgung von E. Er sieht vor, Handel und Hersteller zur unentgeltlichen Rücknahme und Entsorgung ausgedienter Elektrogeräte zu verpflichten. Handel und Elektroindustrie lehnten den Vorschlag ab und forderten, daß die letzten Besitzer von Geräten die Kosten für Rücknahme und Verwertung tragen.

Der EU-Ministerrat plante für 1995 eine Richtlinie für die E.-Entsorgung. Die EU prognostizierte ein jährliches E.-Wachstum von 50% bis zum Jahr 2000. In Deutschland fallen rd. 4,8 Mio t E. pro Jahr an. Während für die Deponielagerung 1995 für 1 t ca. 100 DM gezahlt werden mußten, kostete die umweltgerechte Entsorgung rd. 2000 DM. Probleme beim Recycling bereiteten Schadstoffe wie Schwermetalle, die eine umweltschonende Entsorgung verteuerten.

→ Abfallbeseitigung → Recycling

## Elektronische Geldbörse

→ Chipkarte

## Elektronische Medien

(auch Electronic Publishing, engl.; elektronisches Publizieren), Veröffentlichung von Büchern und Zeitungen auf elektronischen Speichermedien bzw. deren Verbreitung über Datennetze. E. ermöglichen die Kombination von Schrift und Grafik mit Ton und bewegten Bildern (sog. Multimedia-

**Elektronik-Schrott: Aufkommen in Privathaushalten 1995**

| Geräte | Anteil (%) |
|---|---|
| Große Haushaltsgeräte[1] | 56 |
| Fernseher | 17 |
| Unterhaltungselektronik | 11 |
| Kleingeräte | 8 |
| Sonstige | 8 |

1) Herde, Waschmaschinen u. a.; Quelle: ZVEI (Frankfurt/M.)

Anwendungen). E. eignen sich insbes. für die Aufbereitung von Publikationen mit wissenschaftlich-technischem Inhalt, weil die Informationen in Datennetzen häufig schneller verfügbar sind als bei Druckwerken. Auch wird eine Recherche durch elektronische Suche nach Begriffen erleichtert. Überregionale Tages- und Wochenzeitungen sowie die Nachrichtenmagazine in Deutschland konnten 1995 über Datenbanken abgerufen werden.

**Zugriff:** Mit PC, die über ein Modem an das Telefonnetz angeschlossen sind, können E. aus Datenbanken gegen eine Gebühr (0,6–4 DM/Recherscheminute) empfangen und aufgerufen werden. Diese Online-Publikationen (engl.; direkt mit dem Benutzer verbunden) können ständig aktualisiert werden. Stärker genutzt wurden 1995 jedoch Publikationen auf CD-ROM und Diskette, die von Laufwerken in den PC eingelesen werden. Experten schätzten, daß sich lediglich ca. 30% der verfügbaren Buchinhalte auf CD-ROM besser nutzen lassen als in gedruckter Form (z. B. Lexika).

**Bilder und Filme:** Für die Verarbeitung großer Datenmengen wie bei Bild- und Filmbeiträgen ist ein leistungsstarker PC (Minimum: Chip aus der 486er Serie) mit hoher Rechengeschwindigkeit Voraussetzung. Die Übertragung über die analoge Telefonleitung ist z. T. nicht möglich bzw. dauert lange und ist daher kostenintensiv. Auch mit einem einfachen digitalen ISDN-Telefonanschluß können Filme nicht übertragen werden.

→ CD-ROM → Datenautobahn → Internet → ISDN → Multimedia → Online-Dienste

## Elektro-Smog

Umgangssprachliche Bezeichnung für elektromagnetische Strahlung, die bei Produktion, Transport und Verbrauch von technisch erzeugter Energie in die Umwelt gelangt. 1994 lagen wissenschaftliche Ergebnisse vor, die zwar keine Hinweise auf krebserzeugende bzw. krebsfördernde Wirkung von E. ergaben, eine Schädigung des menschlichen Organismus durch Funkwellen (z. B. bei Mobilfunk) aber nicht ausschließen konnten.

**Kennzeichnung:** Zum Schutz vor E. ist ab 1. 1. 1996 eine Kennzeichnung von neuen Geräten in der EU Pflicht. Strahlungsarme Geräte, die den gültigen Grenzwert für elektromagnetische Felder erfüllen (20 000 Volt/m), werden mit dem europäischen CE-Zeichen versehen.

**Schutzmaßnahmen:** Alle Funktionen eines Organismus werden durch den elektrochemischen Austausch von Informationen zwischen und in den Zellen gesteuert. Es wird angenommen, daß E. den Informationsaustausch stören bzw. verändern kann. Elektromagnetische Felder durchdringen Wände und Metalle. Gegen E. in Wohnungen empfehlen Wissenschaftler, vor allem in häufig genutzten Räumen nur wenige Elektrogeräte aufzustellen, in Bettnähe keine elektrischen Leitungen zu verlegen und sog. automatische Netzfreischalter einzubauen, die beim Abschalten des letzten elektrischen Geräts den gesamten Stromkreis unterbrechen.

## Elstern

Ende 1994 wurden in Nordrhein-Westfalen E. zum Abschuß freigegeben, weil sie sich stark vermehrten und andere Vogelarten verdrängten. Rheinland-Pfalz plante gleiches für die Jagdsaison 1995/96. Die EU strich E., Eichelhäher und Rabenkrähen 1994 von der Liste der geschützten Vogelarten. In Deutschland dürfen Vögel nach dem Naturschutzrecht nicht gefangen oder getötet werden. Der Schutz kann aufgehoben werden, wenn heimische Tier- und Pflanzenarten gefährdet sind und Schäden in der Land- und Forstwirtschaft drohen. Umwelt- und Naturschützer lehnten einen Abschuß ab, weil die E. als Aasfresser und Nesträuber wichtige Regulierungsfunktionen ausübten.

## Endlagerung

Unbefristete Lagerung radioaktiver Abfälle. E. ist die letzte Stufe der Entsorgung kerntechnischer Anlagen. 1995 gab es weltweit keine Anlage zur E. hochradioaktiver Abfälle. Die Kapazität der deutschen Zwischenlager, in denen der Abfall vorübergehend gelagert werden kann, wird nach Schätzungen des Bundesumweltministeriums ab 1997 erschöpft sei. Bau und Betrieb von Endlagern sind politisch umstritten. Die SPD- bzw. rotgrünen Landesregierungen von Niedersachsen und Sachsen-Anhalt lehnen die E. in Gorleben, Salzgitter (Schacht Konrad) und Morsleben ab.

**Atommüll:** Schwach- und mittelradioaktive Abfälle werden meist oberflächennah vergraben. Abgebrannte Brennstäbe aus Atomkraftwerken sowie Abfälle aus der Wiederaufarbeitung verbrauchten Brennmaterials machen rd. 5% des radioaktiven Abfalls aus, bergen jedoch 99% der anfallenden Radioaktivität. Für diesen Abfall ist eine E. in tiefen, geologisch stabilen Formationen (Salz, Granit, Schiefer, Tuff) vorgesehen. Die deutschen Energieversorger zahlten bis 1994 als Vorleistungen für die geplanten Endlager in Gorleben und Salzgitter rd. 3,5 Mrd DM.

**Gorleben:** Die Inbetriebnahme des ehemaligen Salzbergwerks als einziges deutsches Endlager für hochradioaktive Stoffe war für 2008 geplant. Über zwei Schächte, die bis zu 800 m in den Boden getrieben werden, soll die Eignung als Endlagerstätte untersucht werden (Kosten bis Ende 1994: rd. 2 Mrd DM). 1994 wurde Niedersachsen zu Schadenersatzzahlungen an den Bund verurteilt, weil es 1990/91 und 1992 die Ausschachtung für sieben Monate rechtswidrig stoppen ließ.

**Morsleben:** Das einzige Atommülllager Deutschlands, das Salzbergwerk in Morsleben (Sachsen-Anhalt), hat eine Betriebsgenehmigung bis 2000. Der Bund will Morsleben über 2000 hinaus benutzen. Untersuchungen über die Langzeitsicherheit dauerten 1994/95 an. Umweltschützer befürchteten, daß Wasser aus dem Deckgebirge in den Salzstock eindringt und das Grundwasser radioaktiv verseucht wird.

**Schacht Konrad:** Streit zwischen Niedersachsen und dem Bund über die Genehmigung verzögerte 1994/95 die Inbetriebnahme des 1976 stillgelegten Salzbergwerks als Endlager für schwach- und mittelradioaktive Abfälle. Das sog. Planfeststellungsverfahren (seit 1982) wird nach Angaben des niedersächsischen Umweltministeriums nicht vor Ende 1995 abgeschlossen sein. Niedersachsen bemängelte fehlende Antragsunterlagen.

→ Atomenergie → Atomtransport → Entsorgung → Zwischenlagerung

| Endlagerung in Deutschland | | |
|---|---|---|
| Ort | Kapazität (m³) | |
| | hoch[1] | mittel-, schwach[1] |
| Gorleben[2] | 830 000 | 2 000 000 |
| Konrad[2] | – | 650 000 |
| Morsleben[3] | – | 40 000 |

1) Radioaktivität; 2) Planung; 3) bis 2000 genehmigt; Quelle: Bundesamt für Strahlenschutz

## Energie-Binnenmarkt

Der Plan der Europäischen Kommission, den Wettbewerb der Energieerzeuger und -versorger (Strom, Gas) im E. durch den Abbau von Kartellen und Ausschließlichkeitsrechten zu fördern, wurde Anfang 1995 wegen Widerstands vor allem Frankreichs weitgehend fallengelassen. In Frankreich produzierte, verkaufte und verteilte die staatliche Gesellschaft EdF den Strom exklusiv. In der Mehrheit der EU-Staaten gibt es zentrale bzw. Gebietsmonopole (z. B. Deutschland) in der Energiewirtschaft sowie staatliche Kontrollen bei Investitionen und Preisbildung. In Großbritannien dagegen werden die Strompreise an der Börse gebildet. Über die Anfang 1995 geänderten Vorschläge der Kommission entscheiden Ministerrat und Parlament gemeinsam:

135

## Energie-Binnenmarkt: Liberalisierung

**Third party access:** (engl.; Zugang für Dritte), auch: Verhandelter Netzzugang. Der Energieerzeuger kann Strom direkt an die Konsumenten verkaufen. Für Ausbau, Instandhaltung und Sicherheit der für den Energietransfer benötigten Stromleitungen sorgt der an dem Geschäft nicht beteiligte Netzbetreiber. Lieferant und Netzbetreiber handeln Transportbedingungen und Preise aus. Die Kunden haben die Möglichkeit, unter verschiedenen Anbietern zu wählen. **Single buyer:** (engl.; Alleinabnehmer), die Stromerzeuger liefern dem Alleinabnehmer die von ihnen produzierte Energie, der sie an den Verbraucher weiterverkauft. Der single buyer ist alleiniger Netzbetreiber und Energieanbieter. Er kann Strom auch selbst produzieren.

▷ Großverbraucher und unabhängige Erzeuger können Verträge über Stromlieferungen schließen, müssen diese jedoch vom Alleinabnehmer bzw. -verkäufer (engl.: single buyer) beziehen

▷ Verbraucher in einem Single-buyer-Gebiet sollen die Möglichkeit erhalten, Strom von externen Anbietern über Direktleitungen zu beziehen

▷ Der Bau von neuen Kraftwerken soll öffentlich ausgeschrieben werden (Ausnahme: Kleinkraftwerke, die auf Kraft-Wärme-Kopplung oder erneuerbaren Energien basieren).

Die Mehrheit der EU-Mitgliedstaaten befürwortete den Direktzugang von Großkunden zu Stromleitungen. Energieversorgungsunternehmen sollen verpflichtet werden, Strom durch ihr Netz zu leiten (engl.: third party access).

→ Energieversorgung

## Energiecharta, Europäische

46 Staaten unterzeichneten am 17. 12. 1994 in Lissabon/Portugal einen Rahmenvertrag zur E. von 1991. Die E. soll die Zusammenarbeit der westlichen Industrienationen mit den osteuropäischen Staaten und der GUS bei der umweltfreundlichen und rationellen Nutzung der Energieressourcen fördern sowie die Anbindung Osteuropas an das westeuropäische Energieversorgungsnetz erleichtern. Das Abkommen zur E. legt Grundsätze für einen freien Zugang zu Energiequellen und -märkten sowie für die rechtliche Absicherung von Investitionen fest. Es regelt den ungehinderten Transit von Energie sowie die Kooperation bei Technik und Umweltschutz.

Der völkerrechtlich verbindliche Vertrag zur E. beinhaltet folgende Punkte:

▷ Ausländische Unternehmen erhalten dieselben Rechts- und Finanzgarantien wie einheimische Firmen. Über die völlige Gleichstellung in- und ausländischer Investoren (Inländerprinzip) wird ab 1995 verhandelt

▷ Nationale Hoheitsrechte über die Bodenschätze werden anerkannt. Der Zugang der Vertragspartner soll jedoch erleichtert werden

▷ Ungehinderter Kapitalverkehr wird zugesichert, Enteignungen sind verboten

▷ Der Verursacher haftet für Umweltschäden

▷ Einrichtung eines Sekretariats und Festlegung von Streitbeilegungsverfahren.

Der Vertrag tritt in Kraft, wenn er von 30 Staaten ratifiziert wurde. Zusätze können vereinbart werden, wenn mindestens drei Viertel der Unterzeichner zustimmen.

→ Stromverbund

## Energiecharta: EU-Importe

| Land | Anteil (%)[1] | Verbrauch (1000 t SKE) |
|------|------|------|
| Luxemburg | 98,9 | 5 499 |
| Portugal | 94,7 | 24 209 |
| Italien | 81,7 | 224 669 |
| Belgien | 78,9 | 70 561 |
| Griechenland | 70,9 | 30 105 |
| Spanien | 68,0 | 125 873 |
| Irland | 66,7 | 14 658 |
| Österreich | 62,6 | 38 985 |
| Deutschland | 53,3 | 480 583 |
| Finnland | 51,8 | 42 108 |
| Frankreich | 51,8 | 317 914 |
| Schweden | 37,2 | 68 132 |
| Dänemark | 32,5 | 26 825 |
| Niederlande | 16,1 | 100 457 |
| Großbritannien | – | 308 565 |

Stand: 1993; 1) Energieeinfuhren im Verhältnis zum Energieverbrauch; Quelle: Statistisches Bundesamt

# Kein Ende im Parteienstreit um Atomenergie

Im Juni 1995 wurden zum zweiten Mal nach 1993 Gespräche zwischen der CDU/CSU/FDP-Bundesregierung, der SPD-Opposition und der privaten Energiewirtschaft über die Energiepolitik abgebrochen. Eine Verständigung scheiterte Mitte 1995 an der unterschiedlichen Bewertung der Atomenergie. Die Regierung hielt an der Nutzung der Kernkraft als umweltfreundlicher Alternative zu fossilen, Kohlendioxid produzierenden Energieträgern fest. Die SPD forderte den Ausstieg. Bündnis 90/Die Grünen wollten nur an den Konsensrunden teilnehmen, wenn ein sofortiger Ausstieg das Ziel sei. Angeregt wurden die Gespräche 1992 von den größten deutschen Energiekonzernen VEBA und RWE. Stromwirtschaft und Kohlebergbau hielten einen politischen Konsens zur Planung und Absicherung ihrer Investitionen für notwendig.

**Wenig Interesse an AKW-Neubau:** Die Energiewirtschaft ging 1995 davon aus, daß frühestens 2005 zusätzliche Kraftwerke benötigt würden. Über einen Neubau von Kernkraftwerken brauche zum jetzigen Zeitpunkt nicht entschieden werden. Allerdings müsse die Möglichkeit (Option) für den Bau einer neuen Generation von Atomreaktoren mit den 1994 gesetzlich erhöhten Sicherheitsanforderungen offengelassen werden. Unsicher war 1994/95 jedoch, ob wegen des verringerten Energieverbrauchs (1991–1994: –2,4%) eine Erweiterung der Kraftwerksleistung notwendig sei. Die niedersächsische Energie-Agentur hielt einen weiteren Rückgang um bis zu 22% bis 2010 durch Energiesparmaßnahmen für möglich.

**Sozialdemokraten für den Ausstieg:** Die SPD verweigerte die von der Regierung geforderte Zustimmung zur Möglichkeit, neue Atomkraftwerke zu genehmigen. Die Sozialdemokraten kamen der Regierung entgegen, indem sie auf eine verbindliche Festlegung der Restlaufzeit für die bestehenden 21 Atomkraftwerke verzichteten. Ein Zeitraum für den Ausstieg aus der Atomenergie müsse jedoch vereinbart werden. Eine nachträgliche Einschränkung der unbefristeten Genehmigungen für den Betrieb der vorhandenen Kraftwerke betrachteten die Stromerzeuger als Enteignung, für die Entschädigung gezahlt werden müßte. Dagegen wollten sie vor dem Bundesverfassungsgericht klagen. Der Verhandlungsführer der SPD, der niedersächsi-sche Ministerpräsident Gerhard Schröder, hatte vorgeschlagen, die Atommeiler schrittweise abzuschalten und mit der Regierung über die Ausgestaltung der Kernkraftoption zu verhandeln. Über den Bau eines neuen Reaktortyps sollten Bundestag und Bundesrat mit Zweidrittelmehrheit entscheiden. Dies lehnte seine Partei ab. 1994 hatte die Bundesregierung mit dem gesetzlichen Verzicht auf den Zwang zur Wiederaufarbeitung von Nuklearmaterial zugunsten einer kostengünstigeren direkten Endlagerung bereits eine Forderung von SPD und Energiewirtschaft erfüllt.

**Bundesregierung für Energiemix:** Die Regierung will die Energieversorgung weiterhin auf fossile Energieträger und die Kernkraft stützen. Die Entwicklung neuer Atomreaktoren sei notwendig, um mit US-amerikanischen und anderen europäischen Unternehmen erfolgreich konkurrieren und den Export deutscher Kraftwerkstechnik sichern zu können. Der geplanten Endlagerung von Atommüll in Niedersachsen (Gorleben, Schacht Konrad) widersetzte sich die SPD-Landesregierung. Sie verlangte ein zusätzliches Zwischenlager in Süddeutschland. Weitgehende Übereinstimmung mit der SPD besteht über die Förderung von erneuerbaren Energien und Energiesparmaßnahmen sowie über die Verminderung des $CO_2$-Ausstoßes 1990–2005 um 25%.

**Finanzhilfen für Steinkohle bleiben erhalten:** Als Verhandlungserfolg der SPD galt die Beibehaltung der Steinkohlesubventionen. FDP und Teile der Union hatten die Unterstützung in Frage gestellt, nachdem das Bundesverfassungsgericht den vom Verbraucher gezahlten Kohlepfennig Ende 1994 für verfassungswidrig erklärt hatte. Es gelang der Union nicht, als Gegenleistung für die Gewährung der Kohlesubventionen die Zustimmung der SPD für eine weitere Nutzung der Kernenergie zu erhalten. Die SPD wäre mit einer von der Unionsmehrheit favorisierten Energiesteuer als Ersatz für den Kohlepfennig einverstanden gewesen, wenn damit auch erneuerbare Energien gefördert würden. Diese scheiterte jedoch am Widerstand der FDP. (au)

→ Atomenergie → Atomtransport → CASTOR Energien, Erneuerbare → Energieverbrauch → Entsorgung → Kohle → Reaktorsicherheit

## Energien, Erneuerbare

Energiegewinnung aus wiederverwertbaren bzw. unerschöpflichen Energieträgern (Abfall, Biomasse, Sonne, Wasser, Wind). Die Umwandlung von E. in Sekundärenergie führt i. d. R. nur zu geringen Umweltbelastungen, z. B. mit Kohlendioxid, das zur Erwärmung der Erdatmosphäre beiträgt. Hohe Investitionen, nicht ausgereifte Technik und mangelnde öffentliche Förderung verhinderten bis Mitte der 90er Jahre eine weitgehende Durchsetzung von E. Etwa 80% der weltweiten Stromerzeugung aus E. (ohne Biomasse) entfällt auf die OECD-Staaten. **Deutschland:** 1994 wurden rd. 5% des Stroms für die öffentliche Versorgung mit E. erzeugt. Die Netzeinspeisung privater, mit E. betriebenen Anlagen trug zu 0,4% zum Elektrizitätsaufkommen bei. Die Investitionen in E. verdoppelten sich 1994 gegenüber dem Vorjahr auf rd. 1,2 Mrd DM. Wasserkraft-, Wind- und solarthermische Anlagen mit Erzeugungskosten von 2–20 Pf/kWh gelten im Gegensatz zur Photovoltaik (1,50–2 DM/kWh) als konkurrenzfähig gegenüber Kraftwerken, die mit Kernkraft bzw. fossilen Energieträgern betrieben werden.
**Förderung:** In Deutschland wird der Betrieb von Sonnenkollektoren, Wasserkraftwerken (Leistung: bis zu 500 kW) und Windkraftanlagen staatlich gefördert. Öffentliche Energieversorgungsunternehmen (EVU) sind lt. Stromeinspeisungsgesetz von 1991 verpflichtet, Kleinerzeugern Strom aus

### Erneuerbare Energien: Stromerzeugung in Deutschland

| Energieträger | Mio kWh | |
|---|---|---|
| | EVU[1] | Sonstige[2] |
| Wasserkraft | 16 153,0 | 3 073,0 |
| Abfall | 2 260,0 | 2 880,0 |
| Windenergie | 275,0 | 100,0 |
| Biomasse | 295,0 | 500,0 |
| Photovoltaik | 1,4 | 2,5 |

Stand: 1992; 1) öffentliche Energieversorgungsunternehmen; 2) Industrie, Bundesbahn, Privathaushalte; Quelle: VDEW

E. mit bis zu 90% des Tarifs zu vergüten, den die Endverbraucher zahlen. Ab 1995 erhalten die Betreiber 15,36 Pf/kWh (Sonnen-, Windenergie) bzw. 17,28 Pf/kWh (Deponie-, Klärgas-, Wasserkraftwerke bis 500 kW). Nordrhein-Westfalen erlaubte 1994 höhere Einspeisevergütungen. Die Mehrkosten dürfen die EVU durch eine Strompreiserhöhung um höchstens 1% ausgleichen. 1995 weigerten sich einzelne EVU, die festgelegten Vergütungen zu zahlen. Sie wollten eine verfassungsrechtliche Überprüfung des Einspeisungsgesetzes erreichen.
→ Energieverbrauch → Energieversorgung → Nachwachsende Rohstoffe → Sonnenenergie → Strompreise → Wasserkraft → Windenergie

### Energiesparen

→ Contracting → Heizung → Negawatt

### Energiesteuer

Abgabe an den Staat für den Verbrauch von Energie. Die E. soll den Energieverbrauch verteuern und so als sog. Ökosteuer das Energiesparen fördern. Der Europäische Umweltministerrat beschloß Ende 1994, daß die Staaten der EU nationale E. einführen können. Die geplante Erhebung einer europäischen E. zum Klimaschutz wurde abgelehnt. Anfang 1995 wurde in Deutschland über den Ersatz des für verfassungswidrig erklärten Kohlepfennigs durch eine E. diskutiert.

### Erneuerbare Energien: Prognose

| Energieträger | Stromerzeugung (TWh) | | |
|---|---|---|---|
| | 1992 | 2010[1] | |
| | | I | II |
| Biomasse | 91,1 | 170,7 | 173,7 |
| Erdwärme | 30,6 | 63,0 | 105,4 |
| Wind, Gezeiten | 5,1 | 58,4 | 70,4 |
| Sonnenenergie | 2,3 | 9,5 | 13,9 |
| Insgesamt | 129,1 | 301,6 | 363,4 |

1) Prognose; Annahme I: Fortsetzung der vergangenen Entwicklung, II: Energieeinsparung; Quelle: Int. Energie-Agentur (IEA)

**Europa:** Die EU-Staaten konnten sich nicht auf den Vorschlag der Europäischen Kommission zur Einführung einer einheitlichen Abgabe auf Energie aus Kohle, Erdöl und Erdgas einigen. Ein Richtlinienentwurf der Kommission vom Mai 1995 sieht für die Länder, die eine E. einführen wollen, eine Übergangsfrist bis 2000 mit uneinheitlichen Steuersätzen vor. Danach soll das Besteuerungssystem harmonisiert werden. Gegen eine E. oder $CO_2$-Steuer hatten sich insbes. Großbritannien eingesetzt, das energieabhängige Industriezweige schützen wollte.

**Ziel:** Die E. soll dazu beitragen, den Ausstoß von Kohlendioxid ($CO_2$) in die Atmosphäre bis zum Jahr 2000 auf den Stand des Jahres 1990 zurückzuführen. Der Energieverbrauch ist maßgeblich an der $CO_2$-Freisetzung beteiligt. $CO_2$ gilt als Hauptverursacher des sog. Treibhauseffekts, einer Erwärmung der Erdatmosphäre.

**Deutschland:** Die CDU erarbeitete einen Plan zu einer E., die den Kohlepfennig, mit dem die Steinkohleförderung subventioniert wird, ersetzen und in erster Linie private Haushalte belasten sollte. Sie scheiterte im März 1995 am Widerstand des Koalitionspartners FDP, der sich grundsätzlich gegen Kohlesubventionen aussprach. Die geplante E. war keine Ökosteuer, weil sie in starkem Maße $CO_2$ freisetzende Kohle fördern sollte.

→ Kohle  → Kohlendioxid  → Ökosteuern → Strompreise

---

### Energieverbrauch

1995 ging die Internationale Energieagentur (IEA, Paris) weltweit von einem Wachstum des E. bis 2010 von durchschnittlich 1,7–2,1% pro Jahr aus. Der Anteil der OECD am E. gehe von 55% auf 50% zurück. Die Abhängigkeit der westlichen Industriestaaten von Ölimporten aus den OPEC-Staaten (Anteil an Weltölreserven: 76,5%) werde ebenso zunehmen wie die Nachfrage nach Erdgas, vor allem in Europa (+100%) und den USA (+50%).

---

### Energie: Größte deutsche Konzerne

| Ulrich Hartmann, VEBA-Vorstandsvorsitzender | Dietmar Kuhnt, RWE-Vorstandsvorsitzender | Georg Obermeier, VIAG-Vorstandsvorsitzender |
|---|---|---|
| * 7. 8. 1936 in Berlin. 1975 in der Zentrale (Düsseldorf), 1980 Leiter Kraftwerke Ruhr, 1989 Vorstandsmitglied, 1993 Chef des größten deutschen Energiekonzerns (Umsatz '94: 71,04 Mrd DM). | * 16. 11. 1937 in Breslau, Dr. jur. Ab 1966 bei RWE (Essen, Umsatz 1993/94: 55,75 Mrd DM), 1992 Vorstandsvorsitz RWE-Energie AG, der wichtigsten RWE-Tochter (Umsatz 1993/94: 16,62 Mrd DM). | * 21. 7. 1941 in München, Dr. rer. oec. 1973–1989 bei Bayernwerk (ab 1994 VIAG-Tochter), 1989 VIAG-Finanzvorstand, ab 1. 8. 1995 Chef der VIAG (München, Umsatz 1994: 28,87 Mrd DM). |

---

**Kohlendioxid:** 90% des Energiebedarfs würden wie Mitte der 90er Jahre mit Kohle, Öl und Gas gedeckt. Der vermehrte Einsatz fossiler Energieträgern infolge steigender Wirtschaftsleistung und hohen Bevölkerungswachstums erhöhe den $CO_2$-Ausstoß von 21 Mrd t (1992) auf 28 Mrd–30 Mrd t im Jahr 2010. Vier Fünftel der $CO_2$-Emissionen entstehe in den Entwicklungsländern. In Indien und China, auf die 2010 etwa 40% des Weltkohleverbrauchs entfielen, werde der Zuwachs des Schadstoffausstoßes größer sein als in allen OECD-Staaten zusammen. In Mittel- und Osteuropa blieben die Emissionen auf dem Stand von 1990.

**Deutschland:** Der E. in Westdeutschland blieb nach Berechnungen der Arbeitsgemeinschaft Energiebilanzen 1994 aufgrund der milden Witterung mit rd. 409 Mio t SKE gegenüber dem Vorjahr nahezu konstant (Ostdeutschland: 71 Mio t SKE, –2%). Die Privathaushalte benutzten fast die Hälfte ihres E. zum Heizen. Die Hälfte des

## Energieverbrauch: Energieträger

| Energieträger[1] | Menge (Mio t SKE) | | | Verände-rung (%)[3] | Anteil (%) |
|---|---|---|---|---|---|
| | 1992 | 1993 | 1994[2] | | |
| Erdöl | 192,1 | 196,6 | 194,0 | −1,3 | 40,4 |
| Erdgas | 81,3 | 85,6 | 87,7 | +2,5 | 18,3 |
| Steinkohle | 75,3 | 72,6 | 74,3 | +2,3 | 15,5 |
| Braunkohle | 67,4 | 67,3 | 63,3 | −5,9 | 13,2 |
| Atomenergie | 49,1 | 49,1 | 48,1 | −2,0 | 10,0 |
| Sonstige | k. A. | 11,3 | 12,4 | +9,7 | 2,6 |
| Insgesamt | 478,0 | 482,2 | 479,8 | −0,5 | 100,0 |

1) Primärenergieverbrauch; 2) vorläufige Zahlen; 3) 1994 zu 1993;
Quelle: Arbeitsgemeinschaft Energiebilanzen

## Energieverbrauch: Abnehmer in Deutschland

| Bereich | Anteil am Endenergieverbrauch (%) | | | | |
|---|---|---|---|---|---|
| | 1989 | 1990 | 1991 | 1992 | 1993 |
| Haushalte[1] | 42,2 | 43,3 | 45,0 | 44,1 | 45,5 |
| Verkehr | 23,5 | 25,2 | 26,1 | 27,5 | 28,2 |
| Industrie | 34,3 | 31,5 | 28,9 | 28,4 | 26,3 |

1) Inkl. Kleinverbraucher; Quelle: BP

## Energieverbrauch: Weltprognose

| Energieträger | Anteil am Primärenergieverbrauch (%) | | | |
|---|---|---|---|---|
| | 1971 | 1992 | 2010 | |
| | | | Scenario I[1] | Scenario II[2] |
| Mineralöl | 47,8 | 39,2 | 38,2 | 39,4 |
| Kohle | 30,9 | 26,7 | 28,5 | 28,7 |
| Erdgas | 18,4 | 22,0 | 23,6 | 21,2 |
| Atomenergie | 0,6 | 8,7 | 7,2 | 6,6 |
| Wasserkraft | 2,1 | 2,2 | 2,7 | 2,9 |
| Sonstige | 0,1 | 0,4 | 0,8 | 1,2 |

1) Fortschreibung der vergangenen Entwicklung; 2) zusätzliche
Energieeinsparungen; Quelle: Internationale Energie-Agentur (IEA)

## Energie: Deutsche Lieferanten

| Land | Mio t SKE (Energieträger) |
|---|---|
| Rußland | 53,8 (Erdgas: 29,1 Erdöl: 24,7) |
| Norwegen | 38,3 (Erdöl: 26,2 Erdgas: 12,1) |
| Niederlande | 27,3 (Erdgas) |
| Großbritannien | 17,7 (Erdöl) |
| Libyen | 16,4 (Erdöl) |
| Saudi-Arabien | 11,7 (Erdöl) |
| Algerien | 11,2 (Erdöl) |
| Nigeria | 11,0 (Erdöl) |
| Venezuela | 7,6 (Erdöl) |
| Syrien | 7,6 (Erdöl) |
| Südafrika | 4,0 (Steinkohle) |

Stand: 1993; Quelle: Dr. H.-W. Schiffer -
Energiemarkt Bundesrepublik Deutschland,
1994

## Fossile Energieträger

| Land | Anteil (%)[1] | Energieverbrauch pro Kopf (kg OE[2]) | |
|---|---|---|---|
| | | 1992 | 1993 |
| Niederlande | 99 | 4560 | 4533 |
| China | 98 | 601 | 623 |
| Italien | 97 | 2755 | 2697 |
| Indien | 96 | 235 | 242 |
| Rußland | 94 | 5665 | 4438 |
| Großbritannien | 91 | 3743 | 3718 |
| USA | 90 | 7662 | 7918 |
| Deutschland | 88 | 4358 | 4170 |
| Österreich | 87 | 3266 | 3277 |
| Japan | 84 | 3586 | 3642 |
| Spanien | 82 | 2409 | 2373 |
| Ungarn | 74 | 2392 | 2385 |
| Finnland | 72 | 5560 | 5635 |
| Schweiz | 63 | 3694 | 3491 |
| Frankreich | 58 | 4034 | 4031 |
| Norwegen | 54 | 4925 | 5096 |
| Schweden | 47 | 5395 | 5385 |

1) Anteil von Kohle, Erdgas, Erdöl am Primärenergieverbrauch; 2) Öleinheit; Quelle:
BP, Weltbank

deutschen Stromverbrauchs entfiel
1993 auf die Industrie. Nach einer Studie des Mineralölkonzerns Esso vom
November 1994 wird der E. bei einem
jährlichen Wirtschaftswachstum um
2,5% und einer konstanten Bevölkerungszahl von 81 Mio bis 2010 auf 483
Mio t SKE steigen. Erdöl bleibe mit
einem Anteil von 37% der wichtigste
Energieträger. Esso rechnete mit einer
effektiveren Nutzung und Einsparung
der Energie bei Industrie, Kleinver-
brauchern und Privathaushalten sowie
mit einem rückläufigen Kraftstoffverbrauch trotz Verkehrszunahme.
→ Atomenergie → Erdgas → Erdöl →
Heizung → Kohle → Kohlendioxid

## Energieversorgung

Im September 1994 wurde die Privatisierung des ostdeutschen Stromver-
bundunternehmens Vereinigte Ener-
giewerke (Veag) und der Lausitzer
Braunkohlen AG (Laubag) abgeschlos-

sen. Rückwirkend zum 1. 1. 1994 wurden Veag und Laubag von westdeutschen Energieversorgungsunternehmen (EVU) übernommen. Die Treuhandanstalt erwartete Verkaufserlöse von insgesamt 10 Mrd DM.

**Ostdeutschland:** Die Veag, drittgrößtes deutsches Verbundunternehmen (Umsatz 1993: 6,5 Mrd DM), lieferte 1993/94 rd. 12% des ostdeutschen Stroms der öffentlichen E. Der Stromabsatz der Veag, der im wesentlichen auf der Braunkohle beruht, ging 1990–1994 um ein Viertel zurück. Konkurrenz erwuchs der Veag aus den neugegründeten Stadtwerken, die selbst Strom und Wärme erzeugen bzw. Erdgas als Energiequelle nutzen. Bis 2012 plante die Veag Investitionen in Höhe von 23,3 Mrd DM. Für je 5 Mrd DM sollen drei Kohlekraftwerke in Brandenburg und Sachsen gebaut werden. Die ostdeutsche Gasversorgung lag 1994/95 fast vollständig in der Hand des 1991 privatisierten Ferngasversorgers Verbundnetzgas (VNG). An der VNG sind westdeutsche und ausländische Gasproduzenten, -transporteure und -verteiler beteiligt.

**Stadtwerke und Regionalversorger:** 158 von rd. 6000 ostdeutschen Städten und Gemeinden beantragten ab 1993 bei den Landesregierungen die Errichtung eigener Stadtwerke. Bis Ende 1994 waren nur in Thüringen alle Genehmigungen erteilt. Gegen die Aufgabe der Beteiligung an den 1994 privatisierten zwölf Regionalversorgern (49%) erhalten die Kommunen von diesen unentgeltlich Netze und Anlagen. Die Stadtwerke hatten sich 1993 im Stromkompromiß mit den ostdeutschen Regionalversorgern verpflichtet, höchstens 30% des Stroms selbst zu erzeugen. Die Regionalversorger, die mehrheitlich von westdeutschen EVU übernommen wurden, dürfen sich an Stadtwerken beteiligen. Die Kommunalisierung verzögerte sich 1994/95, weil Gemeinden und EVU sich, außer in Thüringen, nicht über die Netzentflechtung sowie die Verrechnung von Investitionen und Ver-

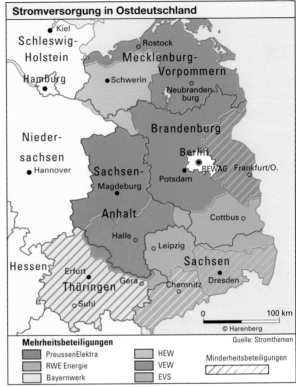

**Stromversorgung in Ostdeutschland**

**Mehrheitsbeteiligungen**
- PreussenElektra
- RWE Energie
- Bayernwerk
- HEW
- VEW
- EVS

Minderheitsbeteiligungen

© Harenberg

Quelle: Stromthemen

| Energieversorgung: Stromerzeugung in Deutschland | | | |
|---|---|---|---|
| Energieträger | Anteile an Brutto-Elektrizitätserzeugung (%)[1] | | |
| | Deutschland | West | Ost |
| Atomenergie | 32,9 | 38,1 | – |
| Braunkohle | 30,0 | 20,3 | 91,5 |
| Steinkohle | 26,2 | 30,0 | 1,6 |
| Erdgas | 4,6 | 4,8 | 3,2 |
| Wasserkraft | 4,4 | 4,7 | 2,7 |
| Heizöl | 1,0 | 1,0 | 1,0 |
| Sonstiges | 0,9 | 1,0 | – |

Stand: 1994; 1) vorläufig; Quelle: Statistisches Bundesamt, VDEW

mögen einigen konnten. Das Aktienkapital der Kommunen an den Regionalversorgern wurde von der Nachfolgeorganisation der Treuhandanstalt verwaltet. Über den Verkauf der von den Gemeinden zurückgegebenen Anteile hatte sie Mitte 1995 nicht entschieden.

## Energieversorgung: Beteiligungen in Ostdeutschland

| VNG | | Veag | |
|---|---|---|---|
| Name (Ausland) | Anteil (%) | Name | Anteil (%) |
| uhrgas | 35 | PreussenElektra | 26,25 |
| BEB Erdgas u. Erdöl[1] | 10 | RWE Energie | 26,25 |
| Wintershall | 15[2] | Bayernwerk | 22,50 |
| Ostdt. Kommunen | 15[3] | Bewag | 6,25 |
| British Gas (GB) | 5 | EVS | 6,25 |
| Elf Aquitaine (F) | 5 | HEW | 6,25 |
| Erdöl-Erdgas Gommern Transport | 5 | VEW | 6,25 |
| Gazprom (RUS) | 5 | | |
| Statoil (N) | 5 | | |

1) Ruhrgas-Tochter; 2) Plus eine Aktie; 3) minus eine Aktie

**Monopole:** In Westdeutschland war die E. über Absprachen zwischen EVU über die ausschließliche Lieferung in einem Gebiet (Demarkationsverträge) und über Abkommen zwischen EVU und Kommunen geregelt, die dem jeweiligen Versorger gegen eine Konzessionsabgabe das alleinige Recht über die zenrale E. in zusichern (Einnahmen 1994: rd. 6 Mrd DM).
**Streit:** Zum 31. 12. 1994 liefen die Konzessionsverträge aus (Laufzeit: 20 Jahre). Sie wurden von etwa 90% der Städte und Gemeinden verlängert. Ende 1994 schlossen sich 40 Kommunen zusammen, um gerichtlich gegen die ihrer Meinung nach überhöhten Geldforderungen der EVU für die Stromverteilungsnetze vorzugehen. Die EVU verlangten den Zeitwert als Berechnungsgrundlage, die Kommu-

nen wollten nur den niedrigeren Anschaffungspreis zahlen.
**Konkurrenz:** Das Bundeskartellamt (Berlin) ging ab 1992 gegen folgende Wettbewerbsbeschränkungen vor:
▷ Weigerung der VNG, der Wintershall Erdgas Handelshaus GmbH Leitungen für Gaslieferungen zur Verfügung zu stellen. Der VNG-Beschwerde gegen die Verfügung des Kartellamts gab der Bundesgerichtshof im November 1994 statt
▷ Vertrag zwischen Thyssengas und Ruhrgas über die Abgrenzung ihrer E.-Gebiete und die gemeinsame Belieferung von vier Stadtwerken
▷ Konzessionsvertrag zwischen der Stadt Kleve und der RWE Energie AG. Dieser wurde Mitte 1995 von der Europäischen Kommission als EU-Wettbewerbsbehörde geprüft
▷ Abkommen zwischen Ruhrgas und Wintershall, das Ruhrgas die direkte Belieferung von Großkunden in Ostdeutschland überläßt. Im Gegenzug wurden Lieferverträge zwischen der mehrheitlich zu Ruhrgas gehörenden VNG und Wintershall abgeschlossen (Laufzeit: 20 Jahre).
Gegen die Verfügung des Kartellamts legten Wintershall und VNG bis Mitte 1995 gerichtlich Beschwerde ein.
→ Energie-Binnenmarkt → Erdgas

## Entschädigungsgesetz

→ Eigentumsfrage

## Energie: Größte Versorgungsunternehmen der Welt

| Rang | Name (Land) | Vermögen (Mio $) | Einnahmen (Mio $) | Ergebnis (Mio $) |
|---|---|---|---|---|
| 1 | Tokyo Electric Power (J) | 125 960,8 | 43 752,7 | 574,4 |
| 2 | Electricité de France (F)[1] | 112 823,6 | 32 410,5 | 375,5 |
| 3 | Dt. Bundespost Telekom (D)[1] | 88 648,9 | 35 670,5 | –1 737,7 |
| 4 | ENEL (I)[1] | 83 178,6 | 21 173,0 | 219,1 |
| 5 | Kansai Electric Power (J) | 60 586,1 | 21 173,0 | 466,1 |
| 6 | Chubu Electric Power (J) | 53 480,2 | 18 124,9 | 243,3 |
| 7 | France Telecom (F)[1] | 45 789,8 | 22 421,6 | 848,1 |
| 8 | British Gas (GB) | 44 614,4 | 15 596,9 | –800,4 |
| 9 | GTE (USA) | 41 575,0 | 19 748,0 | 900,0 |
| 10 | STET (I)[1] | 41 429,4 | 18 946,3 | 645,1 |

Stand: 1993; 1) staatlich; Quelle: Fortune, 22. 8. 1994

## Entsorgung

Das deutsche Atomgesetz schreibt die E. abgebrannter Brennelemente aus kerntechnischen Anlagen als Voraussetzung für den Betrieb eines Atomkraftwerks vor. Eine Gesetzesänderung vom 28. 7. 1994 gab den Vorrang der Wiederaufarbeitung zugunsten der direkten Endlagerung auf.

**Zwei Wege:** Folgende Arten der E. werden unterschieden:

▷ Verbrauchte Brennelemente werden in einer Konditionierungsanlage zerlegt und verpackt und in einem Endlager auf unbestimmte Zeit aufbewahrt.

▷ In einer Wiederaufarbeitungsanlage wird aus abgebranntem Brennmaterial das noch nutzbare spaltbare Material (Uran 235: 0,8% des Kernbrennstoffs, Plutonium 239: 0,5%) zurückgewonnen. Der radioaktive Abfall wird endgelagert.

**Wiederaufarbeitung:** Die Betreiber der Atomkraftwerke Krümmel und Gundremmingen kündigten Ende 1994 Verträge mit dem Betreiber der britischen Aufarbeitungsanlage in Sellafield (Geltungsdauer: 2002–2005). Ein Großteil deutscher Atomabfälle wird zur Wiederaufarbeitung nach Großbritannien und Frankreich (La Hague) transportiert, da in Deutschland keine Anlagen existierten. Bei einer direkten Endlagerung würden die deutschen Energieversorger nach Angaben des Energiewirtschaftlichen Instituts jährlich 600 Mio–700 Mio DM einsparen.

**Brennstoffweiterverarbeitung:** Mit der Ankündigung der Stromversorger im Juni 1995, aus der Mitfinanzierung (50%) des geplanten Hanauer Siemenswerks zur Plutoniumverarbeitung

### Entsorgung: Radioaktiver Abfall

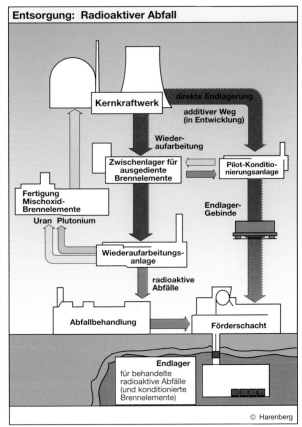

© Harenberg

auszusteigen (Kosten bis 1995: rd. 1,1 Mrd DM) war die Fertigstellung der Anlage gefährdet. Sie war als einzige Plutoniumfabrik in Deutschland für die Herstellung von Mischoxid-Brennelementen (MOX) ausgelegt (pro Jahr: 120 t). Aus der Wiederaufarbeitung fließen bis 2002 ca. 40 t Plutonium für rd. 900 t MOX-Brennelemente nach Deutschland zurück. Die Herstellung von Uran-Brennmaterial in Hanau gibt Siemens zum 30. 9. 1995 auf (Defizit pro Jahr: 200 Mio DM) und verlagert sie ins Ausland, insbes. die USA.

→ Atomenergie → Atomtransport → CASTOR → Endlagerung → Plutonium → Zwischenlagerung

### Entsorgung: Atommüll

| Jahr | Menge (m³) | |
| --- | --- | --- |
| | hoch[1] | schwach/mittel[1] |
| 1993 | 570 | 63 000 |
| 2000[2] | 2800 | 160 000 |
| 2010[2] | 5900 | 272 000 |

1) Radioaktivität; 2) Prognose für Deutschland; Quelle: Bundesamt für Strahlenschutz

## Entwicklungsländer: Ärmste und reichste Länder

| Land | BSP pro Kopf (Dollar) | Land | BSP pro Kopf (Dollar) |
|------|------|------|------|
| Mosambik | 90 | Luxemburg | 37 320 |
| Tansania | 90 | Schweiz | 35 760 |
| Äthiopien | 100 | Japan | 31 490 |
| Sierra Leone | 150 | Dänemark | 26 730 |
| Bhutan | 170 | Norwegen | 25 970 |
| Vietnam | 170 | Island | 24 950 |
| Burundi | 180 | Schweden | 24 740 |
| Uganda | 180 | USA | 24 740 |
| Nepal | 190 | Deutschland | 23 560 |
| Malawi | 200 | Österreich | 23 510 |

Stand: 1993; Quelle: Weltbank

## Entwicklungsländer

Etwa 170 vorwiegend auf der Südhalbkugel der Erde liegende Länder, die im Vergleich mit den Industrienationen als wirtschaftlich unterentwickelt angesehen werden. 46 Länder wurden Mitte der 90er Jahre von der UNO als besonders arm eingestuft (sog. Vierte Welt), höher entwickelte E. gelten als Schwellenländer. In E. lebten Mitte der 90er Jahre 76% der Weltbevölkerung. Sie produzierten 37% der Weltwirtschaftsleistung. Größte Probleme der E. waren Armut und Hunger, unter denen rd. 1 Mrd Menschen litten, Auslandsschulden von 1812 Mrd Dollar (2751 Mrd DM) und ein Bevölkerungswachstum von jährlich etwa 2%.
**Unterentwicklung:** Die Ökonomie der E. basiert auf der Landwirtschaft, die häufig noch von Monokulturen aus der Kolonialzeit (z. B. Bananen, Kaffee) geprägt ist. Die E. sind daher abhängig von Rohstoffexporten und dem Import von meist teureren Fertigwaren. Nur wenigen Schwellenländern gelang ab den 60er Jahren der Aufbau von Industrien, der Großteil der E. verschuldete sich beim Versuch, die Wirtschaft zu entwickeln, bei den Industrieländern. Gründe für Unterentwicklung waren u. a. der Protektionismus der Industrieländer, die ihre Industrien und Landwirtschaften durch Zölle und Importbeschränkungen vor Konkurrenz schützten, sowie der Ost-West-Konflikt bis Anfang der 90er Jahre, der durch Rüstungsexporte auf die E. übertragen wurde.

**Wirtschaftswachstum:** Die Weltbank erwartet 1995–2000 eine Phase anhaltenden BIP-Anstiegs von 4,9% pro Jahr in E. Die Gründung der Welthandelsorganisation WTO bewirkt, u. a. durch den Abbau von Zöllen, eine zunehmende Einbindung der sog. Dritten Welt in die Weltwirtschaft. Am stärksten profitieren von dieser Entwicklung die Schwellenländer in Ostasien und Lateinamerika, deren Wirtschaften bis 2000 um 7,7% im Jahr wachsen sollen (Industrieländer: 2,8%). Private Kapitalströme aus Industrieländern in Höhe von 172,9 Mrd Dollar (243,4 Mrd DM) 1994 flossen fast ausschließlich in diese Regionen. Vom Welthandel weitgehend ausgeschlossen bleiben die ärmsten Länder in Schwarzafrika (Anteil an der Weltwirtschaftsleistung: rd. 7%), in denen ca. 50% der absolut Armen leben.

**Überalterung:** Die durchschnittliche Lebenserwartung in E. erhöhte sich durch verbesserte medizinische Versorgung seit 1960 von 40 auf 63 Jahre (Deutschland: 76 Jahre). Die Weltbank veröffentlichte Ende 1994 eine Studie, nach der den E. ab 2000 eine Überalterung droht, durch die immer mehr alte Menschen in Armut geraten werden. Erwartet wird eine Verdreifachung der über 60jährigen 1990–2030 von 0,5 Mrd auf 1,4 Mrd Menschen weltweit, von denen 80% in E. leben werden.

## Entwicklungsländer: Privater Kapitalzufluß wächst

| Kapitalart | Nettozufluß (Mrd Dollar)[1] 1990 | 1993 | 1994[2] |
|------|------|------|------|
| Öffentliche Gelder | 57,9 | 53,9 | 54,5 |
| Schenkungen | 28,7 | 30,1 | 30,5 |
| Kredite | 29,2 | 23,8 | 24,0 |
| Private Gelder | 45,5 | 159,2 | 172,9 |
| Kredite | 15,0 | 45,7 | 55,5 |
| Direktinvestitionen | 26,7 | 66,6 | 77,9 |
| Portfolio-Anlagen | 3,8 | 46,9 | 39,5 |
| Insgesamt | 103,4 | 213,2 | 227,4 |

1) Langfristiger Kapitalzufluß abzüglich Amortisationen; 2) Schätzung; Quelle: Weltbank

Durch zunehmende Urbanisierung und Mobilität geht die traditionelle Unterstützung in der Familie zurück, die kaum ausgebildeten Sozialsysteme werden die Alten nicht absichern.
→ Analphabetismus → Armut → Bevölkerungsentwicklung → Hunger → Lomé-Abkommen → Mega-Städte → Protektionismus → Schwellenländer → Schuldenkrise → WTO

## Entwicklungspolitik

Der Anfang der 90er Jahre einsetzende Trend zu Kürzungen der staatlichen Entwicklungshilfe setzte sich in den Industrienationen Mitte des Jahrzehnts fort. Die OECD, die Entwicklungshilfeorganisation von 25 Staaten, berechnete Mitte 1995 einen preisbereinigten Rückgang der öffentlichen Hilfe 1994 gegenüber dem Vorjahr um 1,8%. In absoluten Zahlen stieg die Entwicklungshilfe von 56,4 Mrd Dollar (79,4 Mrd DM) auf 57,8 Mrd Dollar (81,4 Mrd DM). Die wirtschaftliche Abhängigkeit der Entwicklungsländer von den Industrienationen blieb auch nach 35 Jahren E. bestehen.

**Abhängigkeit:** Die Industrienationen hatten aufgrund der Rezession in den eigenen Ländern ihre Entwicklungshilfe eingeschränkt sowie an die Einhaltung der Menschenrechte und den Aufbau von Demokratien geknüpft. Hilfsorganisationen (NGO) kritisierten, daß E. so lange die Abhängigkeit der sog. Dritten Welt nicht mindern werde, wie ungerechte Welthandelsstrukturen fortbeständen. Sie forderten einen Schuldenerlaß für Entwicklungsländer und den Abbau von Importhindernissen der Industriestaaten.

**BSP-Anteil:** Mit Entwicklungshilfeausgaben von durchschnittlich etwa 0,3% des BSP erreichten die Industriestaaten Mitte der 90er Jahre nicht einmal die Hälfte der Zusage (0,7% des BSP), die sie auf dem Umweltgipfel in Rio de Janeiro/Brasilien 1992 gegeben hatten.

**Deutschland:** Der Etat des Bundesministeriums für wirtschaftliche

### Entwicklungspolitik: Größte Unterstützer in Europa

| Land | BSP-Anteil (%) der Hilfe 1993 | 1992 | Mrd $ 1993 |
|---|---|---|---|
| Dänemark | 1,03 | 0,99 | 1,3 |
| Norwegen | 1,01 | 1,15 | 1,0 |
| Schweden | 0,97 | 0,96 | 1,7 |
| Niederlande | 0,81 | 0,87 | 2,5 |
| Frankreich | 0,63 | 0,62 | 7,9 |
| Finnland | 0,48 | 0,70 | 0,4 |
| Belgien | 0,39 | 0,40 | 0,8 |
| Deutschland | 0,36 | 0,40 | 6,8 |
| Australien | 0,35 | 0,36 | 0,1 |
| Luxemburg | 0,33 | 0,29 | 0,1 |
| Schweiz | 0,32 | 0,41 | 0,8 |
| Großbritannien | 0,31 | 0,31 | 2,9 |
| Italien | 0,30 | 0,32 | 2,9 |
| Österreich | 0,30 | 0,32 | 0,5 |
| Zum Vergleich | | | |
| USA | 0,14 | 0,20 | 9,0 |

Quelle: OECD

Zusammenarbeit und Entwicklung sank 1995 gegenüber dem Vorjahr um rd. 120 Mio DM auf 8,1 Mrd DM. Der Anteil der Entwicklungshilfe am BSP ging seit 1991 von 0,4% auf 0,32% zurück. Bundesentwicklungshilfeminister Carl-Dieter Spranger (CSU) kündigte 1995 an, die Zahl der Empfängerländer gegenüber dem Vorjahr um elf auf 57 zu kürzen; Kriege und Diktaturen verhinderten eine Zusammenarbeit. Bei den bilateralen Beziehungen wurden für technische Zusammenarbeit 1,2 Mrd DM (z. B. Bildung, Energie- und Landwirtschaft) und für finanzielle Zusammenarbeit 2,7 Mrd DM (z. B. Kredite) eingeplant.

**Bewertung:** Die Gesellschaft für Technische Zusammenarbeit (GTZ), die deutsche Entwicklungshilfeprojekte organisiert, bewertete in einer Studie im Dezember 1994 rd. 80% ihrer Projekte vom Vorjahr als erfolgreich oder zufriedenstellend. Kriterien der Bewertung waren u. a. Armutsminderung, Beteiligung der Bevölkerung, Umweltverträglichkeit und Wirtschaftlichkeit der Projekte. Nichtstaatliche Hilfsorganisationen wie WEED (Weltwirtschaft, Ökologie und Entwicklung, Bonn) kritisierten dagegen Ende 1994, daß die deutsche Entwicklungshilfe nur zu rd. 5% der Armutsbekämpfung (Bildung, medizinische Versorgung) diene. Im Vergleich der OECD-Staaten läge Deutschland damit bei der Armutsbekämpfung auf Rang 14. Der größte Teil der Hilfe diene der Exportförderung, d. h. Finanzmittel werden nur gewährt, wenn dafür deutsche Produkte gekauft werden bzw. deutsches Personal angestellt wird.

**Prognose:** Die Weltbank erwartete Mitte 1995 bis 2010 durch globalen Abbau von Handelshemmnissen einen Anstieg des Weltexportanteils der Entwicklungsländer von 17% auf 22% (Importanteil: von 24% auf 30%). Die zunehmende Einbindung in den Weltmarkt werde die Wirtschaften der Entwicklungsländer stärken. Dies werde jedoch vor allem den Schwellenländern in Ostasien zugute kommen, die ärmsten Länder in Schwarzafrika, die 1993 mit rd. 30% den größten Anteil staatlicher Entwicklungshilfe erhielten, würden kaum profitieren.

→ Armut → Bevölkerungsentwicklung → Hermes-Bürgschaften → Internationaler Währungsfonds → Lomé-Abkommen → NGO → Protektionismus → Schuldenkrise → Weltbank → WTO

## Erbschaft

In den 90er Jahren wird die Erbengeneration in Deutschland nach Schätzungen von Finanzexperten ein Vermögen von 1700 Mrd–2000 Mrd DM in Geld-, Immobilien- und Sachwerten übernehmen. 50% der jährlichen E. haben einen Wert von mindestens 200 000 DM. 1994 legte die Bundesregierung einen Gesetzentwurf vor, der nichteheliche Kinder im Erbrecht ehelichen Kindern gleichstellen soll.

→ Nichteheliche Kinder

## Erbschaftsteuer

Abgabe an den Staat für die Übertragung von Vermögenswerten. Die Regelungen der E. gelten auch für die Schenkungsteuer. Anfang 1995 schlu-

gen sowohl der Vorsitzende der CDU/CSU-Bundestagsfraktion, Wolfgang Schäuble, (CDU) als auch der Fraktion Bündnis 90/Die Grünen, Joschka Fischer, und die SPD eine Erhöhung der E. für Privatpersonen in Deutschland ab 1996 vor. Für die Übertragung von Unternehmen plante die CDU/CSU/FDP-Bundesregierung dagegen ab 1996 steuerliche Entlastungen. Das niedersächsische Finanzgericht legte dem Bundesverfassungsgericht im Mai 1995 zwei Fälle vor, um die Verfassungsmäßigkeit der E.-Praxis prüfen zu lassen. Beanstandet wurde insbes. die Sonderbehandlung von Immobilien im E.-Recht.

**Privatvermögen:** Eine höhere Besteuerung großer Geldvermögen wird mit der Förderung produktiven Betriebsvermögens gegenüber Privatvermögen und der Mühelosigkeit des Erwerbs begründet. Nicht höher belastet werden sollen neben Unternehmensnachfolgern auch Erben von Privathäusern. FDP und CSU sprachen sich gegen den Vorschlag aus.

**Betriebsvermögen:** Bei der Übertragung von Unternehmen oder Anteilen an Unternehmen sollen ab 1996 nur noch 75% ihres Wertes besteuert werden. Zuvor wird bereits ein ab 1994 geltender Freibetrag von 500 000 DM abgezogen. Die Steuererleichterung soll die Übertragung von Familienbetrieben auf die Nachfolger erleichtern. Sie bedeutet für den Staat 1996 Einnahmeverluste von 1,2 Mrd DM. Bei der Forderung nach niedrigeren E. bei Unternehmensübertragungen in der EU stellte im Oktober 1994 auch die Europäische Kommission.

**Höhe:** Vom zu versteuernden Vermögen können u. a. Freibeträge abgezogen werden, die mit zunehmendem Verwandtschaftsgrad bis zu 250 000 DM ausmachen. Die Steuersätze reichen je nach Verwandtschaftsgrad und Höhe des Vermögens von 3% bis 70%. Die Einnahmen stehen den Bundesländern zu (1994: rd. 3,5 Mrd DM).

→ Einheitswerte → Steuern (Tabelle) → Unternehmensteuerreform

## Erderkundung

Die Beobachtung der Erdoberfläche aus dem Weltraum durch Satelliten war Mitte der 90er Jahre nach der Telekommunikation der wichtigste Anwendungsbereich in der Raumfahrt. Mit E.-Satelliten werden Erkenntnisse über Erdbeben, Rohstoffvorkommen, Desertifikation, Ernteerträge, Verschmutzung der Weltmeere und Abholzung gewonnen. Bis Anfang des nächsten Jahrzehnts wollen die USA, Japan und europäische Staaten ca. 50 Satelliten zur Umweltforschung starten.

**ERS-2:** Als zukunftsweisend galt Mitte der 90er Jahre die Radarsatellitentechnik, die im Gegensatz zu Satelliten mit Fotokameras Aufnahmen auch bei Dunkelheit und Bewölkung ermöglicht. Im April 1995 startete der von der europäischen Raumfahrtorganisation ESA entwickelte Satellit ERS-2 (Gewicht: 2,4 t), der vor allem Umweltschäden und Klimaveränderungen auf der Erde untersucht. Das Meßgerät GOME bestimmt die Konzentration von Spurengasen in der Erdatmosphäre und erlaubt erstmals präzise Aussagen zu Langzeittrends beim Treibhauseffekt und zur Ausbreitung des Ozonlochs. ERS-2 ergänzt die Mission von ERS-1, der seit seinem Start 1991 bis Anfang 1995 rd. 500 000 Radarbilder (abgebildete Fläche: jeweils 100 m²) der Erde lieferte. Die Gesamtkosten des ERS-2-Projekts betrugen 1 Mrd DM (deutscher Anteil: 33%).

**Forschungsprojekte:** Die Radarwellen des Satelliten Sir-C/X-Sar, der 1994 für zwei Missionen an Bord der US-Raumfähre Endeavour eingesetzt wurde, dringen mit gleichzeitigen, unterschiedlichen Frequenzen (Häufigkeit der Wellen pro Zeitabschnitt) verschieden tief in die Erdoberfläche ein und ermöglichen z. B. dreidimensionale Geländedarstellungen oder das Auffinden unterirdischer Wasservorkommen. Sir-C/X-Sar ist eine Gemeinschaftsproduktion der US-amerikanischen, deutschen und italienischen Raumfahrtorganisationen.

Aus Bilddaten des US-amerikanischen Erderkundungssatelliten NOAA entstand diese Karte von Deutschland.

Der Mini-Satellit GFZ-1 vom Geoforschungszentrum Potsdam untersucht seit April 1995 das Erdinnere.

Der wiederverwendbare deutsche Satellit SPAS erforschte im November 1994 mit CHRISTA (Cryogenes Infrarot-Spektrometer und Teleskop für die Atmosphäre) Konzentrationen von Spurengasen, Wellen und Strömungen in der irdischen Lufthülle.

**Aufklärungssatelliten:** E.-Satelliten mit hochauflösenden Kameras werden Mitte der 90er Jahre vor allem für militärische Zwecke genutzt. Sie erfassen Gegenstände von 1 m Ausdehnung und erzielen damit höhere Auflösungen als Radarsatelliten (10–20 m).
→ Raumfahrt → Satelliten

## Erdgas

Energieträger aus einem Gemisch verschiedener Gase (Methan-Gehalt: 80–95%). Der Schadstoffausstoß bei der Energieerzeugung mit E. ist geringer als bei Erdöl und Kohle. E. gilt als der fossile Brennstoff mit den weltweit höchsten Zuwachsraten: Die Internationale Energie-Agentur (IEA) rechnete 1992–2010 mit jährlich bis zu 2,5% (Entwicklungsländer: 5,5–6%).

**Verbrauch:** Für Westeuropa wird bis 2005 ein Zuwachs von einem Drittel

## Erdgas: Konkurrenten

**Klaus Liesen,´ Vorstandsvorsitz Ruhrgas**
* 15 4. 1931 in Köln, Dr. jur. Ab 1963 bei der Ruhrgas (Essen), 1976 Vorstandsvorsitz des größten europäischen Erdgasversorgers (Umsatz 1994: 14 Mrd DM, Beschäftigte: rd. 11 100).

**Herbert Detharding, Vorstandsvorsitz Wintershall**
* 27. 4. 1938 in Hamburg. Ab 1959 bei Mobil Oil, 1986-1990 Vorstandssprecher. Ab 1991 Vorstandsvorsitz der BASF-Erdöl/ Erdgas-Tochtergesellschaft Wintershall (Umsatz 1994: 4,5 Mrd DM).

erwartet (Deutschland: +18%). 1983–1993 stieg der E.-Verbrauch weltweit um ein Drittel auf rd. 2000 Mrd m³ (Anteil am Primärenergieverbrauch: 23%), in Asien versiebenfachte er sich. Etwa 60% der Weltproduktion verbrauchten die USA und die GUS. Die gesicherten Reserven reichten bei gleichbleibender Förderung 57 Jahre (Stand: 1994). Ein Drittel der Weltvorräte lagerten in Rußland, gleichzeitig größter Produzent (rd. 600 Mrd m³) und Exporteur (nach Europa: 107 Mrd m³). 30% der russischen E.-Ausfuhren gingen 1994 nach Deutschland.

**Rußland:** Die staatliche russische E.-Gesellschaft Gazprom plante die Erschließung von E.-Feldern auf der nordsibirischen Halbinsel Jamal (Kosten: etwa 12 Mrd Dollar, 17 Mrd DM) und den Bau neuer Verbindungen von Jamal sowie den Feldern Jamburg und Urengoy nach Westeuropa. Die russische Regierung will die Abhängigkeit von der Ukraine als E.-Transitland (Anteil: 97%) verringern. Auf die Verlegung neuer Fernleitungen auf russischem Gebiet verzichtete Gazprom Mitte 1995 aus Kostengründen (notwendige Investitionen von mindestens 30 Mrd Dollar, 42 Mrd DM). Auf Jamal befinden sich 20% der russischen Gasreserven. Der Förderung soll nach 2000 aufgenommen werden.

**Deutschland:** 37% der deutschen E.-Versorgung wurden 1994 mit Importen aus Rußland abgedeckt, ein Viertel wurde aus eigenen Förderquellen, fast ausschließlich in Niedersachsen, bezogen (Anstieg gegenüber 1993: 4,8%). Ein Drittel aller Wohnungen wurde mit E. beheizt. Mit dem Bau neuer Leitun-

## Erdgas: Transeuropäisches Projekt Jamal

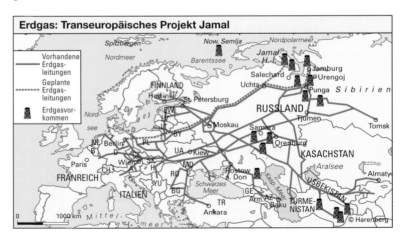

gen will Norwegen, drittgrößter deutscher Lieferant, seinen E.-Absatz in Deutschland bis 2005 auf rd. 30 Mrd m³ nahezu verdreifachen. Der E.-Anteil am Energieverbrauch stieg 1994 gegenüber dem Vorjahr von 17,7% auf 18,3%. 70% aller neu installierten Heizungen arbeiten mit E.

**Pipelines:** Die Wingas, ein Gemeinschaftsunternehmen von Gazprom und der BASF-Tochtergesellschaft Wintershall, planten 1995 Fernleitungen:
▷ Bielefeld-Aachen (Name: Wedal, Fertigstellung: 1996, Kosten: 500 Mio DM)
▷ Jamal-Gas-Anbindungsleitung von Frankfurt/Oder nach Leipzig mit Abzweig nach Berlin (Kosten: rd. 1,5 Mrd DM)
▷ Berlin-Sachsen-Bayern-Oberrhein.

Ruhrgas, mit rd. 70% Marktanteil führender deutscher Gasversorger, will gemeinsam mit BEB Erdgas und Erdöl (Hannover) sowie drei norwegischen Energiekonzernen über die Norddeutsche Erdgas-Transversale (Netra) zwischen Emden und Salzwedel norwegisches E. nach Mitteleuropa leiten. Die Anschlußleitung von Salzwedel nach Bernau bei Berlin wurde Mitte 1995 gebaut. Bis Oktober des Jahres soll E. aus dem norwegischen Trollfeld über die Europipe (Kosten: 3,3 Mrd DM) durch einen Tunnel unter dem Wattenmeer nach Norddeutschland geliefert werden. Der Bau einer Paralleltrasse mit der gleichen Kapazität (rd. 13 Mrd m³ pro Jahr) war Mitte 1995 geplant.
→ Energieverbrauch → Energieversorgung → Flözgas → Heizung

## Erdgasauto

Im März 1995 beschloß die Bundesregierung aus CDU, CSU und FDP, den Steuersatz für Kfz mit Erdgasmotoren von 47,60 DM auf 18,70 DM pro MWh zu senken. Der Ersatz von Dieselmotoren in Nutzfahrzeugen durch schadstoffarme Erdgasmotoren, die insbes. in innerstädtischen Gebieten und Kurorten zum Einsatz kommen, soll gefördert werden.

Die Troll-Bohrinsel – hier als maßstabsgerechte Zeichnung auf ein Luftbild der norwegischen Stadt Bergen kopiert – ist mit einer Höhe von 430 m und einem Gesamtgewicht von etwa 1 Mio t die größte schwimmende Stahlbetonkonstruktion der Welt (Baukosten: 3,85 Mrd DM, Inbetriebnahme: Oktober 1996).

**Vorteile:** Erdgasmotoren stoßen weder Rußpartikel noch Benzol, Blei oder Staub aus und geben zehnmal weniger gesundheitsgefährdendes Kohlenmonoxid und Stickoxide an die Umwelt ab als Dieselmotoren.
**Nachteile:** Schwere stählerne Gasflaschen (Mindestinhalt 80 kg) für das auf etwa 200 bar verdichtete Erdgas erhöhen Fahrzeuggewicht und Kraftstoffverbrauch.
**Förderung:** Ab 1996 soll die Steuer auf Erdgas als Kraftstoff von 0,35 DM auf 0,14 DM pro Liter gesenkt werden. Die Mehrkosten für die Anschaffung

| Rang | Land | Mio t ÖE | | | Anteil (%) |
|------|------|------|------|------|------|
| | | **1984** | **1989** | **1994** | |
| 1 | Rußland | 485,5[1] | 517,0 | 509,6 | 27,2 |
| 2 | USA | 453,8 | 449,7 | 487,9 | 26,0 |
| 3 | Kanada | 64,4 | 87,0 | 121,7 | 6,5 |
| 4 | Niederlande | 61,5 | 54,1 | 59,3 | 3,2 |
| 5 | Großbritannien | 33,3 | 38,5 | 58,9 | 3,1 |
| 6 | Indonesien | 26,2 | 39,9 | 55,8 | 3,0 |
| 7 | Algerien | 30,4 | 40,2 | 45,3 | 2,4 |
| 8 | Usbekistan | k. A. | 34,5 | 39,6 | 2,1 |
| 9 | Saudi-Arabien | 16,4 | 26,8 | 33,9 | 1,8 |
| 10 | Turkmenistan | k. A. | 75,5 | 29,9 | 1,6 |

**Erdgas: Größte Förderländer**

1) Sowjetunion; Quelle: BP

von Bussen und LKW mit Erdgasantrieb werden ab 1993 bis zu 50% vom Bundesumweltministerium ersetzt.
**Produktion:** 1995 bot BMW zwei E.-Modelle an. Die Fahrzeuge können wahlweise mit Benzin oder Erdgas betrieben werden.
**Bestand:** Weltweit gab es 1995 800 000 E., davon über 200 000 in Italien. In Deutschland fuhren 1995 etwa 4000 E. Nur 22 öffentlich zugängliche Tankstellen waren im Betrieb oder wurden gebaut.
→ Autoverkehr → Dieselruß → Kfz-Steuer → Luftverschmutzung

## Erdöl

Energieträger aus einem Gemisch verschiedener Kohlenwasserstoffe. Nach einer Prognose der Internationalen Energie-Agentur (IEA, Paris) bis 2010 bleibt E. mit einem Anteil von rd. 39% am Weltverbrauch wichtigster Energieträger. Der Bedarf wird auf 92–95

Mio Barrel (engl.; Faß mit 159 l) pro Tag (b/d) geschätzt (1995: rd. 69 b/d). Ab 2000 wird wegen abnehmender Reserven mit einem Rückgang der Förderung außerhalb der Organisation erdölexportierender Länder (OPEC) und daher einer zunehmenden Abhängigkeit der westlichen Industrie- und asiatischen Schwellenländer von Lieferungen aus Nahost gerechnet. Mitte der 90er Jahre wurden die nachgewiesenen Vorkommen, die mit heutiger Technik wirtschaftlich gefördert werden können, auf 136 Mrd t geschätzt. Sie können den E.-Bedarf für 43 Jahre decken.
1994 löste Norwegen mit durchschnittlich 2,8 Mio b/d Iran als zweigrößten E.-Exporteur ab (Saudi-Arabien: mit 7,8 Mio b/d führend). Wichtigster deutscher E.-Lieferant war Rußland (Anteil an deutschen Importen: 21,5%). Wegen der Mineralölsteuererhöhung ging der Benzinabsatz 1994 erstmals seit 1981 zurück. Die deutsche Mineralölindustrie machte Verluste von 4 DM/t (1993: +2 DM/t).
→ Energieverbrauch → Erdgas → OPEC

| Erdöl: Größte Produzenten der Welt | | | | |
|------|------|------|------|------|
| Rang | Land | Menge (Mio t) | | Veränderung |
| | | 1992 | 1993 | 1994 | 1993/94 (%) |
| 1 | Saudi-Arabien[1] | 420 | 408 | 403 | –1,2 |
| 2 | USA | 411 | 403 | 393 | –2,5 |
| 3 | Rußland | 396 | 341 | 311 | –8,8 |
| 4 | Iran[1] | 172 | 184 | 181 | –1,6 |
| 5 | Mexiko | 155 | 165 | 157 | –5,1 |
| 6 | China | 142 | 144 | 146 | +1,4 |
| 7 | Norwegen | 106 | 114 | 131 | +14,9 |
| 8 | Venezuela[1] | 121 | 121 | 128 | +5,8 |
| 9 | Großbritannien | 94 | 98 | 126 | +28,6 |
| 10 | VAE[1] | 112 | 106 | 108 | +1,9 |

1) OPEC-Mitglieder; Quelle: Petroleum Economist

| Erdöl: Reserven und Förderung weltweit | | | |
|------|------|------|------|
| Region | Anteil (%) | | |
| | Reserven | Förderung | Verbrauch |
| OECD-Europa | 1,7 | 9,2 | 20,1 |
| GUS | 5,7 | 11,6 | 7,0 |
| Nahost | 66,1 | 30,8 | 5,7 |
| Asien/Australien | 4,4 | 11,1 | 24,9 |
| Afrika | 6,1 | 10,3 | 3,0 |
| Nordamerika | 2,8 | 13,9 | 28,9 |
| Lateinamerika | 13,0 | 12,7 | 8,3 |

Stand: 1994; Internationale Energie-Agentur (IEA)

## Erdwärme

(auch Geothermie), natürliche Wärmeenergie aus tiefen Erdschichten, die als Heizenergie oder zur Stromerzeugung genutzt werden kann. Bei der Verwendung von E. fallen keine Schadstoffe an. Weltweit wurde Mitte der 90er Jahre ca. 11 000 MW Wärme und 6200 MW Strom mit E. produziert. E. wird wegen des vulkanischen Untergrunds vor allem in den USA, Mexiko, den Philippinen, Italien und Island genutzt. Das größte geothermische Kraftwerk (Leistung: 3000 MW) steht im US-Bundesstaat Kalifornien. In Neufahrn bei München soll bundesweit erstmals ein Heizkraftwerk (50 MW) mit Fernwärmeversorgung auf E. umgestellt werden (Kosten: 25 Mio DM).
**Verfahren:** E. kann aus unterirdischen Heißwasserspeichern (Aquifere) gewonnen werden. Nach der Wärmeab-

gabe wird das Wasser wieder zurückgepumpt, damit der Wasserdruck in der Tiefe aufrechterhalten wird. Beim sog. Hot-Dry-Rock-Verfahren (engl.; heißer trockener Stein) wird Wasser durch ein Bohrloch in die Tiefe gepumpt. Es dringt durch Risse und Spalten in trockenes, heißes Gestein, erhitzt sich und wird durch ein zweites Bohrloch wieder an die Oberfläche befördert. In Europa ist die Stromerzeugung mit E. meist unwirtschaftlich, weil die notwendige Temperatur (rd. 180 °C) im Durchschnitt erst in 6000 m Tiefe erreicht wird.

**Vorhaben:** Mit rd. 300 Mio DM fördert die EU im elsässischen Soultz-sous-Forêt ein geothermisches Pilotprojekt zur Stromgewinnung. Im Oberrheingraben steigt die Temperatur stellenweise 6–10 °C pro 100 m Tiefe. In Neufahrn soll ein Speicher mit 85 °C heißem Wasser genutzt werden. Weitere Projekte waren in Brandenburg und Mecklenburg-Vorpommern, wo Geothermieanlagen seit 1984 arbeiten, und Bayern geplant. Wegen der hohen Bohrkosten soll das heiße Wasser neben der Wärmeerzeugung auch als Thermalquelle und bei niedrigem Salzgehalt als Trinkwasser genutzt werden. In Erding bei München entsteht die größte deutsche E.-Anlage (50 MW, Kosten: rd. 32 Mio DM).

**Nutzung:** 1994 waren in Deutschland 20 E.-Anlagen (Gesamtleistung: 34 MW) installiert. Ende des Jahres nahm in Neustadt-Glewe (Mecklenburg) eine 12-MW-Anlage ihren Betrieb auf (Kosten: rd. 18 Mio DM). Sie soll 85% des städtischen Wärmebedarfs decken. Das Bundesforschungsministerium fördert das E.-Projekt mit 10 Mio DM (1974–1994: insgesamt 128 Mio DM). → Energien, Erneuerbare → Heizung

## Ernährung

Das Nahrungsmittelangebot erhöhte sich nach Angaben der UNO-Ernährungsorganisation FAO 1994 um 2,4% gegenüber dem Vorjahr. Während in weiten Teilen der Welt, vor allem in den Entwicklungsländern, 1994/95 Hunger herrschte, bestand in den Industriestaaten ein Überangebot an Nahrungsmitteln. Hier bedrohten vor allem unsachgemäße Verarbeitung von Lebensmitteln und chemische Zusatzstoffe die Gesundheit.

**Versorgung:** In den Regionen der Welt war die Versorgung mit Nahrungsmitteln u. a. wegen der Bevölkerungsentwicklung uneinheitlich. Während in China gesteigerte Produktion und gebremstes Bevölkerungswachstum zur Verbesserung der Nahrungsmittelzufuhr führten, hielt die Produktion in Afrika nicht Schritt mit dem Anwachsen der Bevölkerung.

**Mangel:** Eine Studie der Weltbank (Washington/USA) ergab 1994, daß rd.

**Erdwärme: Temperatur in 2000 m Tiefe**

Quelle: DIE WOCHE, 16.12.1994
© Harenberg

**Temperaturen**

| 50° C | 60° C | 70° C | 80° C | 90° C | 100° C | 110° C |

## Erziehungsgeld: Einkommensgrenzen

| Kinder[1] | Jahresnettoeinkommensgrenzen[2] (DM) für | | | |
| | volles Erziehungsgeld[3] | | minimales Erziehungsgeld[4] | |
| | Ehepaar | Alleinerziehende | Ehepaar | Alleinerziehende |
|---|---|---|---|---|
| 1 | 29 400 | 23 700 | 46 200 | 40 500 |
| 2 | 33 600 | 27 900 | 50 400 | 44 700 |
| 3 | 37 800 | 32 100 | 54 600 | 48 900 |
| 4 | 42 000 | 36 300 | 58 800 | 53 100 |

1) Bei mehr als vier Kindern erhöht sich die Einkommensgrenze um jeweils weitere 4200 DM; 2) ab dem siebten Lebensmonat eines Kindes; 3) 600 DM monatlich; 4) 40 DM monatlich, ab höherem Einkommen keine Zahlung von Erziehungsgeld; Quelle: Bundesfamilienministerium

1 Mrd Menschen auf der Erde an Mangelerscheinungen litten. Ihnen fehlten vor allem Vitamin A, Jod und Eisen, was zu Krankheiten bis zum Tod führen kann. Mit einem Kostenaufwand von 1 Dollar (1,41 DM) pro Person und Jahr könnten diese Defizite laut Weltbank beseitigt werden.

**Vergiftungen:** 1984–1993 verdreifachte sich die Zahl der Lebensmittelvergiftungen in Europa. Nach einem Bericht des Instituts für Veterinärmedizin (Berlin) vervierfachte sich die Zahl in Deutschland in diesem Zeitraum auf rd. 200 000. Die Mediziner führten dies auf die große Zahl verunreinigter Lebensmittel in Läden und Restaurants zurück. Bei Prüfungen waren 75% der kontrollierten Hühner mit Salmonellen verseucht, 15% des Weichkäses mit Bakterien, die zu Hirnhautentzündungen und bei Schwangeren zu Totgeburten führen können, und etwa 50% der rohen Milch mit Erregern von Fieber und Darmkrämpfen.

**Kaufverhalten:** 1994 verteuerten sich Lebensmittel gegenüber 1993 um 1,5% (Lebenshaltungskosten: +3%). Im Frühjahr 1995 gaben die Bundesbürger rd. 4,5% pro Kopf weniger für Nahrungsmittel aus als zwei Jahre zuvor. Der Centralen Marketinggesellschaft Agrarwirtschaft (CMI, Berlin) zufolge wurden Qualität und Verfallsdaten der Ware mehr beachtet. Berichte über den Rinderwahnsinn und die Schweinepest veranlaßten die Verbraucher, ihren Fleischverzehr zu reduzieren. Der Konsum sank erneut um 2,2 kg gegenüber 1993 auf 60,7 kg/Kopf.

**Aromastoffe:** Jährlich wurden Mitte der 90er Jahre rd. 15 000 t industriell hergestellter Geschmacksstoffe verzehrt. Sie befanden sich als Zusätze u. a. in nahezu allen Nahrungsmitteln von Kakao und Kaffee über Süßwaren bis hin zu Brot und Getränken. Nach einer Untersuchung des Europarats konnten Mitte der 90er Jahre von 2176 bekannten Geschmackssubstanzen lediglich 391 als unbedenklich betrachtet werden, von der Verwendung von 180 Aromen riet der Europarat ab, weil sie z. B. krebserregend waren oder das Erbgut schädigen können. Die Analyse von Zusätzen gestaltet sich schwierig, weil die Hersteller ihre Rezepte nicht preisgeben. Jährlich werden in Deutschland rd. 10 000 neue Industrienahrungsmittel angeboten, für ihre synthetisch erzeugten Aromen sieht das Lebensmittelrecht kein Zulassungsverfahren vor.

**Auswirkungen:** Nach Schätzung der Deutschen Gesellschaft für E. (DEG, Frankfurt/M.) entstehen jährlich Kosten von 80 Mio DM durch falsche E. Sie begünstigt ein Viertel der Zivilisationskrankheiten wie Herz-Kreislauf-Erkrankungen und Karies. Die DEG rief zur Verringerung des Fett-, Alkohol- und Zuckerverbrauchs auf.
→ Allergie→ Gen-Lebensmittel → Hunger

## Erziehungsgeld

Staatliche Finanzleistung, die nach der Geburt eines Kindes dem Elternteil gewährt wird, der das Kind betreut.

Der Betreuende darf höchstens 19 Stunden pro Woche arbeiten, um den Anspruch auf E. zu behalten. Das E. wird maximal 24 Monate lang gezahlt (gültig für nach dem 31. 12. 1992 geborene Kinder) und ist einkommensabhängig nach Zahl der Kinder gestaffelt. Für erstgeborene Kinder entfällt das E. bei einem jährlichen Bruttoeinkommen der Eltern von 140 000 DM (Verheiratete) bzw. 110 000 DM (Alleinerziehende). Um die volle Leistung von 600 DM monatlich zu erhalten, darf ein Ehepaar mit einem Kind über ein maximales Nettoeinkommen von 29 400 DM (Stand: Mitte 1995) verfügen. Die Einkommensgrenzen erhöhen sich pro Kind um 4200 DM. Bei Alleinerziehenden sind die Grenzen jeweils um 5700 DM niedriger angesetzt.

Bayern zahlt nach Ablauf der Höchstbezugsdauer von zwei Jahren ein Landes-E., das ab 1995 von sechs Monaten auf ein Jahr verlängert wurde. Zum 1. 7. 1995 führte Mecklenburg-Vorpommern als fünftes Bundesland nach Bayern, Berlin, Baden-Württemberg und Sachsen ein Landes-E. ein.

Der für die Betreung des Kindes zuständige Elternteil kann in Deutschland einen Erziehungsurlaub von 36 Monaten (Stand: Mitte 1995) in Anspruch nehmen, während dessen ein Kündigungsschutz besteht. Väter und Mütter können sich dreimal ablösen.
→ Familie

darunter 600 Militärs bzw. Polizisten und 21 Politiker. Im selben Zeitraum kamen etwa 150 ETA-Aktivisten um.

**Terror:** 1994 forderte der ETA-Terror elf Todesopfer. Am 19. 4. 1995 überlebte der spanische Oppositionsführer José María Aznar, Chef der konservativen Volkspartei (PP), ein Autobomben-Attentat der ETA. Ein ETA-Kommando hatte im Januar 1995 den stellvertretenden Bürgermeister von San Sebastián, Gregorio Ordóñez (PP), ermordet. Im Juli 1994 hatte die ETA in Madrid den Generalleutnant Francisco Veguillas und zwei weitere Menschen umgebracht.

**Fahndungserfolg:** Im November 1994 gelang den Behörden die Festnahme des Terroristen López de la Calle Gauna, der als Chef der bewaffneten Kommandos und zweiter Mann in der ETA-Hierarchie gilt.

**Stimmenverluste:** Die linksradikale Separatistenpartei Herri Batasuna (HB), der politische Arm der ETA, mußte bei den baskischen Regionalwahlen am 13. 10. 1994 mit 16,3% (1990: 18,3%) und elf von 75 Sitzen (1990: 13) Verluste hinnehmen, blieb aber drittstärkste Partei im Parlament. Als stärkste Kraft behauptete sich die christdemokratische Baskisch-Nationalistische Partei (PNV). Sie erreichte 29,9% (22 Sitze). Zusammen mit den Sozialisten (PSOE) und der Regionalpartei Eusko Alkartasuna bildete die PNV die Regionalregierung.

---

## Estonia

→ Fährschiffsicherheit

## ETA

(Euzkadi ta Azkatasuna, baskisch; das Baskenland und seine Freiheit), 1959 gegründete Untergrundorganisation im spanischen Baskenland, deren militärischer Flügel mit Waffengewalt für ein autonomes Baskenland kämpft. Seit der Aufnahme des bewaffneten Kampfes 1968 starben bei Anschlägen der ETA bis Mitte 1995 rd. 850 Personen,

**ETA: Krisenherd Baskenland**

**GAL-Skandal:** Die Anti-ETA-Einheit GAL war in den 80er Jahren verantwortlich für den Tod von 28 Exilbasken. Im Dezember 1994 beschuldigten zwei inhaftierte Polizisten hohe Beamte und sozialistische Politiker, die Morde gedeckt bzw. in Auftrag gegeben zu haben.

## EU-Bürgerschaft

Zusätzlich zur nationalen Staatsangehörigkeit besitzt jeder Staatsangehörige eines EU-Mitglieds seit dem Inkrafttreten des Vertrages zur Europäischen Union Ende 1993 die E. Eine EU-Richtlinie vom Dezember 1994, die von den Mitgliedstaaten bis zum 31. 12. 1995 in nationales Recht umgesetzt werden muß, ermöglicht den im EU-Ausland lebenden Unionsbürgern (1995: etwa 5 Mio) die aktive und passive Teilnahme an Kommunalwahlen. Die Regelung betraf in Deutschland etwa 1,3 Mio ausländische EU-Bürger. In Luxemburg und belgischen Gemeinden, die einen Anteil an EU-Ausländern über 20% haben, gelten Ausnahmebestimmungen, die das Wahlrecht frühestens nach sechs Jahren Aufenthalt ermöglichen.

## EU-Führerschein

Ab Juli 1996 wird es für Fahrzeug-Führerscheine EU-weit einheitliche Prüfungsanforderungen geben. Von Mitte 1995 an müssen alle 45 Mio Führerscheine in Deutschland gegen den E. umgetauscht werden. Der E. ersetzt in Deutschland die Führerscheinklassen 1–5 durch die Klassen A (Motorräder), B (PKW), C (LKW), D (Busse) und E (Fahrzeuge mit großen Anhängern). Änderungen gibt es in folgenden Bereichen:

▷ Für die Klasse A übernahm die EU das in Deutschland seit 1993 geltende Modell des sog. Stufenführerscheins. Krafträder mit einer Leistung von mehr als 25 kW dürfen erst nach zweijährigem Führerscheinbesitz gefahren werden.

Jedoch entfällt die Aufstiegsprüfung von leichten Motorrädern zu schweren Maschinen

▷ Die Klasse B berechtigt zum Fahren von Fahrzeugen bis zu 3,5 t (Deutschland vorher: bis zu 7,5 t). Kraftfahrer, die ihren Führerschein vor dem 1. 7. 1994 erworben haben, dürfen jedoch weiterhin Fahrzeuge bis zu 7,5 t fahren

▷ Klasse D löst die Fahrerlaubnis zur Fahrgastbeförderung ab

▷ Klasse E wird neu in Deutschland eingeführt, da der Anhängerbetrieb bei Klasse 2 mitgeprüft wird.

Ab Juli 1996 in den Mitgliedsländern ausgestellte Führerscheine werden EU-weit unbefristet anerkannt.

## EU-Haushalt

Einnahmen und Ausgaben der Europäischen Union. Mitte der 90er Jahre verwendete die EU rd. die Hälfte ihrer Ausgaben für die Agrarpolitik, ein Drittel diente im Rahmen der Regionalförderung der wirtschaftlichen Entwicklung ärmerer Mitgliedsländer. 1996 soll der E. gegenüber 1995 um rd. 8% auf 86,3 Mrd ECU (161,4 Mrd DM) wachsen (Volumen 1995: 80,8 Mrd ECU, 151,1 Mrd DM). Die EU finanzierte sich vor allem aus den folgenden Einnahmequellen:

▷ 1,4% des Mehrwertsteueraufkommens der einzelnen Mitgliedstaaten (rd. 55% des E.)

▷ Beiträge der Mitglieder abhängig von Höhe des BSP (20%)

▷ Zolleinnahmen (20%)

▷ Abgaben für die Einfuhr landwirtschaftlicher Produkte aus Nicht-EU-Staaten (sog. Agrarabschöpfungen) und auf die EU-Zuckerproduktion (5%).

Die Summe der Mitgliedsbeiträge darf ein festgelegtes Verhältnis zum BSP der EU nicht überschreiten (1995: 1,21%, bis 1999: Anstieg auf 1,27%).

→ Agrarpolitik → Europäische Union → Haushalte, Öffentliche → Regionalförderung → Steuern → Transeuropäische Netze

| EU-Haushalt 1995 | |
|---|---|
| Bereich | Ausgaben (Mrd ECU) |
| Agrarpolitik | 37,9 |
| Strukturfonds | 26,3 |
| Innenpolitik | 5,1 |
| Außenpolitik | 4,9 |
| Verwaltung | 4,0 |
| Reserven | 1,1 |
| Ausgleichsbeträge | 1,5 |
| Summe | 80,8 |

Quelle: Europäische Kommission

## EU-Konjunktur

Der wirtschaftliche Aufschwung 1994 übertraf mit einem realen (inflationsbereinigten) Anstieg des Bruttoinlandsprodukts (BIP) um 2,6% gegenüber dem Vorjahr die Erwartungen der Experten (1993: −0,3%). Die Europäische Kommission führte diese Entwicklung u. a. auf die Anstrengungen zur Steigerung der Wettbewerbsfähigkeit zurück. Im Mai 1995 rechnete sie für das laufende Jahr mit einer Zunahme des BIP um 3,1%.

**Ländervergleich:** Überdurchschnittlich war der Zuwachs des BIP in Dänemark (4,7%), Großbritannien (3,5%) und Irland (5,0%), während Griechenland und Portugal die geringste Steigerungsrate (jeweils 1%) aufwiesen. Wirtschaftsforscher sagten im Juni für Irland und das neue Mitglied Finnland ein überdurchschnittliches Wirtschaftswachstum um 5,5% im laufenden Jahr voraus.

**Arbeitslosigkeit:** Die Arbeitslosenquote lag 1994 in der EU durchschnittlich bei 11,3% (1993: 10,8%). Spanien und Irland verzeichneten die höchsten Raten (24,1% bzw. 15,1%; Finnland: 18,4%). Die Europäische Kommission sprach sich für Reformen des Arbeitsmarktes, eine Senkung der Lohnnebenkosten und stärkere Anstrengungen bei der beruflichen Ausbildung aus.

**Inflation:** Die Verbraucherpreise stiegen 1994 in der EU um 3,2% (1993: 3,1%). Die niedrigste Teuerungsrate hatte Frankreich (1,7%), die höchste Griechenland (10,9%). Von den drei neuen Mitgliedern wies Finnland mit einer Preissteigerung von 1,1% den niedrigsten Wert auf.

**Wirtschaftliche Entwicklung:** Die Europäische Kommission forderte Maßnahmen zur Verringerung der Haushaltsdefizite, um die Voraussetzungen für niedrigere Zinssätze und eine steigende Investitionsbereitschaft zu schaffen, die für ein Wirtschaftswachstum unentbehrlich sind. Die Förderung der sog. Transeuropäischen Netze soll zur Belebung der EU-Konjunktur und zum Abbau der Arbeitslosigkeit beitragen.

→ Transeuropäische Netze → Wirtschaftliche Entwicklung → Wirtschaftswachstum

### EU-Konjunktur: Vergleich

| Land | Wirtschaftswachstum (%)[1] | | Arbeitslosenquote (%)[2] | | Inflationsrate (%)[3] | |
|---|---|---|---|---|---|---|
| | 1993 | 1994 | 1993 | 1994 | 1993 | 1994 |
| Belgien | − 1,7 | + 2,3 | 8,9 | 10,0 | + 2,8 | + 2,4 |
| Dänemark | + 1,4 | + 4,7 | 10,5 | 10,3 | + 1,2 | + 2,0 |
| Deutschland | − 1,1 | + 2,8 | 7,9 | 8,4 | + 4,2[4] | + 3,0[4] |
| Finnland[5] | − 2,0 | + 3,5 | 17,9 | 18,4 | + 2,1 | + 1,1 |
| Frankreich | − 1,0 | + 2,2 | 11,8 | 12,6 | + 2,1 | + 1,7 |
| Griechenland | − 0,5 | + 1,0 | 8,6 | 8,8 | + 14,4 | + 10,9 |
| Großbritannien | + 2,0 | + 3,5 | 10,4 | 9,6 | + 1,6 | + 2,4 |
| Irland | + 4,0 | + 5,0 | 15,7 | 15,1 | + 1,5 | + 2,4 |
| Italien | − 0,7 | + 2,2 | 10,3 | 11,5 | + 4,3 | + 3,7 |
| Luxemburg | + 0,3 | + 2,6 | 2,6 | 3,5 | + 3,6 | + 2,2 |
| Niederlande | + 0,4 | + 2,5 | 6,6 | 7,0 | + 2,6 | + 2,7 |
| Österreich[5] | − 0,3 | + 2,6 | 6,8 | 6,5 | + 3,6 | + 3,0 |
| Portugal | − 1,1 | + 1,0 | 5,7 | 7,0 | + 6,5 | + 5,2 |
| Schweden[5] | − 2,1 | + 2,3 | 9,5 | 9,8 | + 4,7 | + 2,2 |
| Spanien | − 1,0 | + 1,7 | 22,8 | 24,1 | + 4,6 | + 4,8 |
| EU insgesamt[6] | − 0,3 | + 2,6 | 10,8 | 11,3 | + 3,1 | + 3,2 |

1) Reale Veränderung des BIP im Vergleich zum Vorjahr; 2) Anteil an den zivilen Erwerbspersonen; 3) Veränderung gegenüber Vorjahr; 4) nur Westdeutschland; 5) Mitglied seit 1. 1. 1995; 6) ohne Finnland, Österreich, Schweden; Quelle: Bundesministerium für Wirtschaft, OECD

## EUREKA

**Name** European Research Initiative (engl.; Europäische Forschungsinitiative)

**Sitz** Brüssel/Belgien

**Gründung** 1985

**Mitglieder** 25 europäische Staaten

**Vorsitzender** Bruno Spinner/Schweiz (1994/95)

**Funktion** Internationale Organisation zur Forschungsförderung

## Euro-Betriebsrat

(offizielle Bezeichnung: Europäische Ausschüsse der Arbeitnehmervertreter), Informations- und Konsultationsgremium der Arbeitnehmer in multinationalen Konzernen in der EU. Im September 1994 verabschiedete der Ministerrat die Richtlinie zur Einrichtung von E., die bis September 1996 von den EU-Mitgliedstaaten, mit Ausnahme von Großbritannien, dem die Teilnahme an sozialpolitischen Beschlüssen der EU freigestellt ist, in nationales Recht umgesetzt werden muß.
Unternehmen mit mindestens 1000 Mitarbeitern müssen einen E. einsetzen, wenn sie in zwei EU-Staaten jeweils mindestens 150 Arbeitnehmer beschäftigen. In der EU sind davon rd 1000 Unternehmen mit etwa 4,5 Mio Beschäftigten betroffen. Mitte 1995 existierten E. in 50 Unternehmen.
Der E. besteht je nach Betriebsgröße aus drei bis 30 Arbeitnehmervertretern. Er muß vor jeder wichtigen Entscheidung, wie Fusion, Schließung von Betriebsteilen und Massenentlassungen, angehört werden.
→ Sozialpolitik, Europäische

| Eurocheque-Karte: Geldautomaten | |
|---|---|
| **Land** | **Automaten** |
| Deutschland | 29 500 |
| Spanien | 21 500 |
| Frankreich | 14 000 |
| Großbritan. | 13 700 |
| Italien | 11 500 |
| Niederlande | 3 800 |
| Österreich | 3 100 |
| Portugal | 2 900 |
| Schweiz | 2 800 |
| Türkei | 2 000 |

Quelle: Presse, 30. 3. 1995

## Eurocheque-Karte

Bis 2000 wollen Banken in Deutschland E. mit Magnetstreifen durch aufladbare Chipkarten ersetzen. Ab 1995 übernehmen Banken bei Verlust von E. oder Eurocheques die volle Haftung, falls der Kunde nicht grob fahrlässig gehandelt hat.
**Elektronisches Bezahlen:** 1995 konnte mit E. bargeld- und schecklos im Einzelhandel, in Geschäften und Tankstellen, die mit Lesegeräten für E. ausgestattet sind, bezahlt werden (sog. Electronic Cash). Über eine Telefonleitung wird die Deckung des Kontos überprüft.
**Chipkarte:** Der Kunde lädt die Chipkarte an einem Geldautomaten mit einer begrenzten Geldsumme, an Kassen mit Lesegerät für E. wird der Rechnungsbetrag vom Chip abgebucht. Die Telefonverbindung mit der Bank entfällt. Den Kreditinstituten entsteht weniger Arbeitsaufwand.
**Haftung:** Bis 1995 hafteten Kreditinstitute beim Verlust der E. unabhängig vom Verhalten des Kunden für 90% des Schadens, der Kunde für 10%. Als grob fahrlässig gilt es, E. und Eurocheques im Auto liegen zu lassen oder die Geheimnummer auf die Karte zu schreiben.
**Bestand:** 1995 waren in Deutschland 36,5 Mio E. im Umlauf. Es gab 35 000 Lesegeräte für E. Ab 1994 kann in neun europäischen Ländern in Geschäften und Tankstellen mit E. gezahlt werden.
→ Chipkarte

## Eurofighter

Europäisches Jagdflugzeug, an dessen Entwicklung Deutschland und Großbritannien mit je 33%, Italien (21%) und Spanien (13%) beteiligt sind. Der E. war als eine den unterschiedlichen nationalen Anforderungen angepaßte, leistungsschwächere und um ein Drittel billigere Version des Jäger 90 vorgesehen. Der Beginn der Serienfertigung wurde 1994 wegen Haushaltskürzungen um drei Jahre auf 2002 verlegt. Das Bundesverteidigungsministerium (BMVg) verpflichtete sich im April 1995 wegen der Änderung des Zeitplans an die deutsche Industrie, die den E. entwickelt, im wesentlichen die Daimler-Benz Aerospace (DASA), 531 Mio DM zu zahlen. Über Produktion und Beschaffung des E. sollen die Parlamente der beteiligten Staaten bis Ende 1995 entscheiden. Deutschland plante, 140 Flugzeuge zu kaufen (Großbritannien: 250, Italien: 130, Spanien: 87).

Der Bundesrechnungshof ging im Mai 1995 von einem Systempreis von 150,5 Mio DM aus (Stückpreis inkl. Kosten für Betrieb, Ersatzteile und Bodenausrüstung). Hinzu kämen rd. 20 Mio DM für die Bewaffnung. Die Industrie rechnete mit 102,5 Mio DM. Nach Angaben des Rechnungshofs wird der deutsche Anteil an den Entwicklungskosten 8,3 Mrd DM betragen. Anfang der 90er Jahre waren rd. 6 Mrd DM vorgesehen.

→ Bundeswehr → Rüstungsausgaben

## Euro-Kennzeichen

Ab 15. 1. 1995 in Deutschland bundesweit zulässige Nummernschilder für Autos. Die E. unterscheiden sich von herkömmlichen Kennzeichen durch ein blaues Rechteck am linken Rand, das der Europaflagge nachempfunden ist. In dem Rechteck erscheint auch das Nationalitätenkennzeichen. Ab Juli 1995 trat Wappen und Namen des Bundeslandes an die Stelle des Kreis- oder Stadtwappens, deren Namen weiter aufgeführt bleiben. Das E. hat eine fälschungserschwerende Schrift. Halter von Fahrzeugen können entscheiden, ob sie die üblichen Kennzeichen oder die mit 40–50 DM rd. 10% teueren E. an ihrem Auto anbringen. In Irland, Luxemburg und Portugal sind E. seit Ende der 80er Jahre vorgeschrieben.

## Europäische Aktiengesellschaft

(SE, Societas Europaea, lat.), die Rechtsform für Unternehmen in der EU soll länderübergreifende Geschäftstätigkeit auf dem Europäischen Binnenmarkt erleichtern. Unternehmen können jedoch auch die nationalen Rechtsformen nutzen. Bis Mitte 1995 konnten sich die EU-Mitglieder nicht auf Bedingungen für die E. festlegen, da unterschiedliche Auffassun-

gen in der Frage der Mitbestimmung von Arbeitnehmern in Unternehmen bestanden. Deutschland forderte eine Änderung der von der Europäischen Kommission vorgeschlagenen Mitbestimmungsmodelle mit dem Ziel, die Mitbestimmungsrechte zu verbessern. Dagegen setzten sich Großbritannien u. a. Mitgliedstaaten für eine Lösung ein, die ihre landeseigenen Mitbestimmungsmodelle unberührt läßt.

Die E. soll deutschen GmbH und AG Fusionen mit Unternehmen in anderen EU-Staaten erleichtern. Zur Gründung ist ein Kapital von 100 000 ECU (187 000 DM) nötig. Das Mindestkapital einer AG in Deutschland lag 1995 bei 100 000 DM, einer GmbH bei 50 000 DM. Der Aufbau einer E. ist durch Neugründung oder Umwandlung von Firmen möglich.

## Europäische Investitionsbank

**Abkürzung** EIB

**Sitz** Luxemburg

**Gründung** 1958

**Mitglieder** 15 EU-Staaten

**Präsident** Sir Brian Unwin/Großbritannien (1993–1999)

**Funktion** EU-Institution zur Finanzierung von Investitionen, die die europäische Einheit fördern

## Europäische Kommission

**Sitz** Brüssel/Belgien

**Gründung** 1967

**Kommissare** 20

**Präsident** Jacques Santer/Luxemburg (1995–2000)

**Funktion** Ausführendes Organ der EU

Mit dem EU-Beitritt von Finnland, Österreich und Schweden 1995 erhöhte sich die Anzahl der Kommissare von 17 auf 20. Ihre Amtszeit wurde von vier auf fünf Jahre verlängert.

**Kommissare:** Erstmals mußte das Europäische Parlament die E. vor ihrer Amtsübernahme bestätigen (Ja-Stimmen: 416, Nein: 103). Die Kommissare werden von den nationalen Regie-

**Eurofighter:**
**DASA-Chef**

**Manfred Bischoff**
* 1942 in Calw, Dr. rer. oec. Ab 1976 bei Daimler-Benz, 1988 Finanzchef der Mercedes do Brasil, 1989 Finanzvorstand der Daimler-Benz gehörenden DASA, ab Mai 1995 Vorstandsvorsitzender des größten europäischen Luft- und Raumfahrtkonzerns (Umsatz 1994: rd. 17,4 Mrd DM, Beschäftigte: 73 000).

## Europäische Kommission

**Präsident Jacques Santer (L)** * 18. 5. 1937 in Wasserbillig. 1984 luxemburgischer Ministerpräsident, ab 1995 Kommissionspräsident.

**Vizepräsident Sir Leon Brittan (GB)** * 25. 9. 1939 in London. Zuständigkeit: Nordamerika, Ostasien, Australien, Handel, WTO, OECD.

**Vizepräsident Manuel Marín (E)** * 21. 10. 1949 in Ciudad Real. Nahost, südliches Mittelmeer, Lateinamerika, Asien, Entwicklungshilfe.

**Martin Bangemann (D)** * 15. 11. 1934 in Wanzleben. Gewerbliche Wirtschaft, Informationstechnologie, Telekommunikation.

**Ritt Bjerregard (DK)** * 19. 5. 1941 in Kopenhagen, 1987–1992 Fraktionsvorsitz Sozialdemokraten im dän. Parlament. Nukleare Sicherheit, Umwelt.

**Emma Bonino (I)** * 9. 3. 1948 in Bra. Zuständigkeit: Verbraucherpolitik, Amt für humanitäre Hilfe der Gemeinschaft (Echo), Fischerei.

**Hans van den Broek (NL)** * 11. 12. 1936 in Paris. Gemeinsame Außen- und Sicherheitspolitik, Menschenrechte, Osteuropa, GUS, Türkei.

**Edith Cresson (F)** * 27. 1. 1934 in Boulogne-Billancourt. Wissenschaft, Forschung, Entwicklung, allgemeine und berufliche Bildung, Jugend.

**João de Deus Rogado S. Pinheiro (P)** * 11. 7. 1945 in Lissabon. Afrika, Karibik, Pazifik, Südafrika, Entwicklungshilfe, Abkommen von Lomé.

**Franz Fischler (A)** * 23. 9. 1946 in Absam (Tirol), 1989–1994 Land- und Forstwirtschaftsminister. Landwirtschaft, Entwicklung des ländlichen Raums.

rungen nominiert und vom Europäischen Ministerrat (beschlußfassendes Organ der EU) ernannt. Jedes EU-Mitglied stellt einen Kommissar, Deutschland, Frankreich, Großbritannien, Italien und Spanien zwei. Der Präsident der E. wird von den Staats- und Regierungschefs der EU gewählt.

**Aufgaben:** Die E. überwacht die Einhaltung der EU-Rechtsvorschriften und -verträge. Sie erarbeitet Gesetzvorschläge an den Ministerrat und führt seine Beschlüsse durch. In der Agrar-, Handels- und Wettbewerbspolitik sowie bei Kohle und Stahl ist die E. unabhängig von den Weisungen des Rates. Sie kann mit Verordnungen geltendes Recht setzen, verwaltet Fonds und Programme der EU und damit den Großteil des Haushalts. Die E. vertritt die EU in den internationalen Organisationen, sie unterhält Vertretungen in allen EU-Mitgliedsländern und Delegationen in rd. 100 weiteren Staaten. Von den rd. 15 000 (Stand: 1994) Bediensteten arbeiteten ein Fünftel im Übersetzungs- und Dolmetscherdienst.

**Programm:** Im Februar 1995 beschloß die E. ein Arbeitsprogramm:

▷ Liberalisierung des Europäischen Binnenmarkts für Energie und Telekommunikation

## Europäische Kommission

**Pádraig Flynn (IRL)**
* 9. 5. 1939 in Castlebar. Arbeit, soziale Angelegenheiten, Beziehungen zum Wirtschafts- und Sozialausschuß.

**Anita Gradin (S)**
* 12. 8. 1933 in Hörnefors. Einwanderung, Justiz, Inneres, Bez. zum Bürgerbeauftragten, Betrugsbekämpfung, Finanzkontrolle.

**Neil Kinnock (GB)**
* 28. 3. 1942 in Tredegar. 1988–1992 Vorsitzender der Labour Party (Fraktion: 1983–1994). Verkehr, Transeuropäische Netze.

**Erkki Antero Liikanen (FIN)**
* 19. 9. 1950 in Mikkeli. Haushalt, Personal, Verwaltung, Übersetzungsdienst, Datenverarbeitung.

**Karel van Miert (B)**
* 17. 1. 1972 in Oud-Turnhout. 1979–1985 Mitglied des Europäischen Parlaments, ab 1989 Kommissionsmitglied. Wettbewerb.

**Mario Monti (I)**
* 19. 3. 1943 in Varese. Hochschullehrer, Regierungsberater. Binnenmarkt, Finanzdienstleistungen, -integration, Steuern, Zoll.

**Marcelino Oreja Aguirre (E)**
* 13. 2. 1935 in Madrid. Europäisches Parlament, Information, Kultur, Medien, institutionelle Fragen.

**Christos Papoutsis (GR)**
* 11. 4. 1953 in Larissa. Energie und EURA-TOM-Versorgungsagentur KMU, Fremdenverkehr.

**Yves-Thibault de Silguy (F)**
* 22. 7. 1948 in Rennes. Wirtschaft, Finanzen, Währungsangelegenheiten, Kredit, Investitionen, Eurostat.

**Monika Wulf-Mathies (D)**
* 17. 3. 1942 in Wernigerode. Regionalpolitik, Beziehungen zum Ausschuß der Regionen, Kohäsionsfonds.

▷ Ausbau der gemeinsamen Außen- und Sicherheitspolitik

▷ Verwirklichung der Europäischen Währungsunion

▷ Vorbereitung der Regierungskonferenz, auf der institutionelle Reformen und eine Erweiterung der EU beschlossen werden sollen

▷ Verbesserung der Zusammenarbeit im Bereich des Innern und der Justiz

▷ Betrugsbekämpfung. 1994 wurden 4264 Fälle, u. a. Subventionsbetrug, aufgedeckt (Schaden: 1,9 Mrd DM). Für 1995 waren 77 Gesetzesinitiativen geplant.

→ EU-Haushalt → Europäische Union

## Europäischer Binnenmarkt

Freier Verkehr von Personen, Waren, Dienstleistungen und Kapital zwischen den Ländern der Europäischen Union. Mit Inkrafttreten des Schengener Abkommens wurde das wichtigste Ziel des seit 1993 existierenden E., die Abschaffung der Personenkontrollen an den Grenzen, teilweise erreicht. In sieben der zehn EU-Staaten, die das Abkommen zwischen 1985 und 1995 unterzeichnet hatten, gilt seit dem 26. 3. 1995 die vollständige Reisefreiheit.

**Stand:** Mitte 1995 waren über 90% der 219 verabschiedeten EU-Richtlinien

| Binnenmarkt: Richtmengen für private Einfuhr | |
|---|---|
| **Ware** | **Menge**[1] |
| Zigaretten | 800 |
| Zigarillos | 400 |
| Zigarren | 200 |
| Rauchtabak | 1 kg |
| Bier | 110 l |
| Wein | 90 l |
| Schaumwein | 60 l |
| Wermut, Likörwein etc. | 20 l |
| Spirituosen | 10 l |

1) Bei Überschreitung wird gewerbliche Verwendung (zollpflichtig) vermutet; Quelle: EU-Kommission

| Europäischer Ministerrat: Stimmen | |
|---|---|
| **Land** | **Anzahl** |
| Deutschland | 10 |
| Frankreich | 10 |
| Großbritannien | 10 |
| Italien | 10 |
| Spanien | 8 |
| Belgien | 5 |
| Griechenland | 5 |
| Niederlande | 5 |
| Portugal | 5 |
| Österreich | 4 |
| Schweden | 4 |
| Dänemark | 3 |
| Finnland | 3 |
| Irland | 3 |
| Luxemburg | 2 |
| Insgesamt | 87 |

zur Verwirklichung des E. von den Mitgliedsländern in nationales Recht übertragen. Es gab jedoch deutliche Schwankungen zwischen den Staaten (Dänemark: 96%, Griechenland: 80%, Deutschland: 85%).

**Regelungen:** Der freie Personenverkehr beinhaltet u. a. das Recht für Arbeitnehmer und Selbständige aus EU-Ländern, in anderen Mitgliedstaaten tätig zu werden. Für den Warenverkehr gibt es in der EU keine Grenzkontrollen. Der Kapitalverkehr zwischen EU-Staaten unterliegt keinen Beschränkungen. Auf einigen Gebieten galten Mitte 1995 Einschränkungen und Übergangsregelungen.
→ EWR → Schengener Abkommen

## Europäischer Gerichtshof

**Abkürzung** EuGH
**Sitz** Luxemburg
**Gründung** 1953
**Mitglieder** 16 Richter, acht Generalanwälte
**Präsident** Gil Carlos Rodriguez Iglesias/Spanien (1994–1997)
**Funktion** Oberstes Organ der Rechtsprechung in der Europäischen Union

Der EuGH hat die Aufgabe, Gemeinschaftsrecht auszulegen und anzuwenden. Er verhandelt Klagen von Mitgliedstaaten, EU-Institutionen, Unternehmen und Einzelpersonen:
▷ Verletzungen von EU-Recht durch einen EU-Staat, nationale Rechtsvorschriften und Abkommen der EU mit Drittländern
▷ Klage eines EU-Mitglieds gegen ein anderes
▷ Auslegung und Gültigkeit von EU-Vorschriften auf Antrag nationaler Gerichte
▷ Schadenersatzforderungen gegen Organe und Bedienstete der EU.
Die EuGH-Urteile sind unanfechtbar. Nach der EU-Erweiterung 1995 erhöhte sich die Anzahl der Richter von 13 auf 16, die der Generalanwälte von sechs auf acht. Sie werden für sechs Jahre von den Mitgliedsländern ernannt. Ein Gericht erster Instanz entlastet den EuGH seit 1988. Es ist zuständig für Klagen von Unternehmen im Bereich des Wettbewerbsrechts und für Streitigkeiten zwischen der EU und ihren Bediensteten.
→ Europäische Union

## Europäischer Ministerrat

**Name** eigentl.: Rat der Union
**Sitz** Brüssel/Belgien, Luxemburg
**Gründung** 1967
**Vorsitz** Halbjährlicher Wechsel (1/1995: Frankreich, 2/1995: Spanien, 1/1996: Italien, 2/1996: Irland)
**Funktion** Beschlußfassendes Organ der Europäischen Union

Der E. besteht aus den jeweils für ein Sachgebiet zuständigen Ministern der Mitgliedstaaten. Infolge des Beitritts von Finnland, Österreich und Schweden 1995 erhöhte sich die Stimmenzahl im E. von 76 auf 87. Der Großteil der Beschlüsse wird mit qualifizierter Mehrheit gefällt (62 Stimmen). Zur Verhinderung einer Mehrheitsentscheidung ist eine Sperrminorität von 26 Stimmen notwendig. Der E. tagt rd. 80mal im Jahr, entweder als Allgemeiner Rat der Außenminister oder als Fachministerrat. Im April, Juni und Oktober finden die Tagungen in Luxemburg statt, in den übrigen Monaten in Brüssel. Der E. wird auf Antrag seines Präsidenten, der Europäischen Kommission oder eines Mitgliedslandes einberufen.
→ Europäische Kommission → Europäisches Parlament

## Europäischer Rat

**Sitz** Brüssel/Belgien, Luxemburg
**Gründung** 1974
**Vorsitz** Halbjährlicher Wechsel (1/1995: Frankreich, 2/1995: Spanien, 1/1996: Italien, 2/1996: Irland)
**Funktion** Höchstes beschlußfassendes Organ der Europäischen Union

Der E. setzt sich aus den Staats- und Regierungschefs der EU, den Präsidenten der Europäischen Kommission und des Europäischen Parlaments zusammen. Er tagt mindestens zwei-

# Europäischer Rat

**John Bruton, irischer Premierminister**
* 18. 5. 1947 in Dublin (Konservative, Fine Gael), ab 1968 im Parlament, ab Dezember 1994 Premier.

**Ingvar Carlsson, schwedischer Ministerpräsident**
* 9. 11. 1934 in Borås (Sozialdemokraten), ab Oktober 1994 Ministerpräsident.

**Aníbal Cavaco Silva, portugiesischer Ministerpräsident**
* 15. 7. 1939 in Loule/Algarve (Sozialdemokraten, PSD), ab 1985 Ministerpräsident.

**Jean-Luc Dehaene, belgischer Ministerpräsident**
* 7. 8. 1940 in Montpellier/Frankreich (flämische Christdemokraten), ab 1992 Premier.

**Lamberto Dini, italienischer Ministerpräsident**
* 1. 3. 1931 in Florenz (parteilos), 1994 Schatzminister, ab Januar 1995 Premier.

**Felipe González Márquez, spanischer Ministerpräsident**
* 5. 3. 1942 in Sevilla/Andalusien (Sozialisten, PSOE), ab 1982 Ministerpräsident.

**Alain Juppé, französischer Premierminister**
* 15. 8. 1945 bei Mont-de-Marsan/Departement Landes (Gaullisten, RPR), ab Mai 1995 Premierminister.

**Jean-Claude Juncker, luxemburgischer Ministerpräsident**
* 9. 12. 1954 in Redingen/Attert (Christdemokraten, CSV), ab Januar 1995 Premier.

**Helmut Kohl, deutscher Bundeskanzler**
* 3. 4. 1930 in Ludwigshafen/Rhein (Christdemokraten, CDU), ab 1982 Bundeskanzler.

**Wim Kok, niederländischer Ministerpräsident**
* 29. 9. 1938 in Bergambacht (Sozialdemokraten, PvDA), ab 1994 Ministerpräsident.

**Paavo Lipponen, finnischer Ministerpräsident**
* 23. 4. 1941 in Turtola (Sozialdemokraten, SDP), ab April 1995 Ministerpräsident.

**John Major, britischer Premierminister**
* 29. 3. 1943 in Merton/Greater London (Konservative), 1989 Schatzkanzler, ab 1990 Premierminister.

**Andreas Papandreou, griechischer Ministerpräsident**
* 5. 2. 1919 auf Chios (Sozialisten, PASOK), Ministerpräsident 1981–1989, ab 1993.

**Poul Nyrup Rasmussen, dänischer Ministerpräsident**
* 15. 6. 1943 in Esbjerg/Süd-Jütland (Sozialdemokraten), ab 1994 Ministerpräsident.

**Franz Vranitzky, österreichischer Bundeskanzler**
* 4. 10. 1937 in Wien (Sozialdemokraten, SPÖ), ab 1986 Bundeskanzler.

mal jährlich, um politische Grundsatzfragen zu besprechen (EU-Gipfel). Seine Schlußfolgerungen legen die Leitlinien für die weitere Entwicklung der EU sowie die Handlungsgrundlagen für die europäischen Institutionen fest. → Regierungschefs S. 161 → Europäischer Ministerrat → Europäische Union

## Europäisches Parlament

**Arbeitsorte** Brüssel/Belgien, Luxemburg, Straßburg/Frankreich (Sitz)

**Gründung** 1958

**Abgeordnete** 626

**Präsident** Klaus Hänsch/Deutschland (1994–1997)

**Funktion** Organ zur Vertretung der Völker in der Europäischen Union

Wegen des EU-Beitritts von Finnland, Österreich und Schweden erhöhte sich die Zahl der Abgeordneten von 567 auf 626. Sie soll bei einer weiteren EU-Ausdehnung auf 700 begrenzt werden.

**Kompetenzen:** Das E. hat das Recht, zu Gesetzesvorschlägen der Europäischen Kommission Stellung zu nehmen. Beide Organe vereinbarten im März 1995, daß die Kommission Empfehlungen und Änderungswünsche des E. nur in Ausnahmefällen zurückweisen darf. Mit absoluter Mehrheit kann das E. Vorschläge des Europäischen Ministerrats, des beschlußfassenden Organs der EU, ablehnen. Das E. stellt den Haushalt fest und kann den Entwurf des Ministerrats zurückweisen. An der Vorbereitung der Konferenz über eine Reform und Erweiterung der EU 1996/97 ist das E. beteiligt.

**Mitentscheidung:** In den Bereichen Bildung und Kultur, Binnenmarkt, Forschung, Gesundheit, transeuropäische Netze, Umwelt und Verbraucherschutz hat das E. Mitentscheidungsrechte. Wenn der Rat Änderungsanträge des Parlaments ablehnt, wird ein Vermittlungsausschuß angerufen. 1994 wurden von 33 Beschlüssen des Rats 15 an

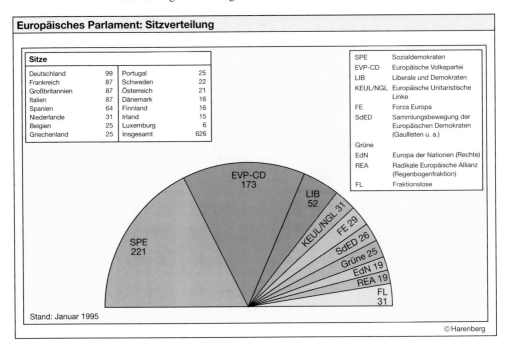

### Europäisches Parlament: Sitzverteilung

**Sitze**

| | | | |
|---|---|---|---|
| Deutschland | 99 | Portugal | 25 |
| Frankreich | 87 | Schweden | 22 |
| Großbritannien | 87 | Österreich | 21 |
| Italien | 87 | Dänemark | 16 |
| Spanien | 64 | Finnland | 16 |
| Niederlande | 31 | Irland | 15 |
| Belgien | 25 | Luxemburg | 6 |
| Griechenland | 25 | Insgesamt | 626 |

| | |
|---|---|
| SPE | Sozialdemokraten |
| EVP-CD | Europäische Volkspartei |
| LIB | Liberale und Demokraten |
| KEUL/NGL | Europäische Unitaristische Linke |
| FE | Forza Europa |
| SdED | Sammlungsbewegung der Europäischen Demokraten (Gaullisten u. a.) |
| Grüne | |
| EdN | Europa der Nationen (Rechte) |
| REA | Radikale Europäische Allianz (Regenbogenfraktion) |
| FL | Fraktionslose |

EVP-CD 173

LIB 52

KEUL/NGL 31

FE 29

SdED 26

Grüne 25

EdN 19

REA 19

FL 31

SPE 221

Stand: Januar 1995

© Harenberg

den Vermittlungsausschuß überwiesen. Das E. strebte 1995 eine weitere Aufwertung seiner Gesetzgebungs- und Haushaltsbefugnisse an.

**Zustimmung:** Erweiterungen der EU sowie internationale und völkerrechtliche Verträge mit Drittstaaten muß das E. zustimmen (erstmals im Dezember 1994 bei der Ratifizierung der Ergebnisse der achten GATT-Welthandelsrunde). Die Billigung der im März 1995 unterzeichneten Zollunion mit der Türkei machte das E. von der Verbesserung der Menschenrechtssituation beim assoziierten EU-Anwärter abhängig. Der Ernennung der EU-Kommissare und des Kommissionspräsidenten muß das E. zustimmen (erstmals 1994/95). Anfang 1995 forderte das E. das Recht, den Präsidenten der Europäischen Kommission aus Vorschlägen der Staats- und Regierungschefs zu wählen.

→ EU-Haushalt → Europäische Kommission → Europäischer Ministerrat → Europäische Union

### Europäisches Währungsinstitut

**Abkürzung** EWI

**Sitz** Frankfurt/M.

**Gründung** 1994

**Entscheidungsgremium** Rat zusammengesetzt aus EWI-Präsident und Präsidenten der nationalen Notenbanken

**Präsident** Alexandre Lamfalussy/Belgien (seit 1994)

**Funktion** EU-Institution zur Vorbereitung der Europäischen Währungsunion

Das E. soll bei Beginn der Europäischen Währungsunion (geplant zwischen 1997 und 1999) in die Europäische Zentralbank übergehen. Für 1995 ist das Institut von den Zentralbanken der EU mit über 615,6 Mio ECU (rd. 1,15 Mrd DM) ausgestattet worden. Das E. nahm im November 1994 seine Arbeit auf und legte im April 1995 den ersten von halbjährlich erscheinenden Berichten vor. Die Fortschritte der EU-Mitglieder bei der Erfüllung der Beitrittsbedingungen zur Europäischen Währungsunion (sog. Konvergenzkri-

terien) wurden insgesamt als unzureichend bewertet. In den meisten Staaten sind Staatsverschuldung und Haushaltsdefizit höher als die Grenzwerte des Maastricht-Vertrages von 1993. Das E. forderte entschiedene Maßnahmen für eine solide Geld- und Finanzpolitik der beitrittswilligen Länder.

→ Bundesbank, Deutsche → Europäische Zentralbank

### Europäische Union

→ Übersichtsartikel S. 164

### Europäische Währungsunion

Im Maastrichter EU-Vertrag von 1993 ist die Gründung der E. 1997–1999 vorgesehen. Folgende Aufnahmebedingungen, denen 1994 nur Luxemburg gerecht wurde, müssen erfüllt werden:

▷ Preisstabilität: Die Inflationsrate liegt höchstens 1,5 Prozentpunkte über dem Durchschnitt der drei stabilsten Staaten (Schwellenwert 1994: 2,6%)

▷ Ausgabendisziplin: Das jährliche Defizit im Haushalt darf 3% des

**Europäisches Parlament: Präsident**

**Klaus Hänsch**
* 15. 12. 1938 in Sprottau (Schlesien, heute: Polen), Dr. phil. Ab 1979 Mitglied des Europäischen Parlaments für die SPD, 1989–1994 stellvertretender Vorsitzender der sozialdemokratischen Fraktion (SPE), ab 1994 Parlamentspräsident (bis 1997).

**Währungsunion: Erfüllung der Bedingungen 1994[1]**

| Staat | Inflationsrate (%)[2] | Haushaltsdefizit (%)[3] | Schulden (%)[3] | Zinsen (%)[4] |
|---|---|---|---|---|
| Belgien | 2,4 | – 5,5 | 140,1 | 7,8 |
| Dänemark | 2,0 | – 4,3 | 78,0 | 7,8 |
| Deutschland | 3,0 | – 2,5 | 50,2 | 6,9 |
| Finnland | 1,1 | – 4,7 | 70,9 | 8,4 |
| Frankreich | 1,7 | – 5,6 | 50,4 | 7,2 |
| Griechenland | 10,9 | –14,1 | 121,3 | 20,8 |
| Großbritannien | 2,4 | – 6,3 | 50,4 | 8,2 |
| Irland | 2,3 | – 2,4 | 89,0 | 8,1 |
| Italien | 4,0 | – 9,6 | 123,7 | 10,6 |
| Luxemburg | 2,2 | + 1,3 | 9,2 | 6,4 |
| Niederlande | 2,7 | – 3,8 | 78,8 | 6,9 |
| Österreich | 3,0 | – 4,4 | 58,0 | 7,0 |
| Portugal | 5,3 | – 6,2 | 70,4 | 10,8 |
| Schweden | 2,2 | –11,7 | 93,8 | 9,5 |
| Spanien | 4,8 | – 7,0 | 63,5 | 10,0 |
| Zul. Höchstwert | 2,6 | – 3,0 | 60,0 | 10,4 |

1) Halbfett gesetzt sind die Werte für Länder, die die Bedingungen erfüllen; 2) Anstieg der Verbraucherpreise; 3) Anteil am BIP; 4) Zinsen langfristiger Staatsanleihen; Quelle: Deutsche Bundesbank

# Osterweiterung verändert Gesicht der Gemeinschaft

Mit dem Beitritt von Finnland, Österreich und Schweden zur Europäischen Union erhöhte sich die Mitgliederzahl im weltweit stärksten Binnenmarkt von zwölf auf 15. Ende des Jahrhunderts steht eine Erweiterung der mit dem Vertrag von Maastricht 1993 gebildeten EU um mittel- und osteuropäische Staaten an, die 1995 von der Mehrheit der Mitglieder befürwortet wurde. Keine Einigkeit herrschte über eine weitere Verlagerung staatlicher Kompetenzen von der nationalen bzw. zwischenstaatlichen auf die Gemeinschaftsebene sowie die Reform der EU-Institutionen.

**Bedeutung der EU wächst:** Die Einwohnerzahl der EU vergrößerte sich mit den neuen Mitgliedern um 6,5% auf 368 Mio (Fläche: +50%). Nur 7% der Weltbevölkerung vereinten 23% der Weltwirtschaftsleistung und 17% des globalen Energieverbrauchs. Der Anteil des gemeinschaftlichen Handels am gesamten EU-Außenhandel stieg von 60% auf 65%. Kennzeichnend für die EU ist jedoch das Wohlstandsgefälle. Griechenland und Portugal erreichten 1994 knapp die Hälfte der durchschnittlichen EU-Wirtschaftsleistung, Luxemburg, der reichste EU-Staat, 168%. Am Binnenmarkt (BIP: rd. 11 000 Mrd DM) nehmen über den Europäischen Wirtschaftsraum (EWR) auch die EFTA-Staaten Liechtenstein, Norwegen und Island teil. Mit den südlichen und östlichen Mittelmeeranrainern soll langfristig eine gemeinsame Freihandelszone aufgebaut werden.

**Ausweitung der Partnerschaft:** Mitte 1995 gab es mit zehn mittel- und osteuropäischen Staaten Assoziierungsverträge (Europaabkommen). Sie sahen Wirtschaftshilfe (mindestens 5,5 Mrd ECU, 10,3 Mrd DM), eine schrittweise Übernahme der Regeln für einen freien Personen-, Waren-, Kapital- und Dienstleistungsverkehr und die Teilnahme an Sitzungen von Europäischem und Ministerrat, der höchsten beschlußfassenden EU-Organen, vor. Voraussetzungen für einen Beitritt sind eine demokratische und rechtsstaatliche Ordnung, die Achtung der Menschenrechte und der Schutz von nationalen Minderheiten, eine funktionsfähige Marktwirtschaft sowie die Einhaltung von EU-Mindeststandards bei der Sozialgesetzgebung und im Umweltschutz. Malta und Zypern wurden Beitrittsverhandlungen zugesagt. Die EU und die Türkei vereinbarten für 1996 eine Zollunion. Mit Albanien und fünf GUS-Staaten gab es ähnlich wie mit den Mittelmeeranrainern Kooperationsabkommen, die u. a. Handelserleichterungen vorsahen.

**Ausdehnung mit Konsequenzen:** Österreich und Schweden werden wie Deutschland, Frankreich, Großbritannien und die Niederlande mehr zum Gemeinschaftshaushalt beitragen als sie z. B. über die Agrar- und Regionalförderung zurückerhalten (sog. Nettozahler). Bei einer Osterweiterung befürchteten die ärmeren EU-Staaten eine Beschneidung der ihnen zustehenden Finanzhilfen. Alle Beitrittskandidaten hätten wegen ihrer geringen Wirtschaftsleistung und ihres hohen Landwirtschaftsanteils (rd. 6–7% des BIP, EU: 2%) Anspruch auf EU-Beihilfen, die vor allem wirtschaftlich schwächeren und Agrarregionen zustehen. Die Einnahmen der EU müßten fast verdoppelt werden. Die Arbeitsfähigkeit der EU-Institutionen (Kommission, Parlament) ist gefährdet, wenn alle Staaten entsprechend ihres Bevölkerungsanteils, wie bis 1995 geschehen, berücksichtigt werden. Eine personelle Verkleinerung der EU-Institutionen und die Ausweitung des Mehrheitsprinzips bei EU-Entscheidungen, wie von Parlament, Kommission und einer Mehrheit der Mitglieder gefordert, erhöht das Gewicht der großen Staaten.

**Unterschiedliche Einbindung:** Unklar waren 1995 Umfang und Geschwindigkeit der EU-Integration. Am weitesten fortgeschritten war die wirtschaftliche Zusammenarbeit. Die Kooperation in der Rechts- und Innenpolitik kam nicht über erste Ansätze hinaus. Nur sieben EU-Staaten nahmen am Schengener Abkommen teil, das die Abschaffung der Grenzkontrollen und eine gemeinsame Sicherheits- und Asylpolitik vorsah. Die Währungsunion (ab 1999) ist an finanzpolitische Voraussetzungen gebunden, die 1995 nur eine Minderheit der Staaten erfüllte. Mit der Nicht-Teilnahme Großbritanniens an der EU-Sozialpolitik und Ausnahmen bei der Währungsunion für Dänemark wurden Möglichkeiten geschaffen, sich Gemeinschaftsentscheidungen zu entziehen. (au)
→ Agrarpolitik → CEFTA → EU-Haushalt → Europäischer Binnenmarkt → Europäische Währungsunion → Schengener Abkommen

Bruttoinlandsprodukts (BIP) nicht übersteigen

▷ Schuldenbegrenzung: Die staatliche Gesamtverschuldung ist nicht größer als 60% des BIP

▷ Kapitalmarktstabilität: Langfristige Zinsen übersteigen den Durchschnitt der drei stabilsten Länder um nicht mehr als 2 Prozentpunkte (Schwellenwert 1994: 10,4%)

▷ Währungsstabilität: Die zulässigen Wechselkursschwankungen müssen seit zwei Jahren ohne Abwertung eingehalten worden sein.

Sofern die Mehrheit der Staaten diese sog. Konvergenzkriterien nicht bis Ende 1998 erfüllt, tritt die E. am 1. 1. 1999 auch für eine Minderheit in Kraft.

Die E. geht aus dem 1979 gegründeten Europäischen Währungssystem (EWS) hervor. Gemeinsame Währung soll der ECU sein, der von der Europäischen Zentralbank herausgegeben wird. Im EWS wurden stabile Wechselkurse für die EU-Währungen festgelegt. Von diesen sog. Leitkursen dürfen die Marktkurse seit 1993 in einer Bandbreite von 15% nach unten bzw. oben abweichen. Mitte 1995 nahmen Griechenland, Großbritannien und Italien nicht am Wechselkursmechanismus teil. Österreich trat am 9. 1. 1995 bei.
→ ECU → Währungskrise

## Europäische Zentralbank

(EZB), Einrichtung in der geplanten Europäischen Währungsunion (EWU). Die E. wird aus dem Europäischen Währungsinstitut hervorgehen und unabhängig von Regierungsweisungen sein (Sitz: Frankfurt/M.). Ihre Gründung soll ein halbes Jahr vor Beginn der EWU (spätestens 1999) erfolgen. Für den Aufbau der EZB veranschlagte die Europäische Kommission 1995 höchstens zwölf Monate.

Die E. soll die Preisstabilität in der Europäischen Union sichern. Sie wird den ECU als Europawährung herausgeben, darf öffentlichen Haushalten jedoch keine Kredite zur Deckung von Defiziten zur Verfügung stellen, weil

**Europäische Union: Erweiterung**

EU-Mitglieder
Aufnahmeanträge
Assoziierungsabkommen
Assoziierung angestrebt

Stand: Mitte 1995

© Harenberg

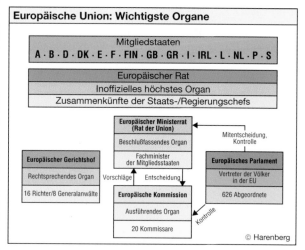

**Europäische Union: Wichtigste Organe**

© Harenberg

damit neues Geld geschaffen und der Geldwert gemindert wird.
→ Bundesbank, Deutsche → ECU → Europäisches Währungsinstitut → Europäische Währungsunion

## Europarat

**Sitz** Straßburg/Frankreich

**Gründung** 1949

**Mitglieder** 34 europäische Staaten

**Generalsekretär** Daniel Tarschys/Schweden (1994–1999)

**Funktion** Förderung der Zusammenarbeit auf wirtschaftlichem, sozialem, kulturellem und wissenschaftlichem Gebiet, Stärkung der Demokratien in Osteuropa, Durchsetzung der Menschenrechte

Im November 1994 beschloß der E. eine Rahmenkonvention zum Schutz nationaler Minderheiten. Sie ist das erste rechtsverbindliche internationale Dokument auf dem Gebiet des Minderheitenschutzes, das einen Verhaltenskodex für die Mitglieder festlegt und zur Übernahme in nationales Recht verpflichtet.

**Osteuropa:** Seit 1990 sind zehn ehemals sozialistische Staaten dem E. beigetreten, als 34. Mitglied folgte Anfang 1995 Lettland. Im Juni wurde die Aufnahme Albaniens beschlossen. Sie ist an vier Bedingungen geknüpft:
▷ Pluralistische Demokratie
▷ Achtung der Menschenrechte
▷ Rechtsstaatlichkeit
▷ Willen zur Einigung Europas.
Die zehn Beitrittskandidaten müssen die Bestimmungen der Europäischen Konvention für Menschenrechte und der Anti-Folter-Konvention einhalten. Die Aufnahme Rußlands scheiterte bis Mitte 1995 wegen des militärischen Einmarsches in die zur Russischen Föderation gehörende Kaukasus-Republik Tschetschenien. Die Mitgliedschaft in der ältesten europäischen Institution verbessert die Chancen auf Finanzhilfe von Osteuropabank, Weltbank und Internationalem Währungsfonds. Mit den osteuropäischen Mitgliedstaaten vereinbarte der E. Kooperationsprogramme, z. B. zur Ausarbeitung einer Verfassung und Überarbeitung der Gesetzgebung.

**Organisation:** Der E. ist kein Organ der Europäischen Union. Entscheidungsorgan des Staatenbundes ist das Komitee der Außenminister der Mitgliedstaaten. Der parlamentarischen Versammlung gehörten 239 Abgeordnete aus den nationalen Parlamenten an (Stand: Mitte 1995). Mit dem Etat (1995: 800 Mio FF, 228 Mio DM) werden vor allem die demokratischen Institutionen in den osteuropäischen Staaten unterstützt.

→ Menschenrechte → Minderheitenschutz → Tschetschenien

## Europol

**Name** Europäische Polizei, auch europäisches kriminalpolizeiliches Zentralamt

**Sitz** Den Haag/Niederlande

**Gründung** 1994

**Mitglieder** EU-Staaten

**Koordinator** Jürgen Storbeck/Deutschland (seit 1994)

**Funktion** Grenzüberschreitende Verfolgung von Straftaten in der EU

Auf dem EU-Gipfel in Cannes/Frankreich im Juni 1995 einigten sich die Regierungen im Grundsatz auf eine E.-Konvention, die es der Fahndungsbehörde nach Ratifizierung ermöglichen soll, eigenständig personenbezogene Daten zu erheben. 1995 durfte E. nur Daten der nationalen Behörden verwerten. Der provisorische E.-Leiter, Jürgen Storbeck, erwartete keine Ratifizierung vor 1997. Strittig blieb vor allem die rechtliche Kontrolle von E.: Während die meisten Staaten den Europäischen Gerichtshof als zuständig erachteten, lehnte Großbritannien dies als Eingriff in die nationale Innen- und Rechtspolitik ab. Hauptbetätigungsfeld war 1994/95 die Sammlung, Auswertung und Verknüpfung von Informationen in Hinblick auf Drogenkriminalität und Geldwäsche. Anfang 1995 wurden die Befugnisse auf Autodiebstahl, Menschenhandel und Atomschmuggel erweitert. Langfristig soll E. auch den Terrorismus bekämpfen.

→ Atomschmuggel → Drogen → Kriminalität → Mafia

## Eurotunnel

→ Kanaltunnel

## EU-Sozialpolitik

→ Sozialpolitik, Europäische

## EWR

(Europäischer Wirtschaftsraum), Abkommen zwischen der Europäischen Union und der Europäischen Freihandelsassoziation EFTA, das den EFTA-Staaten (außer Schweiz) seit 1994 eine Teilnahme am Europäischen Binnenmarkt der EU ermöglicht. Im 18 Staaten umfassenden E. produzierten Mitte der 90er Jahre rd. 370 Mio Menschen etwa 25% des weltweiten BSP, auf ihn entfielen 40% des Welthandels. Der EWR beinhaltet den freien Verkehr von Personen, Waren, Dienstleistungen und Kapital, nicht vorgesehen ist die Abschaffung der Grenzkontrollen zwischen EFTA- und EU-Ländern. Sonderregelungen gelten für Landwirtschaft und Fischerei.

→ EFTA → Europäischer Binnenmarkt

## Existenzminimum

Erforderlicher Geldbetrag zur Deckung der lebensnotwendigen Grundbedürfnisse Nahrung, Kleidung und Wohnung. Nach Urteilen des Bundesverfassungsgerichts von 1992 muß das E. in Deutschland frei von Steuern bleiben. Das Gericht verlangte von der CDU/CSU/FDP-Bundesregierung eine Neugestaltung des Einkommensteuertarifs ab 1996. Das von Bundesfinanzminister Theo Waigel (CSU) Anfang 1995 vorgelegte Tarifmodell ersetzte die Bonner Regierungskoalition im Mai durch einen Neuentwurf. Der Vorschlag der Regierungsparteien hält in Abweichung vom Waigel-Modell am allgemeinen Steuergrundfreibetrag zur Sicherung des E., aber in neuer Höhe, fest (Ledige: 12 095 DM, Verheiratete: 24 181 DM). Damit wurde eine Hauptforderung der SPD erfüllt, die allerdings einen Freibetrag von 13 000/26 000 DM anstrebte. Die Koalition ist auf Zustimmung der SPD-Bundesratsmehrheit angewiesen.

Der Grundfreibetrag wird vor Berechnung der Steuerhöhe vom zu versteuernden Einkommen abgezogen und wirkt sich steuermindernd für Einkommen jeder Höhe aus. Der Einstiegssteuersatz soll 25,9% (1995: 19%) betragen. Die Steuerprogression steigt sanfter an als im Waigel-Entwurf und mündet bei einem Bruttojahreseinkommen für Ledige von 55 727 DM in den 1995 gültigen Tarif (Verheiratete: 111 455 DM). Die von Waigel geplante Absenkung der Grenzsteuersätze um 0,7% entfällt. Bei diesem Modell werden Steuereinbußen in Höhe von 15,5 Mrd DM erwartet, rd. 0,9 Mrd DM weniger als von Waigel kalkuliert.

→ Steuern

## Expo

→ Weltausstellung

## Extremismus

Der deutsche Verfassungsschutz versteht unter E. verfassungsfeindliche Aktionen und Bestrebungen. Das Bundesamt für Verfassungsschutz (BfV, Köln) registrierte in den ersten acht Monaten 1994 gegenüber dem Vorjahreszeitraum einen Rückgang rechts- und linksextremistischer Gewalttaten (–27% bzw. –53%). Rechtsextremisten verübten mit 961 Gewalttaten doppelt so viele kriminelle Handlungen als Linksextremisten (476 Gewalttaten). Auch die Zahl der Gewalttaten ausländischer Extremisten nahm ab. Bundesinnenminister Manfred Kanther (CDU) führte die Entwicklung auf verstärkte Strafverfolgung von Polizei und Staatsanwaltschaft zurück.

**Rechtsextremismus:** Das BfV verzeichnete Ende 1994 in Deutschland 42 000 Rechtsextremisten, die in 77 Organisationen zusammengeschlossen waren. Die größte war die Deutsche Volksunion (DVU) des Münchner Verlegers Gerhard Frey mit 26 000 Mitgliedern. Mitte 1995 stufte die Verfassungsschutz die Republikaner (20 000 Mitglieder) als rechtsextrem ein. 1500

**Europol:**
**Leiter**

**Jürgen Storbeck**
* 13. 10. 1946 in Flensburg. 1977 Eintritt ins Bundeskriminalamt (BKA). 1991–1993 Leiter der Abteilung internationale Beziehungen des BKA und Chef des deutschen Zentralbüros von Interpol. 1993 Leiter der Projektgruppe Europol in Straßburg/Frankreich, ab 1994 Koordinator von Europol.

## Extremsportarten: Sport und Mutprobe

**Air-surfing:** (engl.; Luftgleiten), Mischung aus Fallschirmspringen und Surfen. Nach Absprung aus einem Flugzeug gleitet der Sportler auf einem Snowboard durch die Luft, bevor er seinen Fallschirm öffnet.

**Base-jumping:** (engl.; in die Tiefe springen), Sturz von Hochhäusern mit Fallschirmen, wegen minimaler Flugzeit und unkalkulierbarer Windverhältnisse sehr riskant.

**Bungee-Springen:** Sturz von Brücken und Baukränen, der durch ein an den Füßen befestigtes Gummiseil aufgefangen wird.

**Canyoning:** (canyon, engl.; Schlucht), Klettern sowie Schwimmen und Tauchen gegen reißendes Wildwasser in Bergschluchten.

**Free-climbing:** (engl.; freies Klettern), Erklettern von Steilwänden und Gebäuden ohne Sicherungsseil und Bergausrüstung (Pickel, Bergschuhe, Bergsteigerkleidung etc.).

**Rap-jumping:** (engl.; Seilspringen), durch ein Seil gesichertes senkrechtes Hinunterlaufen an Bergwänden, Felsen oder Außenwänden von Hochhäusern (House-Running, engl.; Hauslaufen).

**River-rafting:** (engl.; Wildwasserfahren), in großen Schlauchbooten (bis zu 30 Personen) werden reißende Flüsse abgefahren.

**S-Bahn-Surfen:** Festhalten an den Außenwänden von S-Bahnen während der Fahrt; meist von Jugendlichen betrieben und illegal.

**Shark-diving:** (engl.; Haitauchen), Ritt auf dem Rücken von Haien im Great Barrier Reef vor der australischen Küste.

**Snow-rafting:** (engl.; Schneefloßfahren), Wintersportvariante des Wildwasserfahrens. Bis zu zwölf Personen gleiten bei Geschwindigkeiten bis zu 100 km/h Skipisten hinunter.

**Speed-gliding:** (engl.; Geschwindigkeitsgleitschirmfliegen), Fliegen mit einem fallschirmähnlichen Gleitschirm. Durch Beschleunigung mit einem Sportboot oder Motorfahrzeug werden hohe Geschwindigkeiten erreicht.

**Speed-Gliding:** (engl.; Geschwindigkeitsgleitschirmfliegen), fallschirmähnliche Gleitschirme ermöglichen hohe Geschwindigkeiten.

**Speed-Skiing:** (engl.; Geschwindigkeitsskifahren), durch aerodynamischen Helm und Spoiler werden beim Skifahren auf Schneepisten bis zu 200 km/h erreicht.

Neonazis waren in Splittergruppen organisiert. 5600 militante Rechtsextremisten (Westdeutschland: 3000, Ostdeutschland: 2600), meist Skinheads, waren regional zusammengeschlossen. 950 Neonazis galten als Einzelgänger. Das Bundesinnenministerium verbot im November 1994 die rechtsradikale Wiking Jugend (WJ; rd. 400 Mitglieder) und im Februar 1995 die neonazistische Freiheitliche Deutsche Arbeiterpartei (FAP; rd. 430 Mitglieder). In Hamburg löste Innensenator Hartmuth Wrocklage (SPD) im Februar 1995 den neonazistischen Verein Nationale Liste (NL; rd. 30 Mitglieder) auf.

**Linksextremismus:** Ende 1994 gehörten nach Einschätzung des BfV 29 000 Personen linksextremistischen Organisationen an. Davon galten 6000 als Anarchisten, wobei 5000 den gewaltbereiten Autonomen zugerechnet wurden.

→ Ausländerfeindlichkeit → Gewalt → Rechtsextremismus → Republikaner → Rote Armee Fraktion → Terrorismus → Verfassungsschutz

## Extremsportarten

Risikoreiche E., die Körper und Psyche bis an die Grenzen ihrer Belastbarkeit fordern, gewannen Anfang und Mitte der 90er Jahre zunehmend Anhänger. Das sog. Thrilling (to thrill, engl.; erschauern lassen), die Lust, sich in Gefahr zu begeben, hängt Medizinern zufolge mit der Produktion einer chemischen Substanz unter Höchstleistung zusammen (Endorphin), die ähnlich wie Drogen (z. B. Morphium) Glücksgefühle hervorruft.

Im Wildwasser-Kajak suchen Extremsportler die Herausforderung lebensgefährlicher Flußabschnitte.

# F

## Fährschiffsicherheit

Nach dem Untergang der estnischen Autofähre „Estonia", dem bis dahin schwersten Fährschiffunglück in Europa, schrieb die EU ab 1996 eine verbesserte Ausbildung der Seeleute und häufigere technische Inspektionen der Schiffe durch Behörden vor. Die EU setzt Bestimmungen der Internationalen Seefahrtsorganisation (London) um, die weltweit 1998 in Kraft treten. Am 28. 9. 1994 war die „Estonia" auf der Fahrt von Tallinn nach Stockholm/Schweden vor der finnischen Küste gesunken, 900 Menschen starben. Unfallursache war das Abreißen der zu schwach konstruierten Bugklappe bei schwerer See, das zum Eindringen von Wasser auf das Parkdeck des Schiffs führte. Die mit 1100 Passagieren besetzte „Estonia" war ein sog. Roll-on-Roll-off-Schiff mit Heck- und Bugklappen. Bei geöffneten Klappen können Kfz über Laderampen in kurzer Zeit an Bord gelangen. Das Parkdeck kann sich im Unglücksfall in wenigen Minuten mit Wasser füllen. Zuletzt wurde die Sicherheit von Roll-on-Roll-off-Schiffen nach dem Untergang der britischen Fähre „Herald of Free Enterprise" 1987 (193 Tote) diskutiert.

| Fährschiffe: Unglücksfälle | | |
|---|---|---|
| **Jahr** | **Ereignis** | **Tote** |
| 1986 | Die Fähre „Samia" kentert in einem Sturm auf dem Meghna-Fluß in Bangladesch | 600 |
| 1987 | Vor Belgien kentert die britische Fähre „Herald of Free Enterprise" wegen unverschlossener Bugtore | 193 |
| 1987 | Bei den Philippinen kollidiert das überbesetzte philippinische Fährschiff „Dona Paz" mit einem Tanker | 4300 |
| 1988 | Eine indische Fähre kentert und versinkt im Fluß Ganges | 400 |
| 1990 | Auf der unter Bahama-Flagge fahrenden dänischen Fähre „Scandinavian Star" bricht ein Brand aus | 158 |
| 1991 | Vor Livorno/Italien rammt die italienische Fähre „Moby Prince" den Tanker „Agip Abruzzo" | 138 |
| 1991 | Untergang der ägyptischen Fähre „Salem Express" im Roten Meer nach Kollision mit einem Korallenriff | 460 |
| 1993 | Die polnische Fähre „Jan Heweliusz" kentert in schwerem Sturm vor Rügen in der Ostsee | 54 |
| 1993 | Die überfüllte haitianische Fähre „Neptun" sinkt in der Karibik | 700 |
| 1994 | Untergang der estnischen Autofähre „Estonia" vor Finnland durch Konstruktionsfehler | 900 |

## Fairer Handel

Vermarktung von Lebensmitteln aus Entwicklungsländern, deren Herstellung soziale und z. T. ökologische Bedingungen erfüllt, zu Preisen, die die Arbeits- und Lebensbedingungen der Produzenten in den Entwicklungsländern verbessern. 1995 boten rd. 1700 Läden in Deutschland Produkte wie Kaffee, Tee, Honig und Schokolade im F. an. **Handelskriterien:** Die Produzenten in der sog. Dritten Welt erhalten für ihre Erzeugnisse einen garantierten Mindestpreis, der die Kosten deckt. Langfristige Lieferverträge und die teilweise Vorfinanzierung der Ernten durch die Aufkäufer sollen das wirtschaftliche Risiko für die Erzeuger senken. Die Mehrzahl der Produzenten im F. ist in kleinbäuerlichen Kooperativen zusammengeschlossen.

**Marktanteil:** 1994 hatte Kaffee aus F., der rd. 2 DM je Pfund teurer ist als herkömmlich gehandelte Produkte, in Deutschland einen Marktanteil von 1%. Bis 1993 wurden Produkte des F. meist in Dritte-Welt-Läden verkauft. Im April 1993 erreichte der Verein zur Förderung des fairen Handels mit der Dritten Welt (Transfair, Köln), der das Gütesiegel „Transfair" vergibt, daß auch Supermärkte Produkte des F. in ihr Sortiment aufnahmen.

**Preise:** 1993 lagen die im F. an die Produzenten gezahlten Kaffeepreise 70% über dem Weltmarktpreis. Bis Ende 1994 nahm die Differenz angesichts gestiegener Weltmarktpreise ab. Liegt der Weltmarktpreis unter 1,15 Dollar je Pound (454 g), zahlen Transfair-Firmen den Garantiepreis von 1,26 Dollar. Zwischen 1,15 und 1,65 Dollar Weltmarktpreis sinkt die Zuzahlung kontinuierlich ab, ab 1,65 Dollar wird nur noch der Weltmarktpreis gezahlt.
→ Entwicklungsländer → Kaffee

| Familie: Verfügbares Einkommen | | |
|---|---|---|
| Monatliches Netto-einkommen (DM) | Ehepaare mit Kindern (%) | |
| | Ost | West |
| Unter 1800 | 4 | 2 |
| 1800–2500 | 13 | 7 |
| 2501–3000 | 15 | 10 |
| 3001–4000 | 32 | 24 |
| 4001–5000 | 21 | 21 |
| 5001–6000 | 9 | 14 |
| 6001–7500 | 4 | 11 |
| Über 7500 | — | 2 |

Stand: 1993; Quelle: Statistisches Bundes-amt

## Familie

Mitte der 90er Jahre war die F. trotz steigendem Trend zum Single-Dasein (1970: 25% aller Haushalte, 1993: 34%) und sinkender Geburtenzahl (1994: – 3,6% gegenüber dem Vorjahr) die verbreitetste Lebensform in Deutschland. 58% der Bevölkerung lebten in der traditionellen Gemein-schaft von Erwachsenen mit Kindern. Davon waren 84% Ehepaare, 12% Alleinerziehende und 4% nichtehe-liche Lebensgemeinschaften.

In Westdeutschland sank die Zahl der Ehepaare mit Kindern aufgrund später Familiengründung und hoher Schei-dungsziffer von 8,1 Mio (1972) auf 6,2 Mio (1992). Das durchschnittliche Heiratsalter lediger Frauen lag im Osten bei 25,5 Jahren und im Westen bei 26,9 Jahren (Männer: 27,6 bzw. 29,3 Jahre). Statistisch gesehen bekam jede Frau in Westdeutschland 1,4 und in Ostdeutschland 0,8 Kinder.

Die erhöhte Abgabenbelastung durch den Solidaritätszuschlag und die Pfle-geversicherungsbeiträge verschlech-terte 1995 die finanzielle Situation vieler F. Regierung und Opposition strebten Gesetzesänderungen an, die die materielle Stellung der F. verbes-sern und dem Wandel der F.-Strukturen gerecht werden sollten.

## Familienlastenausgleich

→ Übersichtsartikel S. 171

## FCKW

(Fluorchlorkohlenwasserstoffe), Koh-lenwasserstoffe, in denen Wasserstoff durch Fluor- und Chloratome ersetzt sind. FCKW sind mitverantwortlich für die Zerstörung der Ozonschicht, für den Treibhauseffekt und die Klima-veränderung und werden als Kühlmit-tel und in der Kunststoffproduktion eingesetzt. Weiche teilhalogenierte FCKW (HFCKW), die mindestens ein Wasserstoffatom enthalten, schädigen die Ozonschicht in geringerem Maß als die harten vollhalogenierten FCKW, in denen alle Wasserstoffato-me durch Fluor und Chlor ersetzt sind. Der Ausstieg aus der FCKW-Produkti-on und Vermarktung wurde von den meisten Industriestaaten in den 90er Jahren angestrebt, einige Länder (z. B. China, Indien und weitere Entwick-lungsländer) hielten jedoch am FCKW-Einsatz fest, weil sie Ersatz-stoffe, die Mitte der 90er Jahre für alle Anwendungsbereiche existierten, nicht bezahlen konnten. In der EU waren Neuproduktion und Vermark-tung von FCKW ab 1995 verboten.

Auch mit dem Ausstieg aus der FCKW-Herstellung wird sich die Ozonschicht erst Mitte des 21. Jh. regenerieren, da FCKW eine Lebens-dauer von 50 bis 100 Jahren besitzen. → Klimaveränderung → Ozonloch → Treibhauseffekt

## FDP

**Name** Freie Demokratische Partei
**Gründung** 1948
**Mitglieder** 87 000 (Stand: Mai 1995)
**Vorsitzender** Wolfgang Gerhardt (seit 1995)
**Ausrichtung** Liberal

Die FDP bildet seit 1982 mit der CDU/CSU die Bundesregierung. Bei der Bundestagswahl im Oktober 1994 erreichte sie 6,9% (1990: 11,0%). Die Liberalen stellten mit Klaus Kinkel (Äußeres), Günter Rexrodt (Wirtschaft) und Sabine Leutheusser-Schnarrenber-ger (Justiz) drei Minister (bis dahin:

# Reform soll Familien mit Kindern finanziell entlasten

Bundestag und Bundesrat konnten sich bis Mitte 1995 nicht über eine Reform des Familienlastenausgleichs verständigen, der die finanzielle Situation von Familien verbessern soll. Der im Rahmen des Jahressteuergesetzes 1996 vorgelegte Entwurf der CDU/CSU/FDP-Bundesregierung scheiterte im Juli 1995 am Widerstand der SPD-Mehrheit im Bundesrat. Die SPD trat für die Abschaffung des Kinderfreibetrages und ein einkommensunabhängiges Kindergeld ein. Im Vermittlungsausschuß forderte die SPD, das Kindergeld 1996 auf 220 DM und 1999 auf 250 DM anzuheben. Die Koalition hielt 1996 nur 200 DM für finanzierbar.

**Existenzminimum für Kinder:** Das Bundesverfassungsgericht hatte 1990 die Regelungen zur Familienförderung als verfassungswidrig erklärt und die Regierung verpflichtet, bis 1996 die Steuerfreistellung des Existenzminimums für jedes Kind zu gewährleisten. Als Bemessungsgrundlage werteten die Richter die für Kinder ausbezahlte Sozialhilfeleistung, die für 1996 mit 6288 DM im Jahr veranschlagt wurde.

**Wahl zwischen Kindergeld und Freibetrag:** Dem Regierungsentwurf zufolge sollen Familien die Möglichkeit erhalten, zwischen Kindergeld oder Kinderfreibetrag zu wählen. Der Kindergeldzuschlag für Geringverdiener entfällt. Der Freibetrag von 4104 DM soll auf 6264 DM angehoben werden, das Kindergeld auf 200 DM (erstes und zweites Kind) bzw. 300 DM (drittes Kind) und 350 DM (weitere Kinder). Das Bundesfamilienministeriums erwartet, daß sich etwa 10% der Steuerpflichtigen für den Kinderfreibetrag entscheiden, der ab einem Steuersatz von 40% gegenüber dem Kindergeld finanziell vorteilhafter ist. Das Bundesfinanzministerium rechnet für den ab 1996 geplanten Familienlastenausgleich mit Mehrkosten von 6 Mrd DM (Ausgaben 1995: 36,5 Mrd DM).

**Steuerausfälle für Länder:** Ab 1996 soll das Kindergeld nicht mehr von den Arbeitsämtern ausgezahlt, sondern direkt mit der Einkommensteuer abgeglichen werden. Ein Viertel der insgesamt 9,8 Mio steuerpflichtigen Erziehenden zahlt Schätzungen zufolge so wenig Lohnsteuer, daß keine Verrechnung möglich ist. Für 5,7 Mio Kinder müßte das Kindergeld von den Finanzämtern ganz oder teilweise ausbezahlt werden. Die Übertragung der Kindergeldabwicklung von der Arbeitsverwaltung auf die Finanzämter lehnten die Bundesländer ab. Die Länder, die 42,5% des Einkommensteueraufkommens (Bund: 42,5%, Gemeinden: 15%) erhalten, erwarteten durch den Abzug des Kindergeldes von der Einkommensteuer Ausfälle von 7 Mrd DM. Die Kindergeldkosten, die der Bund allein finanziert, würden auf die Länder verlagert.

**Ungerechte Verteilung:** SPD, Bündnis 90/Die Grünen und PDS warfen der Regierung vor, mit dem Kinderfreibetrag Spitzenverdiener zu begünstigen. Familienverbände bezeichneten die geplante Erhöhung als ungenügend, weil das Kinderexistenzminimium nicht erreicht würde.            (Lo)

→ Existenzminimum → Kindergeld

| Merkmal | Gültige Regelung | Reformvorschläge | | | |
|---|---|---|---|---|---|
| | | CDU/CSU/FDP | SPD | Bündnis 90/ Die Grünen | PDS |
| Kindergeld-festbetrag je Kind | 1. Kind: 70 DM 2. Kind: 130 DM 3. Kind: 220 DM[1] weitere: 240 DM[1] | 1. Kind: 200 DM 2. Kind: 200 DM 3. Kind: 300 DM weitere: 350 DM | 1. Kind: 250 DM 2. Kind: 250 DM 3. Kind: 250DM weitere: 350 DM | Für jedes Kind: 300 DM | Für jedes Kind: 500 DM |
| Freibetrag | 4104 DM je Kind | 6264 DM je Kind | entfällt | entfällt | entfällt |
| Finanzierung der Reform | | Haushaltsein-sparungen | Wegfall des Kinderfreibetrags, reduziertes Ehegattensplitting | Reduzierung von Ehegattensplitting und Steuerver-günstigungen | Kappung des Ehegatten-splittings |

**Familienlastenausgleich: Reformmodelle der Parteien**

1) Ab einem Jahresnettoeinkommen von 100 000 DM bei Ehepaaren und ab 75 000 DM bei Alleinerziehenden reduziert sich das Kindergeld für das dritte Kind und weitere Kinder bis auf 70 DM/Monat; Quelle: Aktuell-Recherche

| FDP: Stimmenanteil bei Bundestagswahlen | |
|---|---|
| Jahr | Anteil (%) |
| 1949 | 11,9 |
| 1953 | 9,5 |
| 1957 | 7,7 |
| 1961 | 12,8 |
| 1965 | 9,5 |
| 1969 | 5,8 |
| 1972 | 8,4 |
| 1976 | 7,9 |
| 1980 | 10,6 |
| 1983 | 7,0 |
| 1987 | 9,1 |
| 1990 | 11,0 |
| 1994 | 6,9 |

## FDP: Parteiführung

**Wolfgang Gerhardt, FDP-Vorsitzender**
* 31. 12. 1943 in Ulrichstein-Helpershain, Dr. phil. Seit 1978 MdL in Hessen, dort 1983 FDP-Fraktionsvorsitzender. Seit Juni 1995 Bundesvorsitzender der FDP.

**Guido Westerwelle, FDP-Generalsekretär**
* 27. 12. 1961 in Bad Honnef, Dr. jur. 1983–1988 Bundesvorsitzender der FDP-Jugendorganisation. Seit Dezember 1994 Generalsekretär der FDP.

Hessen erreichte die FDP am 19. 2. 1995 unter ihrem Spitzenkandidaten Gerhardt 7,5%. 1993 waren die Liberalen mit 15 Regierungsmitgliedern in sechs Landesregierungen vertreten, Mitte 1995 stellte die FDP lediglich in Rheinland-Pfalz zwei Minister.

**Richtungsstreit:** Um den Parteivorsitz bewarb sich auf dem Bundesparteitag in Mainz neben Gerhardt der ehemalige Bundeswirtschaftsminister Jürgen Möllemann. Der Politiker, der im Oktober 1994 vom nordrhein-westfälischen Landesvorstand wegen seiner als zu hart empfundenen Kritik an Kinkel zum Rücktritt als Landesvorsitzender gezwungen worden war, unterlag mit 33% der Stimmen. Eine Gruppe Berliner Parteimitglieder um den ehemaligen Generalbundesanwalt Alexander von Stahl versuchte 1994/95, die FDP auf nationalliberale Positionen festzulegen.

**Personalentscheidungen:** Der Parteitag stärkte das linksliberale Spektrum in der Parteiführung. Als stellvertretende Parteivorsitzende wurden die Ausländerbeauftragte der Bundesregierung, Cornelia Schmalz-Jacobsen, der rheinland-pfälzische Wirtschaftsminister Rainer Brüderle und der ehemalige thüringische Wirtschaftsminister Jürgen Bohn gewählt.

**Programm:** Die Delegierten bekräftigten die Absicht, künftig in der Bildungs- und Umweltpolitik sowie beim Staatsbürgerrecht mehr liberale Konturen zu entwickeln. Ein Antrag zum Schutz nichtehelicher, auch gleichgeschlechtlicher Lebensgemeinschaften und die Strafbarkeit der Vergewaltigung in der Ehe wurde mit großer Mehrheit angenommen. Der Solidaritätszuschlag soll nach dem Wunsch der FDP bis 1998 abgeschafft werden. Als Teil einer Parteistrukturreform sprachen sich die Delegierten für die Einführung eines Mitgliederentscheids in strittigen Sachfragen aus. Der Bundesvorstand der Liberalen kann künftig auf eigenen Antrag oder auf Antrag von fünf Landesverbänden, 155 Kreisverbänden oder fünf Prozent der Mitglieder einen Mitgliederentscheid herbeiführen.

fünf). Nach einer Serie von elf Wahlniederlagen bei Landtagswahlen und der Europawahl im Juni 1994 (4,1%; 1989: 5,6%) trat der seit Mai 1993 amtierende Klaus Kinkel im Mai 1995 als Parteivorsitzender zurück. Zu seinem Nachfolger wählten die 662 Delegierten auf dem Mainzer Bundesparteitag im Juni 1995 mit 57% der Stimmen den bisherigen stellvertretenden Parteivorsitzenden Wolfgang Gerhardt.

**Niedergang:** Seit der Amtsübernahme Kinkels im Juni 1993 schied die FDP aus elf Landtagen aus. Lediglich in

## FDP: Niederlagenserie bei Landtagswahlen

| Datum | Bundesland | Ergebnis (Letzte Wahl) | |
|---|---|---|---|
| 19. 9. 1993 | Hamburg | 4,2% | (5,4%) |
| 13. 3. 1994 | Niedersachsen | 4,4% | (6,0%) |
| 26. 6. 1994 | Sachsen-Anhalt | 3,6% | (13,5%) |
| 11. 9. 1994 | Brandenburg | 2,2% | (6,6%) |
| 11. 9. 1994 | Sachsen | 1,7% | (5,3%) |
| 25. 9. 1994 | Bayern | 2,8% | (5,2%) |
| 16. 10. 1994 | Mecklenburg-Vorp. | 3,8% | (5,5%) |
| 16. 10. 1994 | Saarland | 2,1% | (5,6%) |
| 16. 10. 1994 | Thüringen | 3,2% | (9,3%) |
| 14. 5. 1995 | Bremen | 3,4% | (9,5%) |
| 14. 5. 1995 | Nordrhein-Westfalen | 4,0% | (5,8%) |

## FDP (Schweiz)

| | |
|---|---|
| **Name** | Freisinnig-demokratische Partei |
| **Land** | Schweiz |
| **Gründung** | 1894 |
| **Mitglieder** | 150 000 (Stand: Mai 1995) |
| **Präsident** | Franz Steinegger (seit 1989) |
| **Ausrichtung** | Liberal-konservativ |

Die FDP bildet seit 1959 gemeinsam mit SPS, CVP und SVP die eidgenössische Regierung. Mit 44 Mitgliedern im Nationalrat und 18 Mitgliedern im Ständerat ist die FDP die stärkste Partei in den Eidgenössischen Räten. 50 der 166 Schweizer Regierungsräte sind Mitglieder der FDP. Mit Ausnahme von Freiburg und Innerrhoden stellten die Freisinnigen Mitte 1995 in allen Kantonen Regierungsmitglieder. Die FDP verfügte mit 709 Abgeordneten über die größte Zahl an kantonalen Parlamentariern. Mit Ausnahme von Innerrhoden war die FDP in allen kantonalen Legislativen vertreten.

Als Kernpunkt ihrer außenpolitischen Grundsätze beschloß die FDP im April 1995, den EU-Beitritt als langfristiges strategisches Ziel festzuschreiben. Ein sog. Gleichstellungspapier vom Januar 1995 forderte die Abschaffung von geschlechtlich diskriminierenden Bestimmungen im Steuerrecht und in der Sozialversicherung. Tagesschulen bzw. Unterrichts-Blockzeiten soll dazu beitragen, die faktische Bindung der Mutter an Erziehungsaufgaben zu lösen.

## Fernsehen

Die höchsten Steigerungen im Wettbewerb um die Publikumsgunst verzeichneten 1994 die kleinen TV-Sender RTL 2, VOX und Kabel 1. Die größten Anbieter, die öffentlich-rechtlichen ARD und ZDF sowie das Privat-TV RTL, verloren die meisten Zuschaueranteile. ARD und ZDF erwogen bei seit 1989 sinkenden Werbeeinnahmen und bis 1997 festgeschriebenen Rundfunkgebühren 1995 die Gründung von Spartenkanälen für spezielle Zuschauergruppen, zunächst eines Kinderkanals. Damit sollen Werbegelder ange-

## Fernsehen: Intendanten von ARD, ZDF, WDR

**Albert Scharf, ARD-Vorsitzender**
* 28. 12. 1934 in München. Ab 1966 beim Bayrischen Rundfunk (BR). 1973 ARD-Vertreter, ab 1983 Präsident bei der EBU. 1990 BR-Intendant, 1995/96 ARD-Vorsitzender.

**Dieter Stolte, Intendant des ZDF**
* 18. 9. 1934 in Köln. Ab 1962 beim ZDF, 1967 Leiter der Programmplanung. 1973 Fernsehdirektor des Südwestfunks (SWF). 1975 ZDF-Programmdirektor, ab 1982 Intendant.

**Fritz Pleitgen, WDR-Intendant**
* 21. 3. 1938 in Duisburg. Ab 1963 „Tagesschau"-Redaktion, Ab 1970 WDR-Auslandskorrespondent in Moskau, Ostberlin und den USA. Mitte 1995 Intendant des WDR.

zogen und Möglichkeiten zur weiteren kostenneutralen Verwertung vorhandener Programmsubstanzen geschaffen werden.

**Wettbewerb:** Im verschärften Konkurrenzkampf infolge der steigenden Zahl der Wettbewerber gingen die Sender 1994/95 dazu über, erfolgreiche Sendemuster wie Talk-Shows (z. B. „Hans Meiser", RTL, „Boulevard Bio", ARD) und die daily soap (engl.; tägliche Seifenoper) zu kopieren. Personal für attraktive Programme wurde mit Spitzengagen abgeworben, wie Thomas Gottschalk und Harald Schmidt, die 1996 von RTL bzw. der ARD zu SAT. 1 wechseln.

**FDP (Schweiz): Ergebnisse bei Nationalratswahlen**

| Jahr | Anteil (%) |
|---|---|
| 1947 | 23,0 |
| 1951 | 24,0 |
| 1955 | 23,3 |
| 1959 | 23,7 |
| 1963 | 24,0 |
| 1967 | 23,2 |
| 1971 | 21,7 |
| 1975 | 22,2 |
| 1979 | 23,9 |
| 1983 | 23,2 |
| 1987 | 22,9 |
| 1991 | 21,0 |

## Fernsehverhalten: Glossar

**Channel hopping:** (engl.; Kanal-Springen), der Zuschauer stellt fest, daß ihn das gewählte Programm nicht interessiert. Er sucht die Kanäle nach einer passenden Sendung durch. Oft werden auch die mehrere Minuten langen Werbeinblendungen zum Channel hopping genutzt, wobei der Zuschauer nicht immer zum Ausgangsprogramm zurückkehrt.

**Switchen:** (engl.; schalten), der Zuschauer verfolgt zwei oder mehr Programme parallel, indem er in Zeiträumen von wenigen Minuten zwischen den Kanälen hin und her wechselt.

**Zappen:** (to zap, engl.; jemanden abknallen), nach Einschalten des Fernsehgeräts wird so lange weitergeschaltet, bis ein interessantes Programm gefunden ist.

## Fernsehen: Zuschauer 1994

| Sender | Zuschaueranteil (%) | Veränderung[1] (%) |
|--------|----------------------|---------------------|
| RTL | 17,5 | –1,4 |
| ZDF | 17,0 | –1,0 |
| ARD | 16,3 | –0,7 |
| SAT.1 | 14,9 | – |
| Pro 7 | 9,4 | +0,2 |
| RTL 2 | 3,8 | +1,2 |
| Kabel 1 | 2,0 | +0,4 |
| VOX | 2,0 | +0,7 |
| DSF | 1,2 | –0,1 |

Zuschauer ab sechs Jahre; 1) zu 1993;
Quelle: Gesellschaft für Konsumforschung,
Kabel 1-Medienforschung

**Konkurrenzfähigkeit:** Die ARD beschloß im Mai 1995, ihr Programm kurzfristig wie die Privatsender 24 Stunden täglich auszustrahlen. Die sendefreie Zeit zwischen 2 Uhr und 5.45 Uhr soll kostengünstig mit Wiederholungen gefüllt werden. Das Kinderprogramm soll ab 1996 am Wochenende bereits um 6 Uhr starten (vorher: 7.35 Uhr). Die Deutsche Welle (DW, Köln) vereinbarte mit WDR und ZDF Programmübernahmen ab Juli 1995. Die Sendungen sollen mit dem Logo des Herkunftssenders im weltweiten Auslandsprogramm der DW ausgestrahlt werden.

**ARD-Reform:** Der Vorstoß des bayrischen Ministerpräsidenten Edmund Stoiber (CSU), das erste Programm der ARD abzuschaffen, weil ein bundesweit sendender gebührenfinanzierter Anbieter ausreiche, entfachte Ende 1994 die Debatte um eine Reform der größeren öffentlich-rechtlichen Anstalt. Stoiber und der sächsische Ministerpräsident Kurt Biedenkopf (CDU) forderten 1995 die Reduzierung der elf Sendehäuser auf rd. sechs, der rheinland-pfälzische Ministerpräsident Kurt Beck (SPD) schlug die Zusammenlegung von vier südlichen Anstalten vor, NDR-Intendant Jobst Plog die Zusammenfassung von Hörfunk- und Dritten Programmen der drei nördlichen Anstalten. Die SPD wies die Kritik an der ARD mehrheitlich zurück. Die ARD gilt als politisch eher links orientierter, das ZDF als rechts stehender Sender.

**EU-Richtlinie:** Die EU-Kommission plante 1995 auf Betreiben Frankreichs eine Verschärfung der F.-Richtlinie von 1989, die Anbieter verpflichtet, 50% der Sendezeit mit EU-Produktionen zu füllen. Der Zusatz „im Rahmen des praktisch Durchführbaren" soll entfallen, der Anteil auf 51% erhöht werden (Anteil 1995: rd. 40%).

**BVG-Urteil:** Im März 1995 billigte das Bundesverfassungsgericht (BVG, Karlsruhe) die europäische F.-Richtlinie von 1989 weitgehend. Allerdings hätte die CDU/CSU/FDP-Bundesregierung laut BVG beim Zustandekommen der Quotenregelung Länderinteressen stärker vertreten müssen, da Rundfunk in die Kompetenz der Länder fällt. Neun Bundesländer hatten vor dem BVG geklagt, weil sie ihre Kompetenz beschnitten sahen. Die EU hatte geltend gemacht, daß Fernsehen als grenzenlose Dienstleistung in ihre Zuständigkeit falle. Dennoch müsse der Bund die Gesetzgebungskompetenz im Einzelfall prüfen und seinen Standpunkt im Bundesrat, dem Ländergremium, erörtern.

**Jugendschutz und Sponsoring:** In einer Änderung des Rundfunkstaatsvertrags verschärften die Länder die Jugendschutzbestimmungen. Alle Sender müssen ab August 1994 Jugendschutzbeauftragte berufen, Verstöße gegen den Jugendschutz werden mit Bußgeldern geahndet. Hinweise auf

## Fernsehen: Themenstruktur ausgewählter Programme

| Thema | Programmanteil (%) | | | | | | |
|-------|-----|-----|-----|------|------|-----|------|
| | ARD | ZDF | RTL | SAT.1 | Pro 7 | VOX | RTL 2 |
| Information | 39,4 | 44,7 | 18,1 | 17,7 | 5,4 | 33,7 | 1,8 |
| Filme/Serien | 33,3 | 33,1 | 39,7 | 40,2 | 69,6 | 22,3 | 55,4 |
| Talk-/Spiel-Shows | 7,4 | 4,8 | 11,5 | 9,6 | 0,2 | 9,7 | 3,5 |
| Musik | 1,9 | 2,5 | 0,7 | 1,6 | 0,1 | – | – |
| Sport | 3,6 | 4,2 | 7,3 | 7,5 | – | 21,5 | 2,8 |
| Kinder-/Jugend-Prg. | 9,2 | 5,8 | 5,7 | 3,1 | 10,7 | 2,6 | 19,5 |
| Werbung | 1,3 | 1,2 | 13,3 | 17,4 | 11,8 | 6,9 | 11,5 |
| Sonstiges | 4,0 | 3,6 | 3,8 | 3,0 | 2,2 | 3,5 | 5,5 |
| Sendedauer/Tag[1] | 1187 | 1180 | 1440 | 1342 | 1413 | 1006 | 1392 |

Stand: 1993; Untersuchungszeitraum jeweils 6.00–6.00 Uhr; RTL 2 ab 6. 3. 1993; 1) min; Quelle: Media Perspektiven 3/11/1994

Sponsoren vor und nach den unterstützten Beiträgen dürfen nun bewegte Bilder, Werbung innerhalb des Beitrags Spots des Sponsors enthalten.
→ Digitales Fernsehen → Interaktives Fernsehen → Fußballübertragungsrechte → Kinderkanal → Pay-TV → Privatfernsehen → Regionalfernsehen → Rundfunkgebühren → Spartenkanal

## Fernsehen, Digitales

→ Digitales Fernsehen

## Fernsehen, Interaktives

→ Interaktives Fernsehen

## Fernsehwerbung

Private und öffentlich-rechtliche Fernsehanstalten sendeten 1994 rd. 1,2 Mio Werbespots (1993: rd. 830 000) und erwirtschafteten damit rd. 5,6 Mrd DM Nettoumsatz. Der Zuwachs gegenüber 1993 fiel mit etwa 16,6% höher aus als in den Vorjahren. Branchenkenner sahen die Grenzen des Wachstums erreicht und prognostizierten für die Zukunft geringe Steigerungen. Der Kampf um Werbekunden wird sich mit dem Start von Spartenkanälen für bestimmte Zielgruppen 1995 nochmals verschärfen.
**Umsätze:** Die Werbeumsätze kamen 1994 erneut überwiegend den werbefinanzierten Privatsendern zugute, deren Anteil an den Nettoumsätzen von 83% (1993) auf 89% stieg. Branchenführer RTL verzeichnete 2% Umsatzzuwachs gegenüber 1993 auf 1,9 Mrd DM. SAT. 1 erhöhte seinen Erlös um 21,5% auf 1,6 Mrd DM. Der drittgrößte Privatsender Pro 7 erlöste mit 1,1 Mrd DM rd. 67% mehr als im Vorjahr. Die größte Steigerung verzeichnete das 1993 gestartete RTL 2, dessen Umsatz sich um 297% auf 240 Mio DM erhöhte. Die stärksten Einbußen mußte die ARD hinnehmen, deren Werbeeinnahmen um 42% auf 260 Mio DM sanken (ZDF: –10% auf 330 Mio DM). Für beide öffentlich-rechtliche Sender sind

### Fernsehen: Grimme-Preisträger 1994

| Kategorie | Titel | Sender | Regie/Buch/Schauspieler |
|---|---|---|---|
| Serien/Mehrteiler | Liebling Kreuzberg | SFB | Ulrich Plenzdorf |
| | Nur eine kleine Affäre | ZDF | J. Nitsch, D. Rönfeldt, A. Schoenle, B. und Th. Wittenburg |
| | Chronik der Wende | ORB | Geri Nasarski, Wolfgang Drescher |
| Information | ARD-Exclusiv: Das Totenschiff | WDR | Wilfried Huismann |
| | Die Umschulung | SWF | Harun Farocki |
| | 37 °: Jenseits der Schattengrenze | ZDF | Hartmut Schoen |
| | Drei Stunden Güstrow | NDR | M. Krull, G. Schoß |
| Kultur | Er nannte sich Hohenstein | ZDF | Walter Renneisen, Horst Bendel, Hans-Dieter Grabe |
| Unterhaltung | Der letzte Kosmonaut | ZDF/Arte | Sascha Arango |
| Fernsehspiel | Ausgerechnet Zoé | NDR/DRS | Nicolette Krebitz, Henry Arnold, Markus Imboden |
| | Asphaltflimmern | ZDF | Johannes Hebendanz, Elke Müller |
| | Radetzkymarsch | ORF/BR | Axel Corti, Gernot Roll, Max v. Sydow, Tilman Günther |
| | Polizeiruf 110: Totes Gleis | SFB/ORB | Otto Sander, Ben Becker, Bernd Böhlich, Michael Illner, Leo P. Ard |
| Spezial | The final kick | ZDF/Arte | Andreas Rogenhagen |
| | Ausgerechnet Bananen/Die Schützes | BR/WDR | Wolfgang Ettlich |
| | Zwei Stühle – eine Meinung in RTL Samstag nacht | RTL | Olli Dittrich, Wigald Boning |
| Publikumspreis der Maler-Gruppe | Kinderspiele | ZDF/Arte | Wolfgang Becker |
| Preis des NRW-Kultusministers | Wie ein wuchernder Erdklumpen auf der Seele | WDR | Felix Kuballa Birger Sellin |
| Besondere Ehrung | – | – | Sabine Christiansen |

Quelle: Adolf Grimme Institut (Marl)

Einnahmen aus der F. zweitwichtigste Finanzierungsquelle hinter den Rundfunkgebühren.
**Preispolitik:** Bei den größten Privatsendern RTL und SAT. 1 blieben die

| Fernseh-zeitschriften: Marktanteile 1994 | |
|---|---|
| **Verlag** | **Anteil (%)** |
| Heinr. Bauer | 49,0 |
| Axel Springer | 25,6 |
| Verlagsgruppe Milchstraße | 9,9 |
| Gong | 9,5 |
| Burda | 3,4 |
| Deutscher Supplement Verlag | 2,6 |

Quelle: IVW/PBM

Preise für Spots 1995 gegenüber 1994 im Durchschnitt unverändert, für einzelne Sendungen erhöhten sie sich allerdings um bis zu 50%. ARD und ZDF senkten ihre Preise um rd. 30%, um Marktanteile zurückzugewinnen. Die meisten Privatsender verkürzten die Länge ihrer Werbeblöcke innerhalb von Sendungen, damit Zuschauer nicht auf andere Programme umschalteten.

**Eigenwerbung:** Als Folge der zunehmenden Konkurrenz warben die Sender verstärkt für sich selbst und machten z. B. mit moderierten Ausschnitten auf eigene Programme aufmerksam (sog. Trailer). Von Anfang der 90er Jahre bis 1995 verfünffachten sich die Ausgaben der Sender für Eigenwerbung von 40 Mio DM auf 200 Mio DM. RTL wendete nach eigenen Angaben 1995 rd. 30 Mio DM auf, SAT. 1 rd. 20 Mio DM, das ZDF rd. 15 Mio DM und die ARD etwa 10 Mio DM.

**20-Uhr-Werbegrenze:** ARD und ZDF erneuerten 1995 ihre Forderung, auch nach 20 Uhr F. ausstrahlen zu dürfen, um die Wettbewerbsposition gegenüber dem Privat-TV zu verbessern. Während die Öffentlich-Rechtlichen nur werktags 20 min F. vor 20 Uhr senden dürfen, können die Privatsender 20% ihres täglichen Programms mit F. füllen. Die Wirtschaft befürwortete die Aufhebung der Grenze, weil sie ab 20 Uhr bei ARD und ZDF gebildete, kaufkräftige Zuschauer erreichen wollte.

**Zielgruppe Kinder:** F. für Produkte für Kinder geriet 1995 erneut in die Diskussion, nachdem eine Studie im Auftrag der NRW-Landesanstalt für Rundfunk (Düsseldorf) im April 1995 ergeben hatte, daß Vier- bis Sechsjährige nicht zwischen Programm und F. unterscheiden können. Vorschulkinder betrachteten die Aussagen der Spots als wahr. Verbraucherzentralen forderten ein F.-Verbot im Umfeld von Kindersendungen. Kinder waren mit einem jährlichen Taschengeld von insgesamt rd. 6 Mio DM attraktive Zielgruppe für die Wirtschaft.

→ Kinderkanal → Privatfernsehen → Spartenkanal → Werbung

## Fernsehzeitschriften

Eine Vielzahl neuer TV-Programme und das daraus resultierende Orientierungsbedürfnis der Zuschauer führten Anfang und Mitte der 90er Jahre zu zahlreichen Neugründungen von F. Anfang 1995 informierten 18 F. (1980: fünf) über rd. 30 TV-Programme. Der auflagenstärkste Pressemarkt wuchs von 16,3 Mio (1990) auf 21,5 Mio (1994) Exemplare pro Auflage. Umfragen zufolge lasen 1995 rd. 15 Mio Bundesbürger keine F.

**Konzepte:** Während etablierte F. wie „Hörzu" (Axel Springer Verlag, Hamburg) traditionell als Blatt für die Familie mit unterhaltenden und Ratgeber-Elementen konzipiert waren, richteten sich die Neugründungen mit ausführlichen TV-Informationen vor allem an jüngere Zuschauer mit höherem Bildungsniveau, die nur an bestimmten Sendungen interessiert sind. Der Nutzwert der F. als Orientierungshilfe wurde erhöht, „TV Spielfilm" (Verlagsgruppe Milchstraße, Hamburg) brachte z. B. ab Anfang 1995 zusätzlich zu Film- und Sportinformationen Hinweise von Erziehungswissenschaftlern zum Kinderprogramm.

**Neugründungen:** Das Ende 1994 bei Gruner + Jahr (Hamburg) erstmals erschienene „TV Today" bietet im 14-tägigen Rhythmus neben der TV-Übersicht Berichte aus dem Medien- und Kommunikationsbereich und erreichte Anfang 1995 eine Auflage von 800 000 Exemplaren. Das ebenfalls im Dezember 1994 gestartete „TV pur" aus dem Bauer-Verlag (Hamburg) stellte sein Erscheinen nach drei Monaten ein, weil die angestrebte Verkaufsauflage von 300 000 Exemplaren um 200 000 verfehlt wurde. Das Nachrichtenmagazin „Der Spiegel" erwog eine Programmbeilage, Gruner + Jahr zog in Betracht, die „stern"-Fernsehbeilage auszubauen. Das für 1995 von Bauer geplante Nachrichtenmagazin „Ergo" wurde mit einem Programmteil konzipiert.

→ Nachrichtenmagazin → Presse

## Film

Deutschland hatte 1994 erstmals die meisten F.-Besucher in Europa und verdrängte das bis dahin führende Frankreich auf Rang zwei. Wie im Vorjahr profitierten jedoch hauptsächlich US-Produktionen vom Kinoboom. Unter den 15 erfolgreichsten F. war mit „Der bewegte Mann" (rd. 4 Mio Zuschauer) lediglich ein deutscher.

**Besucherrekord:** 1994 kamen mit 132,8 Mio rd. 1,8% mehr Besucher in die F.-Theater als im Rekordjahr 1993. Während die Besucherzahl in Westdeutschland um 0,6% gegenüber 1993 auf 113,1 Mio fiel, stieg sie im Osten um 16,8% auf 19,7 Mio. Der Umsatz der Kinobetreiber erhöhte sich um 5% auf 1,23 Mrd DM, was vor allem auf die Preissteigerungen von Eintrittskarten zurückzuführen war (Westdeutschland: +3,1%, Ostdeutschland: +9,5%). Die Anzahl der Kinosäle erhöhte sich um 60 auf 3795.

**Krise deutscher Produktionen:** 17 der 20 in Deutschland meistgesehenen Filme stammten 1994 aus den USA. Der Anteil deutscher F. am F.-Besuch steigerte sich nach Angaben der Filmförderungsanstalt (FFA, Berlin) zwar von 8% (1993) auf rd. 10% bzw. 13,3 Mio Besucher, jedoch war dies vor allem auf den Erfolg eines F., „Der bewegte Mann" (Regie: Sönke Wortmann), zurückzuführen.

**Förderung umstritten:** Jährlich wird der deutsche F. mit rd. 200 Mio DM u. a. aus Bundes- und Landesmitteln, von der Filmförderungsanstalt und vom Fernsehen gefördert. Bei den Geldern handelt es sich um zinslose Kredite, die aus dem Reingewinn des F., falls erwirtschaftet, zurückzuzahlen sind. Von 74 erstaufgeführten deutschen F. 1994 zogen zehn rd. zwei Drittel der Besucher an. Kritiker bemängelten, daß Produzenten die Akzeptanz des F. beim Publikum nicht berücksichtigen würden, solange sie kein finanzielles Risiko trügen. Befürworter bezeichneten die Unterstützung als lebensnotwendig für den europäischen F.

| Fernsehzeitschriften: Auflagenstärkste Titel | | | |
|---|---|---|---|
| Titel | Verlag | Preis (DM) | Auflage (1000)[1] |
| Auf einen Blick | Heinrich Bauer | 1,60 | 2707 |
| Hörzu | Axel Springer | 2,30 | 2564 |
| TV Movie | Heinrich Bauer | 2,50 | 2347 |
| TV Hören u. Sehen | Heinrich Bauer | 2,30 | 2325 |
| TV Spielfilm | Milchstraße | 2,50 | 2163 |
| Fernsehwoche | Heinrich Bauer | 1,70 | 1842 |
| Funk Uhr | Axel Springer | 1,70 | 1674 |
| TV klar | Heinrich Bauer | 1,00 | 1263 |
| Gong | Gong | 2,30 | 840 |
| TV neu | Axel Springer | 1,00 | 810 |
| Bild + Funk | Burda | 2,30 | 695 |
| Die 2 | Gong | 1,60 | 506 |
| Bildwoche | Axel Springer | 1,60 | 428 |

1) 4. Quartal 1994; Quelle: Interessengemeinschaft zur Feststellung der Verbreitung von Werbeträgern (IVW, Bonn)

**Europäische Förderung:** Die europäische F.-Industrie soll nach einem Vorschlag der EU-Kommission von 1994 für 1996–2000 mit 400 Mio ECU (750 Mio DM) gefördert werden, um gegen die Vorherrschaft des US.-F. (Anteil am europäischen F.-Markt 1994: rd. 80%) bestehen zu können. Die Gelder sollen in die Ausbildung von F.-Schaffenden, in die Entwicklung von europäischen Projekten und in den Aufbau eines europaweiten Vertriebs fließen.

**Krise in Hollywood:** Von 332 F., die 1994 in den USA produziert wurden, brachte nur etwa ein Drittel Gewinn. Bei sinkenden Besucherzahlen und bei

Oscar-Preisträger Tom Hanks (rechts) als Forrest Gump im gleichnamigen, ebenfalls mit einem Oscar prämierten Film

## Film: Internationale Preise 1994/95

| Preis/Kategorie | Regie/Preisträger | Film |
|---|---|---|
| Goldener Bär 1995 (Berlin) | Bertrand Tavernier | Der Lockvogel |
| Goldene Palme 1995 (Cannes) | Emir Kusturica | Underground |
| Goldener Löwe 1994 (Venedig) | Milcho Manchevski Tsai Ming-liang | Before the rain Vive l'amour |
| Deutscher Filmpreis 1995 (Berlin) | Sönke Wortmann | Der bewegte Mann |
| Oscar 1995 (Los Angeles) | | |
| Bester Film | Robert Zemeckis | Forrest Gump |
| Bester Hauptdarsteller | Tom Hanks | Forrest Gump |
| Beste Hauptdarstellerin | Jessica Lange | Blue Sky |
| Bester Auslandsfilm | Nikita Michalkov | Burnt by the sun |
| Europäischer Filmpreis 1994 (Berlin-Babelsberg) | | |
| Bester Film | Gianni Amelio | Lamerica |
| Bester junger Film | Agnes Merlet Janos Szasz | Le fils du requin Woyzeck |

## Film: Kinohits in Deutschland 1994

| Rang | Titel | Erstaufführung | Zuschauer (Mio) |
|---|---|---|---|
| 1 | König der Löwen | 17. 11. 1994 | 7,54 |
| 2 | Flintstones – Familie Feuerstein | 21. 7. 1994 | 6,26 |
| 3 | Schindlers Liste | 3. 3. 1994 | 6,02 |
| 4 | Mrs. Doubtfire | 27. 1. 1994 | 5,53 |
| 5 | Forrest Gump | 13. 10. 1994 | 5,26 |
| 6 | Vier Hochzeiten und ein Todesfall | 11. 8. 1994 | 4,28 |
| 7 | Der bewegte Mann | 13. 10. 1994 | 3,98 |
| 8 | Free Willy – Ruf der Freiheit | 10. 2. 1994 | 3,42 |
| 9 | Philadelphia | 24. 2. 1994 | 3,28 |
| 10 | Nackte Kanone 33 1/2 | 12. 5. 1994 | 3,26 |
| 11 | Cool runnings | 10. 2. 1994 | 2,99 |
| 12 | Speed | 20. 10. 1994 | 2,84 |
| 13 | True lies | 18. 8. 1994 | 2,76 |
| 14 | Die Akte | 10. 3. 1994 | 2,53 |

Quelle: Filmförderungsanstalt (Berlin)

## Film: Die größten US-Filmstudios 1994

| Studio | Muttergesellschaft | Marktanteil[1] (%) |
|---|---|---|
| Disney/Touchstone/Hollyw. | Walt Disney | 19,4 |
| Paramount | Viacom | 15,3 |
| Warner Brothers | Time Warner | 14,5 |
| MCA/Universal | Matsushita/Seagram | 13,6 |
| 20th Century Fox | News Corporation | 11,2 |
| Columbia Tri Star | Sony | 9,5 |
| New Line | Turner Broadcasting | 5,7 |

1) Anteil an den US-Kinoeinkünften von Januar bis September 1994; Quelle: Neue Zürcher Zeitung, 15. 10. 1994

## Film: Hitliste der Oscarpreisträger

| Rang | Titel | Jahr | Oscars |
|---|---|---|---|
| 1 | Ben Hur | 1959 | 11 |
| 2 | West Side Story | 1961 | 10 |
| 3 | Gigi | 1958 | 9 |
| 3 | Der letzte Kaiser | 1987 | 9 |
| 5 | Vom Winde verweht | 1939 | 8 |
| 5 | Verdammt in alle Ewigkeit | 1953 | 8 |
| 5 | Die Faust im Nacken | 1954 | 8 |
| 5 | My Fair Lady | 1964 | 8 |
| 5 | Cabaret | 1972 | 8 |
| 5 | Gandhi | 1982 | 8 |
| 5 | Amadeus | 1984 | 8 |

## Film: Deutsche Kinohits

| Rang | Titel | Zuschauer[1] (Mio) |
|---|---|---|
| 1 | Otto – Der Film | 8,8 |
| 2 | Otto – Der neue Film | 6,4 |
| 3 | Der Name der Rose | 5,9 |
| 4 | Der bewegte Mann | 5,8 |
| 5 | Männer | 5,2 |
| 6 | Werner – Beinhart | 4,9 |
| 7 | Christiane F. | 4,7 |
| 8 | Die unendl. Geschichte | 4,6 |
| 8 | Ödipussi | 4,6 |
| 10 | Das Geisterhaus | 3,8 |

1) In deutschen Kinos

## Film: Kinohits in den USA 1994

| USA | | |
|---|---|---|
| Rang | Titel | Einnahmen (Mio Dollar) |
| 1 | König der Löwen | 306,4 |
| 2 | Forrest Gump | 300,6 |
| 3 | True Lies | 146,3 |
| 4 | The Santa Claus | 142,1 |
| 5 | Flintstones | 130,5 |
| Übrige Länder | | |
| 1 | König der Löwen | 358,0 |
| 2 | Schindlers Liste | 221,0 |
| 3 | True Lies | 218,0 |
| 4 | Flintstones | 210,0 |
| 5 | Mrs. Doubtfire | 204,0 |

Quelle: Focus, 6. 2. 1995

1984–1995 auf durchschnittlich 40 Mio–50 Mio Dollar (56 Mio– 70 Mio DM) pro F. mehr als verdoppelten Produktionskosten sanken die Gewinnspannen. Ausgeglichene Bilanzen oder Gewinne sicherten Video- und F.-Verkäufe ins Ausland. F.-Schaffende kritisierten, daß F.-Qualität zugunsten von potentieller Populariät vernachlässigt würde.

**Ausstieg der Japaner:** Wegen zurückgehenden Erfolgs verkaufte die japanische Matsushita-Gruppe 1995 fünf Jahre nach dem Erwerb 80% der Anteile der F.-Firma MCA für 5,7 Mrd Dollar (8,0 Mrd DM) an den kanadischen Spirituosenhersteller Seagram. Der japanische Unterhaltungselektronikkonzern Sony zog in Betracht, einen Teil der 1989 erworbenen Columbia Pictures zu verkaufen. Der Marktanteil von Columbia und der ebenfalls übernommenen Tri Star sank 1989–1994 um rd. 15%.

## Fischereistreit

Nach sechswöchigem Konflikt um den Heilbutt-Fischfang im Nordatlantik vor der Küste Neufundlands einigten sich im April 1995 Kanada und die EU über Fangquoten und Kontrollen. Kanada hatte vor allem spanischen Fischern vorgeworfen, außerhalb der kanadischen Fischereizone von 200 Meilen mit engmaschigen Netzen Jungfische zu fangen.

**Nordatlantik:** 1994 hatte die Nordwestatlantische Fischereiorganisation (NAFO), der u. a. die EU und Kanada angehören, erstmals Fangquoten (1995: 27 000 t) für den Schutz der zurückgehenden Heilbuttbestände festgelegt. Der europäische Anteil, der vor allem von spanischen und portugiesischen Trawlern gefischt wird, wäre von rd. 45 000 t Fisch 1994 auf 3400 t 1995 gesunken (Anteil an Gesamtfangmenge: 12,6%). Dies hätte in Spanien die Existenz von etwa 18 000 Fischern bedroht. Die EU erhöhte daraufhin im Februar 1995 eigenmächtig ihren Anteil auf 69% (18 630 t). Der Streit eska-

**Fischereistreit: Die größten Fischfangnationen**

| Weltweit | | Europäische Union | |
|---|---|---|---|
| Land | Ertrag (Mio t) | Land | Ertrag (Mio t) |
| China | 17,6 | Dänemark[1] | 1,5 |
| Japan | 8,5 | Spanien | 1,3 |
| Peru | 8,5 | Großbritannien | 0,9 |
| EU | 7,2 | Frankreich | 0,8 |
| Chile | 6,0 | Italien | 0,5 |
| USA | 5,9 | Niederlande | 0,5 |
| Rußland | 4,5 | Schweden | 0,3 |
| Indien | 4,2 | Deutschland | 0,3 |
| Indonesien | 3,6 | Irland | 0,3 |
| Thailand | 3,3 | Sonstige | 0,8 |

Stand: 1993; 1) Ohne Faröer und Grönland; Quelle: FAO

lierte, nachdem die Kanadier im März 1995 einen spanischen Fischkutter in internationalen Gewässern aufbrachten und im kanadischen Hafen St. Johns festhielten. In der Kompromißvereinbarung vom April 1995 erhielt die EU einen Anteil von 11 070 t.

**Globales Problem:** Weltweit sinkende Fischbestände verursachten Mitte der 90er Jahre ca. 20 F. zwischen Staaten um Fangrechte und -methoden. Mitte der 90er Jahre waren 70% der Weltmeere überfischt, d. h. die Fischbestände gingen zurück oder waren bereits ausgerottet. 1950–1989 stiegen die globalen Fangerträge von 20 Mio auf 86 Mio t pro Jahr, bis Mitte der 90er gingen sie leicht zurück. Mittelbar waren 1995 durch die Ausrottung weltweit bis zu 200 Mio Arbeitsplätze in der Fischereiwirtschaft bedroht.
→ Treibnetzfischerei

## Flachbildschirm

Strahlungsloser Bildschirm, der aufgrund geringer Tiefe und niedrigen Volumens, Gewichts und Energieverbrauchs vornehmlich in tragbaren Computern wie Notebooks eingesetzt wird. Die Bildqualität von F. übertrifft die herkömmlicher Farbmonitore. Wegen seiner flimmerfreien Übertragung ist der F. besonders für den Multimediabereich geeignet. Nachteile waren Mitte der 90er Jahre noch die zu geringe Helligkeit des F. und die zu

| Flachbildschirm: Weltweiter Umsatz | | | |
|---|---|---|---|
| Einsatzgebiet für LCD | Umsatz (Mrd $) | | |
| | 1990 | 1995[1] | 2000[1] |
| Büro | 1,3 | 8,0 | 12,0 |
| Privatwohnung | 0,5 | 2,3 | 5,5 |
| Verkehr | 0,5 | 0,7 | 4,5 |
| Insgesamt | 2,3 | 11,0 | 22,0 |

1) Prognose; Quelle: Nomura Research Institute

kleine Bildschirmdiagonale. 1994 lag der weltweite Umsatz mit F. bei rd. 5 Mrd Dollar (7 Mrd DM), bis 2000 soll er nach auf bis zu 35 Mrd Dollar (49 Mrd DM) steigen.

**LCD:** Den Hauptanteil am Weltmarkt für F. hatte mit einem Umsatz von 7,9 Mrd DM der Bildschirmtyp LCD (Liquid Chrystal Display, engl.; Flüssigkristallanzeige). Aktiv-Matrix-LCD bestehen aus zwei Glasplatten und einer flüssigkristallinen Schicht, deren Lichtdurchlässigkeit steuerbar ist. Jeder Bildpunkt oder Pixel (Notebook-Bildauflösung: 640 x 480 Pixel) wird mit einem Transistor aktiviert, so daß ein flimmerfreies Bild entsteht. Die Herstellung von LCD ist teuer, da sie wie Chips in staubfreien Räumen produziert werden müssen. 95% der LCD wurden 1995 in Japan produziert.

**Entwicklungen:** Standard waren 1995 F. mit einer Bildschirmdiagonale von 10,4 Zoll (26 cm). Der japanische Elektronikhersteller NEC stellte 1994 einen Prototyp mit einer Diagonale von 13 Zoll vor, Toshiba (Japan) kündigte für 2000 ein 30-Zoll-Farbdisplay für Fernsehgeräte an. Japanische Forscher prognostizierten bis 2000 die Entwicklung eines F., der aufgerollt in eine Kugelschreiberhülle paßt.

→ Multimedia → Notebook

### Flash-Chip

(flash, engl.; Blitz), Halbleiter, der Informationen speichert, ohne daß sie wie bei herkömmlichen Computer-Chips nach Abschalten der Netzspannung verloren gehen. F. eignen sich vor allem für den Einsatz in mobilen Computern, weil sie kleiner sind als andere Speichermedien (z. B. Festplatten, CD). Die Hersteller steigerten den weltweiten Umsatz mit F. 1994 gegenüber 1993 um 42% auf 800 Mio Dollar (1,1 Mrd DM). Für 1997 erwarteten Branchenkenner wegen des zunehmenden Einsatzes von F. z. B. in Mobiltelefonen einen Anstieg auf 2,9 Mrd Dollar (4 Mrd DM).

Die Elektronikkonzerne Toshiba (Japan) und Samsung (Korea-Süd) planten die Entwicklung eines 64-Mbit-F. bis 1996, der rd. 4000 Schreibmaschinenseiten Speicherkapazität besäße. Standard waren Mitte der 90er Jahre 16-Mbit-F. Anfang 1995 wurden Muster von 32-Mbit-F. vorgestellt.

F. wiegen erheblich weniger als die Festplatte eines Computers und benötigen rd. 5% des für den Festplattenbetrieb nötigen Stroms. Innerhalb von 85 Milliardstel sec greifen F. auf gespeicherte Informationen zurück (Festplatte: 15–19 Tausendstel sec). Die Speicher von F. hatten eine geringere Kapazität als Festplatten und waren teurer.

→ Chip → Notebook → PC-Card

### Flözgas

1995/96 werden bei Drensteinfurt im Münsterland und im Saarland Probebohrungen zur Gewinnung von Erdgas aus Steinkohleflözen durchgeführt. F. besteht bis zu 95% aus Methan und ist vorwiegend an der Oberfläche der Kohle gebunden. In den USA (San-Juan-Becken/Neu-Mexiko) wird F. seit 1986 gefördert (1995: ca. 20 Mrd m³). Wenn das F.-Feld (Fläche: 2500 m², Tiefe: 1800 m) zwischen Münster, Gütersloh, Ibbenbüren und Hamm wirtschaftlich erschlossen werden kann, sollen ab 1998 jährlich 1–2 Mrd m³ (5–10% der deutschen Erdgasproduktion) gefördert werden. Wegen hoher Investitionskosten kann nur ein Bruchteil der vermuteten 600 Mrd m³ Reserven gewonnen werden (gewinnbarer Vorrat im Saarland: 10 Mrd m³). Die F.-Vorkommen in den deutschen Steinkohlelagern werden auf 2800 Mrd m³ geschätzt.

Zur Förderung von F. werden Bohrlöcher in die Erde getrieben, deren Ränder durch Sprengungen perforiert werden. Aus den Spalten, die mit feinem Sand gespült werden, tritt F. aus. Durch Abpumpen von Grundwasser wird der Druck im Bohrlochbereich abgesenkt, so daß F. freigesetzt wird.
→ Erdgas

## Flüchtlinge

Das Flüchtlingshochkommissariat der UNO (UNHCR, Genf/Schweiz) verzeichnete Ende 1994 rd. 23 Mio Menschen, die ihr Heimatland aufgrund von Krieg, politischer Verfolgung, Armut, Hunger und Umweltschäden verließen (1993: rd. 20 Mio). Hinzu kamen ca. 28 Mio Menschen, die im eigenen Land vertrieben wurden. Das weltweite Auswanderungspotential der Entwicklungsländer wird bis 2003 auf 80 Mio bis 100 Mio Menschen geschätzt, zwischen 5 Mio und 50 Mio Menschen könnten bei einer Verschlechterung der wirtschaftlichen Lage aus Osteuropa und der ehemaligen UdSSR hinzukommen. Wachsenden F.-Strömen steht nach Angaben des UNHCR eine zunehmende Ausländerfeindlichkeit gegenüber, die insbes. Industriestaaten zu einer Einschränkung des Asylrechts veranlaßte.
**Ursachen:** Nach dem Ende des Ost-West-Konflikts veränderten sich die Fluchtursachen. Die Mehrzahl floh weniger vor individueller Verfolgung als vor den Auswirkungen gewaltsamer Konflikte und vor dem Zusammenbruch der bürgerlichen Ordnung im eigenen Land (z. B. Afghanistan, Ex-Jugoslawien). Auch Armut (Haiti, Kuba) und die Zerstörung der natürlichen Lebensgrundlagen lösten Fluchtwellen aus. In Afrika, wo 1994 nur 10% der Weltbevölkerung, aber 29% der F. lebten, führten Bodenerosion, Trockenheit und Umweltschäden immer häufiger zu Hungersnöten und bewaffneten Konflikten um Land.
**Entwicklungsländer:** Etwa 75% der F. stammten 1994 aus Entwicklungsländern. Die meisten von ihnen (85%) flohen in andere Länder der sog. Dritten Welt, die häufig selbst zu den ärmsten Nationen zählten und die eigene Bevölkerung kaum ausreichend versorgen konnten. Besonders schwierig war die Lage Mitte der 90er Jahre in Afrika, wo ein Drittel der F.-Ströme seinen Anfang nahm. 1994/95 führten Bürgerkriege in Burundi, Liberia, Ruanda, Somalia, Sudan und Togo zur Flucht von Hunderttausenden von Menschen. Soziale, religiöse und ethnische Differenzen gehen oft auf die Kolonialzeit zurück, als die europäischen Mächte willkürlich Grenzen zogen, die meist mehrere, auch verfeindete Volksgruppen zusammenfaßten. Nur in wenigen Ländern wurden kriegerische Konflikte durch Verhandlungen gelöst. So kehrten z. B. bis Ende 1994 etwa 1,5 Mio F. nach Mosambik zurück, wo nach 16 Jahren Bürgerkrieg im Oktober 1994 die ersten freien Wahlen stattfanden.
→ Abschiebung → Asylbewerber → Entwicklungspolitik → Illegale Einwanderung

## Flugsicherung

1995 will die EU-Kommission Vorschläge für die Einführung eines länderübergreifenden einheitlichen F.-Systems in der Union machen. 1995 regelten in Europa 58 F.-Zentralen mit 30 verschiedenen Leitsystemen den Luftverkehr. Die mangelnde Koordination der F. führte 1994 zu 400 000 Stunden Verspätungen in Europa. In Deutschland gingen die F.-bedingten Verspätungen von 30% (1992) auf 10% (1994) zurück. Ursache war eine höhere Abfertigungsleistung von Flugzeugen nach der Überführung der staatlichen F. in die private Deutsche Flugsicherung Gesellschaft mbH (DFS) 1993 und die Vereinheitlichung der F. durch die Integration der militärischen F. in das Unternehmen 1994. Die Flugbewegungen in Deutschland stiegen 1984–1994 von 954 000 auf 1 985 495.
→ Tabelle S. 182 →Luftverkehr

**Flüchtlinge: UNO-Hochkommissarin**

**Sadako Ogata**
* 16. 9. 1927 in Tokio/Japan, Prof. Dr. phil., japanische Diplomatin. 1976–1978 Ministerin der japanischen UNO-Botschaft (New York), 1980–1990 Professorin für Politikwissenschaften in Tokio, 1982–1985 Vertreterin Japans bei der Genfer Menschenrechtskommission, ab 1991 UNO-Flüchtlingshochkommissarin (Amtszeit: bis Ende 1998).

| Flüchtlinge: Hauptaufnahmeländer | |
|---|---|
| **Land** | **Flüchtlinge (Mio)** |
| Iran | 2,50 |
| Pakistan | 1,48 |
| Deutschland | 1,07 |
| USA | 0,95 |
| Sudan | 0,75 |
| Malawi | 0,71 |
| Guinea | 0,58 |
| Tansania | 0,57 |
| Zaïre | 0,49 |
| Ex-Jugosl. | 0,48 |

Stand: Mitte 1994;
Quelle: UNHCR

## Flugsicherung: Größte Flughäfen der Welt

| Name (Staat) | Passagiere 1993 | Veränderung (%)[1] |
|---|---|---|
| Chicago/O'Hare (USA) | 65 091 168 | 1,0 |
| Dallas/Fort Worth (USA) | 49 654 730 | −4,4 |
| Los Angeles Intern. (USA) | 47 844 794 | 1,9 |
| Atlanta Hartsfield (USA) | 47 751 000 | 13,6 |
| London Heathrow (GB) | 47 601 733 | 5,9 |
| Tokio Haneda (Japan) | 41 507 354 | −2,7 |
| Denver Stapleton (USA) | 32 626 956 | 5,7 |
| San Francisco/Intern. (USA) | 32 042 186 | 0,8 |
| Frankfurt/M. (Deutschland) | 31 930 903 | 5,8 |
| Miami Intern. (USA) | 28 660 396 | 8,2 |

1) Gegenüber 1992; Quelle: Financial Times, 2. 9. 1994

## Formel 1

Automobilsportklasse mit einsitzigen, höchstens zwölfzylindrigen Rennwagen. Ausgelöst durch die Erfolge des Piloten Michael Schumacher, der 1994 erster deutscher F.-Weltmeister wurde, wuchs Mitte der 90er Jahre das Publikumsinteresse in Deutschland, die durchschnittliche Zahl der Fernsehzuschauer pro Rennen stieg von rd. 2 Mio 1991 auf etwa 5 Mio 1994.

**Finanzen:** In der Saison 1994 setzte die F. vor allem durch Werbeeinnahmen rd. 1 Mrd DM um. Der Privatfernsehsender RTL zahlte jährlich ca. 5 Mio DM für die Übertragungsrechte. Spitzenverdiener unter den Fahrern wie Schumacher kamen 1995 auf ein Jahresgehalt von 23 Mio DM.

Für die Werbeflächen auf dem Benetton-Renault des Formel-1-Weltmeisters Michael Schumacher zahlten Sponsoren in der Saison 1995 rd. 57 Mio DM.

**Sicherheit:** Nach dem Unfalltod der Piloten Ayrton Senna/Brasilien und Roland Ratzenberger/Österreich 1994 in Imola/Italien, die auf Fahrfehler infolge von zu hohen Geschwindigkeiten zurückgeführt wurden, änderte der Internationale Automobilverband FIA (Paris) die Sicherheitsbestimmungen ab der Saison 1995. Der Hubraum der Rennwagen wurde auf 3 l begrenzt (1994: 3,5 l), das Mindestgewicht inkl. Fahrer muß 595 kg betragen (1994: 515 kg Leergewicht), Front- und Heckflügel wurden in den Ausmaßen beschränkt. Die FIA versprach sich von diesen Maßnahmen eine Reduzierung der Geschwindigkeiten unter 300 km/h.

## Forschung

Mit ca. 58 Mrd DM 1994 gaben die deutschen Unternehmen und wirtschaftsnahen F.-Institute 1,2% weniger für F. aus als 1993. Bei der Entwicklung von zukunftsträchtigen Technologien (z. B. Mikroelektronik, Biotechnik) und deren Anteil am Weltmarkt lag Deutschland Mitte der 90er Jahre weit hinter den USA und Japan. Nur im Bereich der Umwelttechnik war Deutschland weltweit führend. Der Bundesverband der Deutschen Industrie (BDI, Köln) forderte 1994/95 steuerliche Erleichterungen für die F.-Aufwendungen der Unternehmen, um den Abstand zur Förderung in den USA und Japan zu verringern und den Anschluß bei neuen Technologien nicht zu verpassen.

Der BDI kritisierte, daß die F. in Deutschland und der EU im Gegensatz zu den USA durch Verordnungen wie die Bioethikvention, die gentechnische Versuche einschränken soll, reglementiert wird. Aus diesem Grund würde eine Vielzahl von Unternehmen den Standort Deutschland verlassen. Teile der SPD und Bündnis 90/Die Grünen wehrten sich gegen eine stärkere finanzielle Förderung der F. von Unternehmen, da eine Firma, die Gewinne erzielen wolle, auch ein

| Forschung: Weltmarkt mit Zukunftstechniken 1994 | | | | | | |
|---|---|---|---|---|---|---|
| Land | Weltmarktanteil (%) | | | | | |
| | Informations-technologie | Telekom-munikation | Energie-technik | Umwelt-technik | Bio-technik | Medizin-technik |
| Deutschland | 8 | 10 | 20 | 21 | 4 | 8 |
| Europa[1] | 27 | 22 | 31 | k. A. | k. A. | 20 |
| Japan | 16 | 15 | k. A. | 13 | 7 | 16 |
| USA | 39 | 33 | 25 | 17 | 70 | 43 |
| Sonstige | 10 | 20 | 24 | 23 | 19 | 13 |

1) Ohne Deutschland; Quelle: Wirtschaftswoche, 27. 4. 1995

unternehmerisches Risiko tragen müsse. Bundeskanzler Helmut Kohl (CDU) rief Anfang 1995 einen sog. Technologierat aus Vertretern von Politikern und Wirtschaft ins Leben, der die Bundesregierung aus CDU, CSU und FDP in Fragen der staatlichen F.-Förderung beraten soll. Mit 9,2 Mrd DM stieg der F.-Etat der Bundesrepublik 1995 gegenüber dem Vorjahr um 2,7%.

| Forschung: Patentanmeldungen | | | |
|---|---|---|---|
| Forschungsbereich | Patentanmeldungen 1993 | | |
| | Japan | USA | Deutschland |
| Großcomputer | 23 457 | 2798 | 332 |
| Mikroelektronik | 21 119 | 1792 | 216 |
| Unterhaltungselektronik | 12 513 | 768 | 219 |
| Kraftfahrzeugtechnik | 12 417 | 2194 | 2388 |
| Medizintechnik | 4 779 | 3615 | 881 |
| Luft-, Raumfahrttechnik | 487 | 251 | 118 |

Quelle: Deutsches Patentamt

## Foto-CD

→ CD

## FPÖ

→ Die Freiheitlichen

## Frauen

Trotz Bestrebungen, die gleichberechtigte Teilhabe von F. am politischen und gesellschaftlichen Entscheidungsprozeß durch gesetzliche Vorgaben zu fördern, nahmen F. in Deutschland auch 1995 eine untergeordnete Rolle in Beruf und Gesellschaft ein. Ostdeutsche F. waren von den Auswirkungen der Rezession wie Stellenabbau und wachsender Armut in überdurchschnittlichem Maß betroffen. **Berufstätigkeit:** Die in der deutschen Privatwirtschaft tätigen F. verdienten Mitte der 90er Jahre rd. 30% weniger als die Männer. 5,4 Mio Mütter waren durch Kindererziehung und Berufstätigkeit doppelt belastet. Etwa 50% der verheirateten F. mit Kindern und rd. zwei Drittel der Alleinerziehenden

arbeiteten Vollzeit. Die Mehrheit der berufstätigen F. mit Kindern forderten Umfrageergebnissen zufolge den Ausbau von – auch höherqualifizierten – Teilzeitarbeitsplätzen. Während 1994 im Westen die Arbeitslosenquote für Männer und F. mit 9,2% übereinstimmte, waren im Osten mit 21,3% doppelt so viele F. wie Männer (10,4%) arbeitslos. 70% der ostdeutschen Langzeitarbeitslosen waren F. **Führungspositionen:** Die verbesserte Ausbildung von F. wirkte sich nur geringfügig auf ihre beruflichen Chancen aus. Während Mitte der 90er Jahre 23% der berufstätigen Männer Führungspositionen einnahmen, waren es bei F. nur 11%. Anfang der 90er Jahre arbeiteten in Westdeutschland 38% der F. (Männer: 24%) auf der untersten Hierarchieebene als Bürokraft oder angelernte Beschäftigte. Obwohl der Anteil von F. bei den Promotionen im Westen von 19,6% (1980) auf 29,3% (1991) stieg, waren nur 5,7% aller Lehrstühle mit F. besetzt. **Gewalt:** Im Januar 1995 legte die UNO einen Bericht zur Gewalt gegen F. vor, der die internationale Staaten-

| Frauen: Lohnunterschiede | |
|---|---|
| Land | Lohn (%)[1] |
| Australien | 91 |
| Schweden | 90 |
| Norwegen | 86 |
| Dänemark | 84 |
| Frankreich | 81 |
| Finnland | 78 |
| Niederlande | 77 |
| Belgien | 75 |
| Deutschland | 74 |
| Spanien | 73 |
| Großbritannien | 68 |
| Portugal | 68 |
| Schweiz | 67 |
| Japan | 54 |
| Taiwan | 52 |

Stand: 1994; 1) Verdienst der Industriearbeiterinnen in % der Männerverdienste; Quelle: Statistisches Bundesamt

| Frauen: Regierungschefinnen 1995 | | |
|---|---|---|
| Land | Name (Geburtsdatum) | Amtsantritt |
| Bangladesch | Khaleda Zia (*15. 8. 1945) | 1991 |
| Dominica | Mary Eugenia Charles (* 15. 5. 1919) | 1980 |
| Norwegen | Gro Harlem Brundtland (* 20. 4. 1939) | 1990 |
| Pakistan | Benazir Bhutto (* 21. 6. 1953) | 1993 |
| Sri Lanka | Sirimavo Bandaranaike (* 17. 4. 1916) | 1994 |
| Türkei | Tansu Çiller (* 1946) | 1993 |

| Frauenquote: Weibliche Abgeordnete | |
|---|---|
| Partei | Anteil (%) |
| Grüne | 59,2 |
| PDS | 40,0 |
| SPD | 33,7 |
| FDP | 19,2 |
| CDU/CSU | 14,3 |

Stand: 1995; Quelle: Deutscher Bundestag

**Die Freiheitlichen: Vorsitzender**

**Jörg Haider**
* 26. 1. 1950 in Bad Goisern (Oberösterreich), Dr. jur., österreichischer Politiker (F). 1970 FPÖ-Abgeordneter im Nationalrat, 1986 Bundesparteiobmann, 1989–1991 Landeshauptmann, anschließend stellvertretender Landeshauptmann in Kärnten. Ab Mai 1992 Fraktionsvorsitzender im Nationalrat.

gemeinschaft auffordert, verstärkt gegen Gewalttaten im Rahmen der Familie, religiöser Bräuche, im Kriegsfall und am Arbeitsplatz vorzugehen. Der Bericht verurteilte vor allem die in Südostasien und Afrika verbreitete Klitorisbeschneidung, von der jährlich ca. 2 Mio F. betroffen sind. Weltweit litten rd. 110 Mio F. lebenslang an den gesundheitlichen und psychischen Folgen der Verstümmelung. Auch die Abtreibung weiblicher Föten in Indien und China und die wachsende Zahl von Vergewaltigungen als Mittel der Kriegsführung wurde angeklagt.

**Weltfrauenkonferenz:** Die vierte Weltfrauenkonferenz findet im September 1995 in Peking/China statt. Neben der Überprüfung der Fortschritte in der Gleichstellung von F. wird die Konferenz die Themen Armut, Gewalt gegen F. und die ungleiche Beteiligung an politischen und wirtschaftlichen Entscheidungen behandeln.
→ Hausarbeit → Sexuelle Belästigung → Vergewaltigung in der Ehe

## Frauenbeauftragte

Angestellte oder Beamte mit der Aufgabe, die Gleichberechtigung der Frau in Beruf und Gesellschaft zu fördern und Benachteiligungen aufzudecken. F. sind in Deutschland meist in sog. Gleichstellungsstellen bei Kommunen, an Universitäten und in Großunternehmen eingesetzt.
Im Oktober 1994 entschied das Bundesverfassungsgericht (BVG, Karlsruhe), daß Länder Gemeinden zur Bestellung einer hauptamtlichen F. verpflichten können (Az. 2 BvR 445/91). Das BVG wies damit die Kommunalverfassungsbeschwerden von zwei Städten zurück, die gegen das schleswig-holsteinische Gleichberechtigungsgesetz geklagt hatten. Unter Berufung auf ihre Organisations- und Personalhoheit hatten die Gemeinden gerügt, daß durch die weitreichenden Kompetenzen der F. die kommunale Selbstverwaltung verletzt werde.

## Frauenhandel

Jährlich gelangten Anfang der 90er Jahre rd. 30 000 Frauen durch F. nach Deutschland, vor allem aus Osteuropa (80%) sowie aus Entwicklungsländern in Asien und Mittel- und Südamerika. In ihrer Heimat werden die Frauen mit dem Versprechen, ihre wirtschaftliche Situation zu verbessern, angeworben. Sie werden illegal oder mit Touristenvisum in die Industriestaaten eingeschleust und zur Heirat oder Prostitution gezwungen.
Die in Deutschland lebenden von F. betroffenen Frauen besitzen meist keine Aufenthaltsgenehmigung. Sie sind bei den Schleppern verschuldet und sprechen nur ihre Muttersprache. Aufgrund finanzieller Nöte, Verständigungsschwierigkeiten und der Angst vor Abschiebung bleibt ihnen meist keine Möglichkeit, sich erfolgreich gegen die Lebensverhältnisse zu wehren. Sachsen-Anhalt verfügte im Februar 1995 als erstes Bundesland einen Abschiebestopp für Opfer von F. und Zwangsprostitution. Betroffenen Frauen, die bei der Rückführung in ihr Heimatland Gewalthandlungen befürchten müssen, wird künftig die Duldung ausgesprochen.

## Frauenquote

Richtwert für den Frauenanteil bei der Vergabe von Positionen in Wirtschaft, Politik und Verwaltung. Die F. soll die im Grundgesetz verankerte Gleichberechtigung der Frauen auch im Erwerbsleben durch den Abbau der männlichen Dominanz bei Ausbildung und Stellenbesetzung herbeiführen und die beruflichen Aufstiegschancen von Frauen fördern. Kritiker bezeichneten die F. als Diskriminierung der Männer, die gegen das Gleichheitsgebot des GG verstoße. Die Verfassungsmäßigkeit der F. blieb auch 1995 umstritten. Der Europäische Gerichtshof (Luxemburg) prüfte Mitte 1995, ob die Quotierung mit der im EU-Recht verankerten Gleichbehandlungsvorschrift vereinbar ist.

Der Anteil von Frauen in nationalen Parlamenten verringerte sich einem UNO-Bericht von 1994 zufolge von 15% (1988) auf 10%. Im Deutschen Bundestag waren 1995 nur in der Fraktion von Bündnis 90/Die Grünen die weiblichen Abgeordneten überdurchschnittlich repräsentiert (59,2%). Den kleinsten Anteil von Frauen stellte die CDU/CSU mit 14,3%. Die CDU beschloß im November 1994 eine F., nach der künftig ein Drittel aller Ämter und Mandate mit Frauen besetzt werden soll.

| Frauenquote: Bundesländer | | |
|---|---|---|
| Bundesland | Ämterverteilung (Männer : Frauen) | |
| | Minister | Staatssekretäre |
| Baden-Württemberg | 10 : 3 | 8 : 0 |
| Bayern | 9 : 2 | 8 : 2 |
| Berlin | 12 : 3 | 19 : 2 |
| Brandenburg | 9 : 2 | 11 : 1 |
| Bremen | 7 : 3 | 14 : 0 |
| Hamburg | 9 : 3 | 10 : 3 |
| Hessen | 7 : 4 | 10 : 1 |
| Mecklenburg-Vorpommern | 6 : 2 | 8 : 0 |
| Niedersachsen | 7 : 4 | 9 : 2 |
| Nordrhein-Westfalen | 10 : 3 | 10 : 1 |
| Rheinland-Pfalz | 7 : 2 | 11 : 1 |
| Saarland | 5 : 2 | 6 : 1 |
| Sachsen | 9 : 1 | 13 : 0 |
| Sachsen-Anhalt | 7 : 4 | 11 : 1 |
| Schleswig-Holstein | 6 : 5 | 7 : 3 |
| Thüringen | 7 : 2 | 9 : 1 |

Stand: Februar 1995; Quelle: Die Woche, 3. 3. 1995

## Die Freiheitlichen

**Name** Die Freiheitlichen (F)
**Land** Österreich
**Gründung** 1995 (1955)
**Mitglieder** Rd. 40 000 (Stand: 1995)
**Vorsitzender** Jörg Haider (seit 1986)
**Ausrichtung** Rechtsnationalistisch

Im Januar 1995 aus der rechtsgerichteten FPÖ (Freiheitliche Partei Österreichs) hervorgegangene Bewegung unter Vorsitz von Jörg Haider. Bei der Nationalratswahl im Oktober 1994 erzielte die FPÖ 22,5% (1990: 16,6%) und baute die Zahl ihrer Mandate von 28 auf 42 aus. Nach ihrem Wahlerfolg in Vorarlberg waren die Freiheitlichen Mitte 1995 in drei Bundesländern (mit Kärnten und Wien) die zweitstärkste politische Kraft.
**Wahlerfolge:** Der Stimmenzuwachs der FPÖ auf bundesweit 1 Mio Stimmen war in erster Linie auf Einbrüche in die traditionelle SPÖ-Wählerschaft aus dem Arbeitnehmerlager zurückzuführen. Im Wahlkampf griff die FPÖ rechtspopulistische Themen wie den Kampf gegen Bürokratismus, Abbau des Sozialstaats und die Einwanderungspolitik auf. Auf der ersten Sitzung des neugewählten Nationalrats wurde der FPÖ-Kandidat Herbert Haupt zum dritten Präsidenten des österreichischen Parlaments gewählt. Im September 1994 errang die FPÖ bei der Landtagswahl in Vorarlberg 18,4% (1990: 16,1%). Bei den Wahlen zu den Arbeiterkammern, einer Arbeitnehmervereinigung mit Zwangsmitgliedschaft, konnte die FPÖ ihren Stimmenanteil gegenüber 1989 auf rd. 14% verdoppeln. Haider hatte im Wahlkampf enthüllt, daß Spitzenfunktionäre in der von der SPÖ dominierten Arbeiterkammer der Steiermark überhöhte Bezüge erhalten.
**Neuorganisation:** Auf ihrem Linzer Sonderparteitag im Januar 1995 organisierten sich die Freiheitlichen als Kern einer geplanten Bürgerbewegung Bündnis-Bürger 98. Mit der Namensänderung wollen die F. eine stärkere Öffnung zum Bürger sowie die Abgrenzung von den sog. Altparteien unterstreichen. Haider betonte den Vorrang von Werten wie Ehrlichkeit, Fleiß und Ordnung vor Ideologien.

| FPÖ: Wahlergebnisse seit 1949 | |
|---|---|
| Jahr | Anteil (%)[1] |
| 1949 | 11,7 |
| 1953 | 11,0 |
| 1956 | 6,5 |
| 1959 | 7,7 |
| 1962 | 7,1 |
| 1966 | 5,3 |
| 1970 | 5,5 |
| 1971 | 5,5 |
| 1975 | 5,4 |
| 1979 | 6,1 |
| 1983 | 4,9 |
| 1986 | 9,7 |
| 1990 | 16,6 |
| 1994 | 22,5 |

1) Bei den Nationalratswahlen

185

## Freilandversuche

Nach Versuchen in Labor und Treibhaus sind F. der nächste Schritt zur Markteinführung von Mikroorganismen und sog. transgenen Pflanzen, deren Erbanlagen (Gene) verändert wurden. Bis Ende 1994 wurden laut Institut für Bodenkunde und Waldernährung (Göttingen) weltweit rd. 2000 F. mit genetisch veränderten Pflanzen durchgeführt, bei etwa 15 gab es eine begleitende Risikoforschung.

**Raps:** Mitte 1995 stritten die EU-Staaten um die allgemeine Zulassung einer genmanipulierten Rapssorte, deren Resistenz gegen ein Unkrautvernichtungsmittel (Herbizid) bereits in F. nachgewiesen wurde. Ein Ausschuß der EU-Kommission hatte die Zulassung mit zwei Auflagen empfohlen: Die Pflanze solle nur als Biotreibstoff und nicht für die menschliche und tierische Ernährung eingesetzt werden. Außerdem solle ihr Samen als genmanipuliert gekennzeichnet werden.

**Kritik:** Herbizidresistente Nutzpflanzen verleiten nach Ansicht des Umweltbundesamts (Berlin) dazu, Unkrautvernichter vermehrt – mit nachteiligen Folgen für die Umwelt – einzusetzten. Außerdem könnte sich der Raps mit anderen Pflanzen kreuzen, und so könnten ggf. herbizidresistente Unkräuter entstehen.

**Mikroorganismen:** Vor allem bei der Beseitigung von Schadstoffen und Abfällen wird gentechnisch veränderten Mikroorganismen zukünftig eine wichtige Rolle zugedacht. F. mit Bakterien bereiten jedoch Sicherheitsprobleme, weil ausgesetzte Mikroorganismen nicht mehr zurückgeholt werden können. Bei ihrem Zerfall kann sich die freigewordene Erbsubstanz bis zu 60 Tage aktiv im Boden halten und auch durch andere Organismen aufgenommen werden. Da höchstens 5% der Bodenbakterien bekannt sind, können die Reaktionen mit der Umwelt nicht abgeschätzt werden.

Im Herbst 1994 wurde in Deutschland der erste Versuch mit genetisch veränderten Bakterien genehmigt. Er wird vom Bund gefördert und soll der Sicherheit biologischer Forschung dienen. Die Bundesforschungsanstalt für Landwirtschaft (Braunschweig) und die Universität Bielefeld setzten Rhizobiummeliloti-Stämme aus, denen ein sog. Leuchtgen eingepflanzt wurde. Mit dieser Markierung soll erforscht werden, wie sich die veränderten Bakterien in der Umwelt verhalten.

→ Gen-Lebensmittel → Gentechnik → Pestizide → Transgene Tiere

## FTAA

(Free Trade Area of the Americas, engl.; Freihandelszone der amerikanischen Staaten), im Dezember 1994 von 34 Staaten (außer Kuba) auf dem OAS-Gipfel in Miami/USA vereinbarte Freihandelszone von Alaska bis Feuerland, die bis 2005 gegründet werden soll. Seit März 1995 wird auf Ministerebene und in sieben Arbeitsgruppen ein Abkommen vorbereitet.

Mit 850 Mio Verbrauchern (1993) und jährlich 1300 Mrd Dollar (1830 Mrd DM) Kaufkraft wird die FTAA der weltweit größte Binnenmarkt werden. Mitte der 90er Jahre produzierten die 34 Länder ein Drittel des weltweiten BSP. Die FTAA wird in der Weltwirtschaft ein Gegengewicht zum Europäischen Binnenmarkt sowie zum südostasiatischen Markt bilden. Neben dem Abbau von Handelshemmnissen wollen die Unterzeichner Demokratisierung und Umweltschutz vorantreiben.

→ Mercosur → NAFTA

## Führerbunker

Unterirdisches Schutzgebäude des nationalsozialistischen „Führers" und Reichskanzlers Adolf Hitler (1889–1945) auf dem Gelände der früheren Reichskanzlei in Berlin. Mitte 1995 sollten die erhaltenen Räume und Gänge zertrümmert werden, weil die 3,50 m dicken Betonwände die Errichtung von Neubauten für die Vertretungen der Bundesländer behindern. Denkmalschützer, Historiker und Politiker sprachen sich für den Erhalt als Zeugnis der NS-Vergangenheit aus. Der Berliner Senat befürchtete, daß der F. zu einer rechtsextremistische Kultstätte werden könnte.

Erhalten waren Reste des Innenhofs der Neuen Reichskanzlei, Teile des Vorbunkers und der Bunker für die sog. SS-Leibstandarte Adolf Hitler. Sie sind nicht der Öffentlichkeit zugänglich. Die oberirdischen Gebäude waren nach 1945 von den Sowjets gesprengt worden, Teile des F. auf Ost-Berliner Gebiet wurden 1969 und 1986 von der DDR versiegelt bzw. zerstört.

## Fulleren

(auch Käfigmolekül oder Buckyball), nach dem US-amerikanischen Architekten Buckminster Fuller benanntes Riesen-Kohlenstoffmolekül, das innen hohl ist. Die Form des Moleküls erinnert an von Fuller entworfene Kuppeldächer. 1995 wurden weltweit Anwendungen für das symmetrische, äußerst stabile F. erforscht, das mit seiner chemischen Formel $C_{60}$ als die reinste Form des Elements Kohlenstoff gilt (andere Formen: Graphit, Diamant). Wissenschaftler versprechen sich neuartige Einsatzmöglichkeiten, weil F. mit zahlreichen Stoffen chemische Bindungen eingehen kann.

Ende 1994 gelang es Forschern, mit Hilfe von F. einen Film von Siliziumkarbid auf einer Siliziumscheibe zu erzeugen, wie sie zur Herstellung von Computerchips verwendet wird. Sie beschossen Silizium mit F., das sich als Reaktion mit Silizium verband. Siliziumkarbid ist ein hartes, korrosions- und hitzebeständiges Material, das z. B. für elektronische Elemente im Brennraum eines Motors geeignet ist. F. ist das erste nichtkeramische Material, das bereits bei Temperaturen um −225 °C als Supraleiter geeignet ist (Metalle: nahe dem absoluten Nullpunkt von −273 °C). Der elektrische Widerstand verschwindet nach Beimi-

schung von Alkalimetallen. F.-Supraleiter haben den Vorteil, daß sie Strom in alle Richtungen leiten können, während in anderen Supraleitern der Strom nur in der Ebene fließt.
→ Supraleiter

## Fünfliter-Auto

PKW, der wegen geringen Treibstoffverbrauchs Energie sparen und den Beitrag des Autoverkehrs zur Luftverschmutzung verringern soll. Während Bundesumweltministerin Angela Merkel (CDU) eine freiwillige Zusage der Autoindustrie forderte, den Durchschnittsverbrauch von Neuwagen auf 5 l/100 km zu senken, will die SPD die Grenze gesetzlich festschreiben.

**Verbrauch:** Durch verbesserte Motortechnik und Gewichtseinsparungen sank 1970–1992 der durchschnittliche Verbrauch deutscher PKW um 0,3 l auf 9,9 l/100 km. Größere Einsparungen wurden verhindert, weil die durchschnittliche Motorleistung 1970–1992 von 52 PS auf 86 PS stieg, was zu höherem Benzinverbrauch führte.

**Umweltschutz:** Naturschützer kritisierten, daß für F. zuwenig geworben würde und Autokonzerne PKW verkaufen wollten, die groß, teuer und nicht benzinsparend sind. Bis Anfang 1995 hatte z. B. Volkswagen nur 3000 Stück seines Golf D Ecomatic verkauft, der 4,9 l Diesel/100 km verbraucht. Umweltschützer forderten ein Dreiliter-Auto, das 1995 technisch realisierbar war. Mit einer Erhöhung der Mineralölsteuer auf bis zu 5 DM/l soll die Nachfrage geschaffen werden.

**Industrie:** Autohersteller wiesen darauf hin, daß der niedrige Benzinverbrauch des F. 1995 nicht mit Kundenwünschen nach hohen Fahrleistungen und Komfort vereinbar war, weil diese das Gewicht des Kfz und damit den Benzinverbrauch erhöhten. Sie verpflichteten sich freiwillig, bis 2005 den Durchschnittsverbrauch von Neuwagen von 7,5 l auf 5,9 l zu senken.
→ Autoverkehr → Elektroauto → Öko-steuern → Smart-Auto

| Fünfliter-Auto: Modelle | |
|---|---|
| Typ | Verbrauch l/100 km |
| Citroën AX[1] | 4,2 |
| Golf D Ecomatic | 4,9 |
| Golf TDI | 4,9 |
| Peugeot 106[2] | 5,1 |
| Vento TDI | 5,1 |
| Corsa 1,5 D | 5,2 |
| Rover[3] GTD | 5,2 |
| Suzuki[4] 1,0 | 5,3 |

1) Diesel; 2) XND;
3) Estate; 4) Swift;
Quelle: Die Woche,
7. 4. 1995

## Fusionen und Übernahmen

(Mergers and Acquisitions, engl.; M&A), Zusammenschlüsse von Unternehmen zur wirtschaftlichen Einheit und wesentliche Kapitalbeteiligungen an anderen Unternehmen. 1994 erreichte nach Angaben des Bundeskartellamts (Berlin) die Zahl der F. den Vorjahresstand von ca. 1500. Vier Zusammenschlüsse untersagte die Behörde, in zwölf Fällen verhinderte sie F. im Vorfeld. EU-weit stieg 1994 die Zahl der von der EU-Kommission überprüften F. auf 95 (1993: 58). In den USA erreichten F. 1994 mit einem Gesamtwert von 339,4 Mrd Dollar (477,8 Mrd DM; 1993: 292,2 Dollar, 411,4 Mrd DM) einen Rekordwert. Firmen wollten sich vergrößern, um auf den weltweiten Märkten konkurrenzfähig zu sein.

Als Fusionen zählen in Deutschland Kapitalbeteiligungen ab 25%. Sie gelten als wesentlich, da mit über 25% der Stimmen (sog. Sperrminorität) in einer AG satzungsändernde Beschlüsse blockiert werden können.

Aufgabe des Bundeskartellamts (Präsident seit 1992: Dieter Wolf, FDP) ist die Verhinderung von Wettbewerbsbeschränkungen. Zur Fusionskontrolle müssen Zusammenschlüsse gemeldet werden, wenn ein Marktanteil von 20% oder mehr in einer Branche entsteht oder erhöht wird. Außerdem sind F. meldepflichtig, wenn die beteiligten Firmen gemeinsam einen Jahresumsatz über 500 Mio DM oder mindestens 10 000 Beschäftigte haben. Die Überwachung von Zusammenschlüssen bei Unternehmen, deren gemeinsamer Umsatz 5 Mrd ECU (9,4 Mrd DM) übersteigt, ist Aufgabe der EU-Kommission. Die Behörde forderte die Senkung der Grenze, weil die Zahl der grenzüberschreitenden F. unter 5 Mrd ECU Umsatz in der EU stieg.
→ Medienkonzentration

## Fußball

Deutscher Fußballmeister 1994/95 wurde zum erstenmal seit Bestehen der Bundesliga Borussia Dortmund. Den letzten Meistertitel hatte der Ruhrgebietsverein in der Saison vor der Gründung der höchsten deutschen Spielklasse 1963 errungen. Die Zuschauerzahl stieg in der Bundesliga 1994/95 auf die Rekordmarke von 8,96 Mio (1993/94: 7,99 Mio), der alte Rekord war 1984/85 mit 8,23 Mio Zuschauern aufgestellt worden. Deutscher Pokalsieger wurde am 24. 6. 1995 Borussia Mönchengladbach durch ein 3:0 über den Zweitligisten VfL Wolfsburg.
**Bundesliga-Saison 1994/95:** Den zweiten Platz belegte mit einem Punkt Rückstand Werder Bremen. VfL

| Käufer/ Aktives Unternehmen | Übernommenes Unternehmen/ Partner | Branche | Kapitalbeteiligung (%) | Ereignis | Jahr |
|---|---|---|---|---|---|
| BMW/München | Rover/Großbritannien | Automobile | 100 | Übernahme | 1994 |
| Brau u. Brunnen/Dortm. | Bavaria-St. Pauli/Hamburg | Brauerei | 95 | Übernahme | 1994 |
| Südzucker/Mannheim | Schöller Lebensmittel/Nürnberg | Tiefkühlkost | 51 | Übernahme | 1994 |
| Volkswagen/Wolfsburg | Sächsische Automobilbau/Mosel | Automobile | 100 | Übernahme | 1994 |
| Merc.-Benz/Stuttgart | Kässbohrer/Ulm | Fahrzeugbau | 100 | Übernahme | 1995 |
| ABB/Schweiz | AEG/Berlin, Frankfurt/M. | Bahntechnik[2] | – | Fusion | 1995 |
| Allianz/Berlin, München | Schweizer-Rück/Schweiz | Versicherung[3] | 100 | Übernahme | 1995 |
| Bank of Tokyo/Japan | Mitsubishi Bank/Japan | Finanzen | – | Fusion | 1995 |
| SCA/Schweden | PWA/München | Papier | 60 | Übernahme | 1995 |
| Seagram/Kanada | MCA/USA | Unterhaltung | 80 | Übernahme | 1995 |
| IBM/USA | Lotus/USA | Software | 100 | Übernahme | 1995 |

**Fusionen und Übernahmen: Aufsehenerregende Fusionen 1994/95[1]**

1) August 1994 bis Juli 1995; 2) Fusion nur dieses Betriebsteils; 3) Verkauf nur des Erstversicherungs-Geschäfts; Quelle: Aktuell-Recherche

188

Bochum, MSV Duisburg und Dynamo Dresden stiegen ab. Aufsteiger aus der 2. Liga waren Hansa Rostock, der FC St. Pauli und Fortuna Düsseldorf. Durchschnittlich kamen 29 270 Zuschauer zu den Spielen (1993/94: 26 100). Insgesamt fielen 923 Tore (1993/94: 895). Mit je 20 Treffern wurden Mario Basler (Werder Bremen) und Heiko Herrlich (Borussia Mönchengladbach) Torschützenkönige. Der zweifache Meistertrainer Otto Rehhagel (1986 und 1993) wechselte mit Beginn der Saison 1995/96 zu Bayern München.

**Lizenzentzug:** Dem Bundesliga-Absteiger Dynamo Dresden sowie dem Zweitliga-Klub 1. FC Saarbrücken wurde von den DFB-Kontrollorganen im Mai 1995 die Lizenz für die Teilnahme am professionellen Spielbetrieb in der Saison 1995/96 wegen Überschuldung bzw. fehlender beglaubigter Bilanz verweigert. Beide Vereine müssen in der Saison 1994/95 in der Regionalliga spielen. In der 2. Liga gab es in der Saison 1994/95 daher nur zwei statt vier sportliche Absteiger (FC Homburg und FSV Frankfurt).

**Regeländerung:** Mitte 1995 plante der Fußball-Weltverband FIFA die Einführung von Auszeiten. Pro Halbzeit soll jeder Trainer eine zweiminütige Spielunterbrechung beim Schiedsrichter beantragen können, in der er seinen Spielern taktische Anweisungen geben kann. Die FIFA hoffte, daß bei Topspielen durch Werbesendungen in den zusätzlichen Pausen Werbeeinnahmen von bis zu 1,5 Mio DM erzielt werden können.

**Merchandising:** Ab August 1995 zeigen Spielertrikots in der Bundesliga jeweils den Namen des Spielers auf der Rückseite. Jeder Spieler wird über die ganze Saison eine Nummer beibehalten. Die Maßnahme soll die Vermarktung von Sportartikeln erleichtern.

**EURO 96:** Bei dem Turnier in England werden vom 8. 6. bis 31. 6. 1996 erstmals 16 Mannschaften um den Europameistertitel spielen. Von der Aufstockung der EM gegenüber 1992

## Fußball: Bundesliga 1994/95

| Rang | Verein | Tore | Punkte |
|------|--------|------|--------|
| 1 | Borussia Dortmund | 67:33 | 49:19 |
| 2 | Werder Bremen | 70:39 | 48:20 |
| 3 | SC Freiburg | 66:44 | 46:22 |
| 4 | 1. FC Kaiserslautern | 58:41 | 46:22 |
| 5 | Borussia Mönchengladbach | 66:41 | 43:25 |
| 6 | Bayern München | 55:41 | 43:25 |
| 7 | Bayer Leverkusen | 62:51 | 36:32 |
| 8 | Karlsruher SC | 51:47 | 36:32 |
| 9 | Eintracht Frankfurt | 41:49 | 33:35 |
| 10 | 1. FC Köln | 54:54 | 32:36 |
| 11 | FC Schalke 04 | 48:54 | 31:37 |
| 12 | VfB Stuttgart | 52:66 | 30:38 |
| 13 | Hamburger SV | 43:50 | 29:39 |
| 14 | TSV München 1860 | 41:57 | 27:41 |
| 15 | Bayer Uerdingen | 37:52 | 25:43 |
| 16 | VfL Bochum | 43:67 | 22:46 |
| 17 | MSV Duisburg | 31:64 | 20:48 |
| 18 | Dynamo Dresden | 33:68 | 16:52 |

Aufsteiger: Hansa Rostock, FC St. Pauli, Fortuna Düsseldorf

## Fußball: Österreichische 1. Liga 1994/95

| Rang | Verein | Tore | Punkte |
|------|--------|------|--------|
| 1 | Austria Salzburg | 48:24 | 47:25 |
| 2 | Sturm Graz | 58:41 | 47:25 |
| 3 | Rapid Wien | 63:50 | 46:26 |
| 4 | Austria Wien | 58:38 | 43:29 |
| 5 | FC Tirol | 61:44 | 40:32 |
| 6 | Linzer ASK | 51:44 | 39:33 |
| 7 | Admira-Wacker | 48:55 | 33:39 |
| 8 | Vorwärts Steyr | 40:49 | 29:43 |
| 9 | FC Linz | 33:81 | 20:52 |
| 10 | VfB Mödling | 28:62 | 16:56 |

Aufsteiger: Grazer AK

## Fußball: Schweizer Nationalliga A 1994/95

| Rang | Verein | Tore | Punkte |
|------|--------|------|--------|
| 1 | Grasshoppers Zürich | 25:13 | 37 |
| 2 | Lugano | 25:17 | 30 |
| 3 | Xamax Neuchâtel | 27:20 | 28 |
| 4 | Aarau | 17:16 | 27 |
| 5 | Luzern | 14:18 | 25 |
| 6 | Basel | 20:19 | 24 |
| 7 | FC Sion | 24:25 | 24 |
| 8 | Lausanne | 11:35 | 15 |

Aufsteiger: Keine[1]

1) In den Spielen der Relegationsrunde setzten sich die Vereine der Liga A gegen die Aufstiegskandidaten der Liga B durch

189

| Fußball: Stadien der EM 1996 in England | | |
|---|---|---|
| Stadt | Stadion | Zuschauerkapazität |
| Birmingham | Villa Park | 45 000 |
| Leeds | Elland Road | 40 000 |
| Liverpool | Anfield Road | 44 000 |
| London | Wembley Stadium | 80 000 |
| Manchester | Old Trafford | 33 000 |
| Newcastle | St. James' Park | 33 000 |
| Nottingham | City Ground | 29 000 |
| Sheffield | Hillsborough | 36 000 |

Quelle: Kicker, 10. 4. 1995

in Schweden (acht Teams) erhofft sich der europäische F.-Verband UEFA eine höhere Attraktivität für die Zuschauer und Mehreinnahmen beim Verkauf der Fernseh- und Vermarktungsrechte. Im Mai 1995 waren bereits 300 000 von 1,3 Mio Eintrittskarten verkauft. Für die TV-Übertragungsrechte zahlte der Zusammenschluß der öffentlich-rechtlichen Fernsehsender Europas (EBU) insgesamt rd. 100 Mio DM. Bei der EM 1992 in Schweden hatten die Übertragungsrechte nur rd. ein Drittel gekostet. Die Organisatoren erwarteten einen Gesamtumsatz von rd. 235 Mio DM.

# Fußballübertragungsrechte

Von Fußballvereinen und dem Deutschen Fußball-Bund (DFB, Frankfurt/ M.) an Rechteverwertungsgesellschaften oder Rundfunksender verkaufte Erlaubnis, Fußballspiele zu übertragen. 1994/95 waren Fußballübertragungen die meistgesehenen Sportereignisse im deutschen Fernsehen. Die Sender gaben insgesamt rd. 500 Mio DM jährlich für Sportübertragungsrechte aus und sendeten rd. 20 000 Stunden Sport pro Jahr. Sie erzielten mit Sportsendungen hohe Einschaltquoten und Attraktivität für Werbekunden. Die Erlöse aus der Fernsehwerbung waren wichtigste Einnahmequelle des Privat-TV und zweitwichtigste der gebührenfinanzierten öffentlich-rechtlichen Sender.

**Fußball-Bundesliga:** Die Publikumswirksamkeit von Fußball verschärfte die Konkurrenz der Sender um die F. Für die F. 1997–2000 bewarben sich 1995 neben der Sportrechteverwertungsgesellschaft ISPR des Springer- und des Kirch-Konzerns sowie der Bertelsmann-Tochtergesellschaft Ufa

| Fußball: Funktionäre und Trainer |
|---|

**Egidius Braun, Präsident des DFB**
* 27. 2. 1925 in Stolberg-Breinig. Ab 1973 Mitglied des DFB-Beirats, 1977–1992 DFB-Schatzmeister. 1992 als Nachfolger von Hermann Neuberger DFB-Präsident.

**João Havelange, Präsident der FIFA**
* 8. 5. 1916 in Rio de Janeiro/Brasilien. Von 1958 bis 1973 Präsident des brasilianischen Sportkomitees, seit 1974 Präsident des Internationalen Fußballverbandes FIFA (Zürich/Schweiz).

**Ottmar Hitzfeld, Trainer des deutschen Meisters**
* 12. 1. 1949 in Lörrach. 1971–1983 Spieler in der Schweiz und beim VfB Stuttgart. Trainer ab 1983, seit 1991 bei Borussia Dortmund, 1994 Meisterschaft.

**Hans Hubert („Berti") Vogts, Nationaltrainer**
* 30. 12. 1946 in Büttgen. 1965–1979 Spieler bei Borussia Mönchengladbach. 1965–1978 Nationalspieler, 1974 Weltmeister. Seit 1990 deutscher Nationaltrainer.

## Fußballübertragungsrechte: Millionenmarkt

| Sportart | Ereignis | Rechte-verwert. | Erst-sender | Preis[1] Mio DM | Vertrags-dauer |
|---|---|---|---|---|---|
| Olymp. Spiele | Sommer Spiele | EBU[2] | ARD/ZDF Eurosport | 250 | bis 1996 |
| Fußball | 1. und 2. Bundesl. | ISPR | SAT. 1 | 700 | bis 1997 |
| Fußball | Champions League | Team/ Ufa | RTL | 85 | bis 1996 |
| Fußball | Heimspiele Europacup | ISPR/ Ufa | SAT. 1/ RTL | 360 | bis 1998 |
| Fußball | Heimländer-spiele | DFB | ARD/ZDF | 1 | pro Spiel |
| Fußball | Endspiele Europacup | EBU[2] | ARD/ZDF | 10 | bis 1996 |
| Fußball | Europa-meisterschaft | EBU[2] | ARD/ZDF/ Eurosport | 100 | 1996 |
| Fußball | Weltmeister schaft | EBU[2] | ARD/ZDF/ Eurosport | 25 | bis 1994 |
| Tennis | Wimbledon | Ufa | RTL | 60 | bis 1998 |
| Tennis | US Open | Ufa | RTL | 45 | bis 1996 |
| Tennis | French Open | Ufa | ARD/ZDF/ Eurosport | 14/ Jahr | bis 1997 |
| Tennis | Heimspiele Davis Cup | Ufa | RTL | 120 | 1995–2000 |
| Formel 1 | – | Foca/Eccle-stone | RTL | 15/ Saison | bis 1996 |
| Eishockey | – | ARD/ZDF | ARD/ZDF Premiere | 4,5/ Saison | bis 1995 |
| Ski alpin | – | EBU[2] | ARD/ZDF | 15 | – |
| Basketball | Bundesliga, Europapokal | – | ARD/ZDF | 26 | bis 2000 |
| Handball | – | Ufa | – | 60 | bis 2000 |

Stand: Ende 1994; 1) Schätzung; 2) Europäische Rundfunkunion aus öffentlich-rechtlichen Anstalten; Quelle: W&V, 4. 11. 1994

### Fußballüber-tragungsrechte: Sport im deutschen Fernsehen 1994

| Sender | Stunden |
|---|---|
| Eurosport | 5143 |
| DSF | 4507 |
| ZDF | 788 |
| ARD | 781 |
| SAT. 1 | 371 |
| RTL | 338 |
| **Sportarten** | |
| Fußball | 3225 |
| Tennis | 2367 |
| Motorsport | 1294 |
| **Fußballklubs** | |
| Bayern-Mün. | 254 |
| Werder Bremen | 161 |
| Eintracht Frankf. | 150 |
| **Einzelsportler** | |
| Michael Stich | 246 |
| Boris Becker | 182 |
| Pete Sampras | 163 |

Quelle: Frankfurter Allgemeine Zeitung, 22. 2. 1995

## Fußballübertragungsrechte: TV-Rechtehändler

| Gesellschaft | Eigner | Sitz | TV-Rechte |
|---|---|---|---|
| Ufa Film und Fernseh GmbH | Bertelsmann AG, Con-stanze Verlag, John Jahr | Hamburg | Tennis Davis Cup, Leichtathletik, Golf, Fußball UEFA-Pokal |
| ISPR, Internationale Sportrechte Agentur | Kirch-Gruppe, Springer-Konzern | München | Fußball-Bundesliga, Eishockey-WM, Hand-ball-WM, Amateurbox-WM, Basketball (NBA), Tennis (ATP-WM, Grand-Slam-Cup) |
| CWL-Telesport | César W. Lüthi | Kreuzlingen/ Schweiz | 50 Fußballklubs und zwölf Länder, Eis-hockey und Handball (jeweils WM) |
| Team, The Event Agency and Marketing AG | Arend Oetker, O. W. von Amerongen, Klaus Hempel, Jürgen Lenz | Luzern/ Schweiz | Champions League im Fußball-Europapokal |
| ISL, International Sports, Culture and Leisure Marketing AG | Adidas, Dentsu Inc. | Luzern/ Schweiz | Fußball-EM 1996, Vermarktung der Rechte des IOC |
| Halva | k. A. | Zürich/Schweiz, Mailand/Italien | meiste Ski-Weltcup Veranstaltungen |

Quelle: Frankfurter Allgemeine Zeitung, 8. 2. 1995

**Fußballübertragungsrechte: TV-Sportmoderatoren**

**Wolf Dieter Poschmann,** Sportchef des ZDF

**Heribert Faßbender,** Chefmoderator der ARD-„Sportschau"

**Reinhold Beckmann,** Moderator von „ran", SAT.-1-Sportchef

**Günther Jauch,** Champions-League-Moderator bei RTL

**Franz Beckenbauer,** RTL-Komoderator Champions League

erstmals ARD, ZDF und RTL gemeinsam. ARD und ZDF hatten die F. 1988 an die ISPR verloren. SAT. 1 zahlte für die Rechte 1992–1997 pro Saison 140 Mio DM. Für 1997–2000 waren 135 Mio–150 Mio DM pro Saison im Gespräch.

**Europacup:** Das Bundeskartellamt (Berlin) untersagte dem DFB Ende 1994 die zentrale Vermarktung der F. für alle deutschen am Europacup beteiligten Mannschaften. Nach Ansicht des Kartellamts hat der DFB ein Preiskartell zum Nachteil des Verbrauchers errichtet. Höhere Preise würden von den Sendern an die Werbewirtschaft und von dieser an den Verbraucher weitergegeben. Der DFB legte Widerspruch gegen die Entscheidung ein, der eine Signalfunktion für die F. von Bundesliga-Spielen zugemessen wird.

**Kritik:** Medienexperten kritisierten, die Sender versuchten angesichts der vervielfachten Kosten für Sportübertragungsrechte (Steigerung der F. 1984/85–1995/96: 1300%), Sportsendungen durch publikumswirksame Präsentation der Übertragung für Werbekunden noch attraktiver zu machen, um sie zu refinanzieren. Information trete zugunsten von Show-Effekten zurück. Der Einfluß des Fernsehens auf den Sport steige. Weniger telegene Sportarten wären im Nachteil.

→ Fernsehen → Fernsehwerbung → Privatfernsehen

# G

## Gaffer

Zuschauer bei Verkehrsunfällen, Bränden oder Naturkatastrophen, die Rettungskräfte behindern und Verkehrsstaus verursachen können. 1994 wurden in Baden-Württemberg erstmals Bußgelder für Schaulustige bei einem Busunglück bei Bad Dürrheim mit 20 Toten rechtskräftig. Da Gaffen in Baden-Württemberg nicht verboten ist, hatte die Polizei Bußgelder wegen Falschparkens oder Verstoß gegen Naturschutzvorschriften verhängt.

Bayern plante 1995 die Einführung eines Gesetzes, das Gaffen am Unfallort mit Geldstrafen bis zu 10 000 DM belegt. In Rheinland-Pfalz droht Schaulustigen, die sich nach Aufforderung durch die Polizei nicht vom Unfallort entfernen, ein Bußgeld bis zu 10 000 DM.

## Gameboy

→ Computerspiele

## Gammastrahlen

Energiereichste und kurzwelligste der Ende des 20. Jh. bekannten elektromagnetischen Strahlung im Weltall. G. haben eine Energie von 0,511 x

| Gammastrahlen: Das elektro-magnetische Spektrum | |
|---|---|
| **Maßeinheit**[1) | **Strahlen/Wellen** |
| **Hertz** | |
| 0,001 | Schwankung des elektromagnetischen Felds |
| 16,75 | Elektrische Eisenbahn |
| 50 | Strom (Europa) |
| 60 | Strom (USA) |
| 400 | Strom in Flugzeugen |
| **Kilohertz** | |
| 150– 500 | Langwellen |
| 500– 1 500 | Mittelwellen |
| 1 500–30 000 | Kurzwellen |
| **Megahertz** | |
| 30–300 | Ultrakurzwellen |
| 40 | Modellfernsteuerungen |
| 54–87, 174–216 | Fernsehen |
| 88–108 | UKW-Rundfunk |
| **Gigahertz** | |
| 2,45 | Mikrowellenherd |
| 12 | Satellitenfernsehen |
| **Nanometer** | |
| 760–$10^6$ | Infrarot |
| 1 300 | Nachrichtenübermittlung durch Glasfasern |
| 800 | Laser im CD-Spieler |
| 400–760 | Sichtbares Licht |
| 10–400 | UV-Licht A, B, C |
| 0,01–10 | Röntgenstrahlen |
| **Elektronenvolt** | |
| 0,511 x $10^6$–$10^{12}$ | Gammastrahlen |

$10^6$–$10^{12}$ Elektronenvolt (sichtbares Licht: 0,5 Elektronenvolt). Anfang 1995 lagen Daten des Satelliten GRO über rd. 1000 G.-Quellen vor, die gleichmäßig im All verteilt waren. Nach Berechnungen von Astrophysikern beträgt die Entfernung der G.-Quellen von der Erde 8 Mrd Lichtjahre. Sollte diese Distanz bestätigt werden, kann der Energieausstoß einer Quelle maximal dem von $10^{21}$ Sonnen entsprechen. Ein kosmologisches Objekt, das diese Menge an Energie ausstößt, war den Astronomen Mitte 1995 nicht bekannt. Auch Neutronensterne und Schwarze Löcher, die von Forschern bis dahin als Verursacher der G. angenommen wurden, kämen damit nicht als G.-Quelle in Betracht, weil ihr Energieausstoß kleiner geschätzt wurde. Bis dahin wurde vermutet, daß G. in Schwarzen Löchern entstehen, in denen Materie durch die Schwerkraft ins Innere gerissen wird, oder in Neutronensternen, die eine hohe Massendichte besitzen.

## GATT

→ WTO

## Gebühren

Abgaben der Nutzer für staatliche Leistungen. Zwischen 1985 und 1995 stiegen in Deutschland die G. der Gemeinden für Müllabfuhr, Abwasser etc. um 50–150%. Gleichzeitig nahmen die Lebenshaltungskosten insges. nur um 25% zu. Der G.-Anstieg trug damit wesentlich zur Inflation bei. Weitere G.-Erhöhungen wurden 1995 bei Verwirklichung des Plans der Bundesregierung befürchtet, kommunale Entsorgungsunternehmen der Mehrwertsteuerpflicht zu unterwerfen. Die G. stiegen, weil die Kosten der Gemeinden infolge verschärfter Umweltvorschriften in den Bereichen Abfallbeseitigung, Abwasserentsorgung und Trinkwasserversorgung zunahmen. Aufgrund ihrer überdurchschnittlichen Verteuerung wurde für die G. als Mietnebenkosten die Bezeichnung zweite Miete gebräuchlich. Das Bundesfinanzministerium plante, auf die Leistungen der gemeindeeigenen Müll-, Abwasser- und Straßenreinigungsbetriebe 7–15% Mehrwertsteuer zu erheben. Kommunale Entsorgungsunternehmen sollen damit privaten Konkurrenten gleichgestellt werden. Die Gemeinden drohten für diesen Fall weitere G.-Erhöhungen an. → Abfallbeseitigung → Gemeindefinanzen (Tabelle) → Trinkwasserverunreinigung

## Geldmarktfonds

→ Investmentfonds

| Gebühren: Anstieg der Gemeindegebühren | |
|---|---|
| Leistung | Verteuerung (%)[1) |
| Müllabfuhr | 150 |
| Abwasserbeseitigung | 110 |
| Wasserversorgung | 55 |
| Schornsteinfegen | 50 |
| Straßenreinigung | 45 |
| zum Vergleich: Wohnungsmiete | 40 |
| Lebenshaltung | 25 |

1) Gebührenanstieg 1985–1995 in Westdeutschland; Quelle: Statistisches Bundesamt

## Geldwäsche

Anonymes Einschleusen von Bargeld aus illegalen Geschäften in den Geldkreislauf, insbes. aus dem internationalen Handel mit Drogen und Waffen. Entsprechend einer EU-Richtlinie hatten 1995 alle Mitgliedstaaten G. als Straftatbestand festgeschrieben. Für das deutsche Gesetz gegen G. von 1993 forderte das Bundeskriminalamt (BKA, Wiesbaden) Nachbesserungen.

**Waschverfahren:** G. wird meist über Banken abgewickelt. Bargeld wird von Mittelsmännern eingezahlt und über verschiedene Konten, oft in mehreren Ländern, umgebucht, bis die Herkunft nicht mehr ersichtlich ist. Andere Wege, Bargeld unerkannt umzusetzen, sind u. a. Spielkasinos sowie der Handel mit Edelmetallen und Kunstwerken. Mitte der 90er Jahre wurden Immobiliengeschäfte und Lebensversicherungen verstärkt zur G. benutzt.

**Umfang:** Die Financial Action Task Force on Money Laundering (FATF, Paris), eine internationale Sondereinheit gegen G,, schätzte die Summe jährlich weltweit gewaschenen Geldes auf rd. 470 Mrd DM. Neben Einnahmen aus der organisierten Kriminalität würden zunehmend Gewinne aus der Wirtschaftskriminalität gewaschen.

**Deutschland:** Nach dem G.-Gesetz müssen Banken Auftraggeber von Einzahlungen ab 20 000 DM identifizieren und bei Verdacht auf G. den Behörden melden. Bis Anfang 1995 gingen rd. 3000 Anzeigen ein, rd. 400 Ermittlungsverfahren wurden eingeleitet, die Transaktionen im Umfang von 550 Mio DM betrafen. Lediglich 2,5 Mio DM, bei denen die illegale Herkunft nachgewiesen wurde, konnten beschlagnahmt werden.

**Kritik:** Das Gesetz gegen die G. greift nach Ansicht von Kritikern zu kurz. Händler z. B. von Luxuslimousinen unterliegen nicht dem Gesetz. Bei Verdacht auf G. wird die Transaktion zwei Tage lang gestoppt, innerhalb derer die illegale Herkunft nachgewiesen werden muß. Diese Frist sei zu kurz.

**Nachbesserungen:** Das BKA setzte sich 1995 dafür ein, verdeckte Ermittler als Geldwäscher arbeiten lassen zu dürfen, um die Hintermänner der Transaktionen zu identifizieren. Außerdem plädierte es dafür, Behörden bei Verdacht auf illegale Herkunft von Geldern zum Einzug zu berechtigen, falls der Eigentümer den Verdacht nicht entkräftet. Bis 1995 müssen Behörden die illegale Quelle nachweisen.
→ Drogen → Mafia

## Gemeindefinanzen

Sinkende Einnahmen und steigende Ausgaben führten für die deutschen Gemeinden Anfang der 90er Jahre zu hoher Verschuldung und eingeengten Handlungsspielräumen. Infolge der wirtschaftlichen Entwicklung gingen die Gewerbesteuereinnahmen zurück, die hohe Arbeitslosigkeit führte zu vermehrten Sozialausgaben. Gebührenerhöhungen für kommunale Leistungen belasteten die Bürger. Die Bundesregierung plante 1995 eine Reform der Gewerbesteuer, einer der wichtigsten Einnahmequellen der Gemeinden.

**Belastung:** Die Gemeinden warfen dem Bund vor, ihnen neue Aufgaben zu übertragen, ohne die Finanzierung zu sichern. Sie wehrten sich 1995 gegen den Plan der Bundesregierung, die Arbeitslosenhilfe auf zwei Jahre zu begrenzen, weil die anschließende Sozialhilfe von den Gemeinden gezahlt werden muß. Das 1994 auf Bundesebene beschlossene Recht auf einen Kindergartenplatz verursache bei den Gemeinden Investitionskosten. Zudem gehe die Instandhaltungspflicht für Eisenbahnbrücken durch die Bahnreform auf die Gemeinden über. Die Deutsche Bundesbank hielt den Gemeinden vor, in den 80er Jahren keine Vorsorge für finanzielle Engpässe getroffen zu haben.

**Maßnahmen:** Die Gemeinden schlossen in den 90er Jahren kommunale Einrichtungen (z. B. Schwimmbäder), kürzten Investitionen und erhöhten

| Gemeindefinanzen: Hochverschuldete deutsche Städte | |
|---|---|
| Stadt | Schulden/ Einw. (DM) |
| Frankfurt/M. | 10 152 |
| Düsseldorf | 6 375 |
| Köln | 5 167 |
| Hannover | 4 845 |
| Stuttgart | 3 867 |
| Duisburg | 3 560 |
| Essen | 3 091 |
| Dortmund | 2 938 |
| München | 2 539 |

Stand: Ende 1993; Quelle: Frankfurter Allgemeine Zeitung, 30. 9. 1994

Gebühren. Dienstleistungen wie Müllabfuhr wurden privatisiert. Die Verwaltung baute Personal ab. 1994/95 begannen Versuche, über kaufmännische Buchführung und Kostenrechnung die Effizienz des öffentlichen Dienstes zu steigern.

**Einnahmen:** Die Gemeinden erhalten einen Anteil an Steuern wie der Einkommensteuer, sie erheben eigene Abgaben (z. B. Gewerbesteuer), erhalten sog. Zuweisungen von Bund und Ländern und können über Kreditaufnahme und Verkäufe (z. B. Privatisierungen) Einnahmen erzielen.

→ Gebühren → Gewerbesteuer → Haushalte, Öffentliche (Tabelle) → Sozialhilfe → Staatsverschuldung (Tabelle) → Steuern (Tabelle)

| Gemeindefinanzen: Entwicklung 1994/95 | | | | |
|---|---|---|---|---|
| Position | 1994 (Mrd DM) | | 1995 (Mrd DM)[1] | |
|  | West | Ost | West | Ost |
| Investitionen | 41 | 18,5 | 38 | 18,5 |
| Personalausgaben | 60 | 18,5 | 61 | 18,5 |
| Sachaufwand | 41,5 | 11 | 43 | 11,5 |
| Sozialleistungen | 48 | 6,5 | 51,5 | 7 |
| Zinszahlungen | 10 | 1,5 | 10,5 | 2 |
| **Ausgaben insgesamt** | **233** | **61** | **238,5** | **62,5** |
| Einkommensteuer | 38,5 | k. A. | 40 | k. A. |
| Gewerbesteuer | 30,5 | k. A. | 29,5 | k. A. |
| *Steuereinnahmen insgesamt* | *80* | *6,5* | *81* | *8* |
| Gebühreneinnahmen | 33,5 | 5 | 35,5 | 5,5 |
| Zuweisungen von Bund/Ländern | 53,5 | 23 | 54 | k. A. |
| Investitionszuweisungen⁻ | 11,5 | 8 | 11 | k. A. |
| **Einnahmen insgesamt** | **226** | **55** | **232** | **57,5** |

1) Umfrageergebnis; Quelle: Deutscher Städtetag

## Genetischer Fingerabdruck

(auch DNS-Analyse), Verfahren zur Identifizierung von Personen anhand von Körperzellen, z. B. aus Blut, Haaren, Sperma. Die in jeder Zelle gespeicherten Träger der Erbinformation (Gene) werden auf Muster untersucht, die charakteristisch sind wie Fingerabdrücke. Der G. dient als Methode zur Feststellung von Vaterschaften und bei der Aufklärung von Verbrechen zur Überführung von Tatverdächtigen. In Deutschland sind G. als Beweismittel seit 1990 zugelassen. Der Bundesgerichtshof (BGH) entschied 1992, daß der G. bei Kriminalfällen als alleiniges Beweismittel nicht ausreicht.
→ Gentechnik

## Gen-Lebensmittel

Ziel der gentechnischen Herstellung von Lebensmitteln ist Ertragssteigerung und Haltbarmachung von Nahrung. In den USA kam 1994 eine gentechnisch veränderte Tomate auf den Markt, die beim Transport nicht mehr faulig wird. 1995 ließ die US-amerikanische Food and Drug Administration (FDA) u. a. einen virusresistenten Kürbis zu. Der europäische Markt war 1995 nahezu frei von G. Großbritannien gab Anfang 1995 Tomatenmark, Rapsöl und Sojaprodukte aus genmanipulierten Pflanzen zum Verkauf frei. Die Freiburger Firma Hydrotox stellte im November 1994 ein Gerät zum Nachweis von G. vor.

**Kennzeichnung:** Beim geplanten Gesetz über neuartige Lebensmittel war in der EU Mitte 1995 die Kennzeichnung von G. umstritten. Im Mai empfahl die EU-Beratergruppe, genoder biotechnisch veränderte Lebensmittel nur in Ausnahmefällen zu kennzeichnen. Das EU-Parlament und die CDU/CSU/FDP-Bundesregierung plädieren hingegen für eine umfassende Kennzeichnungspflicht.

**Kritik:** Deutsche Verbraucherverbände warnten vor nicht absehbaren Gesundheitsgefahren wie die Zunahme von Allergien und das Entstehen neuer Krankheiten. 80% der Deutschen lehnten 1995 genmanipuliertes Essen ab.
→ Ernährung

## Genpatent

Recht zur ausschließlichen Nutzung und Vermarktung einer neuentdeckten Erbanlage (Gen) oder eines Teils davon sowie einer Entwicklung daraus. Ein Patent ermöglicht den Inhabern, für die Nutzung Gebühren zu verlangen. Im März 1995 lehnte das Europäische Parlament eine Richtlinie ab, die eine Patentierung pflanzlicher, tierischer und menschlicher Gene und deren Konstrukten ermöglichen sollte. Damit richtet sich die Patentierung von Genen weiter nach dem Patentgesetz des Europäischen Patent-Übereinkommens, und das Europäische Patentamt in München muß im Einzelfall über eine Patentierung entscheiden. Bis Anfang 1995 lagen über 5000 Anträge für gentechnische Produkte wie Enzyme oder Medikamente vor, 1000 G. waren bereits erteilt worden.

Gegner von G. befürchten eine Behinderung der Forschung durch Patentgebühren. G. ließe sich nicht mit der Menschenwürde vereinbaren, weil Gene zum Rohstoff und zur privatrechtlichen Aneignung freigegeben würden. Befürworter entgegneten demgegenüber, daß die gentechnische Forschung und Entwicklung ohne rechtlichen Schutz unterbleiben würde bzw. die Ergebnisse nicht veröffentlicht würden.

→ Gentherapie

## Gentechnik

Veränderung der Erbanlagen (Gene) von Organismen zur Nutzbarmachung für den Menschen. Dieser Teilbereich der Molekularbiologie wird vorrangig in Medizin, Landwirtschaft und Umwelt eingesetzt, um z. B. Medikamente herzustellen und ertragreichere oder widerstandsfähigere Pflanzen zu züchten. Gegner von G. befürchten unkontrollierbare Folgen von Genversuchen sowie den Mißbrauch der G. zur Menschenzüchtung.

**Wirtschaft:** G. gilt als Schlüsseltechnologie der Zukunft. Bis zum Jahr 2000 werden weltweit voraussichtlich 10% der Medikamente gentechnisch produziert werden. Da die deutschen und europäischen G.-Gesetze schärfere Kontrollen und Verbote enthielten, verlegten viele Firmen ihre gentechnischen Forschungs- und Produktionsabteilungen in die USA.

**Deutsches Recht:** In Deutschland trat im Frühjahr 1995 eine Änderung der Sicherheitsverordnung zum G.-Gesetz in Kraft. Danach müssen Laborabfälle nur noch dort teure Inaktivierungsmaßnahmen durchlaufen, wo es zum Schutz von Mensch und Umwelt notwendig scheint. Wie diese als harmlos eingestuften Organismen mit der Umwelt reagieren, war jedoch nicht bekannt.

**Europäisches Recht:** Im Herbst 1994 legte die EU-Kommission Vorschläge für die Änderung der Richtlinie für gentechnische Arbeiten im Labor vor, deren Verabschiedung für 1996 geplant ist. Ziel ist es, die Wettbewerbsituation für europäische Firmen zu verbessern. Die Unterscheidung zwischen Forschung und Gewerbe soll entfallen, so daß die Anzahl der bearbeiteten Organismen unerheblich ist und zusätzliche Auflagen für große Mengen wegfallen. Außerdem soll bei der niedrigsten Risikogruppe (80% der Versuche) die 90tägige Wartezeit zwischen Anmeldung und Beginn der Arbeiten abgeschafft werden, bei der nächsthöheren Gruppe soll sie halbiert werden. Der Bund für Umwelt und Naturschutz (Bonn) bemängelte, daß die Behörden beim Wegfall der Wartefristen das Risiko der geplanten Projekte nicht mehr abschätzen könnten.

→ Bioethik → Biotechnik → Freilandversuche → Gen-Lebensmittel → Transgene Tiere

## Gentherapie

Behandlung von Krankheiten durch Einpflanzen von veränderten Erbanlagen (Genen) in den Körper des Erkrankten. Bis Mitte 1995 wurden weltweit an etwa 300 Patienten über 100 G. versucht. Auf dem 3. G.-Symposium in Berlin im April 1995 wurde deutlich, daß schnelle Erfolge durch eine gentherapeutische Behandlung von unheilbaren Krankheiten wie Aids, Krebs oder Alzheimer nicht mehr – wie Ende der 80er Jahre – erwartet werden. Erfolge im Tierversuch konnten beim Menschen nicht nachvollzogen werden.

Dem Patienten werden Zellen entnommen, in die ein fremdes oder verändertes eigenes Gen eingebaut wird. Die Zellen erhalten eine neue Eigenschaft und werden vermehrt. Als besonders problematisch erwies sich die Technik des Gentransfers in die Körperzellen des Patienten. Meist werden natürliche Viren eingesetzt, um die veränderten Gene zu transportieren. Viele werden vom Immunsystem bekämpft und erreichen ihr Ziel nicht oder gelangen in unerwünschte Gewebe, wo sie ggf. sogar schaden können. Bei anderen wird die Wirkung der neuen Gene auf ungeklärte Weise abgeschaltet.

→ Keimbahntherapie

## Geringfügige Beschäftigung

Arbeitsverhältnisse mit einer Arbeitszeit von weniger als 15 Wochenstunden und einem Bruttomonatseinkommen von maximal 580 DM in West- und 470 DM in Ostdeutschland (Stand: 1995). Bei G. müssen keine Sozialabgaben gezahlt werden, fällig wird eine pauschale Lohnsteuer von 10%. Arbeitnehmer in G. sind nicht kranken-, arbeitslosen- und rentenversichert. 1994 gingen nach Erhebungen des Mikrozensus rd. 1,8 Mio Beschäftigte (5% aller Arbeitnehmer) einer G. nach. Die SPD legte im Juni 1994 einen Gesetzentwurf zur Abschaffung der Geringfügigkeitsgrenze in der Sozialversicherung vor, über den bis Mitte 1995 nicht entschieden war. Die SPD befürwortet ein Verbot von G. Durch die Umwandlung von G. in Teilzeitarbeitsplätze würden nach Schätzungen rd. 1,5 Mio sozialversicherungspflichtige Stellen entstehen.

Die Arbeitgeber, die bei einem Monatslohn über 610 DM (Westen) bzw. 500 DM (Osten) die Hälfte der Sozialabgaben zahlten, lehnten eine Versicherungspflicht ab. Zwischen 580 DM und 610 DM bzw. 470–500 DM pro Monat zahlt nur der Arbeitgeber Sozialabgaben.

## Gesamtschule

Die ersten Integrierten G., die die Trennung von Haupt- und Realschule sowie Gymnasium aufheben, wurden 1969 in Nordrhein-Westfalen eingeführt. An Integrierten G. wird sowohl gemeinsam als auch in getrennten Kursen, die dem unterschiedlichen Leistungsstand der Schüler entsprechen, i. d. R. ganztags unterrichtet. Lernschwache Schüler sollen im Kurssystem gefördert werden. Bildungspolitiker von CDU/CSU und der Deutsche Philologenverband sprachen sich gegen G. aus, weil an diesen Schulen lernstarke Schüler unterfordert würden. Die Debatte entbrannte 1994 erneut, als G.-Lehrer aus NRW schlechte Lehrbedingungen und zunehmende Gewalt kritisierten. Im Schuljahr 1994/95 gab es in Deutschland 969 G. mit rd. 450 000 Schülern, bei den Schülern der achten Klasse betrug 1993 der Anteil Integrierter G. 8,9% (Gymnasien: 31,4%). In den meisten Bundesländern sind G. als Regelschulen neben dem dreigliedrigen Bildungsweg anerkannt, in Baden-Württemberg, Bayern, Sachsen-Anhalt und Thüringen können sie bei ausreichender Versorgung mit Gymnasien eingerichtet werden. In Sachsen sind G. nicht vorgesehen.

→ Schule

## Gesundheitsreform

Zwar erzielten die Gesetzlichen Krankenversicherungen (GKV) 1994 nach der zweiten G. von 1993 (erste Reform: 1989) Überschüsse von 2,1 Mrd DM, doch das Ziel der G., die Ausgaben der GKV zu senken, wurde verfehlt. Die Ausgaben für medizinische Leistungen stiegen 1994 gegenüber 1993 in Westdeutschland um 8% auf 190,6 Mrd DM, im Osten um 14% auf 42,3 Mrd DM. Der durchschnittliche Beitragssatz fiel 1993–1995 um rd. 0,15 Prozentpunkte auf 13,2% des Bruttomonatseinkommens im Westen und 12,8% im Osten. Bundesgesund-

| Geringfügige Beschäftigung: Entwicklung | |
|---|---|
| Jahr | Anzahl (Mio) |
| 1990[1] | 1,13 |
| 1991 | 1,17 |
| 1992 | 1,15 |
| 1993 | 1,09 |
| 1994 | 1,82 |

1) Westdeutschland; Quelle: Statistisches Bundesamt

| Gesamtschulen in den Bundesländern | |
|---|---|
| Land | Schulen[1] |
| Baden-Würt. | 3 |
| Bayern | 3 |
| Berlin | 81 |
| Brandenburg | 290 |
| Bremen | 10 |
| Hamburg | 58 |
| Hessen | 83 |
| Mecklenburg-V. | 15 |
| Niedersachsen | 20 |
| NRW | 188 |
| Rheinland-Pfalz | 7 |
| Saarland | 15 |
| Sachsen | – |
| Sachsen-Anhalt | 2 |
| Schleswig-Holst. | 19 |
| Thüringen | 4 |

Stand: 1993; 1) nur Integrierte Gesamtschulen; Quelle: Statistisches Bundesamt

| Gesundheitsreform: Pflegesatz im Krankenhaus 1994 | |
|---|---|
| Land | Kosten/ Tag (DM) |
| Hamburg | 731 |
| Berlin | 488 |
| Bremen | 486 |
| Thüringen | 474 |
| Hessen | 467 |
| Saarland | 457 |
| Baden-Württemberg | 440 |
| Mecklenburg-Vorpommern | 434 |
| Niedersachsen | 433 |
| Sachsen-Anhalt | 416 |
| Nordrhein-Westfalen | 411 |
| Schleswig-Holstein | 410 |
| Bayern | 404 |
| Rheinland-Pflaz | 395 |
| Sachsen | 385 |
| Brandenburg | 370 |

Stand: September 1994; Quelle: Verband der privaten Krankenversicherungen

**Gesundheitsreform: Festbeträge verfassungwidrig**

Das Bundessozialgericht (Kassel) bewertete die 1990 mit dem ersten Gesundheitsreformgesetz für Arzneimittelgruppen sowie Heil- und Hilfsmittel eingeführten Festpreise, die von den Kassen erstattet werden, als verfassungswidrig. Sie seien ein Eingriff in die Wettbewerbsfreiheit, weil die Hersteller nicht an der Festlegung beteiligt worden waren (Az.: 3 RK 20/ 94 u. a ). Das Bundesverfassungsgericht muß nun über den Fortbestand der Regelung entscheiden.

heitsminister Horst Seehofer (CSU) erwartete u. a. infolge der 1994 nochmals gestiegenen Zahl der niedergelassenen Ärzte einen weiteren Kostenzuwachs im Gesundheitswesen. Langfristig sei die Finanzierung der Krankenversicherung nicht gesichert, weil im Zuge der Bevölkerungsentwicklung immer weniger Arbeitnehmer die Versicherung für immer mehr ältere Menschen bezahlen sollen. Eine dritte Stufe der G. sei erforderlich.

**Auswirkungen:** Die G. von 1993 legte für nahezu 70% der Kassenleistungen ein Budget fest. Die Aufwendungen durften nicht stärker steigen, als das beitragspflichtige Einkommen der Mitglieder. Apotheken, Zahnärzte und Ärzte klagten 1994 über Einnahmeeinbußen. Für 1995 wird der Kassenärztlichen Bundesvereinigung zufolge das Verordnungsbudget der Ärzte um rd. 2 Mrd DM überschritten. Den Ärzten drohen Honorarverluste, weil sie Beträge, die über das Budget hinausgehen, erstatten müssen. Wenn der Arzt mit Verschreibungen sein Budget zu überschreiten drohte, mußte der Patient das Medikament häufig selbst zahlen.

**Krankenhäuser:** Bis 1995 war die G. in Kliniken nach Angaben der Krankenkassen gescheitert. 1994 überschritt der Kostenanstieg in Krankenhäusern die als Richtlinie in der G. festgelegte Grundlohnsteigerung um das Dreifache. Ab 1995 können, ab 1996 müssen Kliniken sog. Fallpauschalen einführen, mit denen alle Leistungen für einen Behandlungsfall unabhängig von der Dauer des Klinikaufenthaltes abgegolten sind. Während die AOK kritisierte, bis Mitte 1995 seien zuwenig Fallpauschalen ausgehandelt und die festgelegten zu hoch angesetzt worden, bewertete die Deutsche Krankenhausgesellschaft (Düsseldorf) die Pauschalen als zu niedrig, um kostendeckend zu arbeiten.

**Dritte Stufe:** Der Sachverständigenrat aus acht Wissenschaftlern schlug Mitte 1995 vor, Pflichtleistungen der GKV auf eine Grundversorgung zu einem

niedrigen Beitrag zu beschränken. Die Mitglieder sollen darüber hinausgehenden Versicherungsschutz gegen höhere Beiträge hinzuwählen können. Der Arbeitgeberanteil am Krankenversicherungsbeitragssatz soll eingefroren und langfristig auf den Arbeitnehmer übertragen werden, der als Ausgleich bei der Umstellung einen einmaligen Gehaltsaufschlag erhält.

**Kritik:** Seehofer wollte den Anspruch auf vollständige medizinische Versorgung aller Kassenpatienten erhalten. Die SPD-Opposition lehnte jede Ausweitung der Selbstbeteiligung von Patienten ab. Sie befürworteten wie die GKV statt einer neuen Reform, die Budgetierung über 1995 hinaus fortzusetzen. Sparpotential sah die GKV im sog. Hausarzt-Abonnement, bei dem der Hausarzt die Behandlung von Patienten koordiniert und Kosten durch Mehrfachuntersuchungen vermieden werden können.

→ Arzneimittel → Hausarzt-Abonnement → Krankenversicherungen → Positivliste

**Gewalt**

Die G.-Bereitschaft unter Jugendlichen und Kindern war in Deutschland Mitte der 90er Jahre ein zentrales gesellschaftspolitisches Problem. Besorgnis erregte insbes. die Zahl rechtsextremistisch motivierter G.-Taten (Januar bis August 1994: 961). Als Keimzelle der G. galt 1995 verstärkt die Familie.

**Familie:** Nach Angaben des Kriminologischen Forschungsinstituts Niedersachsen (KFN) vom April 1995 wurden fast 16% der Bevölkerung in der ersten Hälfte der 90er Jahre Opfer körperlicher G. in engen sozialen Beziehungen (z. B. Familie, Freunde). Laut Bundesfamilienministerium werden jährlich bis zu 4 Mio Frauen von ihren Männern mißhandelt. Schätzungen über Kindesmißhandlungen schwanken zwischen 20 000 und 500 000 pro Jahr. Etwa 10% der Alten und Kranken werden von ihren Angehörigen mißhandelt. Kinder und Jugendliche, die in ihren Familien G. als vorrangiges Mittel zur Lösung von Konflikten kennenlernen, gelten als besonders gefährdet, selbst G.-Täter zu werden.

**Schule:** Eine Befragung der Schulleitungen im Auftrag des hessischen Kultusministeriums kam im September 1994 zu dem Ergebnis, daß G. für viele Schulen ein großes Problem darstellt. 12% der Rektoren gaben an, ihre Schule sei stark bis sehr stark durch G. belastet, weitere 22% hielten ihre Schule für belastet. Besonders schwerwiegend wurde das G.-Problem an Sonderschulen angesehen, als gering an Gymnasien. Eine Zunahme von G.-Taten wurde in Hessen in den Bereichen Vandalismus und Körperverletzung verzeichnet. Die Zahl der Sexualdelikte und der Aneignung von Sachen unter G.-Anwendung und -Androhung war rückläufig. Rechtsextremistische Phänomene wurden an 49,4% der Schulen registriert, linksextremistische an 3,3%.

**Rechtsextremismus:** Ausländerfeindliche und rechtsextremistische G.-Taten werden nach Angaben des Verfassungsschutzes meist von jugendlichen neonazistischen Skinheads unter 20 Jahren begangen. Die an autoritären Führungsprinzipien orientierte Mehrheit der Skinheads betrachtet G. als legitimes Mittel zur Durchsetzung ihrer Ziele (z. B. Vertreibung von Asylbewerbern aus Deutschland). Hauptursache für rechtsextreme G. sei Intoleranz gegenüber Minderheiten und Andersdenkenden.

→ Jugend → Kriminalität → Privatfernsehen → Rechtsextremismus → Schule

## Gewerbesteuer

Abgabe von Unternehmen an die Gemeinden. Die CDU/CSU/FDP-Bundesregierung plante 1995 eine Reform der G., um die deutschen Unternehmen steuerlich zu entlasten. Mitte 1995 wurde der Reformentwurf vom Jahressteuergesetz 1996 abgekoppelt.

**Besteuerung:** Die Unternehmen zahlen auf ihren Gewinn Gewerbeertragsteuer. Ihre Höhe wird von der Gemeinde festgelegt. Die Unternehmensgewinne werden außerdem von Bund und Ländern mit Körperschaftsteuer (AG, GmbH) bzw. Einkommensteuer (OHG, KG, Einzelkaufleute) belastet. Auf ihren Besitz entrichten die Unternehmen Gewerbekapitalsteuer an die Gemeinden. Sie tritt zur betrieblichen Vermögensteuer an die Bundesländer hinzu. Für die Gemeinden macht die G. ca. 40% ihrer Steuereinnahmen aus.

**Reform:** Die Bundesregierung plante Mitte 1995, die Gewerbekapitalsteuer ab 1997 abzuschaffen, die in Ostdeutschland nicht erhoben wurde. Die Gewerbeertragsteuer soll gesenkt, aber nicht völlig abgeschafft werden. Als Ersatz sah das Finanzministerium eine Beteiligung der Gemeinden am Aufkommen der Umsatzsteuer (auch Mehrwertsteuer) in Höhe von 2,7% vor. Der Anteil einer Gemeinde soll sich nach gezahlten Löhnen und Vermögen der Unternehmen auf ihrem Gebiet bemessen. Die verringerten Einnahmen des Bundes und der Länder aus der Umsatzsteuer sollen durch verschlechterte Abschreibungsmöglichkeiten für Unternehmen ausgeglichen werden.

**Kritik:** Die Gemeinden und die SPD sprachen sich Mitte 1995 gegen die Reformpläne der Koalition aus. Die SPD kritisierte die vorgesehene Senkung der Abschreibungssätze. Sie ginge vor allem zu Lasten von Handwerk und Mittelstand und würde die Wirtschaft steuerlich in Höhe von 5 Mrd DM belasten. Außerdem sei der Finanzausgleich der Einnahmeeinbußen von Bund und Ländern bei der Umsatzsteuer durch diese Maßnahme nicht gesichert. Die Zustimmung der SPD wird benötigt, weil sie im Bundesrat die Mehrheit hat und für die Reform eine Änderung des Art. 106 GG erforderlich ist.

→ Gemeindefinanzen (Tabelle) → Steuern (Tabelle) → Unternehmensteuerreform

## Gewerkschaften: Mitgliederentwicklung

| Verband | Mitglieder | |
|---|---|---|
| | 1994 (1000) | Veränder. zu 1992 (%) |
| Deutscher Gewerkschaftsbund | 9800 | – 4,9 |
| Deutscher Beamtenbund[1] | 1890 | + 0,9 |
| Deutsche Angestellten-Gewerkschaft | 521 | – 1,4 |
| Christlicher Gewerkschaftsbund | 306 | – 3,2 |

1) Stand: 30. 9. 1994

## Gewerkschaften

Hauptziele der deutschen G. waren 1994/95 die Beschäftigungssicherung und die Schaffung neuer Arbeitsplätze. Sie setzten sich für Modelle zur Arbeitszeitverkürzung wie die Vier-Tage-Woche und die 35-Stunden-Woche sowie Teilzeitarbeit ein und befürworteten den flexiblen Vorruhestand.

1994 verzeichneten alle Arbeitnehmerorganisationen in Deutschland rückläufige Mitgliederzahlen (Ausnahme: Deutscher Beamtenbund, Zuwachs: 0,9%). Jeder vierte Gewerkschafter spielte 1994 einer Umfrage des Emnid-Instituts zufolge mit dem Gedanken auszutreten. Nur 5% der befragten Nichtorganisierten erwogen einen Eintritt. Vor allem bei Jugendlichen unter 26 Jahren verloren G. an Ansehen. Jeder zehnte organisierte Jugendliche erklärte dem Deutschen Gewerkschaftsbund (DGB) 1994 seinen Austritt.

→ Arbeitszeit → DGB → Streikparagraph → Tarifverträge

## Gewerkschaften: Vorsitzende der Dachverbände

**Roland Issen, DAG-Vorsitzender**
* 7. 1. 1938 in Münster/Westfalen. Ab 1964 hauptamtlicher Mitarbeiter der Deutschen-Angestellten-Gewerkschaft (DAG). 1978–1987 Mitglied des Bundesvorstands, 1987 Vorsitzender der DAG.

**Peter Konstroffer, CGB-Vorsitzender**
* 15. 7. 1953 in Saarlouis. 1982–1991 Landesvorsitzender des Christlichen Gewerkschaftsbundes (CGB) im Saarland, 1988–1991 stellvertretender Vorsitzender, ab 1991 Vorsitzender des CGB.

**Werner Hagedorn, DBB-Vorsitzender**
* 1. 9. 1929 in Remscheid. 1969–1979 stellvertretender Vorsitzender der Deutschen Steuergewerkschaft, 1979–1987 Vorsitzender. 1987–1995 Vorsitzender des Deutschen Beamtenbunds.

## Gibraltartunnel

Von Spanien und Marokko geplanter Bahntunnel unter der Meerenge von Gibraltar zwischen Tarifa/Spanien und Tanger/Marokko (Baubeginn 1997). 28 km des 38 km langen G. sollen in 100 m Tiefe unter dem bis zu 300 m tiefen Meeresboden hindurchführen. Der G. kann nicht unter der engsten Stelle der Meerenge (14 km) gebaut werden, weil die Meerestiefe bis 900 m beträgt. Der 12 Mrd DM teure G. soll aus zwei Röhren mit 7,5 m Durchmesser für den Bahnverkehr und einer kleineren für Telekommunikationsleitungen bestehen. Die Reisezeit zwischen Europa und Afrika beträgt 30 min.

## Giftalge

Tropische giftige Grünalge Caulerpa, deren starke Vermehrung Mitte der 90er Jahre das Ökosystem der Mittelmeerküsten bedrohte. 1984 gelangten G. vermutlich aus Aquarien des Ozeanographischen Museums in Monaco in das Mittelmeer. Von dort breitete sich die Alge, von Bootsankern übertragen, im westlichen Mittelmeer aus. Die Caulerpa-Form im Mittelmeer wächst stärker als die tropische und bildet bis zu 8000 Wedel und 230 m Wurzelgeflecht pro $m^2$ aus, die pflanzliches und tierisches Leben auf dem Meeresgrund ersticken. Mit Gift schützt sich die G. vor Freßfeinden und zersetzenden Mikroorganismen. Die Algenteppiche vergiften Pflanzen und Tiere.

## Giftmüll

→ Abfallbeseitigung

## Girokonto

Anfang 1995 traten Bündnis 90/Die Grünen und die SPD dafür ein, Banken gesetzlich zu verpflichten, allen Antragstellern die Eröffnung eines G. zu ermöglichen. Damit soll 500 000 Sozialhilfeempfängern, Obdachlosen und überschuldeten Bürgern der Zugang zum bargeldlosen Zahlungsverkehr ermöglicht werden, ohne den Arbeitsplatz- oder Wohnungssuche schwierig ist. Eine Bank soll die Eröffnung eines G. nur ablehnen dürfen, wenn Kunden Verträge mit ihr nicht einhalten.

→ Banken → Schulden, Private

## Glasfaserkabel

Zur Übertragung von Bild-, Text- und Tonsignalen geeignete Kabel, die aus feinen Glasröhrchen mit einem Kern aus hochreinem Glas (Durchmesser: 0,001–0,005 mm) bestehen. Über eine Glasfaser können bis zu 30 000 Telefongespräche gleichzeitig vermittelt werden. In Deutschland, das 1995 weltweit über eines der dichtesten G.-Netze verfügte (Länge: rd. 90 000 km), sollen die Lichtwellenleiter bis zum Jahr 2000 Kupferkabel ersetzen.

**Vorteile:** Beim G. werden Informationen nicht durch elektrische Impulse, sondern mit Laserlicht übertragen. G. sind unempfindlich gegen magnetische Störungen und benötigen lediglich alle 36–50 km, bei transatlantischen G. alle 130 km einen Signalverstärker (Kupferkabel: alle 4–5 km).

**Übertragungsrekord:** Anfang 1995 gelang der Siemens AG eine optische Übertragung über eine Rekordlänge von 600 km ohne Signalverstärkung. Die Datenmenge konnte von 2500 Mio Bit/sec (2,5 Gigabit/sec) auf 10 000 Mio Bit/sec gesteigert werden, was rd. 480 000 gleichzeitig geführten Telefongesprächen entspricht.

**Fernverbindungen:** Im Oktober 1994 wurde das längste See-G. der Welt in Betrieb genommen. Das von Frankreich nach Indonesien und Singapur führende G. SEA ME WE 2 schließt mit seiner Länge von 18 000 km den G.-Ring um die Erde. 1994 wurde das erste Seekabel zwischen Deutschland und Kanada (CANTAT-3) eingeweiht. In Planung befand sich das Projekt Flag, das bis 1997 mit einer Rekordlänge von 27 000 km Großbritannien und Japan verbinden soll. Für den Pazifik war ein rd. 25 000 km langes G. zwischen den USA, Hawaii und Japan geplant.

→ Datenautobahn

## Gleichstellungsbeauftragte

→ Frauenbeauftragte

## Globalfunk

Satellitengestützter Fernmeldedienst, der drahtlose Telekommunikation von jedem Ort der Erde ermöglicht. Mit G., der unabhängig von Bodenstationen ist, können Regionen mit Telefon und Telefax versorgt werden, die nicht an

**Globalfunk: Systemvergleich**

| Merkmal | Globalstar | Inmarsat-P | Iridium |
|---|---|---|---|
| Initiator | Loral/Qualcomm (USA) | International Maritime Satellite Organization | Motorola (USA) |
| Satelliten | 48 | 10 | 66 |
| Investitionsvolumen | 1,7 Mrd Dollar | 2,6 Mrd Dollar | 3,4 Mrd Dollar |
| Umlaufbahn | 1200 km | 10 355 km | 780 km |
| Betriebsstart | 1998 | 2000 | 1998 |
| Deutscher Unterstützer | Daimler-Benz Aerospace | Deutsche Telekom Mobilfunk | Veba |
| Beteiligung (Anteil) | 12,5 Mio Dollar (3,7%) | 94 Mio DM (6,7%) | 159,3 Mio Dollar (10%) |
| Gebühren pro Minute | 0,65 Dollar | 2,00 Dollar | 3,00 Dollar |

Quelle: WirtschaftsWoche, 9. 3. 1995

**Golf-Kooperationsrat: Generalsekretär**

**Scheich Fahim ibn Sultan al-Kasimi**
* 1. 1. 1948 in Ras al-Khaima (heute: VAE). Ab 1977 ständiger Vertreter der VAE bei den Vereinten Nationen in New York. 1984–1992 Leiter im Außemministerium in Abu Dhabi. Seit April 1993 Generalsekretär des Golf-Kooperationsrates.

das Telefonnetz angeschlossen sind. Die Anbieter von G. erwarten bis 2004 rd. 10 Mio Kunden.

Als aussichtsreiche Anbieter galten 1995 die Firmenkonsortien Globalstar und Iridium (beide USA), deren Lizenzanträge für den Satellitenbetrieb die US-Telekommunikationsbehörde Anfang 1995 genehmigte, und die multinationale Satellitenorganisation Inmarsat (London) mit 77 überwiegend staatlichen Fernmeldegesellschaften.
→ Mobilfunk

## Golf-Kooperationsrat

**Name** engl.: Gulf Cooperation Council, GCC

**Sitz** Riadh/Saudi-Arabien

**Gründung** 1961

**Mitglieder** Bahrain, Katar, Kuwait, Oman, Saudi-Arabien, Vereinigte Arabische Emirate

**Generalsekretär** Scheich Fahim ibn Sultan al-Kasimi/Vereinigte Arabische Emirate (seit 1993)

**Funktion** Bündnis arabischer Staaten für politische, militärische und wirtschaftliche Zusammenarbeit sowie Friedenssicherung in der Golfregion

Auf dem 15. Gipfeltreffen in Manama/Bahrain im Dezember 1994 verpflichteten sich die Staaten des G. zur Bekämpfung des religiösen Extremismus. Der islamische Fundamentalismus fand auch in der Golfregion zunehmend Anhänger. Der Iran wurde in dem Streit mit den Vereinigten Arabischen Emiraten (VAE) aufgefordert, den Status der 1992 okkupierten Inseln Abu Musa, Klein- und Groß-Tumb in

der Straße von Hormus durch den Internationalen Gerichtshof in Den Haag/Niederlande klären zu lassen.

**Zollunion:** Seit Anfang der 80er Jahre planen die Mitglieder des G. einen gemeinsamen Markt nach europäischem Vorbild. Größtes Problem auf dem Weg zu einer engeren wirtschaftlichen Zusammenarbeit waren 1994/95 die Unterschiede bei den Einfuhrzöllen. Während z. B. Bahrain und Saudi-Arabien Zölle über 20% erhoben, hielten die VAE, deren Wirtschaft vor allem vom Transithandel profitiert, an einem Abgabenniveau von rd. 4% fest.

**Militärkooperation:** Der G. verlangte Ende 1994 vom Irak die Erfüllung aller UNO-Resolutionen. Hintergrund war eine Truppenkonzentration des Irak an der kuwaitischen Grenze im Oktober 1994. Die irakische Besetzung Kuwaits war durch eine internationale Streitmacht im Golfkrieg 1991 beendet worden. Im März 1991 hatte der G. mit den arabischen Verbündeten des Golfkriegs, Ägypten und Syrien, in der sog. Damaskuserklärung eine engere wirtschaftliche und militärische Zusammenarbeit vereinbart. Die geplante Aufstellung einer gemeinsamen Armee gelang bis Mitte 1995 jedoch nicht, weil die kleineren Staaten eine saudiarabische Dominanz befürchteten. Alle Mitglieder des G. schlossen 1991–1994 militärische Kooperationsverträge mit den USA ab.

**Grenzstreitigkeiten:** Konfliktherde zwischen den Mitgliedstaaten sind vor allem die ungeklärten Grenzverläufe auf der Arabischen Halbinsel. Im Februar 1995 einigten sich Saudi-Arabien und Jemen auf die Einsetzung einer Kommission, die den Grenzverlauf der ölreichen saudischen Provinzen Asir, Jizan und Najran klären soll. Auseinandersetzungen um Golfinseln bestehen zwischen Bahrain und Katar sowie Saudi-Arabien und Kuwait.
→ Arabische Liga

## GPS

→ Satelliten-Navigation

### Golf-Kooperationsrat: Mitglieder im Vergleich

| Land | Einwohner 1993 (Mio) | BIP 1993 (Mio Dollar) | BSP/Kopf (Dollar) 1993 | BSP/Kopf (Dollar) 1992 |
|------|------|------|------|------|
| Bahrain | 0,5 | 4 283[1] | 8 030 | 7 940 |
| Katar | 0,5 | 7 871[1] | 15 030 | 15 760 |
| Kuwait | 1,4 | 22 402 | 19 360 | 18 380 |
| Oman | 1,7 | 11 686 | 4 850 | 6 380 |
| S.-Arabien | 17,4 | 126 355[2] | 8 050 | 7 780 |
| VAE | 2,0 | 38 720 | 21 430 | 22 640 |

1) BSP; 2) BSP 1992; Quelle: Weltbank

## GPS

**Name** Grüne Partei der Schweiz
**Gründung** 1983
**Mitglieder** rd. 9000 (Stand: 1995)
**Fraktionschefin** Verena Diener-Aeppli (seit 1992)
**Ausrichtung** Ökologisch-bürgerlich

Die GPS war Mitte 1995 die größte Nichtregierungspartei und hatte 14 von 200 Nationalratssitzen im Parlament inne. Bei allen Wahlen in den Kantonen 1994 und 1995 verlor die Partei an Stimmen und Sitzen.

Anfang der 90er Jahre begann die GPS, die Themenbreite ihres Programms von der Umweltpolitik auf die Sozial- und Wirtschaftspolitik auszuweiten. 1994 forderte die GPS statt der geplanten Erhöhung der Lohnsteuer die Einführung einer Energiesteuer für alle Steuerpflichtigen, die schrittweise auf 40% steigen und die Arbeitslosenversicherung finanzieren soll. Die Forderungen der GPS nach einer Schweizer UNO-Friedenstruppe und einer erleichterten Einbürgerung von Ausländern wurden in Volksabstimmungen 1994 abgelehnt.

## Greenpeace

**Sitz** Amsterdam/Niederlande
**Gründung** 1970
**Mitglieder** Rd. 2 Mio in 32 Mitgliedsländern
**Präsidentin** Uta Bellion/Deutschland (seit 1993)
**Geschäftsführer** Thilo Bode/Deutschland (seit 1995)
**Funktion** Internationaler Verein für den aktiven Schutz von Natur und Umwelt

Die Umweltschutzorganisation G., die Anfang der 90er Jahre wegen rückläufiger Einnahmen und steigender Kosten mit Entlassungen reagierte, verbuchte 1994 in Deutschland mit 70 Mio DM Spendeneinnahmen rd. 2,5 Mio mehr als im Vorjahr. Weltweit beliefen sich die Spenden auf rd. 140 Mio Dollar (197 Mio DM). 1995 initierte G. den Boykott gegen den Mineralölkonzern Shell wegen der geplanten Versenkung einer Ölplattform im Atlantik. Aktionen von G. trugen dazu bei, das Vorhaben zu verhindern.

→ Ölplattform

| GPS: Wahlergebnisse 1983–1991 | |
|---|---|
| Wahljahr[1] | Mandate |
| 1983 | 4 |
| 1987 | 10 |
| 1991 | 14 |

1) Nationalratswahlen

## Großteleskope

Instrumente zur Messung von Weltraumstrahlung. Mit Spiegeln von mehreren Metern Durchmesser fangen G. Strahlung auf, die von entfernten Sonnensystemen stammt. Forscher erwarten Daten, aus denen sie Schlüsse über die Entstehung des Universums und Vorgänge im Weltraum ziehen können. G. werden in Regionen gebaut, in denen die Luft trocken und die Sicht klar ist. Astronomen hofften, bis 2000 den ersten Planeten außerhalb unseres Sonnensystems zu entdecken.

Das New Technology Telescope in La Silla/Chile ist als erstes G. mit einer sog. aktiven Optik ausgestattet. Ein Computer steuert unter dem Spiegel von 3,6 m Durchmesser eine Mechanik, die winzige Deformierungen im Glas ausgleicht, die während des Ausrichtens entstehen. Ein weiterer Rechner korrigiert Bildverzerrungen. Diese Technik soll Bilder von Planeten übermitteln, deren schwaches Leuchten bis Mitte 1995 von G. nicht aufgefangen werden konnte.

→ Hubble Space Telescope

| Großteleskope: Geplante Projekte bis 2000 | | |
|---|---|---|
| Teleskop | Standort | Spiegeldurchmesser |
| Very Large Telescope (VLT) | Cerro Paranal/Chile | Vier Spiegel von je 8,2 m Ø |
| Keck II | Mauna Kea/Hawaii | Ein Spiegel von 10 m Ø |
| Large Binocular Telescope | Mount Graham/Arizona/USA | Zwei Spiegel von je 8,4 m Ø |
| Gemini | Mauna Kea/Hawaii | Zwei Spiegel von je 8 m Ø |
| Subaru | Mauna Kea/Hawaii | Ein Spiegel von 8,2 m Ø |
| Multi Mirror Telescope | Mount Hopkins/Arizona/USA | 6,5 m |

## Grundgesetz

Bundestag und Bundesrat stimmten im September 1994 einer Änderung der Verfassung jeweils mit der notwendigen Zweidrittelmehrheit zu. Grundlage für den Gesetzentwurf war der Abschlußbericht der 1992 gegründeten Gemeinsamen Verfassungskommission (GVK) von Bundestag und Bundesrat vom Oktober 1993. Die G.-Änderung trat am 15. 11. 1994 in Kraft.

**Verfassungsreform:** Im reformierten G. gelten die staatliche Förderung der Gleichberechtigung von Frauen, das Verbot der Benachteiligung Behinderter und der Umweltschutz als neue Staatsziele. Neuregelungen stärken die Selbstverwaltung der Gemeinden. Die Neugliederung der Bundesländer wird erleichtert. Berlin und Brandenburg erhalten die Möglichkeit zum Zusammenschluß per Staatsvertrag unter der Beteiligung der Wahlberechtigten in beiden Bundesländern. Als einziges Bundesland stimmte Schleswig-Holstein den G.-Änderungen nicht zu, nachdem der von der GVK empfohlene Schutz ethnischer, kultureller und sprachlicher Minderheiten vom Bundestag abgelehnt worden war.

**Stärkung des Föderalismus:** Die gesetzgeberischen Kompetenzen des Bundes werden zugunsten der Länder eingeschränkt. Die konkurrierende Gesetzgebung sah bis 1994 vor, daß Bundesrecht Landesrecht verdrängt, wenn ein Bedürfnis nach bundesgesetzlicher Regelung festgestellt wird. Bundesrecht gilt fortan nur dann, wenn die Herstellung gleichwertiger Lebensverhältnisse und die Wahrung der juristischen und wirtschaftlichen Einheit Deutschlands Regelungen durch den Bund es erforderlich machen. Künftig kann neben dem Bundesrat und den Landesregierungen auch ein Landtag beim Bundesverfassungsgericht klagen, um die Rechtmäßigkeit der konkurrierenden Gesetzgebung des Bundes prüfen zu lassen. In den Bereichen Fortpflanzungsmedizin, Gentechnik und Organtransplantation wurde der Bund zur Gesetzgebung befugt. Die umfassendste G.-Änderung seit 1949 war durch die deutsche Vereinigung 1990 notwendig geworden.

## Grundsicherung

→ Bürgergeld

## Die Grünen

→ Bündnis 90/Die Grünen

## Die Grünen

| | |
|---|---|
| **Land** Österreich | |
| **Gründung** 1986 (Umbenennung: 1993) | |
| **Mitglieder** k. A. | |
| **Fraktionschefin** M. Petrovic (seit 1992) | |
| **Bundessprecher** P. Pilz, M. Petrovic | |
| **Ausrichtung** Ökologisch-sozial | |

Bei der Nationalratswahl im Oktober 1994 erreichten die G. mit der populären Spitzenkandidatin Madeleine Petrovic einen Stimmenzuwachs von 4,8 Prozentpunkten auf 7,3% und stellten 13 von 183 Abgeordneten (viertstärkste Kraft; 1990: 10 Sitze). Mitte 1995 waren die G. in drei von neun Landtagen vertreten (Tirol: vier von 36 Sitzen; Vorarlberg: drei von 36 Sitzen; Wien: sieben von 100 Sitzen).

## Grüner Punkt

→ Duales System

## Guaraná

→ Ökodroge

## GUS

| | |
|---|---|
| **Name** Gemeinschaft Unabhängiger Staaten (engl.: Commonwealth of Independent States, CIS) | |
| **Sitz** Ohne festen Sitz | |
| **Gründung** 1991 | |
| **Mitglieder** Zwölf ehemal. Sowjetrepubliken | |
| **Höchstes Gremium** Rat der Staatsoberhäupter | |
| **Funktion** Bündnis für politische, wirtschaftliche, militärische und kulturelle Zusammenarbeit | |

**Die Grünen:**
**Fraktionschefin**

**Madeleine Petrovic**
* 25. 6. 1956 in Wien, Dr. jur. Als Spitzenkandidatin der Grünen Alternative Wien 1990 Einzug in den Nationalrat in Wien. 1992 Fraktionschefin der Grünen, 1994 Spitzenkandidatin bei den Nationalratswahlen.

Nach Angaben des Wiener Instituts für Internationale Wirtschaftsvergleiche (WIIW) hielt die Anfang der 90er Jahre einsetzende Rezession der GUS-Wirtschaften 1994 mit einem Rückgang der Wirtschaftsleistung um 19% an (1993: –12,8%). Die Integration der zwölf Mitglieder machte Mitte der 90er Jahre kaum Fortschritte, da viele Mitglieder einen Ausbau der russischen Vormachtstellung fürchteten.

**Kern-GUS:** Rußland und Weißrußland beschlossen im Mai 1995, ihre Grenzen zu öffnen und eine Zollunion zu bilden. Kasachstan erwog, der Zollunion beizutreten. Langfristig wurde ein Beitritt aller GUS-Staaten angestrebt. Die Präsidenten der Mitglieder vereinbarten die Gründung eines zwischenstaatlichen Währungskomitees, das die Finanz- und Kreditpolitik koordinieren soll. 1994 hatte Kasachstans Staatspräsident Nursultan A. Nasarbajew zur Weiterentwicklung der GUS einen Plan zu einer Eurasischen Union vorgelegt, der enge politische Zusammenarbeit und einen einheitlichen Verteidigungs- und Wirtschaftsraum vorsieht.

**Grenzschutzabkommen:** Ein von Moskau vorangetriebenes Grenzschutzabkommen unterzeichneten im Mai 1995 nur sieben Mitgliedstaaten. Es sieht die gemeinsame Kontrolle der Außengrenzen vor. Fünf Staaten, Aserbaidschan, Moldawien, Turkmenistan, die Ukraine und Usbekistan, verweigerten die Unterschrift. Diese Staaten erwarteten als Folge weiterer russischer Truppenstationierungen den Verlust nationaler Befugnisse.

**Krisenherde:** In den Vielvölkerstaaten führten Mitte der 90er Jahre ethnische Konflikte zu politischer Instabilität. Die Bürgerkriege in Tadschikistan, Abchasien/Georgien und Tschetschenien/Rußland setzten sich fort. In Kasachstan, Tadschikistan, Turkmenistan und Usbekistan bildeten autoritäre Regimes von Staatschefs, die schon der Sowjetführungsschicht angehörten, potentielle politische Krisenherde.

**Wirtschaftlicher Niedergang:** Russische Wirtschaftswissenschaftler er-

## GUS: Wirtschaften im Niedergang

| Land | BSP-Rückgang (%)[1] | Inflationsrate (%)[1] | Schulden (Mrd Dollar)[2] |
|---|---|---|---|
| Armenien | 0 | 1 100 | 140 |
| Aserbaidschan | – 15 | 1 900 | 36 |
| Georgien | – 35 | 7 308 | 568 |
| Kasachstan | – 24 | 1 800 | 1 640 |
| Kirgistan | – 10 | 87 | 308 |
| Moldawien | – 30 | 105 | 289 |
| Rußland | – 15 | 220–360 | 83 089 |
| Tadschikistan | – 15 | k. A. | 42 |
| Turkmenistan | – 10 | 1 500 | 9 |
| Ukraine | – 24 | 501 | 3 584 |
| Usbekistan | – 8 | 1 300 | 739 |
| Weißrußland | – 20 | 2 300 | 1640 |

1) Schätzung für 1994; 2) Auslandsschulden am Jahresende 1993; Quellen: BfAI, Osteuropa-Bank, Weltbank

## GUS: Russische Dominanz

| Land | Russ. Bevölkerung (%)[1] | Russ. Kredite (Mio DM)[2] | Russ. Truppen (Soldaten)[3] |
|---|---|---|---|
| Armenien | 2 | 23 | 5 000 |
| Aserbaidschan | 6 | 0 | 500 |
| Georgien | 6 | 3 | 20 000 |
| Kasachstan | 38 | 22 | 15 000 |
| Kirgistan | 22 | 15 | 2 000 |
| Moldawien | 13 | 28 | 9 000 |
| Tadschikistan | 8 | 156 | 25 000 |
| Turkmenistan | 10 | 0 | 5 000 |
| Ukraine | 21 | 134 | 30 000 |
| Usbekistan | 8 | 58 | 5 000 |
| Weißrußland | 13 | 73 | 10 000 |

Stand: 1994; 1) Bevölkerungsanteil; 2) 1993; 3) Mindeststärke an Militärpräsenz; Quelle: Die Woche, 22. 9. 1994

rechneten Anfang 1995 für die größten und ökonomisch dominierenden GUS-Mitglieder Rußland, Kasachstan und die Ukraine eine Halbierung des Bruttoinlandprodukts 1990–1994. Das WIIW erwartete für 1995 und 1996 weitere, wenn auch geringere Rückgänge der Wirtschaftsleistung (Rußland 1996: rd. –5%). Während Staaten wie Polen oder Ungarn 1995–2000 wieder das BIP-Niveau von 1989 erreichen werden, befürchten Fachleute für die GUS eine langandauernde Wirtschaftskrise, die zu politischen Unruhen führen kann.

→ Krim → Kaukasus → Osteuropa-Bank → Tschetschenien

## Güter-Ringzug

1995 vom Kommunalverband Ruhrgebiet und der Deutschen Bahn geplante Güterzüge, die im Kreisverkehr Umschlagterminals für Güter im Rhein-Ruhr-Gebiet verbinden. Güter können schneller transportiert werden, weil Züge weniger rangieren müssen. Ein Zugumlauf dauert zwölf Stunden und führt von Köln über Mönchengladbach, Düsseldorf, Duisburg, Essen, Gelsenkirchen, Bochum nach Dortmund und zurück nach Köln über Hamm, Hagen und Wuppertal. Sieben Züge täglich waren geplant. Der G. soll zur Verringerung des luftverschmutzenden LKW-Verkehrs beitragen, für den im Ruhrgebiet 1995–2010 ein Anstieg um 37% prognostiziert wird.
→ Kombinierter Verkehr → LKW-Verkehr

# H

## Hacker

(to hack, engl.; knacken), H. dringen mit ihrem PC über Datenleitungen (Telefonnetz) zumeist widerrechtlich in fremde Computer und Dateien ein. Vor allem mit der verstärkten Nutzung von globalen Datennetzen wie dem Internet stieg die Zahl der 1993 in Deutschland aufgedeckten Computerstraftaten gegenüber dem Vorjahr um 16,5% auf 14 000. 80% aller weltweiten Computervergehen 1994 wurden im Internet verübt.
Datenschützer stellten bei den Motiven der H. einen Wandel vom individuellen Spionieren aus Neugier zur organisierten Auftragskriminalität fest. Die volkswirtschaftlichen Schäden liegen dem deutschen Bundesamt für Sicherheit in der Informationstechnik (Bonn) zufolge in Milliardenhöhe.
H. überwinden die Sicherheitscodes von Programmen, verkaufen die Informationen oder verbreiten Raubkopien und schleusen Computerviren in Rechner ein. Mit der Einführung des elektronischen Bezahlens von Waren in Datennetzen 1995 wächst die Gefährdung durch H.
→ Datenschutz → E-Cash → Internet → Online-Dienste → Softwarepiraterie

## Hamas

(arabisch; Begeisterung, zugleich Abk. für Harakat al-muqawama al-islamia, islamistische Widerstandsbewegung), die 1987 gegründete, militante islamisch-fundamentalistische Organisation in Palästina, die von Scheich Ahmed Jasin angeführt wird, will Israel zerstören und einen islamischen Staat gründen. Im Gegensatz zur politisch gemäßigten PLO lehnte H. das israelisch-palästinensische Autonomieabkommen vom September 1993 ab. Der militärische Arm der H., die Issedin-al-Kassem-Brigaden, verübten 1994/95 zahlreiche antiisraelische Terroranschläge.
Im April 1995 wies H. die Forderungen der palästinensischen Regierungsbehörden im Autonomiegebiet zurück, die Waffen abzugeben und den Friedensprozeß zu akzeptieren. Im November 1994 starben bei Auseinandersetzungen im Gazastreifen zwischen H.-Anhängern und der PLO-Chef Jasir Arafat unterstehenden Polizei 13 Personen, etwa 200 wurden ver-

**Hamas: Chronik des Terrors**

| Datum | Ereignis |
|---|---|
| 6. 4. 1994 | An einer Bushaltestelle in Afula tötet eine Bombe neun Menschen (rd. 50 Verletzte) |
| 13. 4. 1994 | Sechs israelische Zivilisten sterben bei einem Bombenanschlag in einem Linienbus in Hadera |
| 9. 10. 1994 | Hamas-Aktivisten töten in der Fußgängerzone von Jerusalem zwei Passanten (13 Verletzte) |
| 14. 10. 1994 | Fünf Tote bei Befreiungsversuch des entführten israelischen Soldaten Nachschon Wachsmann |
| 19. 10. 1994 | Eine Busbombe tötet in Tel Aviv 22 Menschen; Israel riegelt Gazastreifen und Westjordanland ab |
| 25. 12. 1994 | In Jerusalem sprengt sich ein Hamas-Aktivist in die Luft und verletzt 15 Menschen |
| 9. 4. 1995 | Bei zwei Selbstmordanschlägen auf jüdische Siedler im Gazastreifen sterben acht Menschen |

letzt. Es handelte sich um den schwersten Zwischenfall nach Beginn der palästinensischen Selbstverwaltung im Mai 1994.
→ Dschihad Islami → Hisbollah → Islam → Nahost-Konflikt → Palästinensische Autonomiegebiete → PLO

## Handelshemmnisse

→ Protektionismus

## Hanf

Aus Asien stammende Pflanze, deren Kulturform Faser-H. zur Herstellung von Segeltuch, Seilen, Papier und Textilien geeignet ist. 1995 empfahl das Bundesgesundheitsministerium die Aufhebung des Produktionsverbot für H. nach dem Betäubungsmittelgesetz. Bundeslandwirtschaftsminister Jochen Borchert (CDU) plante, ab 1996 den Anbau von H.-Sorten mit einem Gehalt bis zu 0,3% des Rauschmittelwirkstoffs Tetrahydrocannabiol (THC) für die Landwirtschaft freizugeben. Deutsche Bauern könnten bei einer Legalisierung wie Landwirte in Frankreich, Großbritannien und Spanien pro Hektar angepflanzten H. 428 DM Subventionen von der EU erhalten. H.-Anbau war 1995 verboten, weil eine hohe THC-Konzentration in der Wildform Indischer H. die Herstellung der Rauschmittel Haschisch und Marihuana zuläßt. Der im Faser-H. enthaltene 0,1–0,2%ige THC-Anteil ist zu niedrig für die Herstellung von Rauschmitteln. H., mit dem 1995 in der EU 10 000 ha bepflanzt waren, gehört zu den nachwachsenden Rohstoffen und kann ohne Verwendung von Pflanzenschutzmitteln angebaut werden.
→ Drogen → Nachwachsende Rohstoffe

## Hausarbeit

Die westdeutschen Bürger verbrachten Mitte der 90er Jahre jährlich neben der Erwerbsarbeit (55 Mrd Stunden) 77 Mrd Stunden mit unbezahlter Arbeit,

| Hausarbeit: Tagesablauf in Deutschland | | | |
|---|---|---|---|
| Tätigkeit | Durchschnittlicher Zeitaufwand pro Tag (Std) | | |
| | Jugendliche | Erwerbstätige | Rentner/innen |
| Arbeit, Aus- und Fortbildung | 4:32 | 6:30 | 0:08 |
| Hausarbeit, Ehrenämter | 1:28 | 2:48 | 5:06 |
| Medien, Sport, Kultur | 5:05 | 3:01 | 1:32 |
| Gespräche, Gesellligkeit | 1:18 | 1:25 | 1:32 |
| Schlafen, Essen, Körperpflege | 11:37 | 10:16 | 12:29 |

Quelle: Statistisches Bundesamt

die zu drei Vierteln aus H. besteht. Eine Studie des Statistischen Bundesamts zur Zeitverwendung in Westdeutschland ermittelte 1994 erstmals den volkswirtschaftlichen Wert von H. Das wöchentliche Arbeitspensum liegt bei Männern und Frauen bei durchschnittlich 50 Stunden. Frauen verbringen jedoch mit 35 Stunden pro Woche fast doppelt soviel Zeit mit H. wie Männer (19,5 Stunden). Die höchste Belastung haben vollzeiterwerbstätige Mütter mit Kindern. Sie arbeiten in Beruf und Haushalt zusammen rd. 11,5 Stunden täglich.
1992 wurde im Westen H. im Wert von 860 Mrd DM verrichtet (rd. 74% der Lohn- und Gehaltssumme). Wird der Wert zur volkswirtschaftlichen Gesamtrechnung hinzugezogen, ergibt sich 1992 eine Wirtschaftsleistung von 3974 Mrd DM, die um 41% über dem Bruttoinlandsprodukt liegt.
→ Bruttoinlandsprodukt → Frauen

## Hausarzt-Abonnement

Medizinisches Versorgungskonzept der Allgemeinen Ortskrankenkassen (AOK), bei dem sich der Versicherte für ein Jahr verpflichtet, im Krankheitsfall zunächst zu seinem Hausarzt zu gehen. Dieser führt die Behandlung durch bzw. überweist an Spezialisten. Mehrfachuntersuchungen durch verschiedene Fachärzte sollen vermieden und die Ausgaben der Krankenkassen

207

um 20% gesenkt werden. Im Gegenzug für den Verzicht auf die freie Ärztewahl soll der Beitrag des Versicherten um bis zu 17% gesenkt werden. Das H. soll ab Ende 1995 in Hamburg, Berlin und im Bodenseeraum erprobt werden.

**Hausarzt:** Als Hausärzte kommen die 1995 rd. 44 000 Allgemeinmediziner und die etwa 17 000 Internisten in Betracht. Beim H. sind sie für die kontinuierliche Behandlung der Patienten zuständig, für die Kooperation mit Fachärzten sowie medizinischen Diensten bei der Therapie und für die Zusammenführung sowie Dokumentation von Behandlungsdaten.

**Vergütung:** Hausärzte sollen nicht mehr für Einzelleistungen vergütet werden, sondern pro Quartal und behandeltem Patient eine Pauschale erhalten, die von einem Betrag für die Bereitstellung der üblichen Apparate in der Praxis ergänzt wird. Zusätzliche Honorare sind für Leistungen wie Betreuung Pflegebedürftiger, Maßnahmen zur ambulanten Rehabilitation und die zeitintensive Beratung chronisch Kranker vorgesehen.

**Kritik:** Der Ärzteverband Hartmannbund hielt das Einsparziel von 20% der Kosten für unrealistisch. Die Betriebskrankenkassen favorisierten das sog. Praxen-Netz-Modell, das eine weitere Einschränkung der freien Arztwahl bedeutet. Danach soll sich der Patient dazu verpflichten, ausschließlich die im Netz zusammengeschlossenen Haus- und Fachärzte sowie Zentren für ambulantes Operieren, Rehabilitationseinrichtungen usw. zu nutzen. Der Hausarzt koordiniert die Behandlung, direkter Datenaustausch zwischen den Anbietern im Netz soll möglich sein.

→ Gesundheitsreform → Krankenversicherungen

## Haushalte, Öffentliche

Einnahmen und Ausgaben des Staates. Trotz Ausgabenkürzungen und der bis dahin höchsten Steuer- und Abgabenlast für die Bürger von fast 50% des Einkommens überstieg die Verschuldung von Bund, Ländern und Gemeinden in Deutschland 1995 mit rd. 2100 Mrd DM die 2-Billionen-Marke. Die Deutsche Bundesbank forderte den Abbau von Subventionen und Sozialleistungen.

**Bundeshaushalt:** Mitte 1995 plante die CDU/CSU/FDP-Bundesregierung erstmals seit 1953 eine Verringerung der Ausgaben im Bundeshaushalt 1996 um 5,4% gegenüber dem Vorjahr auf 452 Mrd DM (Neuverschuldung: rd. 60 Mrd DM). Mit dem Jahressteuergesetz 1996 wollte sie die vom Bundesverfassungsgericht vorgeschriebene Freistellung des Existenzminimums von der Einkommensteuer erreichen. Der im Juni verabschiedete Bundeshaushalt 1995 hatte ein Volumen von 477,7 Mrd DM (Neuverschuldung: 49 Mrd DM).

**Länderhaushalte:** Die deutschen Bundesländer planten 1995 Ausgaben von 468 Mrd DM und rechneten mit Einnahmen von 433 Mrd DM. Ihre Verschuldung wird voraussichtlich um 8% gegenüber dem Vorjahr auf 518 Mrd DM ansteigen. Die Finanzausstat-

**Haushalte: Deutscher Bundeshaushalt 1995**

**Ausgaben (Mrd DM)**

Bau, Raumordnung **10,1**
Innenpolitik **8,5**
Außenpolitik **3,6**
Finanzministerium **11,5**
Entwicklungspolitik **8,1**
Umwelt, Naturschutz **1,4**
Gesundheit **0,8**
Landwirtschaft **12,6**
Justiz **0,7**
Zivile Verteidigung **0,6**
Post, Telekommunikation **0,4**
Subventionen für Unternehmen **12,7**
Sonstiges **25,7**
Beamtenpensionen **14,7**
Arbeit, Soziales **128,8**
Bildung, Forschung **15,5**
Schuldzinsen **88,0**
Verkehr **53,2**
Familien, Frauen **33,1**
Verteidigung **47,9**
**Summe: 477,7**

Stand: April 1995; Quelle: Bundesfinanzministerium
© Harenberg

## Öffentliche Haushalte: Entwicklung in Deutschland 1991–1994

| Haushalte | Einnahmen (Mrd DM)[1] | | | | Ausgaben (Mrd DM)[1] | | | |
|---|---|---|---|---|---|---|---|---|
| | 1991 | 1992 | 1993 | 1994 | 1991 | 1992 | 1993 | 1994 |
| Bund | 354,1 | 399,5 | 401,0 | 439,0 | 406,1 | 431,2 | 462,0 | 478,5 |
| Westdeutsche Bundesländer | 312,5 | 331,0 | 340,0 | 343,5 | 330,8 | 349,5 | 366,0 | 370,5 |
| Ostdeutsche Bundesländer | 67,4 | 75,0 | 79,5 | 83,0 | 77,9 | 88,0 | 95,5 | 99,5 |
| Westdeutsche Gemeinden | 222,9 | 240,5 | 252,0 | 259,5 | 228,9 | 250,5 | 261,0 | 265,0 |
| Ostdeutsche Gemeinden | 50,2 | 56,5 | 62,0 | 60,0 | 48,2 | 64,5 | 67,0 | 66,0 |
| Bund, Länder und Gemeinden[2] | 850,4 | 956,0 | 984,5 | 1042,5 | 972,1 | 1066,0 | 1117,5 | 1148,5 |
| Sozialversicherungen[3] | 563,0 | 621,0 | 672,5 | 705,0 | 548,6 | 628,0 | 668,5 | 706,5 |
| Öffentliche Haushalte insgesamt[4] | 1343,5 | 1499,5 | 1558,5 | 1653,0 | 1451,0 | 1616,5 | 1688,0 | 1761,0 |

Stand: April 1995; 1) Zahlen ab 1992 z. T. vorläufig; 2) inkl. kommunale Zweckverbände und Sonderhaushalte des Bundes; 3) gesetzliche Renten-, Kranken- und Unfallversicherung, Bundesanstalt für Arbeit, landwirtschaftliche Alterskassen, Zusatzversorgung für den öffentlichen Dienst; 4) bereinigt um Zahlungen von Bund, Ländern und Gemeinden an die Sozialversicherungen; Quelle: Deutsche Bundesbank

tung pro Einwohner der ostdeutschen Bundesländer wird über den ab 1995 auf sie ausgedehnten Finanzausgleich durch Bund und Westländer auf 95% des Bundesdurchschnitts angehoben. Sie erhalten 1995 durch den Länderausgleich 24 Mrd DM (ohne Berlin), hinzu kommen 15 Mrd DM ergänzende Zuweisungen vom Bund.
→ EU-Haushalt → Gemeindefinanzen (Tabelle) → Sozialabgaben (Tabelle) → Staatsverschuldung (Tabelle) → Steuern (Tabelle) → Subventionen → Wirtschaftsförderung-Ost

## Heizung

Im Dezember 1994 legte die CDU/CSU/FDP-Bundesregierung einen Verordnungsentwurf zur Verringerung von Wärmeverlust und Schadstoffausstoß bei Öl- und Gas-H. vor (Kleinfeuerungsanlagen). Drei Viertel der in deutschen Privathaushalten verbrauchten Energie entfiel Mitte der 90er Jahre auf Heizwärme.
**Grenzwerte:** Der Entwurf stellt neue Grenzwerte auf:
▷ Heizkessel mit einer Leistung bis zu 25 kW dürfen nicht mehr als 11% Abwärme über den Schornstein abgeben. Dies betrifft die meisten Privathaushalte
▷ Bis zu 50 kW sind 10%, bei höherer Leistung 9% erlaubt.
Bis 1995 durfte 15% der Wärme ent-

weichen. Erstmals wurden für H. mit bis zu 70 kW Leistung Grenzwerte für Stickstoffemissionen festgelegt: 80 mg (Erdgas) bzw. 120 mg (Heizöl) je kWh Energie.
**Energiesparen:** Für Häuser gelten folgende Sparmaßnahmen als sinnvoll:
▷ Wärmeschutz durch bessere Dämmung, Doppelverglasung und passive Nutzung der Sonnenenergie. Ab 1995 gilt eine neue Wärmeschutzverordnung mit dem Ziel, den Energieverbrauch bei Neubauten um 25–30% zu drosseln
▷ Kombi-Heizanlage, die neben Strom auch Wärme erzeugt (sog. Kraft-Wärme-Kopplung)
▷ Mit Erdgas befeuerter sog. Brennwertkessel, der Abgasen und Dampf, die bei der Verbrennung entstehen, Wärme entzieht (Brennstoffeinsparung: 25%)
▷ Wärmepumpe, die Restwärme von Wasser, Luft und Erde als Energiequelle nutzt (Bestand Ende 1994:

## Heizung in deutschen Wohnungen

| Energieträger | Anteil (%) | |
|---|---|---|
| | West | Ost |
| Heizöl | 43 | 7 |
| Gas | 35 | 17 |
| Fernwärme | 8 | 25 |
| Strom | 8 | 3 |
| Kohle | 6 | 48 |

Quelle: Esso AG

50 000). Die Hauptberatungsstelle für Elektrizitätsanwendung gibt die Einsparung durch Elektrowärmepumpen gegenüber einer Öl-H. mit 10–45% an

▷ Wohnungslüftung mit Wärmerückgewinnung. Feuchte, verbrauchte Innenluft wird nach Wärmeentzug ab-, frische Außenluft kontinuierlich zugeleitet.

Der Energieverbrauch in Wohngebäuden könnte nach Schätzung der Klima-Enquete-Kommission des Bundestags um 70–90% gesenkt werden (öffentliche Gebäude und Betriebe: 30–50%).

## Hepatitis

Leberentzündung mit Schädigung und Funktionseinschränkungen der Leberzellen, die in drei Typen auftritt. Typ A wird u. a. durch mit Fäkalien verunreinigtes Trinkwasser übertragen, der Mensch erkrankt i. d. R. sechs bis 42 Tage nach der Ansteckung. Der Kontakt mit infektiösem Blut aus einer Wunde oder bei Transfusionen löst Typ B aus. Seit 1988 ist der C-Virus bekannt, der u. a. durch Blut übertragen wird. Das Bundesforschungsministerium förderte die C-Forschung 1994–1997 mit 4,1 Mio DM.

**A und B:** Nur etwa ein Viertel der an Typ A Erkrankten verspürt Symptome wie Druck unter dem rechten Rippenbogen, Ekel vor Fett und Gelbsucht. Typ A. heilt i. d. R. von selbst, wird nie chronisch und ist nur selten tödlich. Bei Typ B verlaufen rd. 10% der Infektionen chronisch, bei einigen kommt es zur Leberschrumpfung. Die Todesrate liegt höher als bei Typ A. Gegen Typ A und B bieten Impfungen Schutz.

**Typ C:** Nach Schätzungen waren Mitte der 90er Jahren weltweit mehr als 100 Mio Menschen mit H. Typ C infiziert, in Europa waren es 4 Mio, in Deutschland rd. 150 000. Chronisch verläuft eine Infektion in 50–80% der Fälle, bei rd. 20% der Erkrankten kommt es zu einer Leberzerstörung (Zirrhose), bei einigen zu Leberkrebs. In Deutschland starben Mitte der 90er Jahre nach

Schätzungen 5000 Menschen pro Jahr an H. Typ C.

**Übertragung und Behandlung:** Ein Drittel der mit H. Typ C Infizierten steckte sich bei Bluttransfusionen an, ein Fünftel beim Drogenkonsum mit verunreinigten Spritzen. Als Infektionsquellen wurden zudem Tätowierungen, Geschlechtsverkehr, die Übertragung von Mutter auf Embryo, Dialyse und Organtransplantation angenommen. 1995 stand nur ein Medikament, Interferon alpha, gegen Typ C zur Verfügung. Eine Impfung gab es nicht.

**Bluter:** Hämophile Patienten, die auf Bluttransfusionen mit gerinnungsfördernden Stoffen angewiesen sind, erkrankten in Deutschland in den 80er Jahren nahezu alle an H. Typ B und C, weil Verfahren zum Abtöten von Viren in Blutpräparaten nicht angewendet wurden. In Deutschland wurde die Inaktivierung ab 1985 vorgeschrieben, in der Ex-DDR infizierten sich bis zur Einführung der Inaktivierung im März 1990 rd. 90% der Bluter.

→ Blutpräparate

## Hermes-Bürgschaften

Staatliche Risikoabsicherung von Exportgeschäften durch die Hermes-Exportkredit-Versicherung und die Treuarbeit. Die seit 1949 bestehende Einrichtung zur Förderung des deutschen Außenhandels machte seit Beginn der internationalen Schuldenkrise 1982 jährlich Defizite. Durch Rückzahlungen von Krediten in Höhe von 2,3 Mrd DM (1993: 860 Mio DM) sank das Defizit 1994 gegenüber dem Vorjahr um 700 Mio DM auf 4,4 Mrd DM. Etwa die Hälfte (3,9 Mrd DM) der Schadenszahlungen entfiel 1994 auf Geschäfte mit Abnehmern in GUS-Staaten.

**Exportförderung:** 1994 übernahm die Bundesregierung H. für Auftragswerte von 33,4 Mrd DM (Veränderung gegenüber 1993: –1%). Eine Reform der Gebühren für H. zum 1. 7. 1994 staffelte den Eigenbeitrag deutscher Firmen nach Länderrisiken, d. h. nach der Zah-

| Hepatitis: Todesfälle in Deutschland | | |
|---|---|---|
| Jahr[1] | Typ A | Typ B |
| 1985 | 24 | 162 |
| 1986 | 11 | 126 |
| 1987 | 20 | 146 |
| 1988 | 11 | 164 |
| 1989 | 17 | 160 |
| 1990 | 17 | 146 |
| 1991 | 18 | 178 |
| 1992 | 13 | 173 |
| 1993 | 14 | 157 |

1) Bis 1989 Westdeutschland; Quelle: Statistisches Bundesamt

lungsmoral der Schuldner. Bis dahin galten für alle Staaten einheitliche Versicherungssummen. H. für Exporte nach den risikoarmen Wachstumsmärkten in Südostasien wurden billiger, Versicherungen für Lieferungen in die Staaten Osteuropas verteuerten sich aufgrund der Zahlungsschwierigkeiten dieser Länder. In Deutschland hängen 225 000 Arbeitsplätze von H. ab.
**Kritik:** Entwicklungshilfeorganisationen kritisierten, daß bei der Vergabe von H. nicht auf entwicklungspolitische Aspekte geachtet würde. Gewinnträchtige Auslandsgeschäfte kämen privaten Firmen zugute, Verluste gingen zu Lasten der Staatskasse. H. würden indirekt zur weiteren Verschuldung der sog. Dritten Welt beitragen, da der Bund die ausstehende Summe auf die Entwicklungshilfe anrechnet.
**OECD-Abkommen:** Mitte 1994 einigten sich die EU sowie neun weitere OECD-Staaten auf eine Reform des Exportkredit-Abkommens von 1978. Die neue Regelung verbietet ab September 1995 staatliche Zinssubventionen für kommerzielle Kredite und soll Wettbewerbsgleichheit bei staatlich unterstützten Exportkrediten herstellen.
→ Außenwirtschaft → Entwicklungspolitik → Schuldenkrise

## Herz-Kreislauf-Erkrankungen

Mitte der 90er Jahre waren Herzinfarkt, Schlaganfall, Hirnschlag, Gefäßerkrankungen im Gehirn und an den Nieren sowie weitere H. unverändert häufigste Todesursache in Deutschland vor Krebs. Erstmals gelang es im April 1995 am Deutschen Herzzentrum in Berlin, eine chronische Herzschwäche mit Hilfe eines Kunstherzens zu heilen.
**Kunstherz:** Dem 38jährigen Patienten wurde ein Kunstherz unter die Bauchdecke implantiert. Es entlastete das Herz des Mannes, das sich erholte und seine Funktionen wieder übernehmen konnte. Nach 160 Tagen konnte das Kunstherz entfernt werden. Das Pumpsystem wurde bis dahin i. d. R. zum

### Hermes-Bürgschaften: Ziele deutscher Exporte

| Jahr | Neugedeckte Exporte (Mrd DM) | | | |
|------|------|------|------|------|
| | OPEC | Mittel-, Osteuropa | Entwicklungs-länder | Industrie-länder |
| 1990 | 6,6 | 4,3 | 10,8 | 5,0 |
| 1991 | 8,9 | 11,2 | 13,3 | 4,4 |
| 1992 | 11,1 | 11,8 | 12,8 | 3,5 |
| 1993 | 4,5 | 8,1 | 17,5 | 3,6 |
| 1994 | 6,0 | 4,4 | 19,5 | 3,5 |

Quelle: Hermes-Kreditversicherungs-AG

Überbrücken der Wartezeit auf ein Spenderherz eingesetzt. Mit dem Verfahren könnten rd. 300 Herztransplantationen pro Jahr vermieden werden.
**WHO-Studie:** Vorläufigen Ergebnissen der Monica-Studie zufolge, bei der im Auftrag der Weltgesundheitsorganisation (WHO, Genf) Trends und Einflüsse bei H. weltweit erforscht werden, war das Herzinfarktrisiko in nordeuropäischen Ländern bis zu zehnmal höher als in südeuropäischen. Männer waren durchschnittlich vier- bis fünfmal mehr gefährdet als Frauen. Die deutschen Fallzahlen rangierten im unteren Drittel des weltweiten Vergleichs. Die niedrigsten Raten wiesen China, Spanien und Frankreich auf.
**Risikofaktoren:** Laut Monica-Studie war der Trend in Deutschland für Frauen und Männer unterschiedlich. Während die Zahl der Infarkte bei Männern 1985–1992 abnahm, stieg sie bei Frauen an. Als wichtigsten Risikofaktor vermuteten die Ärzte das Rauchen. Die Zahl der männlichen Raucher nahm im Untersuchungszeitraum ab, während die der Raucherinnen wuchs. Zudem wurde die Doppelbelastung von berufstätigen Müttern als Risiko in Betracht gezogen.
**Sexismus in der Behandlung:** Wissenschaftler aus den USA und Schweden kritisierten Mitte der 90er Jahre, daß Frauen bei Infarkten seltener mit aufwendigen Maßnahmen behandelt werden als Männer. Sie würden bei gleichen Herzinfarktsymptomen später ins Krankenhaus eingewiesen als Männer, so daß es z. B. zu spät sei für die medikamentöse Auflösung des

### Hermes-Bürgschaften: Auszahlungen

| Jahr | Betrag (Mio DM) |
|------|------|
| 1985 | 1765 |
| 1986 | 1929 |
| 1987 | 2321 |
| 1988 | 2277 |
| 1989 | 2490 |
| 1990 | 3239 |
| 1991 | 2901 |
| 1992 | 3360 |
| 1993 | 6777 |
| 1994 | 7432 |

Quelle: Hermes-Kreditversicherungs-AG

### Herz-Kreislauf-Erkrankungen: Todesfälle

| Jahr[1] | Todesfälle |
|------|------|
| 1985 | 358 990 |
| 1986 | 351 316 |
| 1987 | 342 669 |
| 1988 | 341 428 |
| 1989 | 342 000 |
| 1990 | 346 887 |
| 1991 | 455 774 |
| 1992 | 437 240[2] |
| 1993 | 440 896 |

1) Bis 1989 Westdeutschland; 2) Anstieg beruht z. T. auf genaueren Angaben; Quelle: Statistisches Bundesamt

blockierenden Blutpfropfens im Herzen. Nur halb so oft wurden Untersuchungen des Herzens und der Kranzgefäße mit Katheter und Kontrastmitteln vorgenommen, seltener wurden verstopfte Herzgefäße überbrückt (Bypass). US-Statistiken zufolge sterben 45% der Frauen im ersten Jahr nach einem Infarkt, aber nur 10% der Männer.

## Hilfsorganisationen

→ NGO

## Hisbollah

(arab.; Partei Gottes), radikale Partei und militärische Organisation islamischer Fundamentalisten. Die proiranische H. unter Generalsekretär Hassan Nasrallah verfügt über zwölf Sitze im libanesischen Parlament und 4000 bewaffnete Kämpfer. Die 1982 während der israelischen Invasion im Libanon entstandene Organisation besteht aus Schiiten, Anhängern der kleineren der beiden Hauptkonfessionen des Islam. Zu den Zielen der H., die 1975–1991 am libanesischen Bürgerkrieg beteiligt war, gehören die Errichtung eines islamischen Gottesstaates im Libanon nach dem Vorbild des Iran und die Zerstörung des israelischen Staates. Die H. plante 1994/95, durch verstärkte Angriffe den Friedensprozeß zwischen Israel und seinen arabischen Nachbarn scheitern zu lassen.
Bei einer israelischen Attacke kam im März 1995 nahe Tyrus der H.-Kommandeur Rida Jassin ums Leben. Im Gegenzug feuerte die H. 30 Raketen auf den Norden Israels. Im Juni starben die Kommandeure Khalil Said und Ali al-Asad nach Bombenattentaten.
→ Dschihad Islami → Hamas → Islam → Nahost-Konflikt → PLO

## Hochgeschwindigkeitszüge

Bei steigendem Verkehr planten Mitte der 90er Jahre weltweit Staaten Schnellbahnnetze. Über 200 km/h

| Hochgeschwindigkeitszüge: Rekordfahrten | | |
|---|---|---|
| Zug/Land | Geschwindigkeit (km/h) | Jahr |
| TGV/Frankreich | 515 | 1990 |
| Shinkansen/Japan | 413 | 1993 |
| ICE/Deutschland | 407 | 1988 |

schnelle Züge mit hohem Komfort sollen eine umweltschonende Alternative zum Auto- und Luftverkehr bieten. Um Aufträge bis 20 Mrd DM konkurrierten der französische TGV (Train à Grande Vitesse, franz.; Hochgeschwindigkeitszug), der deutsche ICE (InterCityExpress), der japanische Shinkansen (japanisch; Geschoß) und der schwedische Neigezug X-2000.
**Deutschland:** Der ICE mit zwei Triebköpfen an den Enden verkehrt in Deutschland mit bis zu 280 km/h seit 1991. Der Energieverbrauch beträgt nach Bahnangaben pro Fahrgast umgerechnet 2,5 l Benzin auf 100 km (durchschnittliche Auslastung der Züge: 47%). Das Auto benötige 6 l (Auslastung: 42,5%), das Flugzeug 6,7–10,5 l (60%). Ende 1994 bestellte die Deutsche Bahn die dritte Generation des ICE, den ICE 2/2 (Auslieferung 1998/99). Die 50 Einheiten sind Triebwagenzüge, bei denen die Antriebsmotoren unter dem Zug verteilt sind. Der Zug wird leichter und schneller. Bei Bedarf können zwei Züge gekoppelt werden. ICE 2 soll ab 1997 geliefert werden. Er ist halb so lang wie der ICE und hat nur einen Triebkopf.
**Ausland:** In Frankreich ist der TGV seit 1981 im Einsatz und verkehrt mit bis zu 300 km/h. Er stellte 1990 mit 515,3 km/h den Geschwindigkeitsweltrekord für H. auf. In Japan nahm der Shinkansen den Betrieb 1964 auf.
**Export:** Die Hersteller der H. bewarben sich insbes. um folgende Aufträge:
▷ In Europa werden zwischen Paris, London, Brüssel/Belgien, Amsterdam/Niederlande und Köln die Kernstrecken des Schnellbahnnetzes 1998 mit TGV-Zügen bedient, die als sog. Eurostar ab 1994 auch

den Kanaltunnel durchqueren; das spanische Netz wird von Zügen auf TGV-Basis befahren (AVE, Alta Velocidad Española, span.; Spanische Hochgeschwindigkeit)

▷ In den USA konkurrierten für die Verbindung New York–Washington und für Schnellbahnprojekte in Florida und Kalifornien ICE, X-2000, TGV und die Magnetschnellbahn Transrapid

▷ Die Konkurrenten um Aufträge in Taiwan und China waren ICE, TGV und Shinkansen

Bei einem Schnellbahnauftrag in Korea-Süd setzte sich die TGV-Firmengruppe 1994 gegen die Mitbewerber ICE und Shinkansen durch.

→ Autoverkehr → Bahn, Deutsche → Kanaltunnel → Luftverkehr → Neigezüge → Schnellbahnnetz → Transrapid

## Hochschulen

Größtes Problem der deutschen H. war in den 90er Jahren ihre Überlastung: Den 1,87 Mio Studenten standen im WS 1994/95 lediglich 910 000 Studienplätze zur Verfügung. Die Hochschulrektorenkonferenz forderte die Bundesregierung auf, die Mittel für den Hochschulausbau von 1,8 Mrd DM 1995 auf 2,5 Mrd DM 1996 zu steigern. Bundesbildungsminister Jürgen Rüttgers (CDU) lehnte eine Steigerung der Bundesausgaben für die H. ab. Mittel für den Hochschulbau wollte er ab 1996 durch die Umstellung von zinslosen auf verzinste Darlehen beim BAföG gewinnen. Das Institut der deutschen Wirtschaft (IW, Köln)

### Hochschulen: Größte deutsche Universitäten

| Hochschule | WS 1994/95 | | WS 1993/94 | |
|---|---|---|---|---|
| | Studenten | Anfänger[1] | Studenten | Anfänger[1] |
| München | 60 106 | 5 672 | 62 330 | 6 004 |
| FU Berlin | 54 316 | 4 165 | 59 602 | 4 557 |
| Köln | 53 486 | 6 373 | 50 731 | 6 540 |
| Münster | 43 805 | 5 034 | 43 565 | 4 970 |
| Hamburg | 43 276 | 4 979 | 46 344 | 5 323 |
| Frankfurt/M. | 37 520 | 4 291 | 36 073 | 4 284 |
| Bochum | 37 145 | 3 688 | 36 364 | 3 944 |
| Bonn | 36 866 | 4 063 | 36 656 | 4 286 |
| TU Berlin | 36 353 | 2 838 | 38 155 | 3 267 |
| TH Aachen | 35 380 | 3 011 | 36 942 | 3 470 |

1) WS und SS; Quelle: Hochschulrektorenkonferenz (Bonn)

### Hochschulen: Unbesetzte Professorenstellen

| Bundesland | Freie Stellen | Anteil[1] | Studenten[2] |
|---|---|---|---|
| Baden-Württemberg | 355 | 8% | 229 094 |
| Bayern | 136 | 9% | 252 739 |
| Brandenburg | 273 | 38% | 140 611 |
| Bremen | 24 | 4% | 27 082 |
| Hamburg | 162 | 9% | 68 173 |
| Hessen | 345 | 10% | 158 023 |
| Mecklenburg-Vorp. | 328 | 37% | 17 069 |
| Niedersachsen | 400 | 10% | 158 695 |
| Nordrhein-Westfalen | k. A. | k. A. | 509 385 |
| Rheinland-Pfalz | 72 | 4% | 80 012 |
| Saarland | 49 | 11% | 24 605 |
| Sachsen | 282 | 13% | 62 828 |
| Sachsen-Anhalt | 621 | 50% | 23 336 |
| Schleswig-Holstein | 150 | 14% | 45 887 |
| Thüringen | 412 | 38% | 25 283 |

Stand: WS 1994/95; 1) der freien Stellen an Professuren je Bundesland; 2) ohne Verwaltungsfachhochschulstudenten; Quellen: Focus, 5. 12. 1994, Hochschulrektorenkonferenz (Bonn)

### Hochschulen: Entwicklung der Studentenzahlen

| Hochschulart | Studenten Westdeutschland[1] | | | Studenten Ostdeutschland[1][2] | | |
|---|---|---|---|---|---|---|
| | 1992/93 | 1993/94 | 1994/95 | 1992/93 | 1993/94 | 1994/95 |
| Universitäten[3] | 1 161 592 | 1 183 414 | 1 182 872 | 205 389 | 219 682 | 222 506 |
| Fachhochschulen[4] | 336 647 | 346 650 | 348 858 | 32 293 | 44 214 | 51 798 |
| Sonstige Hochschulen[5] | 20 964 | 21 934 | 21 965 | 10 492 | 10 581 | 10 708 |
| Insgesamt | 1 519 203 | 1 551 998 | 1 553 695 | 248 174 | 274 477 | 285 012 |

1) WS; 2) inkl. Berlin; 3) inkl. Pädagogische Hochschulen; 4) ohne Verwaltungshochschulen (rd. 50 000 Studenten, davon etwa 10 000 in Ostdeutschland); 5) Kunst-, Musik-, Theologische und Kirchliche Hochschulen; Quelle: Hochschulrektorenkonferenz (Bonn)

## Höhlenmalerei: Bedrohte Felsbilder

Ein Staudammprojekt (Fertigstellung: 1998) gefährdet ca. 150 Tiergravuren im Côa-Tal in Nordost-Portugal (Alter: rd. 15 000 Jahre), die auf einer Länge von 10 km auf fast senkrechten Felswänden angebracht sind. Die Bilder gelten als die bedeutendsten prähistorischen Freilichtmalereien in Europa. Sie wurden 1993 entdeckt, jedoch erst im November 1994 der Öffentlichkeit bekannt.

In der Höhle von Combe d'Arc sind neben punktierten Flächen und Handabdrücken rd. 300 Tierbilder zu sehen, meist Nashörner, Bisons, Pferde und – im Unterschied zu anderen prähistorischen Höhlenmalereien – Eulen und Raubtiere.

berechnete für 1980–1993 einen preisbereinigten Rückgang der Bildungsausgaben pro Student in Westdeutschland um 13% auf 18 772 DM pro Jahr. **Studienanfänger:** Seit 1990 geht die Zahl der Erstsemesterstudenten zurück. Im WS 1994/95 sank sie gegenüber dem Vorjahr um 2,8% auf 221 000. Nur 36% der Abiturienten entschieden sich Mitte der 90er Jahre für ein anschließendes Hochschulstudium. Ein Grund waren die hohen Kosten von durchschnittlich 91 000 DM für ein Studium. Lediglich rd. 400 000 Studenten, etwa ein Fünftel, erhielten BAföG. Auch verschlechterten sich die Berufsaussichten für Akademiker: 1993 gab es durchschnittlich 15 Bewerber auf eine offene Stelle in Akademikerberufen (1980: drei). **Studienzeit:** Nur 10% der Studenten schlossen nach Angaben des Wissenschaftsrates 1994 ihr Studium in der Regelstudienzeit von neun oder zehn Semestern ab; die durchschnittliche Studiendauer lag bei zwölf bis 13 Semestern. Viele Studenten konnten die Lehrpläne nicht in der vorgesehenen Zeit erfüllen, da Kurse überfüllt waren oder nur selten angeboten wurden. Hinzu kam die mangelnde materielle Absicherung der Studenten. Etwa zwei Drittel der Studenten waren 1995 nach Angaben des Deutschen Studentenwerks (Bonn) erwerbstätig. Gegen Studenten, die die Regelstu-

dienzeit deutlich überschritten, verhängten Universitäten 1994/95 Studiengebühren (z. B. in Berlin) oder exmatrikulierten sie (z. B. in Freiburg/Br. ab 40 Semestern Studium). **Qualität der Lehre:** Die Überlastung der H. führte zu schlechter Lehrqualität und mangelnder Betreuung. Kritiker bemängelten, daß durch fehlende Stellen für wissenschaftlichen Nachwuchs die Qualität der Lehre sinke. Der Anteil der Professoren im Alter über 50 Jahre betrug 1994 in Deutschland etwa 70% (1977: 29,3%). Mit Wiederbesetzungssperren von bis zu einem Jahr (Nordrhein-Westfalen) für Professorenstellen, die durch Pensionierung frei wurden, wollten Landesregierungen Einsparungen erreichen. **Zugang:** Niedersachsen bereitete Anfang 1995 eine Bundesratsinitiative vor, die besonders qualifizierten Krankenschwestern ohne Abitur ein Medizinstudium ermöglichen soll. Ende 1994 beschloß die Kultusministerkonferenz, für alle Bundesländer zu vereinheitlichen, welche Abschlüsse der allgemeinen oder beruflichen Weiterbildung zum H.-Studium berechtigen.
→ Abitur → BAföG → Schule

## Höhlenmalerei

Ende 1994 wurden in der südfranzösischen Region Combe d'Arc (Departement Ardèche) steinzeitliche H. entdeckt (Alter: 30 000–32 000 Jahre). Sie gelten neben Lascaux/Frankreich (Dordogne) und Altamira/Spanien (Provinz Santander) als die bedeutendsten H. in Europa. Als außergewöhnlich werden die künstlerische Ausdruckskraft, die Exaktheit der Darstellung und der intakte Zustand der H. bewertet. Die Höhle ist für die Öffentlichkeit gesperrt. Die französische Regierung will die H. als UNESCO-Weltkulturerbe anerkennen lassen. In Europa sind 280 Höhlen und sechs Freiflächen mit Malereien (z. B. Skandinavien) bekannt. Steinzeitliche Felsbilder gibt es in allen Erdteilen.
→ Weltkulturerbe

## Holocaust-Denkmal

(holocaust, engl.; Massenvernichtung), das geplante Berliner Denkmal für die von den Nationalsozialisten ermordeten Juden Europas soll ab 1996 auf dem rd. 20 000 m² großen Freigelände an der Ebertstraße nahe dem Brandenburger Tor entstehen und bis zum Umzug von Regierung und Parlament nach Berlin (1998–2000) fertiggestellt sein. Bauherren sind der Bund, das Land Berlin und der Förderkreis zur Errichtung eines H. Die Baukosten von rd. 16 Mio DM sollen z. T. durch Spenden gedeckt werden, der Bund und das Land Berlin stellten jeweils 5 Mio DM zur Verfügung.

Die Jury des künstlerischen Wettbewerbs für das H. entschied sich im Juni 1995 für den Entwurf eines Berliner Künstlerkollektivs um die Malerin Christine Jackob-Marks. Die Bundesregierung und der Berliner Senat distanzierten sich von dem preisgekrönten Modell und verschoben die endgültige Entscheidung.

Das Berliner Künstlerkollektiv schlägt eine monumentale Grabplatte (Kantenlängen: jeweils 100 m, Dicke: 7 m) vor, die bis auf eine Höhe von 11 m ansteigt. 18 Steinblöcke stehen für die Länder, in denen Juden ermordet wurden. Auf der dunklen Grabplatte sollen die Namen und das Alter von 4,2 Mio ermordeten Juden eingraviert werden. Die Kosten für diesen Entwurf wurden auf rd. 30 Mio DM geschätzt.

## Homosexualität

Homosexuellenverbände und -organisationen forderten 1995 Maßnahmen zur sozialen und rechtlichen Gleichstellung von Homosexuellen. Sie kritisierten die berufliche Diskriminierung, die rechtlichen Benachteiligungen für gleichgeschlechtliche Partnerschaften und die gesellschaftliche Ausgrenzung.

**Arbeitsrecht:** Das Bundesarbeitsgericht entschied im Juni 1994, daß H. als Kündigungsgrund unwirksam ist.

Auch in der Probezeit dürfe die geschlechtliche Orientierung nicht zur Vertragsbeendigung führen. Die Menschenwürde sei höher zu bewerten als die Vertragsfreiheit des Arbeitgebers.

**Mietrecht:** Anfang 1995 kündigte Bundesjustizministerin Sabine Leutheusser-Schnarrenberger (FDP) einen Gesetzentwurf an, der die Benachteiligung homosexueller Paare im Mietrecht beseitigen soll. Im Fall des Todes eines Partners soll der andere einen rechtlichen Anspruch auf die Übernahme des Mietvertrags erhalten.

**Werbung:** Mitte der 90er Jahre entdeckte die US-amerikanische Werbebranche Homosexuelle als finanzkräftige Zielgruppe. Ein Meinungsforschungsinstitut schätzte die Kaufkraft der rd. 18,5 Mio Homosexuellen in den USA auf ca. 500 Mrd Dollar (704 Mrd DM). Das durchschnittliche Haushaltsjahreseinkommen lag mit 55 430 Dollar (78 040 DM) um rd. 72% über dem US-Durchschnitt.

Ebenso wie in Deutschland war 1995 in Rußland (Bild) die Eheschließung für gleichgeschlechtliche Paare verboten. Nach Dänemark und Norwegen legitimierte Schweden zum 1. 1. 1995 die Ehe zwischen Homosexuellen gesetzlich.

## Hongkong

Britische Kronkolonie an der südchinesischen Küste, aufgrund eines Pachtvertrags zwischen Großbritannien und China (1898), der die sog. New Territories, das Hinterland der Halbinsel Kowloon und zahlreiche Inseln im Südchinesischen Meer umfaßt, für 99

215

**Hongkong**

VR CHINA
Shenzhen

Panling

Yuen Long
Tai Po

Tuen Mun NEW TERRITORIES
Tsuen Wan Sha Tin

Kowloon
Kai Tak
Chek Lap Kok Victoria Junk
Neuer Flughafen Bay Süd-
Lantau HONGKONG
chinesisches
Lamma Meer
0 20 km

Seit 1842 in britischem Besitz

Seit 1860 in britischem Besitz

Bis 1997 an Großbritannien
verpachtet

© Harenberg

**Hongkong: Gouverneur**

**Christoper Patten**
* 12. 5. 1944 in Cleveleys (Lancashire/ Großbritannien). 1974 –1979 Direktor des Planungsstabs der Konservativen Partei. 1989 Umweltminister, 1990 Generalsekretär der Konservativen Partei. 1992 Gouverneur der Kronkolonie.

Jahre britischer Herrschaft unterstellt. Großbritannien und die Volksrepublik China vereinbarten 1984 die Rückgabe des gesamten, 1071 km$^2$ großen Territoriums von H. an China zum 1. 7. 1997. Damit erlöschen auch die britischen Rechte an der Insel H. und der Halbinsel Kowloon, die unabhängig vom H. bestanden. Im Gegenzug garantierte das kommunistische China, das kapitalistische Wirtschafts- und Gesellschaftssystem von H. für weitere 50 Jahre nicht anzutasten.

**Wahlen:** Aus den Bezirksratswahlen im September 1994, den ersten Wahlen nach der im Juni 1994 abgeschlossenen demokratischen Wahlrechtsreform, gingen die Befürworter einer demokratischen Entwicklung als Sieger hervor. Erstmals wurden sämtliche 364 Vertreter direkt in die 18 Bezirks-

räte gewählt. Die Demokratische Partei gewann 77 Mandate und das Bündnis für Demokratie und Volksauskommen 29. Die stärkste Peking-orientierte Partei, das Demokratische Bündnis für die Verbesserung von H., erreichte 37 Mandate. Bei den Kommunalwahlen im März 1995 wurde die Demokratische Partei mit 23 von 59 Sitzen stärkste Partei. Beobachter sehen im Wahlausgang ein Stimmungsbarometer für die im September 1995 anstehende Wahl zum Gesetzgebenden Rat. **Peking übt Druck aus:** Die Wahlrechtsreform, die auf eine Initiative des britischen Gouverneurs Christopher Patten zurückgeht, stieß auf den Widerstand Pekings. Im Dezember 1994 beschloß Chinas Regierung die Einsetzung einer Übergangslegislative ab Juli 1997.

**Großprojekte:** Im November 1994 einigten sich China und Großbritannien über die Finanzierung des mit 30,4 Mrd DM größten und teuersten Flughafenprojekts der Welt. China nutzte sein Vetorecht gegenüber dem im Bau befindlichen Großflughafen Chek Lap Kok bis dahin als Faustpfand gegen Pattens Demokratisierungsbemühungen. Beide Seiten einigten sich darauf, daß die Regierung der Kronkolonie 11,5 Mrd DM zur Finanzierung beisteuern soll. Der Flughafen ist Bestandteil eines zehn Projekte umfassenden sog. Masterplans, mit dem die Infrastruktur verbessert werden soll. Vorgesehen ist u. a. der Bau der Satellitenstadt Tung Chung, ein dritter unterirdischer Durchstich zwischen Kowloon und Hongkong Island sowie das Aufschütten von Landflächen.

## Hot Bird 1

Rundfunksatellit zur Verbreitung von Hörfunk- und Fernsehprogrammen in Mitteleuropa, Nordafrika und einigen osteuropäischen Ländern. Im Mai 1995 startete H. als zweiter Satellit der von 44 europäischen Telekommunikationsunternehmen getragenen Betreibergesellschaft Eutelsat, die das

| Sitze | Wahlmodus |
|-------|-----------|
| | **Hongkong: Wahlmodus für den 17. 9. 1995** |
| 30 | Direktwahl der Berufsständevertetung (vorher 21 Sitze) |
| 20 | Direktwahl (vorher 18) durch alle Einwohner über 18 Jahre |
| 10 | Indirekte Wahl durch die im September 1995 ebenfalls zu wählenden Gemeinderäte |

Kanalangebot des Vorgängersatelliten Eutelsat II-F 1 (seit 1990) mit H. auf 32 verdoppelte. Bis 1997 sind H. 2 und 3 mit weiteren 32 Kanälen auf gleicher Allposition geplant, die wie das in Europa marktführende Konkurrenzsystem Astra alle mit einer Satellitenantenne und Zusatzgerät zur Entschlüsselung der Satellitensignale zu empfangen sind.

1994 wuchs die Zahl der deutschen Satellitenhaushalte im Vergleich zu 1993 mit 18,6% stärker als die der Kabelhaushalte (+16,3%), weil über Satellit mehr Programme zu sehen waren und keine monatlichen Gebühren wie beim Kabelanschluß anfielen. Die Kanäle von H. waren Mitte 1995 vergeben (Jahresmiete pro Kanal 1995: 7,2 Mio DM, Astra-Satelliten: rd. 12 Mio DM). Die Umrüstung einer Astra-Anlage für den Empfang von Astra 1 D und gleichzeitig für H. kostete Mitte 1995 rd. 600 DM, eine neue Anlage für beide Systeme ab etwa 700 DM.

→ Astra 1 E → Digitales Fernsehen

## Hotelzüge

Angebot der Bahn, das mit verbesserten Leistungen und erhöhtem Komfort neue Kunden für den Nachtreiseverkehr gewinnen soll. H. sollen Geschäftsreisenden eine Alternative zur Anreise mit Auto oder Flugzeug und zur Hotelübernachtung bieten. 1995 weitete die Deutsche Bahn ihr H.-Angebot auf internationale Strecken aus. CityNightLine verbinden ab Mai Dortmund und Zürich mit Wien. Im September folgt die Verbindung von Hamburg und Zürich. Die ersten H. der Deutschen Bahn fuhren unter der Bezeichnung InterCityNight (ICN) ab 1994 zwischen Berlin und München sowie Bonn.

Die bis zu 200 km/h schnellen CityNightLine bieten Platz für jeweils maximal 540 Reisende. Die Doppelstockwagen haben DeLuxe-Abteile (Einzel- oder Doppelbett, Badezimmer, Dusche, Waschbecken, WC, Sessel und Tisch), Komfort-Abteile (Bet-

| Hot Bird 1: Satellitensysteme im Vergleich | | |
|---|---|---|
| **Merkmal** | **Astra** | **Eutelsat** |
| Position im All | 19,2° Ost | 13° Ost |
| Anzahl der Satelliten | 4 (Astra 1 A–D) | 2 (Eutelsat II-F1, Hot Bird 1) |
| Sendeplätze | 64 Transponder (4 Reserve-Transponder digital genutzt) | 32 Transponder |
| Betreiber | SES | Eutelsat (44 Telekommunikationsunternehmen) |
| Größte Anteilseigner | A-Aktionäre: Telekom (25%) 2 B-Aktionäre (je 20%) u. a. | British Telecom (20%) France Télécom (14,53%), Telefónica Spanien (13,15%), Telekom (11,03%) |
| Empfänger in Deutschland | 8,16 Mio Haushalte | 750 000 Haushalte |
| Empfangsgebiet | Norditalien–Finnland | Island–Rußland, Azoren–Türkei |
| Empfangspotential[1] | rd. 180 Mio | rd. 225 Mio |

Stand: Mitte 1995; 1) Kabel- und Satellitenhaushalte; Quelle: MMM Hamburg

ten und Waschgelegenheit) und die preisgünstige Tourist-Klasse (Ruhesessel). Außerdem gibt es einen Restaurantwagen. Die Preise betragen zwischen 120 DM und 366 DM. Die CityNightLine wird von der Firma DACH Hotelzug AG (Sitz: Gümlingen/Schweiz), der Bahnen Deutschlands (D), Österreichs (A) und der Schweiz (CH) betrieben.

→ Bahn, Deutsche

## Hubble Space Telescope

(engl.; Hubble Weltraumteleskop), das H. beobachtet seit 1990 auf einer Erdumlaufbahn Himmelskörper. Nach der Reparatur des Hauptspiegels 1993 (Kosten: 692 Mio Dollar, 974 Mio DM) erfaßt die lichtempfindliche Kamera bis zu 12 Mrd Lichtjahre entfernte Objekte (1 Lichtjahr = 9460,5 Mrd km).

1995 beobachten US-amerikanische Forscher im Weltall in etwa 1,5 Mrd Lichtjahren Erdentfernung leuchtende Gasfontänen mit mehreren Mrd km Ausdehnung, die das Anfangsstadium einer entstehenden Sonne bilden.

Bilder des Hubble Space Telescopes ermöglichen durch die Messung der Bewegung von weit entfernten Galaxien Rückschlüsse auf das Alter und die Entwicklung des Universums.

Von den Kosten des H. (rd. 1,5 Mrd Dollar, 2,1 Mrd DM) trägt die US-Luft- und Raumfahrtbehörde NASA 85%, 15% finanziert die europäische Raumfahrtagentur ESA. Die Sternwarte (Länge: 13 m, Gewicht 12 t) ist nach dem US-amerikanischen Physiker Edwin Hubble (1889–1953) benannt und soll bis mindestens 2005 funktionsfähig bleiben. Kritiker sehen im Bau von Großteleskopen auf der Erde eine kostengünstige Alternative.

→ Großteleskope → Universumsalter

## Hunger: Ernährungslage in Schwarzafrika

| Land | Kalorien-zufuhr/Tag (% d. Bedarfs)[1] | Lebens-erwartung (Jahre)[2] | Mangel-ernährte Kinder (1000)[3] |
|------|------|------|------|
| Tschad | 69 | 46,9 | 296 |
| Äthiopien | 71 | 46,4 | 3810 |
| Mosambik | 77 | 46,5 | 1195 |
| Zentralafr. R. | 77 | 47,2 | k. A. |
| Angola | 80 | 45,6 | 641 |
| Ruanda | 80 | 46,5 | 457 |
| Somalia | 81 | 46,4 | 656 |
| Sudan | 83 | 51,2 | 1525 |
| Uganda | 83 | 42,6 | 896 |
| Burundi | 85 | 48,2 | 300 |
| Kenia | 86 | 58,6 | 782 |
| Sierra Leone | 86 | 42,4 | 196 |
| Malawi | 87 | 44,6 | 466 |
| Sambia | 87 | 45,5 | 419 |
| Ghana | 91 | 55,4 | 733 |
| Tansania | 91 | 51,2 | 1220 |

1) Durchschnittswert 1988–1990; 2) bei der Geburt 1992; 3) unter fünf Jahren 1992; Quelle: UNO

## Hunger

Mitte der 90er Jahre litt nach Angaben der UNO-Organisation für Ernährung und Landwirtschaft (FAO, Rom) weltweit jeder fünfte Mensch unter H. (rd. 1,1 Mrd Menschen). Etwa 790 Mio Menschen waren chronisch unterernährt, davon rd. 190 Mio Kinder. Die weltweite Nahrungsmittelproduktion erhöhte sich 1994 im Vergleich zum Vorjahr um 3,6% (1993: –0,7%), pro Kopf war jedoch nur ein Anstieg von 0,8% zu verzeichnen, in Afrika sank sie sogar. Für 1995/96 wurde aufgrund von Kälte und Überschwemmungen (Kanada, USA) und Dürre (Ukraine) mit sinkenden Ernteerträgen der wichtigsten Getreideproduzenten gerechnet. Wachsender Importbedarf in China und Südostasien wird weitere Preissteigerungen auf den internationalen Getreidemärkten bewirken und zu einer verschlechterten Ernährungslage in den ärmsten Nationen führen.

**Produktionssteigerung:** Die FAO rechnete mit einer Steigerung der weltweiten Nahrungsmittelproduktion bis 2010 um jährlich 1,8%. Bei einem geschätzten Bevölkerungswachstum von 1,6% im gleichen Zeitraum ist keine nachhaltige Verbesserung der Welternährungslage zu erwarten. Die Weltgetreideproduktion wuchs 1950 bis 1984 jährlich um rd. 3%. Danach verringerte sich der jährliche Zuwachs auf 1%. Ursachen sind rückläufige Reserven natürlicher Ressourcen wie Boden und Wasser. Überweidung, Abholzung und Mißwirtschaft (z. B. Monokulturen) schädigten weltweit bereits 2 Mrd ha Anbaufläche.

**Elendsgebiete:** Schätzungen zufolge waren 1995 bis zu 39 Mio Menschen davon bedroht, an H. und Krankheiten infolge kriegerischer Auseinandersetzungen zu sterben. Von H. besonders betroffen waren 1995 zwölf Länder in Schwarzafrika (u. a. Ruanda, Sudan), Bosnien-Herzegowina in Europa, Aserbaidschan, Georgien und Tadschikistan in Zentralasien, Afghanistan und Irak im Nahen Osten. In fast allen

Ländern waren Krieg oder politische Unruhen Ursache von akuter Nahrungsmittelknappheit.
**Ursachen:** Dürren, Überschwemmungen und andere natürliche Ursachen sind i. d. R. nicht hauptverantwortlich für H., sondern verstärken vorhandene Probleme. In den Entwicklungsländern müssen sich etwa doppelt so viele Menschen die Ackerfläche teilen wie in Industrieländern, ohne über moderne Technik und Düngemittel zur Steigerung der Produktivität zu verfügen. Die Bevölkerung ist meist zu arm, um sich Lebensmittel kaufen zu können. Die Regierungen fördern den Anbau von Exportgütern, der ihnen die zur Begleichung von Auslandsschulden nötigen Devisen einbringen soll. Während in den Industrieländern 1994 die landwirtschaftliche Produktion um 5% anstieg, steigerten die Entwicklungsländer ihren Ertrag nur um 2,2% bei einem Bevölkerungswachstum von 2%. Um eine Versorgungssituation wie in den Industriestaaten zu erzielen, müßten die Entwicklungsländer ihre Erträge jedoch versechsfachen.
**Industrieländer:** Hilfsorganisationen machten ungerechte Welthandelsstrukturen für den H. in der sog. Dritten Welt verantwortlich. Subventionen für die Landwirtschaft der Industrieländer führen zu Überschüssen, die kostenlos oder zu Niedrigpreisen an die Entwicklungsländer abgegeben werden. Dort können die Bauern nicht mit den importierten Produkten konkurrieren. Folgen sind Abhängigkeit von fremder Hilfe, Arbeitslosigkeit und Landflucht.
→ Armut → Bevölkerungsentwicklung → Desertifikation → Entwicklungspolitik → Flüchtlinge

## Hutu und Tutsi

Miteinander verfeindete ostafrikanische Völker, die vorwiegend in Ruanda und Burundi leben und dieselbe Sprache (Kirundi) sprechen. Das ackerbauende Bantuvolk der Hutu stellt in beiden Ländern mit ca. 85% die Bevölkerungsmehrheit. Die Viehzucht treibenden Tutsi wanderten im 15. Jh. aus Äthiopien ein und unterwarfen die Hutu. Bei gegenseitigen Pogromen und in Flüchtlingslagern starben 1994/1995 rd. 1 Mio Menschen.
**Genozid:** Die 1959–1962 von der Macht vertriebenen Tutsi begannen 1990 als Patriotische Front Ruandas FPR einen Guerillakrieg gegen die Hutu-Regierung in Ruanda. Nachdem im April 1994 Präsident Juvénal Habyarimana bei einem ungeklärten Raketenangriff auf sein Flugzeug umkam, verübten Hutu-Milizen systematisch Völkermord an den Tutsi. Hunderttausende flohen in die von Frankreich eingerichtete Schutzzone an der Grenze zu Zaïre. Im Juli folgten von der FPR geschlagene Hutu-Regierungssoldaten. Anfang 1995 befanden sich rd. 40 000 ehemalige Hutu-Soldaten in Flüchtlingslagern und drohten mit einer Rückeroberung des Landes.
**Burundi:** Mitte 1995 stand Burundi nach Massakern des von Tutsi dominierten Militärs an der Hutu-Mehrheit vor einem Bürgerkrieg. Die Hutu-Regierungspartei Frodebu erklärte, sie sei nicht in der Lage, die Sicherheit der Bürger weiter zu gewährleisten. 700 000 Hutu flohen nach Tansania und Zaïre.

| Hunger: Geschädigte Anbauflächen | |
|---|---|
| **Region** | **Geschädigte Böden (Mio ha)** |
| Asien | 780 |
| Afrika | 500 |
| Südamerika | 240 |
| Europa | 220 |
| Nordamerika | 160 |
| Ozeanien | 100 |

Quelle: Wissenschaftlicher Beirat der Bundesregierung Globale Umweltveränderungen

| Hutu und Tutsi: Ethnischer Konflikt | |
|---|---|
| **Datum** | **Ereignis** |
| 15. Jh. | Die Tutsi unterwerfen die Ackerbau treibenden Hutu |
| 1899 | Ruanda wird deutsche Kolonie |
| 1920 | Belgien verwaltet Ruanda mit Hilfe der Tutsi |
| 1959 | Hutu erheben sich gegen Tutsi-Monarchie: König Kigeri V. flieht ins Exil, Vertreibung von Tutsis |
| 1962 | Unabhängigkeit, Republik unter Hutu-Führung |
| 1973 | Juvénal Habyarimana kommt durch Putsch an die Macht und regiert mit französischer Unterstützung |
| 1990 | Mit dem Einmarsch der Tutsi-Rebellen (FPR) beginnt der Bürgerkrieg; Regierung bildet Milizen |
| 1991 | Habyarimana kündigt Mehrparteiensystem an |
| 1993 | Friedensvertrag zwischen FPR und Regierung |
| 1994 | Völkermord nach Habyarimanas Tod, im Bürgerkrieg siegt die FPR und bildet eine Regierung in Ruanda |
| 1995 | Hutu und Tutsi bekämpfen sich in Burundi |

# I

## ICE

→ Hochgeschwindigkeitszüge

## IEA

**Name** Internationale Energie-Agentur

**Sitz** Paris

**Gründung** 1974

**Mitglieder** 23 OECD-Staaten

**Exekutivdirektor** Robert Priddle/Großbritannien (seit Dezember 1994)

**Funktion** Organisation im Rahmen der OECD zur Sicherung der Energieversorgung (insbes. mit Erdöl) in den Mitgliedstaaten

## Illegale Einwanderung

Einreise von Ausländern ohne gültige Einreisepapiere (Visum, Reisepaß) bzw. ohne Antrag auf Asyl. 1994 gelang es, die I. nach Deutschland einzudämmen. Die Zahl der illegalen Einreisen sank im ersten Halbjahr 1994 gegenüber dem Vergleichszeitraum 1993 um 51% auf 17 246 Personen. Als Gründe für die Trendwende galten die vereinfachten Abschiebemöglichkeiten im neugefaßten Asylverfahrensgesetz, die illegale Zuwanderer abschreckten, und die verstärkte Überwachung der Grenzen.

**Grenzsicherung:** 1993 griff der Bundesgrenzschutz (BGS) rd. 54 300 illegal eingereiste Ausländer auf, vor allem Osteuropäer und Asiaten. Etwa 92% der illegalen Grenzübertritte wurden an den Grenzen zur Tschechischen Republik und zu Polen registriert. Zur Eindämmung der I. trug auch die Schließung der tschechisch-slowakischen Grenze bei. Seit 1994 dürfen nur noch Tschechen und Slowaken die gemeinsame Grenze an jeder Stelle überqueren. Bürger aus Drittstaaten müssen Grenzübergänge benutzen und sich ausweisen.

**Schlepperbanden:** Zwei Drittel der 2427 Schleuser, die der BGS 1993 festnahm, wurden an der Grenze zur Tschechischen Republik aufgegriffen. 1995 wurden für illegale Transporte z. B. aus China bis zu 30 000 DM an Menschenhändler gezahlt.

→ Abschiebung → Asylbewerber → Schengener Abkommen

| Illegale Einwanderung: Herkunft | |
|---|---|
| Land | Anteil (%) |
| Rumänien | 44,2 |
| Ex-Jugosl. | 17,8 |
| Ex-UdSSR | 11,3 |
| Bulgarien | 9,6 |
| Sonstige | 17,1 |

Stand: 1994; Quelle: Grenzschutzpräsidium Ost

## Indoor-Sport

(engl.; Hallensport), Mitte der 90er Jahre wurden Sportarten, die traditionell im Freien stattfinden, zunehmend in neuerbauten oder umgerüsteten Hallen betrieben. Im Gegensatz zum Freiluftsport ermöglichen I.-Hallen, die meist in Großstadtnähe errichtet werden, ideale Sportbedingungen (wandelbare Kletterrouten mit hohen Schwierigkeitsgraden, gleichbleibende Schneetemperaturen und Windverhältnisse). Kritiker bemängeln den hohen Energieaufwand beim Betrieb von I.-Hallen, während Befürworter den I. als Alternative zum umweltschädigenden Massensport in Bergregionen und Küsten betrachten. Beispiele waren:

▷ In Tokio/Japan öffnete 1993 der Skidome mit einer Skipiste von 500 m Länge und 80 m Höhenunterschied. Die rd. 550 Mio DM teure Halle für 2000 Sportler wird ganzjährig betrieben. Zum Betrieb werden jährlich etwa 45 000 MWh Strom benötigt. In Birmingham/Großbritannien wurde Ende 1994 der erste Snowdome (engl.; Schneedom) Europas eröffnet

▷ Indoor-Klettern findet an 8 m bis 17 m hohen Steilwänden aus Kunststoff statt, an denen kleine, weit auseinanderliegende Haltegriffe und Fugen angebracht sind.

▷ Seit 1990 werden in der Halle von Paris-Bercy (12 000 Plätze) einmal jährlich World-Cup-Rennen der Windsurfer ausgetragen. 27 Ventilatoren erzeugen auf dem 80 m x 30 m großen Wasserbecken Windstärken von 18 bis 25 Knoten. Ähnliche Veranstaltungen werden seit 1992 in Barcelona/Spanien und seit 1994 in Genf/Schweiz durchgeführt.

## Inflation

Anstieg des Preisniveaus, der zur Geldentwertung führt. Die Bekämpfung der I. ist Aufgabe der Deutschen Bundesbank. In Westdeutschland lagen die Lebenshaltungskosten aller privaten Haushalte im Jahresdurchschnitt 1994 um 3,0% höher als 1993. Die I.-Rate sank damit auf den niedrigsten Stand seit vier Jahren (1990: 2,7%). Gleichzeitig war der Anstieg der Verbraucherpreise in Ostdeutschland rückläufig (3,4%, 1993: 8,8%). Für 1995 erwarteten die führenden Wirtschaftsforschungsinstitute Teuerungsraten von 2% in den alten bzw. 3% in den neuen Bundesländern (Gesamtdeutschland: 2%, 1994: 3,0%).

Verantwortlich für den Preisauftrieb waren in erster Linie die Anhebung der Mineralölsteuer um 16 Pf pro Liter Benzin (Diesel: 7 Pf) zum Jahresbeginn 1994 sowie eine überdurchschnittliche Verteuerung von Mieten und Dienstleistungen insbes. in Ostdeutschland.

Die Berechnung des Preisanstiegs führt das Statistische Bundesamt (Wiesbaden) durch. Dabei erfolgt die Ermittlung der Werte für West- und Ostdeutschland aufgrund abweichender Preisentwicklungen getrennt. Der Anstieg der Kosten für die private Lebenshaltung wird mit Hilfe eines sog. Warenkorbs errechnet. In ihm sind rd. 750 typische Waren und Dienstleistungen erfaßt. Der Durchschnitt aller Preise, bezogen auf ein Ausgangsjahr (Westdeutschland Anfang 1995: 1985), gibt die Veränderung zum Vorjahr an. Der erste gesamtdeutsche Warenkorb (Basisjahr: 1991) soll im September 1995 vorgestellt werden.
→ Bundesbank, Deutsche → Leitzinsen
→ Wirtschaftliche Entwicklung

## Infobroker

(engl.; Informationsvermittler), Selbständige, die gegen Bezahlung mit dem Computer Recherchen in den 1995 rd. 6000 elektronischen Datenbanken weltweit durchführen. Vorteil

### Inflation: Entwicklung

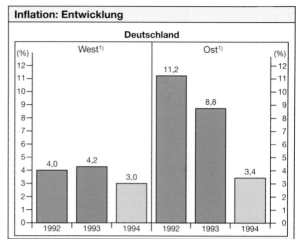

**Deutschland**

1) Veränderung der Lebenshaltungskosten gegenüber dem Durchschnitt des Vorjahres; Basisjahr West = 1985, Basisjahr Ost = 2. Hj. 1990/1. Hj. 1991
Quelle: Statistisches Bundesamt       © Harenberg

### Inflation: Verbraucherpreise in Deutschland 1994

| Bereich | Veränderung zu 1993 (%) West | Ost |
|---|---|---|
| Energie (ohne Kraftstoffe) | + 0,2 | – 5,6 |
| Bekleidung, Schuhe | + 1,4 | + 0,5 |
| Nahrungsmittel, Getränke, Tabak | + 1,7 | + 1,6 |
| Bildung, Unterhaltung | + 1,9 | + 3,8 |
| Möbel, Haushaltsgeräte | + 2,0 | + 1,0 |
| Verkehr, Kommunikation | + 3,2 | + 3,2 |
| Gesundheit, Körperpflege | + 3,5 | + 3,0 |
| Wohnungsmieten | + 3,6 | + 10,4 |
| Dienstleistungen, Sonstiges[1] | + 5,9 | + 8,5 |
| Inflation insgesamt | + 3,0 | + 3,4 |

1) Serviceleistungen von Banken und Versicherungen, Reparaturarbeiten etc.; Quelle: Statistisches Bundesamt

gegenüber herkömmlicher Informationsermittlung ist die größere Schnelligkeit, die Auskünfte liegen i. d. R. innerhalb weniger Stunden beim Kunden vor. 1995 waren rd. 6000 I. in Deutschland in der Ende der 80er Jahre entstandenen Branche tätig. Der Jahresumsatz lag 1993 bei rd. 1 Mrd DM. Die Kunden nahmen Dienste von I. in Anspruch, weil für die elektronische Abfrage in Computerdatenbanken Fachkenntnisse erforderlich waren.
→ Datenautobahn → Internet → Online-Dienste

**Inkatha: Volksgruppen der Schwarzen in Südafrika**

| Gruppe | Anteil (%) |
|---|---|
| Zulu | 28,6 |
| Xhosa | 23,0 |
| Tswana | 12,1 |
| Nordsotho | 11,5 |
| Südsotho | 8,9 |
| Tsonga | 4,5 |
| Swazi | 3,1 |
| Ndebele | 2,7 |
| Venda | 2,6 |
| Sonstige | 3,0 |

Stand: 1992/93; Quelle: Race Relation Survey (Johannesburg)

**Inkatha: Vorsitzender**

**Mangosuthu Buthelezi** * 27. 8. 1928 in Mahlabatini (Zululand). Der Häuptling des Buthelezi-Stammes (seit 1953) wurde 1970 Leiter der Territorialbehörde der Zulu. Als Chefminister des Bantu-Homelands KwaZulu (seit 1972) gründete der Zulu-Politiker 1975 die konservative Inkatha. Im Mai 1994 wurde Buthelezi Innenminister der Regierung unter Nelson Mandela.

## Inkatha

(eigentl. Inkatha ye Nkululeko ye Sizwe, zulu; Friede der Nation), 1975 von Mangosuthu Buthelezi gegründete national-kulturelle Organisation in Südafrika, die überwiegend aus Angehörigen des Volkes der Zulu besteht. Die konservative Inkatha Freiheitspartei (IFP) konkurriert mit dem linksgerichteten Afrikanischen Nationalkongreß (ANC) um politischen Einfluß. Bei den ersten nichtrassistischen Wahlen in Südafrika im April 1994 erreichte die I. 10,5% und wurde Mitglied der Übergangsregierung. Im nationalen Parlament verfügt sie über 43 von 400 Sitzen. In der Provinz KwaZulu/Natal war die I. mit 50,3% stärkste Partei.

**Führungskrise:** Zulukönig Goodwill Zwelithini entließ im September 1994 seinen traditionellen Chefminister Buthelezi. Das Zerwürfnis war aufgebrochen, nachdem der Monarch den südafrikanischen Präsidenten Nelson Mandela ohne Abstimmung mit Buthelezi zu einem Zulu-Fest eingeladen hatte. Im März 1995 drohte Buthelezi, der gleichzeitig südafrikanischer Innenminister ist, mit der Entmachtung des Königs und einer Intervention der Zentralregierung.

**Föderalismusstreit:** Die I. lehnte die Vorschläge der größten Regierungspartei ANC für eine endgültige Verfassung im März 1995 ab und drohte mit dem Auszug aus der Verfassunggebenden Versammlung. Während der ANC eine starke Zentralregierung anstrebt, will die I. der Provinz KwaZulu/Natal möglichst große Autonomie sichern. Hauptgegenstand des Konflikts ist die Frage, ob Gesetze des nationalen Parlaments ab 1999 Vorrang vor Provinzgesetzen genießen sollen. Die I. forderte vom ANC außerdem, in strittigen Verfassungsfragen einer internationalen Vermittlung zuzustimmen. Als der ANC dies verweigerte, rief Buthelezi im April 1995 seine Anhänger zum Widerstand gegen die Regierung auf und drohte mit einer Sezession.

→ ANC

## Insider

(engl.; Eingeweihter), an der Börse Bezeichnung für Personen, die früher als die Allgemeinheit Kenntnis von Vorgängen haben, z. B. Firmenfusionen, Beteiligungen, Dividendenerhöhungen oder Konkursen, die den Kurs eines Wertpapiers beeinflussen können. Wenn sie mit diesem Wissen Geschäfte auf eigene Rechnung machen, können sie Gewinne erzielen, indem sie etwa Aktien schneller als andere kaufen oder verkaufen und andere Anleger schädigen. Das zweite Finanzmarktförderungsgesetz vom 26. 7. 1994 bestraft I.-Geschäfte mit bis zu fünf Jahren Haft. Deutschland war bis 1994 der einzige EU-Staat, in dem I.-Vergehen nicht vom Strafrecht erfaßt wurden.

**Definition:** Als I. angesehen werden Mitglieder der Führungs- und Aufsichtsgremien von Banken, Wertpapiergesellschaften und Unternehmen sowie Personen, die Informationen von diesen erhalten und zu eigenem Vorteil nutzen, z. B. Journalisten.

**Verfolgung:** Die Aufdeckung von I.-Straftaten obliegt dem Bundesaufsichtsamt für den Wertpapierhandel (BAW, Sitz: Frankfurt/M., Mitarbeiter: 97), das die interne Handelskontrolle der Börsen und die Aufsicht durch die Staatskommissariate der Bundesländer ergänzen soll. Das BAW darf keine Strafbefehle erlassen, sondern muß bei I.-Verdacht den Fall der Staatsanwaltschaft übergeben. In den USA und in Frankreich hat die Börsenaufsicht das Recht, Bußgelder bis zum Dreifachen bzw. Zehnfachen des Gewinns des verbotenen I.-Geschäfts zu verhängen (1994: zehn bzw. 34 Fälle). Bis Mitte 1995 wurden in Deutschland in zwei I.-Fällen strafrechtlich ermittelt.

**Pflichten:** Banken und börsenzugelassene Unternehmen sind verpflichtet, dem BAW alle Transaktionen zu melden. Wesentliche Kapitalbeteiligungen und kursrelevante Informationen müssen täglich vor Börsenbeginn offengelegt werden. Bei Verstößen können

## Insider: Börsenaufsicht in Deutschland

| Ebene | Beteiligte/Ort | Kompetenzen |
|---|---|---|
| Bundesaufsichtsamt für den Wertpapierhandel | Frankfurt/M. | Überwachung der Publizitätspflichten und Verhaltensregeln der börsennotierten Unternehmen; Verfolgung von Insiderdelikten; Verhaltensregeln für Kundengeschäfte; Prüfung der Wertpapierdepots der Banken; Zusammenarbeit mit ausländischen Aufsichtsorganen |
| Landesaufsichtsbehörde, Staatskommissariate | Acht Bundesländer | Rechtsaufsicht; Marktaufsicht über den Börsenhandel; Insiderermittlungen vor Ort; Aufsicht über Kurs- und Freimakler; Berufung und Abberufung von Kursmaklern |
| Handelsüberwachung der Börsen | Frankfurter Wertpapierbörse Deutsche Terminbörse Sieben Regionalbörsen | Einhaltung der Börsenregeln; Ordnungsmäßigkeit der Kursfeststellung und Preisbildung; Zulassung von Handelsteilnehmern und Wertpapieren |

Quelle: Deutsche Börse AG

Geldstrafen von bis zu 3 Mio DM verhängt werden. Banken und Wertpapierhändler müssen Eigenhandel und Kundengeschäft voneinander trennen. Bei Verdacht auf I.-Geschäfte sind sie verpflichtet, die Identität ihrer Auftraggeber preiszugeben.
→ Börse

## Insolvenzen

Konkurse und Vergleichsverfahren infolge von Zahlungsunfähigkeit und Überschuldung. 1994 stieg die Zahl der I. in Deutschland um 19% auf den Rekordstand von 24 928. 1999 tritt eine neue I.-Ordnung in Kraft, weil das alte I.-Recht funktionsuntüchtig war.
**Ursache:** Als wichtigster Grund für I. von Unternehmen galt zu geringes Eigenkapital. Die wirtschaftliche Rezession bewirkte 1994 bei mittelständischen Unternehmen einen durchschnittlichen Rückgang der Eigenkapitalquote gegenüber 1993 von 17,5% auf 15%.
**Gläubiger:** Die Forderungen der Gläubiger wurden 1994 auf 27,5 Mrd DM beziffert (1993: 23,5 Mrd DM). Davon entfielen ca. 5 Mrd DM bzw. 2,5 Mrd DM auf die in Konkurs gegangene Baufirma Schneider und den Sportbodenhersteller Balsam.
**Reform:** 75% aller Konkursanträge wurden Mitte der 90er Jahre mangels Masse abgelehnt, weil die Vermögenswerte nicht einmal die Kosten von Gericht und Konkursverwalter deck-

ten. In den wenigen eröffneten Verfahren erhielten die nicht bevorrechtigten, einfachen Konkursgläubiger durchschnittlich nur 5% ihres Forderungsbetrags. Das Gesetz soll insolventen Einzelkaufleuten und Verbrauchern die Möglichkeit geben, sich von Restschulden, die erst nach 30 Jahren verjähren, in sieben Jahren zu befreien. Insbes. folgende Regelungen sind vorgesehen:
▷ Konkurs- und Vergleichsverfahren werden zu einem einheitlichen I.-Verfahren zusammengefaßt
▷ Alle Konkursvorrechte (Anspruch auf vorrangige Befriedigung ein-

### Insolvenzen: Entwicklung

| Jahr | Insolvenzen |
|---|---|
| 1991 | 16 158 |
| 1992 | 15 204 |
| 1993 | 20 294 |
| 1994 | 24 928 |

Quelle: Statistisches Bundesamt

### Insolvenzen: Häufigkeit in Ländern

| Bundesland | Insolvenzen | |
|---|---|---|
| | 1993 | 1994 |
| Baden-Württemberg | 2614 | 3111 |
| Bayern | 2580 | 2955 |
| Berlin | 1034 | 1407 |
| Brandenburg | 366 | 806 |
| Bremen | 235 | 247 |
| Hamburg | 653 | 771 |
| Hessen | 1796 | 2047 |
| Mecklenb.-Vorpommern | 316 | 436 |
| Niedersachsen | 1839 | 2041 |
| Nordrhein-Westfalen | 5101 | 5893 |
| Rheinland-Pfalz | 995 | 1008 |
| Saarland | 388 | 379 |
| Sachsen | 844 | 1495 |
| Sachsen-Anhalt | 450 | 643 |
| Schleswig-Holstein | 654 | 754 |
| Thüringen | 460 | 935 |

Quelle: Statistisches Bundesamt

zelner Forderungen) werden abgeschafft, um einfache Gläubiger besserzustellen; das Konkursausfallgeld für Arbeitnehmer bleibt erhalten
▷ Die Sanierung des insolventen Unternehmens soll Vorrang haben.
Die I.-Ordnung ersetzt Regelungen aus der Vorkriegszeit.
→ Schneider-Affäre → Schulden, Private

## Interaktives Fernsehen

TV, das ein Eingreifen des Zuschauers ermöglicht. Voraussetzungen für das I. ist die digitale Übertragung von Daten, um ausreichend viele Kanäle für das Programmangebot zur Verfügung zu stellen. Auch ein Rückkanal, der dem Zuschauer die Kommunikation erlaubt, ist notwendig. Für die Umwandlung von digitalen in analoge Daten, wie sie herkömmliche Fernsehgeräte verarbeiten, ist eine sog. Set-Top-Box (engl.; Aufsatzgerät) notwendig, die zwischen Leitung und Fernsehgerät geschaltet wird. In Orlando (Florida/USA) wurde Ende 1994 das erste Pilotprojekt mit I. (Full Service Network) gestartet. In Deutschland liefen 1995 sechs Pilotprojekte an.

**Anwendungen:** Geplante Nutzungsmöglichkeiten des I. sind:
▷ Video on demand (engl.; Video auf Bestellung)
▷ Pay per view (engl.; Bezahlen für Gesehenes)
▷ Teleshopping (engl.; Einkaufen per Bildschirm)
▷ Bei TV-Quizsendungen soll der Zuschauer direkt mitwirken können
▷ Verschiedene Filmausgänge sollen bei Fernsehproduktionen zur Verfügung stehen
▷ Kameraeinstellungen sollen frei wählbar sein
▷ Personen an verschiedenen Wohnorten sollen in Computerspielen gegeneinander antreten können.

**Orlando:** Zum Starttermin nahmen statt der geplanten 4000 Nutzer nur fünf Haushalte das Angebot des Medienkonzerns Time Warner und des

### Interaktives Fernsehen: Prognose für Empfangsmöglichkeiten

| Empfangs-möglichkeit | 1993 | | 2000 | | 2010 | |
|---|---|---|---|---|---|---|
| | Mio | Anteil (%)[1] | Mio | Anteil (%)[1] | Mio | Anteil (%)[1] |
| Kabelanschluß | 13,4 | 38 | 19,0 | 52 | 22,0 | 61 |
| Satellit | 7,0 | 20 | 12,0 | 34 | 14,0 | 37 |
| Digitalanschluß | – | – | 4,0 | 11 | 21,0 | 59 |
| Datex-J | 0,5 | 1 | 4,0 | 11 | k. A. | k. A. |
| PC | 5,0 | 14 | 15,0 | 40 | 29,0 | 80 |
| Multimedia-PC | 0,5 | 1 | 9,0 | 25 | 22,0 | 60 |

Privathaushalte in Deutschland mit Anschluß

1) Anteil an allen Haushalten; Quelle: Bayerische Landesmedienzentrale

### Interaktives Fernsehen: Pilotprojekte in Deutschland

| Merkmal | Berlin | Hamburg | Köln/Bonn | Leipzig | Nürnberg/München | Stuttgart |
|---|---|---|---|---|---|---|
| Teilnehmer[1] | 50 | 1000 | 100 | 100 | 5000 | 4000 |
| Beginn | IV/1994 | I/1995 | I/1995 | II/1995 | Ende 1995 | III/1995 |
| Dauer (Jahre) | 1 | 1,5 | 1,5 | 1,5 | 1,5 | 1,5 |
| Verteiltechnik | BK-Koaxialnetz[2] + Glasfaser | BK-Koaxialnetz[2] | BK-Koaxialnetz[2] + Glasfaser | Glasfasernetz OPAL | BK-Koaxialnetz[2] + Telefonnetz | BK-Koaxialnetz[2] + Glasfaser |
| Rückkanal | Telefonnetz | Telefonnetz | BK-Koaxialnetz/Glasfaser | Glasfasernetz | Telefonnetz | BK-Koaxialnetz/Glasfaser |

1) Teilnehmer an der Verteiltechnik; 2) Breitbandkabel-Koaxialnetz; Quelle: Telekom

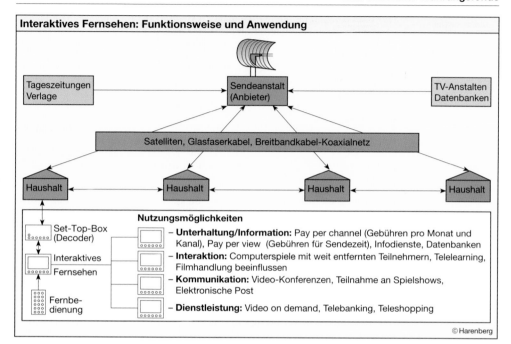

**Interaktives Fernsehen: Funktionsweise und Anwendung**

Tageszeitungen Verlage

Sendeanstalt (Anbieter)

TV-Anstalten Datenbanken

Satelliten, Glasfaserkabel, Breitbandkabel-Koaxialnetz

Haushalt — Haushalt — Haushalt — Haushalt

Set-Top-Box (Decoder)

Interaktives Fernsehen

Fernbedienung

**Nutzungsmöglichkeiten**

– **Unterhaltung/Information:** Pay per channel (Gebühren pro Monat und Kanal), Pay per view (Gebühren für Sendezeit), Infodienste, Datenbanken

– **Interaktion:** Computerspiele mit weit entfernten Teilnehmern, Telelearning, Filmhandlung beeinflussen

– **Kommunikation:** Video-Konferenzen, Teilnahme an Spielshows, Elektronische Post

– **Dienstleistung:** Video on demand, Telebanking, Teleshopping

© Harenberg

Computerunternehmens Silicon Graphics an. Die Grundkosten für die Installation von I. lagen bei 1000 Dollar (1400 DM). Für jede Aktivität fallen Nutzungsgebühren an. Angeboten wurden Video on demand, Teleshopping und Computerspiele.

**Deutschland:** Die Projekte werden u. a. von der Deutschen Telekom und den Landesregierungen finanziert. Zu den Angeboten zählten Video on demand und Teleshopping. In Berlin konnten die Verbraucher 1995 über Video on demand lediglich vier Filme bestellen.

**Bedienung:** Die Bedienung des I. war Mitte 1995 vergleichbar mit der eines Personalcomputers. Auf dem Bildschirm erscheinen Symbole für die Anwendungsmöglichkeiten. Der Zuschauer kann die gewünschte Funktion über die Fernbedienung aufrufen.

→ Datenautobahn → Digitales Fernsehen → Multimedia → Video on demand

## Interamerikanische Entwicklungsbank

**Abkürzung** IDB (Interamerican Development Bank, engl.)

**Sitz** Washington/USA

**Gründung** 1963

**Mitglieder** 46 Staaten

**Präsident** Enrique V. Iglesias/Uruguay (1988–1998)

**Funktion** Entwicklungshilfeorganisation für Lateinamerika

## Internationaler Währungsfonds

**Abkürzung** IWF (engl.: International Monetary Fund, IMF)

**Sitz** Washington/USA

**Gründung** 1944

**Mitglieder** 179 Staaten

**Geschäftsführender Direktor** Michel Camdessus/Frankreich (1987–1997)

**Ziel** Sonderorganisation der UNO zur Überwachung des internationalen Währungssystems und zur Entwicklungshilfe

| Internationaler Währungsfonds: Stimmrechtsanteile | |
|---|---|
| **Land** | **Anteil (%)** |
| **Industrieländer (24)** | |
| USA | 17,8 |
| Deutschland | 5,5 |
| Japan | 5,5 |
| Frankreich | 5,0 |
| Großbritannien | 5,0 |
| **Entwicklungsländer (130)** | |
| Saudi-Arabien | 3,5 |
| China | 2,3 |
| Brasilien | 1,5 |
| Südafrika | 0,9 |
| **Transformationsländer (25)** | |
| Rußland | 2,9 |
| Ukraine | 0,7 |

Quelle: Internationaler Währungsfonds

**IWF: Direktor**

**Michel Camdessus**
* 1. 5. 1933 in Bayonne/Frankreich. Ab 1961 im französischen Finanzministerium beschäftigt, 1982 dessen Leiter, 1984–1986 Präsident der französischen Nationalbank, ab 1987 geschäftsführender Direktor des Internationalen Währungsfonds (IWF, Amtszeit: bis 1997).

Die 1944 gemeinsam mit der Weltbank gegründete Sonderorganisation der UNO vergibt Kredite an Mitgliedstaaten mit Zahlungsschwierigkeiten. Hauptaufgaben waren Mitte der 90er Jahre die Unterstützung der wirtschaftlichen Reformen in Osteuropa und die Bewältigung der Schuldenkrise in der sog. Dritten Welt.

**Finanzhilfe:** Im Oktober 1994 lehnte der Interimsausschuß der I.-Gouverneure eine Neuzuteilung von Sonderziehungsrechten (SZR) ab. Die SZR (sog. Kunstgeld des I.), die einer Geldschöpfung vergleichbar sind, waren in den 60er Jahren geschaffen worden, um den I.-Mitgliedern über ungenügende Währungsreserven hinwegzuhelfen. Die letzte SZR-Zuteilung erfolgte 1981.

**Demokratisierungsfonds:** Ende 1994 verlängerte der I. die 1993 geschaffene sog. System-Übergangsfazilität, die insbes. osteuropäische Volkswirtschaften auf dem Weg von der Plan- zur Marktwirtschaft unterstützen soll, bis April 1995. Bis Ende 1994 erhielten 18 I.-Mitgliedsländer Kredite in Höhe von 4,9 Mrd Dollar (6,9 Mrd DM).

**Stimmrechte:** Die Kredite finanziert der I. aus Einlagen seiner Mitglieder. Einlagen und Stimmrechte richten sich nach der Finanzkraft, was den Industrieländern den größten Einfluß sichert. Der I. knüpft seine Kredite an Forderungen zur wirtschaftlichen Sanierung des Empfängerlandes, die oft Kürzungen bei den Sozialausgaben zur Folge haben und insbes. die ärmeren Bevölkerungsschichten treffen.

→ Dollarkurs → Entwicklungspolitik
→ Schuldenkrise → UNO → Weltbank

## Internet

Weltweit größtes Computernetzwerk, das dem Benutzer den rechnergestützten Zugriff auf Datenbanken in aller Welt und die Kommunikation mit anderen ans I. angeschlossenen Anwendern ermöglicht. Mitte 1995 hatten rd. 30 Mio Menschen in 154 Ländern Zugang zum I.; monatlich

kamen rd. 1 Mio Nutzer hinzu. Die im I. angebotenen Dienste waren zumeist kostenlos. Der Anschluß an einen Rechnerknotenpunkt, der das I. für den privaten Anwender zugänglich macht, kostete jedoch eine monatliche Grundgebühr, meist zuzüglich einer Gebühr für die Nutzungsdauer. Andere kostenpflichtige Online-Dienste (engl.; am Netz) wie Compuserve boten über spezielle Software den I.-Zugang an.

**Angebote:** Das 1969 vom US-amerikanischen Verteidigungsministerium entwickelte Netz wurde 1972 öffentlich zugänglich gemacht. Zunächst diente es dem Informationsaustausch zwischen Hochschulen und Wissenschaftlern. Anfang 1995 waren dem I. 30 000 Netzwerke von Universitäten, Regierungen, Militärbehörden und privaten Anbietern angeschlossen. Da das I. für nichtkommerzielle Zwecke konzipiert war, können Artikel, Computerprogramme, Buchauszüge etc. oft kostenlos kopiert werden. Im I. können Nutzer elektronische Post (E-Mail) versenden und an Diskussionsforen teilnehmen. Mitte der 90er Jahre drängten in den USA kommerzielle Anbieter ins I. Über das I. können ab 1995 Waren bestellt und elektronisch bezahlt werden (sog. E-Cash).

**Nutzung:** Zugang zum I. offerierten privaten Nutzern in Deutschland kommerzielle Firmen, sog. I.-Provider (engl.; Anbieter). Die Provider haben vor allem in deutschen Großstädten Telefonnummern geschaltet, mit denen sich der Nutzer über das Telefonnetz mit seinem Rechner direkt ins I. einwählen kann. Der PC-Besitzer benötigt ein Modem, das er an sein Telefon anschließt und das die analogen Signale des Telefonnetzes in digitale Informationen für den Computer umwandelt. Software für den Datenaustausch mit anderen I.-Teilnehmern ist notwendig (z. T. mit Betriebssystemen wie OS/2 erhältlich). Zusätzlich zu den Provider-Gebühren fallen für den Nutzer Telefongebühren an.

**Datenschutz:** Experten warnten davor, geheime Informationen über das I. zu verbreiten, da es keine 100%ige Sicherheit gebe, daß die Daten nicht in falsche Hände geraten. Verschlüsselungsmechanismen waren nicht so ausgereift, als daß sie nicht von Hackern überwunden werden könnten.

→ Datenautobahn → Datenschutz → E-Cash → Elektronische Medien → Multimedia → Online-Dienste

## Investitionen

Einsatz von Kapital zur Erhaltung, Verbesserung und Vermehrung von Produktionsmittelbeständen. Art und Umfang der I. sind ein wichtiges Merkmal für die Beurteilung des volkswirtschaftlichen Wachstums. Die sog. Brutto-I. setzen sich aus den Anlage-I. (Ausrüstungen und Bauten, Anteil 1994: 98,3%) und der Vorratsveränderung (Anteil: 1,7%) zusammen. Für Gesamtdeutschland stiegen die Anlage-I. 1994 real (bereinigt um die Inflation) um 4,3% gegenüber dem Vorjahr an und trugen damit wesentlich zur Erholung des BIP nach dem Rezessionsjahr 1993 bei. In Westdeutschland lag die Wachstumsrate bei 1,2%, in den neuen Bundesländern bei 16,5%. Dort gingen die stärksten I.-Impulse mit einer Realsteigerung von 21,6% im Vorjahr von der Bauwirtschaft aus.
Für 1995 sagten die Wirtschaftsforschungsinstitute in ihrem Frühjahrsgutachten eine Zunahme der Anlage-I. in Höhe von 6% voraus (Westdeutschland: 3,5%, Ostdeutschland: 13,5%).
→ Bruttoinlandsprodukt → Wirtschaftsförderung-Ost → Wirtschaftswachstum

## Investitionszulage

→ Wirtschaftsförderung-Ost

## Investmentfonds

In einem I. faßt eine Kapitalanlagegesellschaft Vermögen an Wertpapieren oder Immobilien zusammen. Anleger können Anteile erwerben (Investment-

| Internet: Nutzung |
|---|

| | |
|---|---|
| **Electronic Mail (E-Mail):** (engl.; elektronische Post), Versenden und Empfangen elektronischer Nachrichten, im Internet mit dem Programm MIME auch von Audio-, Bild- und Videodateien. **File Transfer Protocol:** (FTP; engl.; Dateien-Transfer-Protokoll), Software zur Übertragung von Dateien z. B. von Großrechnern zum PC und umgekehrt. **Telnet:** Ermöglicht die Nutzung der Kapazität von Großrechnern am eigenen PC. **Usenet News:** (engl.; Netz-Nachrichten zum Benutzer), nach Themengebieten aufgesplittetes Diskussionsforum. | **WAIS:** (Wide Area Information Servers, engl.; Großraum-Informations-Dienste), Netzwerkservice, mit dem Datenbestände nach inhaltlichen Kriterien durchsucht werden können. **World Wide Web:** (WWW; engl.; weltweites Netz), mit einer grafischen Benutzeroberfläche ausgestattetes Informationssystem. Es erleichtert die Suche nach Informationen durch Hypertext-Verbindungen, d. h. durch in Dokumente integrierte Querverweise auf andere Dokumente, über die der Benutzer direkt auf diese anderen Dokumente zugreifen kann. |

zertifikate). 1994 gab es in Deutschland rd. 3000 I. (Vermögen: rd. 560 Mrd DM). Die Zahl der Publikumsfonds erhöht sich 1991–1994 von 323 auf 717. Etwa 60% des Vermögens wurde in festverzinslichen Wertpapieren (Renten) investiert. Das zweite Finanzmarktförderungsgesetz vom 26. 7. 1994 erlaubte ab August die Anlage mit kurzfristigen Wertpapieren (maximale Laufzeit: ein Jahr), sog. Geldmarktfonds. Von August bis Dezember 1994 wurden nach Angaben der Deutschen Bundesbank von Nichtbanken Anteile an in- und ausländischen Geldmarktfonds in Höhe von 50 Mrd DM erworben.

| Investitionen: Entwicklung | |
|---|---|
| **Jahr** | **Investitionen[1] (Mrd DM)** |
| 1988 | 409,9 |
| 1989 | 451,4 |
| 1990 | 507,8 |
| 1991 | 652,1 |
| 1992 | 709,2 |
| 1993 | 701,8 |
| 1994 | 742,9 |

1) In Anlagen, bis 1990 nur Westdeutschland; Quelle: Statistisches Bundesamt

| Investitionen: Verteilung | | | |
|---|---|---|---|
| **Investitionen** | **Betrag (Mrd DM)** | | **Veränderung (%)[1]** |
| | **1993** | **1994** | |
| **Gesamtdeutschland** | | | |
| Anlageinvestitionen | 701,8 | 742,9 | + 4,3 |
| Ausrüstungen | 263,6 | 259,6 | − 1,1 |
| Bauten | 438,2 | 483,3 | + 7,9 |
| **Westdeutschland** | | | |
| Anlageinvestitionen | 551,8 | 564,1 | + 1,2 |
| Ausrüstungen | 213,3 | 205,6 | − 3,1 |
| Bauten | 338,5 | 358,5 | + 4,1 |
| **Ostdeutschland** | | | |
| Anlageinvestitionen | 150,0 | 178,8 | + 16,5 |
| Ausrüstungen | 50,3 | 54,0 | + 7,4 |
| Bauten | 99,7 | 124,8 | + 21,6 |

1) Real; Quelle: Statistisches Bundesamt

**Prinzip:** Investmentzertifikate werden in Deutschland nicht an der Börse gehandelt, sondern können nur über die Gesellschaft ge- oder verkauft werden. Der Anteilspreis eines I. ergibt sich aus dem Kurswert der Wertpapiere, dem Barvermögen des I. und den erwirtschafteten Erträgen. Die Geldanlage in I. ist wegen der Verteilung des Fondsvermögens auf verschiedene Anlageobjekte weniger riskant als die Spekulation mit Wertpapieren, ein Börsenengagement ist mit verhältnismäßig kleinen Beträgen möglich.

**Spezialfonds:** Drei Viertel der I. deutscher Gesellschaften waren Spezialfonds, deren Anteile nur von maximal zehn Großanlegern, vor allem Versicherungen, betriebliche Pensionskassen und berufsständische Versorgungswerke, erworben werden können. Die Anleger geben Anlageform und -kriterien vor. 1991–1994 stieg Zahl der Spezialfonds um ein Drittel auf rd. 2300. Im Gegensatz zu den Publikumsfonds ist die Auflegung ohne Genehmigung durch das Bundesaufsichtsamt für Kreditwesen möglich.

### Investmentfonds deutscher Gesellschaften

| Fonds[1] | Anzahl | |
| --- | --- | --- |
| | 1994 | 1991 |
| Insgesamt | 717 | 323 |
| Renten | 417 | 162 |
| Anlage in Deutschl. | 269 | 105 |
| International | 148 | 57 |
| Aktien | 233 | 114 |
| Anlage in Deutschl. | 83 | 42 |
| International | 150 | 72 |
| Gemischte | 54 | 35 |
| Offene Immobilien | 13 | 12 |

1) Ohne Spezialfonds; Quelle: Bundesverband Deutscher Investment-Gesellschaften

**Geldmarktfonds:** Die I. dürfen ihr Geld ausschließlich in Geldmarktpapieren anlegen (z. B. Schatzwechsel). Der Geldmarkt wird von Kreditinstituten und anderen Großanlegern bestritten. Privatanleger sind de facto wegen hoher Mindestanlagesätze ausgeschlossen. Weltweit waren 1994 etwa 27% des I.-Vermögens in Geldmarktfonds angelegt. Gegenüber Konkurrenzprodukten, vor allem Termineinlagen, haben Geldmarktfonds Vorteile:
▷ Höhere Verzinsung
▷ Tägliche Verfügbarkeit
▷ Halber Vermögensteuersatz (0,5%), der auch für andere I. gilt.
Das Kursrisiko im Vergleich zu Renten- und Aktienfonds ist wegen der kurzen Laufzeit gering.

**Kritik:** Die Bundesbank fürchtete eine Vermehrung der Geldmenge und damit ein Inflationsrisiko, je häufiger mindestreservepflichtige Kundeneinlagen gegen Zertifikate von Geldmarktfonds getauscht würden. Als Mindestreserve der Geschäftsbanken setzt die Bundesbank einen Anteil der Einlagen fest, den diese zinslos bei der Bundesbank hinterlegen muß und nicht verleihen darf. Mit einer Heraufsetzung des Satzes z. B. versucht sie, kreditfinanzierte Ausgaben der Bankkunden einzuschränken und durch diese Nachfragebegrenzung Preissteigerungen zu verhindern.

→ Börse → Derivate

### Investmentfonds: Anleger

| Gruppe | Anteil (%) | | | |
| --- | --- | --- | --- | --- |
| | 1970 | 1980 | 1990 | 1994[1] |
| Private Haushalte | 82 | 61 | 51 | 51 |
| Versicherungen | 6 | 19 | 28 | 25 |
| Banken, Bausparkassen | 4 | 4 | 5 | 10 |
| Unternehmen | 3 | 6 | 10 | 10 |
| Ausland | 4 | 10 | 3 | 3 |
| Öffentliche Haushalte | 1 | 1 | 3 | 2 |

1) Juni; Quelle: Deutsche Bundesbank

### Investmentfonds: Geldanlage

| Fonds | Volumen (Mrd DM) | | | |
| --- | --- | --- | --- | --- |
| | 1970 | 1980 | 1990 | 1994[1] |
| Renten | 2,8 | 19,0 | 90,8 | 94,3 |
| Aktien | 6,2 | 9,4 | 17,9 | 39,3 |
| Gemischte | – | – | – | 10,4 |
| Immobilien | 0,6 | 4,4 | 18,0 | 49,5 |
| Publikum insges. | 9,6 | 32,8 | 126,7 | 193,5 |
| Spezial | 0,9 | 14,3 | 112,2 | 247,6 |
| Inländische insges. | 10,5 | 47,1 | 238,9 | 441,1 |
| Ausländische | 1,8 | 1,1 | 19,5 | 118,6 |

1) Juni; Quelle: Deutsche Bundesbank

## IPI

**Name** Internationales Presse Institut
**Sitz** Wien/Österreich
**Gründung** 1951
**Mitglieder** rd. 2000 aus 85 Ländern
**Direktor** Johann Fritz/Österreich (seit 1993)
**Ziel** Unterstützung der Prinzipien einer freien und verantwortlichen Presse, Überwachung der Pressefreiheit

## IRA

(Irish Republican Army, engl.; Irisch-Republikanische Armee), katholische Untergrundbewegung, die den Anschluß des zu Großbritannien gehörenden, überwiegend protestantischen Nordirland (Anteil der Protestanten: ca. 64%) an die mehrheitlich katholische Republik Irland (Anteil der Katholiken: 94%) fordert. Bis zu dem im August 1994 erklärten Waffenstillstand versuchte der militärische Flügel der IRA, dieses Ziel mit Terroranschlägen gegen britische Einrichtungen und Protestanten durchzusetzen. 1969 wurden in Nordirland britische Streitkräfte stationiert. Von 1969 bis zur Ausrufung des Waffenstillstandes wurden rd. 2000 der 3168 Toten im Nordirland-Konflikt den Anschlägen der IRA zugeschrieben.
**Dialog:** Erstmals seit 1972 trafen im Mai 1995 Vertreter der britischen Regierung und der republikanisch nationalistischen Sinn Féin (gälisch; Wir selbst), des politischen Arms der IRA, zu offiziellen Gesprächen zusammen. Mit dem Treffen sollte Sinn Féin formell in Allparteiengespräche über eine politische Lösung des Konflikts einbezogen werden. Die letzten Kontakte fanden 1972 statt, als IRA-Aktivisten heimlich aus dem Gefängnis nach London gebracht wurden.
**Forderungen:** Der Leiter der Sinn-Féin-Delegation, der stellvertretende Parteivorsitzende Martin McGuinness, verlangte den Abzug der 17 600 britischen Soldaten aus Nordirland und die Freilassung von IRA-Gefangenen. Die britische Seite beharrte auf Vernich-

tung oder Übergabe des auf 100 t geschätzten IRA-Waffenarsenals, das in Depots über Nordirland verteilt und versteckt ist.
→ Nordirland-Konflikt

## ISDN

(Integrated Services Digital Network, engl.; digitales Netzwerk für zusammengefaßte Leitungen), digitales, computergesteuertes Übertragungsnetz, mit dem Texte, Daten, Sprache und Bilder übermittelt werden können. Die Informationen werden im ISDN binär codiert, d. h. in eine Zahlenfolge von null und eins umgesetzt, und sind daher für die elektronische Datenverarbeitung geeignet. Grundlage für ISDN bildet das Fernmeldenetz, dessen Digitalisierung bis Ende 1995 in Deutschland abgeschlossen sein soll. Mitte 1995 hatten alle Haushalte in Westdeutschland (Ostdeutschland: 90%) die Möglichkeit, sich an ISDN anschließen zu lassen. Bis Ende 1994 waren rd. 540 000 ISDN-Anschlüsse gelegt, bis Ende 1995 soll sich die Zahl auf ca. 900 000 erhöhen. In Europa konnte sich ISDN nicht durchsetzen, weil die Anschlußkosten in einigen Ländern sehr hoch lagen; nur rd. 3% aller Firmen in Europa nutzten ISDN.
**Vorteile:** ISDN ist leistungsfähiger als bestehende Netze (Übertragungsgeschwindigkeit: 64 000 Bit/sec, Telefonnetz: 4800 Bit/sec), so daß es sich auch für die Übertragung von Bildern (z. B. bei Videokonferenzen) eignet. Während bei herkömmlichen Anschlüssen (z. B. Telefon, Telefax) für jeden Dienst der Telekommunikation jeweils eine Rufnummer erforderlich ist, können mit einem ISDN-Anschluß bis zu acht verschiedene Dienste mit derselben Rufnummer genutzt werden. Mit einem Anschluß können je nach Ausführung zwei bis 30 Geräte betrieben werden. Bis zu drei Teilnehmer können gleichzeitig miteinander telefonieren. Die Nummer des Anrufers wird auf einem Display angezeigt.

**IRA: Präsident der Sinn Féin**

**Gerry Adams**
\* 1940 in Belfast. Adams, der wegen Verdachts der Terrortätigkeit Haftstrafen (1971/72, 1973–1977) verbüßte, nahm 1972 an den erfolglosen Geheimverhandlungen mit der britischen Regierung teil. 1983 wurde er zum Vorsitzenden der Sinn Féin gewählt. Sein Abgeordnetenmandat für West-Belfast im britischen Unterhaus (1983–1992) nahm er nicht wahr, da er sich weigerte, einen Eid auf die britische Königin zu leisten.

| Islam: Hauptver-breitungsgebiete | |
|---|---|
| **Region** | **Angehörige (Mio)** |
| Arabien | 240 |
| Afrika | 100 |
| Türkei[1] | 110 |
| Persien | 120 |
| Asien | 410 |
| weltweit | 1000 |

1) Inkl. zentralasiatische Turkvölker; Quelle: Die Woche, 7. 10. 1994

Im Mannheim wurde am 4. 3. 1995 die größte Moschee in Deutschland eingeweiht. Das Gebetshaus bietet 2500 Moslems Platz.

**Datenfernübertragung:** Computer ersetzten Mitte der 90er Jahre das Telefon für die digitale Datenübermittlung über ISDN. Mit sog. Adapterkarten können Personalcomputer mit Software für ISDN z. B. zum Fernkopieren oder zur Kommunikation mit anderen PC genutzt werden. Die Karten sollen das bis dahin übliche Modem ersetzen, das zwischen PC und Telefon geschaltet wird, jedoch wegen der geringeren Kapazität analoger Telefonleitungen langsamer arbeitet und daher teurer ist. ISDN war Voraussetzung für den Aufbau einer sog. Datenautobahn.

**Euro-ISDN:** Der 1994 eingeführte europäische Betriebsstandard Euro-ISDN, der z. B. ermöglicht, Rufnummern des analogen Telefonnetzes ins ISDN-Netz zu übernehmen, soll bis 2000 ISDN ablösen. Die Vereinheitlichung des ISDN-Betriebs, an der sich 26 Netzbetreiber in 20 Ländern 1995 beteiligten, soll den europaweiten Informationsaustausch verbessern.

**Kosten:** Ein ISDN-Anschluß kostete 1995 in Deutschland zwischen 130 DM (sog. Basisanschluß mit zwei Kanälen) und 200 DM (Multiplexanschluß mit 30 Kanälen), die monatlichen Grundgebühren betrugen 64 bzw. 518 DM zuzüglich der nutzungsbedingten Kosten.

→ Datenautobahn → Digitaltechnik → Telekommunikation

## Islam

(arabisch; Hingabe an Gott), von dem arabischen Propheten und Prediger Mohammed (um 570–632) gegründete monotheistische Religion (Glaube an einen Gott) mit 1 Mrd Gläubigen. Insbes. in Algerien und im Nahen Osten kämpften 1995/96 islamische Fundamentalisten für die Errichtung islamischer Gottesstaaten nach dem Vorbild des Iran.

**Kennzeichen:** Der I. ist die zweitgrößte Religion nach dem Christentum (ca. 1 Mrd Moslems in 184 Ländern, davon 2,4 Mio in Deutschland). Er ist in Glaubensrichtungen gespalten. Die beiden größten Gruppierungen bilden die Sunniten (Sunna, arab.; Brauch, weltweit ca. 80% der Moslems) und die Schiiten (Schia, arab.; Partei, ca. 12%). Es existieren ca. 70 weitere Untergliederungen und Sekten, u. a. Aleviten, Drusen, Wahabiten, Sikhs.

**Fundamentalisten:** Auseinandersetzungen zwischen Fundamentalisten und Regierungen nahmen bürgerkriegsähnliche Züge an:

▷ In Israel wurde die zwischen der palästinensischen Befreiungsorganisation PLO und dem Staat betriebene Aussöhnungspolitik (u. a. Autonomie für Palästinenser im Gazastreifen und in Jericho ab 1994) von der proiranischen fundamentalistischen Hamas mit Terroranschlägen gefährdet

▷ Bei Auseinandersetzungen zwischen Sicherheitskräften und radikalen Islamisten starben 1994 in Ägypten Hunderte Menschen

▷ In Algerien kamen 1992–1994 ca. 10 000 Zivilisten, Sicherheitskräfte und Fundamentalisten ums Leben. Extremisten verübten Anschläge auf Ausländer.

**Aleviten:** Gegen Angehörige der liberalen Glaubensrichtung richteten sich 1995 in der Türkei Anschläge von Fundamentalisten.

→ Aleviten → Dschihad Islami → Hamas → Hisbollah → Islamische Heilsfront → Nahost-Konflikt

## Islamische Heilsfront

(franz.: Front islamique du salut, FIS), 1989 in Algier/Algerien gegründete fundamentalistische Bewegung, die einen auf sozialer Gerechtigkeit beruhenden islamischen Gottesstaat anstrebt. Die im März 1992 von der algerischen Militärregierung verbotene I. unter Abassi Madani führt zusammen mit den als militanter eingeschätzten Bewaffneten Islamischen Gruppen (GIA) einen Untergrundkampf. Ihr Ziel ist es, das Land zu destabilisieren. Im Mai 1995 kündigte der bewaffnete FIS-Flügel Islamische Armee des Heils (AIS) die Bildung einer gemeinsamen Organisation mit der GIA an. Bis Mitte 1995 starben im Bürgerkrieg etwa 30 000 Menschen.

**Guerillakrieg:** Im Januar 1992 brach das Militär die ersten freien Parlamentswahlen ab, um den sich abzeichnenden Wahlsieg der I. zu verhindern. Der militante Flügel der I. nahm mit Terroranschlägen den Untergrundkampf gegen das Militärregime und gegen als ungläubig betrachtete Zivilisten und Ausländer auf. Die AIS, ein loses Bündnis verschiedener Guerillagruppen, dominiert zusammen mit der GIA den islamischen Untergrund.

**Versöhnung gescheitert:** Die Regierung unter Präsident Liamine Zeroual lehnte ein im Januar 1994 vorgestelltes Friedensangebot von Teilen der Opposition ab. Der von der I. und der früheren Einheitspartei FLN unterstützte Plan sah die Einberufung einer Nationalen Versöhnungskonferenz zur Vorbereitung von freien Wahlen vor. Die I. forderte vor Aufnahme von Gesprächen die Aufhebung des Ausnahmezustands und die Legalisierung der I.

## Islam-Unterricht

Nordrhein-Westfalen kündigte im Januar 1995 die Einführung eines islamischen Religionsunterrichts an weiterführenden Schulen für die Klassen 5–7 an. Mit dem staatlichen I. will die Landesregierung den Einfluß fundamentalistischer Koranschulen verringern und die Integration der Moslems fördern.

Mitte 1995 gab es in Hessen und Rheinland-Pfalz (Klassen 1–10) I. In Bayern ist der I. für türkische Kinder islamischen Glaubens in den Klassen 1–5 Pflichtfach. In Baden-Württemberg, Berlin, Bremen, Hamburg, Niedersachsen, dem Saarland und Schleswig-Holstein gab es muttersprachlichen Unterricht, in dem auch der Islam besprochen wurde.

Seit 1983 bietet NRW, in dem rd. 800 000 von 2,2 Mio Moslems in Deutschland leben, einen I. in der Grundschule an. Die Teilnahme am muttersprachlichen Zusatzunterricht ist freiwillig. Der Unterricht findet i. d. R. durch türkische Lehrer in türkischer Sprache statt. Die Lehrpläne wurden in Zusammenarbeit mit dem türkischen Erziehungsministerium erarbeitet. Im Mittelpunkt stehen nicht Belehrungen in Glaubensfragen und Riten, sondern Informationen über den Islam. Der Zentralrat der Muslime in Deutschland begrüßte die Einführung des I., vertrat aber die Auffassung, daß dieser in deutscher Sprache stattfinden sollte, damit die Schulaufsicht z. B. nationalistische Lehrinhalte verhindern kann.

### Islam: Staaten im Überblick

| Land[1] | Moslems | Anteil[2] | Anhänger anderer Religionen |
|---|---|---|---|
| Indonesien | 164 Mio | 87,2% | Christen: 9,6%, Hindus: 1,8% |
| Pakistan | 123 Mio | 96,7% | Christen: 1,6%, Hindus: 1,5% |
| Bangladesch | 100 Mio | 86,8% | Hindus: 11,9%, Sonstige: 1,3% |
| Indien | 99 Mio | 11,0% | Hindus: 80,3%, Christen: 2,4%, Sikhs: 1% |
| Iran | 60 Mio | 98,3% | Bahai: 0,8%, Christen: 0,7% |
| Türkei | 59 Mio | 99,2% | Christen: 0,3%, Sonstige: 0,5% |
| Ägypten | 51 Mio | 90,0% | Christen: 10,0% |
| Nigeria | 41 Mio | 45,0% | Christen: 49,0%, Sonstige: 6,0% |
| Rußland | 27 Mio | 18,0% | Christen: 82% |
| Marokko | 26 Mio | 98,7% | Christen: 1,1%, Juden: 0,2% |

1) Auswahl; 2) an der Gesamtbevölkerung

**Islamische Heilsfront: Vorsitzender**

**Abassi Madani**
* 1931 in Biskra/Algerien. Madani nahm am Freiheitskampf gegen die Kolonialmacht Frankreich (1954–1962) teil und war 1989 Mitbegründer der Islamischen Heilsfront (FIS). 1992 wurde er wegen Hochverrats und versuchten Umsturzes zu zwölf Jahren Haft verurteilt, im März 1995 entlassen und unter Hausarrest gestellt.

| Jugend: Arbeitslosigkeit in Europa | | |
|---|---|---|
| Land | M[1] | W[1] |
| Deutschl. | 6 | 5 |
| Luxemburg | 8 | 6 |
| Großbrit. | 17 | 12 |
| Dänemark | 10 | 12 |
| Portugal | 10 | 14 |
| Niederl. | 17 | 15 |
| Belgien | 19 | 23 |
| Irland | 29 | 25 |
| Frankreich | 22 | 26 |
| Italien | 27 | 37 |
| Spanien | 35 | 43 |

Stand: 1. Halbjahr 1994; 1) je 100 Arbeitnehmer unter 25 Jahren; Quelle: eurostat

# J

## Jahrhundertvertrag

→ Kohle (Glossar)

## Jihad Islami

→ Dschihad Islami

## Jugend

Der 1994 von der CDU/CSU/FDP-Bundesregierung vorgelegte neunte J.-Bericht ergab, daß Arbeitslosigkeit der Hauptgrund für Unzufriedenheit unter ostdeutschen Jugendlichen ist. 18% der Befragten zwischen 14 und 27 Jahren bezeichneten die schwierige Arbeitsmarktlage als ihr größtes persönliches Problem. Etwa 25% der 21–27jährigen waren 1993 zum Zeitpunkt der Befragung im Osten arbeitslos (Westdeutschland: 6%).

**Gewaltbereitschaft:** Die Studie stellte bei arbeitslosen Jugendlichen eine große Bereitschaft fest, Gewalt als Mittel zur Problembewältigung einzusetzen (39% der arbeitslosen, 26% der berufstätigen Jugendlichen). Auch war gegenüber erwerbstätigen Jugendlichen eine höhere Akzeptanz von Gewalt gegen Ausländer erkennbar (23% der arbeitslosen, 15% der berufstätigen Befragten).

**Kaufkraft:** Eine Marktforschungsstudie kam 1994 zu dem Ergebnis, daß die kaufkräftige Gruppe der Jugendlichen zwischen zwölf und 21 Jahren einen großen Einfluß auf Kaufentscheidungen innerhalb der Familie hat. 1994 verfügte die Altersgruppe in Deutschland über ein Einkommen von 30 Mrd DM. 20% hatten rd. 1000 DM im Monat zur freien Verfügung.

**Generation X:** 1994 äußerten sich 46% aller deutschen Jugendlichen pessimistisch über die Zukunft der Gesellschaft. Die als Generation X bezeichnete Gruppe der 16–30jährigen ist von Gleichgültigkeit gegenüber staatlichen Institutionen geprägt. 1,3% der Jugendlichen engagierten sich in Bürgerinitiativen, 1% in Parteien.

→ Gewalt → Lehrstellenmarkt

## Jungle

(engl.; Dschungel), erstmals von politisch linksorientierten Farbigen im Londoner Stadtteil Brixton am Computer produzierte Musikrichtung, bei der langsame, weiche Bässe und Trommelklänge hohe Schlagzeugtöne mit bis zu 160 Beats/min (engl.; Schläge) begleiten. Die bekanntesten J.-Musiker waren 1995 u. a. Goldie, General Levy, Shy FX & UK Apachi.

J. ist eine Mischung aus den Musikstilen Hip Hop, Techno und Reggae. Die Reggae-Baßläufe sind mit plötzlichen Rhythmusunterbrechungen und Effekten wie Sirenenheulen, Sprechgesangsfetzen (Rap) und Jazzfragmenten unterlegt. Die Schlagzeugtöne, überwiegend Hip-Hop-Rhythmen, werden mit einem Computereffekt erzeugt, mit

### Jungle: Zugrundeliegende Musikstile

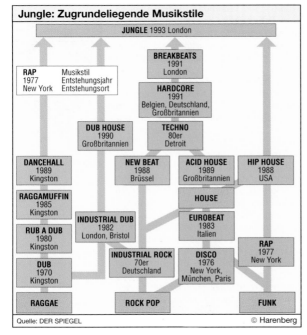

Quelle: DER SPIEGEL © Harenberg

dem ursprünglich Gesang schneller oder langsamer wiedergegeben wurde, ohne die Tonhöhe zu verändern. Das entstehende schnelle Klirren und Schnattern ist Charakteristikum des J. Die Lieder sind z. T. aggressive Protestsongs gegen die Perspektivlosigkeit unterer Bevölkerungsschichten.

# K

## Kabelanschluß

Verbindung mit dem breitbandigen Kupferkoaxialkabel oder dem Glasfaserkabel, die die Telekom in Deutschland für die Verbreitung von Hörfunk- und Fernsehprogrammen einrichtet. Kabelnutzung erhöht die Zahl der zu empfangenden Programme (etwa 30) gegenüber Antennenempfang und garantiert störungsfreien Empfang. Private Rundfunkanbieter und die Landesmedienanstalten forderten die Telekom mangels freier Kanäle 1995 auf, das Kabelnetz für analoge Programme zu erweitern. Die Telekom lehnte einen Ausbau wegen der hohen Kosten ab. Zudem wollte sie Übertragungskapazität für das digitale Fernsehen reservieren (voraussichtlich 1996). Im März 1995 verfügten 15 Mio Haushalte über K., rd. 64% der anschließbaren Wohnungen nutzten den Anschluß.
→ Digitales Fernsehen → Glasfaserkabel

## Kabelzeitung

Ende 1994 startete in Bremen und Bremerhaven die erste K. in Deutschland, die in Form von Texttafeln über das Kabelnetz an angeschlossene TV-Bildschirme kostenlos lokale Informationen verbreitet. Bis dahin konnten TV-Haushalte bereits Videotext mit bundesweiten Informationen empfangen. Die K. wird nach Bedarf mehrmals täglich aktualisiert (Veranstalter: Deutsche Kabelzeitungsgesellschaft, DKZ aus lokalen Zeitungsverlagen).

## Kaffee

Der K.-Preis war 1994 starken Schwankungen unterworfen zwischen rd. 0,70 Dollar/Pfund (0,99 DM) Ende 1993 und 2,50 Dollar/Pfund (3,52 DM) Mitte 1994. Ende 1994 stabilisierte er sich bei rd. 1,90 Dollar/Pfund (2,68 DM). Die CDU/CSU/FDP-Bundesregierung legte im April 1995 einen Gesetzentwurf zur Annahme des Internationalen K.-Abkommens vor, das am 1. 10. 1994 in Deutschland vorläufig in Kraft getreten war. Das Abkommen der Internationalen K.-Organisation (London, Laufzeit: fünf Jahre) sieht ein Diskussionsforum der Export- und Importländer, aber keine Maßnahmen zur Stabilisierung der Weltmarktpreise vor.

**Kartell:** Im März 1995 vereinbarten die K.-Anbauländer in Lateinamerika und Afrika ein neues Kartell zur Stabilisierung ihrer Exporterlöse. Bei Unterschreiten eines Richtpreises für Roh-K. sollen die Ausfuhren schrittweise gedrosselt werden. Alternativ zu diesem System können sich die einzelnen Erzeugerstaaten auch für feste Exportquoten entscheiden.

**Preisentwicklung:** Das Internationale K.-Abkommen von 1983 war 1989 an der Festlegung von Exportquoten zur Stabilisierung des K.-Weltmarktpreises gescheitert. Das hatte zunächst zu Überangebot und einem Preissturz auf

| Kabelanschluß: Entwicklung in Deutschland | |
|---|---|
| Jahr | Anschlüsse (Mio) |
| 1984 | 1,0 |
| 1986 | 2,3 |
| 1988 | 4,6 |
| 1990 | 8,1 |
| 1992 | 11,8 |
| 1994 | 14,6 |

Quelle: Deutsche Telekom

| Kaffee: Beliebteste Getränke | |
|---|---|
| Getränk | Verbrauch (l/pro Kopf) |
| Kaffee | 169 |
| Bier | 140 |
| Mineralwasser | 97 |
| Erfrischungsgetränke | 90 |
| Milch | 82 |
| Fruchtsäfte | 40 |
| Tee | 22 |
| Wein | 18 |
| Spirituosen | 7 |
| Kaffeemittel | 6 |
| Sekt | 5 |

Stand: 1994; Quelle: Ifo-Institut

| Kaffee: Größte Erzeugerländer | | |
|---|---|---|
| Rang | Land | Kaffeeproduktion (1000 Säcke à 60 kg) |
| 1 | Brasilien | 28 500 |
| 2 | Kolumbien | 14 000 |
| 3 | Indonesien | 7 500 |
| 4 | Mexiko | 4 200 |
| 5 | Côte d'Iv. | 3 700 |
| 6 | Indien | 3 500 |
| 7 | Äthiopien | 3 000 |
| 7 | Guatemala | 3 000 |
| 7 | Uganda | 3 000 |
| 10 | El Salvador | 2 500 |

Stand: 1993/94; Quelle: Encyclopaedia Britannica

dem Weltmarkt um 50% bis 1993 geführt. Der Ruin von Tausenden von K.-Bauern bewirkte seitdem einen Produktionsrückgang und damit wieder steigende Preise. Die Ernte 1993/94 lag um rd. 10 Mio Sack à 60 kg unter dem weltweiten Bedarf von rd. 97 Mio Sack. Lagerbestände wurden reduziert, um das Angebot zu ergänzen. Für die Ernte 1995/96 wird wegen außergewöhnlicher Frostschäden im größten K.-Erzeugerland Brasilien mit einer weiteren Angebotsverknappung und Preissteigerungen gerechnet.

→ Fairer Handel

## Kanalsanierung

Instandsetzung des Abwasserkanalsystems, das u. a. durch Erschütterungen des Straßenverkehrs und chemische Belastung der Abwässer beschädigt ist. Mitte der 90er Jahre waren in Westdeutschland rd. 20% der etwa 300 000 Kanalkilometer öffentlicher Abwassernetze und mehr als die Hälfte der rd. 700 000 km privater Netze undicht oder verrottet. In Ostdeutschland ging ein Drittel des Trinkwassers durch defekte Rohre verloren. Die Kosten für die K. bis zum Jahr 2000 bezifferten Experten auf 50 Mrd bis 100 Mrd DM. Sie sollen über Abwassergebühren aufgebracht werden.

Anfang der 90er Jahre wurden die Abwasserkanäle erstmals auch von privaten Unternehmen saniert. Der Hauptverband der Deutschen Bauindustrie ging davon aus, daß private Firmen Finanzierung und Betrieb von Abwasserkanälen um bis zu 30% billiger anbieten können.

→ Gemeindefinanzen

## Kanaltunnel

Eisenbahnverbindung zwischen Großbritannien und Frankreich unter dem Ärmelkanal, die ihren vollen Betrieb Ende 1994 aufnahm. Die Betreibergesellschaft des K., Eurotunnel, hatte beim PKW- und LKW-Verkehr über den Ärmelkanal Anfang 1995 einen Marktanteil von 18%.

**Bahnverkehr:** Der Pendeldienst Le Shuttle (shuttle service, engl.; Pendelverkehr) beförderte ab Mitte 1994 LKW und Güterzüge zwischen Folkestone bei Dover/Großbritannien und Sangatte bei Calais/Frankreich. Ab Dezember 1994 transportiert der Shuttle-Dienst stündlich Autos und Motorräder auf Bahnwaggons (Reisezeit: 35 min). Als Bestandteil des europäischen Schnellbahnnetzes durchqueren ab November 1994 Eurostar-Züge den K.

**Konkurrenz:** Die Fährgesellschaften reagierten auf den K. mit Preissenkungen und der Anschaffung moderner Schiffe. Die Überfahrt zwischen Dover und Calais dauerte zwischen 35 und 90 min. 1990–2003 wird mit einer Steigerung des Kanalreiseverkehrs von 65 Mio auf 150 Mio Passagiere gerechnet.

**Finanzierung:** Die Baukosten von 26 Mrd DM wurden von Eurotunnel finanziert. Fehlkalkulation und eine um etwa ein Jahr verspätete Eröffnung erhöhten die ursprünglich veranschlagten Baukosten von 11,6 Mrd DM.

**Bauwerk:** Der 50 km lange K. (Baubeginn: 1987) liegt auf einer Länge von 38 km bis zu 100 m unter der Wasseroberfläche bzw. 40 m unter dem Meeresboden. Zwischen den beiden Eisenbahnröhren mit 7,6 m Durchmesser verläuft ein kleinerer Lüftungs-, Wartungs- und Rettungstunnel (4,8 m).

→ Hochgeschwindigkeitszüge → Schnellbahnnetz

| Kanaltunnel: Längste Eisenbahntunnel | | | | |
|------|--------|-------------|-----------|-----------------|
| Rang | Tunnel | Land | Länge (m) | Eröffnungsjahr |
| 1 | Seikan | Japan | 53 850 | 1988 |
| 2 | Kanaltunnel | F/GB[1] | 50 500 | 1994 |
| 3 | Daishimizu | Japan | 22 200 | 1982 |
| 4 | Simplon II | Schweiz/Ital. | 19 823 | 1922 |
| 5 | Shin-Kammon | Japan | 18 560 | 1974 |
| 6 | Apennintunnel | Italien | 18 519 | 1934 |
| 7 | Rokko | Japan | 16 250 | 1971 |
| 8 | Henderson | USA | 15 800 | 1975 |
| 9 | Furka | Schweiz | 15 407 | 1982 |
| 10 | St. Gotthard | Schweiz | 14 998 | 1882 |

1) Frankreich/Großbritannien; Quelle: Focus, 28. 11. 1994

## Kaschmir-Konflikt

Im Mai 1995 eskalierten die Auseinandersetzungen zwischen militant-separatistischen Moslems und indischen Regierungstruppen im mehrheitlich moslemischen Bundesstaat Jammu und Kaschmir. Soldaten stürmten die Moschee von Tscharar-i-Sharif und töteten 40 Rebellen, die sich seit März in dem bedeutendsten Heiligtum Kaschmirs verschanzt hatten.

Kaschmir war nach der Unabhängigkeit des moslemischen Pakistans und des mehrheitlich hinduistischen Indiens 1947 zwischen beiden Staaten geteilt worden. 1947, 1965 und 1971 führten Indien und Pakistan Krieg um Kaschmir. Im indischen Teil Kaschmirs kämpfen radikale Moslems für eine Loslösung von Indien. Nach offiziellen Angaben forderte der seit 1989 dauernde Bürgerkrieg im nördlichsten indischen Bundesland 11 000 Tote. Die in Kaschmir rd. 500 000 Mann starke indische Armee verübte schwere Menschenrechtsverletzungen.

## Kaukasus

Mitte der 90er Jahre war die Gebirgsregion zwischen Schwarzem und Kaspischem Meer Schauplatz von Kriegen und ethnischen Konflikten. In dem Krisengebiet leben in vier Staaten und 17 abhängigen Republiken sowie autonomen Republiken und Gebieten etwa 60 ethnische Gruppen mit eigener Sprache. Die Ursachen der Spannungen sind vielfältig:

▷ Eine bis ins 16. Jh. zurückreichende russische Expansion führte zur traditionellen Oppositionshaltung der Kaukasier gegen Rußland

▷ In den 40er Jahren ließ Diktator Josef Stalin Völker, die gegen einen Anschluß an die UdSSR gekämpft hatten, z. B. Inguschen, nach Mittelasien deportieren. Bei ihrer Rückkehr ab 1957 waren die traditionellen Lebensräume häufig neu besiedelt. Dies führte zu Gebietsansprüchen

### Kaschmir-Konflikt

| | |
|---|---|
| ▨ | Indisches Staatsgebiet |
| ▤ | Pakistanisches Staatsgebiet |
| ▦ | Chinesisches Staatsgebiet |

© Harenberg

▷ Religiöse Zugehörigkeiten sind unterschiedlich – Armenier, Russen und Georgier sind christlich, die meisten Völker moslemisch

▷ Rohstoffvorkommen sind ungleich verteilt. Nach dem Zerfall der Sowjetunion 1991 will Rußland Einfluß und Kontrolle über die Erdölindustrie (insbes. in Aserbaidschan, Tschetschenien) sichern

▷ Die kargen Gebirgsregionen im K. können nur wenige Menschen

### Kaukasus: Konfliktherde in den 90er Jahren

| Region | Anlaß |
|---|---|
| Abchasien | Unabhängigkeitserklärung von Georgien 1992, nach Krieg seit 1994 Waffenstillstand |
| Aserbaidschan | Die iranosprachigen Talyschen fühlen sich von den turksprachigen Aseri unterdrückt |
| Dagestan | 30 ethnische Gruppen fordern von Rußland mehr politische Mitspracherechte |
| Nagorny-Karabach | Krieg um die Exklave Armeniens in Aserbaidschan seit 1988 |
| Nord-Ossetien | Gebietsanspruch Inguschetiens auf den Landkreis Prigorodny bei Wladikawkas |
| Süd-Ossetien | Die autonome Region in Georgien strebt nach Anschluß an die Russische Föderation |
| Tschetschenien | Nach Abspaltung von Rußland 1991 erobern russische Truppen 1994/95 die Republik |

Stand: Mitte 1995; Quelle: Aktuell-Recherche

**Kaukasus: Krisenregion**

Armawir
Maikop
RUSSLAND
KASACH-STAN
Kaspisches Meer
Kabardino-Balkarien
Inguschetien
Grosny
Dagestan
Sotschi
Naltschik
Nord-Ossetien
Tsche-tschenien
Machatschkala
Abchasien
Elbrus 5635 m
Wladikawkas
Grenzverlauf umstritten
Suchumi
Süd-Ossetien
Schwarzes Meer
GEORGIEN
Tiflis
Adscharien
Batumi
Sewan see
Gjandscha
Sumgait
Trabzon
Kumairi
ASERBAIDSCHAN
Baku
Kars
ARMENIEN
Nagorny-Karabach
Jerewan
Stepanakert
Erzurum
Nachitschewan
(AZ)
Türkei
Vansee
Van
IRAN
Täbris

Autonome Republik
Autonome Region
Von Armenien beansprucht
Russische Teilrepubliken
Kurdengebiet

0    250 km

ernähren. Der K. ist ein gefährdetes Gebiet für Naturkatastrophen, die Flüchtlingsbewegungen auslösen können.
→ Tschetschenien

## Keimbahntherapie

Gentechnisches Verfahren, bei dem die Erbanlagen (Gene) von Ei- und Samenzellen verändert werden. Im Unterschied zur somatischen Gentherapie, die nur Gene der Körperzellen (somatische Zellen) verändert, werden bei der K. die Veränderungen weitervererbt, so daß z. B. Erbkrankheiten verhindert werden könnten. Um Manipulationen am Erbgut und der Gefahr der Menschenzüchtung vorzubeugen, ist die K. in Deutschland verboten. Die geplante Bioethik-Konvention der EU sieht ebenfalls ein K.-Verbot vor.
→ Bioethik → Embryonenschutz → Gentherapie

## Kernfusion

Verschmelzung der Kerne schwerer Wasserstoffatome (Isotope Deuterium, Tritium) unter hoher Energiezufuhr (mindestens 100 Mio °C) zu einem Atomkern des Edelgases Helium. Im Gegensatz zur K. in einer Wasserstoffbombe findet in einem Reaktor ein kontrollierter Prozeß statt. Die USA planten Ende 1994 den Bau eines Fusionsreaktors, der Energie mit Hilfe von 192 Hochleistungslasern erzeugen (Kosten: rd. 1,8 Mrd Dollar, 2,5 Mrd DM) und Vorgänge bei der Explosion von Wasserstoffbomben erforschen soll. Eine kommerzielle Nutzung der K. erwarten Wissenschaftler in frühestens 50 Jahren.

**Forschung:** Der Reaktor entsteht auf dem Gelände des Lawrence Livermore National Laboratory (San Francisco/Kalifornien), das die größte Laseranlage der Welt beherbergt (Nova) und zu den bedeutendsten Einrichtungen für die Entwicklung von Atomwaffen gehört. Im Reaktor sollen Temperaturen von 200 Mio °C erzeugt werden. Die EU, Japan, Rußland und die USA beteiligen sich an der Entwicklung des Internationalen Thermonuklearen Experimentellen Reaktors (ITER). Über Bau und Standort von ITER soll 1998 entschieden werden (Kosten: rd. 5,6 Mrd Dollar, 7,9 Mrd DM). In Lubmin bei Greifswald (Mecklenburg-Vorpommern) wird ab 1995/96 als Teil des Max-Planck-Instituts für Plasmaphysik (IPP, Garching) eine K.-Forschungsanlage (Wendelstein 7-X) errichtet (Kosten: rd. 500 Mio DM).

**Experiment:** Ende 1994 wurde im Tokamak Fusion Test Reactor (TFTR, Princeton/New Jersey) für 1 sec eine Wärmeleistung von 10,7 MW freigesetzt (Rekordmarke vom Dezember 1993: 5,6 MW). Die eingesetzte Energie war jedoch viermal so hoch wie die Ausbeute. ITER war für eine Brenndauer von bis zu 1000 sec geplant.

**Bewertung:** K. ist anderen Arten der Energieerzeugung überlegen, weil Deuterium nahezu unbegrenzt im Wasser enthalten ist und das radioaktive Tritium im Reaktor gewonnen werden kann. 1 g Fusionsbrennstoff liefert soviel Energie wie 6 t Kohle. Ungelöst war die Wärmenutzung.
→ Atomenergie

## Kfz-Steuer

Abgabe an den Staat für den Besitz von Kfz. Die CDU/CSU/FDP-Bundesregierung plante, die Höhe der K. für PKW in Deutschland ab Ende 1995 nach dem Schadstoffausstoß zu bemessen. Bis dahin war die Grundlage der Hubraum des Motors. Die Umstellung soll einen Anreiz schaffen, verbrauchs- und abgasarme Autos zu kaufen und damit einen Beitrag zur Bekämpfung der Luftverschmutzung leisten. Für LKW gilt eine Staffelung der K. nach Abgaswerten ab April 1994. Die Einnahmen aus der K. stehen den Bundesländern zu, sie betrugen 1994 rd. 14 Mrd DM.

→ Autoverkehr → Steuern

## Kinderanwalt

Vom Staat bezahlter Rechtsbeistand, der vor Gericht in Sorgerechtsfällen oder bei Tatbeständen wie Mißhandlung und sexuellem Mißbrauch die Interessen der Minderjährigen vertritt. Der EU-Ministerrat plante im Rahmen einer Europäischen Konvention für die Rechte der Kinder bis Ende 1995 ein Gesetz, das Kindern und Jugendlichen das Recht auf einen Anwalt einräumt. Während 1995 in Großbritannien, Frankreich und den USA entsprechende Bestimmungen existierten, war in Deutschland der Richter, unterstützt vom Jugendamt und in Ausnahmefällen von psychologischen Sachverständigen, für die Vertretung der Kinder zuständig.

→ Kindesmißhandlung → Sorgerecht

## Kinderarbeit

Weltweit gingen 1994 rd. 200 Mio Kinder unter 15 Jahren, vor allem in den Entwicklungsländern, nach Schätzungen der Internationalen Arbeits-Organisation (ILO, Genf/Schweiz) einer Arbeit nach. Der Europäische Rat verabschiedete im Juni 1994 eine Richtlinie, die Erwerbstätigkeit von Personen unter 15 Jahren verbietet und

## Kernfusion: Technik

### Laser

Wasserstoffisotope sind in Glaskugeln eingeschlossen, die sich in einem Hohlzylinder befinden. Beim Auftreffen des Laserimpulses auf die Innenwände des Metall-Hohlraums entsteht radioaktive Strahlung, die den Brennstoff aufheizt und verschmelzen läßt.

### Magnetischer Einschluß

Ein Deuterium-Tritium-Gemisch wird von einem ringförmigen Magnetfeldkäfig (Tokamak) eingeschlossen, auf Zündtemperatur aufgeheizt, verdichtet und mit Hilfe der Magnetspulen in Schwebe gehalten. Jede Berührung mit den Wänden der Brennkammer würde das Plasma abkühlen und die Kernfusion unterbrechen.

### Schallwellen

Wasser, das mit Gas versetzt ist (z. B. Xenon), wird aufgeheizt. Schallwellen halten die Gasbläschen in der Schwebe und lassen sie pulsieren, bis sie platzen. Die Temperatur des erzeugten Lichtblitzes (mindestens 90 000 °C) kann die Kernfusion in Gang setzen. Diese Methode wurde bis 1995 nicht großtechnisch erprobt.

die Arbeit von Jugendlichen unter 18 Jahren einschränkt. Die EU-Mitgliedstaaten sind verpflichtet, ihr Recht bis Juni 1996 an die EU-Vorgaben anzupassen. Für Großbritannien wurde eine Übergangsfrist bis 1998 vereinbart.

**EU-Richtlinie:** Die EU-Minister erließen Mindestarbeitsschutzbedingungen, die von den Mitgliedstaaten verschärft werden können:

▷ Ausnahmen vom Verbot der K. sind auf leichte Arbeiten sowie kulturelle, künstlerische und sportliche Darbietungen beschränkt

▷ Die Arbeitszeit von schulpflichtigen Jugendlichen darf täglich zwei

### Kinderarbeit: Schulbesuchsdauer

| Land[1] | Schulbesuch (Jahre) | Alphabetisierung (%) |
|---|---|---|
| Burkina Faso | 0,2 | 20 |
| Bhutan | 0,3 | 41 |
| Guinea-Bissau | 0,4 | 39 |
| Gambia | 0,6 | 30 |
| Benin | 0,7 | 25 |
| Sudan | 0,8 | 28 |
| Jemen | 0,9 | 41 |
| Japan | 10,8 | 100 |
| Deutschland | 11,6 | 99 |
| USA | 12,4 | 85 |

Stand: 1992; 1) Auswahl; Quelle: Weltbank

### Kinderarbeit: Ländervergleich

| Land[1] | Anzahl[2] (Mio) |
|---|---|
| Indien | 44,0 |
| Pakistan | 19,0 |
| Nigeria | 12,0 |
| Mexiko | 11,0 |
| Bangladesch | 5,7 |
| Philippinen | 5,7 |
| Thailand | 4,0 |
| Nepal | 3,0 |
| Brasilien | 2,9 |
| Indonesien | 2,2 |
| Ägypten | 1,4 |
| Guatemala | 1,1 |
| Kolumbien[3] | 0,8 |

Stand: 1994; 1) Auswahl; 2) geschätzte Zahl der erwerbstätigen Kinder unter 15 Jahren; 3) 12–17 Jahre; Quelle: ILO

| Kindergarten: Versorgungsgrad | |
|---|---|
| **Bundesland** | **Versorgung (%)** |
| Berlin (O) | 100,0 |
| Meckl.-Vorp. | 100,0 |
| Rheinl.-Pfalz | 100,0 |
| Sachsen-An. | 100,0 |
| Thüringen | 100,0 |
| Saarland | 96,0 |
| Sachsen | 94,0 |
| Baden-Württ. | 93,6 |
| Brandenburg | 90,2 |
| Bayern | 82,0 |
| Bremen | 80,0 |
| NRW | 80,0 |
| Hessen | 78,3 |
| Niedersachs. | 75,1 |
| Hamburg | 74,1 |
| Berlin (W) | 73,3 |
| Schlesw.-Hol. | 61,1 |

Stand: August 1994;
Quelle: Deutscher
Städtetag

Stunden nicht überschreiten (Begrenzung der Wochenarbeitszeit: zwölf Stunden)

▷ Nachtarbeit zwischen 20–6 Uhr ist verboten

▷ Zwei Tage müssen arbeitsfrei sein.

**Entwicklungsländer:** Trotz Resolutionen und Verboten stieg Anfang der 90er Jahre K. in den Entwicklungsländern weiter an. Kinderschutzorganisationen forderten 1995 Konzepte zur Bekämpfung von K., die die Wirtschaftsstrukturen und ökonomischen Probleme der einzelnen Länder stärker berücksichtigen.

**Deutschland:** Etwa 50% aller Schüler gingen einer Studie des hessischen Arbeits- und Sozialministeriums von 1994 zufolge einer Erwerbstätigkeit nach. Jeder vierte übte verbotene K. aus. Aushilfsarbeiten wie Kisten tragen, Gebäude reinigen und Babysitten gehörten zu den Hauptbeschäftigungen der Kinder und Jugendlichen.

## Kinderfreibetrag

→ Familienlastenausgleich

## Kindergarten

Das 1992 im Zuge der Neuregelung des Schwangerschaftsabbruchs beschlossene Schwangeren- und Familienhilfegesetz garantiert jedem Kind von drei Jahren bis zum Schuleintritt ab 1996 einen Platz im K. Anfang 1995 fehlten nach Angaben des Deutschen Städtetages bundesweit 500 000 K.-Plätze und rd. 46 000 Erzieherinnen. Im März 1995 einigten sich die

Ministerpräsidenten der Bundesländer darauf, den Rechtsanspruch zum 1. 1. 1996 fristgerecht umzusetzen, und wandten sich gegen den Entschluß ihrer Finanzminister, den Termin auf 1. 1. 1999 zu verschieben. Die Länder forderten eine sog. Stichtagsregelung. Danach wird der Zugang zum K. ähnlich wie die Einschulung geregelt. Kinder, die bis zum 1. August drei Jahre alt werden, können einen Platz für das im Herbst beginnende K.-Jahr beanspruchen. Die Regelung verringere die Zahl der bis 1996 neu einzurichtenden Plätze und würde die für die Gemeinden anfallenden Investitionskosten von insgesamt 21 Mrd DM senken.

→ Gemeindefinanzen

## Kindergeld

Staatliche Leistung für Eltern in Deutschland zur Minderung der finanziellen Belastung durch Kinder. K. gehört neben dem Kinderfreibetrag, der Erziehenden im Rahmen des Lohnsteuerjahresausgleichs Steuererleichterungen ermöglicht, zum zweistufigen Familienlastenausgleich. Die CDU/-CSU/FDP-Bundesregierung plante, ab 1996 höhere Leistungen zu zahlen und eine Wahlmöglichkeit zwischen K. und Kinderfreibetrag zu schaffen.

→ Familienlastenausgleich

## Kinderkanal

1995 startete ein Fernsehprogramm in Deutschland, drei weitere waren geplant, die sich mit gewaltfreien Programmen aus überwiegend Zeichentrick- und Kinderfilmen sowie Spiel- und Musik-Shows speziell an die Zielgruppe der Kinder und Jugendlichen wenden wollen.

Ab April 1995 sendet das werbefinanzierte Super RTL als Gemeinschaftssender der Compagnie Luxembourgeoise de Télédiffusion (CLT) und des US-amerikanischen Disney-Konzerns ein werbefinanziertes Programm für Kinder und junge Familien. Nickel-

| Kindergeld: Höhe der Leistungen in Deutschland | | |
|---|---|---|
| **Anzahl der Kinder** | **Jahresnettoeinkommen (DM)[1]: Monatliches Kindergeld (DM)** | |
| 1 | keine Einkommensgrenze: 70 | |
| 2 | bis 45 479: 200 | über 45 960: 140 |
| 3 | bis 54 679: 420 | über 57 080: 280 |
| 4 | bis 63 879: 660 | über 68 680: 420 |
| 5 | bis 73 079: 900 | über 80 280: 560 |

1) Bei Verheirateten; ab 1994 verringerte sich das Kindergeld ab dem dritten Kind auf 70 DM für Nettoeinkommen ab 100 000 DM;
Quelle: Bundesfamilienministerium

odeon (Gesellschafter: Viacom, 90%, Ravensburger AG, 10%) will Ende 1995 starten und sich aus Werbung finanzieren. Die Bertelsmann AG (Gütersloh), die Kirch-Gruppe (München) und die französische Canal plus, ab 1991 Betreiber des Pay-TV Premiere, wollen im Herbst 1995 einen werbefreien K. gegen eine Monatsgebühr anbieten (etwa 25 DM, zusammen mit Premiere 56 DM). Die öffentlich-rechtlichen Anstalten ARD und ZDF erwogen einen K. ab 1997. Werbekunden schalteten für rd. 600 Mio DM jährlich Spots für Kinderprodukte.
→ Fernsehen → Fernsehwerbung → Pay-TV → Spartenkanal

## Kinderstaatszugehörigkeit

→ Doppelte Staatsbürgerschaft

## Kindesmißhandlung

Anfang 1995 hatten 177 Nationen die UNO-Konvention zum Schutz der Kinderrechte unterzeichnet, die Zwangsarbeit und körperliche Gewalt gegen Kinder verbietet. 1994 starben weltweit 14 Mio Kinder an Hunger, Krankheiten oder Verletzungen. 200 Mio wurden als Arbeitskräfte ausgenutzt, und 100 Mio waren obdachlos.
**Deutschland:** 1994 lebte in Deutschland dem Kinderschutzbund zufolge jedes siebte der insgesamt 2,2 Mio Kinder in Armut. 1 Mio Kinder wurden geschlagen, 90 000 sexuell mißbraucht. Im November 1994 eröffnete das Mainzer Landgericht das größte deutsche Verfahren gegen sexuellen Mißbrauch. Einem Familienclan mit 24 Erwachsenen wurden 89 Fälle von Mißbrauch an 16 Kindern, die zur Tatzeit zwischen sechs Monaten und acht Jahren alt waren, vorgeworfen.
**Kinderprostitution:** Einer Schätzung der UNO zufolge wurden 1994 weltweit rd. 10 Mio Kinder zur Prostitution gezwungen. Schwerpunkt waren die asiatischen Länder mit 1 Mio minderjähriger Prostituierten, deren Kunden zu einem Fünftel Sextouristen aus westlichen Industrieländern waren. In Deutschland wird Prostitution mit Kindern seit 1993 auch dann strafrechtlich verfolgt wird, wenn die Tat im Ausland begangen wurde.
**Kriegsopfer:** Auf 2 Mio Kinder bezifferte der UNICEF-Bericht zur Lage der Kinder 1995 die Zahl der Opfer, die seit 1985 in kriegerischen Auseinandersetzungen getötet worden waren. Etwa 4 Mio wurden verbrannt, verstümmelt und verletzt, ca. 12 Mio verloren ihre Heimat.
→ Kinderanwalt → Straßenkinder

| Kindergeld: Ausgabenentwicklung | |
|---|---|
| Jahr | Ausgaben (Mrd DM) |
| 1991 | 20,48 |
| 1992 | 22,06 |
| 1993 | 21,70 |
| 1994 | 20,39 |

Quelle: Bundesfamilienministerium

## Kirche, Evangelische

Mit 28,4 Mio Mitgliedern größte Glaubensgemeinschaft in Deutschland. Im November 1994 beschloß die Synode der Evangelischen Kirche in Deutschland (EKD), ihren 24 Landeskirchen die Organisation der Militärseelsorge freizustellen.
**Militärseelsorge:** Die Gliedkirchen können wählen zwischen Militärpfarrern als Staatsbeamten der Bundeswehr und Militärseelsorgern, die in einem kirchlichen Dienstverhältnis stehen. Nach der deutschen Vereini-

| Kirche: Weltweite Verbreitung von Religionen | | |
|---|---|---|
| Religion | Mitglieder | Hauptverbreitung |
| Bahaismus | 5,7 Mio | Indien, Iran |
| Buddhismus | 334,0 Mio | Japan, China, Taiwan |
| Christentum | 1 869,7 Mio | Europa, Nord- und Südamerika |
| Katholiken | 1 042,5 Mio | Europa, Nord- und Südamerika |
| Protestanten | 382,4 Mio | Europa, Nordamerika |
| Hinduismus | 751,4 Mio | Indien |
| Islam | 1 014,4 Mio | Vorderasien, Nordafrika |
| Judentum | 18,2 Mio | Weltweit |
| Konfuzianismus | 6,2 Mio | Korea-Süd |
| Neue Religionen | 123,8 Mio | Nordamerika, USA |
| Schamanismus | 10,9 Mio | Korea |
| Shintoismus | 3,3 Mio | Japan |
| Sikhs | 19,8 Mio | Indien (Punjab) |
| Naturreligionen | 99,7 Mio | Afrika, Asien, Ozeanien |

Stand: Mitte 1993; Quelle: Britannica book of the year 1994

**Kirche, Evangelische: EKD-Ratsvorsitzender**

**Klaus Engelhardt**
* 11. 5. 1932 in Schillingstadt (Baden), deutscher evangelischer Theologe. Ab 1966 Dozent an der Pädagogischen Hochschule in Heidelberg. Seit 1980 Bischof der badischen Kirche, seit 1991 Vorsitzender des Rats der Evangelischen Kirche in Deutschland.

**Kirche, Katholische: Papst**

**Papst Johannes Paul II.**
(eig. Karol Wojtyla)
* 18. 5. 1920 in Wadowice/Polen, Prof. Dr. theol. Johannes Paul II. wurde 1946 zum Priester und 1958 zum Bischof geweiht. 1964 wurde er Erzbischof von Krakau, 1978 als erster Pole und erster Nichtitaliener seit 455 Jahren Papst.

gung 1990 waren die K. in Ostdeutschland für eine von Kirchenbediensteten wahrgenommene Militärseelsorge eingetreten und hatten das westdeutsche Modell abgelehnt, nach dem Militärpfarrer Bundeswehrbeamte sind.

**Kirchentag:** Im Juni 1995 fand in Hamburg der 26. Deutsche Evangelische Kirchentag unter dem Motto „Es ist dir gesagt, Mensch, was gut ist" statt. 125 000 Teilnehmer des Laientreffens der deutschen Protestanten diskutierten in 700 Arbeitsgruppen z. B. über Umweltthemen und den Krieg im ehemaligen Jugoslawien. Der 27. Kirchentag ist für 1997 in Leipzig geplant.

→ Kirchenaustritte

## Kirche, Katholische

Mit ca. 1 Mrd Mitgliedern größte christliche Glaubensgemeinschaft (Stand: 1993). In Deutschland gehörten 28 Mio Christen der K. an. Im März 1995 veröffentlichte das Oberhaupt der K., Papst Johannes Paul II., zwei Lehrschreiben zum menschlichen Leben und zur christlichen Ökumene.

**Enzykliken:** In der Enzyklika Evangelium vitae (lat., Evangelium des Lebens), seinem elften Lehrschreiben, legt der Papst u. a. die Auffassung der Kirche zur Tötung von Menschen fest. Schwangerschaftsabbruch sei Mord, Eingriffe an menschlichen Embryos seien zu verurteilen. Selbstmord sei ebenso sittlich unannehmbar wie Mord. Mit der Enzyklika Ut unum sint (lat., Daß sie eins seien) ruft Johannes Paul II. die Christen verschiedener Glaubensrichtungen zur Zusammenarbeit auf.

**Priesteramt:** In einem 1994 an die Bischöfe gerichteten apostolischen Schreiben (Ordinatio sacerdotalis) bekräftigte der Papst den Ausschluß von Frauen vom Priesteramt. Christus habe nur Männer zu Aposteln berufen.

**Kurienbesetzung:** Ende 1994 verlieh der Papst 30 Geistlichen aus 24 Nationen die Kardinalswürde. Die Versammlung der Kardinäle wählt als Konklave das Oberhaupt der K. Mit den Ernennungen erhöht sich die Zahl der Wahlberechtigten auf 120 Kardinäle. 80% der Kardinäle wurden unter dem seit 1978 amtierenden Johannes Paul II. ernannt.

**Nordbistum:** Im September 1994 unterzeichneten Vertreter von K. und der Länder Hamburg, Mecklenburg-Vorpommern sowie Schleswig-Holstein den Vertrag zur Errichtung des Erzbistums und der Kirchenprovinz Hamburg. Das Erzbistum, in dem 1995 etwa 400 000 Katholiken lebten, umfaßt Hamburg und Schleswig-Holstein sowie den mecklenburgischen Teil Mecklenburg-Vorpommerns. Das Gebiet war bis dahin zum größten Teil dem Bistum Osnabrück zugeordnet. Die Kirchenprovinz umfaßt das Erzbistum Hamburg und die Bistümer Hildesheim und Osnabrück. Hamburg war 834–845 Erzbistumssitz.

**Priestermangel:** 1993 wurden in Deutschland 238 Männer zu Priestern geweiht, ein Viertel weniger als 1989 und weniger als die Hälfte als in den 60er Jahren. Der Bedarf wird auf jährlich etwa 800 neue Priester geschätzt. Ursachen für den Nachwuchsmangel war u. a. das Festhalten der K. am Zölibat, wonach geweihte Priester nicht heiraten und Verheiratete nicht geweiht werden dürfen.

→ Kirchenaustritte

## Kirchenasyl

(Asyl, griech.; heiliger, unter göttlichem Schutz stehender Ort), Kirchengemeinden gewährten 1994/95 von Abschiebung aus Deutschland bedrohten Asylbewerbern K. Katholische und evangelische Kirche wandten sich gegen die Abschiebung in Staaten, in denen Asylbewerber vor politischer Verfolgung nicht sicher sind. Die Kirchen beanspruchten mit dem K. keinen Widerstand gegen die staatliche Rechtsordnung, sondern beriefen sich auf die Beistandspflicht gegenüber Bedrängten, die in der Bibel festgelegt ist. 1995 waren etwa 200 Kirchengemeinden bereit, K. zu gewähren. Bundesinnenminister Manfred Kanther (CDU) verurteilte das Vorgehen der Kirchen. Voraussetzung für Abschiebungen seien rechtsstaatliche Urteile, das K. entbehre einer rechtlichen Grundlage.

→ Abschiebung → Asylbewerber

## Kirchenaustritte

1995 verließ eine gegenüber den Vorjahren steigende Zahl von Mitgliedern die beiden großen Glaubensgemeinschaften in Deutschland, die evangelische und die katholische Kirche. Viele wollten Steuererhöhungen durch den Wegfall der von den Kirchen erhobenen Kirchensteuer ausgleichen.

**Austritte:** Umfragen bei Standesämtern, Amtsgerichten und städtischen Behörden, bei denen ein K. erklärt wird, ergaben einen Anstieg der K. gegenüber 1994, als evangelische und katholische Kirche 410 000 Mitglieder (Schätzung) verloren.

**Ursachen:** Ab 1. 1. 1995 müssen Bürger jeweils 7,5% ihrer Lohn- und Einkommensteuer als Solidaritätszuschlag für den Aufbau in Ostdeutschland und 0,5% ihres Bruttoeinkommens in die Pflegeversicherung zahlen. Motiv für K. war auch das wachsende Unverständnis von Mitgliedern mit kirchlichen Positionen zu Moral und Religion. Insbes. der katholischen Kirche wurde vorgeworfen, mit ihrer Lehrmeinung zum Sexualverhalten und der Benachteiligung von Frauen innerhalb der Kirche nicht der gesellschaftlichen Wirklichkeit zu entsprechen.

**Kirchensteuer:** Die Religionsgemeinschaften dürfen nach § 140 GG von ihren Mitgliedern Kirchensteuern erheben, die von den Finanzämtern eingezogen werden. Der Steuersatz beträgt je nach Bundesland 8–9% der Einkommensteuer. 1993 hatten die Einnahmen aus der Kirchensteuer 17 Mrd DM betragen, davon entfiel jeweils die Hälfte auf die evangelische und die katholische Kirche.

### Kirchenaustritte: Jahresvergleich

| Jahr | Austritte | |
|---|---|---|
| | Protestanten[1] | Katholiken[2] |
| 1985 | 140 600 | 74 200 |
| 1986 | 139 000 | 75 900 |
| 1987 | 140 600 | 81 600 |
| 1988 | 138 700 | 79 600 |
| 1989 | 147 800 | 93 000 |
| 1990 | 144 100 | 143 600[3] |
| 1991 | 320 600 | 167 900 |
| 1992 | 361 200 | 192 800 |
| 1993 | 280 000 | 153 800 |

1) Ab 1992 Gesamtdeutschland; 2) ab 1990 Gesamtdeutschland; 3) Schätzung; Quelle: Deutsche Bischofskonferenz, Ev. Kirche

**Finanzsituation:** Für 1994 rechneten die Kirchen mit einer Reduzierung der Einnahmen aus der Kirchensteuer um 5–10%. Die evangelische Kirche will insbes. durch Personalkürzungen in ihren Haushalten 1995 und 1996 zusammen 10% sparen. Pfarrstellen sollen nicht neu besetzt werden.

→ Pflegeversicherung → Solidaritätszuschlag

## Klimaveränderung

→ Übersichtsartikel S. 242

## Knochenleim

auch Sceletal Repair System (SRS, engl.; Knochen-Reparatur-System), biologische Substanz, die nach Knochenbrüchen in die Bruchstelle gespritzt wird, in fünf Minuten trocknet und nach zwölf Stunden normale Knochenstärke erreicht. Der Körper baut das Implantat in den folgenden Wochen ab und ersetzt es durch eigene Knochenzellen. Der von einer kalifornischen Firma entwickelte K., der Schrauben, Nägel und Metallplatten zur Heilung von Brüchen ersetzen soll, wird 1995 nach Tests in Schweden und den Niederlanden in den USA erprobt. Operationen mit K. waren kürzer als die üblichen, die behandelten Körperteile waren eher wieder beweglich.

### Kirchenaustritte: Geringe Einsparung

Nach Berechnungen des Instituts der deutschen Wirtschaft (Köln) bringt der Wegfall der Kirchensteuer keinen vollen Ausgleich für die Lohnabzüge durch den Solidaritätszuschlag, weil die gezahlte Kirchensteuer als Sonderabgabe steuerlich absetzbar ist. Als Beispiel errechnet sich für einen Single mit einem Bruttoeinkommen von 3500 DM in der Steuerklasse I eine Lohnsteuer von 578,50 DM (Solidaritätszuschlag: 43,38 DM, Kirchensteuer: 52,31 DM). Bei Kirchenaustritt erhöht sich die monatliche Lohnsteuer um 15,16 DM, da die Kirchensteuer nicht mehr von der Lohnsteuer abgesetzt werden kann. Der Solidarbeitrag steigt um 1,14 DM. Die Einsparung nach einem Kirchenaustritt beträgt nicht 52,31 DM, sondern lediglich 36,01 DM.

### Kirchenaustritte: Städtevergleich

| Stadt | Steigerung[1] (%) |
|---|---|
| Augsburg | 120 |
| München | 96 |
| Kassel | 94 |
| Emden | 86 |
| Marburg | 72 |
| Köln | 70 |

1) Januar/Februar 1995 gegenüber Vorjahreszeitraum; Quelle: Focus, 20. 3. 1995

241

# Mensch verschuldet bedrohliche Erwärmung der Erde

Eingriffe des Menschen in die Natur waren nach Erkenntnissen der Meteorologen Mitte der 90er Jahre die Ursache für die Erwärmung des Erdklimas und nicht natürliche Entwicklungen. Klimaforscher warnten auf der Klimakonferenz der Vereinten Nationen vom 28. 3. bis zum 7. 4. 1995 in Berlin vor katastrophalen Folgen, falls der Ausstoß schädlicher Treibhausgase nicht deutlich vermindert werde.

**Industrieländer blockieren Fortschritte:** Die Teilnehmerstaaten der UNO-Konferenz faßten keine verbindlichen Beschlüsse für den Klimaschutz ab dem Jahr 2000. Die USA und Japan fürchteten bei einer Verminderung des Ausstoßes von Kohlendioxid, Hauptverursacher des Temperaturanstieg hervorrufenden Treibhauseffekts, wirtschaftliche Einbußen. Ein Entwurf für die Minderung weltweiter $CO_2$-Emissionen wurde auf die Konferenz 1997 in Tokio/Japan verschoben. Bis 2000 ist eine Senkung der Treibhausgaskonzentration in der Atmosphäre auf dem Niveau von 1990 angestrebt, was bereits auf der ersten UNO-Klimakonferenz in Rio de Janeiro/Brasilien 1992 beschlossen wurde.

**Temperaturanstieg und seine Ursachen:** 1980 bis 1990 erhöhten sich die durchschnittlichen Temperaturen auf der Erde um rd. 0,5 °C, ein Anstieg von 4 °C nach der letzten Eiszeit dauerte 5000 Jahre. 1990 galt weltweit als das wärmste Jahr seit Beginn der Klimamessungen vor 100 Jahren. Acht der wärmsten zehn Jahre nach 1900 fielen in den Zeitraum 1980–1994. Die Treibhausgase in der Atmosphäre lassen zwar Sonnenstrahlen durch, halten aber die von der Erde abstrahlende Wärme zurück, die sonst ins All entweichen würde. Neben $CO_2$ (50%) tragen zu 20% die als Kühlmittel verwendeten Fluorchlorkohlenwasserstoffe (FCKW), zu 13% das bei Gärungsprozessen entstehende Methangas sowie Lachgas aus überdüngten Feldern zum Treibhauseffekt bei.

**Verheerende Folgen:** Ohne Reduzierung der $CO_2$-Emissionen würde sich die Konzentration dieses Treibhausgases in der Atmosphäre Klimaforschern zufolge bis 2030 verdoppeln. Der daraus resultierende Temperaturanstieg hätte nach Schätzungen der Zwischenstaatlichen Kommission zum Klimawandel (IPCC) als schwerwiegendste Konsequenz das Schmelzen von Landeismassen und den Anstieg des Meeresspiegels um 2–5 cm im Jahrzehnt zur Folge (Durchschnitt im 20. Jh.: 1 cm pro Jahrzehnt). Vor allem kleine Inseln wären vom Untergang bedroht. Das Vordringen des Salzwassers in Flußmündungen und ins Grundwasser sowie das Austrocknen von Flüssen würden zu Wasserknappheit führen. Die Klimaveränderung, die eine Verschiebung der Klimazonen bedingt, bedroht zudem die Lebensräume von Tieren und Pflanzen und trägt zum Aussterben der Arten bei.

**Notwendige $CO_2$-Reduzierung:** Um eine Temperaturänderung zu verhindern, müßte nach Modellrechnungen der Enquete-Kommission zum Schutz der Erdatmosphäre des Deutschen Bundestages der weltweite $CO_2$-Ausstoß bis zum Jahr 2005 um 20% gegenüber 1987 verringert werden. Damit lediglich eine globale Reduzierung von 5–6% bewirkt werden kann, müßten USA und Japan 30% ihrer Emissionen einsparen, die EU 25% und die Staaten Osteuropas 20%. Zudem dürfte sich der $CO_2$-Ausstoß in den Entwicklungsländern trotz Industrialisierung und damit ansteigendem Energieverbrauch nur um 50% statt der prognostizierten 100% erhöhen. Umweltschutzorganisationen forderten, eine Verminderung der Treibhausgase nicht auf Kohlendioxid zu beschränken, sondern die Luftverschmutzung im allgemeinen zu bekämpfen.

**Gemeinschaftliche Umsetzung:** Die Industrieländer setzten sich Mitte der 90er Jahre für eine Verlagerung ihrer Klimaschutzpflichten in die Entwicklungsländer ein. Wenn ein Industriestaat in einem Entwicklungsland emissionsmindernde Projekte finanziert (z. B. neue Kraftwerke oder energiesparende Produktionsanlagen baut), soll die vermiedene Luftverschmutzung dem Industrieland auf die Pflicht zur Einschränkung seiner Treibhausgasemissionen angerechnet werden (Joint Implementation, engl.; gemeinschaftliche Umsetzung). Die Entwicklungsländer lehnten das Vorgehen ab, weil sie befürchteten, daß die Industriestaaten auf Emissionseinsparungen verzichten würden. (MA)

→ Energiesteuer → FCKW → Kohlendioxid → Luftverschmutzung → Naturkatastrophen → Treibhauseffekt

## Koedukation

Der gemeinsame Unterricht von Mädchen und Jungen wurde in Ostdeutschland nach 1945 und in Westdeutschland in den 60er Jahren gesetzlich an staatlichen Schulen eingeführt, um die Gleichberechtigung der Geschlechter zu fördern. Kritiker bemängeln an der K., daß Jungen den Unterricht dominieren und Mädchen ihre Begabungen nicht entwickeln können. Dies trage zum geringen Frauenanteil naturwissenschaftlich-technischer Leistungskurse und Studienfächer bei.

Ein Modellversuch zur Mädchenförderung in Rheinland-Pfalz (seit 1993), bei dem die Fächer Chemie, Mathematik, Physik und Sport getrennt gelehrt werden, wies nach, daß Mädchen selbstbewußter und erfolgreicher am Unterricht teilnehmen. Die Jungen zeigten weniger Imponierverhalten. Schleswig-Holstein hatte 1990 als erstes Bundesland eine befristete Aufhebung der K. zugelassen. In Bonn wurde 1995 die erste deutsche Frauenuniversität geplant.

## Kohle

1994/95 wurde über die Höhe der staatlichen Subventionen für die deutsche Steinkohle diskutiert und z. T. die Berechtigung der Beihilfen in Frage gestellt. Anlaß war das Urteil des Bundesverfassungsgerichts vom Dezember 1994, das den K.-Pfennig, den der Stromverbraucher zahlt und mit dem die K.-Verstromung finanziert wird, für verfassungswidrig erklärte. Für eine Verringerung der Subventionen von rd. 12 Mrd DM pro Jahr setzten sich vor allem FDP, CSU und Teile der CDU ein. Die Einführung einer Energiesteuer als Ersatz für den K.-Pfennig scheiterte Anfang 1995 am Widerstand der FDP. Bis 1994 herrschte energiepolitisch weitgehend Konsens über die Sicherung der deutschen Energieversorgung mit heimischer K.

**Kohle: Lagerstätten in Deutschland**

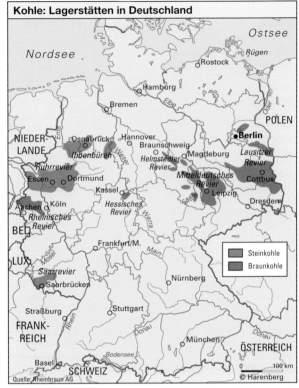

**Kohle: Vorstandsvorsitzender der Ruhrkohle AG**

**Gerhard Neipp**
* 16. 8. 1939 in Trossingen, Dr. Ing., ab 1995 Chef der Ruhrkohle AG ( Umsatz: 25,5 Mrd DM).

**Kohle: Deutsche Steinkohlereviere**

| Revier | 1994 | | | 1984 | | |
|---|---|---|---|---|---|---|
| | Förderung (Mio t)[1] | Beschäftigte | Schachtanlagen | Förderung (Mio t)[1] | Beschäftigte | Schachtanlagen |
| Ruhr | 40,2 | 75 500 | 14 | 61,2 | 127 500 | 25 |
| Saar | 8,3 | 17 100 | 3 | 10,3 | 24 600 | 6 |
| Ibbenbüren | 2,0 | 3 400 | 1 | 2,3 | 4 400 | 1 |
| Aachen[2] | 1,5 | 3 200 | 1 | 5,1 | 12 700 | 2 |

1) Verwertbare Förderung; 2) 1997 läuft die Förderung aus; Quelle: Gesamtverband des deutschen Steinkohlenbergbaus

| Kohle: Entwicklung des Steinkohlenbergbaus | | | |
|---|---|---|---|
| Bereich | 1992 | 1993 | 1994 |
| Kohlenförderung (Mio t SKE) | 66,5 | 58,9 | 52,8 |
| Brikettherstellung (Mio t) | 0,7 | 0,6 | 0,5 |
| Kokserzeugung (Mio t) | 14,7 | 12,1 | 10,9 |
| Haldenbestände (Mio t) | 21,7 | 23,0 | 15,3 |
| Nationale Kohlereserve (Mio t)[1] | 0,4 | – | – |
| Absatz (Mio t SKE) | 63,5 | 59,4 | 61,5 |
| Kraftwerke | 39,9 | 39,2 | 40,1 |
| Stahlindustrie | 18,8 | 16,2 | 17,5 |
| Wärmemarkt (übriges Inland) | 3,2 | 2,6 | 2,5 |
| Exporte | 1,6 | 1,4 | 1,4 |
| Beschäftigte (1000) | 115,0 | 106,3 | 99,2 |
| Schichtleistung unter Tage/Mann (t) | 5,2 | 5,3 | 5,3 |

1) Anfang 1993 aufgelöst; Quelle: Statistik der Kohlewirtschaft

**Subventionen:** Die Unterstützung des Bergbaus sichert die Wettbewerbsfähigkeit der heimischen Steinkohle gegenüber billigeren Energieträgern aus dem Ausland. Der Preis für Importkohle, vor allem aus Australien, Polen und Südafrika (1994: rd. 14 Mio t), lag Mitte 1995 bei rd. 75 DM/t. In Deutschland waren die Kosten für die K.-Förderung (inkl. Ausgaben für Bergwerkssicherheit, Umweltschutz und Zechenstillegung) etwa viermal so hoch. Etwa 9 Mrd DM pro Jahr werden für die K.-Verstromung aufgebracht, davon rd. 6 Mrd DM aus dem K.-Pfennig. Mit rd. 3 Mrd DM wird der Einsatz von Kokskohle bei der Stahlerzeugung unterstützt.

**Zukunft:** Ab 1996 wird die Verstromung aus dem Bundeshaushalt finanziert. In ihren Gesprächen über einen Energiekonsens einigte sich die Bundesregierung mit der SPD-Opposition im März 1995 auf die Beibehaltung des 1994 gesetzlich festgelegten Finanzierungsrahmens (Artikelgesetz). Nach dem Auslaufen des Jahrhundertvertrags zwischen Bergbau und Stromwirtschaft Ende 1995, der die Abnahmemenge für die Verstromung festlegte, wurde der Zuschuß für 1996 auf 7,5 Mrd DM, für 1997–2000 auf jährlich 7 Mrd DM festgelegt. Ab 2000 soll er verringert werden.

**Situation:** 1994 setzte sich der Beschäftigungsabbau im Bergbau (rd. 7%) und die Verringerung der K.-Förderung (gegenüber 1993: rd. 10%) fort; 1993 und 1994 war der stärkste Rückgang seit fast 30 Jahren zu verzeichnen. Die Zahl der Bergwerke sank infolge von Still- und Zusammenlegung 1982–1994 um 18 auf 19. Der inländische Absatz verbesserte sich 1994 wegen der günstigen Konjunkturentwicklung, insbes. in der Stahlindustrie (+8%). Die gegenläufige Entwicklung von Förderung und Absatz erklärt sich vor allem aus dem Abbau der Lagerbestände an Steinkohle und Koks um ein Drittel.

→ Braunkohle  → Energiekonsens  → Energiesteuer  → Energieverbrauch

## Kohle: Abnahmepflichten und Subventionierung

**Bergmannsprämie:** Schichtprämie für Bergleute unter Tage (1994: 10 DM/Tag).
**Jahrhundertvertrag:** 1980 geschlossene Vereinbarung zwischen dem deutschen Steinkohlenbergbau und der Elektrizitätswirtschaft über den Bezug und die Lieferung inländischer Steinkohle zur Strom- und Wärmeerzeugung. Das Abkommen läuft Ende 1995 aus. Bis dahin gilt eine 1989 festgelegte Abnahmemenge von jährlich 40,9 Mio t SKE für die Verstromung.
**Kohlepfennig:** Ausgleichsabgabe für die Stromerzeugung aus heimischer Steinkohle, die seit 1974 jeder Stromverbraucher in Westdeutschland als prozentualen Aufschlag auf die Stromrechnung zu zahlen hat. Er ist um so höher, je weiter die Strompreise in dem jeweiligen Bundesland unter dem Bundesdurchschnitt liegen (1995: 8,5%). Mit dem Kohlepfennig wird deutschen Kraftwerksbetreibern der größte Teil der Differenz zwischen kostengünstigeren Energieträgern (Erdöl, Importkohle) und der teureren deutschen Kohle erstattet. Im Dezember 1994 erklärte das Bundesverfassungsgericht den Kohlepfennig für verfassungswidrig, weil er nur die Stromverbraucher belaste. Die Sicherstellung der Stromversorgung sei im Interesse der Allgemeinheit, das nicht durch eine Sonderabgabe finanziert werden dürfe. Das Gericht gestattete die Erhebung des Kohlepfennigs bis zum 31. 12. 1995.
**Kokskohlenbeihilfe:** Die Finanzierung der zur Verhüttung in der Stahlindustrie bestimmten Kokskohle (15 Mio t pro Jahr) wurde im März 1995 auf 8,3 Mrd DM für 1995–1997 festgelegt. Der Bundesanteil sank von 66,7% auf 60%. Die restlichen 40% werden von Nordrhein-Westfalen und dem Saarland getragen. Darin sind die Beträge der Bergbauunternehmen (sog. Selbsbehalt) enthalten.

## Kohlendioxid

(CO$_2$), farb-, geruch- und geschmackloses Gas, das bei der Atmung und insbes. bei der Verbrennung fossiler Energieträger entsteht. K. ist maßgeblich am Treibhauseffekt und damit an der Klimaveränderung beteiligt. Weltweit werden jährlich ca. 21 Mrd t K. ausgestoßen. Den größten Anteil haben mit 50% die OECD-Länder. Etwa die Hälfte der Emissionen in Asien und Ozeanien (Anteil am Gesamtausstoß: 28%) werden von China und Japan verursacht. USA und Kanada haben einen Anteil von 27%. Deutschland verursacht 4% der weltweiten K.-Emissionen. Mitte der 90er Jahre entfielen 36% des CO$_2$-Ausstoßes auf Kraftwerke, 24% auf den Verkehr, 20% auf Kleinverbraucher und private Haushalte. Das Ziel der CDU/CSU/FDP-Bundesregierung war in den 90er Jahren, den Ausstoß von K. bis 2005 gegenüber dem Niveau von 1990 um 25% zu verringern.

Die 150 Teilnehmerstaaten der UNO-Umweltkonferenz in Rio de Janeiro/Brasilien beschlossen 1992, bis 2000 den K.-Ausstoß auf dem Stand von 1990 zu stabilisieren. Auf dem Klimagipfel in Berlin (März 1995) faßten die Teilnehmerstaaten keine verbindlichen Ziele für die K.-Reduktion ab 2000.
→ Autoverkehr → Energiesteuer → Klimaveränderung → Treibhauseffekt

## Kohlepfennig

→ Kohle (Glossar)

## Kombinierter Verkehr

Verladung von LKW-Fracht auf Eisenbahnen. Durch K. soll der steigende LKW-Verkehr und die von ihm verursachte Luftverschmutzung reduziert werden. Mit der Verbindung von Wirtschaftszentren durch schnellere Güterzüge und dem Neubau von Umschlagbahnhöfen will die Deutsche Bahn den K. ausbauen. Ab Januar 1995 verbinden 22, ab 29. 5. 1995 ca. 50 Güterzü-

ge (Inter-Kombi-Express) täglich im sog. Nachtsprung Bahnhöfe, die mehr als 400 km auseinanderliegen. Die Züge werden abends beladen und erreichen ohne Zwischenstopps und unter Nutzung der Neu- und Ausbaustrecken der Bahn mit ca. 120 km/h frühmorgens den Zielort.

1994 transportierte die Deutsche Bahn 10% (30 Mio t) aller im Schienenverkehr transportierten Güter im K., 2010 sollen es 115 Mio t sein. Dies soll durch den Neu- und Ausbau von 44 Bahnhöfen bis 2010 erreicht werden.
Jeder Zug befördert etwa die Ladung von 30 LKW. Im unbegleiteten Huckepackverkehr werden Wechselbehälter, Sattelauflieger und komplette LKW von der Bahn transportiert. Beim begleiteten Huckepackverkehr (sog. Rollende Landstraße) werden LKW verladen, die Fahrer reisen im selben Zug mit.
→ Alpentransit → Bahn, Deutsche → LKW-Verkehr

## Kometen

Himmelskörper, die sich meist in langgestreckten elliptischen Bahnen um die Sonne bewegen. Der Kern der K. besteht aus Stein und Nickeleisen sowie gefrorenen Substanzen, die bei Annäherung an die Sonne verdampfen und sich als leuchtende Gaswolke um den Kern bzw. die Kerne legen. Im Juli 1994 kollidierten 22 Bruchstücke des K. Shoemaker-Levy 9 (SL-9) mit dem

### Kohlendioxid: Emissionen

| Länder | CO$_2$-Emissionen (Mrd t) | | |
| | 1992 | 2010 | |
| | | Szenario 1[1] | Szenario 2[2] |
|---|---|---|---|
| OECD | 10,5 | 12,9 | 11,6 |
| Mittel-, Osteuropa | 0,9 | 1,1 | 1,0 |
| Ex-UdSSR | 3,2 | 3,3 | 2,9 |
| Asien (ohne Japan) | 4,4 | 9,6 | 9,3 |
| Lateinamerika | 0,7 | 1,2 | 1,1 |
| Afrika, Mittlerer Osten | 1,4 | 2,6 | 2,4 |
| Insgesamt | 21,1 | 30,7 | 28,2 |

1) Maximum bei fortschreitender Entwicklung der CO$_2$-Emissionen;
2) Minimum bei Energieeinsparung; Quelle: IEA, Deutsches Institut für Wirtschaftsforschung

### Kombinierter Verkehr: Verbindungen

| | |
|---|---|
| Basel | Köln |
| Berlin | Bochum |
| Berlin | Bremen |
| Berlin | Duisburg |
| Berlin | Frank./M. |
| Bielefeld | Karlsruhe |
| Bielefeld | Ludwigsb. |
| Bochum | Leipzig |
| Bremen | Stuttgart |
| Dresden | Neuss |
| Dresden | Stuttgart |
| Düssel. | Ludwigsb. |
| Frank./M. | Hamburg |
| Hagen | Ludwigsb. |
| Hagen | Singen |
| Hamburg | Ludwigsb. |
| Hamburg | Mannheim |
| Hamburg | München |
| Hamburg | Neuss |
| Hamburg | Nürnberg |
| Hamburg | Wuppertal |
| Hannover | Ludwigsb. |
| Köln | München |
| Leipzig | Neuss |
| Leipzig | Stuttgart |
| Ludwigsb. | Wuppertal |
| München | Neuss |

Planeten Jupiter. SL-9 war 1992 beim Vorbeiflug am Jupiter von der Schwerkraft des Planeten angezogen worden. Dabei war der Kern des K. in 22 Teile zerbrochen. Der als Jahrtausendereignis bezeichnete Zusammenstoß war mit Teleskopen zu beobachten.
Mit 200 000 km/h drangen die Stücke in die Jupiteratmosphäre ein. Die Reibungshitze zerstörte die K.-Kerne, die dabei Explosionen von einer Sprengkraft ab 200 000 Mt TNT verursachten (Atombombe von Hiroshima: Sprengkraft von 20 Kt TNT). Die Teilstücke rissen Krater von bis zu 30 000 km Durchmesser in die Atmosphäre, in die die Erde zweimal hineingepaßt hätte.
→ Asteroiden

## Kommunalfinanzen

→ Gemeindefinanzen

## Konjunkturentwicklung

→ Wirtschaftliche Entwicklung

## Konkurse und Vergleiche

→ Insolvenzen

## Kontinentale Tiefbohrung

Im Oktober 1994 wurden die Arbeiten am tiefsten Bohrloch in der Erdoberfläche Westeuropas in Windischeschenbach (Oberpfalz) bei einer Tiefe von 9101 m eingestellt. Die vorgesehene Bohrtiefe von rd. 10 000 m konnte nicht erreicht werden, weil bereits vorher eine Temperatur von 280 °C herrschte, bei der sich das Gestein verflüssigt und die Bohrer nicht weiterarbeiten können. Die K. (Kosten: rd. 530 Mio DM) soll dazu beitragen, Erkenntnisse über den Aufbau der Erdkruste und die mögliche Ausbeutung von Rohstoffen zu gewinnen sowie Methoden zur Erdbebenvorhersage zu entwickeln. Windischeschenbach erschien den Wissenschaftlern für die K. besonders geeignet, weil dort vor 320 Mio Jahren zwei Kontinentalplatten kollidiert waren und sich miteinander verzahnt hatten.

## Kraftwerke

Mitte der 90er Jahre wurde bei der Entwicklung neuer K., die Kohle, Gas und Öl verbrennen, eine weitere Verbesserung des Verhältnisses zwischen eingesetztem Brennstoff und erzeugter Elektrizität (Wirkungsgrad) angestrebt (1953–1993: +40%). Neue K. werden vorwiegend in Ostdeutschland gebaut. Sie ersetzen zwei Drittel der alten K., die wegen starker Luftverschmutzung bis 1997 aufgegeben werden.

### Kraftwerke: Markt für Gas- und Dampfturbinen

| Unternehmen | Anteil (%) | | |
|---|---|---|---|
| | Deutschland | USA | Welt |
| **Dampfturbinen** | | | |
| Asea-Brown-Boveri | 50 | 19 | 10 |
| General Electric | – | 41 | 19 |
| Siemens/KWU | 38 | – | 5 |
| Sonstige | 12 | 40 | 66 |
| **Gasturbinen** | | | |
| Asea-Brown-Boveri | 43 | 12 | –[1] |
| General Electric | 4 | 51 | 24 |
| Siemens/KWU | 23 | 9 | –[1] |
| Sonstige | 30 | 28 | 59 |

1) Zusammen 17%; Quelle: General Electric; Die Woche, 13. 4. 1995

### Kraftwerke: Neubaupläne

| Standort | Leistung (MW) | Energie-träger |
|---|---|---|
| Boxberg | 1600 | Braunkohle |
| Frimmersdorf | 900 | Braunkohle |
| Lippendorf | 1600 | Braunkohle |
| Schwarze Pumpe | 1600 | Braunkohle |
| Schkopau | 900 | Braunkohle |
| Altbach-Deizisau | 330 | Steinkohle |
| Frauenaurach | –[1] | Steinkohle |
| Heßler | –[1] | Steinkohle |
| Lübeck | –[1] | Steinkohle |
| Berlin | 380 | Erdgas |
| Dresden | 260 | Erdgas |
| Ludwigshafen | 300 | Erdgas |
| Potsdam | 66 | Erdgas |
| Rostock | 120 | Erdgas |

1) Zusammen: 1600 MW; Bundeswirtschaftsministerium, Aktuell-Recherche

**Kombikraftwerke:** Mitte der 90er Jahre erreichten kombinierte Gas- und Dampfturbinen-Anlagen (Kombi-K.) von Siemens/KWU und Asea-Brown-Boveri (ABB) einen Wirkungsgrad von 58%. Der Kohlendioxidausstoß der meist mit Erdgas betriebenen Kombi-K. entsprach einem Drittel vergleichbarer Braunkohle-K. Weltweit stieg der Anteil von Kombi-K. 1985–1994 von 12% auf 37%.

**Technik:** Konventionelle Dampfturbinen-K. können durch eine Verbesserung von Material, Verbrennung und Kraftübertragung einen Wirkungsgrad von 42% (Braunkohle) bzw. 45% (Steinkohle) erreichen. Als Ergänzung bzw. Alternative galten Mitte der 90er Jahre folgende Verfahren:

▷ Kohlenstaubfeuerung: Heiße Rauchgase verlassen den Kessel mit etwa 360 °C. Ihnen wird Wärmeenergie von 50–100 MW entnommen (Wirkungsgrad: rd. 50%)

▷ Wirbelschichtbefeuerung: Kohleteilchen, Sand, Asche und Kalk werden im Brennraum verwirbelt und bei ca. 900 °C verbrannt. In kleineren K. erfolgt die Verbrennung unter Druck (10–20 bar). Bei gleichzeitiger Wärmeerzeugung in Kombi-K. wird ein Wirkungsgrad von 42–47% erreicht

▷ Kohlevergasung in Kombi-K. (Wirkungsgrad: 43–50%)

▷ Verbund-K.: Konventionellen Kohle-K. wird eine Gasturbine vorgeschaltet.

Der Wirkungsgrad läßt sich durch die Nutzung der Abwärme (z. B. als Fernwärme) auf bis zu 90% steigern.

## Kombikraftwerk: Stromerzeugung

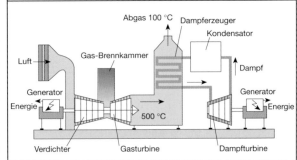

Gasturbinen benötigen einen Brennstoff von hoher Reinheit (z.B. Erdgas oder Heizöl), der bei Temperaturen von etwa 1200 °C verbrannt wird. Die Verbrennungsgase treiben eine Turbine an, an deren Ausgang die Abgase rd. 500 °C heiß sind. Sie werden durch einen Wärmetauscher geführt, wo die Wärmeenergie an einen Wasser-Dampf-Kreislauf übertragen wird. Der entstehende Hochdruckdampf treibt eine Dampfturbine an. Gas- und Dampfturbine sind jeweils mit einem Generator verbunden, der elektrische Energie erzeugt.

© Harenberg

**Blockheizkraftwerke:** Diese K. erzeugen Strom und Wärme. Sie werden mit Erd-, Deponie-, Klär-, Flüssiggas oder Diesel betrieben und sind vor allem zur Selbstversorgung von öffentlichen Gebäuden geeignet. Ende 1994 waren in Deutschland rd. 1600 Blockheizkraftwerke mit Verbrennungsmotoren (Leistung: 900 MW) und 150 mit Gasturbinen (1700 MW) in Betrieb (Anteil an elektrischer Leistung: 1%). Die nutzbare Abwärme stammt aus dem Kühlwasser und dem Abgas der Motoren. Sie wird zur Dampferzeugung und Raumheizung genutzt.
→ Atomenergie → Braunkohle → Brennstoffzelle → Energien, Erneuerbare → Energieversorgung

## Kraftwerke: Anlagen zur Kraft-Wärme-Kopplung

| Typ | Energieträger | Leistung | Nutzenergie (%)[1] Strom | Wärme | Wärmeauskopplung (°C) |
|---|---|---|---|---|---|
| Entnahme-Kondensation-Dampfturbine | Kohle | über 10 MW | 32–40 | 0–45 | 120–350 |
| Gegendruck-Dampfturbine | Kohle | über 1 MW | 26–32 | 44–53 | 120–250 |
| Gasturbine | Erdgas, Heizöl | über 1 MW | 26–37 | 28–48 | 120–450 |
| Gas- und Dampfturbine | Erdgas | über 5 MW | 48–55 | 10–30 | 120–350 |
| Blockheizkraftwerk I | Erdgas, Biogas | 5 kW–20 MW | 25–40 | 40–65 | 60–110 |
| Blockheizkraftwerk II | Erdgas, Heizöl | 5 kW–20 MW | 38–44 | 36–42 | 60–110 |

1) Anteil des Brennstoffeinsatzes; Quelle: Bundeswirtschaftsministerium

## Krankenversicherungen

1994 waren in den Gesetzlichen Krankenversicherungen (GKV) rd. 72 Mio Bundesbürger, in den privaten Kassen etwa 7 Mio (1993: 6,82 Mio) versichert. Auch im zweiten Jahr nach Inkrafttreten der Gesundheitsreform (1993) erzielten die GKV Überschüsse (2,1 Mrd DM, 1993: 10,2 Mrd DM), 2,3 Mrd DM in Westdeutschland und 200 Mio DM Defizit in Ostdeutschland. Allerdings stiegen die Ausgaben für medizinische Leistungen nach der Verringerung um 1% (1993 gegenüber 1992) 1994 in Westdeutschland um 8% auf 190,6 Mrd DM, im Osten um 14% auf 42,3 Mrd DM. Bei weiterhin wachsenden Ausgaben erwarteten die GKV für 1996 Beitragssatzerhöhungen um bis zu zwei Prozentpunkte.

**Ausgaben:** Das Ziel der Gesundheitsreform, den Kostenanstieg bei medizinischen Leistungen mit der Kopplung an den Einkommenszuwachs zu bremsen, wurde 1994 nicht erreicht. In den alten Bundesländern stiegen die beitragspflichtigen Gehälter lediglich um 2,48%. Der Überschuß 1994 war darauf zurückzuführen, daß die Beitragssätze trotz besserer Ausgabensituation seit 1992 nicht gesenkt wurden. Den Kostenanstieg für 1995 legte Bundesgesundheitsminister Horst Seehofer (CSU) auf 1,7% (Westen) und 3,5% (Ostdeutschland) fest. Dieses Budget gilt für rd. 70% der medizinischen Lesitungen. Nach Auslaufen der Budgetierung Ende 1995 erwarteten die GKV einen erhöhten Kostenanstieg.

**Honoraranhebung:** Rückwirkend ab 1995 sollen nach einem Gesetzentwurf des Bundesgesundheitsministeriums die Hausarzthonorare um 1,71% der GKV-Ausgaben für ambulante ärztliche Leistungen von 1993 angehoben werden (Erhöhung in Ostdeutschland: rd. 4%). Die GKV würden 1995 insgesamt um 840 Mio DM stärker belastet.

**Risikostrukturausgleich:** Über den ab 1994 geltenden sog. Risikostrukturausgleich, bei dem Kassen mit gutverdienenden Versicherten Ausgleichszahlungen an K. mit Mitgliedern leisten, die weniger verdienen und daher geringere Beiträge zahlen, wurden 1994 in Westdeutschland 2,6 Mrd DM, im Osten 700 Mio DM umverteilt. Vor allem Ersatz- und Beriebskrankenkassen mußten Zahlungen leisten, die insbes. den Allgemeinen Ortskrankenkassen (AOK) und den Innungskrankenkassen zugute kamen. Der Risikostrukturausgleich soll den K. gleiche Chancen für den Wettbewerb um Mitglieder einräumen, der mit der freien Kassenwahl ab 1996 für freiwillig Versicherte, ab 1997 auch für Pflichtmitglieder eingeleitet wird.

**Beiträge:** 1995 betrug der durchschnittliche Beitragssatz 13,2% des Bruttomonatseinkommens in Westdeutschland, im Osten 12,8%. Für die geplante dritte Gesundheitsreform schlug der Sachverständigenrat aus acht Wissenschaftlern Mitte 1995 vor, daß die GKV Pflichtleistungen einer Grundversorgung zu einem niedrigeren Beitrag anbieten. Die Versicherten sollen darüber hinausgehenden Versicherungsschutz gegen einen höheren Beitrag hinzuwählen können. Langfristig soll die gemeinsame Finanzierung des Beitragssatzes durch Arbeitgeber und -nehmer aufgegeben werden. Der Arbeitnehmer trägt die Kosten allein, erhält aber eine einmalige Ausgleichszahlung als Gehaltsaufschlag. Seehofer wollte dagegen den Anspruch aller Kassenpatienten auf vollständige medizinische Versorgung erhalten.

→ Arzneimittel → Gesundheitsreform → Sozialabgaben

## Krebs

Zusammenfassende Bezeichnung für rd. 200 Arten bösartiger Gewebe- und Blutveränderungen, an deren Entstehung nur vereinzelt geklärte Faktoren beteiligt sind. K. gilt als Folge von genetischen Störungen im Bereich der Wachstumssteuerung von Zellen. In Deutschland erkranken jährlich etwa 300 000 Menschen an K., von denen nur rd. jeder zweite geheilt werden

| Krankenversicherungen: Ausgabenentwicklung 1994 | |
|---|---|
| Leistung | Kostenanstieg[1] (%) |
| **Westdeutschland** | |
| Zahnersatz | 13,5 |
| Heil- und Hilfsmittel | 12,9 |
| Krankengeld | 7,3 |
| Zahnarzt | 6,9 |
| Krankenhaus | 6,7 |
| Arzneimittel | 3,9 |
| Arzt | 3,5 |
| **Ostdeutschland** | |
| Krankengeld | 20,9 |
| Heil- und Hilfsmittel | 18,9 |
| Krankenhaus | 15,7 |
| Arzt | 14,4 |
| Arzneimittel | 12,1 |
| Zahnarzt | 9,0 |
| Zahnersatz | 8,8 |

1) Gegenüber 1993; Quelle: Bundesgesundheitsministerium

kann. Während die Erforschung der Ursachen von K. Mitte der 90er Jahre Erfolge verzeichnete, stagnierte die Weiterentwicklung von Behandlungsmöglichkeiten weitgehend.

**Haut:** 1994 erkrankten nach Schätzungen der Deutschen Krebshilfe etwa 100 000 Bundesbürger an Haut-K., rd. 10 000 von ihnen am gefährlichsten Typ, dem malignen Melanom, auch Schwarzer K. genannt (Anstieg seit 1980: rd. 100%), 3000 Menschen starben. Haut-K. breitet sich noch vor dem Lungen-K. am schnellsten aus. Mediziner führen den Anstieg auf übermäßiges Sonnenbaden und Sonnenbrände im Kindes- und Jugendalter zurück.

**Brust:** In der Bundesrepublik erkrankten Mitte der 90er Jahre jährlich rd. 40 000 Frauen an Brust-K., dem häufigsten weiblichen K.-Leiden, rd. 17 000 starben pro Jahr an den Folgen. Ende 1994 entdeckten Forscher in den USA zwei Gene, BRCA 1 und 2, die für die Entstehung von vererbtem Brust-K. verantwortlich sind (rd. 0,3% der Fälle in Deutschland). Hoffnungen, bei erblich belasteten Frauen mit einem Gentest das Risiko einer K.-Erkrankung vorherzusagen, wurden allerdings enttäuscht. Wegen des komplizierten Genaufbaus war es schwierig, einen Test zu entwickeln.

**Mammographie:** Ab 1995 müssen Mammographiegeräte zur Früherkennung von Brust-K. in den Arztpraxen einem Standard genügen, um die Genauigkeit der Untersuchung zu erhöhen. Je früher Brust-K. erkannt wird, desto höher sind die Heilungschancen. Die Entscheidung über die Einführung von Mammographien als Bestandteil der K.-Vorsorge wurde 1995 wegen umstrittenen medizinischen Nutzens vertagt.

**Behandlung:** Neben den klassischen Methoden Operieren, Bestrahlen und Chemotherapie suchten Mediziner nach weiteren Mitteln. Die Forschung konzentrierte sich vor allem auf sog. Immuntherapien, bei denen das körpereigene Immunsystem in die Lage versetzt werden soll, Tumorzellen zu

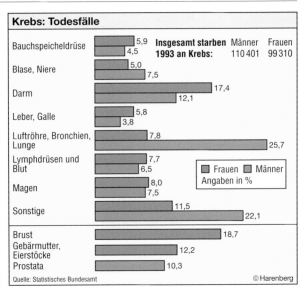

**Krebs: Todesfälle**

| | % | Insgesamt starben | Männer | Frauen |
|---|---|---|---|---|
| | | **1993 an Krebs:** | 110 401 | 99 310 |
| Bauchspeicheldrüse | 5,9 / 4,5 | | | |
| Blase, Niere | 5,0 / 7,5 | | | |
| Darm | 17,4 / 12,1 | | | |
| Leber, Galle | 5,8 / 3,8 | | | |
| Luftröhre, Bronchien, Lunge | 7,8 / 25,7 | | | |
| Lymphdrüsen und Blut | 7,7 / 6,5 | | | |
| Magen | 8,0 / 7,5 | | | |
| Sonstige | 11,5 / 22,1 | | | |
| Brust | 18,7 | | | |
| Gebärmutter, Eierstöcke | 12,2 | | | |
| Prostata | 10,3 | | | |

■ Frauen ■ Männer
Angaben in %

Quelle: Statistisches Bundesamt © Harenberg

erkennen und zu bekämpfen. Eine neue Methode wurde an Tieren in den USA erprobt. Mäusen wurden zwei Eiweißstoffe injiziert, die die Blutzufuhr in den Tumoren unterbanden und zum Absterben führten und die Ausstreuung von Metastasen verhinderten.

**Antibiotika:** In der Schweiz wurden Antibiotika gegen einen Magentumor, das MALT-Lymphom, erfolgreich eingesetzt. Mit den Antibiotika wird ein Bakterium zerstört, das 80% der Deutschen tragen (Helicobacter pylori) und das Magenschleimhautentzündungen sowie Geschwüre verursacht. Die Ergebnisse bewiesen, daß K. auch auf Bakterieninfektionen zurückzuführen ist. Der frühzeitige Einsatz von Antibiotika bei chronischer Entzündung des Magens kann Tumoren vorbeugen.

**Medikament:** Anfang 1995 ließ das Bundesamt für Sera und Impfstoffe (Langen) ein K.-Medikament (Panorex) aus monoklonalen Antikörpern zu, die mit Hilfe von Mäusezellen gewonnen werden. Sie markieren die K.-Zellen beim Menschen, so daß das Immunsystem sie besser erkennen und abtöten kann.

| Kriegsdienstverwei-gerung: Vergleich | |
|---|---|
| Land | Quote (%) |
| Armenien | 30 |
| Bulgarien | 10 |
| Dänemark | 6 |
| Deutschland | 20 |
| Estland | 25–35 |
| Finnland | 6 |
| Frankreich | 2 |
| Italien | 11 |
| Kasachstan | 40 |
| Kirgistan | 12 |
| Litauen | 60 |
| Norwegen | 4 |
| Polen | 40–50 |
| Rußland | 10 |
| Spanien | 22 |
| Slowakei | 5–10 |
| Türkei | 22 |
| Tschech. Rep. | 50 |
| Ukraine | 40 |
| Ungarn | 1 |
| Weißrußland | 45 |

Stand: 1993/94;
Quelle: BMVg

**Kriegsverbrecher-tribunal: UNO-Chefankläger**

**Richard Goldstone**
\* 26. 10. 1938 in Boksburg/Südafrika. Richter am Obersten Gerichtshof in Transvaal 1980–1989. 1990 Vorsitzender der Kommission zur Untersuchung der öffentlichen Gewalt. Im November 1993 UNO-Chefankläger.

**Register:** 1995 trat in Deutschland nach 15 Jahren politischer Diskussion ein Gesetz über die Einführung eines K.-Registers in Kraft. Das Register soll bundesweit vergleichbare Daten sammeln, aus denen sich Erkenntnisse über Ursachen, Vorsorge- und Therapieerfolge bei K. ableiten lassen. 1995 gab es regionale K.-Register im Saarland und in Hamburg. Die ehemalige DDR verfügte über das weltweit umfangreichste K.-Register, dessen Daten weitergenutzt werden dürfen. Ärzte müssen K.-Erkrankungen melden, auch ohne Zustimmung des Patienten. Lehnt er sie nachträglich ab, müssen die Daten gelöscht werden.
→ Gentherapie → Rauchen

## Kriegsdienstverweigerung

In Art. 4 Abs. 3 GG gewährtes Grundrecht in Deutschland, wonach niemand gegen seinen Willen zum Kriegsdienst gezwungen werden darf. 1994/95 dauerte der Grundwehrdienst zwölf (ab 1. 1. 1996: zehn), der zivile Ersatzdienst 15 (13) Monate. Die Zahl der Anträge auf K. sank 1994 infolge der geburtenschwachen Jahrgänge gegenüber 1993 um 4,1% auf 125 745. Mitte der 90er Jahre verweigerte durchschnittlich jeder fünfte eines Geburtsjahrgangs den Wehrdienst. Über die K. ungedienter Wehrpflichtiger entscheidet das Bundesamt für den Zivildienst (Köln). Eine Ablehnung darf nicht ohne Anhörung erfolgen. 1984–1994 wurden 87,7% der 734 000 Anträge anerkannt.
Nach einem Urteil des Bundesverwaltungsgerichts vom November 1994 darf der Zivildienst nicht mit dem Argument verweigert werden, daß die ausgeübte Tätigkeit zu Kriegszeiten nicht mit dem Gewissen vereinbart werden könne (z. B. Pflege verwundeter Soldaten). Vielmehr müsse der Totalverweigerer erklären, warum er auch im Frieden nicht zum Zivildienst bereit sei. Nach dem Zivildienstgesetz ist eine Doppelverweigerung möglich, wenn ebenso wie bei der K. eine

Gewissensentscheidung vorliegt und gleichzeitig ein Dienst im Rahmen eines sog. Freien Arbeitsverhältnisses verrichtet wird. Dies wird vor allem von religiösen Gemeinschaften in Anspruch genommen, die jede Art staatlicher Zwangstätigkeit ablehnen.
→ Bundeswehr → Wehrpflicht → Zivildienst

## Kriegsverbrechertribunal

Der vom UNO-Sicherheitsrat im November 1993 in Den Haag/Niederlande eingerichtete internationale Strafgerichtshof eröffnete im April 1995 den Prozeß gegen den mutmaßlichen serbischen Kriegsverbrecher Dušan Tadić. Es handelte sich um das erste internationale K. seit den Nürnberger Prozessen nach dem Zweiten Weltkrieg. Der Gerichtshof verfügte 1995 über 100 Angestellte und ein Budget von 28 Mio Dollar (41,4 Mio DM). Ein internationales K. der UNO, das den Völkermord in Ruanda untersuchen wird, nahm im Juni 1995 in Arusha/Tansania seine Arbeit auf. Chefankläger ist in beiden Fällen der Südafrikaner Richard Goldstone.
**Prozesse:** Gegen weitere 20 Serben liegen wegen Kriegsverbrechen auf dem Gebiet des ehemaligen Jugoslawien Anklageerhebungen vor. Tadić, dem die Tötung von 13 Zivilisten sowie schwere Mißhandlung und Vergewaltigung vorgeworfen wird, war in München festgenommen und im April 1995 nach Den Haag ausgeliefert worden. Verhandelt werden darf nur in Anwesenheit der Angeklagten. Grundlage der Verfahren ist das Völkerrecht. Das K. darf Freiheitsstrafen, nicht aber die Todesstrafe verhängen.
**Verdacht:** Im Mai 1995 nahm das Haager K. gegen den bosnischen Serbenführer, Radovan Karadžić, Militärchef Ratko Mladić und den früheren Chef der Geheimpolizei, Mico Stanisić, Ermittlungen auf. Ihnen wird u. a. Völkermord vorgeworfen.
→ Balkan-Konflikt → Hutu und Tutsi → Menschenrechte

## Krim

Zwischen Asowschem und Schwarzem Meer gelegene 25 500 km² große Halbinsel, die 1954 aus russischer Oberhoheit der Ukraine angegliedert wurde. Aufgrund sowjetischer Siedlungspolitik ist die 2,5 Mio zählende Bevölkerung zu 60% russisch (Ukrainer: 32%). 1992 gewährte die Ukraine der autonomen Republik K. Selbstbestimmung in der Sozial- und Kulturpolitik, der Ausbeutung von Bodenschätzen und der Außenwirtschaft. Die Mehrheit der Bevölkerung, das Parlament und der im Januar 1994 gewählte Präsident Jurij Meschkow streben einen Wiederanschluß an Rußland an.

**Sezessionsstreit:** Im März 1995 hob das Parlament der Ukraine die Verfassung der K. auf und schaffte das Amt des Präsidenten ab. Die Abgeordneten ermächtigten die Justiz, Gesetze für ungültig zu erklären, wenn sie gegen ukrainisches Recht verstoßen sollten. Der ukrainische Präsident Leonid Kutschma verfügte, daß die Regierung der K. nicht ohne seine Zustimmung ernannt werden darf. Im Gegenzug stürzte das K.-Parlament Regierungschef Anatolij Frantschuk, einen Vertrauten Kutschmas.

**Machtkampf:** Im September 1994 schränkte das K.-Parlament die Vollmachten Meschkows ein und sprach ihm das Recht ab, die Regierung zu führen. Im Sezessionsstreit mit der Ukraine gewährte das Parlament Meschkow Rückendeckung.

## Kriminalität

→ Übersichtsartikel S. 252

## Kronzeugenregelung

Gesetzliche Bestimmung in Deutschland, nach der Straftätern, die sich der Justiz stellen und gegen Mittäter aussagen, ein Strafnachlaß zugesichert werden kann (befristet bis Ende 1995). Im September 1994 erweiterte die CDU/CSU/FDP-Bundesregierung mit

### Krim: Abspaltungstendenzen

### Krim: Chronik

| Datum | Ereignis |
|---|---|
| 1237 | Eindringende Mongolen geben der Halbinsel den Namen Krym (mongolisch; Festung) |
| 15.–18. Jh. | Osmanische Herrschaft, die mit der Annexion durch Katharina die Große beendet wird |
| 1853–1856 | Schauplatz der Krimkriege zwischen Rußland und dem Osmanischen Reich |
| Okt. 1921 | Gründung der Autonomen Krimrepublik innerhalb der UdSSR |
| 1941–1944 | Deutsche Besetzung |
| 18. 5. 1944 | Beginn von Massendeportationen der Krimtataren wegen angeblicher Kollaboration mit den Deutschen |
| 30. 6. 1945 | Aufhebung des Autonomiestatus und 1946 Umwandlung in ein autonomes Gebiet |
| 5. 2. 1954 | Angliederung des Gebiets an die Ukraine |
| 16. 7. 1990 | Unabhängigkeitserklärung der Ukraine |
| 20. 1. 1991 | In einem Referendum auf der Krim befürwortet die Bevölkerung die Wiederherstellung der Autonomie |
| 1992 | Ukraine gewährt der Krim bedingte Autonomie |
| 1994 | Verfassung definiert Krim als unabhängigen Staat |
| 2. 4. 1995 | Der ukrainische Präsident Kutschma unterstellt sich die Regierung der Krim; Aufhebung der Autonomie |

den Stimmen der SPD den Geltungsbereich der K. (bis dahin: Terrorismus) auf die organisierte Kriminalität. Die K. gilt für Straftaten nach § 129 StGB (Bildung krimineller Vereinigungen)

251

# Verbrechensbekämpfung kennt keine Grenzen

Die Zahl der Straftaten in Deutschland war 1994 zum ersten Mal seit fünf Jahren rückläufig. Sie sank gegenüber dem Vorjahr um 3,2% auf rd. 6,54 Mio. Der Rückgang betraf vor allem Massendelikte wie Ladendiebstahl und Wohnungseinbruch, die organisierte Kriminalität hingegen nahm zu. Die Diebstahlsdelikte, 1994 mehr als die Hälfte (60%) aller polizeilich erfaßten Fälle, gingen um 6,9% auf rd. 3,9 Mio zurück. Bundesinnenminister Manfred Kanther (CDU) warnte davor, bereits von einer Trendwende bei der Kriminalitätsentwicklung zu sprechen und die Anstrengungen zur Verbrechensbekämpfung zu reduzieren. Im März 1995 hatten die Bundesländer Kanthers Entwurf für ein neues Bundeskriminalamts-Gesetz abgelehnt. Es sollte polizeiliche Kompetenzen beim Bundeskriminalamt (BKA, Wiesbaden) konzentrieren und die Behörde zu einer Bundespolizei umgestalten, um die Bekämpfung der organisierten Kriminalität und des Atomschmuggels zu verbessern. Der Bundesrat kritisierte das geplante BKA-Gesetz wegen der Verschiebung der polizeilichen Kompetenzen zu Lasten der Länder.

**Höhere Kriminalitätsrate im Osten:** Die Zahl der Straftaten verringerte sich 1994 in Westdeutschland und West-Berlin (–3,9%) deutlicher als in den neuen Bundesländern (–0,3%). Der Anteil der neuen Bundesländer an der Kriminalität in Gesamtdeutschland betrug rd. 21% aller erfaßten Straftaten (Anteil der neuen Länder an der deutschen Bevölkerung: rd. 17,5%). Während in den neuen Ländern 9784 Straftaten pro 100 000 Einwohner verzeichnet wurden, waren es im alten Bundesgebiet 7665 pro 100 000 Einwohner. Die Aufklärungsquote in den neuen Ländern stieg 1994 auf 36,4% (1993: 33,6%), lag damit aber weiterhin unter der Quote der alten Länder (1995 und 1994 jeweils 46,5%).

**Brennpunkt organisierte Kriminalität:** Mitte der 90er Jahre wurde Deutschland als Drehscheibe für kriminelle Aktivitäten in aller Welt genutzt, insbes. von der russischen Mafia. Zur Verstärkung der grenzüberschreitenden Zusammenarbeit bei der Bekämpfung des internationalen Verbrechens schloß Deutschland 1995 Abkommen mit Kasachstan, Lettland, Polen, der Ukraine und Weißrußland ab. Der in Deutschland durch organisierte Kri-minalität angerichtete Schaden war nach Angaben des Bundesinnenministeriums 1994 mit 3,5 Mrd DM fast doppelt so hoch wie 1993 (1,87 Mrd DM). In die Berechnung ging auch der betrügerische Bankrott des westfälischen Sportbodenherstellers Balsam ein (Schaden: rd. 2,5 Mrd DM). 789 Ermittlungsverfahren (1993: 776) richteten sich gegen rd. 9300 Verdächtige, denen 93 000 Straftaten vorgeworfen wurden. Ein Drittel der Verfahren betraf den Rauschgifthandel. 58,7% der Verdächtigen waren Ausländer. Bundesinnenminister Kanther forderte bessere Möglichkeiten zur Überwachung der Wohnung von Verdächtigen. Die FDP lehnte im Gegensatz zu Union und SPD 1995 unverändert die Überwachung von Privatwohnungen unter Einsatz technischer Mittel wie Wanzen, Mikrophonen und Infrarotsensoren (sog. großer Lauschangriff) ab.

**Verbrechensbekämpfung erleichtert:** Im September 1994 verabschiedete die CDU/CSU/FDP-Bundesregierung mit den Stimmen der SPD das Verbrechensbekämpfungsgesetz. Es beinhaltet Strafverschärfungen (z. B. bei Körperverletzung, illegaler Einschleusung von Ausländern), Maßnahmen zur Verkürzung und Beschleunigung von Strafverfahren, eine Erweiterung der Befugnisse des Bundesnachrichtendienstes (BND) bei der Telefonüberwachung und die Ausdehnung der für Terrorismus geltenden Kronzeugenregelung auf Bandenkriminalität. Bürgerrechtsorganisationen und der Deutsche Anwaltsverein kritisierten das neue Gesetz, weil es die Justiz entlaste, aber die Bürgerrechte im Strafverfahren einschränke. Beschleunigte Verfahren in Strafprozessen sind bei einfachem Sachverhalt, klarer Beweislage und Strafandrohung von maximal einem Jahr Haft zulässig. Die CDU/CSU-Bundestagsfraktion plante, bis Ende 1995 einen Entwurf für ein zweites Verbrechensbekämpfungsgesetz vorzulegen. Es soll verdeckten Ermittlern die Erlaubnis für sog. milieubedingte Straftaten (z. B. Einbruch) geben, den großen Lauschangriff zulassen und verbesserte Möglichkeiten zur Bekämpfung der Geldwäsche schaffen. (CL)

→ Atomschmuggel → Auschwitzlüge → Bundesnachrichtendienst → Drogen → Geldwäsche → Kronzeugenregelung → Ladendiebstahl → Mafia → Täter-Opfer-Ausgleich → Verdeckte Ermittler

mit einer Mindeststrafe von einem Jahr Haft. Für Kronzeugen, die des Mordes schuldig sind, ist eine Mindeststrafe von drei Jahren festgelegt.

→ Rote Armee Fraktion

### KSE-Vertrag

(Verhandlungen über konventionelle Streitkräfte in Europa), Anfang 1995 kündigte Rußland an, den K. von 1990 über die Begrenzung konventioneller Rüstung zu brechen. Wegen des Krieges in Tschetschenien sollen im Nordkaukasus Streitkräfte mit bis zu 2500 Kampfpanzern stationiert werden. 700 erlaubt der K. Die russische Regierung forderte seit 1993 wegen der Krisen im Kaukasus eine Korrektur des K.

Das Abkommen zwischen den Staaten der NATO und des damaligen Warschauer Pakts teilt das Vertragsgebiet vom Atlantik bis zum Ural in vier Zonen auf, denen jeweils bestimmte Höchstkontingente an konventionellen Waffensystemen zugeordnet wurden. Aus der damaligen Ost-West-Konfrontation ergaben sich höhere Truppenkonzentrationen in Mitteleuropa als in den sog. Flankenzonen, zu denen der europäische Teil Rußlands gehört. Überzählige Waffen müssen bis Ende 1995 vernichtet werden.

→ Abrüstung (Tabelle) → Kaukasus → Rüstungsmüll → Tschetschenien

### Kulturhauptstadt Europas

Seit 1985 von der EU für ein Jahr gewählte Stadt, in der mit kulturellen Veranstaltungen (Theater, Konzerte, Lesungen, Kongresse) die kulturelle Einheit und Besonderheit Europas dokumentiert und gefördert wird. K. 1995 war Luxemburg, die etwa 550 Veranstaltungen fanden auch in den angrenzenden Regionen Lothringen, Saarland, Rheinland-Pfalz und in Belgien. Den Schwerpunkt bildete der Bereich Musik (von Klassik bis zu Jazz und Chanson).

Mit Weimar als K. 1999 wurde erstmals eine Stadt aus dem ehemaligen

### Kriminalität: Entwicklung in Deutschland

| Jahr | Erfaßte Fälle[1] | Straftaten pro 100 000 EW | Aufklärungs- quote (%) |
|---|---|---|---|
| 1980 | 3 815 774 | 6198 | 44,9 |
| 1985 | 4 215 451 | 6909 | 47,2 |
| 1990 | 4 455 333 | 7108 | 47,0 |
| 1991 | 4 752 175 | 7311 | 45,4 |
| 1992 | 5 209 060 | 7921 | 44,8 |
| 1993 | 6 750 613 | 8337 | 43,8 |
| 1994 | 6 537 748 | 8038 | 44,4 |

1) Bis 1990 Westdeutschland, 1991/92 inkl. Berlin; Quelle: Polizeiliche Kriminalstatistik 1994

### Kriminalität: Die häufigsten Straftaten

| Delikte | Fälle 1994 | Anteil (%) 1994 | 1993 |
|---|---|---|---|
| Diebstahl (erschwer. Umstände) | 2 377 299 | 36,4 | 37,7 |
| Diebstahl (o. erschw. Umstände) | 1 489 037 | 22,8 | 23,8 |
| Betrug | 587 423 | 9,0 | 7,8 |
| Sachbeschädigung | 583 566 | 8,9 | 8,6 |
| Ausländer-, Asylverfahrensgesetz | 222 043 | 3,4 | 3,6 |
| (Vorsätzl. leichte) Körperverletzung | 186 748 | 2,9 | 2,7 |
| Rauschgiftdelikte | 132 389 | 2,0 | 1,8 |

Quelle: Polizeiliche Kriminalstatistik 1994

Ostblock gewählt. Die Thüringer Landesregierung bezifferte 1995 die Kosten für Investitionen in Kulturbauten und Infrastruktur auf 380 Mio DM und für Organisation und Ausrichtung der Kulturveranstaltungen auf rd. 48 Mio DM. Die CDU/CSU/FDP-Bundesregierung kündigte eine finanzielle Unterstützung von 16 Mio DM an.

Nationalgalerie in Kopenhagen, wo Veranstaltungen im Rahmen der Kulturhauptstadt Europas 1996 stattfinden.

| Kulturhauptstädte Europas 1985–1999 | |
|---|---|
| Jahr | Stadt |
| 1985 | Athen |
| 1986 | Florenz |
| 1987 | Amsterdam |
| 1988 | Berlin (West) |
| 1989 | Paris |
| 1990 | Glasgow |
| 1991 | Dublin |
| 1992 | Madrid |
| 1993 | Antwerpen |
| 1994 | Lissabon |
| 1995 | Luxemburg |
| 1996 | Kopenhagen |
| 1997 | Thessaloniki |
| 1998 | Stockholm |
| 1999 | Weimar |

| Kulturmonate | |
|---|---|
| Jahr | Stadt/Land |
| 1992 | Krakau/Polen |
| 1993 | Graz/Öster. |
| 1994 | Budapest/Un. |
| 1995 | Nikosia/Zypern |
| 1997 | Ljubljana/Slo. |

## Kulturmonat

Nach dem Ende des Ost-West-Konflikts beschlossen die Kultusminister der Europäischen Union, jährlich eine europäische Stadt außerhalb der Union, vornehmlich in Mittel- und Osteuropa, für einen Monat zur Kulturstadt zu wählen. Die Initiative bildet eine Ergänzung zur Kulturhauptstadt Europas und soll zum kulturellen Austausch anregen.

## Künstliche Befruchtung

Befruchtung von Eizellen durch Übertragung von Sperma in den Körper der Frau (Insemination) oder Zusammenbringen von Eizelle und Samenzelle im Reagenzglas (In-Vitro-Fertilisation). 1994 blieb jedes sechste Paar ungewollt kinderlos. Deutsche Krankenkassen erstatteten bis zu vier Behandlungen, die je rd. 3000 DM kosten. Die Erfolgsquote der K. lag bei 20%, davon endete jede vierte Schwangerschaft mit einer Fehlgeburt. Wegen der Gefahr von Manipulation des menschlichen Erbgutes und Mißbrauch zu Forschungszwecken berieten die Gesundheitsminister der Bundesländer 1995 über eine Verschärfung des Embryonenschutzgesetzes von 1991, das u. a. die Leihmutterschaft verbietet.

## Künstliche Leber

Gerät, das wie eine künstliche Niere außerhalb des Körpers das Blut des Patienten entgiftet und in den Körper zurückleitet. Die K. soll die Wartezeit auf eine geeignete Spenderleber überbrücken. In den USA soll unter Voraussetzung der Einwilligung der Arzneimittelaufsichtsbehörde FDA ebenso wie in Berlin 1995 die Erprobung einer K. am Menschen beginnen.
**Bedarf:** In Deutschland liegt der jährliche Bedarf an Spenderlebern nach Angaben der Deutschen Stiftung Organtransplantation (Neu-Isenburg) bei 1000. Im ersten Halbjahr 1994 wurden

276 Menschen Lebern verpflanzt, deren eigenes Organ z. B. infolge von Alkohol, Pilzvergiftung und Virusinfektionen ausfiel.
**Gesundes Organ:** Alles, was der Mensch zu sich nimmt, wird über den Darm und das Blut in die Leber transportiert. Das gesunde Organ bildet Bausteine und Brennstoffe für die Zellen, lebensnotwendige Moleküle wie Blutgerinnungsfaktoren, speichert Fett, Zucker, Eiweiß und Vitamine, produziert für die Verdauung erforderliche Stoffe, filtert Bakterien aus dem Blut und bildet aus Endprodukten des Stoffwechsels Substanzen, die im Harn über die Nieren ausgeschieden werden. Aufgrund dieser vielfältigen Funktionen ist die Leber schwerer durch ein künstliches Organ zu ersetzen als beispielsweise die Nieren. Bis Mitte 1995 ersetzte die K. lediglich im Tierversuch am Schwein die Leber für maximal 52 Stunden.
**Künstliches Organ:** Die K. besteht aus Schweinezellen, die bei Körpertemperatur auf einem Geflecht von Tausenden feinen, porösen Haarröhrchen angesiedelt werden. Die Zellen werden mit Zucker, Vitaminen, Aminosäuren und Spurenelementen sowie mit Sauerstoff versorgt. Aus dem Blut des Patienten werden die Blutzellen herausgefiltert, weil z. B. die weißen Blutkörperchen als Teil des Immunsystems die Schweinezellen angreifen würden. Lediglich das Blutplasma mit den Giftstoffen wird den Schweineleberzellen zugeleitet, die die Leberfunktionen wie ein gesundes menschliches Organ übernehmen. Vor der Zurückleitung in den Körper werden Blutplasma und die anderen Bestandteile wieder zusammengeführt.

## Künstliches Leben

(KL, auch Artificial Life, engl.), Forschungszweig der Informatik mit dem Ziel, evolutionäre Abläufe elektronisch nachzuahmen, so daß sich anpassungsfähige Programme oder Roboter herausbilden. Programme werden so angelegt, daß sie Erfahrungen sammeln und verarbeiten, d. h. ihr Verhalten so verändern, daß sie ihre Ziele erreichen. Anfang 1995 starteten US-amerikanische Informatiker im globalen Computernetzwerk Internet das bis dahin größte Projekt zu K., Tierra.

Nutzer des Internet sollen Tierra ihren Computer jeweils für einige Stunden freiwillig zur Verfügung stellen. Die Informatiker schleusen in die Computer Programme ein, die wiederum aus kleinen Programmen bestehen. Die Programmierung veranlaßt die elektronischen Wesen, sich zu vermehren. Sie verhalten sich ähnlich wie Wesen in der Natur, d. h. sie streiten um Lebensraum (Speicherplatz), und Parasiten klinken sich in andere Programme ein und verändern sie. So entstehen neue, komplexer werdende Anwendungen. Bildet sich dadurch ein Programm, das besser gegen Parasiten ausgerüstet ist oder schneller Speicherplatz vereinnahmen kann, erweist es sich als lebensfähiger und vervielfacht sich. Sichtbar werden die Anwendungen durch verschiedenfarbige Symbole auf dem Monitor. Die Informatiker hoffen, daß durch den Wildwuchs – ähnlich wie bei der Evolution – nützliche Programme entstehen.

→ Internet → Neurocomputer → Roboter

Gustav Klimts „Dame mit Fächer", teuerstes Bild 1994

mit 16,7 Mio DM das teuerste Kunstwerk des Jahres.

Kunsthistoriker und Versicherungsexperten schätzten den weltweiten Schaden durch Kunstdiebstähle 1994 auf 1 Mrd DM. Im Zehn-Jahres-Vergleich blieb dieser Wert nahezu unverändert. Damit belegte die Kunsthehlerei den achten Rang in der Kriminalstatistik.

## Kunstmarkt

Mitte der 90er Jahre wurden die höchsten Preise für Kunstobjekte auf Auktionen erzielt, wo auch mit den bekanntesten Werken gehandelt wurde. Die beiden weltweit größten Auktionshäuser, Christie's und Sotheby's, beherrschten rd. 70% des internationalen Marktes. Während 1993 Paul Cézannes „Les grosses pommes" mit 46,6 Mio DM den höchsten Preis der Saison erreichte, rangierte 1994 Gustav Klimts „Dame mit Fächer" für 17,8 Mio DM auf dem ersten Platz. Bis Mitte 1995 war Claude Monets „Ansicht der Kathedrale von Rouen"

## Kunststoffrecycling

Wiederverwertung von Plastik, um die Abfallmenge zu verringern und Rohstoffe zu sparen. In Deutschland fielen Mitte der 90er Jahre bei einem Kunst-

| Kunstmarkt: Die teuersten Bilder 1994 | | | |
|------|-----------|----------------------------|----------------|
| Rang | Künstler | Werk (Entstehungsjahr) | Preis (Mio DM) |
| 1 | G. Klimt | Dame mit Fächer (1917/18) | 17,62 |
| 2 | J. S. Sargent | Spanische Tänzerin (1880/81) | 11,18 |
| 3 | Cl. Monet | Pappeln (1891) | 10,77 |
| 4 | M. de Vlaminck | Landschaft (1905/06) | 10,30 |
| 5 | E. Manet | Bar aux Folies-Bergères (1881) | 9,80 |

Quelle: Frankfurter Allgemeine Zeitung, 31. 12. 1994

stoffabsatz von 5,9 Mio t (ohne Fasern, Lacke, etc.) jährlich etwa 2,9 Mio t Kunststoffabfälle an. Etwa 410 000 t wurden 1994 der Verwertung zugeführt, 1995 will die Industrie rd. 100 000 t mehr wiederverwerten. Der Rest wird auf Deponien gelagert und verbrannt.

Die Verpackungsverordnung von 1991 schreibt ab 1996 eine Wiederverwertung von 600 000 t Kunststoffen vor. 1994 kostete die Verarbeitung 1 t Altkunststoff rd. 800 DM. Das K. war Mitte der 90er Jahre aufwendig, weil das Material aus unterschiedlichen Kunststoffarten bestand, die getrennt recycelt werden müssen. Die Hersteller hielten höhere Quoten angesichts technischer Möglichkeiten für unrealistisch.

→ Duales System → Müllverbrennung → Recycling → Verpackungsmüll

## Kurden

→ Übersichtsartikel S. 257

### Kunststoffrecycling: Geplante Kapazitäten

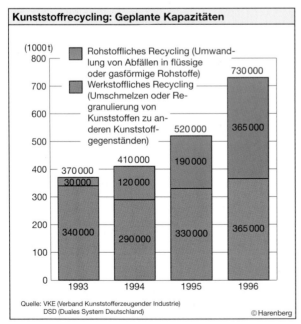

(1000 t)

Rohstoffliches Recycling (Umwandlung von Abfällen in flüssige oder gasförmige Rohstoffe)

Werkstoffliches Recycling (Umschmelzen oder Regranulierung von Kunststoffen zu anderen Kunststoffgegenständen)

| | 1993 | 1994 | 1995 | 1996 |
|---|---|---|---|---|
| Rohstofflich | 30 000 | 120 000 | 190 000 | 365 000 |
| Werkstofflich | 340 000 | 290 000 | 330 000 | 365 000 |
| Gesamt | 370 000 | 410 000 | 520 000 | 730 000 |

Quelle: VKE (Verband Kunststofferzeugender Industrie)
DSD (Duales System Deutschland)
© Harenberg

## Kurzarbeit

Herabsetzung der betriebsüblichen Arbeitszeit mit dem Ziel, einen kurzfristigen Auftragsmangel zu überbrücken und Entlassungen zu vermeiden. K. muß vom Arbeitsamt genehmigt werden. Während der K. zahlt die Bundesanstalt für Arbeit (Nürnberg) Kurzarbeitergeld, für die ausgefallenen Arbeitsstunden muß der Arbeitgeber die Sozialabgaben für den Arbeitnehmer entrichten. Die konjunkturelle Erholung des Arbeitsmarktes wirkte sich 1994 auch auf die Zahl der Kurzarbeiter aus, die in Westdeutschland im Vergleich zum Vorjahr um etwa 64% auf 275 000 sank. In Ostdeutschland verringerte sich die Zahl um 46% auf 97 000.

Im Januar 1995 wurde die Bezugsfrist für das Konjunkturkurzarbeitergeld bis Juni 1996 verlängert. Arbeitnehmer von Betrieben, die aus konjunkturellen Gründen nicht ausgelastet sind, können bis zu 24 Monaten Leistungen beziehen bei Beginn der K. zwischen 1. 1.–30. 6. 1995 (zweite Jahreshälfte: 18 Monate, 1/96: zwölf Monate). Arbeitnehmer, die in Betrieben mit strukturell bedingter K. beschäftigt sind (z. B. Stahl- und Kohlebranche), erhalten befristet bis Ende 1997 weiterhin 24 Monate lang Kurzarbeitergeld.

→ Arbeitslosigkeit → Bundesanstalt für Arbeit

# L

## Ladendiebstahl

Anfang 1995 wies das niedersächsische Justizministerium die Staatsanwaltschaften an, zur Entlastung der Justiz kleine L. bis zum Wert von 100 DM als Bagatelldelikte nicht mehr strafrechtlich zu verfolgen, wenn der Täter den Schaden wiedergutmacht und weitere Straftaten nicht zu erwarten sind. Die Gewerkschaft der Polizei

Kurden

# Türkischer Einmarsch erschwert politische Lösung

Bis Mitte 1995 forderte der Unabhängigkeitskampf der Kurden, den die Türkei im März 1995 durch eine Invasion in die nordirakische UNO-Schutzzone verschärfte, rd. 14 000 Menschenleben. Das westasiatische Volk mit eigener Kultur und Sprache (Zahl: rd. 25 Mio), aber ohne eigenen Staat fordert die Anerkennung seiner kulturellen und nationalen Eigenständigkeit. Seit 1984 kämpft die 1978 von Abdullah Öcalan gegründete linksextremistische Arbeiterpartei Kurdistans (PKK) für einen von der Türkei unabhängigen Staat. Im Dezember 1994 gab Öcalan den Anspruch auf einen unabhängigen Kurdenstaat auf und trat für eine Autonomie mit ethnischer Gleichberechtigung ein. Kurden leben in der Türkei (Anteil am kurdischen Volk: 50%), im Iran (24%), Irak (18%), Syrien (5%) und Armenien (3%). In Deutschland leben rd. 500 000 Kurden.

**Türkische Invasion:** Der Einmarsch, an dem 35 000 Soldaten beteiligt waren, richtete sich gegen rd. 2500 in dem Gebiet vermutete PKK-Kämpfer sowie deren Stützpunkte und Nachschublinien. Die Türkei warf der PKK vor, vom Nordirak aus Operationen gegen die Türkei durchgeführt zu haben. Nach Abschluß der Großoffensive, die zu Protesten der Europäischen Union und der USA führte, zogen die türkischen Soldaten im Mai 1995 ab. Türkischen Angaben zufolge starben bei den Kämpfen 555 PKK-Kämpfer und 61 türkische Soldaten. Die PKK bezifferte die Zahl der türkischen Gefallenen auf 1047, die eigenen Verluste mit 45. Im Juli 1995 marschierte die Türkei erneut in den Nordirak ein.

**Bruderkrieg im Irak:** Im Dezember 1994 brachen Kämpfe zwischen Anhängern der traditionell geprägten Demokratischen Partei Kurdistans (KDP) und der sozialdemokratisch orientierten Patriotischen Union Kurdistans (PUK) aus. Die KDP kontrolliert den Norden des irakischen K.-Gebiets, das seit April 1991, der Niederschlagung des K.-Aufstands gegen den irakischen Diktator Saddam Hussein, UNO-Schutzzone ist. Im März 1995 stürmten PUK-Einheiten das kurdische Regionalparlament in Erbil und setzten 32 Abgeordnete der KDP fest. Die beiden konkurrierenden Parteien stellen seit der ersten demokratischen Wahl im Mai 1992 die Regionalregierung.

Die PUK hatte der KDP vorgeworfen, an der Grenze zur Türkei eingenommene Zolleinnahmen vereinbarungswidrig zurückzuhalten. Ein Waffenstillstand im April 1995 beendete die Kämpfe.

**PKK-Anschläge in Deutschland:** Zwischen Januar und April 1995 verübten Gewalttäter etwa 150 Anschläge gegen türkische Einrichtungen in Deutschland. Sicherheitsexperten gingen davon aus, daß die meisten Anschläge von der seit November 1993 in Deutschland verbotenen PKK verübt wurden. Mit den Anschlägen, bei denen hoher Sachschaden entstand, will die PKK den Befreiungskampf der K. in der Türkei unterstützen. Nach Erkenntnissen des Verfassungsschutzes wuchs die Zahl der PKK-Mitglieder von 5000 (1993) auf 7500 (Mitte 1995).

**Vorübergehender Abschiebestopp:** Das Bundesinnenministerium stimmte im Dezember 1994 einem von SPD-geführten Bundesländern beschlossenen befristeten Abschiebestopp von abgelehnten kurdischen Asylbewerbern in die Türkei wegen Menschenrechtsverletzungen zu. Vorausgegangen war die international kritisierte Verurteilung von acht kurdischen Abgeordneten in der Türkei zu unverhältnismäßig hohen Haftstrafen. Türkische Behörden hatten ihnen Zusammenarbeit mit der PKK vorgeworfen. Nach Untersuchungen von Amnesty International verschlechterte sich die Menschenrechtslage für K. in der Türkei seit 1991 erheblich. Die Zahl der willkürlichen Festnahmen, Folterungen und politischen Morde habe zugenommen. Im Juni 1995 einigten sich die Bundesländer in der Abschiebefrage auf den Grundsatz der Einzelfallprüfung.

**Exilparlament für politische Lösung:** Auf Initiative der 1994 in der Türkei verbotenen Kurdischen Demokratiepartei (DEP) konstituierte sich im April 1995 in Den Haag/Niederlande ein kurdisches Exilparlament. Vertreter der Nationalen Befreiungsfront Kurdistans (ERNK), des politischen Flügels der PKK, und der DEP bilden in dem 65 Mitglieder zählenden Gremium die stärkste politische Kraft. Die Gründungsversammlung versicherte, daß das Exilparlament die Interessen der Kurden mit friedlichen Mitteln verteidigen wolle. Karte → S. 258          (JE)

## Kurden: Siedlungsgebiete

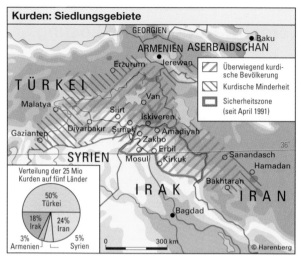

Entkriminalisierung: Diebstahlsvergehen sind bei geringwertigen Sachen per Gesetz Antragsdelikte, d. h. der Bestohlene kann abwägen, ob er auf förmliche Strafverfolgung oder auf Schadenersatz Wert legt. Warenhäuser verzichten i. d. R. auf eine Einzelfallprüfung und stellen immer Strafantrag. In 50% der angezeigten Fälle von L. lag der Wert der gestohlenen Ware unter 25 DM, in 75% unter 100 DM. Die Mehrzahl der Verfahren wegen kleinerer L. wurde 1994 eingestellt.

Gegenmaßnahmen: Nach Untersuchungen des Instituts für Kriminologie der Universität Gießen wird nur einer von hundert L. entdeckt und verfolgt. Die Gesamtzahl der L. wird auf 50 Mio jährlich geschätzt, der entstandene Schaden auf rd. 4 Mrd DM. Etwa 0,2% des Bruttoumsatzes gab der Einzelhandel durchschnittlich für die Bekämpfung des L. durch Detektive, elektronische Überwachungs- und Warensicherungssysteme aus.
→ Kriminalität

## Ladenschlußzeit

### Ladenschlußzeit: Öffnungszeiten

| Land | Öffnungszeit (h)[1] |
|---|---|
| Griechenland | 59 |
| Belgien | 56 |
| Großbritannien | 54 |
| Dänemark | 53 |
| Niederlande | 51 |
| Portugal | 51 |
| Deutschland | 50 |
| Frankreich | 49 |
| Italien | 47 |
| Spanien | 46 |

1) Durchschnitt pro Woche 1994; Quelle: Eurostat

und der Bundesverband Deutscher Pädagogen kritisierten die Entkriminalisierung von L., weil damit zum Einstieg in die Kriminalität ermuntert werde. Die Zahl der L. in Deutschland war 1994 nach hohen Zuwachsraten 1992/93 erstmals rückläufig.

Trendwende: 1994 sank die Zahl der verfolgten L. gegenüber dem Vorjahr um 12,7% auf 585 671. Die Landeskriminalämter führten den Rückgang der angezeigten L. auf die geringere Zahl von Beschaffungs- und Armutsdiebstählen zurück, die z. B. Drogenabhängige begingen. Die ostdeutschen Bundesländer verzeichneten eine steigende Zahl von L., zwischen +0,5% in Sachsen und +15,1% in Brandenburg.

### Ladendiebstahl: Entwicklung

| Jahr[1] | Erfaßte Fälle insgesamt[2] | Veränderung zum Vorjahr (%) |
|---|---|---|
| 1990 | 398 064 | k. A. |
| 1991 | 416 157 | +4,5 |
| 1992 | 529 756 | +13,1 |
| 1993 | 670 965 | +11,3 |
| 1994 | 585 671 | −12,7 |

1) 1990/91 Westdeutschland, 1992 inkl. Gesamt-Berlin; 2) inkl. Diebstähle unter erschwerenden Umständen; Quellen: Polizeiliche Kriminalstatistiken 1991–1994

Während Bundeswirtschaftsminister Günter Rexrodt (FDP) Mitte 1995 für eine Lockerung der L. eintrat, lehnten dies der Hauptverband des Deutschen Einzelhandels (HDE, Köln) und die Deutsche Angestellten-Gewerkschaft (DAG, Hamburg) ab, weil kleine Unternehmen benachteiligt würden und den 2,5 Mio Beschäftigten im Einzelhandel längere Arbeitszeiten nicht zuzumuten seien. Die SPD trat für eine Lockerung der L. ein, um die Versorgung mit Waren des täglichen und touristischen Bedarfs zu verbessern.

Auffassungen: Von gelockerten L. versprach sich der Bundeswirtschaftsminister Wettbewerbsförderung und erweiterte Einkaufsmöglichkeiten für Berufstätige. Die Gewerkschaft argumentierte, daß insbes. Frauen belastet würden, die den Großteil des Verkaufspersonals stellen. Nach der Einführung des langen Donnerstags kam es zu längeren Arbeitszeiten für Beschäftigte.

**SPD-Vorschlag:** Die Existenz kleiner, selbständiger Einzelhandelsfirmen soll gesichert werden. Verkaufsstellen, die nach der gesetzlichen L. keine Arbeitnehmer beschäftigen, sollen abends, an Wochenenden und an Feiertagen geöffnet haben dürfen. Bedienen dürfen dann nur Inhaber und Familienangehörige.

**Bestimmungen:** Mitte 1995 galten folgende späteste L. in Deutschland:

▷ Montags–mittwochs und freitags 18.30 Uhr

▷ Donnerstags i. d. R. 20.30 Uhr

▷ Samstags grundsätzlich 14 Uhr

▷ Am jeweils ersten Samstag der Wintermonate von Oktober bis März und weiteren langen Samstagen 18 Uhr

▷ Am jeweils ersten Samstag von April bis September 16 Uhr.

Ausgenommen waren Läden im Bereich von Großstadtbahnhöfen und Flugplätzen, die Waren für den sog. Reisebedarf auch nach 18.30 Uhr verkaufen durften. Auch Kioske hatten Sonderregelungen.

**Tankstellen:** In Tankstellen-Shops können Waren zur Erhaltung der Fahrbereitschaft gekauft werden. 1994 wickelten die Shops 10–20% ihrer Geschäfte nach Ladenschluß ab. Nur sechs von zehn Kunden fuhren Tankstellen zum Kauf von Benzin an.

## Länderhaushalte

→ Haushalte, Öffentliche

## Landwirtschaft

Nachdem die deutschen Landwirte 1993/94 wie schon im Vorjahr Einkommenseinbußen von rd. 6% hinnehmen mußten, rechnete Bundeslandwirtschaftsminister Jochen Borchert (CDU) für die folgenden Jahre mit Einkommenszuwächsen. Aufgrund gestiegener Preise, vor allem bei Kartoffeln und Raps, sowie höheren Einnahmen für Getreide, Schwein und Wein wurde für 1994/95 eine Gewinnzunahme um rd. 7–12% erwartet. Die Zahl der

### Landwirtschaft: Strukturwandel seit 1950

| Merkmal | 1950[1] | 1970[1] | 1993 |
|---|---|---|---|
| Zahl der Betriebe (1000) | 1647 | 1018 | 593 |
| Betriebsgröße (ha) | 8,1 | 12,4 | 28,8 |
| Arbeitskräfte (1000 AK)[2] | 3885 | 1526 | 792 |
| Arbeitskr.-Besatz (AK/100 ha) | 29,0 | 11,4 | 4,6 |
| Ackerschlepper (1000) | 117 | 1356 | 1300 |
| Schlepperbesatz (je 100 ha[3]) | 1,5 | 18,0 | 11,1 |

1) Alte Bundesländer; 2) AK = Arbeitskrafteinheiten (Teilzeitbeschäftigte werden je nach Arbeitsleistung z. B. als halbe AK gerechnet); 3) Ackerland; Quelle: Bundeslandwirtschaftsministerium

### Landwirtschaft: Gewinnentwicklung

| Betriebe[1] (Standardbetriebseinkommen) | Gewinn/Unternehmen (DM) | | |
|---|---|---|---|
| | 1991/92 | 1992/93 | 1993/94 |
| Kleine (unter 40 000 DM) | 32 683 | 31 090 | 29 320 |
| Mittlere (40 000–60 000 DM) | 47 096 | 44 603 | 42 301 |
| Größere (über 60 000 DM) | 74 984 | 66 180 | 59 221 |
| Insgesamt | 47 721 | 44 707 | 41 962 |
| Veränderung zum Vorjahr (%) | + 4,0 | − 6,3 | − 6,1 |

1) Westdeutschland; Quelle: Agrarbericht der Bundesregierung 1995

### Landwirtschaft: Gewinne nach Betriebsform

| Betriebsform[1] | Gewinn/Unternehmen (DM) | | |
|---|---|---|---|
| | 1991/92 | 1992/93 | 1993/94 |
| Getreide, Zuckerrüben, Kartoffeln | 59 610 | 49 592 | 45 398 |
| Milchvieh, Rindermast | 42 232 | 46 053 | 44 224 |
| Schweine, Geflügel | 66 949 | 30 991 | 24 002 |
| Wein, Obst, Hopfen | 48 811 | 41 259 | 40 542 |
| Gemischter Anbau | 50 735 | 36 257 | 30 459 |

1) Westdeutschland; Quelle: Agrarbericht der Bundesregierung 1995

Agrarbetriebe ging 1993/94 gegenüber dem Vorjahr um 2,3% auf 578 000 zurück. Der Agraretat der CDU/CSU/FDP-Bundesregierung für 1995 sah Ausgaben von 12,6 Mrd DM für die L. vor, 4,4% weniger als im Vorjahr.

**Strukturwandel:** Die Zahl der Erwerbstätigen in der Landwirtschaft sank zwischen 1960 (Westdeutschland) und 1993/94 (Gesamtdeutschland) von 3,3 Mio auf rd. 1 Mio. Die Zahl der Verbraucher, die ein Landwirt ernährt, stieg in diesem Zeitraum von 17 auf 80. Gründe für Produktivitätssteigerung und Arbeitskräfteabbau waren Fortschritte in Düngechemie, Maschinentechnik, Tiermedizin und Züchtung bei gleichzeitiger Vergröße-

| Landwirtschaft: Subventionen | |
|---|---|
| **Land** | **Einkommens-anteil (%)[1]** |
| Schweiz | 77 |
| Norwegen | 76 |
| Japan | 70 |
| Finnland | 67 |
| Österreich | 56 |
| Schweden | 52 |
| EU | 48 |
| Türkei | 37 |
| Kanada | 32 |
| USA | 23 |
| Australien | 9 |
| Neuseeland | 3 |

Stand: 1993; 1) Anteil von staatlichen Subventionen am Einkommen der Landwirte; Quelle: OECD

rung der durchschnittlichen Betriebsgrößen (Westdeutschland: von 9,3 ha auf 20,7 ha).

**Ostdeutschland:** Die Gewinne der ostdeutschen Agrarunternehmen waren 1993/94 mit durchschnittlich 74 126 DM fast doppelt so hoch wie in Westdeutschland, da im Osten Großbetriebe dominierten. 60% der Agrarfläche befand sich in der Hand von etwa 3000 Betrieben mit durchschnittlich 1179 ha je Hof (Gesamtdeutschland: 28,8 ha). Die Pächter waren meist Gesellschaften, die aus den ehemaligen Landwirtschaftlichen Produktionsgenossenschaften (LPG) der DDR hervorgingen. Auch die staatliche Förderung lag mit 597–618 DM je ha in den neuen Bundesländern höher als im Westen (518 DM/ha). 1990 bis Anfang 1995 unterstützte der Bund die ostdeutsche L. mit 17,4 Mrd DM.

**Agrarsozialreform:** Wichtigste Neuerung der Reform von 1995 ist die Alterssicherung für Bäuerinnen. Bäuerinnen müssen nach dem Gesetz eigene Beiträge zur Rentenversicherung entrichten (1995: monatlich 291 DM) und erwerben damit Rentenansprüche im Alter sowie bei Erwerbsunfähigkeit. Frauen, die in der L. gearbeitet haben, werden die Beitragszeiten des Ehemannes z. T. angerechnet. Nach altem Recht waren Bäuerinnen Hausfrauen gleichgestellt.

**Düngemittel:** Im Mai 1995 plante die Bundesregierung eine Düngemittelverordnung für landwirtschaftlich und gartenbaulich genutzte Flächen. Die Verordnung wird bei Zustimmung durch den Bundesrat Mitte 1996 in Kraft treten. Der Einsatz von Kunstdünger und Gülle aus der Massentierhaltung trägt zu Boden- und Wasserverschmutzung sowie zur Vernichtung von Tier- und Pflanzenarten bei. Auf Acker- und Grünland dürfen nach der geplanten Verordnung im Betriebsdurchschnitt nur 210 kg Stickstoff je ha aufgebracht werden, ab 1. 7. 1997 soll der Grenzwert für Ackerböden auf 170 kg/ha sinken. Mitte der 90er Jahre gelangte jährlich etwa doppelt soviel

stickstoffhaltiger Dünger (z. B. Nitrat) auf die Böden, wie die Pflanzen aufnehmen können.

**Ökobetriebe:** In Deutschland erreichten Lebensmittel aus ökologischem Landbau Mitte der 90er Jahre einen Marktanteil von 0,8% des Umsatzes, für die EU erwarteten Experten bis 2000 einen Anstieg des Anteils von 0,5% auf 2,5%. 1993 gab es in Deutschland 4794 von etwa 15 000 Ökobetrieben in Europa, die deutschen Betriebe bewirtschafteten 228 000 ha.
→ Agrarpolitik → Biotreibstoff → Schweinepest → Trinkwasserverunreinigung

## Laptop

→ Notebook

## Lasermedizin

Behandlung von Krankheiten mit Laserstrahlen. 1994 wurde der erste Herzlaser Deutschlands in Marburg eingesetzt. Fast alle Gewebe des Auges waren Laserbehandlungen zugänglich, die Korrektur von Fehlsichtigkeit mit L. wurde weiterentwickelt. Erstmals wurde Unfruchtbarkeit mit L. behandelt. Die L. kam Mitte der 90er Jahre insbes. zum Einsatz, um Tumore zu zerstören, Nieren- und Gallensteine zu zertrümmern sowie blockierte Körpergefäße zu öffnen. Daneben wurde der Laser als Skalpell und in der Zahnmedizin gebraucht.

**Herzbehandlung:** Die Lasertherapie kommt für rd. 10–15% der Herzkranken in Frage, denen Sauerstoffmangel und Infarkt durch verengte Herzkranzgefäße drohen, die mit herkömmlichen Methoden wie Dehnung (Ballondilatation) und Überbrückung (Bypass) nicht mehr durchlässig gemacht werden können. Der Herzmuskel ist nicht ausreichend mit sauerstoffreichem Blut versorgt. Mit dem Kohlendioxidlaser (Preis 1995: rd. 1 Mio DM) wird die Wand der linken Herzkammer perforiert, so daß sauerstoffreiches Blut in den Herzmuskel fließen kann.

**Fehlsichtigkeit:** 1995 konnten mit L. erstmals auch angeborene Weit- und extreme Kurzsichtigkeit bis zu $-15$ Dioptrien (vorher: $-8$) korrigiert werden. Die oberste Hornhautschicht des Auges wird abgeklappt und nicht wie bis dahin abgeschliffen. Nach dem Abschleifen mit dem Laser in den tieferen Schichten wird die oberste Schicht wieder über die gelaserte Stelle geklappt, was die Narbenbildung vermindert. Bei der herkömmlichen Methode klagte jeder zwölfte Patient über leichte bis erhebliche Sehbehinderungen durch Narben.

**Unfruchtbarkeit:** Bis 1994 blieben Frauen häufig kinderlos, bei denen ein Enzymmangel das Auftrennen der Hülle des befruchteten Eis verhinderte, so daß es sich nicht in der Gebärmutter einnisten konnte. Der Laserstrahl fräst ein Loch in die Hülle der befruchteten Eizelle.

für die Unterhaltungselektronik zu entwickeln.

Blaulichtlaser können im Vergleich zu Rotlichtlasern, die bei CD-Spielern eingesetzt werden, mehr Informationen von CDs ablesen, weil die kürzere Lichtwellenlänge eine feinere Abtastung ermöglicht. Bis 1994 konnten sie wegen der aufwendigen Kühlung nicht eingesetzt werden. Die Leistung der Blaulichtlaser (3 Milliwatt) reichte jedoch nicht, um CDs zu beschreiben. Mitte der 90er Jahre wurden Laser u. a. in Computerdruckern eingesetzt. Bei PC sollen Laserstrahlen mittelfristig Drahtverbindungen bei der Übertragung von Befehlen ersetzen, um die Rechengeschwindigkeit zu erhöhen.
→ CD → Computer

## Lauschangriff

→ Kriminalität

## Lasertechnik

(Laser, Light Amplification by Stimulated Emission of Radiation, engl.; Lichtverstärkung durch angeregte Strahlenemission), L. wurde Mitte der 90er Jahre vor allem in der Materialbearbeitung (Schweißen, Schneiden), der Medizin, der Informations- und Kommunikationstechnik (z. B. Datenübertragung) und der Meßtechnik eingesetzt. 1994 gelang es Wissenschaftlern zum ersten Mal, einen Blaulichtlaser

## Lebensmittelbestrahlung

Behandlung von Nahrungsmitteln mit ionisierenden Strahlen (Ion, elektronisch geladenes Atomteilchen). Die radioaktive Bestrahlung dient vor allem zur Verlängerung der Haltbarkeit von Lebensmitteln und zum Abtöten von Insekten, krankheitserregenden Bakterien und Schimmelpilzen. L. wird in rd. 35 Staaten praktiziert. In Deutschland waren L. und Import von bestrahlten Lebensmitteln 1995 wegen

### Lasertechnik: Typenübersicht

| Lasertyp | Genutzte Wellenlänge (Nanometer)[1] | Leistung (W)[2] | Einsatzgebiete (Beispiele) |
|---|---|---|---|
| Helium-Neon[3] | 633 | 1–50 | Scannerkassen, Meßtechnik |
| Argon-Krypton[3] | 514/799 | 0,1–100 | Lasershows, Meßtechnik |
| Kohlendioxid[3] | 10 600 | 1–45 000 | Schneiden, Schweißen |
| Excimer[3] | 308 | 1–20 000 000[4] | Netzhautoperationen |
| Neodym-Yag[5] | 1064 | 1–500 | Medizin, Plasmaphysik |
| Erbium-Yag[5] | 2940 | 0,01–3[4] | Medizin |
| Titan-Saphir[5] | 690–1050 | 0,01 | Analysetechnik, Spektroskopie |
| Farbstofflaser | 455–615 | 0,001–1 | Analysetechnik, Spektroskopie |
| Halbleiterlaser | 810–980 | 0,01–20 | CD-Spieler, Laserdrucker |

1) Am häufigsten angewandte Wellenlängen bzw. Frequenzbereiche; 2) bei kontinuierlichem Betrieb; 3) Gaslaser; 4) als Lichtpuls; 5) Festkörperlaser; Quelle: Bild der Wissenschaft 10/93

| Lehrstellenmarkt:<br>Verdienst in West-<br>deutschland 1994 | |
|---|---|
| **Branche** ˙ | **Lohn[1]<br>(DM)** |
| Bau[2] | 1664 |
| Versicherung | 1318 |
| Druck | 1245 |
| Bau[3] | 1231 |
| Banken | 1200 |
| Öffentl. Dienst | 1149 |
| Chemie | 1127 |
| Metall | 1117 |
| Großhandel | 1097 |
| Einzelhandel | 1089 |
| Hotel | 932 |

1) Monatl. Ausbil-
dungsvergütung; 2)
gewerblich; 3) kauf-
män., techn.; Quelle:
Arbeitgeberverband
der Versicherungs-
unternehmen (Frank-
furt/M.)

gesundheitlicher Bedenken untersagt
(Ausnahme: sterile Krankenkost).
**Beurteilung:** Kritiker befürchteten,
daß bei der L. eine genetische Manipulation stattfindet, die Krebs auslösen
könnte, und durch die Bestrahlung
wertvolle Inhaltsstoffe zerstört würden. Die Weltgesundheitsorganisation
(WHO, Genf/Schweiz) dagegen sprach
sich für die L. aus, weil sie helfe,
Krankheiten zu vermeiden.
**Überwachung:** 1995 verfügten
deutsche Lebensmitteluntersuchungs-
ämter über acht Verfahren zur Erken-
nung bestrahlter Lebensmittel. Es war
möglich, die Bestrahlung von Gewür-
zen und Gewürzmischungen, Trocken-
gemüse, Frischobst, Nüssen, Fischen,
Hähnchen, Schweine- und Rindfleisch
nachzuweisen.
→ Krebs

## Leber, Künstliche

→ Künstliche Leber

## Lehrstellenmarkt

Mit einem Überschuß von rd. 14 000
Stellensuchenden überstieg im März
1995 erstmals seit der Vereinigung
Deutschlands die Zahl der Bewerber
(520 000) die angebotenen Ausbildungsplätze. Während in Ostdeutschland nur für jeden dritten Bewerber
eine Lehrstelle zur Verfügung stand,
existierte in Westdeutschland ein An-
gebotsüberhang von rd. 80 000 Stellen. In einzelnen Regionen gab es
jedoch mehr Bewerber als Angebote.
Vom Lehrstellenmangel besonders
betroffen waren Norddeutschland, das

| Lehrstellenmarkt: Entwicklung | | | |
|---|---|---|---|
| **Jahr** | **Lehrstellen[1]** | | **Differenz** |
| | **Angebot** | **Nachfrage** | |
| 1985 | 719 110 | 755 994 | – 36 884 |
| 1986 | 715 880 | 730 980 | – 15 100 |
| 1987 | 690 287 | 679 626 | 10 661 |
| 1988 | 665 964 | 628 793 | 37 171 |
| 1989 | 668 649 | 602 014 | 66 635 |
| 1990 | 659 435 | 559 531 | 99 904 |
| 1991 | 668 000 | 550 671 | 117 329 |
| 1992 | 721 756 | 608 121 | 113 635 |
| 1993 | 655 800 | 587 900 | 67 900 |
| 1994 | 587 000 | 622 000 | 35 000 |
| 1995[2] | 492 000 | 503 000 | – 11 000 |

1) Ab 1992 inkl. Ostdeutschland;
2) Schätzung; Quelle: Bundesbildungsministerium

Ruhrgebiet und West-Berlin. Die Zahl
der Arbeitsamtsbezirke, die mehr Aus-
bildungswillige als freie Stellen meldeten, stieg von zwölf (1994) auf 32.
Aufgrund der hohen Schulabgänger-
zahlen in West und Ost wurde für 1995
eine steigende Nachfrage nach Ausbil-
dungsstellen von 586 000 (1994) auf
600 000 Plätze prognostiziert.
**Lehrstellenabbau:** 1994 reduzierte
sich im Westen die Zahl der abgeschlossenen Lehrverträge im Vergleich
zu 1993 um 4,4% auf 450 210. Rückgänge wurden insbes. im öffentlichen
Dienst (– 30,0%) und in Industrie und
Handel (– 8,1%) verzeichnet, während
die Handwerksbranche ihr Lehrstellen-
angebot um 5,5% vergrößerte. In Ostdeutschland stieg die Zahl der Neuver-
träge um 18,9% auf 117 630. Die betrieblichen Ausbildungsplätze wuchsen um 7,1%, die außerbetrieblichen
um 94,6%. 1994 betrug der Anteil der
mit EU-, Bundes- und Landeszuschüs-
sen subventionierten Lehrstellen 60%.
**Selbstverpflichtung:** Wirtschaft und
Industrie verpflichteten sich im März
1995 gegenüber den Sozialpartnern,
den Rückgang des Lehrstellenangebots
zu stoppen und bis 1997 einen
Zuwachs von 10% auf rd. 660 000
Stellen zu verwirklichen. Die Bundesanstalt für Arbeit (Nürnberg) warf
Großunternehmen vor, von den Aus-

| Lehrstellenmarkt: Bevorzugte Ausbildungsplätze | | | |
|---|---|---|---|
| **Branche** | **Überzählige<br>Bewerber** | **Branche** | **Offene Lehr-<br>stellen** |
| Industriekaufm. | 10 517 | Lebensmittelverk. | 18 354 |
| Arzthelfer | 9 590 | Industriemech. | 10 208 |
| Bauzeichner | 6 989 | Bäcker | 9 695 |
| Bürokaufmann | 6 925 | Friseur | 9 574 |
| Tischler | 5 340 | Koch | 9 369 |

Stand: Juli 1994; Quelle: Bundesanstalt für Arbeit

## Lehrstellenmarkt: Bundesländer

| Landesarbeits- amtsbezirke | Unbesetzte Stellen | | Nicht vermittelte Bewerber | |
|---|---|---|---|---|
| | März '95 | Anteil (%) | März '95 | Anteil (%) |
| Berlin-Brandenburg[1] | 2 724 | 1,2 | 5 682 | 2,9 |
| Baden-Württemberg | 36 375 | 16,0 | 31 890 | 16,1 |
| Hessen | 15 408 | 6,8 | 19 044 | 9,6 |
| Niedersachsen-Bremen | 31 068 | 13,7 | 28 268 | 14,3 |
| Nord[2] | 14 298 | 6,3 | 11 083 | 5,6 |
| Nordbayern | 24 911 | 10,9 | 17 912 | 9,0 |
| Nordrhein-Westfalen | 53 773 | 23,6 | 53 205 | 26,9 |
| Rheinland-Pfalz-Saarland | 17 543 | 7,7 | 14 618 | 7,4 |
| Südbayern | 31 470 | 13,8 | 16 327 | 8,2 |
| West | 227 579 | 100,0 | 198 029 | 100,0 |
| Berlin (Ost) | 1 477 | 4,2 | 8 091 | 6,9 |
| Brandenburg | 4 898 | 13,8 | 18 639 | 15,9 |
| Mecklenburg-Vorpommern | 4 965 | 14,0 | 14 905 | 12,7 |
| Sachsen | 11 156 | 31,5 | 35 787 | 30,5 |
| Sachsen-Anhalt | 6 523 | 18,4 | 20 775 | 17,7 |
| Thüringen | 6 400 | 18,1 | 19 176 | 16,3 |
| Ost | 35 419 | 100,0 | 117 373 | 100,0 |

1) Ohne Berlin-Ost und Brandenburg; 2) ohne Mecklenburg-Vorpommern; Quelle: Bundesanstalt für Arbeit

bildungsanstrengungen der Klein- und Mittelbetriebe zu profitieren, die im Westen 90% der Lehrbetriebe und 50% der Ausbildungsplätze stellten.

**Lastenausgleich:** Der Deutsche Gewerkschaftsbund forderte eine Reform des dualen Systems von betrieblicher Ausbildung und staatlicher Berufsschule. Da nur ein Drittel der Betriebe der Ausbildungspflicht nachkämen, sollten die nichtausbildenden Unternehmen eine Abgabe zahlen, die Ausbildungsbetrieben als Zuschuß zugute käme. Wirtschaftsvertreter lehnten den Lastenausgleich ab und schlugen eine Verkürzung der Ausbildungszeiten vor. → BAföG → Jugend

## Leiharbeit

(auch Zeitarbeit), Berufstätige bei einer Firma, die Arbeitskräfte für maximal neun Monate anderen Unternehmen überläßt. L.-Firmen benötigen eine Genehmigung des Arbeitsamtes und müssen den Arbeitnehmer in einem Dauerarbeitsverhältnis beschäftigen. Im Baugewerbe ist L. verboten. 1994 wurden 3100 Fälle von unerlaub-

ter L. aufgedeckt. Ver- und Entleiher zahlten Geldbußen von 23 Mio DM.

Ab Oktober 1994 erhalten L.-Firmen, die Arbeitslose an Unternehmen verleihen mit dem Ziel, ihnen dort Dauerarbeitsplätze zu verschaffen, staatliche Förderung (befristet bis 1996). Als Bedingung gilt, daß mindestens 25% der Arbeitnehmer der L.-Firma als schwervermittelbar eingestuft werden. Das Bundesarbeitsministerium stellt für die Maßnahme 51 Mio DM bereit. Bundesarbeitsminister Norbert Blüm (CDU) plante bis Herbst 1995 eine Reform des Arbeitsförderungsgesetzes. Die Bundesanstalt für Arbeit (Nürnberg) soll die Möglichkeit erhalten, schwervermittelbare Arbeitslose zur Probe an Firmen auszuleihen.

1994 stieg der Umsatz der L.-Firmen in Deutschland um 10% auf 4,4 Mrd DM. Branchenvertreter begründeten den Aufschwung mit der verbesserten Wirtschaftslage und der Ausweitung ihres Angebots durch die seit August 1994 gesetzlich legitimierte private Arbeitsvermittlung. → Tabelle S. 264 → Arbeitslosigkeit → Arbeitsvermittlung → Sozialleistungsmißbrauch

## Leiharbeit: Umsatzentwicklung

| Jahr | Umsatz (Mrd DM) |
|---|---|
| 1988 | 3,5 |
| 1989 | 4,2 |
| 1990 | 5,0 |
| 1991 | 5,3 |
| 1992 | 4,8 |
| 1993 | 4,0 |
| 1994 | 4,4 |

Quelle: Bundesverband Zeitarbeit (Frankfurt/M.)

## Leiharbeit: Größte Unternehmen in Deutschland

| Firma, Ort | Umsatz (Mio DM) | Geschäfts-stellen | Interne Mitarbeiter |
|---|---|---|---|
| Time Power, Köln | 190 | 77 | 400 |
| Adia, Hamburg | 190 | 44 | 252 |
| Offis, Fulda | 145 | 52 | 246 |
| Deutscher Industrie Service, Frankfurt/M. | 145 | 41 | 230 |
| Randstad, Eschborn | 140 | 31 | 200 |
| Manpower, Frankfurt/M. | 125 | 36 | 170 |
| K. Bindan, Bremen | 115 | 49 | 216 |

Stand: 31. 12. 1994; Quelle: FAZ, 4. 1. 1995

## Leitzinsen

Preise, zu denen sich Banken Geld von der Zentralbank leihen können. Die L. sind ein Mittel der Geldpolitik. Ihre Höhe beeinflußt das allgemeine Zinsniveau, da die Geldinstitute die Kosten dieser Mittelbeschaffung ihrerseits bei der Kreditvergabe berücksichtigen.

Zum Diskontsatz kauft die Notenbank noch nicht fällige Wechsel an. Der Lombardsatz wird für die Verpfändung von Wertpapieren erhoben und liegt i. d. R. 1–2% über dem Diskontsatz. Der inoffizielle dritte Leitzins für sog. Wertpapierpensionsgeschäfte (auch Offenmarktgeschäfte) bewegt sich für gewöhnlich zwischen Diskont- und Lombardsatz. Zu diesem Zinssatz kauft die Deutsche Bundesbank im Versteigerungsverfahren zeitlich befristet Wertpapiere an.

Nach einer Phase der Hochzinspolitik, die der Inflationsdämpfung dienen sollte, senkte die Bundesbank seit 1992 die L. stetig ab, um kreditfinanzierte Investitionen z. B. für Bauvorhaben zu verbilligen und das schwache Wirtschaftswachstum zu fördern. Der Diskontsatz lag Mitte 1995 mit 4% auf dem niedrigsten Stand seit 1989. Der Lombardsatz blieb seit 1994 unverändert bei 6%. Der Satz für Wertpapierpensionsgeschäfte stand Mitte 1995 bei 4,5%.

→ Banken → Bundesbank, Deutsche → Inflation → Währungskrise

## Liberales Forum

**Name** Liberales Forum
**Land** Österreich
**Gründung** 1993
**Mitglieder** 1300 (Stand: Mai 1995)
**Bundessprecherin** Heide Schmidt (s. 1993)
**Ausrichtung** Liberal

Im Februar 1993 gegründete Partei, die im Oktober 1994 bei der Nationalratswahl 6,0% erreichte und mit elf Abgeordneten ins österreichische Par-

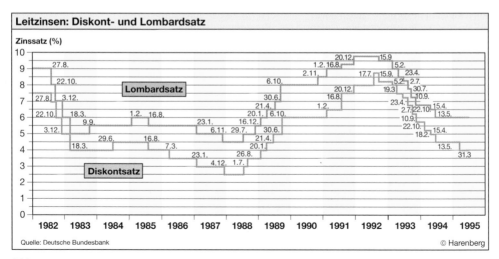

Leitzinsen: Diskont- und Lombardsatz

Zinssatz (%)

Quelle: Deutsche Bundesbank

© Harenberg

lament einzog. Die ehemalige stellvertretende FPÖ-Parteivorsitzende Heide Schmidt gründete das L. wegen zunehmender Rechtslastigkeit der FPÖ. Das L. tritt für Privatisierung von Post und Elektrizitätswirtschaft und für eine ökologische Steuerreform ein. Im November 1994 wurde Gerhard Kratky zum Bundesgeschäftsführer gewählt. Im Herbst 1995 will die Liberale Internationale (LI) das L. als Mitglied aufnehmen (seit 1994 assoziiert).

## LKW-Verkehr

Der Straßengüterverkehr in Deutschland wird sich laut Deutschem Institut für Wirtschaftsforschung (DIW, Berlin) von 122 Mrd Tonnenkilometer 1988 bis 2010 auf 257 Mrd Tonnenkilometer verdoppeln und zu steigenden Umweltbelastungen führen. Eine ab 1995 für LKW ab 12 t Gesamtgewicht in Deutschland, den Beneluxländern und Dänemark gültige Gebühr für die Benutzung von Autobahnen erklärte der Europäische Gerichtshof (Luxemburg) im Juli 1995 für nichtig, weil der EU-Ministerrat sie ohne ausreichende Beteiligung des Europäischen Parlaments beschlossen hatte.

Bis zu einer Neufassung der EU-Richtlinie darf die Autobahngebühr weiter erhoben werden. Mit ihr sollen ausländische LKW, die im Transitverkehr Deutschland durchqueren, an den Wegekosten beteiligt werden. Den Nachweis über die geleistete Zahlung muß der Fahrer mit sich führen.

Die für den Treibhauseffekt verantwortlichen Kohlendioxidemissionen aus dem L. werden 1988–2010 um 91% und den Sommersmog bewirkende Stickoxidausstoß wird um 14% steigen. Auch die Lärmbelastung der Bevölkerung wird zunehmen. DIW und Umweltschützer forderten eine Verdoppelung der Mineralölsteuersätze für Diesel, um eine Reduzierung des L. zugunsten umweltfreundlicher Verkehrsträger wie der Bahn zu erreichen.
→ Autoverkehr → Dieselruß → Kombinierter Verkehr → Verkehr

| LKW-Verkehr: Steuerbelastungen im Vergleich | | |
|---|---|---|
| Land | Kfz-Steuer (DM/40-t-LKW)[1] | Mineralölsteuer (Diesel Pf/l) |
| Belgien | 2009 | 56,8 |
| Dänemark | 1956 | 49,4 |
| Deutschland | 5157 | 62,0 |
| Finnland | 2582 | 51,7 |
| Frankreich | 117 | 61,9 |
| Griechenland | 713 | 45,1 |
| Großbritannien[2] | 7614 | 68,0 |
| Irland | 1941 | 57,1 |
| Italien | 1463 | 68,0 |
| Luxemburg | 1335 | 48,5 |
| Niederlande | 1905 | 60,0 |
| Norwegen | 3151 | 56,1 |
| Österreich[2] | 768 | 43,4 |
| Portugal | 719 | 58,3 |
| Schweden | 3228 | 52,3 |
| Schweiz[3] | 2862 | 100,5 |
| Spanien | 775 | 48,8 |

Stand und Umrechnungskurse: 1. 7. 1994; 1) nicht schadstoffarm; 2) 38-t-LKW; 3) 28-t-LKW; Quelle: FAZ, 6. 9. 1994

## Lohndumping

→ Sozialdumping

## Lohnkostenzuschuß

(auch Sonderarbeitsbeschaffungsmaßnahme), Unternehmen, die schwervermittelbare Arbeitslose beschäftigen, erhalten von der Bundesanstalt für Arbeit (Nürnberg) einen monatlichen L. in Höhe der durchschnittlichen Lohnersatzleistungen (Arbeitslosengeld bzw. -hilfe). Das 1993 in Ostdeutschland eingeführte Beschäftigungsprogramm für die gemeinnützigen Bereiche Umweltsanierung, soziale Dienste und Jugendhilfe war im August 1994 auf Westdeutschland übertragen worden. Gleichzeitig wurde in Ostdeutschland die Förderung auf die Sektoren Breitensport, freie Kulturarbeit und Denkmalpflege ausgeweitet. 1994 betrug der L. 2017 DM in Westdeutschland und 1585 DM in Ostdeutschland.
→ Arbeitslosigkeit → Zweiter Arbeitsmarkt

**Liberales Forum: Bundessprecherin**

**Heide Schmidt**
* 27. 11. 1948 in Kempten/Bayern, Dr. jur., österreichische Politikerin. Schmidt war 1988 bis 1990 Generalsekretärin der FPÖ. Seit der Gründung des Liberalen Forums ist sie dessen Bundessprecherin. 1994 wurde sie zur Klubobfrau und zur Justiz- und Kultursprecherin gewählt.

## Lokalfunk

Im engeren Sinn Hörfunkprogramme mit lokalen Themen, im weiteren Sinn Programme mit begrenzter Reichweite. L. in Bayern und Nordrhein-Westfalen erwirtschaftete 1993/94 überwiegend Gewinne. Baden-Württemberg verringerte im Oktober 1994 nach einer Änderung des Landesmediengesetzes die Zahl der L.-Sender von 40 auf 15 und drei Bereichssender, um Werbeeinnahmen zu konzentrieren und den L.-Sendern kostendeckenden Betrieb zu ermöglichen. Durch Änderungen der jeweiligen Landesmediengesetze in Hessen und Niedersachsen wurde 1994/95 nichtkommerzieller L. ermöglicht.

**NRW:** Radio NRW war 1994 hinter dem öffentlich-rechtlichen Konkurrenzsender WDR 4 mit durchschnittlich 4,8 Mio Zuhörern täglich zweiterfolgreichstes Hörfunkprogramm im Verbreitungsgebiet. Mit 113,6 Mio DM verbuchte es die meisten Bruttowerbeumsätze in Deutschland. Die 46 L.-Stationen in NRW beziehen ein Mantelprogramm von Radio NRW (Gesellschafter: Pressefunk aus NRW-Zeitungsverlagen, Westdeutscher Rundfunk und Bertelsmann AG, Gütersloh), in das sie Eigenproduktionen einspielen. Im Gegenzug bietet Radio NRW die Werbezeiten aller L.-Sender zentral an, um durch größere Reichweite die Attraktivität für Werbekunden zu erhöhen.

**Hessen und Niedersachsen:** Nichtkommerzielle Sender dürfen weder Werbung ausstrahlen noch Programme sponsern lassen. Die Programme sollen über eine Rundfunkabgabe finanziert werden, die bei privatem Hörfunk und TV erhoben werden soll.

**Kritik:** Eine Untersuchung im Auftrag der niedersächsischen Landesmedienanstalt ergab Anfang 1995, daß L. in Deutschland keinen publizistischen Zugewinn gebracht habe. Die Informationen im L. gingen nicht über die in Lokalteilen der Zeitung hinaus, es kämen die gleichen Meinungsführer zu Wort. Die Themen würden häufig oberflächlich dargestellt. Die Untersuchung machte die geringe personelle Ausstattung von zwei bis drei Redakteuren dafür verantwortlich, die schlecht bezahlt würden und daher überwiegend Berufsanfänger seien.

→ Newstalk-Radio → Privater Hörfunk
→ Universitätsradio

## Lomé-Abkommen

Vertrag zwischen der Europäischen Union (EU) und 69 Staaten Afrikas, der Karibik und des Pazifikraums (sog. AKP-Staaten), der als Kernstück der europäischen Entwicklungspolitik gilt. Das L. gewährt den AKP-Staaten Handelsvergünstigungen, Kredite und nichtrückzahlbare Zuschüsse. Das 1990 abgeschlossene vierte L. hat eine Laufzeit bis 2000 (erstes Abkommen: 1975 in Lomé/Togo). 1990–1995 zahlte die EU rd. 20,5 Mrd DM.

Für die zweite Halbzeit des Vertrags einigten sich die AKP-Staaten und die EU im Juli 1995 auf eine Summe von 13,3 Mrd ECU (24,8 Mrd DM). Deutschland trägt einen Anteil von 3 Mrd ECU (5,6 Mrd DM). Aufgrund einer Inflation von 21,8% in den AKP-Staaten bleibt der Wert der Finanzhilfe gegenüber der ersten Halbzeit des vierten L. gleich. Je Einwohner in den AKP-Staaten sanken die Hilfsgelder sogar. Die EU sicherte den Entwicklungsländern eine verbesserten Zugang zu den europäischen Märkten zu, u. a. sollen Importzölle für Agrarprodukte gesenkt werden. Die AKP-Staaten hatten mindestens 15 Mrd ECU Unterstützung (28 Mrd DM) gefordert. Die EU plante, ab 1995 Finanzhilfen vom Fortschritt geförderter Projekte sowie der Einhaltung von Demokratie und Menschenrechten abhängig zu machen. Der Vorsitzende der AKP-Staaten, Themba Masuku/Swasiland, kritisierte, um die von der EU verlangten Ziele erreichen zu können, müßten die Entwicklungsländer größere Mittel zur Bekämpfung der Armut erhalten.

→ Armut → Entwicklungspolitik

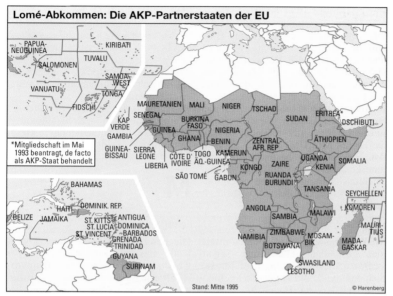

**Lomé-Abkommen: Die AKP-Partnerstaaten der EU**

*Mitgliedschaft im Mai 1993 beantragt, de facto als AKP-Staat behandelt

Stand: Mitte 1995

© Harenberg

| Luftverkehr: Größte Unternehmen | |
|---|---|
| **Firma/ Land** | **Flug-gäste (Mio)[1]** |
| British Airw. Großbrit. | 22,4 |
| Lufthansa Deutschland | 16,3 |
| American Airl. USA | 14,3 |
| Air France Frankreich | 12,6 |
| United Airl. USA | 10,9 |
| KLM Niederlande | 9,9 |
| SAS Skandinavien | 9,3 |
| Singapore Airl. Singapur | 9,3 |
| Cathay Pacific Hongkong | 8,6 |
| Delta USA | 8,2 |

1) 1993; Quelle: Wirtschaftswoche, 4. 5. 1995

## Luftverkehr

Die Zahl der Flugpassagiere stieg 1994 weltweit gegenüber dem Vorjahr um 8,4% auf 2,07 Mrd. Bis 2010 rechnete der Internationale L.-Verband IATA (Genf/Schweiz) mit 3,4 Mrd Fluggästen jährlich. In Deutschland wuchs die Zahl der beförderten Personen 1994 um 7,3% auf 101 Mio (2010: 200 Mio). Der wachsende L. in Europa (1994: 5 Mio Flüge) führte zur Überlastung der Flugsicherung. In Deutschland soll eine neue L.-Verordnung ab April 1995 für eine Halbierung der Lärmbelästigung sorgen.
**Neue Regeln:** Bei zivilen Überlandflügen muß eine Mindestflughöhe von 600 m eingehalten werden. Vorher galten 300 m über dichtbesiedelten Gebieten und 150 m außerhalb von Städten. Verkehrsflugzeuge, die den internationalen Lärmschutzanforderungen nicht genügen und älter als 25 Jahre sind, dürfen nur in Ausnahmefällen auf deutschen Flughäfen landen.
**Luftverschmutzung:** Die CDU/CSU/ FDP-Bundesregierung fördert 1995–

1998 die Entwicklung schadstoffarmer Großraumflugzeuge, die bis zu 25% Treibstoff sparen und deren Emissionen von giftigen Stickoxiden um 85% sinken. In 8–12 km Höhe sind die jährlich neben Kohlendioxid weltweit von über 10 000 Düsenflugzeugen ausgestoßenen 2,8 Mio t Stickoxide Mitverursacher der Klimaerwärmung (Treibhauseffekt). 1987–1995 verdoppelte sich der Treibstoffverbrauch von Flugzeugen weltweit auf etwa 180 Mio t jährlich.

| Luftverkehr: Regionale Wachstumsraten im Vergleich | | | |
|---|---|---|---|
| **Region** | **Wachstum der Passagierkilometer[1] (%)** | | |
| | **1982–1992** | **1992–2001** | **2002–2011** |
| Europa | 4,5 | 5,3 | 4,6 |
| Nordamerika | 5,7 | 4,6 | 4,0 |
| Lateinamerika | 3,6 | 6,0 | 5,4 |
| Afrika | 2,4 | 4,5 | 4,6 |
| Mittlerer Osten | 4,2 | 7,0 | 5,2 |
| Asien und Pazifik | 6,9 | 8,6 | 7,0 |
| China | 17,8 | 16,7 | 10,1 |
| Weltweit | 5,4 | 5,8 | 5,1 |

1) Jährlicher Durchschnitt; 2) ohne GUS; Quelle: Financial Times, 8. 11. 1994

267

| Luftverkehr: Passagiere in Deutschland | |
|---|---|
| Jahr | Fluggäste (Mio) |
| 1986 | 56,4 |
| 1988 | 68,0 |
| 1990 | 79,6 |
| 1992 | 87,6 |
| 1994 | 101,0 |
| 2010 | 200,0 |

Quelle: Arbeitsgemeinschaft deutscher Verkehrsflughäfen (Stuttgart)

**Unternehmen:** 1994 erwirtschafteten die Fluggesellschaften weltweit bei 107 Mrd Dollar (150 Mrd DM) Umsatz erstmals seit 1989 einen Gewinn von 1 Mrd Dollar (1,4 Mrd DM). Ursache waren der Zusammenschluß von Fluggesellschaften und Kooperationen, um ein weltweites Flugnetz anbieten und kostengünstig betreiben zu können. Den L.-Unternehmen waren 1989–1993 ca. 16 Mrd Dollar (22 Mrd DM) Verluste entstanden, die auf den scharfen Wettbewerb untereinander zurückzuführen waren.
→ Flugsicherung → Luftverschmutzung → Treibhauseffekt → Verkehr

FDP will die $CO_2$-Emissionen bis 2005 um 30% gegenüber 1988 auf 0,7 Mrd t verringern. Das soll vor allem durch die Senkung des durchschnittlichen Kraftstoffverbrauchs für PKW und die Verlagerung des Autoverkehrs auf umweltverträgliche Verkehrsmittel erreicht werden.
→ Autoverkehr → Energiesteuer → Klimaveränderung → Kohlendioxid → Kraftwerke → Sommersmog → Treibhauseffekt → Waldsterben

# M

## Luftverschmutzung

Verunreinigung der Luft durch umwelt- und gesundheitsgefährdende Schadstoffe (Stickoxide, Schwefeldioxid, Kohlendioxid), die Autoverkehr, Industrie und private Haushalte verursachen. Die L. wird für die Klimaveränderung, den Treibhauseffekt, das Waldsterben, Sommersmog sowie Boden- und Wasserverschmutzung verantwortlich gemacht. Die Weltgesundheitsorganisation (WHO, Genf/ Schweiz) schätzte Mitte der 90er Jahre die Zahl der Menschen, die den gesundheitsschädlichen Konzentrationen von Schwefeldioxid ausgesetzt sind, auf 625 Mio. Jeder fünfte Erdbewohner sei Staub ausgesetzt, der oft mit giftigen Schwermetallen belastet ist.
Europa und Kanada verpflichteten sich 1994, die Emissionen an Schwefeldioxid ($SO_2$) bis 2010 um 80% gegenüber dem Stand von 1989 zu mindern. Deutschland will bis 2005 den $SO_2$-Ausstoß um 87% reduzieren.
Die vom Autoverkehr verursachten Stickoxidemissionen (rd. 70%) erhöhten sich in den alten Bundesländern trotz verschärfter Abgasgrenzwerte und der steigenden Zahl von schadstoffreduzierten Katalysatorautos wegen anwachsender Autozahlen und Fahrleistungen von 1980 bis 1993 um etwa 300 000 t auf rd. 2 Mio t. Die Bundesregierung aus CDU, CSU und

## Mafia

Die geschwächte Staatsautorität, fehlende Gesetze, Korruption und der Übergang von der zentralen Planwirtschaft zur Marktwirtschaft begünstigten in Osteuropa die Ausbreitung der organisierten Kriminalität. Vor allem in der GUS nahm Mitte der 90er Jahre der Einfluß der M. auf Staat, Politik und Wirtschaft zu. Strafverfolgungsbehörden beobachteten eine verstärkte internationale Zusammenarbeit von Verbrecherbanden. Die Gewinne der M. werden weltweit auf jährlich rd. 1000 Mrd Dollar (1408 Mrd DM, Deutschland: 10 Mrd DM) geschätzt. 85 Mrd Dollar (120 Mrd DM) aus dem Drogenhandel werden nach Angaben der OECD pro Jahr in den legalen Finanzmarkt geschleust (sog. Geldwäsche). 1994/95 verstärkten die europäischen Länder und die USA ihre Bemühungen im gemeinsamen Kampf gegen die organisierte Kriminalität.
**Entwicklung:** Die M. profitiert vom weitgehend ungehinderten Verkehr von Waren und Dienstleistungen im Europäischen Binnenmarkt und vom Fortschritt in der Computer- und Kommunikationstechnologie. In Osteuropa erleichtern die unzureichend gesicherten Staatsgrenzen den Schmuggel und Menschenhandel. Mit dem Aufbau einer europäischen Polizei (Europol) soll der Informationsaustausch, zu-

nächst über den Drogenhandel, gefördert werden. Im September 1994 vereinbarten 22 europäische Staaten eine engere Zusammenarbeit im Kampf gegen die M., vor allem in den Bereichen illegaler Handel mit Drogen und Nuklearmaterial, bei der sog. Schleuser-Kriminalität und bei der Verschiebung von Kfz.

**Rußland:** Das Londoner Institut für Konflikt- und Terrorismusforschung bezifferte im Juli 1994 die Zahl der kriminellen Vereinigungen in Rußland auf rd. 5700 mit etwa 100 000 Mitgliedern. 160 Gruppen waren in mehr als 30 Staaten tätig, Deutschland wurde als Drehscheibe für kriminelle Aktivitäten in aller Welt genutzt. Drei Viertel der in Rußland tätigen Firmen zahlten der M. Schutzgelder. Russische Journalisten, die gegen das organisierte Verbrechen vorgingen, wurden Opfer der M. Im März 1995 ermordete die M. den Journalisten und Generaldirektor des Öffentlichen Russischen Fernsehens, Wladislaw Listjew.

**Italien:** Gegen den siebenmaligen Ministerpräsidenten Giulio Andreotti (DC) sowie die ehemaligen Innenminister Antonio Gava (DC) und Vincenzo Scotti (DC) wurde 1994/95 unter dem Verdacht ermittelt, mit dem organisierten Verbrechen zusammengearbeitet zu haben. Der M. wurden Mitte der 90er Jahre rd. 150 000 Personen zugerechnet. Die Strukturen der etwa 460 Clans blieben trotz vieler Festnahmen intakt.

**Deutschland:** Die Zahl der Ermittlungsverfahren im Bereich der organisierten Kriminalität stieg 1994 auf 789 (1993: 776). Der Präsident des Bundeskriminalamts (BKA, Wiesbaden), Hans-Ludwig Zachert, wies darauf hin, daß die Einflußnahme auf die öffentliche Verwaltung (Korruption) die größte Gefahr sei, die von der organisierten Kriminalität ausgehe. Im September 1994 erweiterte die CDU/CSU/FDP-Bundesregierung mit den Stimmen der SPD den Geltungsbereich der Kronzeugenregelung (bisher: Terrorismus) auf die organisierte Kriminalität, um die Verbrechensbekämpfung zu erleichtern. Zur Verstärkung der grenzüberschreitenden Zusammenarbeit bei der Verbrechensbekämpfung schloß Deutschland 1995 Abkommen mit Kasachstan, Lettland, Polen, der Ukraine und Weißrußland.
→ Autodiebstahl → Drogen → Europol → Geldwäsche → Kriminalität → Kronzeugenregelung → Verdeckte Ermittler

## Maghreb-Union

**Name** Gemeinschaft des Vereinigten Arabischen Maghreb (arab.; Westen), VAM

**Sitz** Rabat/Marokko

**Gründung** 1989

**Mitglieder** Algerien, Libyen, Marokko, Mauretanien, Tunesien

**Vorsitz** Liamine Zeroual/Algerien (1995), Generalsekretär Mohammed Amanou/Tunesien (seit 1991)

**Funktion** Zusammenarbeit in Handel, Industrie, Tourismus und Wissenschaft; Errichtung einer Freihandelszone

Sechs Jahre nach ihrer Gründung war die M. 1995 politisch uneinig. Libyen warf Marokko und Tunesien, die den Nahost-Friedensprozeß und die Versöhnung zwischen Israel und den Palästinensern unterstützten, einen Verrat arabischer Interessen vor. Marokko, Algerien und Mauretanien stritten über den Status der 1976 von Marokko besetzten Westsahara, in der nach einem UNO-Friedensplan Ende 1995 ein Referendum über die Unabhängigkeit stattfinden soll. Ägypten erwog Mitte 1995 einen Beitritt zur M.
Die Mitgliedstaaten vereinbarten Ende 1994 eine Vereinheitlichung ihrer

| Maghreb-Union: Mitglieder im Vergleich | | | | |
|---|---|---|---|---|
| Land | BIP (Mrd $) | BSP/Einw. ($) | BSP-Anstieg (%)[1] | Exportanteil am BIP (%) |
| Algerien | 39,8 | 1780 | – 2,2 | 23,0 |
| Libyen[2] | 29,2[3] | 6000[4] | k. A. | 30,0[5] |
| Marokko | 26,6 | 1040 | 0,9 | 22,0 |
| Mauretanien | 0,9 | 500 | – 0,1 | 45,0 |
| Tunesien | 12,8 | 1720 | 2,2 | 40,0 |

Stand: 1993; 1) Jahresdurchschnitt real pro Einw. 1985–1993; 2) Wirtschaftsembargo der UNO seit 1993; 3) 1992; 4) BIP pro Einw. 1992; 5) Schätzung; Quellen: BfAI, Weltbank

Anti-Terrorgesetze, um die Ausweitung von Attentaten islamischer Fundamentalisten zu verhindern. Nach einem Anschlag algerischer Terroristen in Marrakesch/Marokko, bei dem 1994 zwei spanische Touristen starben, hatte Marokko die Grenzen zu Algerien zeitweise geschlossen.

Wirtschaftlich entwickelten sich die Mitglieder auseinander: Libyen hielt am Sozialismus fest, während Algerien, Marokko und Tunesien Staatsbetriebe privatisierten. Nur 5% des Handelsvolumens der Mitglieder beruhte Mitte der 90er Jahre auf dem Binnenhandel der M., 69% der Exporte gingen in die EU.

## Malaria

(ital.; eigentl. schlechte Luft, auch Sumpffieber, Wechselfieber), durch Sporentierchen hervorgerufene, von M.-Mücken übertragene Infektion, die vor allem in warmen Ländern vorkommt. Die M. ist die gefährlichste Tropenkrankheit, an der jährlich 300 Mio–500 Mio Menschen erkranken und rd. 3 Mio sterben, darunter 1 Mio Kinder. Der Erfinder des weltweit ersten in Bogotá/Kolumbien entwickelten Impfstoffs gegen M. überließ Mitte 1995 die Rechte an SPf66 der Weltgesundheitsorganisation (WHO, Genf), um den Masseneinsatz zu ermöglichen (Kosten der je dreimal erforderlichen Impfung voraussichtlich: rd. 0,50 Dollar, rd. 0,70 DM/Stück).

**Erfolge:** Bei Tests ab 1987 in Lateinamerika konnte der Impfstoff gegen die von Parasiten ausgelöste Krankheit die Häufigkeit von Infektionen um 50% senken. In Tansania, wo die Seuche massiver grassiert, wurden M.-Anfälle bei Kindern um ein Drittel verringert.

**Wirkung:** Der Impfstoff lindert die Symptome wie Fieberschübe und Durchfälle, das M.-Koma mit Todesfolge wird seltener. 1995 war nicht geklärt, worauf die Immunität durch SPf66 beruht und wie der Stoff seine Wirkung entfaltet. Der Erfinder des Stoffes arbeitete 1995 an einer Weiter-

entwicklung, die die Wirksamkeit auf 95% erhöhen soll.

**Medikament:** Mitte 1995 konnten bei einer Studie in Malawi 20 M.-Patienten mit dem im deutschen Mölln entwickelten Cotrifrazid geheilt werden. Das Mittel eignet sich nach Angaben des Entwicklers auch zur Vorbeugung.
→ Weltgesundheit

## Markenpiraterie

Imitation und Verkauf von Produkten unter Mißachtung der Urheberrechte. Experten schätzten den weltweiten Umsatz der M.-Industrie auf jährlich 110 Mrd Dollar (155 Mrd DM) oder 3–5% des Welthandels. In der EU gingen nach offiziellen Angaben pro Jahr ca. 100 000 legale Arbeitsplätze durch M. verloren. Illegal produziert wurden Mitte der 90er Jahre insbes. CDs, Videos und Software, Bekleidung, Lederwaren, Uhren sowie elektronische Geräte, aber zunehmend auch Nahrungs- und Arzneimittel. Taiwan, Korea-Süd und Italien waren führend im Fälschergeschäft. China rückte bei der Mode- und Software-M. in eine Spitzenposition auf.

Am 1. 1. 1995 trat in Deutschland das Markengesetz in Kraft, das Unternehmen erweiterte Möglichkeiten zum Schutz ihrer Produkte bietet. Diese Reform des Kennzeichenrechts beinhaltet folgende schutzfähige Zeichen:
▷ Grafische Darstellungen, darunter auch reine Buchstaben- und Zahlenkombinationen (z. B. A 450)
▷ Akustische Signale wie z. B. Erkennungsmelodien in Radiosendungen
▷ Dreidimensionale Gestaltungen (Formen von Waren und Verpackungen, z. B. Parfumflakons).

Das Zeichen muß einen eindeutigen Hinweis auf den Hersteller liefern.

Die USA und China unterzeichneten im März 1995 ein Abkommen zum Schutz amerikanischer Urheberrechte. Die Verluste der US-Wirtschaft durch chinesische M. betrugen offiziell mindestens 1 Mrd Dollar (1,4 Mrd DM) pro Jahr.
→ Protektionismus → Softwarepiraterie

## Medienkonzentration

→ Übersichtsartikel S. 272

## Medizinstudium

1995 plante Bundesgesundheitsminister Horst Seehofer (CSU) eine Neugliederung des M. mit dem Ziel, die Studenten vom ersten Semester an patientennah zu unterrichten und die Studiendauer zu verkürzen. Von den bei der Umgestaltung des M. beteiligten Universitäten legten Mitte 1995 Berlin und Witten-Herdecke die fortgeschrittensten Reformkonzepte vor. Ende 1995 soll ein Entwurf zur Änderung des M. und der Approbation (staatliche Genehmigung zur Ausübung ärztlicher Tätigkeit) im Gesundheitsministerium fertiggestellt sein.

**Reformpläne:** Die Aufteilung des Studiengangs in vorklinische (theoretische) und klinische Phase soll nach den Vorstellungen des Gesundheitsministeriums entfallen. Vom ersten Semester an ist für angehende Ärzte Arbeit in Krankenhäusern an Patienten vorgesehen. Die üblichen Multiple-Choice-Tests (engl.; Mehrfach-Wahl-Test), bei denen die Prüflinge aus mehreren angebotenen Antworten die richtige heraussuchen müssen, sollen gegenüber mündlichen Prüfungen an Gewicht verlieren. Ferner ist die Verringerung der Seminarteilnehmerzahlen geplant. Erwogen wurde auch die sog. Freischußregelung, bei der Studenten das erste Staatsexamen ein halbes Jahr früher als vorgesehen ablegen können. Bei nichtbestandener Prüfung gilt der Versuch als nicht unternommen.

**Berlin:** An der Freien Universität wurde von 1990 bis 1995 ein reformierter Lehrplan für das M. erarbeitet, der mit einer Ausnahmegenehmigung des Bundesgesundheitsministeriums ab dem Wintersemester 1996/97 für 63 Studierende angeboten werden könnte.

## Mega-Städte

Am Ende des 20. Jh. wird es nach Schätzungen der UNO weltweit 21 städtische Großräume mit mindestens 10 Mio Einwohnern geben, 18 davon in Entwicklungsländern. In den Industrieländern werden nur noch Tokio/Japan sowie New York und Los Angeles (beide USA) zu den größten M. zählen. Die Ballungsgebiete waren in den 90er Jahren durch Überlastung des Verkehrssystems, Wohnungsnot, Umweltverschmutzung, Kriminalität, Arbeitslosigkeit, vermehrtes Auftreten von Zivilisationskrankheiten in den Industrieländern sowie Armut, Obdachlosigkeit, Slumbildung und Seuchengefahr in den Ländern der sog. Dritten Welt gekennzeichnet.

**Verstädterung:** Im Jahr 2000 werden 57% der Weltbevölkerung in Städten

| Rang 1990 | Städtische Agglomeration | Land | Bevölkerung (Mio) | Rang 2010 | Städtische Agglomeration | Land | Bevölkerung (Mio) |
|---|---|---|---|---|---|---|---|
| 1 | Tokio | Japan | 25,0 | 1 | Tokio | Japan | 28,9 |
| 2 | São Paulo | Brasilien | 18,1 | 2 | São Paulo | Brasilien | 25,0 |
| 3 | New York | USA | 16,1 | 3 | Bombay | Indien | 24,4 |
| 4 | Mexiko-Stadt | Mexiko | 15,1 | 4 | Shanghai | China | 21,7 |
| 5 | Shanghai | China | 13,4 | 5 | Lagos | Nigeria | 21,1 |
| 6 | Bombay | Indien | 12,2 | 6 | Mexiko-Stadt | Mexiko | 18,0 |
| 7 | Los Angeles | USA | 11,5 | 6 | Peking | China | 18,0 |
| 8 | Buenos Aires | Argentinien | 11,4 | 8 | Dacca | Bangladesch | 17,6 |
| 9 | Seoul | Korea-Süd | 11,0 | 9 | Jakarta | Indonesien | 17,2 |
| 10 | Rio de Janeiro | Brasilien | 10,9 | 9 | New York | USA | 17,2 |

**Mega-Städte: Die größten städtischen Agglomerationen 1990 und 2010 im Vergleich**

Quelle: UNO

# Konzerne suchen Partner mit digitalem Know-how

Weltweit vergrößerten die Branchenführer Mitte der 90er Jahre ihren Einfluß, Gesetze zur Eindämmung der Medienmacht hatten wenig Erfolg. Die Konzerne wollten ihr eigenes Angebot durch Fusionen mit Firmen ergänzen, die über digitale Technik oder weitere Inhalte verfügten, die eine Expansion in wachstumsträchtige neue Bereiche erlauben wie Multimedia, die Vernetzung von Fernsehen und Computer, sowie digitales TV, das ab 1996 mehrere hundert Programme ermöglicht. Die Konzentration zahlreicher Medien in einer Hand gefährdet die Meinungsvielfalt, die durch das Angebot unterschiedlicher Medien und das breite Spektrum innerhalb der Bereiche garantiert ist. In Deutschland soll die Änderung des Rundfunkstaatsvertrags ab 1996 Medienkonzentration im Privatfernsehen verringern.

**Strategische Allianzen:** Der US-Medienkonzern Viacom, der 1994 die Film- und Medienfirma Paramount Pictures übernommen hatte, fusionierte Ende 1994 mit Blockbuster Entertainment, u. a. größter US-Videothekenbetreiber, und rückte zu den weltweiten Branchenführern auf. Die US-Telefongesellschaft MCI, zweitgrößter US-Ferndienstanbieter, beteiligte sich Mitte 1995 mit 15% am 1993 viertgrößten Medienkonzern weltweit, der News Corporation des Australiers Rupert Murdoch. MCI und Murdoch planten, weltweit Dienste für Video on demand (engl.; Video auf Anfrage) anzubieten, bei denen der Kunde Videos gegen Gebühr bestellt und über Telefonleitung und das angeschlossene TV-Gerät empfängt.

**Goldgräberstimmung in Deutschland:** Mitte 1995 schlossen sich die öffentlich-rechtlichen ARD und ZDF, das private RTL sowie die Medienkonzerne Bertelsmann AG (Gütersloh), die luxemburgische CLT und das französische Pay-TV Canal plus mit dem größten Kabelnetzbetreiber, der Telekom, zusammen, um Multimedia in Deutschland voranzutreiben. Der Burda-Verlag (München) hatte Ende 1994 mit dem drittgrößten Privat-TV Pro 7 eine Multimedia-Firma gegründet. Burda plante ebenso wie die 1993 weltweit zweitgrößte Medienfirma Bertelsmann mit ihrem Partner America Online, größter US-Anbieter von Online-Diensten für Privatkunden, den Eintritt in den europäischen Online-Markt ab Herbst 1995.

Murdoch, Burda und Bertelsmann waren 1995 bereits in den Bereichen Printmedien, TV- und Hörfunk engagiert. Murdoch versorgte nahezu zwei Drittel der Welt mit seinen Fernsehsendern.

**Konzentration im deutschen Privat-TV:** In Deutschland stellten die für Medien zuständigen Länder 1994/95 fest, daß die Beteiligungsregelungen im Privat-TV – weniger als 50% Anteile an einem bundesweiten Vollprogramm und weniger als 25% an höchstens zwei weiteren – nicht verhindern konnten, daß im wesentlichen vier Großkonzerne das Privat-TV kontrollierten. Möglichkeiten zur Begrenzung dieser Konzentration wurden diskutiert. Die Landesmedienanstalten, denen die Kontrolle des Privatrundfunks unterliegt, schlugen ein sog. Marktanteilsmodell vor, nach dem Unternehmen sich an mehreren Sendern beteiligen dürfen, solange ein festzulegender durchschnittlicher Zuschaueranteil nicht überschritten wird. Die CSU plädierte für 30% als Obergrenze, was an den bestehenden Verhältnissen nichts ändern würde. Die SPD-Opposition wollte eine noch nicht bezifferte Prozentgrenze senken, wenn die Betreiber auch bei Printmedien und Hörfunk engagiert sind. Eine Instanz wie das Bundeskartellamt soll die Medien überwachen. Strittig war die Errechnung des Zuschaueranteils.

**Medien und Macht:** Die US-amerikanische Medienaufsichtsbehörde FCC genehmigte 1995 die Besitzverhältnisse der TV-Gesellschaft Fox. Die FCC hatte Fox überprüft, weil Murdoch, der 99% Anteile besaß, mehr als die zulässigen 25% davon mutmaßlich mit Geldern aus seinem australischen Unternehmen finanzierte. Branchenkenner führten die Billigung auf den Einfluß der konservativen Republikaner zurück. Murdoch hatte neue TV-Politiksendungen in Fox und ein Nachrichtenmagazin mit konservativem Meinungsjournalismus angekündigt. In Italien hatte Silvio Berlusconi seine drei TV-Kanäle 1993/94 systematisch im Wahlkampf eingesetzt und die Parlamentswahl 1994 gewonnen. 1995 mißlang der Versuch, Berlusconis Medienmacht zu begrenzen. Die Italiener bestätigten per Referendum Gesetze, die den Besitz mehrerer TV-Sender erlauben. (MS) → Digitales Fernsehen → Multimedia → Online-Dienste → Pay-TV → Presse → Privatfernsehen

## Medienkonzentration: Die größten Konzerne der Welt

| Rang | Firma, Sitz (Gründung) | Ergebnis 1993 (Mio DM) | | Mitarbeiter |
| | | Umsatz | Gewinn | |
|---|---|---|---|---|
| 1 | Time Warner Inc., New York (1923) | 24 061,6 | –365,6 | 44 000 |
| 2 | Bertelsmann, Gütersloh (1835) | 18 405,0 | 759,0 | 51 767 |
| 3 | Viacom Inc., New York | 15 922,1 | 641,7 | rd. 50 000 |
| 4 | News Corporation, Sydney – London – New York (1952) | 13 573,3 | 1559,3 | 25 700 |
| 5 | Sony, Tokio (1946) | 11 799,1 | k. A. | k. A. |
| 6 | Dai Nippon, Tokio (1876) | 11 658,7 | k. A. | k. A. |
| 7 | ARD, Frankfurt/M. (1950) | 10 169,6 | 449,5 | 26 222 |
| 8 | Capital Cities/ABC, New York (1954/1943) | 9 387,1 | 773,3 | 19 300 |
| 9 | Toppan, Tokio (1900) | 9 046,4 | k. A. | k. A. |
| 10 | Lagardère Group, Paris (vorm. Matra/Hachette, 1850/1920) | 8 764,5 | k. A. | k. A. |
| 11 | Fujisankei Comm. Group, Tokio | 8 691,5 | k. A. | k. A. |
| 12 | Fininvest, Mailand (1978) | 8 568,1 | k. A. | k. A. |
| 13 | Nippon Hoso Kyokai (NHK), Tokio (1926) | 8 468,7 | k. A. | 18 500 |
| 14 | Walt Disney Comp., Burbank/USA (1922) | 7 924,6 | 1416,3 | k. A. |
| 15 | Reed Elsevier, London – Amsterdam (1903/1980) | 6 942,5 | 1325,9 | 25 700 |
| 16 | MCA, Universal City/Kalifornien (1924) | 6 783,0 | k. A. | k. A. |
| 17 | Tele-Communications Inc., Denver/USA (1968) | 6 695,4 | 19,9 | 24 000 |
| 18 | Polygram, Baarn/Niederlande (1972) | 6 601,5 | 546,6 | 11 117 |
| 19 | Thomson Corp., Toronto/Kanada (1952) | 6 301,6 | 1015,8 | 37 000 |
| 20 | Times Mirror, Los Angeles/USA (1881) | 6 144,4 | 524,8 | 27 600 |
| 21 | Gannett, Arlington Virginia/USA (1906) | 6 025,3 | 658,1 | 36 600 |
| 22 | CBS, New York (1927) | 5 806,9 | 539,7 | 6 500 |
| 23 | Asahi Shimbun Inc., Tokio (1879) | 5 754,7 | 13,1 | 8 294 |
| 24 | Advances Publications, Newark/USA (1924) | 5 403,3 | 633,6 | 19 000 |
| 25 | Havas, Paris (1832) | 5 216,2 | k. A. | k. A. |
| 26 | Dun & Bradstreet, Westport/USA (1933) | 5 205,1 | k. A. | k. A. |
| 27 | NBC, New York/USA (1926) | 5 131,9 | 436,8 | 7 500 |

Quelle: Buchreport, 30. 3. 1995

## Medienkonzentration: Auslandsbeteiligungen im Privat-TV

| Land/Unternehmen | Sender | Anteil (%) | Land/Unternehmen | Sender | Anteil (%) |
|---|---|---|---|---|---|
| **Australien** | | | CLT | RTL 2 | 24,0 |
| News Corp. (Murdoch) | VOX | 49,5 | Richemont AG | DSF | 26,5 |
| **Frankreich** | | | **Niederlande** | | |
| Canal plus | VOX | 24,9 | Polygram | Viva | 19,8 |
| Canal plus | Premiere | 37,5 | **Österreich** | | |
| La Savoisienne S. A. | n-tv | 2,1 | ORF | 3sat | 33,3 |
| La Sept | Arte | 50,0 | **Schweiz** | | |
| **Großbritannien** | | | SRG | 3sat | 33,3 |
| Thorn Emi | Viva | 19,8 | TEFI Handels AG | Kabel 1 | 45,0 |
| EGIT | n-tv | 8,9 | **USA** | | |
| **Italien** | | | CNN | n-tv | 31,4 |
| Rete Invest | DSF | 24,5 | Time Warner | n-tv | 28,2 |
| **Luxemburg** | | | Time Warner | Viva | 19,8 |
| CLT | RTL | 47,9 | Sony Music | Viva | 19,8 |

Stand: Anfang 1995; Quelle: Focus, 9. 2. 1995

leben (1900: 14%, 1960: 34%). Während sich in den westlichen Industriestaaten seit den 60er Jahren u. a. wegen nachlassenden Bevölkerungswachstums und Umweltbelastungen die Verstädterung verlangsamte, wird sich der Anteil der Stadtbevölkerung in den Entwicklungsländern mehr als verdoppeln (1960: 22%, 2000: 49%). Die höchsten Wachstumsraten (jährlicher Durchschnitt 1990–2010) verzeichnen Lagos/Nigeria (5,0%) und Dacca/Bangladesch (4,9%).

**Slumbildung:** Menschen in Entwicklungsländern fliehen häufig vor Arbeitslosigkeit und Armut in M., wo sie auf Arbeit und moderne Dienstleistungen hoffen (u. a. Schulen, Elektrizität). Infolge mangelnden industriellen Wachstums und unzureichender Infrastruktur in den M. vergrößern sich an Stadträndern Elendsviertel.

**Probleme:** Die Ausbreitung ansteckender Krankheiten wird insbes. in M. der Entwicklungsländer durch beengte und unhygienische Wohnverhältnisse begünstigt. Abgase aus Industrie, Verkehr, Müllverbrennung und Heizungen führen zu gesundheitsgefährdender Verschmutzung der Atemluft. Eine Studie des UNO-Umweltprogramms (UNEP) und der Weltgesundheitsorganisation (WHO) zur Luftverschmutzung in den 20 größten Städten der Welt ergab, daß alle 20 M. bei mindestens einem Luftschadstoff (Blei, Kohlendioxid, Ozon, Schwefeldioxid, Stickoxide u. a.) die von der WHO empfohlenen Grenzwerte überschreiten.

→ Armut → Bevölkerungsentwicklung
→ Entwicklungsländer → Straßenkinder

## Mehrwegflaschen

Bis 1997 soll nach dem Verordnungsentwurf des Bundesumweltministeriums von 1991 der Anteil von M. an Getränkeverpackungen von 73,6% (1991) auf 77% und bis 1999 auf 81% erhöht werden. Ziel der Verordnung ist

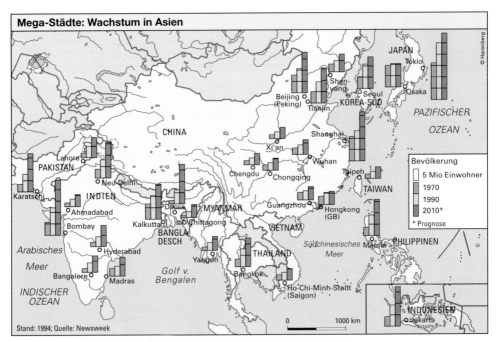

**Mega-Städte: Wachstum in Asien**

Bevölkerung
5 Mio Einwohner
1970
1990
2010*
* Prognose

Stand: 1994; Quelle: Newsweek

die Reduzierung des Verpackungsmülls. Jährlich gelangen in Westdeutschland ca. 1,2 Mio t Getränkeverpackungen auf den Müll.

Vergleiche der Umweltverträglichkeit bei Mehrweg- und Einwegflaschen, die im Auftrag des Umweltbundesamtes (UBA, Berlin) von drei Instituten gemacht wurden, ergaben 1993, daß M. für die Umwelt um so günstiger werden, je kürzer die zurückgelegten Transportwege und je höher die erreichte Umlaufzahl ist. Bei einer Transportentfernung von weniger als 100 km und rd. 50 Umläufen sind M. für Bier ökologisch günstiger als Einwegflaschen.

→ Ökobilanz → Verpackungsmüll

## Mehrwegflaschen: Quoten

| Getränke | Mehrwegflaschenanteil an Verpackungen (%)[1] | | | |
|---|---|---|---|---|
| | 1991 | bis 1997 | bis 1999 | bis 2002 |
| Mineralwasser | 91,9 | 92 | 93 | 94 |
| Bier | 85,1 | 87 | 91 | 94 |
| Getränke mit Kohlensäure | 74,6 | 78 | 82 | – |
| Wein | 44,0 | 45 | 50 | – |
| Getränke ohne Kohlensäure | 42,3 | 45 | 50 | – |
| Milch | 17,0 | 26 | 31 | – |
| Insgesamt | 71,8 | 77 | 81 | – |

1) Planung; Quelle: Bundesumweltministerium

## Mehrwertsteuer

(auch Umsatzsteuer), Abgabe an den Staat für den privaten Verbrauch von Waren und Dienstleistungen. Ein kompliziertes Übergangssystem für die zwischenstaatliche Verrechnung der M. auf dem Europäischen Binnenmarkt soll 1997 durch eine endgültige Regelung vereinfacht werden.

**Verfahren:** Grundsätzlich soll die M. vom Verbraucher getragen werden. Ans Finanzamt abführen muß sie jedoch der Händler. Zwischenhändler dürfen daher in Rechnung gestellte M. ihrer Vorlieferanten beim Weiterverkauf als Vorsteuer wieder abziehen. Beim Verkauf an den Endverbraucher versucht der Händler, die M. auf den Preis aufzuschlagen.

**EU-System:** Beim grenzüberschreitenden Waren- und Dienstleistungsverkehr auf dem Europäischen Binnenmarkt liefert ab 1993 das verkaufende Unternehmen steuerfrei, der kaufende Betrieb führt die M. an sein Heimatland ab (sog. Bestimmungslandprinzip). Meldepflichten von Lieferant und Empfänger sowie ein Kontroll- und Verrechnungssystem der europäischen Finanzämter sollen die Steuerzahlung sicherstellen. Jedes Unternehmen muß eine sog. Umsatzsteueridentifikationsnummer beantragen.

**Ursprungslandprinzip:** Dem Handel im Inland würde es entsprechen, wenn bei grenzüberschreitenden Lieferungen der Verkäufer die M. zahlt (Ursprungslandprinzip). Dieses System will die Europäische Kommission 1997 einführen. Das Kontroll- und Verrechnungssystem könnte dann entfallen. Da jedoch kein Staat auf seine gewohnten Steuereinnahmen verzichten will, entstanden Auseinandersetzungen um die zwischenstaatliche Verteilung des M.-Aufkommens. Die M.-Sätze lagen in den EU-Staaten Mitte 1995 zwischen 15% und 25%. Für Güter mit sog. besonderer sozialer oder kultureller Bedeutung wie Nahrungs- und Arzneimittel, Wasserversorgung, Bücher, Zeitungen, Kino oder Theater galten z. T. ermäßigte Sätze.

**Privatkäufe:** Für private Verbraucher galt die Ursprungslandprinzip bereits ab 1993. Der Käufer zahlt wie bei einem Inlandsgeschäft den M.-Satz, der am Ort des Handels gilt, der Verkäufer führt die M. ab. Ausnahmen galten jedoch für Autos und den Versandhandel. Hier muß die Steuer weiter im Bestimmungsland entrichtet werden.

**Höhe:** In Deutschland wurden 15% M. auf den Umsatz erhoben, der ermäßigte Satz betrug 7% (Stand: Mitte 1995). Die M. war die zweitstärkste Steuerquelle nach den Einkommensteuern, das Aufkommen belief sich 1994 auf 220 Mrd DM. 63% der Einnahmen standen dem Bund zu, 37% den Bundesländern. Zwischen den Ländern

| Mehrwertsteuer: Normalsätze | |
|---|---|
| **EU-Staat** | **Satz (%)** |
| Belgien | 20,5 |
| Dänemark | 25 |
| Deutschland | 15 |
| Finnland | 22 |
| Frankreich | 18,6 |
| Griechenland | 18 |
| Großbritannien | 17,5 |
| Irland | 21 |
| Italien | 19 |
| Luxemburg | 15 |
| Niederlande | 17,5 |
| Österreich | 20 |
| Portugal | 17 |
| Schweden | 25 |
| Spanien | 16 |

Stand: Mitte 1995; Quelle: Bundesfinanzministerium, Europäische Kommission

| Mehrwertsteuer: Ermäßigte Sätze | |
|---|---|
| EU-Staat | Satz (%) |
| Belgien | 0; 1; 6; 12 |
| Dänemark | 0 |
| Deutschland | 7 |
| Finnland | 6; 12; 17 |
| Frankreich | 2,1; 5,5 |
| Griechenland | 4; 8 |
| Großbritannien | 0 |
| Irland | 0; 2,5; 12,5 |
| Italien | 0; 4; 9; 13 |
| Luxemburg | 3; 6; 12 |
| Niederlande | 6 |
| Österreich | 10 |
| Portugal | 5 |
| Schweden | 0; 12; 21 |
| Spanien | 4; 7 |

Stand: Mitte 1995;
Quelle: Bundesfinanz-
ministerium, Euro-
päische Kommission

Menschenrechte:
UNO-Hoch-
kommissar

**José Ayala Lasso**
* 29. 1. 1932 in Quito/
Ecuador. Botschafter
bei der EG und in Pe-
ru. 1977–1979 Außen-
minister Ecuadors.
1989–1994 Vertreter
Ecuadors bei der
UNO in New York. Im
Februar 1994 UNO-
Hochkommissar für
Menschenrechte.

wurden sie mit dem Ziel einer einheitlichen Finanzausstattung im Länderfinanzausgleich umverteilt. An den EU-
Haushalt führte jeder Mitgliedstaat
1,4% seiner M.-Einnahmen ab.
→ Europäischer Binnenmarkt →
Steuern

## Menschenrechte

Die uneingeschränkt geltenden Grundrechte und Freiheiten, die jedem Menschen zustehen und die in der M.-
Charta der UNO von 1948 festgelegt
sind. Die M.-Organisation Freedom
House/USA registrierte 1994 eine Verbesserung der M.-Situation. Die Zahl
der Demokratien mit gewählter Regierung, Verfassung und repräsentativen
Institutionen erhöhte sich auf 114
(1993: 107). Der Kreis der sog. freien
Länder mit einem hohen Maß an politischen Rechten und bürgerlichen Freiheiten stieg auf 76 (1993: 71). 40% der
Weltbevölkerung lebten 1994 in
unfreien Staaten, 40% in teilweise frei-
en und 20% in freien Ländern.
**Bilanz:** In die Liste der Demokratien
wurden 1994 Guinea-Bissau, Haiti,
Malawi, Mosambik, Palau, Südafrika
und die Ukraine aufgenommen. Als
neu hinzugekommene freie Länder
lokalisierte Freedom House Lettland,
Malawi, Panama, die Slowakei und
Südafrika. Die Gruppe der 61 teilweise
freien Länder erweiterte sich um Haiti,
Mosambik und Uganda. Zu den insgesamt 54 unfreien Staaten waren Gambia, Jemen, Kasachstan und Mali abge-
stiegen. Als größte Verletzer der M.
wurden China, der Irak, Korea-Nord
und der Sudan benannt. Die M.-Situa-
tion wurde in Afrika, z. B. in Burundi,
Nigeria, Ruanda und Somalia als
besonders desolat eingeschätzt. Alle
ehemaligen Sowjetrepubliken mit Ausnahme von Kirgistan wurden als unfrei
eingestuft.
**Folter:** 1994 registrierte die unabhängige Menschenrechtsorganisation Amnesty International Mißhandlungen
und Folter von rd. 3000 Gefangenen in
120 Ländern der Erde (1993: 112),

darunter in Afghanistan, Äthiopien,
der Mongolei und der Türkei. Unter
Vorbehalt einer höher liegenden Dunkelziffer wurden in 34 Staaten rd. 1000
Todesopfer gezählt. Als Folterländer
rügte die UNO-M.-Kommission im
März 1995 Irak, Iran, Kuba, Myanmar
und Zaïre.
**Gerichtshof:** Eine Gesetzesvorlage
der CDU/CSU/FDP-Bundesregierung
vom Januar 1995 sah die Einrichtung
eines ständigen europäischen Ge-
richtshofes für M. vor. Die Mitglieder
des Europarates hatten im Mai 1994
eine Reform zur Beschleunigung der
Beschwerdeverfahren eingeleitet, die
mit der Ratifizierung durch die 32
Mitgliedstaaten Gültigkeit erhält. Der
Gerichtshof soll als zentrale Be-
schwerdeinstanz gegen M.-Verstöße
das komplizierte Beschwerdesystem
ersetzen. Bislang müssen Bürger eine
Beschwerde bei der Europäischen
Kommission für M. vorbringen, die
über die Zulässigkeit entscheidet,
bevor der bestehende, nichtständige
Gerichtshof oder das Ministerkomitee
des Europarates tätig wird. Mit der
Reform soll die Dauer anhängiger Ver-
fahren von rd. sechs auf zwei Jahre
verringert werden.
→ Kriegsverbrechertribunal → OSZE
→ Todesstrafe
Ⓘ Amnesty International, Sektion der Bundesrep.
Deutschland, Heerstr. 178, D-53111 Bonn

## Mercosur

**Name** Mercado Común del Cono Sur,
span.; gemeinsamer Markt des südlichen
Teils Amerikas
**Sitz** Montevideo/Uruguay
**Gründung** 1990
**Mitglieder** Argentinien, Brasilien, Paraguay,
Uruguay
**Vorsitz** Präsidentenkonferenz
**Ziel** Freihandel unter Mitgliedern und Fest-
legung gemeinsamer Außenzölle

Im Januar 1995 errichteten die vier
Mitglieder eine Freihandelszone, die
rd. 200 Mio Menschen umfaßte und
3% des weltweiten BSP erwirtschaftete. Die Gemeinschaft hob 90% der

gegenseitigen Zölle auf, für einige Produkte, z. B. Kfz, galten Sonderregelungen. Das Handelsvolumen zwischen den Mitgliedern hatte sich 1990–1994 auf rd. 10 Mrd Dollar (14,1 Mrd DM) vervierfacht.

Der Mercosur soll ein Gegengewicht zur nordamerikanischen Freihandelszone NAFTA bilden. Die erhoffte Ausweitung des Handels will die Gemeinschaft vor allem durch eine enge Zusammenarbeit mit dem wichtigsten Handelspartner, der Europäischen Union, erreichen. 1991–1993 stieg der EU-Export in die Mercosur-Staaten um 40% auf rd. 10,5 Mrd Dollar (14,8 Mrd DM). Mit Chile und den Ländern des Andenpakts (Bolivien, Ecuador, Kolumbien, Peru, Venezuela) wollte der Mercosur 1995 Verhandlungen über Zusammenarbeit und Freihandelsabkommen aufnehmen.

Für 85% der Importgüter aus Drittländern legten die Mitglieder Einfuhrzölle von maximal 20% fest, für die restlichen 15% der Einfuhrgüter, darunter Erdöl und Kapitalgüter, bestanden 1995 weiterhin die Zölle der Einzelstaaten.

→ FTAA → NAFTA

| Mercosur: Mitglieder im Vergleich | | | |
|---|---|---|---|
| Land | Wirtschafts-wachstum (%) | BSP/Einw. (Dollar)[2] | Inflations-rate (%) |
| Argentinien | 7,1 | 7220 | 6,0 |
| Brasilien | 5,3 | 2930 | 941,3 |
| Paraguay | 3,0[1] | 1510 | 19,5[1] |
| Uruguay | 4,6 | 3830 | 44,0 |

Stand: 1994; 1) Schätzung; 2) 1993; Quellen: BfAI, Weltbank

## Methadon

Synthetisch hergestellte Droge, die seit 1988 in Deutschland als Ersatzrauschmittel für Heroin ausgewählten Süchtigen verabreicht wird. Da M. nicht bewußtseinsverändernd wirkt, können die Süchtigen einem Beruf nachgehen und sind von dem Druck befreit, sich ihre Droge beschaffen zu müssen.

**Wirkungsweise:** M. (Levomethadon oder M.-Hydrochlorid) stoppt den körperlichen Verfall der Süchtigen. Die Wirkung hält rd. 24 Stunden an. Der Abhängige braucht nur einmal am Tag eine Dosis, während der Heroinsüchtige etwa alle vier Stunden seine Droge nehmen muß. M. besetzt im Gehirn die gleichen Stellen (sog. Rezeptoren) wie Opiate, ohne bewußtseinsverändernd zu wirken oder Euphorie auszulösen. Beim Absetzen von Heroin lindert M.

die Entzugserscheinungen, es bekämpft nicht die Sucht.

**Finanzierung:** In NRW zahlten 1995 Krankenkassen, Rentenversicherungs- und Sozialhilfeträger die M.-Behandlung. Ausgenommen von der Kassenfinanzierung ist die parallel zur M.-Abgabe vorgesehene psychosoziale Betreuung der Süchtigen. M. durfte in NRW auch bei niedergelassenen Ärzten ausgegeben werden. In anderen Ländern war die Abgabe an bestimmte Programme gebunden und wurde durch öffentliche Hände finanziert, mit Ausnahme von schwer erkrankten (z. B. an Aids) oder schwangeren Abhängigen.

**Erfolge:** Begleitstudien bescheinigten den M.-Programmen in Berlin, Bremen, Hamburg und NRW Anfang und Mitte der 90er Jahre Erfolg. Der psychische und physische Zustand der Teilnehmer, die vor Aufnahme der Therapie mehrfach vergeblich den Entzug versucht hatten, verbesserte sich, die Beschaffungskriminalität ging zurück.

→ Drogen

## Mieten

Nachdem die M. von 1990 bis 1994 um 30% gestiegen waren, lagen sie Mitte 1995 nach Angaben des Rings Deutscher Makler (RDM, Hamburg) um durchschnittlich 2,7% niedriger als im Vorjahr. Die M. für große, luxuriöse Wohnungen fielen wegen mangelnder Nachfrage. Bezogen auf einen mittleren Wohnwert (drei Zimmer, ca. 70 m², normale Lage) betrug die Durchschnittsmiete 1995 für Altbauten in westdeutschen Städten 11,25 DM/

**Methadon: Ersatzdroge Remedacen von den Kassen**

Krankenkassen müssen die Kosten der Behandlung mit der Ersatzdroge Remedacen nach einem Urteil des Bundessozialgerichts (Kassel) von Mitte 1995 übernehmen, wenn der Drogenentzug Ziel der Therapie ist. 1995 wurden etwa 12 000 Patienten mit der Ersatzdroge Methadon behandelt, 30 000–40 000 erhielten Remedacen, eigentlich ein Hustenmittel, überwiegend auf eigene Rechnung.

m², für Nachkriegsbauten 12,80 DM/m² und für neu fertiggestellte Wohnungen 15,80 DM/m².

Einen schnelleren Anstieg als bei den M. gab es bei den Wohnnebenkosten, der sog. zweiten Miete. Die Gebühren für Müllabfuhr erhöhten sich 1985–1995 um 152%, für Abwasserbeseitigung um 109%, für Wasserversorgung um 55%, für Schornsteinfeger um 47% und Straßenreinigung um 45%. Zum 1. 8. 1995 darf die M. in den neuen Bundesländern bei einem ordentlichen Zustand der Wohnungen um bis zu 15% erhöht werden. Das neue Mietrecht dient der allmählichen Anpassung an westdeutsche Verhältnisse. Ab 1998 sollen sich die M. in Ostdeutschland an den im Westen üblichen Vergleichsmieten orientieren.

→ Gebühren → Wohngeld → Wohnungsnot

## Mikromaschinen

Tausendstel Millimeter kleine Geräte (z. B. Zahnräder, Ventile, Motoren). Mit Mikroelektronik gekoppelte Systeme werden Mikrosysteme oder intelligente M. genannt. Einsatzfelder waren Mitte der 90er Jahre insbes. Umwelt-, Computer- und Medizintechnik, komplexere M. wie Mikropumpen und -motoren wurden entwickelt. 2000 sollen mit M. Umsätze von rd. 200 Mrd DM erzielt werden (Mitte der 90er Jahre: rd. 12 Mrd DM).

**Herstellung:** Mitte der 90er Jahre konkurrierten die Fertigung aus Silizium (wie bei Chips) und das sog. LIGA-Verfahren (Abkürzung für Lithographie, Galvano-Formung, Abformtechnik). Bei Siliziumfertigung können Maschinen aus der Chip-Herstellung genutzt werden. M. aus Silizium lassen sich einfach mit Mikroprozessoren kombinieren. Das LIGA-Verfahren soll den Bau kleinerer M. ermöglichen. Eine Schablone wird auf Kunststoff gelegt und mit Röntgenlicht bestrahlt. Die bestrahlten Teile werden aus dem Kunststoff gelöst und mit flüssigem Metall ausgegossen. Der Einsatz parallel ausgerichteter Röntgenstrahlen (Synchrotronstrahlung) war aufwendig und teuer. Deutschland war 1995 weltweit führend in der Anwendung des LIGA-Verfahrens. Das deutsche Bundesforschungsministerium fördert die Mikrosystemtechnik 1994–1997 mit 600 Mio DM.

**Entwicklung:** Forschungslabors arbeiten weltweit an Mikrorobotern, die im menschlichen Körper Diagnosen und Operationen vornehmen können. Minilabore könnten z. B. bei Gewäs-

| Mieten: Wohnungsmieten in Deutschland 1994 | | | |
|---|---|---|---|
| Merkmal | Miete (DM/m²)[1] | | Relation Ost /West (%) |
| | Westen | Osten | |
| **Gebäudezustand** | | | |
| gut | 9,83 | 7,60 | 77 |
| teil. Renovierungsb. | 9,20 | 6,93 | 75 |
| renovierungsbedürf. | 9,15 | 6,23 | 68 |
| **Baujahr** | | | |
| vor 1919 | 8,54 | 6,25 | 73 |
| 1919–1948 | 8,68 | 6,61 | 76 |
| 1949–1971 | 9,31 | 7,22 | 78 |
| 1972–1980 | 10,61 | 7,44 | 70 |
| nach 1980 | 12,14 | 7,23 | 60 |
| **Gemeindegröße** | | | |
| unter 2000 Einw. | 7,55 | 6,79 | 90 |
| 2000–20 000 | 9,18 | 7,39 | 81 |
| 20 001–100 000 | 8,98 | 6,81 | 76 |
| 100 001–500 000 | 9,52 | 6,83 | 72 |
| über 500 000 | 10,42 | 6,74 | 65 |
| **Gebäudetyp** | | | |
| landwirtsch. Wohng. | 6,32 | 5,82 | 92 |
| 1–2 Familienhaus[2] | 8,31 | 8,04 | 97 |
| 1–2 Familienreihenh. | 8,49 | 6,37 | 75 |
| Haus 3–4 Wohng. | 9,17 | 6,77 | 74 |
| Haus 5–8 Wohng. | 9,69 | 6,69 | 69 |
| Haus über 8 Wohng. | 10,71 | 7,01 | 65 |
| Hochhaus | 11,29 | 7,55 | 67 |
| **Ausstattung** | | | |
| ohne Bad/Dusche | 6,90 | 6,13 | 89 |
| mit Bad/Dusche | 9,63 | 7,01 | 73 |
| o. Zentralheizung[3] | 7,30 | 6,41 | 88 |
| mit Zentralheizung[4] | 9,91 | 7,35 | 74 |
| **Insgesamt** | 9,58 | 6,92 | 72 |

1) Kaltmiete der Hauptmieterhaushalte inkl. Mietnebenkosten (Bruttokaltmiete); 2) freistehend; 3) ohne modernes Heizungssystem; 4) mit modernem Heizungssystem; Quelle: Deutsches Institut für Wirtschaftsforschung (Berlin)

sern Schadstoffeinleitungen aufspüren. 1994 baute das Institut für Mikrotechnik (Mainz) den ersten Mikromotor von knapp 2 mm Durchmesser, der mit einer Spannung von 5 V angetrieben wird und sich 10 000mal pro Minute dreht. Er soll bei Marktreife u. a. Kalkablagerungen in menschlichen Arterien entfernen. Fernziel der Mikrotechnologie sind Maschinen mit nanometerkleinen Abmessungen (1000 Nanometer = 1 Mikrometer), deren Bestandteile die Größe von Atomen haben (Nanotechnologie).

**Probleme:** Als Schwierigkeit erwies sich Mitte der 90er Jahre die Energieversorgung, weil Übertragungssysteme für elektrische Energie schwierig zu verkleinern waren. Erprobt wurde u. a. die Energieversorgung mit Lichtstrahlen. Staub und andere kleine Verschmutzungen setzten M. häufig außer Betrieb.

→ Chip → Chirurgie, Minimal invasive

## Minderheitenschutz

Im Mai 1995 unterzeichnete Deutschland die Konvention des Europarates über den Schutz nationaler Minderheiten. 26 von 33 Europarat-Mitgliedern hatten zu diesem Zeitpunkt das Abkommen vom Februar 1995 unterschrieben, darunter Österreich und die Schweiz. Sie verpflichteten sich, daß Minderheiten ihre kulturellen, religiösen und sprachlichen Traditionen bewahren können. Auf eine Definition des Begriffs nationale Minderheit konnten sich die Europaratsmitglieder jedoch nicht einigen. Das Abkommen ist das erste internationale Dokument zum M., das Verhaltensregeln und regelmäßige Kontrollen ihrer Umsetzung vorsieht. Mitte 1995 war die Konvention noch nicht in Kraft getreten, da sie vorher in mindestens zwölf Staaten in nationales Recht umgesetzt werden muß.

**Inhalt:** Die Unterzeichner wollen die Integration von Minoritäten fördern, aber auf eine Anpassungspolitik mit Zwängen verzichten. Das Dokument sieht vor, daß Minderheiten Rechte auf Unterricht und Erziehung in der eigenen Sprache besitzen. Als nationale Minderheiten sind in Deutschland etwa 50 000 Dänen, 15 000 Friesen, 65 000 Roma und Sinti sowie 60 000 Sorben anerkannt.

**Ablehnung:** Eine Unterzeichnung des Vertrages verweigerten u. a. Frankreich, das aufgrund der hohen Stellung individueller Rechte in der Verfassung keine kollektiven Sonderrechte akzeptiert, und die Türkei, die von Deutschland die Anerkennung türkischer Gastarbeiter als Minderheit forderte, den Kurden im eigenen Land aber keinen M. gewähren wollte. → Karte S. 280 → Europarat → Kurden

## Minen

Die Explosionen von Tret-, Spreng- und Panzerminen töten oder verletzen nach UNO-Angaben jedes Jahr etwa 30 000 Menschen. Einige M.-Typen sind speziell zur Verstümmelung von Menschen konstruiert. Besonders betroffen sind Bürgerkriegsgebiete in der sog. Dritten Welt. 1945–1995 wurden mindestens 85 Mio M. in 64 Ländern verlegt. Pro Jahr kommen etwa 2 Mio M. hinzu. Jahresproduktion und Lagerbestände werden weltweit auf je 10 Mio Stück geschätzt. Infolge großräumiger Verminung ist die Landwirtschaft beeinträchtigt. 1995 unterstützt die UNO die M.-Räumung in 14 Ländern mit 98 Mio DM. 1994 wurden rd. 100 000 M. beseitigt.

Als erstes Land der Welt verbot Belgien im März 1995 Produktion und Einsatz von M. Deutschland, Frankreich, die Niederlande, Rußland und die USA beschlossen 1994 ein dreijähriges Exportverbot für M. Ende 1995 soll über die Neufassung der UNO-Konvention über unmenschliche Waffen von 1981 (Mitte 1995: 49 Mitglieder) verhandelt werden, die auch den Einsatz von M. gegen die Zivilbevölkerung einschränkt. Einig waren sich die Vertragsparteien Mitte 1995 über folgende Punkte:

| Minen: Verlegung | |
|---|---|
| **Land** | **Anzahl (Mio)** |
| Afghanistan | 9–10 |
| Angola | 9 |
| Kambodscha | 8–10 |
| Irak | 5–10 |
| Mosambik | 2 |
| Somalia | 1–1,45 |
| Bosnien | 1–1,7 |
| Kroatien | 1 |
| Sudan | 0,5–2 |
| Äthiopien | 0,5–1 |
| Jugoslawien | 0,5–1 |
| Eritrea | 0,3–1 |

Quelle: UNO

## Minderheitenschutz: Ethnische Minderheiten und Konflikte in Europa

| Nummer | Region | Volksgruppe | Nummer | Region | Volksgruppe |
|---|---|---|---|---|---|
| 1 | Nordskandinavien, -rußland | Lappen (Samen) | 16 | Norditalien | Südtiroler |
| 2 | Finnland | Schweden | 17 | Schweiz/Italien | Rätoromanen |
| 3 | Baltikum | Russen | 18 | Korsika (Frankreich) | Korsen |
| 4 | Rußland | Rußlanddeutsche | 19 | Katalonien (Spanien) | Katalanen |
| 5 | Weißrußland, Ukraine | Polen, Russen | 20 | Span.-frz. Baskenland | Basken |
| 6 | Polen, Tschechische Republik | Schlesier, Sudetendeutsche | 21 | Galizien | Galizier |
| 7 | Slowakei | Ungarn | 22 | Oberlausitz (Deutschland) | Sorben |
| 8 | Moldawien | Russen, Ukrainer | 23 | Deutschland/Europa | Roma und Sinti |
| 9 | Ungarn, Rumänien | Donauschwaben | 24 | Elsaß (Frankreich) | Elsässer |
| 10 | Rumänien | Ungarn, Roma | 25 | Bretagne (Frankreich) | Bretonen |
| 11 | Serbien | Kosovo-Albaner, Moslems, Ungarn | 26 | Niederlande, Deutschland | Friesen |
| 12 | Bulgarien, Griechenland | Türken | 27 | Wales (Großbritannien) | Waliser |
| 13 | Südosttürkei | Kurden | 28 | Schottland (Großbritannien) | Schotten |
| 14 | Albanien/Griechenland | Griechen/Albaner | 29 | Nordirland (Großbritannien) | Iren (Katholiken) |
| 15 | Bosnien-Herzegowina/Kroatien | Bosnier, Kroaten, Serben | 30 | Schleswig/Südjütland | Dänen/Deutsche |

▷ Ausweitung der Konvention auf innerstaatliche Konflikte
▷ M. müssen wiederauffindbar sein. Verlegte M. in Entwicklungsländern sind häufig Billigprodukte aus Plastik, die mit herkömmlichen Detektoren nicht aufgespürt werden können (Produktionskosten pro Stück: ab 3 Dollar, 4,20 DM)
▷ M., die mit Flugzeugen und Werfern über weite Flächen verlegt werden, sollen sich innerhalb einer bestimmten Frist selbst entschärfen
▷ M. ohne Selbstzerstörungsautomatik dürfen nur innerhalb markierter Flächen verlegt werden.
Umstritten waren ein Produktions- und ein unbefristetes Exportverbot, das u. a. Deutschland anstrebte.

optischen Laufwerken ist die lange Zugriffszeit auf die Daten. Bei Festplatten beträgt sie zwischen zwölf und 30 Millisekunden, bei M.-Laufwerken 300 Millisekunden.
**Funktionsweise:** Die M. 140 reflektiert Laserlicht, so daß eine Fotozelle die Informationen lesen kann. Unter der Aluminiumschicht der M. 140 liegt eine magnetische Schicht, die von einem zweiten Laser unterhalb der Platte beim Beschreiben auf 180 °C erwärmt wird. Durch die Erwärmung verliert das Magnetfeld seine Ausrichtung; Magneten ändern das Muster des Feldes. Nach Abkühlung der M. sind die Daten gespeichert.
→ CD → Digitaltechnik → Unterhaltungselektronik

## Mini Disc

(MD), bei unverändert hoher Aufnahme- und Wiedergabequalität beliebig oft bespielbare digitale Speicherplatte. Für die M., die einen Durchmesser von 6,4 cm hat, werden andere Abspielgeräte benötigt als für CD (Durchmesser: 12 cm). Die M. konnte sich auf dem Tonträgermarkt bis 1995 nicht gegen die Konkurrenz von CD und Kompaktkassetten durchsetzen. Der japanische Elektronikkonzern Sony entwickelte die 1992 in der Musikbranche eingeführte M. für den Einsatz als Speichermedium im Computerbereich weiter (sog. M. 140).
**Computereinsatz:** Die M. 140 hat ebenfalls einen Durchmesser von 6,4 cm. Sie kann 140 Mbyte speichern (Disketten: max. 2,88 Mbyte) und soll rd. 30 DM kosten. Damit beträgt der Preis pro Mbyte des Speichers nur rd. 0,20 DM, während er sonst je nach Medium zwischen 0,30 und 2 DM liegt. Das für die M. 140 entwickelte Laufwerk (Preis: rd. 1000 DM) kann sowohl nichtbeschreibbare M. und Hybrid-M. (zwei Sektoren, von denen sich der eine nur lesen, der andere auch beschreiben läßt) verarbeiten.
**Nachteile:** Nachteil gegenüber Computerfestplatten und anderen magnet-

## Mir

(russ.; Frieden), Mitte der 90er Jahre einzige Raumstation im Weltall. Die ständig bemannte russische M. umkreist seit Februar 1986 mit einer Geschwindigkeit von 22 400 km/h die Erde und dient wissenschaftlichen Experimenten. Die Raumstation besteht aus drei Labors und einer zentralen Wohneinheit. Besatzungsmitglieder, Proviant und Material wurden mit Sojus- und Progress-Raumfahrzeugen bis 1995 rd. 70mal zu M. transportiert. Die US-amerikanische Raumfähre Atlantis dockte im Juni 1995 an M. an. Das Manöver diente der Vorbereitung zum Bau einer internationalen Raumstation, die ab 1997 M. ersetzen soll. Der deutsche Astronaut Thomas Reiter soll im August 1995 für einen 135tägigen Forschungsaufenthalt zur M. fliegen (Mission Euromir '95). Geplant sind medizinische und materialwissenschaftliche Experimente. Ende 1994 hatte sich bereits der Deutsche Ulf Merbold als Vertreter der europäischen Weltraumagentur ESA an Bord aufgehalten. Im März 1995 kehrte der Russe Walerij Poljakow nach dem bis dahin längsten Allaufenthalt von 439 Tagen von M. zurück.
→ Raumfahrt → Raumstation

| Mobilfunk: Kosten im Europa-Vergleich | |
|---|---|
| Betreiber (Land) | Kosten/ Jahr (DM)[1] |
| France Telecom (F) | 13 782 |
| SFR (F) | 12 931 |
| D2 (D) | 10 947 |
| D1 (D) | 10 660 |
| TMN (P) | 9 712 |
| Telecel (P) | 9 710 |
| Vodafone (GB) | 7 505 |
| Belgacom (B) | 7 246 |
| Televerket (S) | 6 877 |
| Nordic Tel (S) | 6 749 |
| Comvik (S) | 6 655 |
| SIP (I) | 6 603 |
| P&T Lux (L) | 5 443 |
| Sonofon (DK) | 5 319 |
| Radiolinja (SF) | 4 649 |
| Swiss PTT (CH) | 4 606 |
| Telekom (Fin) (SF) | 4 555 |
| Tele Denmark (DK) | 3 918 |

1) Sprechzeit/Tag 30 min im Tagestarif; Quelle: Nokia, Wirtschaftswoche, 9. 3. 1995

# Mobbing

(to mob, engl.; anpöbeln, herfallen über), gezielte Schikane durch Kollegen am Arbeitsplatz, z. B. ungerechte Kritik, Ignorieren einer Person und Klatsch. Nach Schätzungen von Arbeitswissenschaftlern litten in Deutschland 1994 rd. 1,5 Mio Arbeitnehmer unter M. Im August 1994 gründeten die Barmer Ersatzkasse, die Deutsche Angestellten-Gewerkschaft und ein Unternehmensberatungsbüro die erste M.-Beratungsstelle (Göttingen), die einen Telefondienst für Betroffene und Gesprächstermine zur Konfliktbewältigung anbietet.
→ Bossing

# Mobilfunk

Fernmeldedienst, der drahtloses Telefonieren über Funksignale von jedem Ort, z. B. vom Auto aus, ermöglicht. Der Umsatz in einem der wachstumsstärksten Märkte der Telekommunikation verdoppelte sich in Deutschland 1994 auf 2 Mrd DM gegenüber 1993 (Prognose für 1995: 2,5 Mrd DM). Mitte 1995 nutzten 2,2 Mio Deutsche M. (Telefonanschlüsse: 38 Mio), bis zum Jahr 2000 werden 10 Mio–16 Mio Kunden erwartet. Die Netzanbieter verbesserten 1994/95 ihr Angebot und

senkten die Preise, um verstärkt Privatkunden zu gewinnen. Die Europäische Kommission plante Mitte 1995, die Beschränkungen für den Wettbewerb bei drahtlosen Kommunikationsdiensten zum 1. 1. 1996 aufzuheben. Private Anbieter beklagten ihre Abhängigkeit von den Netzen traditioneller Monopolgesellschaften.

**Fax:** Ende 1994 führten die digitalen M.-Netze D1, D2 und E-Plus mobile Fax- und Datenkommunikation ein. Mit einer Adapterkarte (PC-Card, auch PCMCIA-Karte) können mobile Faxgeräte oder tragbare Notebook-PC ans Funktelefon angeschlossen werden.

**Regionale Netze:** Zum Jahresbeginn 1995 vergab Bundespostminister Wolfgang Bötsch (CSU) Testlizenzen für das System Dect (Digital European Cordless Telecommunications) an die M.-Betreiber. Die Sendegebiete von Dect haben einen Durchmesser von 200–300m (E-Plus: 20–30 km) und eignen sich vor allem für Ballungsgebiete (voraussichtlicher Preis des Mobiltelefons: 300 DM). Über Dect-Anschlüsse kann lokaler Telekommunikationsverkehr an Fernnetze herangeführt werden, ohne daß Telefonate wie bei den D-Netzen ins Netz der Deutschen Telekom geleitet werden müssen. Der Nutzer kann in jedes andere Netz gelangen und ist unter

## Mobilfunk: Tarifvergleich digitaler Netze

| Posten (DS) | D1 | | D2 | | E-Plus | |
|---|---|---|---|---|---|---|
| | Business ProTel | Privat Telly | Business Classic | Privat Fun | Business Profi-Tarif | Privat Partner-Tarif |
| Anschlußpreis | 74,75 | 74,75 | 99,00 | 49,90 | 74,75 | 74,75 |
| Grundgebühr/Monat | 69,00 | 49,00 | 78,20 | 49,90 | 59,00 | 44,00 |
| Preis/min (7–20 Uhr) | 1,38 | 1,99 | 1,29 | 1,89[1] | 1,19 | 1,64 |
| Preis/min (20–7 Uhr, feiertags, Wochenende) | 0,56 | 0,39 | 0,56 | 0,39[2] | 0,49 | 0,44 |
| Preis/min (7–20 Uhr) im gleichen Netz | 0,69 | 0,69 | 0,69 | 0,69[1] | 0,59 | 0,29 |
| Preis/min (20–7 Uhr) im gleichen Netz | 0,39 | 0,39 | 0,39 | 0,39[2] | 0,59 | 0,29 |
| Basispreis/Monat (Daten) | 23,00 | | 25,30 | | 20,00 | |
| Basispreis/Monat (Fax) | 17,25 | | 11,50 | | 15,00 | |
| Paketpreis/Monat (Fax, Daten) | 33,35 | | 33,35 | | 30,00 | |

1) Tarif gilt von 8–18 Uhr, 2) Tarif gilt von 18–8 Uhr; Stand: 1. 5. 1995; Quelle: Computerwoche, 24. 3. 1995

einer Rufnummer auch von anderen Netzen aus erreichbar. Internationale Funktelefonate in rd. 70 Staaten waren 1995 mit der einheitlichen Sendenorm GSM der D-Netze möglich.

**Funkruf:** Im Dezember 1994 führte das Telekom-Tochterunternehmen De-TeMobil den Funkrufdienst Scall ein. Der Träger eines Scall-Empfängers ist in einem Gebiet von maximal 50 km Durchmesser erreichbar. Er kann von jedem Telefon aus angerufen werden. Die Nachrichten werden als Nummernfolgen (z. B. Telefonnummer, vereinbarter Code) mit bis zu 15 Zeichen gesendet. Für Scall fällt keine Grundgebühr an, der Anrufer zahlt abhängig von der Tageszeit zwischen 1,00 DM und 1,50 DM. DeTeMobil strebte bis Ende 1995 etwa 350 000 Träger von Scall an.

**Abhörbarkeit:** Die Mobilfunkbetreiber DeTeMobil (D1), Mannesmann Mobilfunk (D2) und E-Plus Mobilfunk sind gemäß einer Verordnung von Bundespostminister Bötsch von Mai 1995 verpflichtet, bis Mitte 1996 die technischen Vorkehrungen für Überwachungsmaßnahmen zu treffen. Die Unternehmen lehnten es ab, die Kosten von rd. 40 Mio DM pro Netzbetreiber zu übernehmen. Sie wiesen darauf hin, daß ungestörtes Telefonieren auch weiterhin z. B. mit einer im Ausland erworbenen Funktelefonkarte möglich sein wird.

**Gefahren:** Das Bundesgesundheitsministerium warnte Anfang 1995 davor, Mobiltelefone in kritischen Bereichen von Kliniken und Pflegeeinrichtungen zu verwenden, weil die ausgehenden elektromagnetischen Wellen die Funktion elektronisch gesteuerter Geräte stören könnten. Eine Untersuchung der Forschungsgemeinschaft Funk aus Bundesbehörden, Funknetzbetreibern, Geräteherstellern, Verbänden u. a. kam Ende 1994 zu dem Ergebnis, daß die elektromagnetischen Wellen weder Krebs auslösen noch Tumorerkrankungen verstärken können.

→ Bildtelefon → Elektro-Smog → Globalfunk → Telekommunikation

Der französische Modeschöpfer Yves Saint Laurent und seine Models bei den Prêt-à-Porter-Schauen in Paris 1995.

## Models

(auch Mannequins), Männer und Frauen, die in der Modebranche Kleidung vorführen, waren in den 90er Jahren neben Film- und Fernsehstars, Adligen und Politikern in den Medien präsent. Vor allem weibliche M. hatten Werbeverträge mit Mode-, Kosmetik-, aber auch branchenfremden Konzernen, gaben Modekollektionen ihren Namen, traten in Fernseh- und Filmrollen auf, moderierten TV-Shows und produzierten Gymnastik-Videos.

## Molekular-Design

(auch CAMD, Computer Aided Molecular Design, engl.; computergestütztes Molekular-Design), Entwicklung von Wirkstoffen mit Hochleistungsrechnern. Die Veränderung des chemischen Aufbaus soll die Wirksamkeit von Molekülen erhöhen oder unerwünschte Nebenwirkungen verhindern. In erster Linie werden organische Moleküle verändert, die Arzneien und Chemikalien zugesetzt werden. Da teure Super- und Parallelcomputer für M. erforderlich sind, weil mehrere Milliarden Rechenoperationen pro Sekunde ausgeführt werden müssen, konzentrierte sich die Entwicklung auf Großforschungseinrichtungen.

→ Arzneimittel → Parallelcomputer

| Models: Bestverdiener 1994 | |
|---|---|
| **Model** | **Einkommen (Mio Dollar)** |
| Cindy Crawford | 9,7 |
| Claudia Schiffer | 7,9 |
| Christy Turlington | 7,2 |
| Linda Evangelista | 4,5 |
| Elle Macpherson | 4,5 |
| Niki Taylor | 3,6 |
| Isabella Rosselini | 3,4 |
| Kate Moss | 3,3 |
| Naomi Campbell | 3,1 |

Quelle: Forbes, Die Woche, 24. 3. 1995

283

**Mudschaheddin: Regierungschef**

**Gulbuddin Hekmatyar**
* 1950 (1951?) in Imam Sahib/Afghanistan. Als radikaler islamischer Studentenführer 1975 ins pakistanische Exil. Seit 1978 Kampf gegen die kommunistische Regierung in Afghanistan. Der Paschtune ist Chef der fundamentalistischen Hesb-e-Eslami-Miliz. 1993 zum Regierungschef bestimmt.

# Mudschaheddin

(paschtu; heilige Krieger), Sammelbezeichnung für etwa 15–30 moslemische Rebellengruppen, die nach der sowjetischen Invasion in Afghanistan 1979 gemeinsam die kommunistische Regierung bekämpften. Nach dem Sturz des kommunistischen Staatspräsidenten Mohammad Nadschibullah im April 1992 und der Bildung einer M.-Regierung im Juni 1992 zerfiel das Bündnis. Afghanistan war 1995 in Einflußzonen religiös und ethnisch zerstrittener M.-Fraktionen geteilt.

Das Auftauchen eines neuen Machtfaktors in Gestalt der fundamentalistischen Taliban-Studentenmiliz, die zum Jahreswechsel 1994/95 militärische Erfolge feierte, führte zur Auflösung der Fronten zwischen den M. Die Taliban vertreiben im Februar 1995 die Hesb-e-Eslami-Miliz unter dem afghanischen Ministerpräsidenten Gulbuddin Hekmatyar aus ihren strategisch wichtigen Positionen südlich von Kabul. Von dort aus hatte Hekmatyar seit Januar 1994 die Hauptstadt von der Versorgung abgeschnitten und das von Regierungstruppen des Staatspräsidenten Burhanuddin Rabbani und dessen Kommandeur Ahmed Schah Massud gehaltene Zentrum bombardiert. Hekmatyar setzte sich mit seinen Truppen ins ostafghanische Sarobi ab. Im Südwesten Kabuls übernahmen die Taliban

Stellungen der schiitischen Hesb-e-Wahdat-Miliz. Deren Führer, Abdul Ali Masari, wurde von den Taliban gefangengenommen und erschossen. Im März 1995 gelang es den Regierungstruppen, die Taliban aus Kabul zu verdrängen und die Kontrolle über die Hauptstadt zu übernehmen.
→ Taliban

## Müllverbrennung
→ Abfallbeseitigung

## Mülltourismus
→ Abfallbeseitigung

## Multimedia
→ Übersichtsartikel S. 285

## Multinormen-PC

Personalcomputer (PC), der mit Programmen (Software) aller Hersteller betrieben werden kann. 1995 war der Datenaustausch zwischen verschiedenen Computertypen nur mit Hilfe von Programmen möglich, die eine Computersprache in die des anderen Rechners übersetzten (sog. Konvertieren). Die Computerfirmen IBM und Apple planten gemeinsam mit dem Chiphersteller Motorola, 1996 erstmals einen M. auf den Markt zu bringen. Ziel war, die marktbeherrschende Position des Chip-Produzenten Intel und des Software-Herstellers Microsoft (beide USA) zu schwächen. Etwa 80% aller PC weltweit arbeiteten 1995 mit einem Intel-Chip und einem Microsoft-Betriebssystem (Software, die den Computer die Befehlsverarbeitung ermöglicht).
→ Betriebssystem → PC → Software

## Multiple Sklerose

(MS), durch schubartige Ausfälle unterschiedlicher Nervenleistungen gekennzeichnete Krankheit, die innerhalb von 25 Jahren in 95% der Fälle

## Mudschaheddin: Konkurrierende Gruppen

| Name | Einordnung/Ziel | Führer |
|------|-----------------|--------|
| Dschabah-e Nidschat-e-Milli | Gemäßigt, Rückkehr zur Monarchie | Sigbatullah Mudschadiddi |
| Dschamiat-e-Islami | Gemäßigt, Zusammenarbeit der Regierung | Burhanuddin Rabbani |
| Ettehad-e-Eslami | Radikal, Errichtung eines islamischen Gottesstaates | Abdulrasul Sajjaf |
| Harkat-e-Enkelab-e-Eslami | Schiitische Gruppe, gemäßigt Rückkehr zur Monarchie | Mohamad Nabi Mohammadi |
| Hesb-e-Islami | Radikal, Regierung unter islamischer Einheitspartei | Gulbuddin Hekmatyar |
| Hesb-e-Wahdat | Schiitisch-fundamentalistisch, islamischer Gottesstaat | Karim Khalili |
| Taliban | fundament. Studentenmiliz, islamischer Gottesstaat | Mohamed Omar |

# Überangebot an Möglichkeiten verunsichert Bürger

Die Verbindung von Telekommunikation, Unterhaltungselektronik und Computertechnik in Multimedia ermöglicht jedem Konsumenten, Dinge des täglichen Lebens vom Wohnzimmer aus zu erledigen. Er kann daheim arbeiten, von zu Hause aus Bankgeschäfte erledigen und einkaufen sowie mit anderen Menschen kommunizieren. Wurde 1993 mit Geräten, Software und CD-ROM für Multimedia ein Umsatz von 2,3 Mrd Dollar (3,2 Mrd DM) europaweit erzielt, wird bis 1999 nahezu eine Verdoppelung auf 4,3 Mrd Dollar (6 Mrd DM) prognostiziert. Etwa 1 Mio–2,5 Mio Arbeitsplätze sollen im Multimediabereich neu entstehen. Die Elektronikindustrie ging davon aus, daß die privaten Haushalte 1999 mit rd. 20% den größten Anteil an den Ausgaben für Multimedia haben werden. Daher konzentrierten sich die Unternehmen bei der Entwicklung neuer multimedialer Anwendungen (z. B. interaktives Fernsehen) auf den Aspekt der Unterhaltung. Einer Umfrage des B.A.T.-Freizeit-Forschungsinstituts (Hamburg) aus 1995 zufolge nahm in Deutschland jedoch rd. ein Drittel der Bevölkerung an, daß die Bürger das Multimedia-Angebot nicht annehmen würden.

**Vielfältige Anwendungsmöglichkeiten:** Voraussetzung für Multimedia war ein Telefonanschluß und ein PC oder Fernseher. Ein PC muß mit einem Modem ausgestattet sein, das die digitalen Daten des Rechners in analoge umwandelt, damit sie über die Telefonleitung übertragen werden können. Ein Fernseher benötigt einen vorgeschalteten Minicomputer (sog. Set-Top-Box), der die Daten digitalisiert. Verschiedene Anwendungen existierten Mitte 1995 oder wurden erprobt, davon konnten einige nur mit PC genutzt werden:

▷ Recherche in internationalen Computernetzwerken wie dem Internet
▷ Informationsaustausch am Bildschirm (z. B. zwischen Ärzten vor Operationen)
▷ Video on demand (engl.; Video auf Bestellung)
▷ Computerspiele zwischen räumlich getrennten Personen
▷ Interaktives Fernsehen
▷ Pay per View (engl.; Bezahlen für Gesehenes)
▷ Einkaufen am Bildschirm (Teleshopping)
▷ Abrufen elektronischer Medien, z. B. Zeitungen
▷ Teleheimarbeit
▷ Telebanking

Die UNO arbeitete 1995 an einem Welthandelsnetz, mit dem via Bildschirm Waren und Dienstleistungen vermittelt werden sollen.

**Multimediazubehör beim PC-Kauf beliebt:** Die Nutzung der digitalen Speicherplatte CD-ROM wurde auch als Multimedia bezeichnet. Auf CD-ROM können Datenmengen, z. B. Computerspiele, Bilder und Enzyklopädien, gespeichert werden. Mit CD-ROM holt sich der Nutzer Multimedia-Anwendungen direkt ins Haus, während Angebote wie Video on demand von außen abgerufen werden müssen. Ende 1994 waren weltweit in PC rd. 12 Mio CD-ROM-Laufwerke installiert, davon in Deutschland rd. 720 000. Beim PC-Kauf entschieden sich 40% der Erstkäufer für ein Modem.

**Datenautobahn nicht ausreichend ausgebaut:** Mitte 1995 existierte weltweit kein genügend leistungsstarkes Datennetz (sog. Datenautobahn), das flächendeckend verlegt war und die Kapazität zur Übertragung großer Datenmengen hatte, wie sie z. B. für Filme nötig ist. Anschluß- und Grundgebühren für leistungsfähige Datennetze waren in Deutschland sehr teuer, Mitte 1995 betrugen die Gebühren für einen Anschluß mit einer Übertragungsgeschwindigkeit von 3 MBit/sec 360 000 DM jährlich.

**Vor- und Nachteile noch unklar:** Da sich mit Multimedia alle Besorgungen von zu Hause aus erledigen lassen, befürchteten Medienkritiker eine Isolation der Menschen. Wegen der Technik, die vielen, insbes. älteren Menschen unverständlich war, sowie dem großen Angebot, das für den einzelnen kaum überschaubar ist, empfanden laut B.A.T.-Studie rd. 50% aller Deutschen Multimedia als Bedrohung. Der Schutz persönlicher Angaben bei der Datenübertragung war noch ungeklärt. Befürworter von Multimedia wiesen darauf hin, daß sich u. a. das Verkehrsaufkommen und damit die Luftverschmutzung reduzieren würden, wenn über Datenautobahnen kommuniziert wird. Auch würden eine Reihe neuer Berufe und Arbeitsplätze entstehen. (sim)

→ CD-ROM → Datenautobahn → Elektronische Medien → Interaktives Fernsehen → Internet → Medienkonzentration → Online-Dienste → PC → Video on demand

zum Tod führt. In Deutschland litten rd. 120 000 Menschen an MS, deren Ursachen 1995 ungeklärt waren. 1995 entdeckten US-Forscher, daß Viren an der Entstehung beteiligt sind. Bei Studien in den USA zeichneten sich Erfolge bei der Behandlung der als unheilbar geltenden Krankheit ab.

**Ursache:** 1995 erbrachten Froscher der Harvard University Beweise für die gängige These, MS sei eine sog. Autoimmunkrankheit, bei der das Immunsystem die Hülle von Nervenzellen im Gehirn zerstört. Grund für die Zerstörung ist ein Eiweißbruchstück von Gehirnzellen, das dem von Viren und einer Bakterie ähnelt. MS wird nach einer Infektion mit diesen Viren/Bakterien ausgelöst, wenn das Immunsystem statt der Viren irrtümlich die Nervenzellen bekämpft. Zu den Viren zählen Grippe-, Herpes- und Schnupfenviren, zwei vermutlich krebserregende Warzenviren, das Epstein-Barr-Virus, das 95% der Bevölkerung tragen, und ein Bakterium auf der Haut, das Wundinfektionen verursacht. Da nicht jede Infektion MS zur Folge hat, müssen weitere Faktoren, z. B. Vererbung, für die Entstehung verantwortlich sein.

**Medikamente:** Bei den getesteten Arzneimitteln handelte es sich um gentechnisch hergestellte Beta-Interferone, ein körpereigener Botenstoff, und um das Mittel Copolymer-1 einer israelischen Firma. Zwar konnten die Medikamente MS nicht heilen, aber sie bewirkten eine Verringerung der Krankheitsschübe und verzögerten das Fortschreiten der MS. Ein von einem MS-kranken deutschen Arzt im Selbstversuch getestetes Mittel (DSG) bewies in zwei klinischen Studien 1993–1995 keine ausreichende Wirksamkeit. Das Bundesinstitut für Arzneimittel und Medizinprodukte (Berlin) verweigerte 1995 die Zulassung.

# N

## Nachhaltige Entwicklung

(engl.: sustainable development), entwicklungs- und umweltpolitisches Leitbild, nach dem erneuerbare Ressourcen (Rohstoffvorkommen, Nutzpflanzen etc.) nur in dem Maße ausgebeutet und aufgebraucht werden sollen, wie sie sich selbst regenerieren, und die Umwelt nur so stark mit Schadstoffen (z. B. Kohlendioxid) belastet werden soll, wie sie mit ihrer Selbstreinigungskraft verarbeiten kann. Das Prinzip der N., zu dem sich 1992 auf der internationalen Konferenz für Umwelt und Entwicklung in Rio de Janeiro/Brasilien alle teilnehmenden Staaten bekannten, soll nachfolgenden Generationen lebenswürdige Bedingungen auf der Erde ermöglichen, in dem es globale Umweltzerstörung und Armut in Entwicklungsländern verringert. Entwicklungshilfeorganisationen kritisierten Mitte der 90er Jahre, daß trotz aller Absichtserklärungen weiterhin kurzfristige ökonomische Ziele das Handeln von Politikern und Unternehmern bestimmen.

→ Armut → Entwicklungspolitik → Klimaveränderung → Umweltschutz

## Nachrichtenmagazin

Nach dem Erfolg des 1993 gestarteten N. „Focus", das sich neben dem bis dahin einzigen deutschen N. „Der Spiegel" etablierte, plante der Bauer-Verlag (Hamburg) für 1995 das N. „Ergo". Das N. soll die Lesewünsche

| Nachrichtenmagazin: Auflagen und Anzeigen | | | |
|---|---|---|---|
| Magazin | Auflage | | Veränderung zu 1993 (%) |
| | 1993 | 1994 | |
| Der Spiegel | 1 057 389 | 1 003 508 | −5,1 |
| Focus | 495 327 | 620 944 | +25,4 |
| stern | 1 283 492 | 1 250 098 | −2,6 |
| Magazin | Anzeigenseiten | | |
| | 1992 | 1993 | 1994 |
| Der Spiegel | 7190,7 | 6088,3 | 5371,8 |
| Focus | – | 3648,1 | 6076,4 |
| stern | 5341,0 | 4885,6 | 4647,2 |

Quelle: W & V-compact, W & V, 24. 3. 1995

der für die Werbewirtschaft attraktiven Zielgruppe der jungen Menschen mit gehobenem Einkommen bedienen. Gruner + Jahr (Hamburg) stellte seine im September 1994 gestartete informationsorientierte Illustrierte „Tango" Mitte 1995 ein. Der Verkauf des im eigenen Haus in Konkurrenz zum „stern" donnerstags herausgegebenen Blattes sank bis Mitte 1995 von 700 000 auf 160 000 Exemplare pro Auflage.

**„Focus"-Erfolg:** Das N. aus dem Burda-Verlag (München) steigerte die verkaufte Auflage 1994 gegenüber 1993 um rd. 25% auf etwa 620 000 Exemlare. Mit einem Zuwachs an verkauften Anzeigenseiten von 66,6% gegenüber 1993 verdoppelte „Focus" den Werbeumsatz auf rd. 180 Mio DM. Zwar verlor das Konkurrenzmagazin „Der Spiegel" im gleichen Zeitraum kaum Leser (rd. 55 000), doch wurden 716 Anzeigenseiten weniger als 1993 gebucht, der größte Anzeigenverlust unter den N. und informationsorientierten Zeitschriften.

**„Spiegel"-Führung:** Unter dem im Dezember 1994 eingesetzten neuen Chefredakteur, Stefan Aust, konnte der „Spiegel" im ersten Quartal 1995 gegenüber 1994 Auflage (1,04 Mio Exemplare) und Anzeigenaufkommen (+2%) erhöhen. Während der durchgängig vierfarbig gestaltete „Focus" mit kurzen Artikeln schnell informieren möchte, hält der „Spiegel" an längeren, Hintergrund erläuternden Artikeln fest. Farbige Elemente wie Grafiken vermittelten ein moderneres Erscheinungsbild.

→ Presse

---

### Nachwachsende Rohstoffe: Chefredakteure

**Stefan Aust, Chefredakteur des „Spiegel"**
* 1. 7. 1946 in Stade. Ab 1970 beim NDR. 1985 Bestseller „Der Baader-Meinhof-Komplex", 1988 „Spiegel-TV". 1994 „Spiegel"-Chefredakteur.

**Helmut Markwort, Chefredakteur des „Focus"**
* 8. 12. 1935 in Darmstadt. 1964 „stern"-Redakteur. 1970 Chefredakteur des „Gong". 1983 Herausgeber von „Ein Herz für Tiere". Ab 1992 „Focus"-Chefredakteur.

**Werner Funk, Chefredakteur des „stern"**
* 23. 5. 1937 in Hannover. Ab 1968 beim „Spiegel". 1980 Chefredakteur des „manager magazin". 1985 „Spiegel"-Chefredakteur. 1994 „stern"-Chefredakteur.

---

### Nachwachsende Rohstoffe

Pflanzen, aus denen Rohstoffe gewonnen werden, z. B. Zucker, Stärke, Öle, Fette und Fasern. N. ersetzen, vor allem in der Chemieindustrie, begrenzt vorkommende mineralische Rohstoffe. Jährlich produziert die Natur zehnmal soviel Biomasse (100 Mrd t SKE) wie Energie verbraucht wird. N. zählen zu den erneuerbaren Energien, weil nur die Menge Kohlendioxid abgegeben wird, die bei der Photosynthese durch die Pflanze aufgenommen wird.

**Anbau:** 1992–1994 erhöhte sich in Deutschland die Anbaufläche von N. um ca. 85% auf rd. 370 000 ha (3,2% der Ackerfläche). Auf etwa 237 000 ha wurden Raps und Sonnenblumen angebaut, insbes. zur Herstellung von Biotreibstoff für Kfz. Die Welthandelsorganisation (WTO) legte 1994 die Obergrenze für den Anbau von Ölsaaten in der Europäischen Union auf 1,2

| Land | Fläche (1000 ha) | |
|---|---|---|
| | 1994 | 1993 |
| Frankreich | 218 | 51 |
| Deutschland | 130 | 51 |
| Großbritannien | 111 | 40 |
| Italien | 70 | 23 |
| Dänemark | 35 | 16 |
| Spanien | 30 | 4 |
| Belgien | 10 | 3 |

**Nachwachsende Rohstoffe: Umgewandelte Landwirtschaftsfläche**

Quelle: Financial Times, 8. 5. 1995

## Nachwachsende Rohstoffe: Verwertung

| Gruppe | Pflanzen | Produkte |
|--------|----------|----------|
| Äthanol | Kartoffeln, Zuckerrüben, Zichorie, Topinambur, Zuckerhirse, Holz, Stroh, Weizen | Biotreibstoff |
| Biomasse | Holz(abfälle), Getreide (Triticale, Winterroggen) Schilfgras, Faserhirse, Mais, Stroh | Wärme, Strom |
| Fasern, Zellulose | Flachs, Hanf, Fasernessel, Holz, Schilfgras | Dämmstoff, Vlies, Folie, Filter, Farben, Lacke, Additive |
| Öle | Raps, Sonnenblume | Öl, Biodiesel |
| Öle, Fette | Raps, Sonnenblume, Leindotter, Rübsen, Senf, Crambe, Saflor, Lein, Mohn | Schmiermittel, Farben, Lacke, Kunststoffe, Hydrauliköl, Emulgatoren, Weichmacher, Seife, Shampoo |
| Stärke, Zucker | Mais, Kartoffeln, Weizen, Markerbsen, Zuckerrüben, Zuckerhirse, Zichorie, Topinambur | Medikamente, Aminosäuren, Pflanzenschutzmittel Vitamine, Tenside, Kosmetika, Kunststoffe, Folien |

Quelle: Focus, 27. 2. 1995

Mio ha fest. In der EU werden infolge Überproduktion Anbauflächen für Nahrungsmittel stillgelegt oder für N. umgewandelt (1995: 12% der Ackerfläche). In Deutschland wurden 1994 rd. 11% des stillgelegten Bodens für N. genutzt. 1993 und 1994 subventionierte das Bundeslandwirtschaftsministerium N. mit je 55 Mio DM.

**Verwendung:** In der deutschen chemischen Industrie werden pro Jahr rd. 1,8 Mio t N. eingesetzt. N., die für Autoteile oder Verpackungen verwendet werden, ersetzen Materialien aus Glas oder Kunststoff. Wissenschaftler schätzten 1994, daß 10% des deutschen Energiebedarfs mit heimischen N., z. B. Holz aus schnell wachsenden Weiden und Pappeln, gedeckt werden könnte (1994: 1,1%), was den $CO_2$-Ausstoß um ca. 15% gegenüber 1993 senken würde. Strom aus Biomasse wird bei einer Einspeisung in das öffentliche Netz mit 80% des durchschnittlichen Strompreises vergütet.

→ Agrarpolitik → Biogas → Biotreibstoff → Energien, Erneuerbare → Hanf

## NAFTA

**Name** North American Free Trade Agreement, engl.; nordamerikanisches Freihandelsabkommen
**Sitz** ohne festen Sitz
**Gründung** 1994
**Mitglieder** Kanada, Mexiko, USA
**Vorsitz** ohne festen Vorsitz
**Funktion** Förderung des Handels zwischen den Mitgliedstaaten

In der größten Freihandelszone erzeugten Mitte der 90er Jahre rd. 380 Mio Menschen etwa 30% (1993: 7290 Mrd Dollar, 10 264 Mrd DM) des weltweiten BSP. Mit Chile wurden Mitte 1995 Verhandlungen über einen Beitritt geführt, der noch bis Ende des Jahres erfolgen soll.

Mit Vertragsbeginn 1994 wurde die Hälfte der Zölle gestrichen, weitere 15% werden bis 1999, der Rest bis 2009 abgeschafft. Die Gründung der NAFTA führte zu einer Belebung des Handels, der 1994 zwischen den Mitgliedern um 17% (50 Mrd Dollar, 70,4 Mrd DM) zunahm. Die Ein- und Ausfuhren zwischen Kanada und Mexiko z. B. stiegen im ersten Halbjahr 1994 gegenüber der Vorjahresperiode um jeweils 36% auf ein Volumen von 1,65 Mrd Dollar (2,32 Mrd DM).

Die Wirtschaft der USA profitierte besonders stark, vor allem die Automobilindustrie: Die Ausfuhr aus den USA nach Mexiko stieg im ersten Halbjahr 1994 gegenüber der Vorjahresperiode von 3630 auf 12 830 Autos.

## NAFTA: Mitglieder im Vergleich

| Merkmal | Kanada | Mexiko | USA |
|---------|--------|--------|-----|
| Einwohner (Mio)[1] | 27,8 | 86,7 | 258,1 |
| BSP je Einw. (Dollar)[1] | 19 970,0 | 3 610,0 | 24 740,0 |
| Wirtschaftswachstum, real (%)[2] | 3,5 | 3,0 | 2,8 |
| Inflationsrate (%)[2] | 0,8 | 8,0[1] | 2,8 |
| Arbeitslosenquote (%)[2] | 11,1 | 20,0[1] | 6,0 |
| Handelsbilanzsaldo (Mrd Dollar)[1] | +12,0 | −13,0 | −116,0 |

Stand: 1994; 1) 1993; 2) Schätzung; Quellen: BfAI, Weltbank

## NATO: Partnerschaft für den Frieden

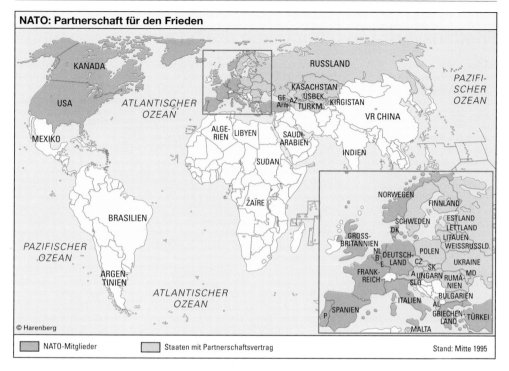

KANADA

RUSSLAND

USA

ATLANTISCHER
OZEAN

PAZIFI-
SCHER
OZEAN

KASACHSTAN

GE AZ USBEK
Arm TURKM KIRGISTAN

MEXIKO

ALGE-
RIEN LIBYEN SAUDI-
ARABIEN

VR CHINA

SUDAN

INDIEN

ZAÏRE

BRASILIEN

NORWEGEN

FINNLAND

SCHWEDEN ESTLAND
DK LETTLAND
LITAUEN
GROSS- WEISSRUSSLD.
BRITANNIEN POLEN
NL DEUTSCH-
B LAND CZ UKRAINE
L SK
A UNGARN RUMÄ- MD
FRANK- SLO NIEN
REICH
ITALIEN BULGARIEN
AL
SPANIEN GRIECHEN- TÜRKEI
P LAND
MALTA

PAZIFISCHER
OZEAN

ARGEN-
TINIEN

ATLANTISCHER
OZEAN

© Harenberg

| ☐ NATO-Mitglieder | ☐ Staaten mit Partnerschaftsvertrag | Stand: Mitte 1995 |

Bis Ende 1994 entstanden in den USA aufgrund des gewachsenen Exportmarktes etwa 100 000 neue Arbeitsplätze. 11 000 US-amerikanische Arbeitnehmer wurden durch Produktionsverlagerungen nach Mexiko arbeitslos; sie erhielten kostenlose Umschulungen. Der wirtschaftliche Aufschwung konzentrierte sich auf Industriezentren in Grenzgebieten, insbes. Monterrey und San Diego (Kalifornien/USA) sowie Ontario/Kanada.

Auf dem OAS-Gipfeltreffen Ende 1994 in Miami/USA schlossen die USA mit den sieben mittelamerikanischen Ländern ein Kooperationsabkommen, das Handels- und Investitionserleichterungen vorsieht.
→ FTAA

## Nahost-Konflikt

→ Übersichtsartikel S. 290

### NATO

**Name** North Atlantic Treaty Organization (engl.; Organisation des Nordatlantik-Vertrags)

**Sitz** Brüssel/Belgien

**Gründung** 1949

**Mitglieder** 14 europäische Staaten sowie USA und Kanada

**Generalsekretär** Willy Claes/Belgien (seit Oktober 1994)

**Funktion** Militärbündnis zur gemeinsamen Verteidigung, Sicherung von Frieden und Freiheit

Mit halbjähriger Verzögerung stimmte Rußland im Mai 1995 dem 1994 mit dem Verteidigungsbündnis ausgehandelten Vertrag über die Ausgestaltung des Programms Partnerschaft für den Frieden und einem Abkommen über die Zusammenarbeit mit der NATO zu. Rußland war 1994/95 gegen eine von der NATO angestrebte Erweiterung der

# Friedensverträge garantieren noch keine Versöhnung

Im Juli 1995 stand ein Abkommen Israels mit der Palästinensischen Befreiungsorganisation (PLO) vor dem Abschluß, das die Ausdehnung des palästinensischen Autonomiegebiets im Gazastreifen und Jericho auf das Westjordanland vorsah. Die im Juni 1994 auf der Grundlage des Kairoer Abkommens vom Mai 1994 aufgenommene palästinensische Selbstverwaltung im ehemals israelisch besetzten Gazastreifen und in Jericho stellte die Friedenspartner im Nahen Osten 1994/95 vor neue Probleme. Israel hatte sich vertraglich verpflichtet, nach einem Truppenabzug weitere Gebiete im Westjordanland unter palästinensische Verwaltung zu stellen und fürchtete um die Sicherheit der dort völkerrechtlich illegal errichteten jüdischen Siedlungen. Radikale Juden drohten mit einer Eskalation der Gewalt, falls der Friedensprozeß zur Preisgabe von Siedlungen führt. Die palästinensische Autonomiebehörde verstrickte sich in Auseinandersetzungen mit militanten islamischen Fundamentalisten, die Anhänger aus dem Lager der vom Friedensprozeß Enttäuschten rekrutieren. Die für einen umfassenden Frieden im Nahen Osten als entscheidend eingestuften Verhandlungen mit der regionalen Vormacht Syrien standen Mitte des Jahres vor einem möglichen Durchbruch.

**Kernproblem Siedlungspolitik:** Als Haupthindernis zum Frieden galten die seit 1967 in den besetzten Gebieten errichteten jüdischen Siedlungen. Aus Rücksicht auf die Sicherheitsbedürfnisse der rd. 120 000 Siedler verweigerte Israel bis Mitte 1995 den vollständigen Rückzug der Armee aus dem Gazastreifen und dem Westjordanland. Einen Truppenabzug verlangten die Palästinenser als Voraussetzung für die Ende 1995 geplanten Wahlen.

**Enteignung in Jerusalem:** Im Mai 1995 setzte die israelische Regierung nach internationalen Protesten Enteignungen in Jerusalem aus. Auf den Grundstücken, die überwiegend Arabern gehören, wollte Israel 7000 Wohnungen errichten. Israel hatte den Ostteil Jerusalems im Sechstagekrieg 1967 annektiert. Gemäß dem Washingtoner Grundlagenabkommen vom September 1993 sollen 1996 Verhandlungen über die Zukunft Jerusalems beginnen, das Israel für sich beansprucht. Die Palästinenser betrachten Ostjerusalem als Hauptstadt eines künftigen unabhängigen palästinensischen Staates.

**Frieden mit Jordanien:** Der israelisch-jordanische Vertrag vom 26. 10. 1994, der einen 46jährigen Kriegszustand beendet, enthält die Aufnahme voller diplomatischer Beziehungen sowie Vereinbarungen zur Grenzziehung und zur wirtschaftlichen Zusammenarbeit. Jordanien erhält einen 380 km$^2$ großen Grenzstreifen im Wadi al-Araba zurück und verpachtet zwei kleine Gebiete für 25 Jahre an Israel. Jordanien ist nach Ägypten (1979) der zweite arabische Staat, der mit Israel Frieden schloß. Im April 1995 unterzeichneten beide Staaten Kooperationabkommen über Tourismus, Luftverkehr und wissenschaftliche Zusammenarbeit. Neben Jordanien unterhielten Mitte 1995 die arabischen Staaten Bahrain, Katar, Marokko, Oman und Tunesien diplomatische Vertretungen in Israel.

**Verhandlungen mit Syrien:** Die im Dezember 1994 unterbrochenen Verhandlungen zwischen Israel und Syrien wurden im Juni 1995 auf der Ebene der Generalstabschefs in Washington fortgesetzt. Syrien forderte als ersten Schritt einen Zeitplan zum bedingungslosen Abzug Israels von den seit 1967 annektierten Golanhöhen. Israel hatte im Juni erstmals die Rückgabe eines Teilstücks signalisiert, wenn zuvor ein Friedensvertrag abgeschlossen wird. Ungeklärt waren in erster Linie militärstrategische Fragen. Nach Auffassung Israels müsse die geplante entmilitarisierte Zone Syriens auf dem Golan größer sein als die Israels, da Israel ein kleineres Land sei. Syrien beharrt hingegen auf einer sog. symmetrischen Entmilitarisierung. Außerdem solle nicht die Waffenstillstandslinie von 1949 an den Höhenklippen des Golans, sondern die internationale Grenze von 1967 am Ostufer des Sees Genezareth die zukünftige Grenzlinie bilden. 1995 gab es auf den Golanhöhen 35 israelische Ortschaften mit 12 000 jüdischen Siedlern.

**Boykott gelockert:** Im September 1994 beendete der Golf-Kooperationsrat (Bahrain, Katar, Kuwait, Oman, Saudi-Arabien, Vereinigte Arabische Emirate) die Sanktionen gegen ausländische Unternehmen, die mit Israel Handel treiben. Libanon, Libyen, Irak und Iran lehnten Lockerungen des Boykotts bis zum Rückzug Israels aus den besetzten Gebieten und dem Südlibanon ab.     (JE)

→ Dschihad Islami → Hamas → Palästinensische Autonomiegebiete → PLO

Allianz um mittel- und osteuropäische Staaten, weil es darin eine Beeinträchtigung seiner Sicherheit sah.

**Erweiterung:** Ende 1995 will die NATO einen Plan über die Osterweiterung vorlegen. Über mögliche Beitrittskandidaten bzw. Zeitpunkt und Reihenfolge der Aufnahme wird 1995 nicht entschieden. Albanien, die drei baltischen Staaten, Bulgarien, Polen, Rumänien, die Slowakei, die Tschechische Republik und Ungarn strebten 1994/95 eine Mitgliedschaft an. Die meisten Staaten waren grundätzlich bereit, sich in die gemeinsame Kommandostruktur einzufügen sowie der Stationierung fremder Truppen und der Lagerung von Atomwaffen auf eigenem Territorium zuzustimmen. Nach Auflösung von Warschauer Pakt und Sowjetunion wollen sich die osteuropäischen Staaten vor allem gegen russisches Vormachtstreben absichern.

**Voraussetzung:** Als Vorbedingung für einen Beitritt gilt die demokratische Kontrolle der Streitkräfte, die friedliche Beilegung von Streitigkeiten mit den Nachbarstaaten und die Bereitschaft zur gemeinsamen Verteidigung durch die Allianz. Die NATO-Erweiterung soll zum EU-Beitritt parallel laufen. Über die Zulassung von Bewerbern entscheidet die Allianz allein, die Aufnahme muß von den Parlamenten aller NATO-Mitglieder gebilligt werden. Ein Vetorecht Rußlands wird nicht akzeptiert.

**Partnerschaft für den Frieden:** Mit dem Programm von 1994 bietet die NATO den Mitgliedern der KSZE (ab 1995: OSZE) militärische Zusammenarbeit an, ohne sich auf eine Erweiterung der Allianz festzulegen. Bis Mitte 1995 traten 23 Staaten der NATO-Initiative bei. Die Partnerschaft sieht gemeinsame Verteidigungsplanung, Ausbildung, Manöver für humanitäre Einsätze und Friedensmissionen sowie den Austausch von Militärpersonal und die Unterstützung bei der Reform der nationalen Streitkräfte vor. Beim NATO-Hauptquartier Europa (Mons/Belgien) wurde eine ständige Verbin-

### NATO: Führungsspitze

**Willy Claes, Generalsekretär**
* 24. 11. 1938 in Hasselt/Belgien. Ab 1973 Wirtschaftsminister, 1992 Außenminister und Vorsitz der europäischen Sozialdemokraten, ab 16. 10. 1994 NATO-Generalsekretär.

**Klaus Naumann, designierter Vorsitzender Militärausschuß**
* 25. 5. 1939 in München. 1991–1995 Generalinspekteur Bundeswehr, ab 14. 2. 1996 Vorsitz des höchsten Militärorgans der Allianz.

### NATO: Mitgliedervergleich mit WEU und EU

| Land | Beitrittsjahr[1] | | |
|---|---|---|---|
| | **NATO** | **WEU** | **EG/EU** |
| Belgien | 1949 | 1954 | 1951/1958 |
| Dänemark | 1949 | –[2] | 1973 |
| Deutschland | 1955 | 1954 | 1951/1958 |
| Finnland | – | –[2] | 1995 |
| Frankreich | 1949[3] | 1954 | 1951/1958 |
| Griechenland | 1952 | 1992 | 1981 |
| Großbritannien | 1949 | 1954 | 1973 |
| Irland | – | –[2] | 1973 |
| Island | 1949 | –[4] | – |
| Italien | 1949 | 1954 | 1951/1958 |
| Kanada | 1949 | – | – |
| Luxemburg | 1949 | 1954 | 1951/1958 |
| Niederlande | 1949 | 1954 | 1951/1958 |
| Norwegen | 1949 | –[4] | – |
| Österreich | 1949 | –[2] | 1995 |
| Portugal | 1949 | 1989 | 1986 |
| Schweden | – | –[2] | 1995 |
| Spanien | 1982 | 1989 | 1986 |
| Türkei | 1952 | –[4] | – |
| USA | 1949 | – | – |

1) Gründung von NATO 1949, WEU 1954, Europäischer Gemeinschaft für Kohle und Stahl (EGKS) 1951, Europäischer Wirtschaftsgemeinschaft (EWG) und Europäischer Atomgemeinschaft (EURATOM) 1958; 2) Beobachterstatus; 3) 1966 aus militärischer Integration ausgeschieden; 4) assoziierte Mitglieder ohne Stimmrecht

dungsstelle eingerichtet. Bis Mitte 1995 vereinbarten 14 Staaten in Einzelverträgen mit der NATO gemeinsame Vorhaben.

**Sonderverhältnis:** Das Abkommen mit Rußland legt Regeln für einen Informationsaustausch (Militärstrategie und -doktrin, Verteidigungshaushalt, Rüstungskonversion), eine Kooperation bei internationalen humanitären und Friedensmissionen sowie Konsultationen in Fragen fest, die Massenvernichtungswaffen und politische Krisen in Europa betreffen. Damit erkannte die NATO die Sonderrolle Rußlands als Atom- und Großmacht an, ohne Rußland ein Mitspracherecht bei NATO-Entscheidungen einzuräumen. Vorschläge, Kompetenzen der Allianz auf die OSZE zu verlagern, in der Rußland gleichberechtigtes Mitglied ist, wurden zurückgewiesen.

**Bosnien:** Mitte 1995 stellte die NATO eine multinationale Schnelle Eingreiftruppe (etwa 10 000 Soldaten) zur Unterstützung der UNO-Blauhelme auf, die z. T. von bosnischen Serben als Geiseln genommen wurden. Zur Sicherung eines eventuellen Abzuges der Friedenstruppen (etwa 23 000 Soldaten) wären nach Angaben des NATO-Oberbefehlshabers in Europa, George Joulvan, bis zu 45 000 Soldaten, drei Flugzeugträger und 70 Flugzeuge nötig. Die NATO überwacht seit 1992 in der Adria das Embargo gegen Jugoslawien und das militärische Flugverbot im bosnischen Luftraum (AWACS-Einsatz).

→ Atomwaffen → Balkan-Konflikt → OSZE → WEU

---

## Naturkatastrophen

→ Übersichtsartikel S. 293

---

## Naturschutz

Maßnahmen zur Erhaltung und Wiederherstellung gewachsener Landschaften und Landschaftselemente als Lebensraum für Pflanzen und Tiere. Im deutschen N.-Gesetz sind unterschied-liche Abstufungen für den N. festgelegt, die u. a. auch eine begrenzte Nutzung geschützter Gebiete, z. B. zur Erholung, erlauben.

Der Bund für Umwelt- und Naturschutz Deutschland (BUND, Bonn) forderte 1995 von der Bundesregierung aus CDU/CSU und FDP, die seit acht Jahren angekündigte Novellierung des N.-Gesetzes durchzuführen. Eingriffe in die Natur sollen vermieden werden, gegen naturzerstörende Projekte sollen Klagen erhoben werden können, die Landwirtschaft soll nur noch als ordnungsgemäß gelten, wenn sie Grundwasser, Böden, Tiere und Pflanzen nicht gefährdet. Das N.-Gesetz von 1976 erlaubt dagegen, daß Pestizide (jährlich 25 000 t) und Düngemittel (4,3 Mio t) auf Gärten und Äcker ausgebracht werden.

→ Artenschutz → Tierschutz

---

## Negawatt

Wortspiel, hinter dem das Konzept steht, bei wachsendem Energiebedarf nicht die Leistung (Megawatt) von Kraftwerken zu erhöhen, sondern in Energiesparmaßnahmen zu investieren (auch: Least Cost Planning, engl.; Minimalkostenplanung), die billiger sind als die Bereitstellung zusätzlicher Energie. Die Energieversorger unterstützen u. a. den Kauf von stromsparenden Lampen und Haushaltsgeräten. In Deutschland führten 1994 nach Angaben der Vereinigung Deutscher Elektrizitätswerke 53 Energieversorger rd. 160 N.-Projekte durch. Die RWE Energie AG z. B. fördert vom 1. 3. 1995 bis 30. 6. 1996 die Anschaffung eines Gefriergerätes mit überdurchschnittlich niedrigem Stromverbrauch mit 100 DM (Projektkosten: rd. 20 Mio DM). Die Ausgaben für N. werden auf den Strompreis aufgeschlagen bzw. von dem Nutzer, z. T. unterstützt mit staatlichen Subventionen, zurückgezahlt. Kunden werden durch N. nicht stärker belastet, weil die Sparmaßnahmen den Verbrauch senken.

→ Contracting

# Klimaveränderung bringt Stürme und Überflutungen

In den 80er Jahren stiegen nach einer Studie der Rückversicherungs-AG (München) die Schäden durch Naturkatastrophen gegenüber den 60er Jahren um das Dreifache. Ursache war die vom sog. Treibhauseffekt bewirkte Klimaveränderung mit Temperatursteigerungen, die zu einer höheren Zahl von Flutkatastrophen und Stürmen führte. 1994 stiegen die Versicherungsschäden aus weltweit 579 Naturkatastrophen gegenüber 1993 um 15 Mrd DM auf 65 Mrd DM. Bis 2000 rechnete die Münchener Rückversicherung mit jährlich bis zu 140 Mrd DM Schäden. Die Versicherungsbranche reagierte mit steigenden Prämien und forderte die Einschränkung des Energieverbrauchs in den Industrieländern, der zu Luftverschmutzung und Treibhauseffekt führte, sowie die Förderung erneuerbarer Energien.

**Wind und Überflutung durch Treibhauseffekt:** Der erhöhte Kohlendioxidgehalt in der Atmosphäre rief eine Erwärmung des weltweiten Klimas, den sog. Treibhauseffekt, hervor. 1990–1993 nahm die durchschnittliche Oberflächentemperatur der Erde um 0,5–0,7 °C zu. Ein Anstieg um 4 °C nach der letzten Eiszeit dauerte etwa 5000 Jahre. Die erwärmte Luft läßt über den Meeren mehr Wasser verdunsten, so daß Regengüsse ergiebiger und häufiger werden und zu mehr Überschwemmungen führen. Hurrikane und Taifune bilden sich über tropischen Meeren mit mindestens 26 °C Wassertemperatur. Wissenschaftler schätzten Mitte der 90er Jahre, daß ein Anstieg der Meerestemperatur um 3 °C bis 4 °C zu Hurrikanen und Taifunen mit Geschwindigkeiten von mehr als 300 km/h und einem um 50% gesteigerten Zerstörungspotential führen könnte.

**Entwicklungsländer ohne wirksamen Schutz:** Unter Naturkatastrophen litten besonders Länder der sog. Dritten Welt. Während in Industrienationen materielle Verluste überwogen, starben in den Entwicklungsländern jährlich Zehntausende Menschen, weil das Geld für den Bau von erdbebensicheren Gebäuden oder schützenden Deichen fehlte. Auch die finanziellen Folgen wiegen in Ländern wie etwa Bangladesch schwerer als in Staaten der industrialisierten Welt, weil die Schadenshöhe einer Naturkatastrophe die des Bruttosozialprodukts übersteigen kann. Das Tempo der volkswirtschaftlichen Entwicklung eines Landes ist von der Häufigkeit von Naturkatastrophen abhängig.

**Vorhersage klimabedingter Katastrophen:** Nach der Einführung eines Frühwarnsystems vor Stürmen und Überschwemmungen im südasiatischen Bangladesch wurde die Bevölkerung 1994 gewarnt. Die meisten Menschen konnten das betroffene Gebiet verlassen. 1991 gab es bei einer ähnlichen Überschwemmung 290 000 Tote. In China wurde 1994 ein computergesteuertes Überwachungssystem zur Warnung vor Überschwemmungen in Betrieb genommen.

**Pazifikinseln vor Untergang:** Folge des von der Klimaerwärmung bewirkten Abschmelzens von Eismassen an den Polen ist ein Anstieg des Meeresspiegels, der 60% der in Küstennähe lebenden Weltbevölkerung bedroht. Die flachen Koralleninseln im Pazifik werden laut Prognose bis 2050 im Meer versinken. Inselstaaten wie Kiribati, Mikronesien, Tonga und Tuvalu wären jedoch schon vor einer Überflutung unbewohnbar, weil das Grundwasser mit Salzwasser verunreinigt würde. Der Flughafen der im Indischen Ozean gelegenen Malediven mußte Mitte der 90er Jahre oft schließen, weil die Landebahnen überspült waren. Abgeordnete von 90 Inselstaaten und -territorien forderten die Industrienationen 1995 auf, gegen die Klimaerwärmung durch Verminderung des Kohlendioxidausstoßes vorzugehen.                    (ad)

→ Desertifikation → Kohlendioxid → Klimaveränderung → Luftverschmutzung → Treibhauseffekt → Tropenwälder

| Klimabezogene Naturkatastrophen | | |
|---|---|---|
| Katastrophe | Region | Jahr |
| Zyklon | Bangladesch | 1991 |
| Taifun Mireille | Japan | 1991 |
| Feuersbrunst Oakland | Nordamerika | 1991 |
| Hurrikan Andrew | Nordamerika | 1992 |
| Zyklon Iniki | Nordamerika | 1992 |
| Winterstürme | Nordamerika | 1993 |
| Feuersbrunst Los Angeles | Nordamerika | 1993 |
| Überschwemmungen | China | 1994 |
| Überschwemmungen | Nordamerika | 1994 |
| Überschwemmungen | Europa | 1995 |

Quelle: World Watch, Januar/Februar 1995

## Neigezüge

Eisenbahnzüge, deren Wagenaufbau sich in Kurven ähnlich wie ein Motorradfahrer zur Innenseite neigt. Die Neigetechnik ermöglicht um bis zu 40% schnellere Kurvenfahrten. Mit N. kann im Unterschied zu Hochgeschwindigkeitszügen die Reisezeit auf kurvenreichen Strecken ohne Begradigungsmaßnahmen und kostspielige Bauwerke (z. B. Tunnel) verringert werden. In Deutschland sind durchschnittliche Fahrzeitverkürzungen um 20% erzielbar. 1994 bestellte die Deutsche Bahn bei der Bahnindustrie 43 N. für den Intercity- und 50 für den Inter-Regio-Verkehr, die ab 1996 ausgeliefert werden. Die Technik der Züge basiert auf der in Italien entwickelten Pendolino-Technik (pendere, ital.; sich neigen). Ein Computer erhält Meßdaten über Kurvenradius sowie Fahrgeschwindigkeit und steuert entsprechend hydraulische Pumpen, die eine Seitenneigung bis 8° einstellen.
→ Bahn, Deutsche → Hochgeschwindigkeitszüge → Schnellbahnnetz

## Netzwerk

Verknüpfung von Datenverarbeitungsanlagen, die innerbetrieblich, landes- und weltweit kommunizieren können. Mitte der 90er Jahre ging der Trend bei N. zu sog. Client-/Server-Systemen, bei denen Personalcomputer (PC) gleichberechtigt miteinander kommunizieren können. In den 80er Jahren

### Netzwerk: Arten und Eigenschaften

**Local Area Network (LAN)**
(engl.; lokales Netzwerk), Verbindung von Datenverarbeitungsanlagen innerhalb eines Unternehmens

**Metropolitan Network (MAN)**
(engl.; innerstädtisches Netzwerk), Vernetzung von LAN in einem Umkreis von 100 km

**Wide Area Network (WAN)**
(engl.; landesweites Netzwerk), z. B. Vernetzung von Firmenzentralen und Geschäftsstellen

**Global Area Network (GAN)**
(engl.; internationales Netzwerk), grenzüberschreitende Verbindung öffentlicher und privater Netze

waren N. mit einem Zentralrechner üblich, über den alle Rechenoperationen liefen. Bei einem Ausfall des Zentralcomputers konnte das N. nicht mehr arbeiten. 1994 waren nach Schätzungen rd. 70% aller professionell genutzten PC in Deutschland vernetzt. Etwa 30 Mio Menschen weltweit hatten Mitte 1995 Zugriff auf das größte Computer-N. der Welt, das Internet. Die Daten in N. wurden 1995 über unternehmensinterne Netze (z. B. Ethernet), über ISDN oder über die Telefonleitung übertragen, bei der ein Modem zwischen Computer und Telefon geschaltet werden muß, um die digitalen Daten des PC in analoge umzuwandeln. In unternehmensinternen N. wie dem Ethernet war eine Übertragungsgeschwindigkeit von 10 MBit/sec üblich, die für große Datenmengen (z. B. Filme) jedoch nicht ausreicht. Anfang 1995 wurde eine Ethernet-Variante mit 100 MBit/sec vorgestellt.
Über Telefonleitungen können rd. 4800 Bit/sec, über ISDN 64 000 Bit/sec übertragen werden. Digitale Breitbandnetze (B-ISDN) ermöglichten Übertragungsgeschwindigkeiten von 600 bis 800 MBit/sec, sie befanden sich in Deutschland Mitte 1995 jedoch erst in der Erprobung. Als Übertragungsweg der Zukunft galt die Breitbanderweiterung von ISDN ATM (Asynchroner Transfer Modus), deren Übertragungsgeschwindigkeiten den Zwecken entsprechend gewählt werden kann, z. B. benötigen Fotos höhere Geschwindigkeiten als Text.
→ Computer → Datenautobahn → Glasfaserkabel → Internet → ISDN → Online-Dienste

## Neurocomputer

(Neuron, griech.; Nervenzelle), nach dem Vorbild des menschlichen Gehirns aufgebauter Rechner. Mikroprozessoren (Kleinstrechner) werden zu einem sog. neuronalen Netz verknüpft. Die Chips verfügen wie menschliche Nervenzellen über eine Zuleitung und mehrere Ausgangskanäle. Durch Verschaltungen, die das System selbständig durchführt, werden Lernprozesse des Gehirns nachgeahmt. Fernziel der Forschung war die Nachahmung des menschlichen Gehirns, Mitte der 90er Jahre konnten jedoch nur einfache Probleme von N. gelöst werden.

Wichtigste Anwendungsgebiete von N., die Aufgaben bis zu 10 000mal schneller lösen als die leistungsfähigsten Arbeitsplatzrechner (engl.; workstations), waren 1995 die Mustererkennung (z. B. das Wiedererkennen von Unterschriften und Gesichtern), Wirtschaftsprognosen und die Überprüfung der Kreditwürdigkeit von Bankkunden. Neuronale Netze wurden auch beim Bau sog. autonomer Roboter eingesetzt, die sich eigenständig bewegen und Hindernisse erkennen können. N. haben gegenüber herkömmlichen Computern Vorteile:

▷ Die verschalteten Rechnereinheiten arbeiten gleichzeitig an verschiedenen Rechenschritten eines Problems
▷ Der N. vergleicht aktuelle Informationen mit früheren Eingaben und bildet selbständig Regeln
▷ N. sind fehlertolerant: Signale, die um 50% von der üblichen Form abweichen (z. B. verschwommene Bilder oder gestörte Geräusche), werden mit Hilfe assoziativer Fähigkeiten identifiziert.

Die schnellsten N. stellten 1995 pro Sekunde rd. 1 Mrd Verbindungen zwischen ca. 600 künstlichen Neuronen her (menschliches Gehirn: rd. 2000 Mrd Verbindungen zwischen 100 Mrd Neuronen).

→ Parallelcomputer → Roboter

## Neurotechnologie

Koppelung der Forschungsbereiche Medizin, Informatik und Mikrosystemtechnik mit dem Ziel, unheilbare Krankheiten zu therapieren, die von durchtrennten Nerven herrühren. Nervenbahnen sollen durch Mikroprozessoren, die Impulse weiterleiten, verbunden werden. N. soll Querschnittsgelähmten die motorische Kontrolle zurückgeben. Prothesen, die von Nervenimpulsen gesteuert werden, sollen mit N. für Amputierte sowie für Taube und Blinde hergestellt werden. Mikroelektroden könnten auch Nerven im Muskel zur Wiederaufnahme der Arbeit anregen.

Seit Anfang der 90er Jahre ist eine mit N. gefertigte Gehörprothese erhältlich, die als Implantat hinter dem Ohr eingesetzt wird. Ein integrierter Chip reizt die Hörnerven durch elektrische Impulse. Das sog. Cochlea-Implantat übernimmt die Funktion der Haarzellen, die im gesunden Ohr die Hörnerven stimulieren.

| Neurocomputer: Umsatzprognose | |
|---|---|
| Jahr | Umsatzanstieg (%)[1] |
| 1991 | 41,4 |
| 1992 | 52,6 |
| 1993 | 58,8 |
| 1994 | 53,7 |
| 1995 | 47,0 |
| 1996 | 40,0 |
| 1997 | 36,3 |
| 1998 | 37,7 |

1) Zum Vorjahr; Umsatz 1991: rd. 0,2 Mrd Dollar (0,3 Mrd DM); Quelle: Financial Times, 19. 8. 1994

## Neutrinos

(lat.; kleine neutrale Teilchen), ungeladene Elementarteilchen, die bei Atomkernreaktionen (z. B. dem radioaktiven Zerfall) erzeugt werden. N. entstehen in der Sonne und in Galaxien, durchfliegen das Weltall und können feste Materie durchdringen. Ein Experiment, das 1995 in Los Alamos (New Mexico/USA) durchgeführt wurde, deutet darauf hin, das N. eine Masse von 0,5 bis 5 Elektronenvolt besitzen. Dies entspricht etwa der Masse eines Millionstel bis Hunderttausendstel Elektrons. Falls N. eine Masse in dieser Größenordnung besitzen, könnten sie nach Modellrechnungen rd. 20% der Dunklen Materie bilden, aus der das Universum nach dem Standardmodell zum Aufbau des Universums (Urknall-Theorie) bestehen soll.

**Sonnenteilchen:** Das GALLEX-Experiment im italienischen Gran-Sasso-Massiv bestätigte 1995 Messungen, nach denen die Zahl der von der Sonne kommenden N. drei- bis viermal geringer ist als nach dem sog. Standard-Sonnenmodell der Physik angenommen. Dies stellt die Vorstellungen vom Aufbau der Sonne in Frage. Eine andere Erklärung wäre, daß N. sich auf dem Weg von der Sonne zur Erde in nicht meßbare N. oder andere Teilchen umwandeln.

**Berylliumteilchen:** Für Ende 1995 ist der Baubeginn des italienischen Projekts BOREXINO geplant, das nach einer seltenen Form der N., den Beryllium-N., fahnden soll. Diese N. entstehen wahrscheinlich zusammen mit Bor-N. beim Verbrennungsprozeß in der Sonne.

→ Dunkle Materie → Quarks → Universumsalter

## Neutronenreaktor

Im September 1994 wurde der Vertrag über den Bau des Atomforschungsreaktors München II (FRM II, Leistung: 20 MW) in Garching zwischen der Technischen Universität und der Firma Siemens unterzeichnet. Mit dem Baubeginn wird Ende 1995 gerechnet. Die Aufnahme des Forschungsbetriebs war für 2001 geplant. Der N. soll den seit 1957 betriebenen FRM I (sog. Atom-Ei) ersetzen und Neutronen (ungeladene Teilchen des Atomkerns) produzieren, die in der Grundlagen- und Materialforschung, Meßtechnik, Medizin, Biologie sowie zur Herstellung von Silizium-Halbleitern eingesetzt werden. Umstritten war der N. wegen der Verwendung von hochangereichertem (93%), atomwaffenfähigem Uran 235 (HEU) als Kernbrennstoff.

Mitte der 90er Jahre gab es nur einen mit dem FRM II vergleichbaren N. in Grenoble/Frankreich. In Oak Ridge/USA war eine ähnliche Anlage geplant (Advanced Neutron Source, Leistung: 330 MW). Die Baukosten für den FRM II (rd. 720 Mio DM) lagen Ende 1994 um ein Drittel höher als 1992 veranschlagt. 60% trägt der Bund, 40% das Land Bayern.

Kritiker des N. befürchten, daß die HEU-Verwendung (pro Jahr: ca. 40 kg) den internationalen Bemühungen entgegenstehe, die Verbreitung atomwaffenfähigen Materials durch eine Erneuerung des Atomwaffensperrvertrags zu verhindern. 39 der weltweit 42 Forschungsreaktoren würden mit niedrig angereichertem Uran (20%, LEU) betrieben bzw. darauf umgestellt. Dazu müßte die Leistung des FRM II auf 40 MW gesteigert werden, was die jährlichen Betriebskosten der TU München zufolge auf rd. 40 Mio DM verdoppeln würde. Die USA, weltweit wichtigster HEU-Lieferant für Forschungszwecke, lehnten den Export seit 1992 ab, weil sie die Verwendung waffenfähigen Materials verhindern wollen.

→ Atomenergie → Atomwaffen

## Newstalk-Radio

(engl.; Nachrichten-Gesprächs-Radio), der Start des ersten deutschen Radioprogramms, das ausschließlich aus Wortbeiträgen besteht (u. a. Nachrichten und Gesprächsrunden mit lokalem Schwerpunkt), war für Mitte 1995 in Berlin geplant. Es wird keine Musik ausgestrahlt. Gesellschafter des werbefinanzierten Privatsenders waren RTL-Radio und I.S.T. Radio.

## NGO

(Nongovernmental Organizations, engl.; Nichtregierungsorganisationen), private Hilfsorganisationen, die sich vor allem in den Bereichen Entwicklungs- und Sozialpolitik (z. B. Deutsche Welthungerhilfe, terre des hommes), Menschenrechte (z. B. Amnesty International) und Umweltschutz (z. B. Greenpeace) engagieren. NGO finanzieren sich größtenteils durch Spenden und Mitgliedsbeiträge.

Seit Anfang der 90er Jahre gewinnen NGO an politischem Einfluß, weil ihnen Regierungen humanitäre Hilfsprogramme bei Hungerkatastrophen oder Bürgerkriegen übertragen bzw. überlassen. Weitere Gründe sind die weltweite Zunahme von Kriegen und Krisen, die Kürzung der Entwicklungshilfe in den Industriestaaten und eine Professionalisierung der NGO.

Am Weltsozialgipfel in Kopenhagen/Dänemark im März 1995 beteiligten sich 1299 NGO, deren Vertreter z. T. als Berater der offiziellen Delegationen ihrer Herkunftsländer fungierten, mit einer Parallelkonferenz. Die

NGO forderten vergeblich Mitspracherechte, z. B. im Wirtschafts- und Sozialrat der UNO (ECOSOC), in dem sie einen Beobachterstatus innehatten, und eine Verpflichtung der Staaten zur weltweiten Armutsbekämpfung. Politiker betonten auf dem Weltsozialgipfel die Effektivität privater Hilfsinitiativen, da ihre Experten meist bessere Problemkenntnisse besäßen als Regierungsbeamte. Kritiker bemängelten, daß einzelne private Hilfsorganisationen, z. B. CARE in Ruanda 1994, auf die organisatorischen Probleme von großen Flüchtlings- und Hungerkatastrophen nicht ausreichend vorbereitet seien und es zu Verschwendung von Spendengeldern komme.
→ Entwicklungspolitik → Spenden → Weltsozialgipfel

## Nichteheliche Kinder

Im Zuge einer Reform des Kindschaftsrechts, die die CDU/CSU/FDP-Bundesregierung bis zum Ende der Legislaturperiode 1998 verabschieden will, soll die rechtliche Stellung von N. und ihrer Eltern verbessert werden. Bundesjustizministerin Sabine Leutheusser-Schnarrenberger (FDP) stellte im Juli 1994 Regelungen vor, die die Gleichstellung der nichtehelich Geborenen (1993: 14,8% aller Lebendgeborenen in Deutschland) gesetzlich verankern sollen:
▷ Sorgerecht: Unverheiratete Paare erhalten auf Wunsch ein gemeinsames Sorgerecht
▷ Abstammung: Die bis zu zehn Monate nach einer Scheidung geborenen Kinder gelten nicht mehr als eheliche Kinder des geschiedenen Mannes
▷ Beistandschaft: Die gesetzlich vorgeschriebene Amtspflegschaft für N. wird auf Antrag des Erziehenden durch eine freiwillige Beistandschaft des Jugendamtes ersetzt
▷ Umgangsrecht: Unverheiratete Väter erhalten nach einer Trennung, ebenso wie geschiedene Väter, ein Besuchsrecht. Nach geltender Regelung entscheiden die Mütter über Art und Weise des Umgangs
▷ Unterhalt: Die Verpflichtung des Vaters, sechs Wochen vor und acht Wochen nach der Geburt Unterhalt für die Mutter zu zahlen, verlängert sich auf drei Jahre
▷ Erbschaft: N. erhalten als gleichberechtigter Teil der Erbengemeinschaft das Recht, den väterlichen Nachlaß mitzuverwalten. Die Sonderregelung, die N. lediglich einen Geldanspruch in Höhe des Erbteils zuspricht, entfällt
Das Bundesverfassungsgericht entschied im Mai 1995, daß den Vätern von N. bei einer Adoption des Kindes durch die Mutter und deren Ehemann ein Mitspracherecht eingeräumt werden muß. Der Gesetzgeber wurde aufgefordert, das Adoptionsrecht bis 1998 an die Entscheidung anzupassen.
→ Sorgerecht

## Nobelpreis

Jährlich verliehene Auszeichnung für herausragende Leistungen auf den Gebieten Physik, Medizin/Physiologie, Chemie, Literatur und Wirtschaftswissenschaften sowie für besondere Verdienste um die Erhaltung des Friedens. Der N. war 1994 mit jeweils ca. 1,5 Mio DM ausgestattet und wurde an folgende Personen verliehen:
▷ Physik: Bertram N. Brockhouse (Kanada) und Clifford Shull (USA) konnten mit Hilfe von Neutronen den atomaren Aufbau von Festkörpern beobachten
▷ Physiologie/Medizin: Alfred G. Gilman und Martin Rodbell (USA) entdeckten G-Proteine. Sie sind für die Übertragung von Signalen in Zellen zuständig. G-Proteine beeinflussen u. a. die Entstehung von Krebsleiden und von Cholera
▷ Chemie: Der gebürtige Ungar George A. Olah (USA) erforschte mit Hilfe der Spektroskopie in stark sauren Lösungen Kohlenstoffverbindungen, die nur als äußerst unbeständige Zwischenstu-

## Nobelpreisträger

**Reinhard Selten**
* 5. 10. 1930 in Breslau (heute Polen), Dr. rer. nat. Wurde 1994 für seine Weiterentwicklung der Spieltheorie als erster Deutscher mit dem Nobelpreis für Wirtschaftswissenschaften ausgezeichnet.

**Kenzaburo Oe,**
* 1935 auf Shikoku/Japan. 1994 erhielt er als zweiter Japaner für die kritische Analyse der japanischen Gesellschaft in seiner Prosa (z. B. „Eine persönliche Erfahrung", 1964) den Nobelpreis für Literatur.

fen bei chemischen Reaktionen auftreten (Carbokationen). Seine Erkenntnisse finden Anwendung insbes. bei der Kohleverflüssigung
▷ Literatur: Als zweiter Japaner erhielt Kenzaburo Oe die Auszeichnung, mit der sein erzählerisches Werk gewürdigt wird

▷ Wirtschaftswissenschaft: John C. Harsanyi, John F. Nash (USA) und Reinhard Selten (Deutschland) entwickelten die Spieltheorie weiter. Ihr Beitrag soll Konfliktsituationen erklären, die wirtschaftliches Handeln erschweren
▷ Frieden: Jasir Arafat (Palästinensische Befreiungsorganisation, PLO), Außenminister Shimon Peres und Ministerpräsident Yitzhak Rabin (beide Israel) erhielten die Auszeichnung als Urheber des Friedensprozesses im Nahen Osten.

Der N. wird seit 1901 am 10. 12., dem Todestag des Stifters Alfred Nobel (1833–1896), in Stockholm/Schweden und Oslo/Norwegen (Frieden) verliehen. Die Auszeichnung wird aus den Zinsen der Nobelstiftung, ein aus dem hinterlassenen Vermögen des Industriellen Nobel gebildeter Fonds, zu gleichen Teilen an die jeweiligen Preisträger übergeben.

## Nobelpreis, Alternativer

(eigentlich Right Livelihood Award, engl.; Preis für verantwortungsbewußte Lebensführung), von der Stiftung für verantwortungsbewußte Lebensführung (London) vergebene Aus-

### Nobelpreisträger ab 1990

| Jahr | Preisträger (Land) |
|------|--------------------|
| **Chemie** | |
| 1990 | Elias J. Corey (USA) |
| 1991 | Richard Ernst (Schweiz) |
| 1992 | Rudolph A. Marcus (Kanada) |
| 1993 | Karry B. Mullis (USA) Michael Smith (Kanada) |
| 1994 | George A. Olah (USA) |

| Jahr | Preisträger (Land) |
|------|--------------------|
| **Physik** | |
| 1990 | Jerome I. Friedman (USA) Henry W. Kendall (USA) Richard E. Taylor (Kanada) |
| 1991 | Pierre-Gilles de Gennes (Frankreich) |
| 1992 | Georges Charpak (Frankreich) |
| 1993 | Russel A. Hulse (USA) Joseph Taylor (USA) |
| 1994 | Bertram Brockhouse (Kanada) Clifford Shull (USA) |

| Jahr | Preisträger (Land) |
|------|--------------------|
| **Literatur** | |
| 1990 | Octavio Paz (Mexiko) |
| 1991 | Nadine Gordimer (Südafrika) |
| 1992 | Derek Walcott (Saint Lucia) |
| 1993 | Toni Morrison (USA) |
| 1994 | Kenzaburo Oe (Japan) |

| **Wirtschaftswissenschaften** | |
|------|--------------------|
| 1990 | Harry Markowitz (USA) Merton Miller (USA) William Sharpe (USA) |
| 1991 | Ronald H. Coase (Großbritannien) |
| 1992 | Gary S. Becker (USA) |
| 1993 | Robert W. Fogel (USA) Douglas C. North (USA) |
| 1994 | John C. Harsanyi (USA) John F. Nash (USA) Reinhard Selten (Deutschland) |

| Jahr | Preisträger (Land) |
|------|--------------------|
| **Physiologie/Medizin** | |
| 1990 | Joseph E. Murray (USA) E. Donnall Thomas (USA) |
| 1991 | E. Neher (D), B. Sakmann (D) |
| 1992 | Edmond H. Fischer (USA) Edwin G. Krebs (USA) |
| 1993 | Phillip Sharp (USA) Richard Robertson (Großbritann.) |
| 1994 | Alfred G. Gilman (USA) Martin Rodbell (USA) |

| **Frieden** | |
|------|--------------------|
| 1990 | M. Gorbatschow (Sowjetunion) |
| 1991 | Aung San Suu Kyi (Myanmar) |
| 1992 | Rigoberta Menchú (Guatemala) |
| 1993 | Nelson Mandela (Südafrika) Frederik W. de Klerk (Südafrika) |
| 1994 | Jasir Arafat (PLO), Shimon Peres (Israel), Yitzhak Rabin (Israel) |

zeichnung für herausragende Leistungen zur Lösung drängender Menschheitsprobleme. 1994 wurde der mit etwa 390 000 DM dotierte Preis an zwei Personen und eine Organisation vergeben:

▷ Der Nigerianer Ken Saro-Wima führte die Proteste des Ogoni-Volkes gegen die Umweltzerstörung durch Erdölgewinnung

▷ Der indische Arzt Hanumappa Reddy Sudarshan setzte sich für die soziale, kulturelle und wirtschaftliche Besserstellung des Soliga-Bergvolks im indischen Teilstaat Karnataka ein

▷ Die Organisation Servol aus Trinidad und Tobago betrieb ein Ausbildungs- und Entwicklungsprogramm für Vorschulkinder sowie für Jugendliche und deren Eltern.

Den undotierten Ehrenpreis erhielt die Schriftstellerin Astrid Lindgren für ihr Lebenswerk und den Einsatz für den Tierschutz.

Die Stiftung wurde 1980 von dem deutsch-schwedischen Journalisten Jakob von Uexküll gegründet.

## Non-Lethal Weapons

(engl.; nichttödliche Waffen, auch sanfte Waffen), N. sollen Gegner überwältigen bzw. kampfunfähig machen, ohne sie zu töten, und den Einsatz von Kriegsgerät, z. B. Kampfpanzer, verhindern. Umweltzerstörungen werden vermieden. Vor allem in den USA wurden Mitte der 90er Jahre N. entwickelt. Als besonders geeignet gelten N. für Einsätze in UNO-Friedensmissionen, zur Durchsetzung von internationalen Sanktionen und bei terroristischen Gewaltakten. Im Golfkrieg 1991 verursachten von den USA abgeworfene Kohlenstoffpartikel Kurzschlüsse in irakischen Hochspannungsleitungen. Funkverkehr und die Luftüberwachung wurden gestört. Großbritannien setzte im Falkland-Krieg 1982 Laserstrahlen gegen argentinische Piloten ein. Kritiker befürchten, daß N. die Hemmschwelle für Militäreinsätze herabset-

Mit einem klebrigen Schaumpanzer aus einer nichttödlichen Waffe könnte die Polizei die Flucht Verdächtiger verhindern, ohne sie zu verletzen. Der Getroffene (im Experiment eine Puppe, Bild) wäre zur Bewegungslosigkeit verdammt.

zen und die B- und C-Waffen-Verbote unterlaufen. Das Internationale Komitee vom Roten Kreuz (IKRK) lehnte Laserwaffen ab, weil sie zur dauerhaften Erblindung führten. 25 Staaten wollen sich im September 1995 auf der Überprüfungskonferenz zur UNO-Konvention über grausame Waffen von 1980 für ein weltweites Verbot von Laserkanonen einsetzen.

## Nordamerikanisches Freihandelsabkommen

→ NAFTA

### Non-Lethal Weapons: Arten

**Biologische und chemische Substanzen**

Sie beeinträchtigen die Funktion von Kriegsmaterial oder die Infrastruktur, z. B. metallzerstörende Säuren und Mikroorganismen, Kleb- und Gleitstoffe, schnellhärtende Kunststoffschäume

**Optische und akustische Mittel**

Laserkanonen z. B. blenden Soldaten und Sensoren in der Zieloptik von Panzern und Flugzeugen. Mikrowellen führen zum Ausfall von elektronischem Gerät. Beschallung mit extrem tiefen Frequenzen und Stroboskop-Scheinwerfer mit grellen Farbmischungen haben Übelkeit, Orientierungslosigkeit und z. T. Organschädigung zur Folge

**Computerviren**

In Computer eingeschleuste Programme, die sich einem Virus gleich vervielfältigen. Sie können die Software eines Computers verändern und den Datenbestand vernichten.

**Patrick Mayhew**
\* 11. 9. 1929 in Cookham (Berkshire/Großbritannien). Ab 1955 Tätigkeit als Anwalt. 1974 Einzug ins Unterhaus für die Konservative Partei, ab 1979 Parlamentarischer Staatssekretär im Arbeitsministerium. 1987 Generalstaatsanwalt, 1992 Nordirland-Minister.

## Nordirland-Konflikt

Teilweise gewaltsame Auseinandersetzung mit religiös-sozialem Hintergrund um den Status des zu Großbritannien gehörenden und überwiegend protestantischen Nordirland (protestantischer Bevölkerungsanteil: 64%). Die katholische Minderheit in Nordirland verlangt den Anschluß der Provinz an die Republik Irland (katholischer Bevölkerungsanteil: 94%). Seit 1969, als britische Truppen stationiert wurden, hatte der N. 3168 Menschenleben gefordert. Ein von der katholischen Untergrundorganisation IRA ab September 1994 eingehaltener Waffenstillstand ermöglichte im Mai 1995 erstmals seit 1972 offizielle Kontakte der britischen Regierung mit der Sinn Féin, dem politischen Arm der IRA. Die vorzeitige Freilassung eines wegen Mordes an einer Nordirin verurteilten britischen Soldaten im Juli 1995 führte in Belfast zu Krawallen und gefährdete den Friedensprozeß.

**Friedensplan:** Die britische und die irische Regierung legten im Februar 1995 ein Rahmendokument vor, in dem sie Nordirland weitgehend Selbstbestimmungsrecht einräumen. Der Plan sieht vor, daß die Republik Irland und Großbritannien alle verfassungsmäßigen und gesetzlichen Ansprüche aufgeben und den künftigen Status der Provinz einem Mehrheitsvotum der Nordiren überlassen. Zudem soll eine nordirische Volksvertretung geschaffen werden, deren 90 Abgeordnete nach dem Verhältniswahlrecht gewählt werden. Ein gesamtirisches Gremium, dem Vertreter der nordirischen Volksversammlung und des irischen Parlaments angehören, soll u. a. für Tourismus, Transport, Landwirtschaft und europäische Belange zuständig sein.

**Regierungskontakt:** Das Treffen eines britischen Regierungsmitglieds, des Staatssekretärs im Nordirland-Ministerium Michael Anchram, mit einer Sinn-Féin-Delegation eröffnete eine neue protokollarische Stufe. Gegenstand der Gespräche ist u. a. der Abzug der britischen Truppen und die Entwaffnung der IRA. Die britische Regierung will mit dem Treffen die Voraussetzung schaffen, daß die Sinn Féin formell in die geplanten Allparteiengespräche zur friedlichen Beilegung des N. einbezogen werden kann.
→ IRA

## Nordirland: Nach 25 Jahren Frieden in Sicht

| Datum | Ereignis |
|---|---|
| 1902 | Gründung der für Irlands Unabhängigkeit von Großbritannien eintretenden Partei Sinn Féin |
| 1919–1921 | Anglo-Irischer Unabhängigkeitskrieg |
| 1921 | Teilung Irlands, die vorwiegend von Protestanten bewohnte Provinz Ulster (Nordirland) erhält ein eigenes Parlament (Stormont) |
| 1949 | Irland wird Republik; Austritt aus dem Commonwealth |
| 1969 | Beginn des Bürgerkriegs in Nordirland |
| 1972 | Stationierung britischer Soldaten nach Gewalteskalation |
| 1992 | Scheitern der ersten Gespräche zwischen Irland, Großbritannien und den vier größten Parteien Nordirlands |
| Dez. 1993 | Nordirland-Erklärung: Irland und Großbritannien machen IRA-Gewaltverzicht zur Bedingung für Verhandlungen |
| 31. 8. 1994 | IRA kündigt Waffenstillstand an |
| Okt. 1994 | Gewaltverzicht der protestant. Terrororganisationen |
| 22. 2. 1995 | Rahmenabkommen zwischen Großbritannien und Irland sieht Selbstbestimmungsrecht für Nordirland vor |
| 10. 5. 1995 | Erste direkte Gesprächskontakte zwischen der britischen Regierung und der Republikaner-Partei Sinn Féin |

## Notebook

(engl.; Notizbuch), tragbare, netzunabhängige Personalcomputer (auch Laptop; lap, engl.; Schoß; top, engl.; Oberfläche). N. ermöglichen die ortsunabhängige Durchführung aller Büroarbeiten (mobiles Büro). 1994 wurden weltweit 8,7 Mio N. verkauft, für 1998 wurde eine Verkaufszahl von rd. 20 Mio erwartet. Marktführer bei N. war 1994 der Elektronikhersteller Toshiba (Japan), gefolgt von Compaq und IBM (beide USA).
**Bildschirm:** Standard bei N. waren Mitte der 90er Jahre Flüssigkristallbildschirme (LCD) mit Schwarzweißbild, die jedoch im Vergleich zu den Bildschirmen stationärer Personalcom-

### Notebook: Typen mobiler Computer

| | |
|---|---|
| **Laptop** | |
| (lap, engl.; Schoß; top, engl.; Oberfläche) etwa Aktenkoffergröße, Gewicht bis 6 kg | |
| **Notebook** | |
| (engl.; Notizbuch) meistverkaufter mobiler Rechner; 2–3 kg, etwa DIN -A4-Größe | |
| **Palmtop** | |
| (palm, engl.; Handfläche) kleinster Rechner, 300 g bis 1 kg | |
| **Subnotebook** | |
| (sub, engl.; unter) taschenbuchgroßer Rechner, 1–3 kg | |

puter eine geringere Bildqualität aufwiesen. Aktiv-Matrix-Farbbildschirme haben eine ähnliche Auflösung wie Desktop-PC-Bildschirme, waren 1995 jedoch rd. 2000 DM teurer als LCD.

**Stromversorgung:** Die Betriebsdauer von N. ist begrenzt. Die üblichen Nickel-Cadmium-Batterien lieferten je nach Energieverbrauch des Rechners für 45 min–4 h Strom. Mitte der 90er Jahre kamen stromsparende Chips zum Einsatz (sog. SL-Prozessoren), die bei einer Spannung von 3,3 V laufen (herkömmliche Chips: 5 V) und die Lebensdauer der Batterien auf 8 h heraufsetzten. Leistungsfähigere Batterien sind wegen Größe und Gewicht nicht für den Einsatz in N. geeignet.

**Funktionserweiterung:** Scheckkartengroße PC-Cards erweitern die Nutzungsmöglichkeiten von N. Sie dienen z. B. als Modem für die Versendung von Telefaxen und als zusätzlicher Datenspeicher. Mitte der 90er Jahre wurden alle N. mit zumindest einem PC-Card-Schlitz ausgestattet.

**Bildschirmeingabe:** 1995 stellte der Computerhersteller Zenith einen berührungsempfindlichen, mobilen Bildschirm vor, der über Funk mit einem Desktop-PC verbunden ist (sog. Cruise-Pad; to cruise, engl.; Umherfahren; pad, engl.; Unterlage). Texteingaben sind direkt über eine auf dem Cruise-Pad einblendbare Tastatur möglich. Ein Finger oder Stift übernimmt die Funktionen der Computer-Maus.

Im Umkreis von 150 m können die Cruise-Pads mit ihrer Basistation kommunizieren. Für größere Reichweiten müssen Verstärker installiert werden.

**Schadensanfälligkeit:** Eine US-amerikanische Studie von 1994 ergab, daß N. fünfmal so häufig defekt sind wie stationäre PC. Insbes. beim Transport der N. treten Schäden auf.

→ Flachbildschirme → PC → PC-Card

### Novel Food

→ Gen-Lebensmittel

### OAS

| | |
|---|---|
| **Name** | Organization of American States, engl.; Organisation amerikanischer Staaten |
| **Sitz** | Washington/USA |
| **Gründung** | 1948 |
| **Mitglieder** | 34 Staaten Nord-, Mittel- und Südamerikas |
| **Generalsekretär** | César Gaviría Trujillo/Kolumbien (1994–1999) |
| **Funktion** | Bündnis amerikanischer Staaten für gemeinsame militärische Sicherung und friedliche Konfliktregelung |

→ FTAA → NAFTA

### OAU

| | |
|---|---|
| **Name** | Organization for African Unity, engl.; Organisation für afrikanische Einheit |
| **Sitz** | Addis Abeba/Äthiopien |
| **Gründung** | 1963 |
| **Mitglieder** | 53 afrikanische Staaten |
| **Generalsekretär** | Salim Ahmed Salim/Tansania (seit 1989) |
| **Funktion** | Bündnis afrikanischer Staaten für eine Zusammenarbeit in Politik, Kultur, Wirtschaft und Wissenschaft |

### Obdachlose

1994 lebten in der Europäischen Union etwa 2,5 Mio Obdachlose, die Dunkelziffer wurde auf 5 Mio geschätzt. Hinzu kamen 15% der Bevölkerung, die unter der Armutsgrenze lebten. Die meisten O. lebten in Deutschland (12,8 von 1000 Einwohnern), in Großbritannien (12,2) und in Frankreich (11,1). Etwa 70% der O. waren jünger als 40 Jahre.

Zu den Ursachen der Obdachlosigkeit zählen Verlust des Arbeitsplatzes oder der Wohnung, schlechte Finanzlage und Beziehungsprobleme.

→ Arbeitslosigkeit → Wohnungsnot

## OECD

**Name** Organization for Economic Cooperation and Development, engl.; Organisation für wirtschaftliche Zusammenarbeit und Entwicklung

**Sitz** Paris

**Gründung** 1963

**Mitglieder** 25 Industriestaaten

**Generalsekretär** Jean-Claude Paye/ Frankreich (1984–1996); ab 1. 6. 1996 voraussichtlich Donald Johnston/Kanada

**Funktion** Koordination der Wirtschafts- und Entwicklungspolitik der Mitgliedstaaten

## Öffentlicher Nahverkehr

Die Unternehmen des Ö. verkauften 1994 Fahrkarten im Rekordwert von 10,2 Mrd DM (Anstieg gegenüber 1993: 3,7%). Die Zahl der Fahrgäste im Ö. betrug 1994 etwa 8,8 Mrd (1993: 8,6 Mrd). Ursache für Wachs-

tumsraten in den 90er Jahren waren verbesserte Leistungen von Bussen, U-, S- und Straßenbahnen. Der Ö. ist umweltfreundlich, weil er Lärm- und luftverschmutzenden PKW-Verkehr in Innenstädten vermindert. Ab 1996 überträgt die Deutsche Bahn die Verantwortung für den Regional- und Nahverkehr auf Bundesländer, Kommunen und Kreise.

Mit der Regionalisierung des schienengebundenen Ö. können die Regionen ihr Angebot im Ö. selbst gestalten. Sie können Verkehrsleistungen bei der Deutschen Bahn oder anderen Bahnunternehmen bestellen. Der Bund zahlt den Ländern für die Finanzierung des Schienen-Nahverkehrs Zuschüsse, die 1996 ca. 8 Mrd DM, ab 1997 jährlich 12 Mrd DM betragen.

→ Autoverkehr → Bahnreform

## Öko-Audit

Betriebsprüfung von Industrieunternehmen, die dazu beitragen soll, den Umweltschutz zu verstärken. Die Ö.-Verordnung der EU trat im April 1995 in Kraft. Die in Deutschland ab Anfang der 90er Jahre durchgeführte Ökobilanz bewertet Produkte und ihre Herstellung hinsichtlich ihrer Umweltverträglichkeit, während das Ö. z. B. das Umweltmanagement des Betriebs oder seinen Standort hinsichtlich der Umweltgefährdung bewertet. In Deutschland soll ein Umweltgutachterausschuß (UGA) die Prüfungsanforderungen für das Ö. erarbeiten. Im UGA sind Repräsentanten der Wirtschaft, Umweltgutachter, Politiker, Gewerkschaften und Umweltverbände vertreten. Die Kosten für das erste Ö. wurden je nach Betriebsgröße auf 60 000 bis 300 000 DM geschätzt.

## Ökobilanz

Bewertung von Produkten und Verfahren in Unternehmen hinsichtlich ihrer Auswirkungen auf die Umwelt mit dem Ziel, umweltverträgliche Herstellungsmethoden zu fördern. Die Ö. soll

### Öffentlicher Nahverkehr: Größte Verkehrsverbünde

| Ballungsraum | Beförderte Personen 1994 | Veränderung gegenüber 1993 (%) |
|---|---|---|
| Berlin | 1 102 000 | –3,0 |
| Rhein-Ruhr | 1 086 000 | +2,0 |
| München | 540 000 | +0,4 |
| Hamburg | 476 000 | +1,3 |
| Rhein-Sieg | 381 000 | +7,0 |
| Stuttgart | 280 000 | +10,0 |
| Frankfurt/M. | 242 000 | –1,0 |
| Hannover | 175 000 | +0,3 |
| Nürnberg | 170 000 | +3,2 |
| Rhein-Neckar | 162 000 | +12,0 |
| Dresden | 137 000 | +1,1 |
| Leipzig | 124 000 | +4,0 |
| Bremen | 94 000 | +0,7 |

Quelle: Ifo-Institut für Wirtschaftsforschung (München)

alle Umweltbelastungen eines Produkts von der Entstehung bis zur Entsorgung aufzeigen. Die Verbraucher sollen erkennen können, welches Produkt die geringste Umweltbelastung aufweist. Einheitliche Maßstäbe für Vergleiche und die Vorgehensweise bei Ö. gab es 1995 nicht.

→ Mehrwegflaschen

## Ökodroge

(Auch Guaraná), klebrigsüßes Getränk, das wegen seines hohen Koffeingehalts (4,0%; Kaffeebohnen: 1,5%) belebend wirkt. In deutschen Drogerien und Bio-Läden wird die Ö. auch als Tablette oder Schnitte angeboten. Der Name Ö. soll die Unschädlichkeit für die menschliche Gesundheit signalisieren.

Gewonnen wird die Ö. aus den Samen einer etwa 10 m langen Schlingpflanze (Paullinia cupana) mit einem hohen Gehalt an schäumenden Substanzen. Die Eingeborenen nutzen die Pflanzensamen als Insektenschutz und als Medizin bei Fieber und Schlangenbissen. In Europa wurde Guaraná Anfang des Jahrhunderts gegen Migräne und Nervenschmerzen empfohlen, in Brasilien gegen Durchfall und Fieber.

→ Drogen

## Öko-Kleidung

Kleidung, die keine oder nur geringe Mengen an Chemikalien enthält und gesundheitlich unbedenklich ist. Mitte der 90er Jahre entwickelte sich ein Markt für Ö., ökologische Verfahren bei Herstellung, Verpackung und Transport von Kleidung wurden werbewirksam eingesetzt. Umweltschützer kritisierten, daß keine einheitlichen Kriterien bei der Bewertung von Ö. und der Vergabe von Öko-Zeichen existierten. Unternehmen, die Textilien aus Fernost beziehen, wo sie kostengünstig hergestellt werden, waren gegen Ökozeichen. Die Kleidung aus Fernost galt Mitte der 90er Jahre als besonders mit Chemikalien belastet.

## Ökosozialprodukt

Meßgröße für die Umweltqualität einer Volkswirtschaft. Als Ö. wird der Geldwert aller Leistungen und Belastungen für die Umwelt bezeichnet, die in einem Zeitraum erbracht bzw. verursacht werden. Im Mai 1995 forderte der Club of Rome, eine internationale Vereinigung von Wissenschaftlern und Wirtschaftsexperten (seit 1968), anstelle des Bruttosozialproduktes ein Ö. zur Grundlage der volkswirtschaftlichen Gesamtrechnung zu machen. So sollen die Grenzen des Wachstums aufgrund der Erschöpfung natürlicher Ressourcen in das allgemeine Bewußtsein gebracht werden. 1990 begann das Statistische Bundesamt im Rahmen der sog. Umweltökonomischen Gesamtrechnungen (UGR) mit der Sammlung und Auswertung von Umweltdaten zur Ermittlung eines Ö. für Deutschland.

Das Ö. soll in mehrjährigen Abständen das Bruttoinlandsprodukt (BIP) als Meßgröße für die wirtschaftliche Gesamtleistung ergänzen. Das BIP kann durch Umweltschäden doppelt steigen: einerseits durch den Umsatz der Verursacher, andererseits durch Ausgaben zur Schadensbeseitigung.

Ziel der UGR ist die übersichtliche Darstellung der Wechselwirkungen zwischen Wirtschaft und Umwelt (Belastung, Zustand und Schutz der Umwelt). Das Hauptproblem stellt die Bewertung in Geld dar. Angaben zu Umweltschutzausgaben des produzierenden Gewerbes liegen seit 1975 vor. Dagegen reichen z. B. die Zahlen der amtlichen Finanzstatistik nicht aus, um die öffentlichen Umweltschutzausgaben vollständig zu analysieren. Eine Darstellung umweltbezogenen Verhaltens der privaten Haushalte in Geldwert nach einheitlichen Kriterien ist schwierig. Erhebungen auf der Basis des neuen Umweltstatistikgesetzes von 1994 (z. B. Leistungen in den Bereichen Naturschutz und Landschaftspflege sowie Bodensanierung) sollen ab 1997 zusätzliche Daten liefern.

→ Bruttoinlandsprodukt

# Fördern Umweltabgaben die moderne Wirtschaft?

Eine Vielzahl wissenschaftlicher Studien machte 1994/95 die ökologische Umstrukturierung des Steuersystems zum Thema Nummer eins in der Finanzpolitik. Erstmals forderten in Deutschland auch 16 Industrieunternehmen zusammen mit der Umweltschutzorganisation BUND im September 1994 eine ökologische Steuerreform. Grundsätzlich bestand Einigkeit zwischen allen politischen Parteien, daß die natürlichen Lebensgrundlagen durch ökologisches Wirtschaften zu schützen sind. Gleichzeitig zeigte das Scheitern einer einheitlichen europäischen Energiesteuer im Mai 1995, daß in der praktischen Umsetzung traditionelle Industrieinteressen ein starkes Gewicht behalten.

**Die Umwelt profitiert:** Ö. sollen auf den Verbrauch umweltschädigender Produkte und die Verwendung belastender Herstellungsverfahren erhoben werden. Hierzu zählt hoher Rohstoff- und Energieverbrauch, der zu Luftverschmutzung und Klimaveränderung beiträgt (Beispiel: Mineralölsteuer). Kosten, die durch Umweltverschmutzung entstehen, soll nicht die Allgemeinheit, sondern der Verursacher tragen. Das Prognos-Institut (Basel/Schweiz) ermittelte im Februar 1995, daß in Deutschland Umweltkosten von 200 Mrd DM nicht von den Verantwortlichen beglichen werden. Die Steuer stellt einen Preis für Umweltbelastung dar, der zur Änderung von Konsum und Produktion führen soll, insbes. zur Senkung von Schadstoffausstoß. Das Ifo-Institut (München) analysierte im Dezember 1994 in einer Studie für die CDU/CSU/FDP-Bundesregierung, daß dem deutschen Steuersystem jede ökologische Ausrichtung fehle.

**Beitrag zur Senkung der Arbeitslosigkeit:** Das Deutsche Institut für Wirtschaftsforschung (DIW, Berlin) schlug im Mai 1994 vor, mit Einnahmen aus Ö. die Beiträge zur Arbeitslosenversicherung zu senken. Während umweltschädliche Güter sich verteuerten, würden Unternehmen bei den Lohnkosten entlastet, der Einsatz von Arbeitskräften verbilligt und Einstellungen gefördert. Der Förderverein Ökologische Steuerreform aus Wissenschaftlern und Unternehmern wies im November 1994 darauf hin, daß 62% des Steuer- und Abgabenaufkommens in Deutschland aus Belastung menschlicher Arbeit stamme, während andere Produktionsfaktoren wie die Natur (Beitrag: 9%) wegen geringerer Steuerbelastung die Unternehmen weit billiger kommen. Das DIW errechnete, daß sich bei jährlich 7%iger Verteuerung des Energieverbrauchs bis 2010 Einnahmen von 200 Mrd DM ergeben. Würden sie zur Lohnkostensenkung verwendet, könnten 500 000 Arbeitsplätze entstehen.

**Auch die Wettbewerbsfähigkeit steigt:** Die Kostenverschiebung zu Lasten umweltschädlicher Produktionsverfahren begünstigt den Instituten zufolge die Hinwendung von Unternehmern zu umweltfreundlichen Produkten und zwingt zu Erfindungen und Entwicklungen, die international Wettbewerbsvorteile verschaffen.

**Standort Deutschland gefährdet:** Der Bundesverband der Deutschen Industrie (BDI, Köln) warnte dagegen, die Einführung einer Energiesteuer verschlechtere die Wettbewerbsfähigkeit bestehender Industrien durch erhöhte Kostenbelastung und geschmälerte Gewinne. Er erwartete die Verlagerung von Produktionsstätten ins Ausland. Die Studie des Finanzwissenschaftlichen Forschungsinstituts der Kölner Universität im Auftrag des BDI wies darauf hin, daß es bei einer ökologischen Steuerreform Gewinner und Verlierer gebe. Verdrängt würden stark umweltbelastende und energieintensive Branchen wie die Chemieindustrie. Eine Umstrukturierung der Wirtschaft hätte u. a. hohe Arbeitslosigkeit in betroffenen Industriezweigen zur Folge.

**Nationale Alleingänge möglich:** Europaweit und international erschien die Einführung von Ö. Mitte der 90er Jahre wenig aussichtsreich. Versuche internationaler Koordination verhinderten Entscheidungen. In der EU vertrat Großbritannien die Interessen seiner traditionellen Industrien und vereitelte Umweltabgaben. In Deutschland wurde 1995 die Möglichkeit eines Alleingangs bei der $CO_2$-/Energiesteuer diskutiert. Die SPD forderte die Einführung einer Stromsparsteuer, um ein Absinken der Strompreise als Folge der Streichung des Kohlepfennigs, der bis Ende 1995 vom Verbraucher zu entrichten ist, zu verhindern. Dänemark und Österreich planten ebenfalls die Einführung von Ö. Schweden beabsichtigte eine Verdoppelung des $CO_2$-Steuersatzes.          (AS)

→ Energiesteuer → Steuern → Strompreise

## Ölkatastrophe

In der nordrussischen Republik Komi nördlich der Stadt Ussinsk liefen 1994 mindestens 79 000 t Rohöl aus einer geborstenen Pipeline aus. Das Unglück gilt als eine der schwersten Ö.

**Komi:** Die Schäden in der ökologisch empfindlichen Tundra können wahrscheinlich nicht völlig beseitigt werden. Es besteht die Gefahr, daß Öl in den ab April/Mai aufgetauten Boden sickert und mit der Schneeschmelze über den Fluß Petschora in das nördliche Eismeer gelangt. Ein Teil des Öls wurde bei den Aufräumungsarbeiten in Brand gesteckt. Lecks an der Pipeline waren schon im Februar 1994 aufgetreten. Versuche, das auslaufende Öl aufzufangen, scheiterten.

**Rußland:** Etwa 10% des geförderten Erdöls gehen nach Angaben der russischen Regierung wegen undichter Leitungen jährlich verloren. Die Hälfte des Öl- und Gaspipelinenetzes (Länge: ca. 50 000 km) waren 1994 über 20 Jahre alt, ein Fünftel überschritt die technische Lebensdauer von 30 Jahren. Wegen Geldmangels wurden nur wenige Leitungen repariert oder erneuert. Material- und Verlegungsfehler vergrößerten die Probleme. Der Erdölexport war Rußlands größte Deviseneinnahmequelle.

**Alaska:** Ende 1994 wurde der US-Öl-Konzern Exxon zu rd. 5,29 Mrd Dollar (7,45 Mrd DM) Schadenersatz verurteilt. Die von der Havarie des Öltankers Exxon Valdez 1989 im Prince-William Sund (Alaska) Geschädigten, 24 000 Fischer, Grundbesitzer, Ureinwohner und Geschäftsleute, hatten das Dreifache gefordert. Der Kapitän des Tankers, aus dem rd. 40 Mio l Öl ausgelaufen waren, wurde der groben Fahrlässigkeit für schuldig befunden. Exxon hatte bis 1994 für die Beseitigung der Unglücksfolgen rd. 3,5 Mrd Dollar (4,9 Mrd DM) gezahlt.

**Golf:** Das im Golfkrieg 1991 aus zerstörten Leitungen ausgeflossene Öl bedeckte einen rd. 700 km langen Küstenstreifen im Süden Kuwaits und in Saudi-Arabien. Der Meeresboden blieb nach Angaben einer saudiarabisch-europäischen Forschungskommission weitgehend vom Öl verschont. In der Gezeitenzone mit ihren Vogelbrut- und -rastgebieten wurde jedoch ein Drittel der Mangroven vernichtet. Die Teerdecke war 1994/95 weitgehend verschwunden. Die Vogelpopulationen hatte sich bis dahin nur z. T. erholt.

Aufräumungsarbeiten in der 1994 von Rohöl verschmutzten Region um die nordrussische Stadt Ussinsk.

## Ölplattform

Im Juni 1995 verhinderten die Umweltschutzorganisation Greenpeace und der erfolgreiche Boykott des Erdölkonzerns Shell die Versenkung seiner Ö. Brent Spar im Atlantik. Greenpeace hatte gegen das Vorhaben von Shell protestiert, weil auf der Ö. 100 t Ölschlämme durchsetzt mit Schwermetallen sowie weitere Giftstoffe lagerten, die das Meer verschmutzen könnten. Die Organisation befürchtete, daß die Versenkung der Ö. zum Präzendenzfall für die Beseitigung weiterer Ö. werden könnte. In der Nordsee wurde 1995 auf 416 Bohrinseln und -plattformen Öl und Gas gefördert und gelagert. Die Versenkung der Ö. hätte mit 11,8 Mio £ (26,6 Mio DM) ein Viertel der Verschrottung an Land gekostet. Wo die Ö. entsorgt wird, war Mitte 1995 unklar.

## Olympische Spiele: Ausgaben der US-Fernsehsender

| Jahr | Austragungsort/Land | Sender | Summe[1] (Mio Dollar) |
|------|---------------------|--------|-----------------------|
| **Winterspiele** | | | |
| 1980 | Lake Placid/USA | ABC | 15,5 |
| 1984 | Sarajevo/Jugoslawien | ABC | 91,5 |
| 1988 | Calgary/Kanada | ABC | 308,0 |
| 1992 | Albertville/Frankreich | CBS | 243,0 |
| 1994 | Lillehammer/Norwegen | CBS | 300,0 |
| **Sommerspiele** | | | |
| 1980 | Moskau/UdSSR | NBC | 87,0 |
| 1984 | Los Angeles/USA | ABC | 225,0 |
| 1988 | Seoul/Korea-Süd | NBC | 300,0 |
| 1992 | Barcelona/Spanien | NBC | 401,0 |
| 1996 | Atlanta/USA | NBC | 456,0 |

1) Kosten der Übertragungsrechte; Quelle: Frankfurter Allgemeine Zeitung, 29. 7. 1993

## Olympische Spiele: Funktionäre

**Juan A. Samaranch, IOC-Präsident**
* 17. 7. 1920 in Barcelona/Spanien. 1961 Sportdelegierter für Katalonien. Ab 1966 IOC-Mitglied, ab 1974 Vizepräsident, seit 1981 IOC-Präsident.

**Walther Tröger, Präsident des deutschen NOK**
* 4. 2. 1929 in Wunsiedel. 1970–1992 Generalsekretär des Nationalen Olympischen Komitees. 1991/92 Geschäftsführer des DSB. 1992 NOK-Präsident.

## Olympische Spiele

Bedeutendster internationaler Sportwettbewerb, der seit 1896 i. d. R. alle vier Jahre ausgetragen wird. 1996 finden die Olympischen Sommerspiele in Atlanta/USA statt, die nächsten Winterspiele 1998 in Nagano/Japan. Im Juni 1995 wurde als Austragungsort der Winterspiele 2002 Salt Lake City/USA bestimmt.

**Atlanta 1996:** Die Sommerspiele zum 100jährigen Bestehen der Olympischen Bewegung wurden mit einem Budget von etwa 1,6 Mrd Dollar (2,25 Mrd DM) geplant. Das Programm umfaßt 26 olympische Sportarten mit 271 Wettbewerben. Größter Neubau ist das Olympiastadion mit 70 000 Sitzplätzen (Baukosten: rd. 170 Mio Dollar, 239 Mio DM), das nach den O. zum Baseballstadion umgerüstet und der Stadt geschenkt werden soll.

**Einnahmen:** Nur 100 Mio Dollar (141 Mio DM) fehlten dem ausrichtenden Atlanta Komitee für die O. (ACOG) im Dezember 1994 zur Deckung der Ausgaben. 555 Mio Dollar (781 Mio DM) bekommt der Ausrichter aus den Fernsehrechten, für die allein der US-amerikanische Fernsehsender NBC 456 Mio Dollar (642 Mio DM) zahlte. Etwa 550 Mio Dollar (774 Mio DM) sicherten private Sponsoren zu.

**Teilnehmerbegrenzung:** Das Internationale Olympische Komitee (IOC, Lausanne/Schweiz) beschränkte die Zahl der Teilnehmer an den Sommerspielen 1996 auf maximal 10 000. Für jede Sportart wurden Quoten festgelegt, die Athleten werden nach einem vom Fachverband festgelegten Qualifikationsmodus ausgewählt. Das IOC will Veranstaltungen verkürzen und durch die schnellere Abfolge von Ent-

Der Georgia Dome ist während der Olympischen Sommerspiele in Atlanta/USA 1996 Schauplatz der Basketball- und Turnwettbewerbe.

## Online-Dienste: Größte Dienste weltweit

| Online-Dienst | Betreiber | Nutzer | Zugang in Deutschland |
|---|---|---|---|
| Internet | Nichtkommerzielles Computernetzwerk | 30 Mio | ab 1972 |
| Minitel | France Télécom | 6,5 Mio[1] | nein |
| Compuserve | H&R Block | 2,8 Mio | 1990 |
| Prodigy | IBM, Sears/Roebuck | 2 Mio | nein |
| America Online | America Online Inc., Bertelsmann[2] | 1 Mio | 1995[3] |
| Datex-J | Deutsche Telekom | 750 000 | 1983 |
| Delphi | News Corporation (Rupert Murdoch) | 140 000 | nein |
| Genie | General Electric | 100 000 | nein |
| Interchange | Ziff-Davis-Gruppe | 77 000[4] | nein |
| e-World | Apple Computer | 75 000[4] | 1995[3] |
| Microsoft Net.[5] | Microsoft | – | 1995[3] |
| Europe Online | Burda, Pearson, Matra-Hachette | – | 1995[3] |
| Italia Online[3] | Mondadori, Olivetti | – | nein |

1) Zugriff nur in Frankreich; 2) der Bertelsmann-Verlag beteiligt sich am Online-Dienst für Europa; 3) geplant; 4) Testphase; 5) Microsoft Network, Zugang soll mit dem für August 1995 geplanten Betriebssystem Windows 95 ermöglicht werden; 6) italienischer Online-Dienst; Quelle: Spiegel, 21. 11. 1994; Focus, 1. 5. 1995

scheidungen die O. für das Publikum attraktiver machen.

**Sydney 2000:** Für die Sommerspiele in Australien werden Triathlon und Taekwondo als Sportarten ins olympische Programm aufgenommen. Das Sportereignis wurde vom Nationalen Olympischen Komitee Australiens in Zusammenarbeit mit der Umweltschutzorganisation Greenpeace geplant.

→ Fußballübertragungsrechte

Bank kommunizieren (Telebanking) oder sich Auszüge der neuesten Pop-Platten anhören. Viele O. boten den Zugang zum Internet an. Die monatliche Grundgebühr für die Nutzung von O. betrug Mitte 1995 durchschnittlich 10 Dollar (14 DM). Das Abrufen von Zeitungsartikeln kostete 0,60–4,00 DM pro Artikel.

→ Datenautobahn → Datex-J → Elektronische Medien → Internet → Multimedia → Teleshopping

## Online-Dienste

(engl.; am Netz) computergestützte Dienste, die den Zugriff auf Computerdatenbanken in aller Welt und die elektronische Kommunikation mit anderen Teilnehmern ermöglichen. O. privater Anbieter wie Compuserve, Datex-J und America Online arbeiteten im Gegensatz zum Internet, dem weltweit größten Computernetzwerk, gewinnorientiert. Über die O. wurden vor allem elektronische Medien (Zeitungen, Zeitschriften) angeboten, deren Nutzung kostenpflichtig war. Auch kann der Kunde über elektronische Versandhauskataloge Waren bestellen (Teleshopping), mit seiner

## OPEC

**Name** Organization of Petroleum Exporting Countries, engl.; Organisation Erdöl exportierender Länder

**Sitz** Wien

**Gründung** 1960

**Mitglieder** 12 Staaten

**Generalsekretär** Rilwanu Lukman/Nigeria (1995–1998)

**Funktion** Kartell zur Koordinierung der Erdölpolitik

Im Juni 1995 beschlossen die Mitgliedstaaten der OPEC, die 1993 festgelegte Erdölförderquote von 24,52 Mio Barrel (engl.; Faß zu 159 l) pro Tag (b/d) bis Ende des Jahres beizubehalten. Eine vorzeitige Quotenänderung war von der

| OPEC: Erdölproduktion im Weltvergleich | | | | | |
|---|---|---|---|---|---|
| Angaben | 1973 | 1979 | 1986 | 1990 | 1994 |
| Förderung (Mio b/d)[1] | 31 | 32 | 20 | 25 | 27 |
| Weltanteil (%) | 53 | 48 | 33 | 38 | 41 |
| Weltölhandel (%) | 86 | 82 | 58 | 63 | 62 |
| Erlöse (Mrd $) | 37 | 203 | 76 | 143 | 121 |

1) Faß pro Tag; Quelle: Internationale Energie-Agentur, OPEC

| OPEC: Öleinnahmen 1994 | | |
|---|---|---|
| Land | Mrd $ | Veränderung 1993/94 (%) |
| Saudi-Arabien | 42,4 | −1,5 |
| Iran | 14,5 | −2,4 |
| VAE | 12,8 | −3,8 |
| Venezuela | 11,1 | +5,1 |
| Nigeria | 10,6 | −8,1 |
| Kuwait | 10,4 | +11,8 |
| Libyen | 7,2 | −4,6 |
| Algerien | 6,1 | −8,6 |
| Indonesien | 4,6 | −12,6 |
| Katar | 2,5 | −6,0 |
| Gabun | 1,7 | +8,6 |
| Irak | 0,6 | +50,4 |

Quelle: Petrostrategies

1995 diskutierten Aufhebung des UNO-Embargos gegen den Irak abhängig, dem nur 0,4 Mio b/d (1990: 3,14 Mio b/d) für den Eigenverbrauch zugestanden wurden. Zum Nachfolger von Generalsekretär Subroto/Indonesien wurde der frühere nigerianische Ölminister Rilwanu Lukman gewählt. Trotz eines Anstiegs der Rohölfördermengen 1990–1994 um 8,5% gingen die Verkaufserlöse der OPEC um 9,8% auf rd. 121 Mrd Dollar (169 Mrd DM) zurück (Prognose für 1995: ca. 125 Mrd Dollar, 175 Mrd DM). Ursache war der Preisrückgang für Erdöl auf dem internationalen Markt von 22,3 Dollar/b 1990 auf 15,5 Dollar/b 1994. Ziel der OPEC waren 21 Dollar/b.
Die Internationale Energie-Agentur (IEA, Paris) rechnete weltweit bis 2000 mit einer Steigerung der Nachfrage nach OPEC-Öl um ein Viertel auf rd. 34 Mio b/d. Auf das Kartell, das 1994 über ca. 77% der nachgewiesenen Weltölreserven (Erdgas: ca. 40%) verfügte, entfielen rd. 41% der gesamten Erdölför-

derung (Export: 62%). Die Investitionen für den Ausbau der Förderkapazitäten der OPEC (1994: rd. 28 Mio b/d) bis 2005 wurden auf 150 Mrd Dollar (211 Mrd DM) geschätzt.
→ Energieverbrauch → Erdöl

## Organisierte Kriminalität
→ Mafia

## Organtransplantation
Die Bereitschaft zur Organspende ging in Deutschland 1994 gegenüber 1993 zurück. Während 1993 noch 2164 Nieren verpflanzt wurden, waren es 1994 laut Deutscher Stiftung O. (Neu-Isenburg) lediglich 1972. Der Anteil der Angehörigen, die einer Organentnahme von Sterbenden zustimmten, sank von rd. 90% (1993) in einigen Regionen auf 65% (1994). Die Stiftung führte dies auf Verunsicherung der Bürger aufgrund der ungeregelten Rechtslage und auf Berichte über internationalen Organhandel zurück. Die CDU/CSU/FDP-Bundesregierung und die SPD-Opposition planten 1995 einen gemeinsamen Gesetzentwurf zur O.
**Mangel:** Der Bedarf an Spenderorganen übertraf die Zahl der zur Verfügung stehenden Transplantate 1994. Den 1972 transplantierten Nieren standen rd. 9000 Menschen gegenüber, die eine Niere benötigten. Bei den ebenfalls häufig verpflanzten Organen Leber, Herz, Bauchspeicheldrüse und Lunge lag der Bedarf ebenso wie bei Gewebeteilen, z. B. Augenhornhaut, Gehörknöchelchen und Knochenmark, durchschnittlich doppelt so hoch wie die Zahl der gespendeten Organe.
**Erweiterte Zustimmungslösung:** Regierungskoalition und SPD strebten in ihrem Gesetzentwurf die sog. erweiterte Zustimmungslösung an, bei der ein möglicher Organspender zu Lebzeiten über die Entnahme entscheiden soll. Liegt keine Erklärung vor, werden die Angehörigen unter bestimmten Auflagen befragt. Es soll keine Organentnahme stattfinden, wenn der Wille

des Sterbenden nicht bekannt ist und Angehörige nicht zu finden sind.

**Hirntod als Voraussetzung:** Problematisch war 1995 die Frage, ob der Hirntod als Kriterium für Organentnahme ausreicht. Es war wissenschaftlich ungeklärt, ob Hirntote empfinden können, und es wurde angezweifelt, daß das Sterben mit dem Hirntod abgeschlossen ist. Unbestritten war, daß der Ausfall der Gehirnfunktionen nicht umkehrbar ist.

**Enge Zustimmungslösung:** Bündnis 90/Die Grünen plädierten für die sog. enge Zustimmungslösung, bei der potentielle Spender über die Problematik des Hirntods als Voraussetzung für die Organentnahme aufgeklärt werden, bevor sie eine Entscheidung treffen. Angehörige sollen nicht entscheiden.

**Organhandel:** In den Entwicklungsländern, insbes. in Indien und Brasilien, wurden Erwachsene und Straßenkinder Mitte der 90er Jahre gegen Bezahlung oder ohne ihre Zustimmung als Organspender mißbraucht. Ende 1994 einigte sich die Regierungskoalition auf einen Gesetzentwurf, der den Handel mit Organen lebender Menschen unter Strafe stellt. Deutschen Händlern und Transplanteuren droht bis zu fünf Jahren Haft, auch wenn sie die Tat im Ausland begangen haben. Empfänger gehandelter Organe sollen wegen ihrer Notlage nur in Ausnahmen bestraft werden.

---

## OS/2

→ Betriebssystem

---

## Osteuropa-Bank

**Name** Europäische Bank für Wiederaufbau und Entwicklung, engl.: European Bank for Reconstruction and Development, EBRD

**Sitz** London

**Gründung** 1990

**Mitglieder** 59 Staaten

**Präsident** Jacques de Larosière/Frankreich (seit 1993)

**Funktion** Kreditvergabe und technische Hilfe (z. B. Entsendung von Beratern) für den Aufbau von Marktwirtschaften

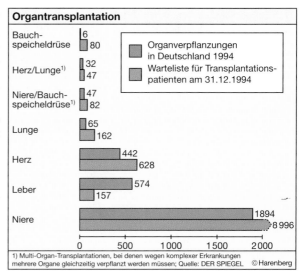

**Organtransplantation**

| | Organverpflanzungen in Deutschland 1994 / Warteliste für Transplantationspatienten am 31.12.1994 |
|---|---|
| Bauchspeicheldrüse | 6 / 80 |
| Herz/Lunge[1] | 32 / 47 |
| Niere/Bauchspeicheldrüse[1] | 47 / 82 |
| Lunge | 65 / 162 |
| Herz | 442 / 628 |
| Leber | 574 / 157 |
| Niere | 1894 / 8996 |

1) Multi-Organ-Transplantationen, bei denen wegen komplexer Erkrankungen mehrere Organe gleichzeitig verpflanzt werden müssen; Quelle: DER SPIEGEL  © Harenberg

Präsident Jacques de Larosière forderte im April 1995 eine Erhöhung des Grundkapitals von 10 Mrd ECU (18,7 Mrd DM) durch die Anteilseigner. Bei geplanten Finanzhilfen von jährlich etwa 2 Mrd ECU (3,7 Mrd DM) würde die O. 1997 an ihre Kapitalgrenze stoßen. Hauptanteilseigner sind die EU (51%, Deutschland: 8,5%), die USA (10%) und Japan (8,5%).

**Kriterien:** 1991–1994 bewilligte die O. 4,4 Mrd ECU (8,2 Mrd DM) für Projekte in Mittel- und Osteuropa sowie in Nachfolgestaaten der ehemaligen UdSSR. Ausgezahlt wurde von dieser Summe jedoch nur rd. ein Viertel, da viele Länder die Finanzierungsauflagen nicht einhalten konnten. Grundsätzliche Bedingung für die Kreditvergabe sind die Demokratisierung sowie die wirtschaftliche Liberalisierung des Landes und die Rentabilität des Projektes. Die O. vergibt Kredite zu marktüblichen Zinsen.

**Verteilung:** 1994 finanzierte die O. mit etwa 75% ihrer Kredite (1,4 Mrd ECU, 2,6 Mrd DM) Privatengagement, vor allem Infrastrukturprojekte und Banken. Nachdem die Mitgliedsländer 1993 die geographisch ungleiche Ver-

**Osteuropa-Bank: Präsident**

**Jacques de Larosière**
\* 12. 11. 1929 in Paris. 1978–1986 Direktor des Internationalen Währungsfonds (Washington D. C./USA). 1987–1993 Präsident der Bank von Frankreich. 1993 Präsident der Osteuropa-Bank.

## Osteuropa-Bank: Wirtschaftsindikatoren in Mittel- und Osteuropa 1994

| Land | Veränderungen gegenüber 1993 (%) | | | Auslandsinvesti-tionen (Mio $)[1] | Arbeitslosen-quote (%)[2] | Privatisierung (%)[3] |
|---|---|---|---|---|---|---|
| | BIP | Industrieprod. | Inflationsrate | | | |
| Albanien | 8,0[4] | − 2,0 | 27,0 | 116 | 19,0 | 50 |
| Bulgarien | 1,0[4] | 2,0 | 122,0 | 205 | 12,8 | 40 |
| Estland | 5,0[4] | − 7,0 | 45,0 | 468 | 2,2 | 55 |
| Jugoslawien | 6,5[5] | 1,2 | 3,1 | k. A. | 23,9 | k. A. |
| Kroatien | 0,8 | − 2,7 | 97,6 | 104 | 17,7 | 40 |
| Lettland | 1,5[4] | − 7,0 | 26,3 | 269 | 6,5 | 55 |
| Litauen | − 6,9[4] | − 27,8 | 45,1 | 74 | 4,5 | 50 |
| Mazedonien | − 15,0[4] | 9,0 | 118,9 | 5 | **33,2** | 35 |
| Polen | 4,7 | **13,0** | 32,2 | 1602 | 16,0 | 55 |
| Rumänien | 3,4 | 3,1 | 61,7 | 501 | 10,9 | 35 |
| Rußland | − 15,0 | − 20,9 | rd. 300 | 3958 | 2,1[6] | 50 |
| Slowakei | 4,8 | 6,4 | 13,4 | 434 | 14,8 | 55 |
| Slowenien | 5,0 | 6,4 | 18,3 | 374 | 14,3 | 30 |
| Tschech. Rep. | 2,7 | 2,3 | 10,2 | 3319 | 3,2 | **65** |
| Ukraine | − 24,0[4] | − 27,7 | 501,0 | 625 | 0,3 | 30 |
| Ungarn | 3,0 | 9,1 | 21,2 | **6941** | 10,4 | 55 |
| Weißrußland | − 20,0 | − 19,3 | **2300,0** | 32 | 2,1 | 15 |

Der höchste Wert in jeder Spalte ist halbfett markiert; 1) 1988–1994; 2) Ende 1994; 3) Anteil des Privatsektors an der Wirtschaftsleistung, Schätzung; 4) Schätzung der BfAI; 5) Bruttomaterialprodukt (abweichend von der Berechnung des BSP fließen nicht alle, sondern nur direkt der Produktion zugeordnete Dienstleistungen ein); 6) staatliche Angabe, nach anderen Berechnungen 7,1%; Quelle: BfAI, Osteuropa-Bank

teilung der Hilfen kritisiert hatten, verdoppelte die O. 1994 den Anteil für Projekte in Rußland auf 24%, der Anteil für die am meisten geförderte Region der CEFTA-Länder (Polen, Slowakei, Tschechische Republik, Ungarn) und Rumänien sank von 57% auf 42%. Die Zahl der Niederlassungen in Osteuropa wurde von zwölf auf 15 erhöht.
→ CEFTA → GUS

## Ostseeautobahn

Verbindung in Mecklenburg-Vorpommern, die Lübeck über Rostock mit Polen verbindet. Die O. (A 20) soll den Verkehr überlasteter Bundesstraßen aufnehmen. 1995 änderte das Bundesverkehrsministerium die Trassenplanung für die im Bau befindliche O., weil die EU-Kommission die Überquerung der Peene bei Jarmen wegen der Gefährdung eines Vogelschutzgebiets abgelehnt hatte. Die O. (300 km Länge) ist eines von 17 Verkehrsprojekten Deutsche Einheit für Ostdeutschland.

## Ostsee-Überbrückung

Verbindungen mit Tunneln und Brücken zwischen Skandinavien und dem westeuropäischen Festland. Ein Eisenbahntunnel (Länge: 7,7 km) zwischen den dänischen Inseln Seeland und Sprogø wurde 1995 fertiggestellt und soll 1996 für den Eisenbahnverkehr freigegeben werden.
**Großer Belt:** Parallel zum Tunnel verläuft eine 65 m hohe Autobahnbrücke, die nach ihrer Eröffnung 1998 mit 1624 m Spannweite die weltweit längste Hängebrücke sein wird. Eine kombinierte Eisenbahn- und Autobrücke über den Westteil des Großen Belts (Länge: 6,6 km, Höhe: 18 m) verbindet Sprogø mit der Insel Fünen.
**Öresund:** Eisenbahn- und Autoverkehr sollen durch einen Tunnel auf eine künstliche Insel vor der dänischen Hauptstadt Kopenhagen und weiter über eine 15 km lange Brücke nach Malmö in Schweden geführt werden. Umweltschützer befürchteten durch den Brückenbau eine Beschränkung

der Frischwasserzufuhr in die stark verschmutzte Ostsee und damit die Behinderung der Züge von Hering und Dorsch. Wie die Verbindungen über den Großen Belt sollen die Bauten am Öresund durch Gebühren von Benutzern finanziert werden.

**Fehmarnbelt:** Bis 1997 soll eine Studie klären, ob es einen Eisenbahntunnel, einen Straßentunnel oder eine Kombination aus beiden zur Verbindung von Puttgarden/Deutschland und der dänischen Insel Lolland (sog. Vogelfluglinie) über den 19 km breiten Fehmarnbelt geben wird.

## OSZE

**Name** Organisation für Sicherheit und Zusammenarbeit in Europa

**Mitglieder** 53 Staaten (Europa, Nordamerika, GUS); Mitgliedschaft Jugoslawiens suspendiert

**Gründung** 1975 (KSZE)

**Vorsitz** Ungarn (1995), Schweiz (1996), jährlicher Wechsel

**Generalsekretär** Wilhelm Höynck/Deutschland (seit 1993)

**Funktion** Regionalorganisation der UNO für Sicherheitspolitik, militärische Vertrauensbildung, Konfliktverhütung, Krisenmanagement, Durchsetzung von Menschen- und Bürgerrechten sowie wirtschaftliche, technische, ökologische Zusammenarbeit

Die vormalige KSZE (ab 1. 1. 1995 OSZE) dient vorwiegend dazu, Konflikte, die sich aus dem Zusammenbruch des Kommunismus in Ost- und Mitteleuropa sowie dem Zerfall der Sowjetunion in miteinander konkurrierende Staaten ergaben, im Vorfeld mit diplomatischen Mitteln zu entschärfen. Ziel war, im gleichberechtigten Dialog zwischen den Parteien Konsens herzustellen.

**Missionen:** Von 1992 bis Mitte 1995 wurden Beobachter bzw. Beauftragte in zehn Staaten (Baltikum, GUS, Ex-Jugoslawien) entsandt. Auf dem Gipfeltreffen der Staats- und Regierungschefs im Dezember 1994 in Budapest/Ungarn wurde der Aufbau einer multinationalen Friedenstruppe für die zwischen Armenien und Aserbai-

**Ostsee-Überbrückung**

❶ Eisenbahntunnel, Autobrücke und kombinierte Eisenbahn- und Autobrücke Voraussichtliche Fertigstellung: 1996 (Bahnverkehr) 1998 (Autoverkehr)

❷ Tunnel-Brücke-Kombination für Auto- und Eisenbahnverkehr (geplante Eröffnung 2000)

❸ "Vogelfluglinie": Forderung nach Tunnel (Stand: Mitte 1995)

— Streckenführung Autobahn/ Eisenbahn

0       50 km

© Harenberg

dschan umstrittene Kaukasus-Region Nagorny Karabach beschlossen. Voraussetzung ist ein dauerhafter Waffenstillstand zwischen den Konfliktparteien und die Zustimmung des UNO-Sicherheitsrats.

**Sicherheit:** In Budapest wurde ein militärischer Verhaltenskodex beschlossen, in dem politisch verbindliche Regeln für die nationalen Streitkräfte anerkannt werden. Diese müssen eine verfassungsrechtliche und rechtliche Grundlage haben und demokratisch legitimiert sowie parlamentarischer Kontrolle unterworfen sein. Einsätze bewaffneter Kräfte im Innern müssen durch Rechtsvorschriften gedeckt sein. Den Mitgliedern wird das Recht zugestanden, einem Militärbündnis beizutreten.

**Stabilitätspakt:** Im März 1995 unterzeichneten die OSZE-Staaten ein multinationales Abkommen über gute Nachbarschaft. Der sog. Stabilitätspakt für Europa verpflichtet zur einvernehmlichen Lösung von Grenzfragen und Minderheitenproblemen. Einbezogen wurden rd. 100 bis dahin abgeschlossene bilaterale Abkommen

**OSZE:**
**Generalsekretär**

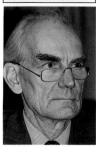

**Wilhelm Höynck**
\* 11. 12. 1933 in
Solingen, Dr. jur. 1964
Eintritt in den Auswär-
tigen Dienst, 1971–
1975 bei der deut-
schen NATO-Vertre-
tung, 1975–1978 und
1986–1991 im Aus-
wärtigen Amt 1991–
1993 deutscher
KSZE-Botschafter,
1993 erster General-
sekretär der KSZE (ab
1995 OSZE).

und grenzüberschreitende Projekte. Die Abkommen sind Voraussetzung für einen späteren EU- oder NATO-Beitritt. Ihre Ausführung wird von der OSZE überwacht.

**Schiedsgerichtshof:** Am 30. 5. 1995 fand unter Beteiligung von 15 Staaten in Genf/Schweiz die Gründungssitzung des OSZE-Vergleichs- und Schiedsgerichtshofs statt (Vorsitz: Robert Badinter/Frankreich). Er ist für zwischenstaatliche Streitfälle, z. B. über Wasser- und Fischereirechte, vorgesehen, die nicht in bilateralen Verhandlungen von den betroffenen Staaten gelöst werden. Der Urteilsspruch ist bindend.

→ Europäische Union → Kaukasus → NATO → Tschetschenien → WEU

# Outsourcing

(engl.; Auslagerung), Übergabe von Firmenbereichen, die nicht das Kerngeschäft betreffen, an dienstleistende Spezialisten. O.-Bereiche sind u. a. Logistik, elektronische Datenverarbeitung und Vertrieb. In Deutschland hatten 1994 einer Umfrage der Zeitschrift Computerwoche zufolge 74% aller großen und mittelgroßen Unternehmen O. bereits abgeschlossen, in die Wege geleitet oder zeigten Interesse daran. Häufig wurde auch leitenden Mitarbeitern von Unternehmen vorgeschlagen, sich mit einem Betriebsteil selbständig zu machen.

Die Unternehmen hofften insbes. auf Lohnkosteneinsparungen und größere

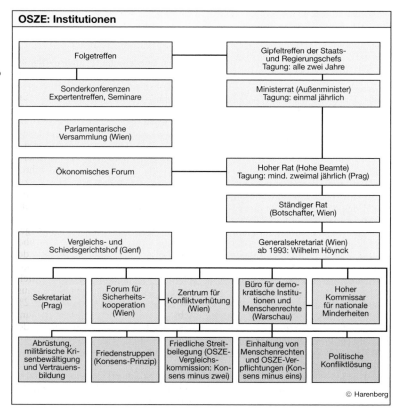

OSZE: Institutionen

© Harenberg

Effektivität in den Kernaufgaben. Außerdem konnten sie O. von der Steuer absetzen. Kritiker bemängelten, daß die Auslagerung von Firmenteilen vormals Angestellte zum Schritt in die Selbständigkeit zwinge. Sozialabgaben müssen sie dann allein tragen, was ihre finanzielle Belastung vergrößert.

→ Scheinselbständige

## ÖVP

**Name** Österreichische Volkspartei
**Gründung** 1945
**Mitglieder** Rd. 550 000 (Stand: Mitte 1995)
**Bundesobmann** Wolfgang Schüssel (seit 1995)
**Ausrichtung** Christlich-demokratisch

Bei der Nationalratswahl vom 9. 10. 1994 erzielte die ÖVP mit 27,7% der Stimmen (−4,4 Prozentpunkte) das schlechteste Ergebnis ihrer fast 50jährigen Geschichte. Die ÖVP verlor acht Mandate, blieb jedoch mit 52 von 183 Sitzen zweitstärkste Partei nach den Sozialdemokraten (SPÖ, 65 Sitze). Die ÖVP bildete ab 1987 eine große Koalition mit der SPÖ und war Mitte 1995 mit sieben Ministern in der 16köpfigen Regierung vertreten. Nach der Wahlniederlage wurden Forderungen nach einer ideologischen Neuorientierung der Partei laut. Auf dem 30. Parteitag in Wien im April 1995 wählten die Delegierten Wirtschaftsminister Wolfgang Schüssel zum Nachfolger von Erhard Busek als Bundesobmann (Parteivorsitzender) der ÖVP.

**Parteiprogramm:** Das neue Parteiprogramm, Ersatz für das Salzburger Programm von 1972, wurde auf dem Parteitag mit großer Mehrheit angenommen. Es definiert die ÖVP als christdemokratische Partei mit starker liberaler Komponente. Das Wiener Programm unterstreicht die Verantwortung des einzelnen für die Gemeinschaft und strebt die Lösung ökologischer Fragen im Rahmen einer ökosozialen Marktwirtschaft an. Es fordert einen starken Staat als Garanten für Recht und Ordnung sowie Toleranz gegenüber Mitmenschen, insbes. Minderheiten.

**Organisation:** In die ÖVP-Führungsriege wurden als neue Generalsekretäre der Partei Maria Rauch-Kallat, bis zur Wahl österreichische Umweltministerin, und Othmar Karas, ehemals Chef der Parteijugend, gewählt. Seit 1992 ist mit Thomas Klestil ein ÖVP-Mitglied Bundespräsident Österreichs. Die sechs Teilorganisationen der ÖVP (Arbeiter- und Angestelltenjugend, Bauernbund, Frauenbewegung, Junge Volkspartei und Seniorenbund) zählten Mitte 1995 rd. 550 000 Mitglieder.

## Ozonloch

Von einem O. sprechen die Wissenschaftler, wenn mehr als 50% der Ozonschicht zerstört sind. Ozon ($O_3$) ist die natürliche Form des Sauerstoffs ($O_2$) mit drei Atomen, die unter Einwirkung von Sonnenstrahlen aus Stickstoffoxiden und Kohlenwasserstoffen entsteht. Die Ozonschicht ist der Bereich der irdischen Lufthülle in einer Höhe von 15 bis 50 km. Sie schützt die Erde vor der energiereichen ultravioletten Strahlung (UV-Strahlung) der Sonne, die Krebs auslösen, das Immunsystem schwächen und das Erbgut schädigen sowie zu Ertragseinbußen in der Landwirtschaft führen kann. Die Luftverschmutzung trägt zur Abschwächung des Effekts bei. Durch den Abbau der Ozonschicht wird eine Erwärmung der Erde erwartet.

**Ausbreitung:** Mitte der 90er Jahre gab es ein etwa 32 Mio km$^2$ großes O. über dem Südpol (dreimal die Fläche der USA). Über der nördlichen Erdhalbkugel waren etwa 20% der Ozonschicht zerstört. Fachleute gingen davon aus, daß jedes Prozent Ozon weniger 2% mehr UV-Strahlung durchläßt und diese wiederum zu einem Anstieg der Hautkrebsrate um 3% führt.

**Ursachen:** Fluorchlorkohlenwasserstoffe (FCKW) aus Spraydosen und Kühlschränken steigen in die Ozonschicht auf, wo die UV-Strahlung das in den FCKW enthaltene Chlor frei-

**ÖVP:**
**Bundesobmann**

**Wolfgang Schüssel**
* 7. 6. 1945 in Wien/Österreich, Dr. jur. 1968–1975 Fraktionssekretär der ÖVP, 1979 Mitglied des Nationalrats in Wien, 1989 Wirtschaftsminister. Im April 1995 Nachfolger von Erhard Busek als Vizekanzler und Bundesobmann der ÖVP, Wechsel vom Wirtschafts- ins Außenministerium.

| ÖVP: Ergebnisse bei Landtagswahlen | |
|---|---|
| **Land (Jahr)** | **Stimmenanteil (%)** |
| Burgenland (1991) | 38,2 |
| Kärnten (1994) | 23,8 |
| Niederösterreich (1988) | 44,2 |
| Oberösterreich (1991) | 45,2 |
| Salzburg (1994) | 38,6 |
| Steiermark (1991) | 44,3 |
| Tirol (1994) | 47,3 |
| Vorarlberg (1989) | 51,0 |
| Wien (1991) | 18,1 |

| Ozon: Wirkung auf den Menschen | |
|---|---|
| **Ozon (mg/m³)** | **Menschliche Reaktion** |
| 40 | Ozon wird mit Geruchssinn wahrgenommen, schneller Gewöhnungseffekt |
| ab 70 | Beginnende Bindehautreizung |
| ab 100 | Eventuell Kopfschmerzen bei gesunden Erwachsenen |
| ab 160 | Nach wenigen Stunden Husten, bei körperlicher Belastung: Kurzatmigkeit, Schmerzen beim Einatmen |
| ab 200 | Vermehrte Anfälle bei Asthmatikern, Zunahme entzündlicher Prozesse in der Lunge |
| 200–300 | Veränderung der Lungenfunktion, größerer Widerstand in den Atemwegen bei körperlicher Belastung |
| ab 300 | Nach einer Stunde eingeschränkte Lungenfunktion |
| ab 400 | Brustschmerzen, Atemnot, Augenbeschwerden, Störungen des zentralen Nervensystems |

Quelle: Ozonratgeber

setzt. Die Chloratome wandeln Ozonmoleküle in Sauerstoffmoleküle um, die im Gegensatz zum Ozon die UV-Strahlung bis zur Erde durchlassen.

**Maßnahmen:** Das 1987 beschlossene weltweite FCKW-Verbot wurde 1992 von 2000 auf 1996 vorgezogen. Die Anwendung von teilhalogenierten FCKW (HFCKW), die FCKW ersetzen sollen, soll bis 2030 eingestellt werden.

**Erkenntnisse:** Fachleute gingen 1994 davon aus, daß das O. in der Atmosphäre in etwa 50 Jahren verschwinden würde, wenn die Staatengemeinschaft die beschlossenen Schutzmaßnahmen einhalten würde. Das größte O. erwarteten die Wissenschaftler um das Jahr 1998, weil sich dann die größte Konzentration des Ozonkillers FCKW in der Lufthülle befinden wird.
→ FCKW → Klimaveränderung → Luftverschmutzung

## Palästinensische Autonomiegebiete

Gazastreifen (365 km², 1,1 Mio Einwohner) und das Gebiet um Jericho (62 km², 25 000 Einwohner), die im Juni 1994 von israelischer Oberhoheit in palästinensische Selbstverwaltung übergegangen sind. Die politische Macht übt eine 24köpfige Autonomiebehörde unter PLO-Chef Jasir Arafat aus. Der Regierung untersteht die Verwaltung für Bildung, Gesundheit, Steuern, Wirtschaft, Soziales und Tourismus. Die Auseinandersetzung mit radikalen palästinensischen Friedensgegnern sowie Finanzprobleme erschwerten bis Mitte 1995 den Aufbau von administrativen und wirtschaftlichen Strukturen. Im April und Juni 1995 kam es zu Auseinandersetzungen zwischen der 9000 Mann starken Polizei und Anhängern der Terrorgruppen Hamas und Dschihad Islami.

**Streitpunkt Wahlen:** Ein bis Juli 1995 auszuhandelnder Vertrag soll Einzelheiten der für September 1995 im Gazastreifen und im Westjordanland geplanten Wahlen und die Ausweitung der Autonomie regeln. Als Bedingung zur Wahl einer Volksvertretung verlangte die palästinensische Seite den Abzug der israelischen Truppen aus den Ballungsgebieten im Westjordanland. Israel verweigerte den Rückzug mit dem Hinweis auf die gefährdete Sicherheit von 120 000 jüdischen Siedlern im Gazastreifen und im Westjordanland. Einigkeit konnte darüber erzielt werden, die Wahl von internationalen Beobachtern beaufsichtigen zu lassen. Nach dem Kairoer Abkommen vom Mai 1994 sollen die P. schrittweise auf weitere Teile des Westjordanlandes ausgedehnt werden.

**Arbeitslosigkeit:** Hauptproblem des überbevölkerten Gazastreifens (3014 Einwohner/km²) ist die steigende Arbeitslosigkeit, die Mitte 1995 bei 60% lag (Westjordanland: 30%). Nach Anschlägen palästinensischer Terroristen schloß Israel im Oktober 1994 und im Januar 1995 seine Grenzen für palästinensische Arbeitskräfte. Ihre Zahl reduzierte sich von 60 000 (1994) auf 24 000 Mitte 1995. Ein Bevölkerungswachstum von jährlich 4,6% und die erwartete Rückkehr von rd. 500 000 Exil-Palästinensern bis zum Jahr 2000 verschärfen die Situation.

**Finanzprobleme:** Experten schätzten das Defizit der Palästinensischen Autonomiebehörde 1994/95 auf 400 Mio Dollar (563 Mio DM). Im März 1995 ersuchte Arafat die USA und Großbritannien, die Finanzierung der Gehälter von rd. 24 000 Beamten und Angestellten bis zum Jahresende zu verlängern. Von den für 1994 von den ausländischen Geberländern zugesagten 600 Mio Dollar (845 Mio DM) waren lediglich 250 Mio Dollar (352 Mio DM) überwiesen worden. Die ursprünglich geplante Finanzierung der Verwaltungsausgaben aus den Steuereinnahmen scheiterte an administrativen Anlaufproblemen und der niedrigen Steuermoral. Infolge der nach Terroranschlägen im Oktober 1994 und erneut im Januar 1995 erfolgten Aussperrung der palästinensischen Arbeitskräfte aus Israel verloren die Palästinenser täglich 2 Mio Dollar (2,8 Mio DM) an Löhnen und Dienstleistungen. Für 1995 haben die 43 Geberländer Finanzhilfe in Höhe von 600 Mio Dollar (845 Mio DM) zugesagt. Die P., deren Infrastruktur unzureichend ausgebaut ist, waren 1994/95 wirtschaftlich von Israel abhängig. Handel, Energieversorgung und Telekommunikation wurden über Israel abgewickelt.
→ Dschihad Islami → Hamas → Hisbollah → Nahost-Konflikt → PLO

---

### PALplus

(Phase Alternation Line, engl.; zeilenweise Phasenveränderung), analog übertragene Fernsehnorm, die ab 1994 in Deutschland und anderen europäischen Staaten allmählich die Norm PAL ablöst. Ende 1994 wurden die ersten TV-Geräte für P. mit einem Format im Seitenverhältnis von 16 : 9 angeboten (Preis: 4000–8000 DM). P. ermöglicht im Vergleich zu PAL und dem konventionellen Gerät im Format 4 : 3 größere Bilder in verbesserter Qualität und eine höhere Tonqualität. 1994 wurden insgesamt rd. 2000 Programmstunden in P. gesendet, 1995

**Palästinensische Autonomiegebiete**

**Besetzte Gebiete**
- Von Israel besetzt
- Geräumtes Gebiet, unter UNO-Kontrolle
- ✦ Arabische Siedlung
- ☼ Israelische Siedlung
- ✻ Palästinensisches Flüchtlingslager
- Israelisch beanspruchte sog. Sicherheitszone
- Unter palästinensischer Selbstverwaltung

© Harenberg

waren 6000 Stunden geplant. P. ist nicht für die Übertragung von digitalem Fernsehen (ab 1996) geeignet.
**Vorteile:** Das über terrestrische Frequenzen übertragene und mit der normalen Hausantenne zu empfangende P. verfügt wie PAL über eine Bildauflösung von 625 Zeilen. Der Bildschirm im 16 : 9-Format ist um rd. 30% größer. Spezielle Filter verhindern bei üblichen TV-Bildschirmen auftretende Störeffekte wie Farbüberlagerungen.
**Empfang:** PAL-Programme werden in für P. geeigneten 16 : 9-Geräten auf die größere Bildfläche vergrößert. Bis 1994 eingesetzte Fernsehgeräte im Format 16 : 9 können P. mit Hilfe eines Zusatzgerätes (sog. Decoder, Preis: rd. 1000 DM) empfangen. Auf den 4 : 3-Bildschirmen entstehen bei der Übertragung in P. am oberen und unteren Bildrand schwarze Streifen.

| Parteienfinanzierung: Parteivermögen[1] | |
|---|---|
| Partei | Vermögen (Mio DM) |
| PDS | 437,8 |
| SPD | 306,9 |
| CDU | 144,3 |
| FDP | 59,9 |
| B. 90/Grüne | 55,1 |
| CSU | 34,8 |

1) Vermögen der Bundestagsparteien 1993; Quelle: Rechenschaftsberichte der Parteien

| Parteienfinanzierung: Staatliche Zuschüsse | |
|---|---|
| Partei | Zuschuß (Mio DM) |
| SPD | 88,7 |
| CDU | 74,0 |
| CSU | 17,8 |
| B. 90/Grüne | 15,5 |
| FDP | 14,4 |
| PDS | 10,6 |
| Republikaner | 3,7 |
| DVU | 1,0 |
| ÖDP | 0,9 |
| Graue | 0,4 |
| Sonstige | 1,2 |

Stand: 1994; Quelle: Spiegel, 28. 11. 1994

# Parallelcomputer

Datenverarbeitungsanlage, bei der mehrere Mikroprozessoren gleichzeitig verschiedene Rechenschritte einer Aufgabe ausführen. P. verfügen durch Arbeitsteilung über höhere Speicherkapazität und rechnen schneller als Hochleistungsrechner, die mit Zentralprozessoren ausgestattet sind. Ende 1994 stellten drei Computerhersteller P. vor, die 1 Billion Rechenoperationen/sec durchführen (sog. Teraflop-P.). Die leistungsfähigsten P. konnten bis dahin 400 Mrd Rechenoperationen/sec ausführen.

**Vor- und Nachteile:** Da bei P. jeder Mikroprozessor nur Teilaufgaben übernimmt, können Chips mit geringer Speicherkapazität verwendet werden. Auch die leistungsfähigsten Zentralprozessoren in Computern werden bei der Lösung komplexer Aufgaben überfordert. P. sind im Vergleich zu Ein-Chip-Rechnern billiger, da die Mikroprozessoren von P. in höheren Stückzahlen hergestellt werden. Eine zu lösende Rechenaufgabe muß in mehrere Teile aufgespalten werden, um alle Mikroprozessoren gleichmäßig auszulasten. Nur so können P. ihre volle Leistung erbringen.

**Anwendung:** P. machen aufwendige Tests überflüssig, indem sie zur Simulation physikalischer und chemischer Experimente, z. B. aerodynamischer Eigenschaften von Flugzeugen oder der Funktion von Körperzellen, eingesetzt werden.

**Teraflop-Rechner:** Die Produktion von Teraflop-P. des Elektronikkonzerns NEC (Japan) und der US-amerikanischen Computerhersteller nCube und Avalon begann 1995. Ihr Preis beträgt 35 Mio–40 Mio Dollar pro Stück (49 Mio–56 Mio DM).

**Forschungsprojekte:** Mitte der 90er Jahre förderte die EU mit rd. 40 Mio DM drei Projekte (Caesar, Cleopatra und Hamlet) zur Anwendung von P. Ziel ist, den Vorsprung der USA und Japans bei der Entwicklung von P. aufzuholen.

→ Chip → Computer

# Parkhaus, Vollautomatisches

Gebäude für platzsparendes Parken von PKW mit Hilfe einer Transporteinrichtung. 1995 war in der Augsburger Innenstadt die Errichtung des ersten P. geplant. Der Fahrer fährt sein Kfz in eine sog. Einfahrtbox, ähnlich einer Einzelgarage, und der PKW wird mit einem computergesteuerten, elektrisch betriebenen Lastfahrzeug (sog. Tender) auf einen Stellplatz befördert. Diese sind in dem zylindrischen Baukörper wie die Stufen einer Wendeltreppe um den Schacht mit den Tendern angeordnet. Vier Kfz können gleichzeitig ein- und ausgeparkt werden. Der Fahrer kann den Wagen aus einer Abfahrtbox abholen.

Da beim P. der Großteil des umbauten Raumes nicht für Auf- und Abfahrtrampen sowie für Verkehrsflächen verloren geht, kann es platzsparend auf kleinen Grundstücken gebaut werden. Die Suche nach einem freien Parkplatz entfällt. Es entstehen weniger Lärm- und Abgasemissionen. Weite Wege im Parkhaus durch schlechtbeleuchtete Zonen und die Gefahr von Überfällen werden vermieden.

# Parteienfinanzierung

Auf der Grundlage des P.-Gesetzes vom Januar 1994 flossen den Parteien 1994 insgesamt 352 Mio DM an staatlichen Geldern zu (1993: 209 Mio DM). Die Gesetzesänderung war notwendig geworden, weil das Bundesverfassungsgericht (BVG, Karlsruhe)

| Parteienfinanzierung: Beitragspflichtige Parteimitglieder | | | | | |
|---|---|---|---|---|---|
| Jahr | SPD | CDU | CSU | FDP | Grüne[1] |
| 1989 | 921 430 | 662 598 | 185 853 | 66 274 | 37 879 |
| 1990 | 949 550 | 777 767 | 186 198 | 168 217 | 40 316 |
| 1991 | 919 871 | 751 163 | 184 513 | 140 031 | 38 054 |
| 1992 | 885 958 | 713 846 | 181 758 | 103 505 | 38 481 |
| 1993 | 861 480 | 685 343 | 177 289 | 94 197 | 39 335 |

PDS 1993: 131 406; 1) ab 1993 Bündnis 90/Grüne; Quelle: Rechenschaftsberichte der Parteien

1992 grundlegende Teile der staatlichen P. (z. B. die steuerliche Abzugsfähigkeit von Spenden juristischer Personen wie Firmen und Vereine) für verfassungswidrig erklärt und bis Ende 1993 eine Neuregelung angeordnet hatte. Das neue P.-Gesetz senkte die Wahlkampfkostenrückerstattung, und der Umfang der jährlichen staatlichen Zuschüsse wurde an die Entwicklung der übrigen Einnahmequellen der Parteien gekoppelt.

**Staatszuschüsse:** Staatliche Zuwendungen dürfen die von den Parteien selbst erwirtschafteten Einnahmen nicht übertreffen. Nach der sog. Degressionsregelung erhalten Parteien für die ersten 5 Mio Wählerstimmen 1,30 DM je Stimme, für die übrigen Stimmen 1 DM (bis 1994: 5 DM pro Stimme). Wahlkampfkostenerstattungen erhalten Parteien mit einem Stimmenanteil bei Bundestags- und Europawahlen von mindestens 0,5% (Landtagswahlen: mindestens 1%). 1994 betrugen die Wahlkampfkostenerstattungen rd. 132 Mio DM (1990: rd. 380 Mio DM). Zusätzlich bekommen die Parteien pro Beitrags- und Spendenmark 0,50 DM aus der Staatskasse. Das jährliche Gesamtvolumen der Zuschüsse aus öffentlichen Haushalten wird ab 1995 von einer vom Bundespräsidenten einberufenen Kommission festgesetzt (Obergrenze 1994: 230 Mio DM).

**Spenden:** Die Möglichkeiten für steuerfreie Parteispenden wurden eingeschränkt. Unternehmen dürfen Spenden nicht mehr steuerlich absetzen. Einzelpersonen können Spenden und Beiträge nur bis zu einer Höhe von 6000 DM pro Jahr (12 000 DM bei Verheirateten) von der Steuer absetzen. Bis 1993 galt eine Höchstgrenze von 60 000 DM (120 000 DM).

**PDS:** Die SED-Nachfolgepartei PDS war 1993 mit einem Vermögen von 438 Mio DM reichste Partei in Deutschland. Anfang 1995 standen Vermögenswerte der SED in Höhe von rd. 1,8 Mrd DM, die die PDS für sich beanspruchte, unter der Verwaltung

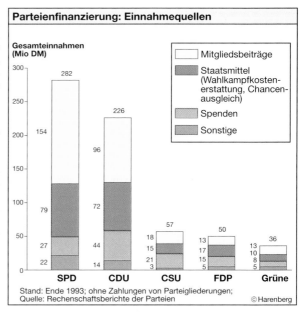

**Parteienfinanzierung: Einnahmequellen**

Gesamteinnahmen (Mio DM)

Mitgliedsbeiträge
Staatsmittel (Wahlkampfkostenerstattung, Chancenausgleich)
Spenden
Sonstige

Stand: Ende 1993; ohne Zahlungen von Parteigliederungen; Quelle: Rechenschaftsberichte der Parteien © Harenberg

der Bundesanstalt für Vereinigungsbedingte Sonderaufgaben (BVS), der Nachfolgeorganisation der Treuhandanstalt. Mitte 1995 einigte sich die Partei mit der Unabhängigen Kommission zur Überprüfung des Vermögens der Parteien und Massenorganisationen auf einen Vergleich. Danach erhält die PDS vier Immobilien aus dem SED-Vermögen und verzichtet dafür auf alle Ansprüche auf den übrigen SED-Besitz.

**Parteistiftungen:** Im Februar 1995 verwehrten CDU/CSU, FDP und SPD der PDS im Haushaltsausschuß des

**Parteienfinanzierung: Parteistiftungen 1994**

| Stiftung | Nahestehende Partei | BMZ-Mittel (Mio DM)[1] |
|---|---|---|
| Konrad-Adenauer-Stiftung | CDU | 110,45 |
| Friedrich-Ebert-Stiftung | SPD | 106,64 |
| Friedrich-Naumann-Stiftung | FDP | 57,43 |
| Hanns-Seidel-Stiftung | CSU | 56,87 |
| Stiftungsverb. Regenbogen | Bündnis 90/Grüne | 16,23 |

1) Zuweisungen des Bundesministeriums für wirtschaftliche Zusammenarbeit und Entwicklung (BMZ) machen rd. 50% des Jahresbudgets der Parteistiftungen aus; Quelle: BMZ

317

Bundestags die beantragten Zuschüsse für ihre parteinahe Stiftung Gesellschaftsanalyse und Politische Bildung e. V. 1995 erhalten die Parteistiftungen der fünf übrigen im Bundestag vertretenen Parteien rd. 187 Mio DM sog. Globalzuschüsse, die nach einem von den Parteien ausgehandelten Schlüssel verteilt werden. Bündnis 90/Die Grünen erhalten vorab 5,5%. Die übrigen 94,5% verteilen sich auf die Parteistiftungen von CDU, SPD, CSU und FDP im Verhältnis 2:2:1:1.

## Paternoster

Aufzug zur Personenbeförderung, bei dem Fahrkörbe an zwei endlosen Ketten stetig umlaufen, die Körbe werden während der Fahrt betreten und verlassen. Nach Protesten verlängerte die CDU/CSU/FDP-Bundesregierung die Frist für die Benutzung der P. von 1994 bis 2005. Seit 1974 gilt ein Bauverbot für P., weil die Unfallgefahr beim Ein- und Aussteigen nach Angaben der Technischen Überwachungsvereine (TÜV) 30–40mal höher ist als in geschlossenen Aufzügen. 1995 gab es in Deutschland 500 P. (neue Bundesländer: 100). Der 1880 in England erfundene Aufzug wurde in Deutschland erstmals 1885 in Hamburg eingesetzt.

## Pay-CD

(to pay, engl.; bezahlen), digitale Speicherplatte für Computerprogramme (Software). Mit der P. kann der Computerbenutzer Programme (z. B. Textverarbeitung) kostenlos testen. Softwarefirmen dienen P. als Werbematerial. Auf der P. sind komplette Programme gespeichert, eine funktionsfähige Version der Software wird jedoch erst zugänglich, wenn der Benutzer einen Freischalt-Code eingibt, der vom Anwender beim Hersteller gekauft werden muß. P. kamen in Deutschland erstmals 1994 auf den Markt und wurden von Großhandelsketten häufig beim Kauf eines PC gratis abgegeben.

Hersteller schätzten, daß der Software-Vertrieb über P. mittelfristig einen Marktanteil von 10% erreichen wird. Der Softwarehersteller zahlt dem CD-Produzenten rd. 1500 DM, um ein Programm durchschnittlicher Größe (ca. 10 MByte) auf einer P. zu plazieren (Auflage: durchschnittlich 300 000 Stück). Eine Anzeigenkampagne mit ähnlicher Reichweite kostet etwa das Zehnfache. Hackern gelang es, die Freischalt-Codes zu entschlüsseln.
→ CD-ROM → Hacker → Software

## Pay-Radio

(to pay, engl.; bezahlen), Hörfunkprogramme, die gegen eine Gebühr abonniert werden können. 1995 starteten die US-amerikanischen P.-Anbieter Music Choice Europe (MC Europe) und Digital Music Express (DMX) 50 bzw. 30 Hörfunkprogramme bestimmter Musikrichtungen wie Jazz, Rock, Pop, Klassik jeweils in CD-Klangqualität als P. in Deutschland.
Voraussetzung für den Empfang der digitalen Musiksignale ist ein Zusatzgerät (P.-Receiver) und eine Abonnentenkarte, die in den Receiver eingeführt wird. Das Programm wiederholt sich in Zufallsreihenfolge nach einem bestimmten Zeittakt.
Die Tonträgerindustrie und -händler befürchteten Umsatzeinbußen infolge des P.-Angebots. P.-Veranstalter sollen an die Gesellschaft für musikalische

| Pay-Radio: Sendervergleich | | |
|---|---|---|
| Merkmal | DMX | MCEurope |
| Gesellschafter | TCI Europe, Viacom | Sony, Time Warner, EMI, General Instr. |
| Ausstrahlung | Kabel, Satellit (Astra) | Kabel, Satellit (Astra) |
| Monatsgebühr | 15–20 DM | 22 DM |
| Receiverkosten | 300 DM einmalig | 125 DM, davon 75 DM als Kaution |
| Programme | 30 später bis 86 | 50 später bis 128 |

Quelle: MMM Hamburg

Aufführungs- und mechanische Vervielfältigungsrechte (GEMA, Berlin) höhere Gebühren bezahlen, weil das urheberrechtlich geschützte Musikmaterial häufiger benutzt wird als bei herkömmlichen Radiosendern.
→ Privater Hörfunk

## Pay-TV

(to pay, engl.; bezahlen), Fernsehprogramm, das gegen eine Gebühr abonniert wird. Das bis Mitte 1995 einzige P. Deutschlands, Premiere, plante für Herbst 1995 einen P.-Kinderkanal. Der Musiksender MTV will sein Programm ab Mitte 1995 für den Satellitenempfang als P. anbieten. Mit Einführung des digitalen Fernsehens, das für 1996 vorgesehen war und mit dem zehn Programme über einen Kanal übertragen werden können, der bis dahin nur eins ausstrahlte, wurden zahlreiche Gründungen von P. erwartet. **Empfang:** Premiere wird bundesweit über Satellit und Kabel verbreitet. Für den störungsfreien Empfang ist ein sog. Decoder erforderlich (Leihgebühr 1994: 120 DM) und eine Chipkarte mit der Abonnentennummer, die in den Decoder eingeführt wird. 44,50 DM pro Monat zahlte der Abonnent Mitte 1995 für den Empfang von Premiere. Das Einzelabonnement für den Kinderkanal kostet voraussichtlich 25 DM, für beide soll der Kunde 56 DM zahlen. MTV will einen eigenen Decoder einführen. Das Jahresabonnement des Senders soll 299 DM kosten. Kabelhaushalte empfangen MTV weiterhin, weil die Telekom als Kabelnetzbetreiber dem Sender für die unverschlüsselte Ausstrahlung 15 Mio DM Jahresgebühr für die Einspeisung ins Netz erläßt. Die Telekom wollte TV-Haushalte mit gebührenpflichtigem Kabelanschluß nicht verlieren.
**Premiere:** Das ab 1991 angebotene P. strahlt keine Werbung aus und finanziert sich ausschließlich aus den Zuschauergebühren. Nach stagnierenden Abonnentenzahlen 1994 weitete Premiere Ende 1994 sein Angebot an

| Pay-TV: Europäisches Angebot 1995 | | | |
|---|---|---|---|
| Sender | Programm | Land | Abonnenten |
| Canal plus | Kinofilme, Sport, Veranst. | F | 3 700 000 |
| BSkyB Sky Sports | Sport | GB | 2 300 000 |
| BSkyB Sky Movies | Kinofilme | GB. | 2 300 000 |
| BSkyB Movie Chan. | Kinofilme | GB. | 2 100 000 |
| Canal plus España | Kinofilme, Sport, Veranst. | E | 900 000 |
| Premiere | Kinofilme, Sport, Veranst. | D | 850 000 |
| Telepiú 1/2/3 | Filme/Sport/Kultur | I | 850 000 |
| TV 1000 | Spielfilme, Erotik | Skan. | 370 000 |
| Filmnet Plus | Filmhits, Sport | Skan. | 360 000 |
| Filmnet Plus | Filmhits, Sport | NL | 180 000 |
| Filmnet Plus | Filmhits, Sport | B | 170 000 |
| Canal plus TVCF | Kinofilme, Sport, Veranst. | B | 150 000 |
| HBO | Filme aus USA, Ungarn | H | 150 000 |
| Teleclub | Kinofilme, Sport, Veranst. | CH | 91 000 |
| Filmax | Kinofilme | S | 80 000 |
| Channel 2 | Kinofilme | IS | 45 000 |

Stand: Anfang 1995; Quelle: PBM, Bayrische Landesmedienzentrale

aktuellen Spielfimen, Sportberichten und Übertragungen von Großveranstaltungen wie Konzerten aus und nahm Talk-Shows und Magazine aus dem Programm. Mitte 1995 hatte das P. 910 000 Kunden. Bei 450 Mio DM Umsatz 1993/94 erwirtschaftete es einen Verlust von 50 Mio DM. Die Anlaufverluste der Gesellschafter, der Bertelsmann AG (Gütersloh), des französischen P. Canal plus (beide 37,5%) und des Kirch-Konzerns (München, 25%), beliefen sich bis Mitte 1995 nach Schätzungen auf 500 Mio DM.
**Medienriese gebremst:** Ende 1994 verhinderte die EU-Wettbewerbskommission die Bildung eines Gemeinschaftsunternehmens von Bertelsmann, Kirch und Telekom. Mit Beginn des digitalen Fernsehens wollte das Konsortium ein bundesweit einheitliches Benutzersystem für P. aufbauen und z. B. die Abonnementverwaltung für P.-Anbieter übernehmen. Die EU begründete die Ablehnung mit der erwarteten Monopolstellung des Gemeinschaftsunternehmens. SPD-regierte Länder forderten 1995, daß Programmvertreiber nicht identisch sein dürften mit Programmveranstaltern, um Übertragungswege allen TV-Anbietern gleichermaßen offenzuhalten.

| PC: Größte Hersteller in Europa 1994 | |
|---|---|
| **Hersteller** | **Anteil (%)** |
| Compaq | 12,7 |
| IBM | 10,4 |
| Apple | 7,1 |
| Olivetti | 5,3 |
| Vobis | 4,8 |
| Escom | 3,5 |
| HP | 3,9 |
| SNI[1] | 3,4 |
| AST | 3,4 |
| Packard Bell | 2,2 |

1) Siemens Nixdorf; Quelle: Computerwoche, 17. 2. 1995

**Zusammenschluß:** Die Premiere-Gesellschafter Bertelsmann und Canal plus vereinbarten Mitte 1994 weitere Kooperationen beim P. Sie gründeten Betriebe zur Entwicklung digitaler Fernsehtechnik und einen gemeinsamen Fonds für den Kauf von Senderechten. Insgesamt sahen beide 700 Mio DM Investitionen in P. und mit dem digitalen Fernsehen entstehende Angebote wie Pay per view und Video on demand vor, bei denen nur noch für die bestellte Sendung gezahlt wird.
→ Digitales Fernsehen → Interaktives Fernsehen → Kinderkanal → Medienkonzentration → Spartenkanal → Video on demand

## PC

(Personalcomputer), 1994 löste der texanische PC-Produzent Compaq den Büromaschinenhersteller IBM (USA) als weltweiter Marktführer beim Umsatz mit PC ab. Die Zahl der verkauften PC stieg weltweit um 25,2% auf 45,2 Mio an. 1995 konzentrierten sich die PC-Hersteller darauf, ihren Umsatz im Heimcomputermarkt – insbes. bei sog. Multimedia-PC – zu steigern, in dem sie die größten Absatzchancen für die Zukunft sahen. PC wurden Mitte der 90er Jahre jährlich um durchschnittlich 15% billiger, weil sich die Entwicklungszyklen von leistungsfähigeren Chips, dem Motor jedes PC, verkürzten.

### PC: Konkurrenten

**Eckhard Pfeiffer, Compaq-Präsident**
* 20. 4. 1941 in Lauban (heute: Polen), 1983 Vizepräsident, 1989 Präsident von Compaq Europa. 1991 Präsident des 1994 größten PC-Herstellers.

**Michael H. Spindler, Apple-Präsident**
* 1943 in Berlin, ab 1980 bei Apple-Computers, 1985 Vizepräsident des Marketingbereichs, 1993 Präsident des 1994 drittgrößten PC-Herstellers.

**Deutschland:** 1994 wurden in Deutschland 2,8 Mio PC verkauft, Marktführer war mit einem Anteil von 14,6% Vobis, gefolgt von Compaq (9,9%) und Escom (9,6%). 25% der westdeutschen Haushalte besaßen einen PC (Ostdeutschland: 19%), damit hatte sich die Zahl von Rechnern in Privatwohnungen innerhalb von fünf Jahren verdoppelt.
**Multimedia:** Die Produzenten vermuteten, daß insbes. wegen der zunehmenden Verknüpfung von Unterhaltungselektronik, Telekommunikation und traditionellen Rechnermöglichkeiten weiter steigt. Die Geräte können als Anrufbeantworter, Telefax, Stereoanlage sowie Fernseher dienen und für Spiele genutzt werden.
**Umweltbelastung:** Die Herstellung eines PC erfordert so viel Energie wie ein deutscher Durchschnittshaushalt im Jahr verbraucht und eine Wassermenge, die für ein tägliches Vollbad über sechs Monate ausreicht. Bei der Produktion wird doppelt soviel Abfall erzeugt wie der Rechner wiegt. Auch entsteht bei der Herstellung dieselbe

| **PC: Größte Hersteller weltweit** | | | | |
|---|---|---|---|---|
| **Rang** | **Hersteller** | **Verkaufte PC 1994** | **Marktanteil (%)** | **Veränderung zu 1993 (%)** |
| 1 | Compaq | 4 830 000 | 10,0 | +56 |
| 2 | IBM | 4 227 000 | 8,7 | 0 |
| 3 | Apple | 4 125 000 | 8,5 | +12 |
| 4 | Packard Bell | 2 285 000 | 4,7 | +103 |
| 5 | NEC | 1 706 000 | 3,5 | +12 |
| 6 | AST | 1 285 000 | 2,6 | +18 |
| 7 | Dell | 1 233 000 | 2,5 | +7 |
| 8 | Toshiba | 1 231 000 | 2,5 | +65 |
| 9 | HP | 1 221 000 | 2,5 | +84 |
| 10 | Acer | 1 190 000 | 2,5 | +63 |

Quelle: Financial Times, 15. 4. 1995

## PC: Glossar

**ASCII:** American Standard Code for Information Interchange (engl.; amerikanischer Standardcode für Informationsaustausch), der am weitesten verbreitete Code für Computer, der jedem Zeichen auf der Tastatur eine Zahl zuordnet.
**BIOS:** Basic Input Output System (engl.; Basis-System für Ein- und Ausgabe), Grundprogramm eines PC. Es ist fest im Rechner installiert und sorgt dafür, daß der PC das Betriebssystem (z. B. MS-DOS) lädt, wenn er eingeschaltet wird.
**Bit:** Kleinste Informationseinheit, wird durch die Werte 0 oder 1 dargestellt (für Strom an oder aus).
**Booten:** Der Vorgang nach dem Einschalten des PC, bei dem das Betriebssystem geladen wird.
**Bus:** Parallele Leitung, die die einzelnen Bausteine des PC (z. B. Festplatte mit Motherboard) miteinander

verbindet. Der Datenbus überträgt z. B. Daten von einem Baustein zum anderen.
**Byte:** Informationseinheit aus 8 Bit.
**Cache:** Speicher einer Festplatte, der häufig von der Festplatte zu lesende Daten im Arbeitsspeicher hält. Dies erhöht die Zugriffsgeschwindigkeit auf Daten.
**CPU:** Central Processing Unit (engl.; Zentraleinheit); Chip, der alle internen Funktionen eines PC steuert.
**Cursor:** Die Schreibmarke, die angibt, an welcher Stelle der Anwender z. B. Text eingeben kann.
**Festplatte:** Meist im PC eingebautes Laufwerk zum Lesen und Speichern von Informationen.
**Harddisk:** Engl.; Festplatte.
**Hardware:** Physikalisch greifbare Komponenten eines Computers wie Monitor, Tastatur etc.
**kByte:** 1 kByte = 1024 Bytes

**Maus:** Eingabegerät, mit dem die Position des Cursors am Bildschirm geändert werden kann.
**MByte:** 1024 x 1024 = 1 048 576 Byte.
**Mikroprozessor:** Hauptrechenchip, auch CPU.
**Motherboard:** Die Hauptplatine des Computers.
**Scanner:** Einlesegerät für Text, Fotos und Grafiken in den Speicher des PC.
**Software:** Alle Programme und Daten, die zum PC-Betrieb benötigt werden.
**Streamer:** Computergesteuertes Bandlaufwerk ähnlich einem Kassettenrekorder; wird meist zur Datensicherung genutzt.
**VGA:** Video Graphic Array (engl.; Video Grafik Reihe), Grafikstandard, der bei einer Auflösung von 640 x 480 Bildpunkten 16 Farben liefert.

Menge an Kohlendioxid, die ein Auto nach 6000 km Fahrleistung abgegeben hat. Bei der Entsorgung bereitete die Vielzahl der Schadstoffe wie Schwermetalle Probleme.
→ Betriebssystem → Chip → Computer → Datenautobahn → Elektronik-Schrott → Multimedia → Multinormen-PC → Notebook → Software

### PC: Markt in Europa 1994

| Land | Verkaufte PC 1994 | Zuwachs[1] (%) |
|---|---|---|
| Deutschland | 2 817 325 | 18,9 |
| Großbritannien | 2 298 192 | 4,1 |
| Frankreich | 1 790 220 | 12,5 |
| Italien | 921 315 | 4,9 |
| Niederlande | 777 530 | 25,7 |
| Spanien | 601 385 | 6,3 |
| Schweden | 516 514 | 23,0 |
| Schweiz | 458 760 | 33,9 |
| Dänemark | 298 110 | 15,4 |
| Norwegen | 246 299 | 26,1 |
| Belgien | 289 610 | 12,1 |
| Finnland | 179 285 | 25,6 |
| Andere | 576 773 | 21,1 |
| Europa | 11 771 318 | 14,0 |

1) Veränderung gegenüber dem Vorjahr; Quelle: Computerwoche, 17. 2. 1995

## PC-Card

(Personalcomputer-Karte), Scheckkartengroße Karte mit einer Schaltung zur Erweiterung der Computerleistung oder der Anwendungen. Die P. wird wie eine Diskette in den Rechner geschoben. Von den bis Mitte 1995 rd. 14 Mrd weltweit abgesetzten P. wurde jede zweite als Adapter für den Zugriff auf ein lokales Netzwerk benutzt, ein Drittel diente zur Erhöhung der Speicherleistung und 15% ermöglichten das Senden von Telefaxen. Insbes. bei Notebooks (engl.; Notizbuchrechnern), die nur eine geringe Speicherkapazität haben, kamen P. zum Einsatz. 86% aller neu ausgelieferten tragbaren Rechner hatten 1994 mindestens einen Einschubschacht für P.
Der Standard PCMCIA (Personal Computer Memory Card International Association), der Name wurde 1994 durch die Bezeichnung P. ersetzt, ermöglicht den herstellerübergreifenden Einsatz von P. Festgelegt sind u. a. die Art der Steckverbindung (68 Steckkontakte) und drei Standardformate. Der Standard unterstützt Karten, die mit einer Betriebsspannung von 5

## PC-Card: Glossar

| | |
|---|---|
| **Card Information Structure (CIS):** Datenstruktur auf jeder PC-Card, die Informationen über Format und interne Organisation der Karte gibt.<br>**Hot Injection:** (auch hot swapping), Bezeichnung für die Möglichkeit, Karten während des laufenden Betriebs auswechseln zu können, ohne den Rechner ausschalten zu müssen.<br>**Metaformat:** Festlegung von Inhalt, Gestaltung und Interpretation der CIS. | **Release:** Versionsnummer der PC-Card-Norm.<br>**Typ:** Von der Versionsnummer 2.x existieren drei Kartentypen, die sich in der Stärke des Kartenkörpers (3,3, 5,0 und 10,5 mm) unterscheiden.<br>**XiP:** (Execute in Place, engl.; Ausführen am Platz), Programme können direkt von der PC-Card ausgeführt werden, ohne zuvor in den Hauptspeicher des Rechners oder einen anderen Speicher geladen zu werden |

Volt arbeiten, aber auch 3,3-Volt-P. Mitte 1995 besaßen P. eine Speicherkapazität von bis zu 170 MByte (Festplatte: 540–850 Mbyte). Sie benötigten jedoch nur etwa ein Viertel des Platzes einer Festplatte mit vergleichbarer Leistung und kamen mit 5% der Energie aus.

→ Notebook

## PDS

| | |
|---|---|
| **Name** | Partei des Demokratischen Sozialismus |
| **Gründung** | 1989 |
| **Mitglieder** | 123 800 (Stand: Ende 1994) |
| **Vorsitzender** | Lothar Bisky (seit 1993) |
| **Ausrichtung** | Sozialistisch |

Nachfolgeorganisation der Sozialistischen Einheitspartei Deutschlands (SED). Bei der Bundestagswahl im Oktober 1994 gewann die PDS in Ost-Berlin vier Direktmandate und sicherte sich trotz eines Stimmenanteils unter 5% (4,4%) den Wiedereinzug in den Bundestag. Bei drei Direktmandaten ist die 5%-Hürde aufgehoben. Das Bundesamt für Verfassungsschutz (BfV, Köln) stufte die PDS Mitte 1995 als linksextremistisch ein und beobachtet sie künftig systematisch.

**Wahlerfolge:** Bei den Landtagswahlen in Mecklenburg-Vorpommern und Thüringen wurde die PDS 1994 drittstärkste politische Kraft. Bei Wahlen in westdeutschen Bundesländern scheiterte die PDS an der 5%-Hürde.

### PDS: Ergebnisse bei ostdeutschen Landtagswahlen[1]

| Land | Anteil (%) |
|---|---|
| Berlin[2] | 9,2 |
| Brandenburg | 18,7 |
| Mecklenburg-Vorp. | 22,7 |
| Sachsen | 16,5 |
| Sachsen-Anhalt | 19,9 |
| Thüringen | 16,6 |

1) 1994; 2) 1990

**Fraktionsstatus:** Die PDS reichte im Mai 1995 Klage beim Bundesverfassungsgericht (BVG, Karlsruhe) ein, weil ihr im Bundestag der Fraktionsstatus und Sitze in verschiedenen parlamentarischen Gremien, z. B. im Vermittlungsausschuß, verweigert werden. Die Geschäftsordnung des Bundestages macht 5% aller Bundestagsmandate zur Bedingung für die Zuerkennung des Fraktionsstatus. Die PDS verfügt jedoch nur über 30 der erforderlichen 34 Sitze. Der Fraktionsstatus ist u. a. Voraussetzung für volles Mitwirkungs- und Stimmrecht in den parlamentarischen Ausschüssen.

**Programmatik:** Auf ihrem Bundesparteitag im Januar 1995 in Berlin verabschiedete die PDS ein Fünf-Punkte-Papier der Parteiführung, das stalinistischen Auffassungen eine Absage erteilte. In einem Grundsatzpapier vom Februar 1995 nannte die PDS Sozial-, Arbeitsmarkt- und Frauenpolitik als wichtigste Arbeitsbereiche und forderte eine eigene Parlamentskammer für den Osten.

### PDS: Partei- und Gruppenchef

**Gregor Gysi, Vorsitzender der PDS-Bundestagsgruppe**
* 16. 1. 1948 in Berlin, Dr. jur. Als Rechtsanwalt Verteidiger von Regimekritikern der DDR. 1989–1993 PDS-Vorsitzender, ab 1990 MdB und Vorsitzender der PDS-Bundestagsgruppe.

**Lothar Bisky, PDS-Vorsitzender**
* 17. 8. 1941 in Zollbrück, Dr. sc. phil. Nach Lehrtätigkeiten 1986 bis 1989 Rektor der Hochschule für Film und Fernsehen in Potsdam-Babelsberg. Ab 1989 im Präsidium der PDS, seit 1993 PDS-Vorsitzender.

**Parteivermögen:** Anfang 1995 standen Vermögenswerte der SED in Höhe von rd. 1,8 Mrd DM, die die PDS beanspruchte, unter der Verwaltung der Bundesanstalt für Vereinigungsbedingte Sonderaufgaben (BVS), der Nachfolgeorganisation der Treuhandanstalt. Die Unabhängige Kommission zur Überprüfung des Vermögens der Parteien und Massenorganisationen der DDR und die PDS stimmten im Juni 1995 einem Kompromiß zu. Danach erhält die PDS vier Immobilien im Wert von rd. 30 Mio DM aus dem SED-Vermögen. Dafür verzichtet sie auf alle Ansprüche auf den übrigen SED-Besitz. Die von der Berliner Finanzverwaltung geforderte Steuernachzahlung der PDS wird von 67 Mio DM auf rd. 8 Mio DM reduziert und aus dem SED-Altvermögen bezahlt. Das übrige SED-Altvermögen (rd. 1,76 Mrd DM) wird für soziale und kulturelle Zwecke in den neuen Bundesländern verwendet.

**Mitgliederschwund:** 1994 sank die Mitgliederzahl der PDS im Vergleich zum Vorjahr um rd. 7900 auf 123 800, davon rd. 2300 im Westen. 90% der Mitglieder gehörten bereits der SED an.

## Pen Computer

→ Personal Digital Assistant

## Pendolino

→ Neigezüge

## Personalcomputer

→ PC

## Personal Digital Assistant

(PDA, auch Personal Communicator), handtaschengroßer, batteriebetriebener Kleinrechner, mit dem drahtlose Datenübertragung möglich ist (z. B. Telefax). Der P. gehört zu den Pen Computern (pen, engl.; Stift), bei denen Texte mit einem elektronischen Stift handschriftlich direkt auf dem

| Personal Digital Assistant: Varianten des Pen Computers |
|---|
| **Notepad** |
| (engl.; Notizblock), berührungsempfindlicher Bildschirm, etwa DIN-A4-Größe |
| **Pentop** |
| (pen, engl.; Stift; top, engl.; Oberfläche), Eingabe mit Tastatur, elektronischem Stift |
| **Palmpad** |
| (palm, engl.; Handfläche), berührungsempfindlicher Bildschirm, handtellergroß |
| **Personal Digital Assistant** |
| (engl.; persönlicher digitaler Assistent), Einrichtungen zur Datenkommunikation |

Bildschirm eingegeben werden können. Der Computerhersteller Apple, Marktführer bei P., konnte bis 1993/94 rd. 80 000 Stück des P. Newton absetzen; der Verkauf blieb hinter den Erwartungen (400 000 Stück) zurück. Bis 2000 soll die Zahl der verkauften P. auf rd. 5 Mio steigen. Der japanische Elektronikkonzern Sony brachte Ende 1994 einen P. auf den Markt, der eigenständig Rechercheaufgaben erledigt.

**Einsatz:** P. werden insbes. als elektronische Terminplaner, Kalender, Notizbücher und Adreßkartei genutzt. Handschriftliche Notizen können abhängig von der Ausstattung des P. über ein eingebautes Mobilfunkmodul als Telefax oder elektronische Post versandt werden. Der schleppende Verkauf wurde u. a. mit den hohen Preisen (ca. 1000 DM/Stück) und den Problemen bei der Schrifterkennung begründet.

**Datenrecherche:** Sony arbeitete bei der Entwicklung des P. Magic Link mit der US-amerikanischen Telefongesellschaft AT&T zusammen. Der P. kann über Datenfunk mit dem AT&T-Datendienst PersonaLink kommunizieren, der als erste kommerzielle Datenbank die Arbeit sog. intelligenter Agenten unterstützt. Intelligente Agenten sind Computerprogramme, die Datenbanken nach Informationen (z. B. Adressen) durchsuchen. Bei Magic Link arbeiten die Agenten in der Datenbank nach Eingabe des Suchbegriffs am P.

→ Notebook → PC

## Pestizide

Sammelbezeichnung für chemische Pflanzenschutzmittel, die zur Bekämpfung von Pflanzenerkrankungen, zur Schädlings- und Unkrautvernichtung sowie zur Regelung des Pflanzenwachstums dienen. P. werden zu 80% in der Landwirtschaft eingesetzt, die restlichen 20% verteilen sich auf Haushalte, Gärten, Verkehrswege. P. tragen zur Trinkwasserverunreinigung und bei Verdunstung zur Luftverschmutzung bei. Sie gelangen in die Nahrungskette und gefährden bei Anreicherung in pflanzlichen und tierischen Lebensmitteln die Gesundheit von Menschen.

Die Weltgesundheitsorganisation (WHO) schätzte, daß jährlich 3 Mio Menschen P.-Vergiftungen erleiden, davon kommen 220 000 um. 75% der Unfälle entfallen auf die Entwicklungsländer, in denen etwa 25% aller P. verbraucht werden.

Die Umweltschutzorganisation Greenpeace wies 1994 darauf hin, daß in 187 von 320 Kreisen in Deutschland P. im Trinkwasser nachgewiesen wurden. In 133 Kreisen lag die P.-Konzentration über dem deutschen Trinkwassergrenzwerten. 1994 einigten sich die EU-Umwelt- und Agrarminister, statt des Grenzwertes für P. im Trinkwasser nur Orientierungswerte, also nicht zwingend gültige Werte vorzugeben. Landwirte und chemische Industrie hatten gefordert, die Richtlinie von 1980 abzuschwächen, die als Grenzwert für P. im Trinkwasser höchstens 0,1 Mikrogramm (Millionstel Gramm) pro Liter festlegt. → Landwirtschaft → Trinkwasserverunreinigung

## Pflegeversicherung

→ Übersichtsartikel S. 325

## Photovoltaik

→ Sonnenenergie

## Pille für den Mann

Das hormonelle Verhütungsmittel wird in Anlehnung an die Antibabypille für Frauen P. genannt, obwohl es nicht in Tablettenform verabreicht, sondern injiziert wird. Als Tablette eingenommen würden die Wirkstoffe der P. abgebaut, bevor sie wirken könnten, oder sie müßten so hoch dosiert sein, daß sie u. a. die Leber schädigen wür-

---

**Pille für den Mann: Empfängnis weltweit**

Täglich wurden 1992 etwa 910 000 Frauen schwanger. 50% der Empfängnisse waren ungeplant, 25% ungewollt. Folge waren täglich 150 000 Schwangerschaftsabbrüche weltweit, von denen jeweils 500 für die Schwangere tödlich verliefen.

---

### Pestizide: Übersicht wichtiger Wirksubstanzen

| Bezeichnung | Wirkungsweise | Anwendung gegen | Bemerkungen |
|---|---|---|---|
| Aldrin | Kontaktgift | Bodenschädlinge | Schwer abbaubarer Chlorkohlenwasserstoff |
| Calciumarsenat | Fraßgift | Kartoffelkäfer | Wegen Warmblütertoxidität nicht in Gebrauch |
| Carbaryl | Fraß-, Atemgift | Schadinsekten | Biologisch abbaubares Carbamat |
| Chlordan | Kontaktgift | Bodenschädlinge[1] | Schwer abbaubarer Chlorkohlenwasserstoff |
| Chlorfenvinphos | Fraß-, Kontaktgift | Pflanzenschädlinge | Warmblütertoxidität, Phosphorsäureester |
| DDT | Fraß-, Kontaktgift | Schädlinge[2] | Warmblütertoxidität, schwer abbaubar |
| Dieldrin | Fraß-, Kontaktgift | Bodenschädlinge[3] | Schwer abbaubarer Chlorkohlenwasserstoff |
| Dimethoate | Fraß-, Atemgift | Schadinsekten | Biologisch abbaubarer Phosphorsäureester |
| Melathion | Fraß-, Atemgift | Schadinsekten[4] | Warmblütertoxidität, Phosphoräureester |
| Mercaptodimethur | Fraßgift | Schnecken | Gezielt mit Köder einsetzbar |
| Metaldehyd | Fraßgift | Schnecken | Gezielt mit Köder einsetzbar |
| Nikoton | Fraßgift | Blattläuse | Abbaubarer Naturstoff |
| Parathion | Fraßgift | Pflanzenschädlinge[5] | Hochgiftiger Phosphorsäureester |

1) Auch Baumwollschädlinge; 2) inkl. Seuchenwirte; 3) und Heuschnecken: 4) inkl. Milben; 5) und Ratten

Pflegeversicherung

# Kritik und Enttäuschung beim Versicherungsstart

Ab April 1995 erhalten in Deutschland erstmals rd. 940 000 Bedürftige Leistungen aus der 1995 eingeführten Pflegeversicherung, die das finanzielle Risiko einer Pflegebedürftigkeit im Alter aufgrund von Krankheit und Behinderung absichern soll. Arbeitgeber und -nehmer zahlen monatlich 0,5% des Arbeitnehmerbruttoeinkommens in die Versicherung ein, die der Krankenversicherung angegliedert ist. Erstmals wird eine Sozialversicherung nicht von Arbeitgebern und -nehmern gemeinsam getragen, denn der Arbeitgeberanteil wurde mit der Streichung des Buß- und Bettags als Feiertag ausgeglichen (Ausnahme: Sachsen). Kritiker bemängelten, daß die Versicherung kurzfristig die Sozialhilfekassen nicht wie erwartet entlasten konnte und langfristig den mit der Bevölkerungsentwicklung steigenden Pflegebedarf nicht finanzieren könne.

**Zunehmende Pflegebedürftigkeit:** 1995 waren rd. 1,2 der etwa 81 Mio Bundesbürger auf häusliche Pflege angewiesen, 450 000 wurden in Heimen betreut. Etwa 20% der Bevölkerung waren 60 Jahre und älter (1994). 63% der 800 000 Personen in Alterseinrichtungen waren pflegebedürftig. 2030 wird der Anteil der über 60jährigen auf 34% von 72 Mio Deutschen prognostiziert.

**Leistungen für häusliche Pflege:** Bedürftige können wählen zwischen monatlichen steuerfreien Zuschüssen von 400 DM bis 1300 DM für ihre Pflege zu Hause z. B. durch Verwandte und Sachleistungen von professionellen Diensten im Wert von 750 DM bis 2800 DM, in Härtefällen bis 3750 DM. Über den Grad der Pflegebedürftigkeit und die Höhe der Zahlungen entscheiden die Medizinischen Dienste der Krankenkassen, deren 1600 Ärzte Antragsteller zu Hause begutachten. Voraussetzung für Versicherungsleistungen war ein Hilfebedarf von mindestens 90 min pro Tag. Etwa 25% der Antragsteller wurden abgelehnt.

**Stationäre Pflege ab Mitte 1996:** Ab Juli 1996 übernimmt die Versicherung auch Kosten für stationäre Pflege (2500–3300 DM). Gleichzeitig wird der Beitragssatz für die Versicherung auf je 0,85% für Arbeitnehmer und Arbeitgeber angehoben. Mitte 1995 war nicht geklärt, wie der erhöhte Arbeitgeberanteil ausgeglichen wird.

**Beitragseinnahmen reichen 1995:** Mit Beginn der Leistungen im April waren nur 400 000 der rd. 1 Mio Anträge begutachtet. Noch nicht berücksichtigte Antragsteller konnten keine Leistungen beziehen, erhalten sie aber rückwirkend. Die Zahl der Leistungsempfänger übersteigt die Planungen voraussichtich um 200 000. Dennoch decken laut Bundesarbeitsminister Norbert Blüm (CDU) die Beitragseinnahmen in der Pflegekasse die Zahlungen, weil sich statt der erwarteten 50% der Antragsteller rd. 80% für den Zuschuß und nicht für teurere Sachleistungen entschieden.

**Bedarf höher als die Einnahmen:** Kritiker der Pflegeversicherung als vierter Sozialversicherung wiesen darauf hin, daß dem wachsenden Anteil älterer Menschen an der Bevölkerung ein abnehmender Anteil von Arbeitnehmern gegenübersteht, die in die Pflegeversicherung einzahlen. Langfristig sei die Versicherung nicht finanzierbar. Die Kommunen kritisierten, daß ihre Sozialhilfekassen nicht wie angekündigt um 9 Mrd DM pro Jahr entlastet würden, sondern lediglich um 4 Mrd DM. Etwa 80% der Pflegebedürftigen, die vor Einführung der Versicherung auf Sozialhilfe angewiesen waren, mußten auch danach unterstützt werden, weil Pflegekosten (im Heim 1995: rd. 5400 DM) nicht durch Leistungen gedeckt waren. Menschen, die weniger als 90 min pro Tag auf Pflege angewiesen sind, werden in der Versicherung nicht berücksichtigt. Behinderte konnten ihre Betreuung bis zur Pflegeversicherung selbst organisieren und Zuschüsse vom Sozialamt beziehen. Das Pflegegeld ist demgegenüber rd. 350–1500 DM pro Monat geringer. Bei der Pflege durch Sozialdienste, von der Versicherung finanziert, war es nicht möglich, Leistungen individuell auf den zu Betreuenden abzustimmen.

**Klage vor dem BVG:** 1994/95 klagten kinderreiche Familien beim Bundesverfassungsgericht (Karlsruhe) gegen ihre Benachteiligung bei der Pflegeversicherung gegenüber kinderlosen Ehepaaren. Familien müssen den gleichen Beitragssatz zahlen wie Kinderlose und tragen dazu die Kosten für die Erziehung der Kinder, die in Zukunft Pflege finanzieren bzw. selbst leisten. Dies verstoße gegen den Gleichheitsgrundsatz. (MS)
→ Alter → Rentenversicherung → Sozialhilfe

**PLO:**
**Vorsitzender**

**Jasir Arafat**
* 21. 3. 1929 in Jerusalem. Teilnahme am arabisch-israelischen Krieg 1948 und am Suezkrieg 1956. Unternehmer in Kuwait (1957– 1965) und Gründer der Al-Fatah (1965). Seit 1969 Vorsitzender des Exekutivkomitees der PLO. Im Juli 1994 Chef der Autonomiebehörde in Gaza-Stadt.

den. 1994 entwickelten Mediziner der Universität Münster zwei P., die in fast 100% der Fälle die Spermienzahl der Männer so weit reduzierten, daß sie zeugungsunfähig waren. Die P. mußte alle drei Monate gespritzt werden.

**Wirkung:** Die P. aus Testosteron-Buciclat bzw. dem Antihormon Cetrorelix unterbinden die Bildung von Spermien in den Hoden des Mannes. Sie blockieren die für die Reifung der Samenfäden verantwortliche Produktion des Sexualhormons Testosteron im Gewebe zwischen den Samenkanälen. Da Testosteron auch für die Ausbildung von Männlichkeitsmerkmalen und für die Libido zuständig ist, wird es per Injektion im Blut ersetzt.

**Nebenwirkungen:** Die P. hat keine Nebenwirkungen. Ungeklärt war 1995, wie sich eine jahrelange Einnahme auswirkt. Eine zuvor eingesetzte, monatlich verabreichte P. aus Testosteron-Enanthat hatte bei einigen Probanden u. a. Gewichtszunahme, Akne und Aggressivität verursacht.

**Marktchancen:** Trotz erfolgreicher Studien zeigten Mitte der 90er Pharmafirmen wenig Interesse an der weiteren Entwicklung. Sie fürchteten einerseits die Produkthaftung für die P., deren Einführung klinische Versuche mit fruchtbaren, gesunden Männern voraussetzt, die Schadenersatz einklagen könnten, wenn sie z. B. unfruchtbar würden. Andererseits sahen sie keine Gewinnchancen, weil Männer ihrer Ansicht nach die P. ablehnten.

→ Abtreibungspille

## PLO

(Palestine Liberation Organisation), engl.; Palästinensische Befreiungsorganisation), Dachverband ziviler und militärischer Vereinigungen der Palästinenser. Die PLO unter ihrem Vorsitzenden Jasir Arafat versteht sich als einzig legitime Vertreterin des palästinensischen Volkes und auf palästinensischer Seite die Trägerin des Friedensprozesses. Im Juni 1994 übernahm die PLO die palästinensische Selbstverwaltung im Gazastreifen und in Jericho.

**Fortschritt gefährdet:** Der Fortgang des Friedensprozesses war Mitte 1995 ungewiß, da die fristgerechte Durchführung der für September 1995 im Gazasteifen und im Westjordanland geplanten Wahlen gefährdet war. Die PLO verlangte einen vorherigen Abzug der israelischen Truppen. Israel weigerte sich mit dem Hinweis auf die gefährdete Sicherheit der jüdischen Siedlungen. Im Juni 1995 bot Israel den Rückzug aus den Städten Jenin, Kalkilya, Nablus und Tulkarn an.

**Konflikt mit Radikalen:** Nach Zusammenstößen zwischen der 9000 Mann starken palästinensischen Polizei und moslemischen Extremisten, die den Friedensprozeß mit Israel ablehnen, verfügte Arafat im April 1995 die Registrierung aller Waffen. Die Maßnahme soll die Entwaffnung der Radikalen einleiten, die vorwiegend Hamas und Dschihad Islami angehören. Nach mehreren gegen Israelis gerichteten Selbstmordanschlägen hatte die palästinensische Polizei rd. 200 Fundamentalisten festgenommen. Rd. 5600 palästinensische Häftlinge saßen Mitte 1995 in israelischer Haft. Beim schwersten Zwischenfall seit Beginn der palästinensischen Autonomie starben im November 1994 nach Auseinandersetzungen zwischen Hamas-Anhängern und der palästinensischen Polizei 13 Menschen.

→ Dschihad Islami → Hamas → Hisbollah → Islam → Nahost-Konflikt → Palästinensische Autonomiegebiete

### PLO: Wichtige Gruppierungen

| Gruppe | Bedeutung | Ziele | Führer/Sitz |
|--------|-----------|-------|-------------|
| Al-Fatah | Größte Fraktion; rd. 6000 Kämpfer | Verhandlungen mit Israel | Jasir Arafat Gaza-Stadt |
| PFLP | Marxistisch; rd. 2000 Kämpfer | Zerstörung Israels, Tötung Arafats | G. Habasch Damaskus |
| DFLP | Drittgrößte Gruppe rd. 1500 Kämpfer | Zerstörung Israels | N. Hawatmeh Damaskus |
| PLF | Splittergruppe | Zerstörung Israels, Anti-Arafat-Kurs | Abu Abbas Bagdad |
| Fatah-Falken | Radikale Fraktion der Fatah | Zerstörung Israels | Taisir Bardini Gazastreifen |

## Plötzlicher Kindstod

(auch Krippentod), in Deutschland häufigste Todesursache von Säuglingen zwischen dem zweiten und zwölften Lebensmonat. Jährlich sterben rd. 2500 Babys an P. 1995 wurden als Ursachen Bauchlage der Babys und Überhitzung beim Schlafen, Rauchen der Mütter während der Schwangerschaft und der Eltern in den ersten Lebensmonaten des Kindes angenommen sowie das Abstillen bis zum sechsten Monat. US-Forscher zogen Ende 1994 eine allergische Reaktion der Babys als weitere Ursache in Betracht. Als gefährdet galten Mitte der 90er Jahre z. B. Frühgeburten, Babies mit einem Geburtsgewicht von weniger als 2500 g und Zwillinge.

### Plutonium: Vorräte

| Land | Vorräte aus ziviler Verwendung (t) | Aus Wiederaufarbeitung (%) | Bestände waffentauglich (t) |
|---|---|---|---|
| USA | 196,85 | 0,8 | 97,0 |
| Frankreich | 110,60 | 33,9 | 6,0 |
| Ex-UdSSR | 101,59 | 24,1 | 115,0 |
| Japan | 82,30 | 27,5 | – |
| Kanada | 72,57 | – | – |
| Großbritannien | 62,37 | 80,2 | 2,8 |
| Deutschland | 59,82 | 43,8 | – |
| Schweden | 27,33 | – | – |
| Spanien | 19,12 | – | – |
| Indien | 7,0 | 7,2 | 0,3 |
| China | – | – | 2,5 |
| Israel | k. A. | k. A. | 0,3 |

Stand: 1993; Quelle: SIPRI, Die Zeit, 22. 7. 1994

## Plutonium

Hochgiftiges, radioaktives Schwermetall, das sich wegen der guten Spaltbarkeit als Brennstoff für Atomreaktoren und Material für Atomsprengköpfe eignet. Das Stockholmer Internationale Friedensforschungsinstitut (SIPRI) schätzte die P.-Bestände auf rd. 1100 t (Stand: Ende 1993). Drei Viertel stammte aus Brennmaterial für Atomkraftwerke bzw. der Wiederaufarbeitung abgebrannter Brennstäbe. Jährlich kämen 60–70 t P. aus ziviler Produktion hinzu. Die USA und Rußland hatten 1989 bzw. 1994 die Herstellung von atomwaffenfähigem P. (Pu 239) eingestellt.

**Risiken:** Die drei russischen Reaktoren in Krasnojarsk und Tomsk, die P. produzieren können, wurden wegen der benötigten Energie bis Mitte 1995 nicht abgeschaltet. P. aus Atomkraftwerken kann nach Wiederaufarbeitung für Atomsprengköpfe benutzt werden. Zum Bau einer Atombombe sind nur wenige kg P. notwendig. Für das P. gibt es weltweit weder ausreichend Verwendung in Atomkraftwerken (Schneller Brüter) noch Endlager. Gefahren gehen von P.-Transporten zu Zwischenlagern oder zu Wiederaufarbei-

### Plutonium: Glossar

**Atomkraftwerke:** Als Abfallprodukt aus dem radioaktiven Zerfall von Uran entsteht u. a. Pu 239 (Anteil: ca. 0,7%). In deutschen Atomkraftwerken wurde 1993 rd. 4700 kg P. erzeugt. P. wird bei der Wiederaufarbeitung abgebrannter Brennstäbe isoliert und kann im Reaktortyp Schneller Brüter eingesetzt werden. Dieser gewinnt mehr P. als er verbraucht. **Gesundheitsgefahren:** Beim Zerfall von P.-Kernen wird Alpha-Strahlung ausgesendet, die leicht abgeschirmt werden kann, ungeschütztes Gewebe jedoch schwer schädigt. P.-Staub

dringt in Lunge, Leber, Knochenmark und Blutplasma ein, Schädigung schon durch wenige Millionstel g. **MOX-Brennelemente:** Wiederaufgearbeitetes P. wird zu Mischoxid-Brennmaterial (97% Uranoxid, 3% P.-Oxid) verarbeitet, das Mitte 1995 in acht deutschen Siedewasser-Atomkraftwerken eingesetzt wurde. Herstellung 1973–1991 in Hanau (rd. 8,5 t), Mitte 1995: weltweit vier MOX-Brennelemente-Fabriken. **Vorkommen:** Schwerstes in Uranerzen vorkommendes radioaktives Element (Abk.: Pu, Ordnungszahl: 94).

Hochgiftiges Schwermetall, meist künstlich hergestellt in Atomreaktoren, Isotope Pu 232–246. Atomkerne von Pu 239 sind spaltbar (Halbwertzeit: 24 400 Jahre). 99,9% des in der Biosphäre vorkommenden P. stammen aus Atomwaffentests (4–5 t). **Waffenfähigkeit:** Mindestens 4–7 kg hochreines Pu 239 werden neben konventionellem Sprengstoff und Präzisionszünder zum Bau einer Atombombe benötigt. In Atomwaffen wird auch das spaltbare Uran-Isotops 235 (Anreicherung: mindestens 90%) verwendet.

Anfang 1995 belegte der Abschlußbericht des Berliner Untersuchungsausschusses zu der Affäre um die Freiwillige Polizeireserve (FPR) in der Hauptstadt, daß 109 der 2360 Hilfspolizisten (Stand: Anfang 1993) vor ihrer Aushilfstätigkeit wegen rechtsextremistischer Straftaten rechtskräftig verurteilt worden waren. Ermittlungsverfahren gegen weitere rd. 400 FPR-Mitglieder waren eingestellt worden. Die Hilfstruppe wird in Berlin infolge Personalmangels insbes. im Objektschutz und für Streifengänge eingesetzt.

tungsanlagen aus, von nicht sachgerechter Lagerung und dem P.-Schmuggel, insbes. aus Osteuropa und der GUS. Ende 1994 wurde in Deutschland erstmals geschmuggeltes waffenfähiges P. sichergestellt.

**Lagerung:** Etwa 60% des weltweit vorhandenen P. ist in abgebrannten Brennstäben aus der Energieproduktion gebunden. Zwei Drittel des P. aus der Wiederaufarbeitung abgebrannter Brennelemente lagern zum überwiegenden Teil in Frankreich (La Hague, Marcoule), Großbritannien (Sellafield) und Rußland (Tscheljabinsk). Die Lagerung von Atommüll aus der Wiederaufarbeitung war in Deutschland Mitte der 90er Jahre politisch umstritten. US-Wissenschaftler empfehlen, P. mit hochradioaktivem Atommüll zu mischen und in Glas einzuschmelzen, um eine weitere Nutzung unmöglich zu machen.

**Weiterverarbeitung:** P. kann mit Uran zu sog. Mischoxid-(MOX)-Brennstäben zum Einsatz in Atomkraftwerken verarbeitet werden. Japan betreibt als einziger Staat einen mit MOX-Brennelementen betriebenen Schnellen Brüter (Monju). In Rußland wurde Mitte der 90er Jahre die Errichtung von drei Kraftwerken diesen Typs zur Aufnahme des P. aus zerlegten Atomwaffen diskutiert (Majak-Komplex im südlichen Ural).

→ Atomschmuggel → Atomwaffen → Bundesnachrichtendienst → Entsorgung → Rüstungsmüll

## Political Correctness

(engl.; politische Korrektheit), Anfang der 90er Jahre in den USA entstandenes Schlagwort für die Tabuisierung von Wörtern, Gesten, Bildern und Taten, die eine Person oder Personengruppe beleidigen könnten. P. soll vor allem die Diskriminierung von Frauen, ethnischen und religiösen Minderheiten, Behinderten und Homosexuellen verhindern. Kritiker sahen durch P. die Meinungsfreiheit gefährdet.

→ Unwörter

## Polizeiübergriffe

Mitte der 90er Jahre geriet die Polizei nach gewalttätigen Übergriffen auf Ausländer, Demonstranten und Journalisten in die öffentliche Kritik. Die Menschenrechtsorganisation Amnesty International dokumentierte im Mai 1995 in einem Bericht 70 Fälle grausamer, unmenschlicher und erniedrigender Behandlung von Ausländern durch deutsche Polizisten zwischen Januar 1992 und März 1995. Mehr als die Hälfte der Vorwürfe richtete sich gegen die Berliner Polizei. Bundesinnenminister Manfred Kanther (CDU) wies die Vorwürfe als zu pauschal zurück. Wie Amnesty International forderte auch der Vorsitzende der Gewerkschaft der Polizei (GdP), Hermann Lutz, die Sammlung statistischer Daten über P. sowie die Anzahl von Ermittlungs- und Strafverfahren.

1994 gab es rd. 240 000 Polizisten in Deutschland. Jährlich laufen rd. 10 000 Ermittlungsverfahren gegen Polizeibeamte wegen Vergehen innerhalb und außerhalb des Dienstes. Nur in etwa 6% der Fälle kommt es zur Einleitung eines Strafverfahrens, das jedoch meist mit Verfahrenseinstellung bzw. Freispruch endet. In diesen Verfahren gibt es i. d. R. nur die Betroffenen als Zeugen, die Polizeibeamten schweigen zu den Vorwürfen oder bestreiten sie.

Vorwürfe wegen gewaltsamer P. gegen Ausländer führten im September 1994 zum Rücktritt des Hamburger Innensenators Werner Hackmann (SPD). Ende 1994 ermittelte die Berliner Staatsanwaltschaft in rd. 50 Fällen gegen Polizeibeamte wegen Mißhandlung und Strafvereitelung im Amt.

## Positivliste

Die Gesundheitsreform von 1993 sieht bis Mitte 1995 die Vorlage, bis Ende 1995 die Verabschiedung einer P. vor, die Medikamente auflistet, die bei Verordnung von den Krankenkassen finanziert werden müssen. Die P. wird vom Institut Arzneimittel in der Krankenversicherung (IAK) aus elf Wissenschaftlern, Pharmakologen und Ärzten erarbeitet. Mit der P. soll die Behandlung wirtschaftlicher und wirkungsvoller werden. Bundesgesundheitsminister Horst Seehofer (CSU) einigte sich im Mai 1995 mit Ärzten und Kassen auf eine gegenüber dem ursprünglichen Vorhaben abgeschwächte P., die fast alle auch bis dahin zu Lasten der GKV verordneten Medikamente umfaßte. Die gesetzliche Einführung 1996 war unwahrscheinlich, weil die Mitte 1995 vorgelegte Liste laut Seehofer Fehler enthielt. Die SPD-Opposition hielt an der ursprünglichen Idee der P. fest.

Mitte der 90er Jahre hatten die 500 wichtigsten Arzneien in Deutschland einen Marktanteil von rd. 50%, etwa 90% der Verschreibungen umfaßten 200 Medikamente. Die P. soll aus den rd. 50 000 angebotenen Arzneimitteln mit z. T. zweifelhafter Wirkung und unsinnigen Wirkstoffkombinationen diejenigen herausfiltern, deren Wirksamkeit nachgewiesen und deren Einsatz wirtschaftlich und therapeutisch sinnvoll ist. Die GKV erwarteten jährlich 6 Mrd–7 Mrd DM Einsparungen.
→ Arzneimittel → Gesundheitsreform
→ Krankenversicherungen

## Postbank

Ab 1. 1. 1995 als Deutsche Postbank AG privatisiertes ehemaliges öffentlich-rechtliches Unternehmen der Deutschen Bundespost. Die P. gehörte 1995 zu 100% dem Bund, der für vier Jahre eine Sperrminorität von 25% plus einer Aktie an dem Unternehmen behalten will. Die Tätigkeit der alten P. war hauptsächlich auf Spareinlagen und den Giroverkehr beschränkt. Ab Mitte 1995 bietet das Unternehmen Kunden Privatkredite zwischen 5000 und 50 000 DM sowie den Kauf von Aktien an.

Die P. verfügt durch die Mitnutzung von 20 000 Schaltern des Postdienstes über das größte Filialnetz in Deutschland. Die Zahl der Girokonten sank

### Postbank: Geschäftstätigkeit

| Merkmal | 1990 | 1991 | 1992 | 1993 | 1994 |
|---|---|---|---|---|---|
| Bilanzsumme (Mrd DM) | 76,5 | 77,8 | 78,0 | 83,6 | 93,4 |
| Einlagevolumen (Mrd DM) | 44,9 | 44,8 | 42,3 | 49,9 | 54,0 |
| Personalkosten (Mio DM) | 1058 | 1270 | 1348 | 1295 | 1200 |
| Mitarbeiter | – | 21 146 | 19 444 | 18 044 | 17 000 |
| Ergebnis (Mio DM) | 173 | 510 | –148 | 15 | 51 |

Quelle: Wirtschaftswoche, 6. 4. 1995

1994 um 4% auf 4,6 Mio, was die P. auf den Anstieg von Gebühren zurückführte. 1994 steigerte das Unternehmen seinen Gewinn auf 51 Mio DM (1993: 15 Mio).
→ Banken → Girokonto → Telekom

## Post, Deutsche

Der im Rahmen der Postreform II 1995 in eine Aktiengesellschaft umgewandelte Postdienst erzielte 1994 im letzten Jahr als öffentlich-rechtliches Unternehmen erstmals ein positives Ergebnis mit 250 Mio DM (Umsatz: 28,6 Mrd DM). Bis 1998 sollen die Aktien der Deutschen Post AG im Besitz des Bundes bleiben, die Bundesanstalt für Post und Telekommunikation verwaltet die Anteile als Holding. Mit einer Verbesserung der Leistungen will die P. privaten Wettbewerbern begegnen. Im Juni 1995 legte Bundespostminister Wolfgang Bötsch (CSU) ein Modell für die Liberalisierung des Marktes zur Briefbeförderung 1998 vor.

**Wettbewerb:** Bötsch will im Gegensatz zu Wirtschaftsminister Günter Rexrodt (FDP) der P. bis 2002 das Monopol für den größten Teil des Briefmarktes belassen. Private Anbieter sollen zunächst von der Beförderung von Briefen der Lizenzklasse A ausgeschlossen werden (Biefe unterhalb eines bestimmten Gewichts- und Preisgrenze, von der EU mit 360 g und dem fünffachen Preis eines Standardbriefs festgelegt). Klasse B umfaßt Briefe oberhalb dieser Marken und Klasse C Massendrucksachen. Lizenznehmern soll eine flächendeckende Grundversorgung, wie sie die P. als

| Deutsche Post: Paketgebühren | |
|---|---|
| Max. Gewicht (kg) | Preis[1] (DM) |
| 2 | 8,40 |
| 4 | 9,40 |
| 6 | 10,40 |
| 8 | 11,40 |
| 10 | 12,50 |
| 12 | 13,50 |
| 14 | 14,50 |
| 16 | 15,50 |
| 20 | 18,50 |

Quelle: Deutsche Post AG

**Presse: Einzelhandel schrumpft**

1994 gab es einer Analyse des Hamburger Informationsdienstes Medien aktuell zufolge bundesweit rd. 106 000 Einzelhändler, die Presseerzeugnisse verkauften, davon 89 000 in Westdeutschland. Etwa ein Viertel der kleinen Presseläden wurde 1984–1994 von großen Geschäften verdrängt. Um 9,2% nahm in diesem Zeitraum die Zahl der Pressekioske ab. Den größten Zuwachs verzeichneten Tankstellen mit Presseangebot. Ihre Zahl erhöhte sich 1984–1994 um 54% auf 11 000.

330

Monopolist biete, zur Auflage gemacht werden. Wird diese Universaldienstleistung in der Klasse A nicht erbracht, müssen Ausgleichsabgaben in einen Fonds eingezahlt werden.
**Ergebnis:** Der Umsatz stieg 1994 um 2,9% (Briefpost: 4,1%, Frachtpost: 5,4%). Die Investitionen erhöhten sich um 63% auf 3,1 Mrd DM. Der Personalbestand (1995: 340 000) soll bis 1999 um 35 000 verringert werden.
**Schnellere Beförderung:** Zum 1. 7. 1995 nahm die P. ein Frachtsystem für die Paketpost in Betrieb, das die Beförderungsdauer für Pakete bis zu Entfernungen von 550 km (80% aller Sendungen) auf einen Tag begrenzt. Gleichzeitig wurden die Gebühren erhöht, der Zustellpreis von 2,50 DM entfiel. Mit der Inbetriebnahme von 83 Briefzentren bis 1999 soll auch die Briefpost schneller arbeiten.
**Massensendungen:** Die P. führte am 1. 4. 1995 mit dem Infobrief das Angebot ein, mindestens 50 Briefe gleichen Inhalts ohne Sortierung für ein Porto von 0,70 DM über Nacht zuzustellen (Massendrucksache: 0,45 DM). Zum Jahresbeginn war private Konkurrenz bei Massensendungen zugelassen worden. Adressierte Direktwerbung darf von Privaten befördert werden, wenn sie mindestens 250 g schwer ist (ab 1996: 100 g).

**Postreform**

Mit der P. II wurden die Unternehmen Postdienst, Postbank und Telekom 1995 als Aktiengesellschaften privatisiert. Die Aktien bleiben bei der Deutschen Post und der Postbank bis 1998 in der Hand des Bundes, bei der Deutschen Telekom bis 1996. Die Bundesanstalt für Post und Telekommunikation, die dem Bundespostministerium unterstellt ist, verwaltet als Holding die Anteile des Bundes. Die P. III soll nach den organisationsrechtlichen Reformen 1989 und 1994 die verbliebenen Monopole aufheben; zum 1. 1. 1998 werden auf Beschluß des Rates der EU der Sprachtelefondienst

und die Infrastruktur der Telekommunikation, die Netze, dem Wettbewerb geöffnet. Das Bundespostministerium wird 1997 aufgelöst.
→ Postbank → Post, Deutsche → Telekom

**Preisentwicklung**
→ Inflation

**Presse**

Der P.-Markt war 1994 von verschärfter Konkurrenz um Werbeeinnahmen vor allem mit dem Fernsehen gekennzeichnet. Seit Ende der 80er Jahre verloren die zehn größten Blätter durchschnittlich jede sechste Werbeseite. Mit Neugründungen von P.-Erzeugnissen vor allem in den Bereichen Frauen- und Fernsehzeitschriften versuchten die führenden Konzerne 1994/95, ihren Anteil an den Werbeumsätzen (1994: 31%) gegenüber dem Fernsehen (17%) zu sichern.
**Auflagen:** 1994 wurden Zeitungen mit der Auflage von 32,9 Mio Exemplaren verkauft (1993: 32,6). Nach Angaben des Bundesverbandes Deutscher Zeitungsverleger (BDZV, Bonn) wurden insgesamt 423 Tageszeitungen mit 1597 redaktionellen Ausgaben, 31 Wochenzeitungen und neun Sonntagsblätter herausgegeben.
**Leserinteresse:** Mitte der 90er Jahre war der Anteil der Deutschen, die täglich eine Tageszeitung lasen, mit rd. 80% konstant. 70% abonnierten eine lokale oder regionale Zeitung. 84% der gesamten Zeitungsauflage entfiel 1994 auf den Westen Deutschlands, wo das

| Presse: Werbeumsätze | | |
|---|---|---|
| Verlag | Umsatz 1994 (Mio DM) | Veränd. zu 1993 (%) |
| Gruner + Jahr | 1056 | +2,5 |
| Burda | 699 | +14,8 |
| Springer | 680 | –3,0 |
| Bauer | 621 | –7,5 |
| Spiegel | 409 | –9,0 |

Quelle: W&V, 3. 2. 1995

Leseinteresse sich leicht steigerte. In Ostdeutschland wurden 4% weniger Zeitungen verkauft als 1993. Von neun überregionalen DDR-Tageszeitungen existierten Mitte 1995 nur noch zwei. Der Anteil der jugendlichen Zeitungsleser von 14 bis 19 Jahren verringerte sich in Deutschland ab den 70er Jahren bis 1994 von 75% auf 50%. Zahlreiche Verlage reagierten mit monatlichen Beilagen speziell für Jugendliche. Die überregionalen Tageszeitungen verloren laut Medianalyse 1995 von April 1994 bis Februar 1995 mit Ausnahme der „Frankfurter Allgemeinen Zeitung" und der „Süddeutschen Zeitung" Leser, ebenso die Wochenzeitungen. Bei Zeitschriften für bestimmte Zielgruppen (sog. Special-interest-Blätter) konnten Jugend- und Sporttitel Leser gewinnen.

**Konzentration:** Mehr als ein Drittel der Gesamteinnahmen aller Zeitungsverlage wurde Mitte der 90er Jahre von zehn P.-Unternehmen erwirtschaftet. Gemessen an der Gesamtauflage der Tageszeitungen kontrollierten zehn Verlagsgruppen rd. 50% des Marktes. 1994 hielten insbes. Verlage mit P.-Neugründungen ihre Marktposition.

**Supplement-Verluste:** Die vierfarbigen Beilagen der überregionalen Zeitungen „Die Zeit", „Frankfurter Allgemeine Zeitung" und „Süddeutsche Zeitung", die 1970, 1980 und 1990 gegründet worden waren, um mehr und teure vierfarbige Werbeseiten verkaufen zu können, verzeichneten 1994 gegenüber 1993 Anzeigenverluste zwischen 17% und 32,2%. Die Verlage führten dies vor allem auf die Konkurrenz zurück, z. B. das Nachrichtenmagazin „Focus" (ab 1993), das 1994 seinen Werbeumsatz im Vergleich zu 1993 auf rd. 180 Mio DM verdoppelte.

**Randgruppenzeitung:** 1995 erschien mit „Lobby" (Preis: 4 DM) erstmals eine Randgruppenzeitung, die sich als Sprachrohr der Armen, Alten und Arbeitslosen versteht. Die bundesweite Verbreitung wurde angestrebt.

→ Fernsehzeitschriften → Medienkonzentration → Nachrichtenmagazine

## Presse: Auflagenstärkste Tageszeitungen 1994

| Zeitung | Ort | Verkaufte Auflage IV/1994 |
|---|---|---|
| Westdeutsche Allgemeine Zeitung | Essen | 624 285 |
| Freie Presse | Chemnitz | 495 885 |
| Sächsische Zeitung | Dresden | 426 073 |
| Mitteldeutsche Zeitung | Halle | 420 103 |
| Rheinische Post | Düsseldorf | 400 661 |
| Süddeutsche Zeitung | München | 400 360 |
| Frankfurter Allgemeine Zeitung | Frankfurt/M. | 395 088 |
| Augsburger Allg./Allgäuer Zeitung | Augsburg | 369 476 |
| Leipziger Volkszeitung | Leipzig | 364 434 |
| Südwestpresse | Ulm | 361 933 |
| Nürnberger Nachrichten | Nürnberg | 346 965 |
| Volksstimme Magdeburg | Magdeburg | 321 118 |
| BZ | Berlin | 310 816 |
| Hamburger Abendblatt | Hamburg | 309 656 |

Quelle: Informationsgemeinschaft zur Feststellung der Verbreitung von Werbeträgern (IVW, Bonn)

## Presse: Auflagenstärkste Zeitschriften 1994

| Zeitschrift | Verkaufte Auflage IV/1994 (1000) | Veränderung zu 1993 (%) |
|---|---|---|
| ADAC Motorwelt | 11 734,9 | +2,3 |
| Auf einen Blick | 2 706,7 | –4,7 |
| Hörzu | 2 563,6 | –5,3 |
| TV Movie | 2 347,3 | +17,8 |
| TV Hören+Sehen | 2 324,9 | –2,4 |
| Das Haus | 2 285,7 | +0,1 |
| TV Spielfilm | 2 163,1 | +21,2 |
| Bild der Frau | 2 108,3 | +6,6 |
| Fernsehwoche | 1 842,0 | –11,5 |
| Funk Uhr | 1 674,1 | –11,0 |
| Das Beste | 1 620,4 | –0,5 |
| Neue Post | 1 563,7 | –6,7 |
| Tina | 1 553,3 | –5,2 |
| Bravo | 1 283,2 | –1,7 |
| TV klar | 1 263,4 | +16,6 |

Quelle: Informationsgemeinschaft zur Feststellung der Verbreitung von Werbeträgern (IVW, Bonn)

## Pressezensur

Überwachung öffentlicher Medien und Journalisten durch den Staat, um die Meinungsbildung in der Bevölkerung zu beeinflussen. In Deutschland ist P. mit Art. 5 GG untersagt, der die freie Meinungsäußerung in Presse, Rundfunk und Film schützt. Der Internationale Journalistenverband (IFJ, Brüssel)

Am dritten Treffen des 1993 gegründeten Schriftstellerparlaments konnte der nigerianische Literaturnobelpreisträger Wole Soyinka nicht teilnehmen, weil ihn die Regierung am Verlassen Nigerias hinderte. Islamische Fundamentalisten setzten 1994 ein Kopfgeld auf Taslima Nasreen aus Bangladesch aus, weil sie in ihrem Roman „Lajja" den Koran beleidigt habe. Präsident des Parlaments ist der von Fundamentalisten mit dem Tode bedrohte Salman Rushdie.

**Privater Hörfunk: Medienunternehmer**

**Frank Otto**
* 7. 7. 1957 in Hamburg. Ab 1987 Besitzer von Radio OK (Hamburg). 1995 Anteile an Radio Kiss FM (Berlin), Delta-Radio (Kiel), Newstalk-Radio (Berlin) und am geplanten Radio Europa FM sowie am Lokal-TV Hamburg 1, am Musikfernsehen Viva und dem vorgesehenen Viva 2.

bezifferte die Zahl der 1994 in Ausübung ihres Berufs gewaltsam ums Leben gekommenen Journalisten auf mindestens 115. 15 Fälle von vermißten Journalisten wurden Mitte 1995 untersucht. Damit erreichte die P. weltweit einen Höchststand.

**Verfolgung weltweit:** Während des Bürgerkriegs in Ruanda starben 48 Journalisten, in Algerien wurden 19 tödliche Attentate auf Medienvertreter verübt, in Bosnien starben drei Journalisten. Politischen Verbrechen und Anschlägen der Mafia fielen in Rußland drei Journalisten zum Opfer, zwei starben im Krieg um Tschetschenien. In der Türkei wurden der Kurdenpolitik der Regierung kritisch gegenüberstehende Journalisten verfolgt, inhaftiert oder verschwanden unter ungeklärten Umständen. In Jugoslawien erhöhte die Regierung politischen, finanziellen und juristischen Druck auf regimekritische Medien wie die Zeitung „Borba", bei der sie 1994 den Informationsminister als Chefredakteur einsetzte. Hohe Gefährdung bestehe auch in Südamerika, wo z. B. in Kolumbien fünf Pressevertreter bei mutmaßlichen Anschlägen der Drogenkartelle ums Leben kamen. Über die Rauschgiftpolitik der Regierung wollen die Journalisten nur noch anonym berichten. In Argentinien erhöhte sich der Druck auf die Presse, die Übergriffen und Morddrohungen ausgesetzt war und kaum Unterstützung von Regierung und Justiz erfuhr.

**Deutschland:** Die „Saarbrücker Zeitung" legte Ende 1994 gegen das Pressegesetz des Bundeslandes von 1994 Verfassungsklage ein, weil es ihrer Ansicht nach die Pressefreiheit einschränke. Mit dem Gesetz ist Redaktionen ein Zusatz unter Gegendarstellungen untersagt, obwohl diese ausdrücklich nicht der Wahrheit entsprechen müssen. Auch muß die Gegendarstellung an gleicher Stelle wie der beanstandete Bericht erscheinen. Das Pressegesetz trug u. a. dazu bei, daß Deutschland 1994 auf die Liste des Internationalen Presseinstituts

(IPI, London) mit 135 Ländern geriet, in denen Medien oder Journalisten verfolgt werden. Das IPI stufte die Situation in Deutschland als beunruhigend ein.

## Privater Hörfunk

Mit weiterhin steigender Zahl von P.-Anbietern in Deutschland verschärfte sich der Wettbewerb von privaten und öffentlich-rechtlichen Sendern um Hörer und Werbeeinnahmen. Zwar behauptete das öffentlich-rechtliche Radio der ARD laut Media-Analyse 1995 seine führende Position, holten private Sender mit im Durchschnitt 80 000 neuen Hörern pro Tag gegenüber der Erhebung von 1994 auf. Die ARD-Radios verloren im Vergleich zum Vorjahr rd. 600 000 Hörer.

**Angebot:** Bis Mitte 1995 erhöhte sich die Zahl der privaten Hörfunkprogramme um 20 auf rd. 250. In Ostdeutschland hatten sich fünf landesweit sendende Anbieter neben zahlreichen Lokalradios etabliert.

**Konkurrenz:** Der P. gewann 1994/95 vor allem die für die Werbewirtschaft attraktive Zielgruppe der 14–29jährigen, die ARD-Radios auch wenn nicht erreicht hatten. Die öffentlich-rechtlichen Sender reagierten mit Programmreformen, die ihre Kanäle für jüngere Hörer attraktiver machen sollten (z. B. ab Mitte 1994 N-Joy vom Norddeutschen Rundfunk, ab Mitte 1995 Eins live vom Westdeutschen Rundfunk).

**Werbeumsätze:** Bei 1,1 Mrd DM Bruttowerbeumsätzen des Hörfunks in Deutschland verbuchte das private Radio NRW 1994 mit 113,56 Mio DM den höchsten Anteil. Bei den öffentlich-rechtlichen Sendern erwirtschaftete SWF 3 mit 85,32 Mio DM die meisten Bruttowerbeumsätze. Die ARD-Sender senkten ihre Werbepreise um rd. 10%, private Anbieter erhöhten sie um rd. 10–12%.

→ Lokalfunk → Newstalk-Radio → Pay-Radio → Radio Multikulti → Universitätsradio

# Privatfernsehen

Zehn Jahre nach Einführung des werbefinanzierten P. zeichneten sich in Deutschland 1994 die Grenzen von Werbeeinnahmen, Zuschauerbeteiligung und zu erzielenden Gewinnen ab. Insbes. die P.-Anbieter reagierten zunehmend mit der Gründung von Zweit- und Dritt-Sendern bzw. von Spartenkanälen, um Programmressourcen erneut nutzen und der Werbewirtschaft neue Sendeplätze anbieten zu können. Bei steigender Senderzahl gingen die P.-Anbieter dazu über, beim Zuschauer gefragte und daher für die Werbewirtschaft attraktive Serien und Filme selber herzustellen.

**Wachstumsgrenzen:** Die Nettoeinnahmen aller TV-Sender aus der Fernsehwerbung stiegen 1994 mit 16,6% im Vergleich zum Vorjahr auf 5,6 Mrd DM erneut zweistellig. Für 1995 wurde ein niedrigeres Wachstum prognostiziert, die Aufwendungen verteilen sich zudem auf mehr Sender. Branchenführer RTL blieb zwar beliebtester Anbieter, hatte jedoch mit 1,4 Prozentpunkten die höchsten Verluste bei den Zuschaueranteilen. Der Anstieg der Nettowerbeeinnahmen betrug 2% auf 1,9 Mrd DM (Anstieg 1993: 25%). Der 1993 erzielte Gewinn von 130 Mio DM nach Steuern verrringerte sich 1994 vor allem aufgrund erhöhter Programmkosten auf 108,3 Mio DM.

**Eigenproduktionen:** Deutsche Produktionsfirmen erhalten von einheimischen TV-Anbietern 1995 Aufträge mit dem Rekordvolumen von rd. 2,5 Mrd DM. Eigenproduktionen waren i. d. R. preiswerter als Kaufprogramme, deren Ausstrahlungsrechte zudem zeitlich begrenzt waren. RTL will 1995 wie 1994 rd. 1 Mrd DM in eigenproduzierte Spielfilme und Serien investieren, SAT. 1 rd. 1,2 Mrd DM (1994: 1 Mrd DM). Der drittgrößte Privatsender Pro 7 will Eigenproduktionen für rd. 120 Mio–150 Mio DM in Auftrag geben (1994: 150 Mio–200 Mio DM).

**VOX:** Mit dem Einstieg des australischen Medienunternehmers Rupert

## Privater Hörfunk: Steigende Zuhöreranteile

| Bundesland | ARD-Hörfunk | | Privater Hörfunk | |
|---|---|---|---|---|
| | 1994 | 1993 | 1994 | 1993 |
| Baden-Württemberg | 68,2 | 72,4 | 31,2 | 27,0 |
| Bayern | 51,7 | 56,3 | 48,3 | 43,1 |
| Berlin | 28,9 | 28,0 | 70,5 | 72,0 |
| Brandenburg | 59,1 | 58,9 | 41,5 | 41,6 |
| Bremen | 76,7 | 76,9 | 23,3 | 23,1 |
| Hamburg | 40,9 | 43,6 | 59,1 | 56,4 |
| Hessen | 57,6 | 61,1 | 42,4 | 38,2 |
| Mecklenburg-Vorpomm. | 65,0 | 88,9 | 35,0 | 11,1 |
| Niedersachsen | 61,1 | 62,2 | 39,5 | 38,3 |
| Nordrhein-Westfalen | 65,6 | 66,7 | 34,4 | 32,0 |
| Rheinland-Pfalz | 53,9 | 57,4 | 46,1 | 42,6 |
| Saarland | 63,5 | 67,6 | 35,8 | 32,4 |
| Sachsen | 71,9 | 85,9 | 28,6 | 15,1 |
| Sachsen-Anhalt | 66,5 | 88,4 | 34,0 | 14,3 |
| Schleswig-Holstein | 52,1 | 54,9 | 47,9 | 45,1 |
| Thüringen | 76,1 | 89,5 | 24,4 | 10,5 |

Abweichungen zu 100% wegen Rundung; Quelle: Media Analyse

## Privatfernsehen: Chronik

| Datum | Ereignis |
|---|---|
| 2. 1. 1984 | Radio Luxemburg geht mit dem kommerziellen Fernsehsender RTL plus in Deutschland auf Sendung |
| 15. 5. 1984 | Niedersachsen verabschiedet als erstes Bundesland ein Mediengesetz, das die Zulassung von privatem Fernsehen und Hörfunk auf Dauer regeln soll |
| 29. 6. 1984 | Die Ministerpräsidenten entwerfen ein Konzept der Länder zur Neuordnung des Rundfunkwesens |
| 1. 1. 1985 | Beginn des kommerziellen Satelliten-TV SAT. 1 |
| 1. 11. 1986 | Beginn des ersten privaten Abonnementprogramms (Pay-TV) Teleclub in Hannover |
| 4. 4. 1984 | Viertes Fernsehurteil des BVG; das Duale Rundfunksystem aus öffentlich-rechtlichen und privaten Anbietern wird anerkannt |
| 12. 3. 1987 | Staatsvertrag für die Neuordnung des Rundfunkwesens; regelt die Vergabe von Satellitenkanälen und die Rundfunkwerbung |
| 1. 1. 1989 | Der TV-Sender Eureka geht in das dritte Privatfernsehen Pro 7 über |
| 1990 | Die größten deutschen Privatsender RTL plus und SAT. 1 erzielen Gewinne; RTL plus erstmals mit meisten Bruttowerbegeldern |
| Dezember 1992 | RTL verbucht als erster Privatsender die höchste Einschaltquote im Monatsdurchschnitt |
| 1992/93 | Die Anzahl der privaten TV-Sender verdoppelt sich auf acht, es starten die ersten Nachrichtenkanäle |
| 1993 | RTL überholt mit 19% Marktanteil erstmals die öffentlich-rechtlichen Sender im Wettbewerb um die Publikumsgunst |
| 1994 | Erstmals Gewinnrückgang bei RTL |

| Privatfernsehen: Gesellschafter | |
|---|---|
| Sender/Gesellschafter | Anteil (%) |
| **RTL** | |
| Compagnie Luxembourgeoise de Télédiffusion (CLT) | 49,9 |
| Ufa Film- und Fernseh GmbH (Bertelsmann) | 37,1 |
| Westdeutsche Allgemeine Zeitung (WAZ) | 10,0 |
| Burda GmbH | 2,0 |
| Frankfurter Allgemeine Zeitung (FAZ) | 1,0 |
| **SAT. 1** | |
| PKS Programmgesellschaft (Kirch-Gruppe) | 43,0 |
| Axel Springer Verlag | 20,0 |
| APF Aktuell Presse Fernsehen | 20,0 |
| AV-Euromedia | 15,0 |
| Neue Medien Ulm TV | 1,0 |
| Ravensburger Film & TV | 1,0 |
| **Pro 7** | |
| Gerhard Ackermanns | 49,9 |
| Thomas Kirch | 47,1 |
| Georg Kofler | 3,0 |
| **RTL 2** | |
| Heinrich Bauer Verlag | 33,1 |
| Tele München | 33,1 |
| CLT | 24,0 |
| Ufa Film- und Fernseh GmbH (Bertelsmann) | 7,8 |
| Burda GmbH | 1,0 |
| FAZ | 1,0 |
| **Kabel 1** | |
| Pro 7 | 45,0 |
| TEFI Handels AG (Otto Beisheim) | 45,0 |
| Georg Kofler | 10,0 |
| **VOX** | |
| News International (Rupert Murdoch) | 49,9 |
| Ufa Film- und Fernseh GmbH (Bertelsmann) | 24,9 |
| Canal plus | 24,9 |
| dctp | 0,3 |
| **Deutsches Sport Fernsehen (DFS)** | |
| Rete Invest Holding S. A. | 33,5 |
| Axel Springer Verlag | 24,9 |
| Taurus Vermögensverwaltung (Kirch-Gruppe) | 24,5 |
| Rincovision AG (Ringier) | 17,1 |
| **Premiere** | |
| Ufa Film- und Fernseh GmbH (Bertelsmann) | 37,5 |
| Canal plus | 37,5 |
| Teleclub GmbH (Kirch-Gruppe) | 25,0 |

Stand: März 1995; Quelle: Bayer. Landeszentrale für neue Medien

Murdoch, der 49,9% Anteile erwarb, und dem französischen Pay-TV-Anbieter Canal Plus (24,9%) war der neue Gesellschafterkreis von VOX Mitte 1994 komplett (Bertelsmann-Tochterfirma Ufa: 24,9%, Produktionsfirma dctp: 0,3%). Die Einschaltquote konnte bis Mitte 1995 von 0,9% auf 2,4% gesteigert werden, für 1996 sind 3,4% angestrebt. Der Informationsanteil am Programm soll bis Jahresende auf 30% erhöht werden, zudem sollen Serien und Filme aus dem Fundus Murdochs gezeigt werden (Programminvestitionen 1995: 200 Mio DM).

**Freiwillige Selbstkontrolle:** Dem im Mai 1994 von den Privatsendern gegründeten Verein Freiwillige Selbstkontrolle Fernsehen (FSF), der Gewalt- und Erotikdarstellungen im TV kontrollieren soll, wurden 1994 rd. 585 Filme zur Begutachtung vorgelegt. Die FSF beanstandete 277, jedoch blieben nur 17 für die Ausstrahlung gesperrt. Die anderen wurden nach Einsprüchen der Sender bzw. mit Auflagen freigegeben. Jugendschutzorganisationen kritisierten, daß ausschließlich die Sender Prüfungen beantragen und Widerspruch gegen Entscheidungen einlegen können.

| Privat-TV: Print-Magazine | | | |
|---|---|---|---|
| Titel | Sender | Zuschauer (Mio) | Marktanteil (%)[1] |
| Spiegel-TV Magazin | VOX | 4,01 | 15,1 |
| Spiegel-TV | RTL | 3,75 | 16,0 |
| Stern-TV | RTL | 3,63 | 21,4 |
| Spiegel-TV Reportage | SAT. 1 | 1,31 | 12,8 |
| Spiegel-TV Special | VOX | 0,54 | 3,0 |
| Bravo-TV | RTL 2 | 0,54 | 5,6 |
| S-Zett | VOX | 0,41 | 1,9 |
| Spiegel-TV Extra | VOX | 0,40 | 2,5 |
| Spiegel-TV Thema | VOX | 0,39 | 2,7 |
| Spiegel-TV Interview | VOX | 0,39 | 2,5 |
| Die Zeit TV Magazin | VOX | 0,30 | 1,9 |
| Format NZZ | VOX | 0,22 | 1,9 |

1) Anteil der zum Sendezeitpunkt fernsehenden Zuschauer; Quelle: W&V, 18. 11. 1994

## Privatfernsehen

**Helmut Thoma, RTL-Geschäftsführer**
\* 3. 5. 1939 in Wien, Dr. jur. 1966 Jurist beim ORF. 1973 RTL-Generalvertretung für Deutschland, 1984 TV-Direktor. Ab 1991 Geschäftsführer von RTL.

**Rupert Murdoch, Medienunternehmer**
\* 11. 3. 1931 in Melbourne/Australien, britische und US-Staatsbürgerschaft. Hauptanteilseigner des 1994 viertgrößten Medienkonzerns der Welt.

→ Fernsehen → Fernsehwerbung → Fußballübertragungsrechte → Kinderkanal → Medienkonzentration → Spartenkanal

## Privatgefängnis

In Berlin wurde Anfang 1995 mit dem Bau des ersten privat finanzierten Gefängnisses begonnen. Die Jugend-Untersuchungshaftanstalt Kieferngrund (Kosten: rd. 25,7 Mio DM) soll Ende 1996 in Betrieb genommen werden. Auch in Mecklenburg-Vorpommern war 1995 der Bau eines P. geplant. Die Justizvollzugsanstalt (JVA) Waldeck (Kosten: 70 Mio DM) soll ebenfalls bis Ende 1996 fertiggestellt werden. Ein Leasing-Modell sieht vor, daß das Land Mecklenburg-Vorpommern für die JVA Waldeck 30 Jahre lang rd. 5 Mio DM Miete jährlich an den Investor zahlt. Anschließend will das Land die JVA Waldeck kaufen. Insbes. in den neuen Bundesländern führte Überbelegung in den Gefängnissen zu einer steigenden Zahl von

Gewaltakten unter den Häftlingen. Zahlreiche Haftanstalten waren aufgrund baulicher Mängel nicht mehr belegbar. Für Neubauten fehlten den Bundesländern die Mittel. Von P. versprachen sie sich niedrigere Kosten, von dem Leasing-Modell eine geringere Kreditaufnahme.
In Australien, Großbritannien, Kanada, Neuseeland und den USA bauen und betreiben Unternehmer bereits seit Anfang der 80er Jahre P. In den Vereinigten Staaten waren 1995 rd. 55 000 der insgesamt 1,5 Mio Häftlinge in P. inhaftiert.
→ Sicherheitsdienste, Private

## Privatstraßen

Im August 1994 trat ein Bundesgesetz in Kraft, daß die Finanzierung des Neu- und Ausbaus von Straßen durch private Investoren zuläßt. 1995 plante das Bundesverkehrsministerium zwölf Projekte als P., darunter die A 8 Saarbrücken–Luxemburg, den Engelbergtunnel (A 81) bei Stuttgart und die vierte Elbtunnelröhre (A 7). Die Finanzierung von P. über Bank- und Leasingunternehmen soll eine kurzfristige Realisierung von Bauvorhaben gewährleisten, die aus dem Bundeshaushalt nicht möglich wäre.
Der Träger von P. finanziert Planung und Bau von Straßen auf bundeseigenem Grund. Der Bund zahlt nach der Fertigstellung die Kosten zuzüglich Zinsen in 15 Jahresraten zurück (sog. Konzessionsmodell). Der Bundesrechnungshof (Frankfurt/M.) bezeichnete das Modell verglichen mit einer Finanzierung aus dem Bundeshaushalt als unwirtschaftlich, weil die Ratenzahlung teurer als die Aufnahme neuer Schulden war.

## Promillegrenze

In Tausendstel gemessener Alkoholgehalt im Blut, ab dem das Führen eines Kfz verboten ist. 1994 verursachten in Deutschland 39 892 unter Alkoholeinfluß stehende Fahrer Unfälle, bei

| Promillegrenze: Europavergleich | |
|---|---|
| **Land** | **Promille-grenze** |
| Bulgarien | 0,0 |
| Rumänien | 0,0 |
| Slowakei | 0,0 |
| Tschech. Rep. | 0,0 |
| Türkei | 0,0 |
| Ungarn | 0,0 |
| Polen | 0,2 |
| Schweden | 0,2 |
| Finnland | 0,5 |
| Frankreich | 0,5 |
| Griechenland | 0,5 |
| Jugoslawien | 0,5 |
| Kroatien | 0,5 |
| Niederlande | 0,5 |
| Norwegen | 0,5 |
| Portugal | 0,5 |
| Slowenien | 0,5 |
| Belgien | 0,6 |
| Dänemark | 0,8 |
| Deutschland | 0,8 |
| Großbritannien | 0,8 |
| Irland | 0,8 |
| Italien | 0,8 |
| Luxemburg | 0,8 |
| Österreich | 0,8 |
| Schweiz | 0,8 |
| Spanien | 0,8 |

Stand: Mitte 1995;
Quelle: ADAC

denen 1828 Verkehrsteilnehmer starben (1993: 2000). Dies entsprach 19% aller Verkehrstoten. 1995 forderte der Bundesrat die CDU/CSU/FDP-Bundesregierung zur Senkung der P. von 0,8 auf 0,5 Promille auf, um die Zahl der Alkoholunfälle zu verringern.

**Niedrigere Grenze:** Der Bundesrat setzte sich dafür ein, die Atemalkoholanalyse als Beweis für die Bestimmung des Alkoholgehalts im Blut anzuerkennen und die Geldbußen bei Alkoholverstößen auf 5000 DM anzuheben. 1995 galt die Atemanalyse als Vortest für einen ärztlichen Bluttest.

**Situation:** Bei steigendem Alkoholkonsum läßt das Gefühl der Fahrzeugführer für Geschwindigkeit nach, die Tiefensehschärfe, die Sehkraft und der Gehörsinn sinken, während die Reaktionszeit der Fahrer länger wird. 1995 galten in Deutschland Autofahrer mit mehr als 1,1 Promille Alkoholgehalt im Blut als absolut fahruntüchtig. Die Fahrerlaubnis wurde entzogen, sie konnten auch ohne Fahrfehler bis zu fünf Jahren inhaftiert werden. Der Führerschein konnte nur durch erneute Prüfung wiedererlangt werden. Zwischen 0,8 und 1,09 Promille drohte eine Geldbuße bis zu 3000 DM und ein bis zu drei Monate befristetes Fahrverbot. Bei 0,3 bis 0,79 Promille wurde der Führerschein befristet eingezogen, wenn der Fahrer einen Fahrfehler beging bzw. einen Unfall verursachte.
→ Verkehrssicherheit

## Protektionismus

Handelspolitische Maßnahmen eines Staates oder Wirtschaftsbündnisses mehrerer Länder zum Schutz der Wirtschaft vor ausländischer Konkurrenz. Das GATT, Vorläufer der Welthandelsorganisation WTO, verzeichnete in den 90er Jahren eine Zunahme sog. nichttarifärer (tariff, engl.; Zoll) Handelshemmnisse.

**Instrumente:** Da die Einführung neuer Zölle nach den GATT-Regeln nicht erlaubt ist, bedienten sich die Staaten anderer Methoden des P.:

▷ Drohungen zwingen Handelspartner zu sog. freiwilligen Selbstbeschränkungsabkommen, in denen sie auf Exporte verzichten (z. B. japanische Autoexporte in die EU)
▷ Technische Vorschriften, komplizierte Einfuhrbestimmungen und Grenzkontrollen erschweren Importe (z. B. Zugangsbeschränkungen auf dem EU-Fernseh- und Telekommunikationsmarkt)
▷ Subventionen unterstützen eigene Exporte (z. B. europäisches Verkehrsflugzeug Airbus)
▷ Anti-Dumping-Aktionen (dumping, engl.; verschleudern) wie z. B. Strafzölle erfolgen gegen angebliche Verkäufe unter Herstellungskosten
▷ Handelsblöcke erschweren Drittländern den Marktzugang (Europäischer Binnenmarkt, NAFTA etc.).

**Vor- und Nachteile:** Die Abwehr preisgünstiger Importe soll insbes. Arbeitslosigkeit in den betroffenen Branchen verhindern, belastet die heimische Wirtschaft jedoch auch. Nichttarifäre Handelshemmnisse wirken wie eine unsichtbare Verbrauchsteuer. Experten haben 1994 errechnet, daß der japanische P. zwischen 2,6% und 3,8% des BIP kostet (Vergleichswert USA: 0,6%). Außerdem werden Vergeltungsmaßnahmen provoziert, und die internationale Arbeitsteilung verschlechtert sich.

**Konflikte:** Das Abkommen zum Schutz vor chinesischer Markenpiraterie verhinderte im März 1995 einen Handelskrieg zwischen den USA und China. Der Streit zwischen Japan und den USA um die Öffnung des japanischen Automarktes für US-Importe konnte Ende Juni 1995 beigelegt werden. Auf die Ankündigung der USA, Strafzölle für japanische Luxusautos zu verhängen, hatte Japan im Mai 1995 mit Einschaltung der WTO als Schlichterin geantwortet. Durch die Einigung wurde ein verbindlicher Schiedsspruch der WTO vermieden.
→ Markenpiraterie → Weltwirtschaft → WTO

## Psychotherapeutengesetz

Im Herbst 1994 scheiterte der Gesetzentwurf der CDU/CSU/FDP-Bundes-
regierung für ein P., das die Tätigkeit
von Psychotherapeuten regeln soll, im
SPD-dominierten Bundesrat, weil die
SPD die vorgesehene Eigenbeteiligung
der Patienten von 25% an den Behandlungskosten ablehnte. Im Februar 1995
legten die SPD-regierten Länder Hessen, NRW und Schleswig-Holstein
einen Entwurf vor, den die Koalition
wegen des Verzichts auf die Selbstbeteiligung der Patienten ablehnte.
Der Beruf des Psychotherapeuten war
bis Mitte 1995 rechtlich nicht geschützt, jeder konnte diese Bezeichnung tragen. Der SPD-Entwurf sieht
eine Ausbildung zum Psychotherapeuten vor. Jeder Versicherte soll sich
direkt an den Psychotherapeuten wenden können, bis Mitte 1995 mußte er
vom Hausarzt überwiesen werden. Die
Kassen sollen die Kosten übernehmen.

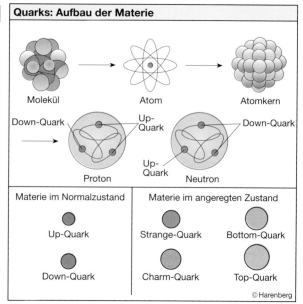

**Quarks: Aufbau der Materie**

Molekül — Atom — Atomkern

Down-Quark — Up-Quark — Down-Quark

Up-Quark

Proton — Neutron

Materie im Normalzustand

Up-Quark
Down-Quark

Materie im angeregten Zustand

Strange-Quark — Bottom-Quark
Charm-Quark — Top-Quark

© Harenberg

# Q

## Quarks

Elementarteilchen, aus denen die Protonen und Neutronen von Atomkernen
bestehen. Im März 1995 bestätigten
Wissenschaftler vom Forschungszentrum Fermilab (Chicago/USA) die
Existenz des letzten, mutmaßlich
kleinsten, nicht mehr teilbaren Bau-
steins der Materie, des Top-Q. In ca. 40
Fällen konnte sein Zerfall im Teilchenbeschleuniger Tevatron nachgewiesen
werden. Ungeklärt war, woher die rie-
sige Masse des Top-Q. stammt, die mit
176 Giga-Elektronvolt 187mal so groß
wie die eines Protons ist.
**Masserätsel:** Wissenschaftler vermuteten, daß die Top-Q. ihre Masse von
bis dahin unbekannten Teilchen, den
sog. Higgs-Bosonen, erhalten haben
könnten, die nur im Zeitraum kurz
nach der Entstehung des Universums
existierten. Mit dem europäischen

Teilchenbeschleuniger LHC wollen
Forscher die Bedingungen simulieren,
die der Urknalltheorie entsprechend
im Kosmos nach Entstehung des Universums herrschten, um das Higgs-
Boson aufzuspüren.
**Materieaufbau:** Die Forscher teilen
die Q. jeweils in Paare ein. Die Up-
und Down-Q. bauen die Atomkernma-
terie auf. In kosmischer Strahlung
wurden sog. Strange- und Charm-Q.
entdeckt. Das sog. Bottom-Q. ist das
ergänzende Teilchen zum Top-Q.
→ Neutrinos → Teilchenbeschleuniger

# R

## Radio, Digitales

→ Digitales Radio

## Radio Multikulti

Im September 1994 startete in Berlin
als viertes Hörfunkprogramm des Sen-

ders Freies Berlin (SFB) das erste multikulturelle Radioprogramm in Europa, das rund um die Uhr sendet. Ziel des werbefreien R. ist die Verbesserung der Verständigung zwischen deutschen und ausländischen Bürgern. Das zunächst auf drei Jahre befristete Projekt wird vom SFB (3,5 Mio DM), der Medienanstalt Berlin-Brandenburg (2 Mio DM für eineinhalb Jahre) und dem Bundesinnenministerium (700 000 DM) finanziert.

Das im Berliner Stadtgebiet verbreitete R. wird tagsüber zweisprachig abwechselnd in Deutsch und Englisch gesendet, ab 16.30 Uhr bis 23 Uhr in 17 Sprachen. Tagsüber werden aktuelle Magazine und stündlich Nachrichten ausgestrahlt, erweitert um die Weltnachrichten der britischen BBC und der Deutschen Welle (Köln). Im Nachtprogramm werden z. B. fremdsprachige Nachrichten und Live-Sendungen ausländischer Radiostationen gesendet. Die in Europa einzigartige Musikmischung zahlreicher Stile und Kulturen entstammt den Archiven von 20 Rundfunkanstalten.

## Raketenabwehr

Gegen Mittelstreckenraketen (Reichweite: bis ca. 1000 km), die mit konventionellen, atomaren, biologischen und chemischen Sprengköpfen ausgerüstet werden können, entwickeln die USA und Rußland mobile land-, luft- und seegestützte Abwehrsysteme, z. T. unterstützt durch Satelliten mit Sensortechnik, die Informationen über die Raketenflugbahn liefern. Die R. der USA soll dem Schutz des eigenen Territoriums, der im Ausland stationierten Truppen und der NATO-Verbündeten dienen. Neben den Atommächten besitzen mindestens 13 Entwicklungs- und Schwellenländer derartige Raketen. Indien, Iran und Korea-Nord entwickelten Raketen mit über 1000 km Reichweite.

**Abwehrsysteme:** Bis 2001 will die US-Regierung ca. 22 Mrd Dollar (31 Mrd DM) für die R. ausgeben:

▷ ERINT: Die Weiterentwicklung der Patriot-R., die im Golfkrieg 1991 eingesetzt wurde, soll anfliegende Raketen bis zu einer Höhe von ca. 15 km zerstören. Geplant ist die Aufstellung von 1500 Abwehrraketen ab 1998

▷ R. für die Marine: Ab 1999 sollen 1820 Raketen auf Schiffen stationiert werden

▷ THAAD bekämpft Raketen bis zu einer Höhe von 150 km. Etwa 1400 Abwehrsysteme sollen beschafft werden. Die Erprobung soll 1995 beginnen.

Die russischen Luftverteidigungskräfte besaßen 1995 zwei mobile R-Systeme mit bis zu 48 Raketen pro Einheit, die gleichzeitig 24 Ziele bekämpfen können. Mit MEAD entwickelten Deutschland, Frankreich, Italien und die USA eine militärische Abwehrwaffe gegen Flugzeuge, Hubschrauber, Marschflugkörper sowie Kurz- und Mittelstreckenraketen (Kosten: rd. 2 Mrd Dollar, 2,8 Mrd DM). MEAD ersetzt die Raketen vom Typ Hawk aus den 50er Jahren und soll ab 2005 in Dienst gestellt werden.

**ABM-Vertrag:** Rußland und die USA führen seit 1993 in Genf/Schweiz Gespräche über eine Erweiterung des ABM-Vertrags (anti-ballistic missile, engl.; Abwehr gegen ballistische Raketen) von 1972. Dieser verbietet eine flächendeckende und mobile R. gegen strategische Atomraketen (Reichweite: ab ca. 5500 km), erlaubt jedoch eine R. aus 100 Raketen, die an einem Ort des jeweiligen Hoheitsgebiets stationiert werden müssen. Rußland und die USA hatten außerdem verabredet, R. mit einer Reichweite von 40 km Höhe gegen Raketen unter 2 km/sec zu erproben. Im November 1994 vereinbarten beide Seiten, nur Abwehrraketen mit einer Höchstgeschwindigkeit von 3 km/sec zu testen oder zu stationieren und diese nur gegen Raketen mit einer Höchstgeschwindigkeit von 5 km/sec einzusetzen. Eine R. im Weltraum ist nicht erlaubt.

→ Atomwaffen

# Rauchen

Einer britischen Langzeitstudie (1971–1991) zufolge wurden die Gefahren des R. unterschätzt. Raucher sterben nach der 1994 vorgelegten Studie in den mittleren Lebensjahren dreimal so häufig wie Nichtraucher und nicht nur doppelt so häufig wie bis dahin angenommen. Auf Einschränkungen und Ächtung des R. in der Öffentlichkeit reagierten führende Tabakkonzerne mit der Entwicklung von Zigaretten, die ohne Rauchbelästigung der Umgebung konsumiert werden können.

**Konsum:** 1994 stieg der Konsum in Deutschland um rd. 3% auf 131,1 Mrd Zigaretten. Der Verband der Cigarettenindustrie (VdC, Bonn) führte den Anstieg u. a. auf wachsenden Absatz sog. leichter Marken mit geringem Nikotin- und Teergehalt zurück und auf die Rückkehr der Raucher von nur bis 1994 steuerbegünstigten und preiswerteren Steck- zu fertigen Zigaretten. Die Zahl der Raucher blieb mit 28% der Bevölkerung ab zehn Jahren konstant (17,7 Mio).

**Suchtpotential:** Eine Studie der US-Arzneimittelaufsichtsbehörde FDA ergab 1994, daß die suchtauslösende Wirkung des Nikotins von der konsumierten Menge abhängt. Bei weniger als 5 mg Nikotinzufuhr pro Tag konnten Probanden längere Zeit ohne Entzugserscheinungen abstinent bleiben.

**Gefahren:** Wegen der etwa 3800 im Tabakrauch enthaltenen Schadstoffe (z. B. Formaldehyd, Plutonium, Cadmium) gilt R. als Hauptursache für die Entstehung von Lungenkrebs, begünstigt aber auch zahlreiche andere Krebsarten und Erkrankungen u. a. von Herz, Augen und Nieren. Der britischen Studie zufolge sterben rd. 50% der Raucher an ihrer Sucht, ein Viertel von ihnen zwischen dem 35. und 65. Lebensjahr. Das Risiko steigt mit der Dauer der Sucht. Nach Angaben der Weltgesundheitsorganisation forderte R. Mitte der 90er Jahre in jeder Minute sechs Todesopfer, pro Jahr starben 3 Mio Menschen an den Folgen des R.,

bis 2015 wird ein Anstieg auf 10 Mio erwartet, weil die Zahl der Raucher in den Entwicklungsländern voraussichtlich wächst. R. war 1995 die häufigste Todesursache in den Industrieländern.

**Einschränkungen:** Die CDU/CSU/FDP-Regierungskoalition kündigte Mitte 1995 einen Gesetzentwurf an, der R. am Arbeitsplatz sowie in öffentlichen Einrichtungen und Verkehrsmitteln auf bestimmte Zonen beschränken soll. Gaststätten sollen ausgeklammert bleiben, um die Akzeptanz des Gesetzes bei der Bevölkerung zu erhöhen. Große Firmen erließen 1994/95 interne Rauchverbote. Auf innerdeutschen Flügen deutscher Fluggesellschaften wurde das R. weitestgehend untersagt. An der Ostsee wurde ein Nichtraucherstrand eingerichtet, Hotels boten Nichtraucherzimmer an.

**Neue Zigaretten:** Der Tabakkonzern Reynolds stellte 1995 eine Zigarette vor, bei der ein Holzkohlestückchen an der Spitze beim Einatmen den angefeuchteten Tabak erwärmt. Rauchproduzierendes Verglimmen entfällt. Die Veränderungen seien geschmacksneutral, der Nikotinwert bleibe unverändert. Reynolds und Branchenführer Philip Morris arbeiteten auch an elektrisch betriebenen Zigaretten, die dem Raucher Tabakgase in den Mund blasen, so daß kein Nebenrauch anfällt.

**Schadenersatz in den USA:** Nach einem Urteil des Bundesgerichts von New Orleans (Louisiana) vom Februar 1995 können Raucher erstmals in Sammelanklagen Schadenersatz von Tabakkonzernen fordern. Sie warfen den Firmen u. a. vor, den Nikotingehalt von Zigaretten zu manipulieren, um Sucht zu erzeugen. Mitte 1995 wurden Unterlagen von Philip Morris bekannt, aus denen hervorging, daß der Konzern seit Jahren um die suchtauslösenden Eigenschaften von Nikotin und dessen Wirkung auf Gehirn und körperliche Funktionen wußte. Etwa 60 Anwaltskanzleien wollten 1995 gemeinsam gegen die Branche vorgehen.

→ Krebs

| Rauchen: Erfolgreichste Tabakkonzerne 1994 | |
|---|---|
| Konzern | Marktanteil (%) |
| Philip Morris | 38,6 |
| Reemtsma | 23,8 |
| B.A.T. | 18,5 |
| Rothmans | 8,1 |
| Reynolds | 6,3 |
| Sonstige | 4,7 |

Quelle: Verband der Cigarettenindustrie

| Rauchen: Umsatzentwicklung bei Fabrikzigaretten | |
|---|---|
| Jahr | Umsatz (Mio DM) |
| 1990 | 27,0 |
| 1991 | 31,1 |
| 1992 | 29,8 |
| 1993 | 30,3 |
| 1994 | 32,0 |

Quelle: Verband der Cigarettenindustrie

| Raumfähre: Missionen | |
|---|---|
| **Shuttle** | **Anzahl** |
| Discovery | 20 |
| Columbia | 16 |
| Atlantis | 14 |
| Endeavour | 8 |

Stand: Juni 1995

| Raumfahrt: Deutsche ESA-Beiträge 1994 | |
|---|---|
| **Posten** | **Beiträge (Mio DM)** |
| Ariane | 357 |
| Erderkundung | 164 |
| Wissenschaft[1] | 154 |
| Euromir | 116 |
| Allg. Haushalt | 58 |
| Telekomm. | 48 |
| Weltraumbeob. | 38 |
| Kourou[2] | 29 |
| Gesamt | 964 |

1) Und Grundlagenforschung; 2) Weltraumbahnhof in Französisch-Guyana; Quelle: Wirtschaftswoche, 16. 2. 1995

## Raumfähre

(engl.: space shuttle), wiederverwendbarer bemannter Flugkörper zum Weltraumtransport. Im Juni 1995 dockte die US-amerikanische R. Atlantis an die russische Raumstation Mir an. Es war der erste von sieben Versorgungsflügen von US-R. zu Mir bis 1997, die der Vorbereitung zum Bau einer internationalen Raumstation bis 2002 dienen. Mit einem Aufenthalt von 17 Tagen im All stellte die R. Endeavour im März 1995 einen Rekord auf.

**Funktion:** Nur die USA betrieben Mitte der 90er Jahre R., die russische und die europäische Raumfahrtagentur nutzten Trägerraketen. R. dienten zur Beförderung von Raumlabors für wissenschaftliche Zwecke, zum Aussetzen von Forschungsplattformen und Satelliten sowie zu Reparaturmissionen, z. B. zum Hubble-Weltraumteleskop.

**Nachfolgemodell:** Anfang 1995 legte die US-Raumfahrtbehörde NASA einen Etat von 660 Mio Dollar (929 Mio DM) für die Entwicklung eines neuen wiederverwendbaren Raumfahrzeugs (X-33) durch private Firmen bis zum Jahr 2000 fest. Für 70 Mio Dollar (99 Mio DM) soll zudem eine neue Trägerrakete entwickelt werden. Ab 2000 sollen Flugerprobungen feststellen, ob X-33 eine preiswerte Alternative zum space shuttle werden kann. Die US-amerikanische Firma McDonnell Douglas erwog Mitte 1995, sich mit einer Weiterentwicklung des senkrecht startenden und landenden sog. Delta-Clippers, der bei Testflügen im Juni 1994 explodiert war, um den X-33-Auftrag zu bewerben.

**Konkurrenz:** R. standen als Transportmittel im Wettbewerb mit den einmal verwendbaren Trägerraketen. Die Kosten von rd. 7000 Dollar (9860 DM) pro kg Nutzlast waren bei den R. Mitte der 90er Jahre jedoch fast doppelt so hoch wie bei der europäischen Ariane-Rakete.

→ Ariane → Mir → Satelliten

## Raumfahrt

Als wichtigstes Großprojekt der bemannten R. galt Mitte der 90er Jahre die internationale Raumstation Alpha, die ab 1997 gebaut werden soll. Die Zukunft der bemannten Raumfahrt in Europa war Mitte 1995 ungesichert, weil unter den Mitgliedstaaten der europäischen Weltraumbehörde ESA keine Einigung über die Finanzierung der geplanten Programme erzielt wurde. Auf dem Satellitenmarkt waren Telekommunikation und Erderkundung die größten Felder. Beim Weltraumtransport planten Brasilien und Indien für 1995 den Erstflug von Trägerraketen, die in Konkurrenz mit den Systemen (Raumfähre, Raumkapsel, Raketen) der europäischen Staaten, der USA, Rußlands, Chinas und Japans treten sollen.

| Raumfahrt: Wichtige Organisationen | | | |
|---|---|---|---|
| **Merkmal** | **DARA** | **ESA** | **NASA** |
| Name | Deutsche Agentur für Raumfahrtangelegenheiten | European Space Agency, engl.; Europäische Weltraumbehörde | National Aeronautics and Space Administration, engl.; Nationale Luft- und Raumfahrtbehörde |
| Rechtsform/ Ziel | Privatrechtliche Organisation; zuständig für Planung und Durchführung deutscher Programme zur Raumfahrt sowie für die Koordination zwischen Industrie und Bundesregierung | Europäische Raumfahrtorganisation mit 14 Mitgliedstaaten zur Kooperation in der Weltraumforschung und -technik | Zivile Organisation zur Planung und Durchführung von Luft- und Raumfahrtvorhaben der USA |
| Gründung/Sitz | 1989, Bonn | 1975, Paris/Frankreich | 1958, Washington/USA |
| Etat 1994 | 1,5 Mrd DM | 6,0 Mrd DM | 14,3 Mrd Dollar (20,1 Mrd DM) |

**Deutschland:** Der R.-Etat des Bundesforschungsministeriums für nationale Programme wurde 1995 gegenüber dem Vorjahr um 46 Mio auf 525 Mio DM gesenkt, vor allem Forschungsprogramme zur Erderkundung sollen finanziert werden. Die bilaterale Kooperation mit Japan wurde im Januar 1995 auf unbestimmte Zeit unterbrochen, nachdem das japanisch-deutsche Forschungsprojekt Express (deutscher Kostenanteil: 40 Mio DM) durch den Absturz der japanischen Trägerrakete scheiterte.

**Europa:** Die ESA-Mitgliedstaaten vereinbarten im März 1995 eine Beteiligung an der Raumstation Alpha, Finanzierungszusagen zum geplanten Kostenanteil von rd. 3,3 Mrd DM 1996–2000 blieben jedoch bis Mitte 1995 aus. Für die zweite Jahreshälfte 1995 plante die ESA mehrere Projekte:

▷ Bei der Mission Euromir 1995 im August soll der deutsche Astronaut Thomas Reiter über 135 Tage an Bord der russischen Raumstation Mir Experimente durchführen

▷ Der Satellit ISO (Kosten: rd. 1 Mrd DM) soll ab September für 16 Monate infrarote Strahlenquellen im Weltall untersuchen

▷ Im November soll die Trägerrakete Ariane 5 zum Jungfernflug starten.

**US-russische Zusammenarbeit:** Aufgrund der Wirtschaftskrise in der GUS und staatlichen Etatkürzungen galt die Fortsetzung der bemannten R. in Rußland Mitte der 90er Jahre als ungesichert. Die russische R.-Agentur RKA setzte insbes. auf die Kooperation mit den USA. Ab Juni 1995 unternahmen US-Raumfähren Versorgungsflüge zu Mir, mit denen der Materialtransport beim Bau der Raumstation Alpha erprobt wird. Im März 1995 startete erstmals ein US-Amerikaner mit einer russischen Sojus-Rakete ins All. Der Astronaut hielt sich drei Monate auf Mir zu Forschungszwecken auf.

Das US-Unternehmen Lockheed plante Anfang 1995 ein Joint-venture mit der RKA, das Investitionen von 1 Mrd

### Raumfahrt: Leiter der Raumfahrtorganisationen

**Daniel S. Goldin, NASA**
\* 23. 7. 1940 in New York, Ingenieur.1962–1967 NASA-Wissenschaftler. 1967 Eintritt in den US-Luft- und Raumfahrtkonzern TRW, Generaldirektor. 1992 NASA-Chef.

**Jean-Marie Luton, ESA**
\* 4. 8. 1942 in Chamalières/Frankreich, Physiker. Ab 1974 beim Zentrum für Weltraumstudien (CNES), ab 1989 als Generaldirektor. 1990 Generaldirektor der ESA.

**Jan-Baldem Mennicken, DARA**
\* 1. 2. 1935 in Köln, Dr. jur. Ab 1969 im Bundesforschungsministerium. 1977–1983 EURATOM-Generaldirektor in Brüssel. 1989 Aufsichtsratsvorsitzender, 1993 Generaldirektor der DARA.

Dollar (1,41 Mrd DM) für Proton-Raketen und 25 Mio Dollar (35 Mio DM) für den Weltraumbahnhof Baikonur vorsah. Rußland hatte den Raketenstartplatz in Kasachstan 1993 für jährlich 115 Mio Dollar (161,9 Mio DM) auf 20 Jahre gepachtet.

→ Ariane → Erderkundung → Hubble Space Telescope → Mir → Satelliten → Weltraummüll

### Raumsonde

Unbemannter Raumkörper zur Erkundung des Weltraums. 1995 waren R. zur Erforschung von Sonne, Mond und Jupiter im Einsatz. Im Oktober 1994 zerschmolz die R. Magellan, die fünf Jahre lang den Planeten Venus untersucht hatte, planmäßig in der 450 °C heißen Atmosphäre des Planeten. Aufgrund finanzieller Einsparungen in den USA galt Mitte 1995 die R. Cassini, die 1997 zum Saturnmond Titan geschickt werden soll, als vorerst letztes Großprojekt der NASA-Planetenforschung (Kosten: 3,4 Mrd Dollar, 4,8 Mio DM).

**Sonne:** Im September 1994 überflog als erstes Raumfahrzeug die europäische R. Ulysses den Südpol der Sonne. Die Sonde war 1990 gestartet und 1992 durch das Schwerefeld des Jupiter auf den Weg zur Sonne abgelenkt worden. Als Überraschung werteten Experten Ergebnisse, nach denen die Sonne im Gegensatz zur Erde ein einheitliches Magnetfeld aufweist. Im März 1995 überquerte Ulysses den Sonnennordpol. Bis 2001 soll die R. die Sonne ein zweites Mal umrunden.

**Mond:** Voraussichtlich 1997 will die NASA mit der R. Lunar Prospector die chemische Zusammensetzung der Mondoberfläche und die Schwerkraft des Erdtrabanten untersuchen (Kosten: 59 Mio Dollar, 83,1 Mio DM).

**Venus:** Vor ihrer Zerstörung lieferte die Magellan-Sonde Daten über die Auswirkungen der Anziehungskraft der Venus, die beim Bau neuer Sonden genutzt werden sollen. 1990–1994 hatte die R. in etwa 15 000 Umrundungen die Venus-Oberfläche mit einem Mikrowellenradar abgetastet und eine nahezu vollständige Kartographierung des Planeten ermöglicht.

**Mars:** Die US-amerikanische R. Pathfinder (Start: Ende 1996) wird ein etwa 10 kg schweres Kleinfahrzeug transportieren, das der Erkundung der Planetenoberfläche dient. Insgesamt sind 1995–2003 etwa zehn Missionen geplant, die vor allem das Innere des Planeten erforschen sollen. 1993 war der Funkkontakt zur R. Mars-Observer (Start: 1992) aus ungeklärten Gründen abgebrochen.

**Jupiter:** Die deutsch-US-amerikanische R. Galileo soll ab Dezember 1995 für 22 Monate den größten Planeten unseres Sonnensystems und seine vier größten Monde untersuchen (Kosten 2,2 Mrd DM). Ein Teil von Galileo wird in die Jupiter-Atmosphäre eindringen, der andere bei elf Vorbeiflügen die Oberfläche fotografieren.

**Ende für Kernkraftantrieb:** Ab 1996 will das US-amerikanische Energieministerium die Finanzierung plutoniumbetriebener R. einstellen. Nukleare Generatoren wurden bei Sonden eingesetzt, die an den Rand des Sonnensystems vordrangen (Pioneer, Ulysses, Voyager). Im Bereich der äußeren Planeten ist die Sonnenenergie für einen Antrieb mit Solarzellen zu schwach. Pioneer 10 und 11 befanden sich 1995 in einem Abstand von 6 Mrd bzw. 11 Mrd km von der Erde. Die R. Cassini, die ab 2002 Titan erkunden soll, wird die letzte und größte Plutoniumladung (32 kg) an Bord haben.

**Mikrosonden:** Als zukunftsträchtig galt 1995 die Entwicklung von R. mit Hilfe der Nanotechnik, die den Bau mikroskopisch kleiner Meßgeräte ermöglicht. Die Mikrosonden (Gewicht: rd. 100 g) könnten mit einem Raumtransporter ins All gebracht und mit einem Teilchenbeschleuniger aus dem Sonnensystem katapultiert werden.

## Raumsonde: Laufende und geplante Missionen

| Name | Träger | Ziel | Ankunft |
|---|---|---|---|
| **Laufende Missionen** | | | |
| Pioneer 10[1] | NASA | Planet Jupiter u. a. | 1973 |
| Pioneer 11[1] | NASA | Planet Jupiter u. a. | 1974 |
| Voyager 1[1] | NASA | Planet Jupiter u. a. | 1979 |
| Voyager 2[1] | NASA | Planet Jupiter u. a. | 1979 |
| Galileo | DARA, NASA | Asteroid Gaspra | 1991 |
| | | Asteroid Ida | 1993 |
| | | Planet Jupiter | 1995 |
| Ulysses | ESA | Sonne | 1994 |
| Clementine | NASA | Mond | 1994 |
| | | Asteroid Geographos | 1994 |
| Korona 1 | RKA[2], internat. | Sonne | 1996 |
| **Geplante Missionen[3]** | | | |
| Mars 94[4] | RKA[2] | Planet Mars | 1995[4] |
| Pathfinder | NASA | Planet Mars | 1996 |
| Global Surveyor | NASA | Planet Mars | 1996 |
| Mars 96[4] | RKA[2] | Planet Mars | 1997[4] |
| Lunar Prospector | NASA | Mond | 1997 |
| Cassini-Huygens | ESA, NASA | Saturnmond Titan | 2002 |
| Mars-Network | internat. | Planet Mars | 2003 |
| Ikarus | ESA | Sonne | 2005 |
| k. A. | NASA | Planet Pluto | 2007 |
| Rosetta | ESA | Komet[5] | 2010 |
| k. A. | ESA | Planet Merkur | k. A.[6] |

Stand: Mitte 1995; 1) befand sich 1995 an der Grenze des Sonnensystems; 2) russische Weltraumagentur; 3) Auswahl; 4) Start um voraussichtlich zwei Jahre verschoben; 5) Schwassmann-Wachmann 3; 6) 1995 im Rahmen des Langzeitprogramms Horizont 2000 geplant

## Raumstation

Ständig im Weltall stationierter Raumflugkörper, der als Ankopplungsstation für Raumtransporter sowie als Wohnraum und Forschungslabor von Astronauten genutzt werden kann. Im März 1995 beschlossen die Mitgliedsländer der europäischen Raumfahrtorganisation ESA, sich an der R. Alpha zu beteiligen, die ab Ende 1997 von Rußland, den USA, Kanada und Japan gebaut werden soll. Die russische Station Mir (seit 1986) war Mitte der 90er Jahre die einzige im All stationierte R. Alpha soll 2002 betriebsbereit sein.

**Alpha:** Die R. (108 x 74 m, Gewicht: 400 t) soll in 335–460 km Höhe die Erde in jeweils 90 min umrunden. Im Laufe ihrer Umkreisungen überfliegt sie 85% der Erdoberfläche. Das Zentralelement, das drei Astronauten Unterkunft bieten soll, wird von Rußland gebaut und soll 1997 Mir ersetzen. Ein Baustein der NASA soll vier Astronauten Platz gewähren. Die beiden großen Rahmenkonstruktionen stammen jeweils von Rußland und den USA. An Alpha werden ein großes US-amerikanisches, drei russische und ein japanisches Forschungsmodul angedockt. Der Transport zur R. soll durch Raumfähren der USA sowie russische, japanische und europäische Trägerraketen erfolgen.

**ESA-Beitrag:** Mitte 1995 war der europäische Anteil für Alpha finanziell nicht abgesichert. Das ESA-Konzept sah Entwicklungskosten von 3,3 Mrd DM bis 2000 vor. Deutschland (Anteil: 1,36 Mrd DM) unterstützte diesen Plan, während Frankreich vor allem die Trägerrakete Ariane fördern wollte und seine Mittelzusagen 1995 auf rd. 580 Mio DM halbierte. Die Finanzierungslücke betrug etwa 820 Mio DM. Die ESA plante, sich mit dem Raumlabor Columbus, das für Forschungsexperimente ausgerüstet ist, und dem Raumtransporter ATV, der schwere Nutzlasten zur Station transportieren kann, zu beteiligen.

→ Ariane → Mir → Raumfahrt

## Reaktorsicherheit

Im September 1994 wurde am Sitz der Internationalen Atomenergie-Agentur (IAEA, Wien) eine internationale Konvention über völkerrechtlich verbindliche Sicherheitsstandards für Atomkraftwerke unterzeichnet. Ziel war vor allem, die R. in Osteuropa zu verbessern. Technische Sicherheit soll Vorrang vor Wirtschaftsinteressen haben.

**Konvention:** Das Abkommen verpflichtet die Unterzeichner, Sicherheitsnormen zu beachten, die an die technische Entwicklung angepaßt werden und deren Erfüllung alle drei Jahre überprüft wird. Die Sicherheitsstandards, z. B. Vorsorgepläne für Stör- und Unfälle, müssen in nationales Recht umgesetzt werden. Die Konvention tritt in Kraft, wenn sie von 22 Staaten ratifiziert wurde.

**Osteuropa:** Jedes dritte der 63 Atomkraftwerke hatte nach Angaben der deutschen Gesellschaft für R. (GRS) Ende 1994 schwere Sicherheitsmängel. Mitte 1995 waren in Litauen, Rußland und der Ukraine 13 Druckwasserreaktoren vom Typ RBMK in Betrieb. Sie wiesen von allen Kraftwerken die größten Sicherheitsmängel auf. Die Atomkraftwerke werden z. T. mit technischer und finanzieller Hilfe aus den

Modellzeichnung der internationalen Raumstation Alpha, die von 1997 bis 2002 gebaut werden soll. 72 Raketenstarts sind nötig, um die Raumstation im Baukastenprinzip zu montieren.

westlichen Industriestaaten nachgerüstet (1990–1993: 1,5 Mrd DM). Nach Schätzung der Weltbank lagen die Kosten für die Verbesserung aller Kraftwerke (ca. 28 Mrd DM) höher als für deren Stillegung. Der Sicherheitsgewinn durch Nachrüstung sei wegen unzureichender Überwachung und Konstruktionsmängeln beschränkt.

**Aussichten:** Mitte 1995 waren in Osteuropa 24 Kraftwerksblöcke in Bau. Atomstrom soll exportiert und teure Energieeinfuhren ersetzen. Der Transfer von Atomtechnik aus den westlichen Industriestaaten verzögerte sich 1994/95, weil die Kraftwerksbetreiber in Rußland und der Ukraine nicht bereit waren, die Haftung für Störfälle und deren Folgen zu übernehmen.

**Mochovce und Temelín:** Die Slowakei rückte Anfang 1995 von der geplanten Fertigstellung zweier Druckwasserreaktoren russischer Bauart in Mochovce (Kosten: rd. 1,3 Mrd DM) wegen ungesicherter Finanzierung ab. Die Europäische Investitionsbank und die Osteuropabank hatten ihre Kreditzusagen für das slowakisch-französische Joint-venture zurückgezogen, weil weder die Schließung älterer Reaktoren in Bohumice noch eine Strompreiserhöhung verbindlich zugesagt wurden. Mochovce liegt rd. 120 km von der Grenze zu Österreich entfernt, das den Bau wegen Sicherheitsbedenken ablehnte. Das Kraftwerk Temelín/Tschechische Republik (geplante Fertigstellung: 1996), etwa 90 km von der tschechisch-deutschen Grenze entfernt, erreichte nicht das Sicherheitsniveau neuer deutscher Anlagen.

**Deutschland:** Im Atomkraftwerk Würgassen wurden im August 1994 Haarrisse im Kernmantel entdeckt, der die atomaren Brennelemente umschließt. Wegen der hohen Kosten für den Austausch des Kernmantels (rd. 200 Mio DM) soll Würgassen stillgelegt werden. Wegen Rissen an Rohrleitungen des Kühlsystems war das Kraftwerk Brunsbüttel ab 1992 außer Betrieb. Ähnliche Schäden gab es in Philippsburg 1 und Isar 1 (Ohu). Die Kraftwerke zählen zu den sieben deutschen Siedewasserreaktoren.

→ Atomenergie  → Tschernobyl

## Rechtsbeugung

Vorsätzlich falsche Anwendung des Rechts zugunsten oder zum Nachteil einer Partei. Nach zwei Grundsatzurteilen des Bundesgerichtshofes (BGH, Karlsruhe) von 1993 und 1994 dürfen bundesdeutsche Gerichte DDR-Richter wegen R. nur verurteilen, wenn

| Reaktorsicherheit: Atomkraftwerke in Osteuropa und der GUS | | | |
|---|---|---|---|
| Land | Reaktorblöcke in Betrieb | in Bau | Bruttoleistung (MW) | Standort |
| Rußland | 29 | 6 | 21 242 | Balakowo, Belojarsk, Bilibinsk, Kirowsk (Kola), Kursk, Nowo Woronesch, Rostow, Smolensk, Sosnowij Bor, Twer (Kalinin), Woronesch |
| Ukraine | 15 | 6 | 13 818 | Chmélnizky, Rowno, Saporoschje, Süd-Ukraine, Tschernobyl |
| Bulgarien | 6 | 2[1] | 3 760 | Kosloduj, Belene |
| Ungarn | 4 | – | 1 840 | Paks |
| Slowakei | 4 | 4 | 1 760 | Bohunice, Mochovce |
| Tschech. Rep. | 4 | 2 | 1 782 | Dukovany, Temelín |
| Litauen | 2 | – | 3 000 | Ignalina |
| Armenien | 2 | – | k. A. | Medsamor |
| Kasachstan | 1 | – | 150 | Schewtschenko |
| Rumänien | – | 5 | – | Cernavoda |
| Slowenien | 1 | – | 632 | Křsko |

Stand: September 1994; 1) Baustopp; Quelle: atomwirtschaft - atomtechnik 11/1994

## Rechtschreibung: Änderungen

| Änderungen | Beispiele |
|---|---|
| **Schreibweisen** | |
| 1. Das ß soll nur nach langen Vokalen und nach zwei Vokalen gesetzt werden. | Gruß und Kuss, reißen |
| 2. Das Wort daß wird zu dass. | Ich weiß, dass er recht hat. |
| 3. Drei aufeinanderfolgende Konsonanten werden immer geschrieben. | Kunststofffolie, Schifffahrt |
| 4. Weitere Angleichungen werden vorgenommen. | nummerieren, platzieren |
| **Fremdwortschreibung** | |
| 1. Einige französischstämmige Wörter dürfen eingedeutscht werden. | Turist, Varietee, Exposee |
| 2. Weitere Eindeutschungen werden zugelassen. | Asfalt, Grafologe, Katastrofe |
| **Silbentrennung** | |
| 1. Wörter dürfen nach deutschen Sprechsilben getrennt werden. | Sig-nal, Pä-da-go-ge, wa-rum |
| 2. Die Buchstabenfolge st wird getrennt. | Kis-te |
| 3. Die Buchstabenfolge ck bleibt ungetrennt. | ba-cken, Zu-cker |
| **Getrennt-/Zusammenschreibung** | |
| 1. Wörter werden grundsätzlich getrennt geschrieben. | sitzen bleiben, kennen lernen |
| 2. In Ausnahmefällen wird zusammengeschrieben. | bereithalten |
| **Zeichensetzung** | |
| 1. Erweiterter Infinitiv mit zu muß nicht durch Komma abgetrennt werden. | Er lief weiter ohne anzuhalten. |
| 2. Vor Hauptsätzen, die mit und bzw. oder beginnen, muß kein Komma stehen | Sie sprach Englisch(,) und Französisch beherrschte sie auch. |

Quelle: Internationaler Arbeitskreis für Orthographie

deren Entscheidungen Willkürakte waren, die Menschenrechte verletzten, oder wenn Strafverfahren aus politischen Motiven eingestellt wurden. R. liegt laut BGH nicht vor, wenn DDR-Recht beachtet wurde. Ab Herbst 1994 mußten sich erstmals DDR-Staatsanwälte vor Gericht verantworten. Das Berliner Landgericht warf dem früheren stellvertretenden DDR-Generalstaatsanwalt und dem ehemaligen Vize-Generalstaatsanwalt von Ost-Berlin R. und Freiheitsberaubung vor. R. liegt laut BGH vor, wenn die verhängte Strafe zur Ausschaltung politischer Gegner gedient oder in einem Mißverhältnis zum Tatbestand gestanden habe. Das Verfahren durfte allgemeinen Rechtsnormen nicht widersprechen. Die Staatsanwaltschaft rechnet in der Mehrzahl der Fälle mit einer Einstellung der Verfahren, weil R. schwer nachweisbar ist. Bis Mitte 1995 wurden z. B. in Berlin rd. 50 frühere DDR-Juristen angeklagt. Von den zehn bis dahin entschiedenen Verfahren endeten drei mit Freispruch.

→ Regierungskriminalität

## Rechtschreibung

Im November 1994 einigten sich in Wien Sprachwissenschaftler und Kulturminister von Deutschland, Österreich und der Schweiz auf einen Reformvorschlag zur Vereinfachung der deutschen R. Die Unterzeichnung eines zwischenstaatlichen Abkommens ist für Ende 1995 angestrebt. Länder, in denen Deutsch von einer Minderheit gesprochen wird, sind eingeladen, dem Abkommen beizutreten. Eine Übergangszeit von fünf Jahren ist vorgesehen; die verbindliche Einführung soll bis zum Jahr 2001 abgeschlossen sein. Der Deutsche Lehrerverband ging davon aus, daß es eine Schülergeneration dauern wird, bis die Regeln durchgesetzt sind. Die Reformen betreffen Schreibweisen, Silbentrennung, Getrennt- und Zusammenschreibung, Zeichensetzung, Groß- und Kleinschreibung. Die deutsche R. richtete sich 1995 nach den seit 1902 gültigen Regeln im Rechtschreib-Duden.

**i** Institut für deutsche Sprache, Friedrich-Karl-Straße 12, 68165 Mannheim

## Rechtsextremismus

Das Bundesamt für Verfassungsschutz (BfV, Köln) registrierte 1994 einen Rückgang rechtsextremistischer Straftaten um 33% auf 1489 Delikte (1993: 2232). Bundesinnenminister Manfred Kanther (CDU) führte die Entwicklung auf verstärkte Strafverfolgung von Polizei und Staatsanwaltschaft zurück. Mitte 1995 stufte das BfV die Republikaner (20 000 Mitglieder) aufgrund von Kontakten zu Rechtsextremisten und ausländerfeindlichen Tendenzen als rechtsextrem ein.

**Wahlniederlagen:** 1994/95 mißlang den größten rechtsextremistischen Parteien in Deutschland, der Deutschen Volksunion (DVU; 26 000 Mitglieder) und den Republikanern, der Einzug in die Parlamente. 1995 waren die Republikaner im Landtag von Baden-Württemberg vertreten (Stimmenanteil 1992: 10,9%). Die DVU-Fraktion im Parlament von Schleswig-Holstein hatte sich 1993 wegen Konflikten mit dem Münchner Parteivorsitzenden Gerhard Frey aufgelöst.

**Verbote:** Das Bundesinnenministerium verbot im November 1994 die rechtsradikale Wiking Jugend (WJ; rd.

400 Mitglieder) und im Februar 1995 die neonazistische Freiheitliche Deutsche Arbeiterpartei (FAP; rd. 430 Mitglieder). Das Bundesverwaltungsgericht (Berlin) wies im Mai 1995 eine Klage der Wiking Jugend gegen das Verbot zurück, weil die Organisation eine Rassenlehre propagiere, die mit dem Grundgesetz unvereinbar sei. In Hamburg löste Innensenator Hartmuth Wrocklage (SPD) im Februar 1995 den neonazistischen Verein Nationale Liste (NL; rd. 30 Mitglieder) auf.

**Briefbombenterror:** Im Juni 1995 trafen Briefbombenattentate erstmals Personen außerhalb Österreichs, wo Ende 1993 eine Serie von Briefbombenanschlägen begann. Bei den Anschlägen auf eine Fernsehmoderatorin in München, Arabella Kiesbauer, und auf den SPD-Fraktionsgeschäftsführer im Lübecker Stadtrat, die von Österreich ausgingen, wurden zwei Personen verletzt. Die Attentate, für die Rechtsextremisten verantwortlich gemacht wurden, richteten sich gegen Personen, die sich für nationale und soziale Minderheiten sowie Asylbewerber und Flüchtlinge einsetzten.

**Tendenzen:** Das Bundeskriminalamt (BKA, Wiesbaden) warnte Anfang 1995 vor dem Entstehen eines neuen Rechtsterrorismus. Die Rückkehr kampferfahrener deutscher Söldner aus dem Krieg in Ex-Jugoslawien könne in Deutschland zur Entwicklung neuer Formen rechter Gewalt führen (z. B. Terrorakte mit selbstgebauten Bomben). Verbotene rechtsextremistische Gruppierungen gingen in den Untergrund und entwickelten Guerilla-Konzepte für den Kampf gegen den Staat. Fehlende organisatorische Strukturen der Neonazis wurden Mitte der 90er Jahre durch Zusammenarbeit mittels Mobilfunk und Computer (z. B. sog. Thule-Mailbox) wettgemacht. NS-Propagandamaterial für das weltumspannende Internet-Datennetz wurde in den USA produziert.

**Ursachenforschung:** Das Aufkommen rechtsextremistischer Parteien und Gruppierungen in Deutschland

### Rechtsextremismus: Gruppierungen

| Name (Abkürzung) | Mitglieder | Verbot |
| --- | --- | --- |
| Deutsche Volksunion (DVU) | 26 000 | – |
| Die Republikaner (REP) | 20 000 | – |
| Nationaldemokratische Partei Deutschlands (NPD) | 5 000 | – |
| Deutsche Liga für Volk und Heimat (DL) | 900 | – |
| Freiheitliche Deutsche Arbeiterpartei (FAP) | 430 | Februar 1995 |
| Wiking Jugend (WJ) | 400 | November 1994 |
| Deutsche Alternative (DA) | 350 | Dezember 1992 |
| Gesinnungsgemeinschaft der Neuen Front (GdNF) | 300 | – |
| Hilfsorganisation für nationale politische Gefangene (HNG) | 220 | – |
| Nationalistische Front (NF) | 150 | November 1992 |
| Nationale Offensive (NO) | 140 | Dezember 1992 |
| Nationale Liste (Hamburg, NL) | 30 | Februar 1995 |

Stand: Anfang 1995; Quelle: Bundesamt für Verfassungsschutz

und anderen europäischen Ländern in den 90er Jahren führten Wissenschaftler auf die Ohnmacht vieler Menschen gegenüber für sie undurchschaubaren politischen Entscheidungsprozessen, auf die Unsicherheit angesichts des technischen und wirtschaftlichen Wandels und die Furcht vor Arbeitslosigkeit und Armut zurück. Rechtsextreme Parteien gewännen die Unterstützung orientierungsloser Menschen, indem sie komplexe gesellschaftliche Probleme auf Scheinantworten reduzierten.
→ Ausländerfeindlichkeit → Extremismus → Gewalt → Republikaner

### Recycling

(engl.; Wiederverwertung), Rückführung von wiederverwertbaren Abfallstoffen in die Produktion. R. ist auf dem Abfallsektor nach der Vermeidung von Müll die sinnvollste Möglichkeit, Rohstoffe und Energie zu sparen und Mülldeponien zu entlasten. 1995 lagen die R.-Quoten für Verpackungsstoffe in Deutschland zwischen 64% und 72%. Die Bundesregierung aus CDU, CSU und FDP plante für 1996 höhere Quoten. Die EU will ab 1998 eine Obergrenze von 45% für das R. von Verpackungsmaterial einführen, was jedoch von Dänemark, Deutschland und den Niederlanden abgelehnt wurde. Höhere Quoten sind in den Unionsländern zulässig, wenn geeignete R.-Kapazitäten vorhanden sind.
→ Abfallbeseitigung → Autorecycling → Duales System → Kunststoffrecycling → Verpackungsmüll

### Regenerative Energien

→ Energien, Erneuerbare

### Regierungskriminalität

Nach der deutschen Vereinigung ermittelt die staatsanwaltliche Arbeitsgruppe R. in Berlin strafrechtlich gegen Mitglieder der ehemaligen DDR-Staatsführung, Funktionäre der SED und Angehörige von Staats- und Justizorganen. Mitte 1995 ging die Berliner Generalstaatsanwaltschaft davon aus, daß bis 2000 sämtliche Verfahren wegen DDR-Straftaten erstinstanzlich abgeschlossen sein werden. Bis dahin wurde in rd. 150 Fällen von 15 200 R.-Verfahren Anklage erhoben.
**Straftaten:** Ermittelt wird in folgenden Bereichen:
▷ Gewalttaten an der früheren innerdeutschen Grenze
▷ Justizunrecht, z. B. Rechtsbeugung und Strafvereitlung
▷ Rechtswidrige Handlungen des Ministeriums für Staatssicherheit, z. B. Zwangsumsiedlungen und Freiheitsberaubung
▷ Wirtschaftsstraftaten vor allem der Außenhandelsorganisation Kommerzielle Koordinierung (KoKo)
▷ Wahlfälschung
▷ Verstöße gegen Menschen- und Bürgerrechte.
Nach rechtsstaatlichen Grundsätzen dürfen sich Anklagen nur auf Vergehen gegen das frühere DDR-Recht und auf Völkerrechtsregeln stützen.
**SED-Politbüro:** Gegen sieben Mitglieder des letzten SED-Politbüros

**Regierungskriminalität: Die sieben angeklagten Mitglieder des letzten SED-Politbüros**

| Name (Geburtsjahr) | Funktion | Politbüro-Mitglied seit |
|---|---|---|
| Horst Dohlus (* 1925) | Organisations- und Personalchef der SED | 1980 |
| Kurt Hager (* 1912) | SED-Chefideologe | 1963 |
| Günther Kleiber (* 1931) | Stellvertretender Ministerpräsident | 1984 |
| Egon Krenz (* 1937) | Letzter SED-Generalsekretär und DDR-Staatsratsvorsitzender | 1983 |
| Erich Mückenberger (* 1910) | Chef der Parteikontrollkommission der SED | 1958 |
| Günter Schabowski (* 1929) | SED-Bezirkssekretär für Ost-Berlin | 1984 |
| Harry Tisch (1927–1995) | Vorsitzender des DDR-Gewerkschaftsbundes | 1975 |

wurde Anfang 1995 Anklage wegen der Todesschüsse an der innerdeutschen Grenze und an der Berliner Mauer erhoben. Die Anklage lautet auf mehrfachen gemeinschaftlichen versuchten und vollendeten Totschlag. Als Erich Honecker 1989 gestürzt wurde, gehörten dem SED-Politbüro neben ihm 20 Mitglieder und fünf Kandidaten an. Außer Honecker und Harry Tisch († 18. 6. 1995) waren bis Mitte 1995 fünf Politbüro-Mitglieder verstorben. DDR-Verteidigungsminister Heinz Keßler war bereits 1993 wegen der Todesschüsse zu siebeneinhalb Jahren Haft verurteilt worden. Die Verfahren gegen die DDR-Ministerpräsidenten Willi Stoph und Ex-Stasi-Chef Erich Mielke wurden 1992 bzw. 1994 wegen Verhandlungsunfähigkeit der Angeklagten eingestellt. Gegen die fünf übrigen Politbüro-Mitglieder wurde Mitte 1995 noch ermittelt.

**BGH-Urteile:** Der Bundesgerichtshof (BGH, Karlsruhe) verschärfte im Juli 1994 die Urteile gegen drei Mitglieder des Nationalen Verteidigungsrates wegen der Todesschüsse an der innerdeutschen Grenze. Die Angeklagten wurden wegen Totschlags in mittelbarer Täterschaft verurteilt. Das Landgericht Berlin hatte sie nur der Anstiftung oder Beihilfe zum Totschlag für schuldig befunden. Ende 1994 hob der BGH das Urteil gegen den früheren DDR-Ministerpräsidenten und Ex-SED-Bezirkschef von Dresden, den PDS-Bundestagsabgeordneten Hans Modrow, als zu milde auf. Modrow war wegen Anstiftung zur Fälschung der DDR-Kommunalwahlergebnisse 1989 strafrechtlich verwarnt und zu einer Geldbuße verurteilt worden.

→ Amnestie  → Rechtsbeugung  → Spionage-Urteil → Stasi

## Regierungsumzug

Die CDU/CSU/FDP-Bundesregierung stimmte im März 1995 dem Unterbringungskonzept von Bundesbauminister Klaus Töpfer (CDU) für die Bundesministerien in Berlin zu. Danach wird nur das Bundeskanzleramt am Spreebogen neu gebaut. Die Ministerien beziehen sanierte Altbauten, die in Einzelfällen durch Erweiterungsbauten ergänzt werden. Damit sollen die Kosten für den Umzug von Regierung und Bundestag, wie im Bonn/Berlin-Gesetz vom März 1994 festgelegt, auf 20 Mrd DM begrenzt werden. Parlament, Bundeskanzler und zehn Ministerien werden 1998–2000 nach Berlin umziehen.

**Unterbringungskonzept:** Der Abriß des denkmalgeschützten Gebäudes des ehemaligen DDR-Staatsrates und der an seiner Stelle geplante Neubau für das Auswärtige Amt entfallen aus Kostengründen. Mit Ausnahme des Bundesverteidigungsministeriums, das im Bendler-Block (Gebäude des früheren Reichsmarineamtes und Reichswehrministeriums) zieht, werden die zweiten Dienstsitze für fünf Bundesministerien im ehemaligen Preußischen Herrenhaus und im ehemaligen Haus der Ministerien (sog. Hexagon) untergebracht. Das Bundespostministerium wird keinen zweiten Dienstsitz in Berlin erhalten, weil es bis 1998 aufgelöst werden soll.

**Bonn:** Der sog. Ausgleichsvertrag vom Juni 1994 zwischen dem Bund, den Ländern Nordrhein-Westfalen und Rheinland-Pfalz sowie der Region Bonn konkretisiert das Bonn/Berlin-Gesetz. Bonn soll zu einem Wissenschafts- und Kulturstandort werden und nationale wie internationale Einrichtungen und zukunftsorientierte Wirtschaftszweige aufbauen. Für Ausgleichsmaßnahmen stellt der Bund insgesamt 2,81 Mrd DM zur Verfügung. Im Januar 1995 beschloß der Exekutivrat des UNO-Entwicklungsprogramms, den Sitz der Freiwilligenorganisation der Vereinten Nationen (UNV) von Genf/Schweiz nach Bonn zu verlegen. Auf dem UNO-Umweltgipfel in Berlin beschlossen die Delegierten im April 1995, den Sitz des ständigen Klima-Sekretariats der Vereinten Nationen in Bonn einzurichten.

→ Bundestag, Deutscher

| Regierungsumzug: Bauinvestitionen | |
|---|---|
| Jahr | Ausgaben (Mio DM)[1] |
| 1994 | 101 |
| 1995 | 249 |
| 1996 | 521 |
| 1997 | 668 |
| 1998 | 874 |

1) Schätzung; Quelle: Bundesfinanzministerium

## Regierungsumzug: Künftige Standorte der Bundesministerien in Berlin

| Ministerium | Standort |
|---|---|
| Kanzleramt | Neubau im Spreebogen geplant |
| Auswärtiges Amt | Ehem. Haus der Parlamentarier in Verbindung mit einem zum Werderschen Markt hin vorgelagerten Erweiterungsbau |
| Inneres | Ehem. DDR-Innenministerium, Haus I bis III |
| Justiz | Ehem. Preußisches Patentamt, Außenstelle des Bundespresseamtes, Erweiterungsbauten Jerusalemer Straße und Roonstraße |
| Finanzen | Ehem. Haus der Ministerien |
| Wirtschaft | Ehem. Regierungskrankenhaus, Scharnhorststraße, in Verbindung mit den Invalidenhäusern |
| Arbeit, Sozialordnung | Teile des Bendler-Blocks an der Stauffenbergstraße |
| Familie, Senioren, Frauen, Jugend | Ehem. Medienministerium, Mauerstraße |
| Verkehr | Ehem. Ministerium für Geologie mit Erweiterungsbau |
| Raumordnung, Bauwesen, Städtebau | Anmietung eines Gebäudes wird geprüft |
| Verteidigung[1] | Teile des Bendler-Blocks am Reichpietschufer |
| Zweiter Dienstsitz für fünf Ministerien[2] | Ehem. Preußisches Herrenhaus und Haus Ia des ehem. Hauses der Ministerien (sog. Hexagon) |

1) Zweiter Dienstsitz; 2) Bundesministerien für Gesundheit, für Ernährung, Landwirtschaft, Forsten, für Umwelt, Naturschutz, Reaktorsicherheit, für Bildung, Wissenschaft, Forschung, Technologie, für wirtschaftliche Zusammenarbeit; Quelle: Parlament, 17. 3. 1995

## Regionalausschuß

**Abkürzung** AdR (Ausschuß der Regionen)

**Sitz** Brüssel/Belgien

**Gründung** 1994

**Mitglieder** 222 Regionalvertreter der 15 EU-Staaten

**Präsident** Jacques Blanc/Frankreich (1994–1996)

**Funktion** Unabhängiges Organ zur Interessenvertretung der Regionen in der Europäischen Union

Der R. soll zur Verwirklichung des im Maastrichter Vertrag 1993 festgeschriebenen Subsidiaritätsprinzips beitragen, nach dem in der EU die größere Einheit keine Aufgaben übernehmen darf, die von einer kleineren Einheit erledigt werden kann. Das Prinzip soll dem Zentralismus entgegenwirken und mehr Bürgernähe schaffen. Der R. hat lediglich Beratungs- und keine Mitentscheidungsrechte. Ende 1994 forderte der Präsident des R., Jacques Blanc, für Verstöße gegen das Subsidiaritätsprinzip ein Klagerecht des R. beim Europäischen Gerichtshof.

**Aufgaben:** Der R. ist vom Europäischen Rat und der Europäischen Kommission in regionalen Fragen anzuhören (z. B. Regionalförderung). Er hat Beratungsrechte in der Bildungs-, Kultur- und Strukturpolitik (Agrar-, Regional- und Sozialfonds), bei Maßnahmen zur Stärkung des sozialen und wirtschaftlichen Zusammenhalts (Kohäsionsfonds) sowie beim Gesundheitswesen und den Transeuropäischen Verkehrsnetzen.

**Organisation:** Die Vertreter der Regionen (Deutschland: 24) werden vom Europäischen Rat auf Vorschlag der jeweiligen Regierung ernannt. Neben dem Präsidium gibt es acht Fachkommissionen. Ende 1994 wurde Dietrich Pause/Deutschland zum Generalsekretär ernannt und mit dem Aufbau einer Verwaltung beauftragt.
→ Europäische Kommission → Europäischer Rat → Europäische Union

## Regionalfernsehen

TV-Sender, die regional begrenzt mit der Hausantenne, mit Kabelanschluß und Satellitenantenne empfangen werden können. Anfang 1995 startete in Hamburg das R. Hamburg 1, in Karlsruhe TV Baden. Weitere R. waren in Sachsen, Schleswig-Holstein und Stuttgart geplant. In Bayern und Berlin blieben Zuschauerbeteiligung und Werbeeinnahmen der ab 1993 sendenden R. hinter den Erwartungen zurück. **Hamburg 1:** Gesellschafter des R. waren 1995 u. a. der weltgrößte US-Medienkonzern Time Warner, der Axel Springer Verlag (Berlin) und der Radiobetreiber Frank Otto. Hamburg 1 bezieht von der Compagnie Luxembourgeoise de Télédiffusion (CLT) ein Mantelprogramm mit Serien und Spielfilmen, in das eigenproduzierte Sendungen eingebettet werden. Die CLT verkauft im Gegenzug Werbezeiten des R. Der Konzern war 1995 an den Privatsendern RTL, RTL 2 und Super RTL beteiligt. Mit Hamburg 1 erschloß sich eine neue Möglichkeit, Programmressourcen zu verwerten.

**TV-Baden:** Der Sender von 20 mittelständischen Gesellschaftern wurde zwischen Bruchsal, Bühl, Pforzheim und Karlsruhe verbreitet. Er sendete schwerpunktmäßig regionale Nachrichten und Unterhaltung.

**I A Brandenburg:** Das Berliner R., an dem 1995 u. a. ebenfalls Time Warner Anteile hielt, strahlte 1993/94 zunächst ein regional orientiertes, eigenproduziertes Programm aus. Wegen Zuschauer- und Werbekundenmangels sendete es später verstärkt gekaufte Serien und Spielfilme. Dennoch belief sich das 1994 erwirtschaftete Defizit auf rd. 30 Mio DM.

**FAB:** An dem 1994 gestarteten Fernsehen aus Berlin, FAB, waren 39 kleine und mittelständische Gesellschafter aus Film- und Fernsehproduktion beteiligt. Die Anteilseigner lieferten Beiträge für ein sechsstündiges, fortlaufend wiederholtes Programm.

**Franken Fernsehen:** Hauptanteilseigner Dietmar Straube des in Nürnberg, Fürth und Erlangen gesendeten R. drohte 1995 der Lizenzentzug, weil er der zuständigen Landesmedienanstalt in Bayern die 50%ige Beteiligung der US-Gruppe CME (ab 1994) verschwiegen hatte. Franken Fernsehen sendete mehrmals täglich ausschließlich regionale Berichte. Straube, der auch an sächsischen RTL-Lokalpro-

grammen beteiligt war, und die CME strebten ein Netz von R. an, in dem die Zusammenarbeit den Verzicht auf Kauf- und Mantelprogramme erlaubt. Sie bewarben sich 1995 um die Lizenz für R. in Stuttgart, die CME auch in Mecklenburg-Vorpommern.

**tv weiß-blau:** Das Münchner R. sendete 1995 täglich ein zwölfstündiges Programm aus regionalen Berichten, Serien und Spielfilmen (Gesellschafter: Franz Georg Strauß, Claus Hardt). Auf derselben Frequenz sendete zeitweise M 1, ein Tochterunternehmen des Münchner Zeitungsverlags aus der Gruppe des Verlegers Dirk Ippen.

**Lokalfernsehen:** In Baden-Württemberg, Bayern, Brandenburg, Rheinland-Pfalz und Sachsen verbreiteten 1995 neben den R. und den regionalen bzw. lokalen Fensterprogrammen bei RTL und SAT. 1 lokale Fernsehsender ihr Programm mit dem Schwerpunkt Ortsthemen, das i. d. R. nur mit Kabelanschluß zu empfangen war.

→ Fernsehen → Fernsehwerbung → Privatfernsehen

## Regionalförderung

Subventionen zugunsten der wirtschaftlichen Entwicklung sog. strukturell rückständiger Gebiete. Die EU stellt Ende der 90er Jahre etwa ein Drittel ihres Haushalts bereit, um die wirtschaftlichen und sozialen Verhältnisse im Europäischen Binnenmarkt anzugleichen. Ende 1994 beschloß die Europäische Kommission die Förderung der Wirtschaftsentwicklung im Mittelmeerraum, dem auch Nicht-EU-Staaten angehören. In Deutschland umfaßt 1995 das Gebiet, das R. erhält, 37% der Bevölkerung (Westdeutschland: 17,7%).

**Strukturfonds:** Zur Regionalförderung stehen in der EU der Fonds für regionale Entwicklung, der Sozialfonds, der Landwirtschafts- und der Fischerei-Fonds zur Verfügung. 1994–1999 sind sie zusammen mit 141,5 Mrd ECU (264,6 Mrd DM) ausgestattet, der Betrag wird jährlich um

| Regionalförderung: Wohlstandsgefälle in der EU | |
|---|---|
| Region | BIP/Kopf (%)[1] |
| **Reichste Regionen** | |
| Hamburg | 196 |
| Brüssel/Belgien | 174 |
| Darmstadt | 174 |
| Paris/Frankreich[2] | 169 |
| Wien/Österreich | 166 |
| Oberbayern | 157 |
| Luxemburg | 156 |
| Bremen | 155 |
| **Ärmste Regionen** | |
| Madeira/Portugal | 44 |
| Brandenburg | 44 |
| Sachsen-Anhalt | 43 |
| Sachsen | 42 |
| Alentejo/Portugal | 41 |
| Açores/Portugal | 41 |
| Mecklenburg-Vorpommern | 41 |
| Thüringen | 38 |

1) BIP pro Einwohner im Verhältnis zum EU-Durchschnitt 1992 (letztverfügbarer Stand); 2) Region Ile-de-France; Quelle: Eurostat

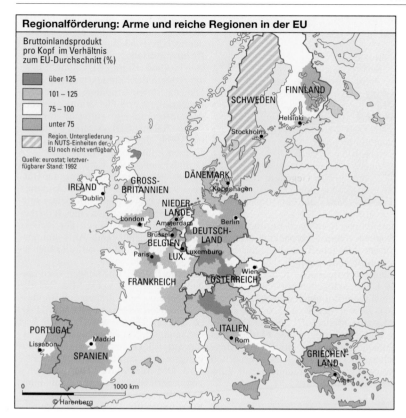

**Regionalförderung: Arme und reiche Regionen in der EU**

Bruttoinlandsprodukt
pro Kopf im Verhältnis
zum EU-Durchschnitt (%)

über 125

101 – 125

75 – 100

unter 75

Region. Untergliederung
in NUTS-Einheiten der
EU noch nicht verfügbar

Quelle: eurostat; letztverfügbarer Stand: 1992

FINNLAND

SCHWEDEN

Helsinki

Stockholm

DÄNEMARK

Kopenhagen

IRLAND

Dublin

GROSS-
BRITANNIEN

NIEDER-
LANDE

London

Amsterdam

Berlin

Brüssel

BELGIEN

DEUTSCH-
LAND

Paris

LUX.

Luxemburg

Wien

FRANKREICH

ÖSTERREICH

PORTUGAL

ITALIEN

Lissabon

Madrid

Rom

SPANIEN

GRIECHEN-
LAND

Athen

0     1000 km

© Harenberg

das Maß der Geldentwertung seit 1992 aufgestockt. Für die vier ärmsten Länder Griechenland, Irland, Portugal und Spanien wurde der sog. Kohäsionsfonds geschaffen. Er weist 15,5 Mrd ECU (29,0 Mrd DM) für den Zeitraum 1993–1999 aus. EU-Förderung erhalten inbes. Gebiete, deren BIP pro Einwohner unter 75% des EU-Durchschnitts liegt, die einen hohen Anteil Industriearbeitsloser aufweisen oder als strukturschwache ländliche Regionen angesehen werden. In der EU reichte das BIP pro Einwohner Mitte der 90er Jahre von 61% des EU-Durchschnitts (Griechenland) bis 156% (Luxemburg).

**Mittelmeer:** Bis 2010 soll eine Freihandelszone zwischen dem Europäischen Wirtschaftsraum (EWR) und der Mittelmeerregion mit 30–40 Mitgliedstaaten und 600 Mio–800 Mio Menschen geschaffen werden. Die Nicht-EU-Mittelmeerstaaten sollen nach dem Vorschlag der Kommission 1995–1999 mit 5,5 Mrd ECU (10,3 Mrd DM) unterstützt werden. Die R. soll zu Stabilität und Sicherheit im Nahen Osten, in Südeuropa und Arabien beitragen.
→ Entwicklungspolitik → Subventionen → Wirtschaftsförderung-Ost

## Reichstagsverhüllung

Das im 19. Jh. erbaute Berliner Reichstagsgebäude wurde im Sommer 1995 vor Beginn der Restaurierungsarbeiten und vor dem Umzug des Bun-

351

Gewerbekletterer verteilen 100 000 m² aluminiumbedampftes Polypropylentuch (Gewicht: 61,5 t) über das Reichstagsgebäude und verschnüren den Stoff mit Seilen (im Vordergrund: die Quadriga vom Brandenburger Tor).

destags von Bonn nach Berlin für zwei Wochen vom Verpackungskünstler Christo Javacheff und seiner Frau Jeanne-Claude verhüllt. Der US-amerikanisch-bulgarische Künstler konnte 24 Jahre nach seinem ersten Vorschlag zur R. sein Projekt verwirklichen.

Die Kosten der R. (17. 6. bis 6. 7.) schätzte Christo auf 11,5 Mio DM, die er aus dem Erlös seiner Skizzen und Collagen selbst trug. Etwa 5 Mio Menschen besichtigten den verhüllten Reichstag. Berlin rechnete mit Einnahmen von 0,5 Mrd DM.

## Rentenversicherung

Die Veränderung der Bevölkerungsstruktur, die hohe Arbeitslosigkeit und die zunehmenden Frühverrentungen belasteten in Deutschland das soziale System der Alterssicherung. Aufgrund der niedrigen Geburtenrate wird der Anteil der über 60jährigen Prognosen zufolge 2030 auf ein Drittel der Bevöl-

kerung ansteigen. 1993 versorgten 100 Beitragszahler 35 Rentner, 2030 werden es bereits 61 Rentner sein.

**Reformmodelle:** Bundesarbeitsminister Norbert Blüm (CDU) hielt 1995 am System der beitragsfinanzierten R. fest, das durch Erhöhung des Renteneintrittsalters und Förderung der Frauenerwerbstätigkeit entlastet werden sollte. Andere CDU-Vertreter plädierten 1995, ebenso wie Bündnis 90/Die Grünen, für eine steuerfinanzierte Grundsicherung für Rentner. Die FDP schlug eine Selbstbeteiligung der Bürger vor, die ihr Alterseinkommen durch private Vorsorge aufstocken sollten. Die SPD forderte, die versicherungsfremden Leistungen der R., wie Kriegsfolgelasten und Anrechnungszeiten für Ausbildung, auf alle Steuerzahler zu verteilen.

**Haushalt:** 1993 überstiegen die Ausgaben der R. mit 311,6 Mrd DM die Einnahmen aus Beiträgen und Bundeszuschüssen (insgesamt 304 Mrd DM), so daß ein Defizit von 7,7 Mrd DM entstand. Die Versicherungsträger griffen auf Rücklagen der sog. Schwankungsreserve zurück, die sich auf 38,7 Mrd DM reduzierte. Die gesetzlich vorgeschriebene Reserve von einer Monatsrentenausgabe blieb gesichert.

**Vorruhestand:** 1994 lag das durchschnittliche Renteneintrittsalter bei 59,9 Jahren (Männer) bzw. 61,5 Jahren

## Rentenversicherung: Haushaltsentwicklung

| Jahr | Überschuß/Defizit (Mrd DM)[1] | | | Beitrags-satz (%) |
|------|------|------|------|------|
| | Deutschland | Ost | West | |
| 1991 | + 11,2 | + 0,5 | + 10,7 | 17,7[2] |
| 1992 | + 5,8 | − 4,6 | + 10,4 | 17,7 |
| 1993 | − 7,7 | − 7,9 | + 0,2 | 17,5 |
| 1994 | − 4,5 | − 13,0 | + 8,4 | 19,2 |
| 1995 | − 8,5[3] | k. A. | k. A. | 18,6 |

1) Rentenversicherung der Arbeiter und Angestellten; 2) ab April 1991; 3) Schätzung; Quelle: Deutsche Bundesbank

## Rentenversicherung: Höhe

| Betrag/Monat (DM) | Rentenempfänger (%) | |
|------|------|------|
| | Männer | Frauen |
| unter 300 | 4 | 10 |
| 300–600 | 5 | 15 |
| 601–900 | 6 | 13 |
| 901–1200 | 9 | 19 |
| 1201–1500 | 14 | 17 |
| 1501–1800 | 17 | 11 |
| 1801–2100 | 16 | 7 |
| 2101–2400 | 13 | 4 |
| 2401–2700 | 8 | 2 |
| 2701–3000 | 5 | 1 |
| über 3000 | 3 | 1 |

Stand: 1993; Quelle: Rentenversicherungsbericht 1994

(Frauen). Ein Drittel der Antragssteller war 65 Jahre alt. 25% gingen frühzeitig wegen verminderter Erwerbsfähigkeit in Rente, 42,4% erhielten vorgezogene Altersrente. Mitte der 90er Jahre schickten deutsche Großunternehmen rd. 95% ihrer Beschäftigten vorzeitig in Rente. Der Plan des Bundesarbeitsministeriums, die Frühverrentung einzuschränken, wurde 1995 von Unternehmern mit der Begründung abgelehnt, daß sie den Vorruhestand als Mittel zum Arbeitsplatzabbau nutzten, der sonst zu Lasten jüngerer Mitarbeiter ginge. Die Kosten fielen dann nicht bei der Rentenversicherung, sondern bei der Arbeitslosenversicherung an. Der Deutsche Gewerkschaftsbund (DGB) schlug vor, die Altersteilzeitarbeit, die einen flexiblen Übergang von der Vollerwerbstätigkeit zur Rente gewährleisten soll, zu fördern.

**Rentenerhöhung:** Ab 1. 7. 1995 sollen die gesetzlichen Renten um 0,61% (Westen) bzw. 2,59% (Osten) angehoben werden. Die Standardrente (45 Versicherungsjahre mit durchschnittlichem Bruttoverdienst) wird in Westdeutschland von 1921 DM auf 1933 DM und in Ostdeutschland von 1484 DM auf 1522 DM steigen. Die Ostrenten erreichen 78,8% des Westniveaus.

**Beitragssätze:** Die hälftig von Arbeitgebern und Arbeitnehmern getragenen Beitragssätze, die 1995 auf 18,6% (1994: 19,2%) gesenkt wurden, werden der Bundesversicherungsanstalt für Angestellte (BfA, Berlin) zufolge 1998 auf 19,1–19,8% steigen. Die Prognose für 2040 beträgt 26,3–28,7% des monatlichen Bruttoeinkommens.
→ Alter → Sozialstaat

### Republikaner

| **Abkürzung** REP |
| --- |
| **Gründung** 1983 |
| **Mitglieder** 20 000 (Stand: Ende 1994) |
| **Vorsitzender** Rolf Schlierer (seit 1994) |
| **Ausrichtung** Rechtsextrem |

Aufgrund von Kontakten der R. zu Rechtsextremisten und ausländerfeind-

## Rentenversicherung: Ostdeutschland

| Datum | Rente/Monat (DM)[1] | Erhöhung (%) | Anteil an Westrente (%) |
| --- | --- | --- | --- |
| 1. 7. 1990 | 672 | — | 40 |
| 1. 1. 1991 | 773 | 15,0 | 40 |
| 1. 7. 1991 | 889 | 15,0 | 51 |
| 1. 1. 1992 | 993 | 11,7 | 51 |
| 1. 7. 1992 | 1120 | 12,8 | 62 |
| 1. 1. 1993 | 1188 | 6,1 | 62 |
| 1. 7. 1993 | 1357 | 14,2 | 73 |
| 1. 1. 1994 | 1407 | 3,6 | 73 |
| 1. 7. 1994 | 1451 | 3,2 | 75 |
| 1. 1. 1995 | 1484 | 2,2 | 75 |
| 1. 7. 1995 | 1522 | 2,6 | 79 |

1) Rente eines Durchschnittsverdieners mit 45 Versicherungsjahren; Quelle: Bundesarbeitsministerium

lichen Tendenzen stufte das Bundesamt für Verfassungsschutz (BfV, Köln) die Partei Mitte 1995 als rechtsextremistisch und verfassungsfeindlich ein. Als letzte Bundesländer bewerteten Sachsen sowie Bayern und Sachsen-Anhalt im März bzw. April 1995 die R. als rechtsextremistisch. Bei der Bundestagswahl 1994 scheiterten die R. mit einem Stimmenanteil von 1,9% (Rückgang gegenüber 1990: –0,2 Prozentpunkte) an der 5%-Hürde.

**Wahlen:** Bei der Landtagswahl in ihrem Stammland Bayern im September 1994 verloren die R. 1,0 Prozentpunkte und erreichten 3,9% der Stimmen. Mit einem Stimmenanteil von 0,3% bzw. 0,8% bei den Landtagswahlen in Bremen und Nordrhein-Westfalen im Mai 1995 sanken die R. in die Bedeutungslosigkeit ab. 1995 war die Partei nur in Baden-Württemberg im Landtag vertreten (15 von 146 Sitzen).

**Vorsitz:** Im Dezember 1994 wurde Rolf Schlierer zum Nachfolger des Bundesvorsitzenden der R., Franz Schönhuber, gewählt. Nach einem Treffen Schönhubers mit dem Vorsitzenden der rechtsextremistischen Deutschen Volksunion (DVU), Gerhard Frey, im August 1994 war es zu innerparteilichen Auseinandersetzungen gekommen, die zur Absetzung Schönhubers durch den Bundesvorstand der R. führten.

**Republikaner: Bundesvorsitzender**

**Rolf Schlierer**
* 21. 2. 1955 in Stuttgart, Dr. med. 1991 Rechtsanwalt in Stuttgart. 1989 Mitglied der Programmkommission der Republikaner, 1992 Fraktionsvorsitzender der Republikaner im Stuttgarter Landtag. Dezember 1994 Bundesvorsitzender der Republikaner.

## Rinderbakterien

Hauptsächlich in tiefgekühlt ab Erzeuger vertriebener sog. Vorzugs- bzw. in Rohmilch und rohem Rindfleisch enthaltene Erreger (enterohämorrhagische Escherichia coli, auch Ehec-Bakterien). Auf den Menschen übertragen können sie zu blutigen Durchfällen, Komplikationen wie Nierenversagen und zum Tod führen. 1990–1994 stieg der Anteil der Rinder mit R. in Deutschland von 5% auf rd. 15–30% in rd. 80% der Ställe. Die Zahl der erkrankten Menschen wurde 1994 auf 8000–16 000 geschätzt, R. waren dritthäufigste Ursache von Durchfallerkrankungen.

**Übertragung:** Rinder erkranken und sterben infolge R. meist nur als Jungtiere, ausgewachsene Tiere mit R. erkranken nicht. Die Inkubationszeit beim Menschen beträgt bis zu 124 Tagen. Infizierte Menschen scheiden die hochansteckenden R. innerhalb der Inkubationszeit aus.

**Erkrankung:** R. führen zu einer Dickdarmentzündung. Üblicherweise bei Infektionen verabreichte Antibiotika verschlimmern das Krankheitsbild. Bei 5% der Erkrankten, vor allem bei Kindern, kommt es zu Nierenversagen (hämolytisch-urämisches Syndrom, HUS). Auch Gehirn und andere Organe können betroffen sein. Etwa 4% der Patienten sterben, 14% erleiden bleibende Schäden.

**Schutz:** Rohmilch sollte vor dem Verzehr abgekocht, Rindfleisch durchgebraten werden. Rohes Fleisch sollte nicht mit anderen Nahrungsmitteln in Berührung kommen. In Bayern und Baden-Württemberg muß Vorzugsmilch ab März 1995 auf Ehec-Bakterien untersucht werden.

## Rinderwahnsinn

Bezeichnung für die vor allem bei Rindern in Großbritannien seit 1986 auftretende Krankheit Bovine Spongioforme Encephalopathie (BSE). Bis Anfang 1995 waren rd. 144 000 Tiere an R. verendet, der Großteil davon in Großbritannien. In Deutschland starben bis Mitte 1995 vier Rinder. Die CDU/CSU/FDP-Bundesregierung verlangte von der EU eine Überprüfung der Importvorschriften für britisches Rindfleisch, nachdem Mitte 1995 ein 1992 geborenes Kalb an BSE verendet war. Die 1994 verhängten Beschränkungen waren Anfang 1995 gelockert, der Import von Kälbern ab Jahrgang 1992 ohne Auflagen erlaubt worden, weil die EU sieben Jahre nach Beseitigung der Ursachen für BSE, verseuchte Tierfuttermehle, eine Ansteckung der Tiere für ausgeschlossen hielt.

**Ursache:** 1995 galt als erwiesen, daß R. auf die bei Schafen auftretende Krankheit Scrapie mit ähnlichen Symptomen zurückgeht, die in Großbritannien verbreitet ist. Schlachtabfälle infizierter Schafe wurden zu Beginn der 80er Jahre zu Tiermehl verarbeitet und an Rinder verfüttert. Britische Tiermehlproduzenten verzichteten zur gleichen Zeit aus Rationalisierungsgründen auf Lösungsmittel, mit denen Nervenstränge und innere Organe, die vor allem BSE-Erreger enthalten, aus Kadavern gelöst wurden. Der Scrapie-Erreger wird mit Lösungsmitteln und Temperaturen ab 138 °C zerstört.

**Erreger:** 1995 waren BSE-ähnliche Gehirnerkrankungen auch bei Antilope, Katze, Nerz und Wapiti-Hirsch bekannt. Beim Menschen traten das Creutzfeld-Jakob-, das Gerstmann-Sträussler-Schenker-Syndrom, Kuru und die 1992 identifizierte letale familiäre Insomnie auf. Vermutlich werden die Krankheiten vom selben Erreger ausgelöst wie R. Bei den Opfern wird das Gehirn schwammig durchlöchert und von Eiweißfasern durchsetzt. 1995 existierten zwei Hypothesen zur BSE-Entstehung. Die eine ging von einem Minivirus mit eigener Erbsubstanz als Erreger aus, die andere von infektiösen Eiweißstoffen, sog. Prionen, ohne Erbsubstanz. Vermutlich wandeln sich Proteine durch infektiöse Prione in eine entartete Form, vermehren sich und bilden die typischen Eiweißfasern.

**Neue Fälle:** Der Tod von R.-infizierten Tieren, die 1992 geboren worden waren, warf erneut die Frage auf, ob BSE vom Muttertier auf das Kalb und von Tier zu Tier übertragen werden kann. Die britische Regierung und die EU schlossen dies weitgehend aus. Bis Mitte 1995 waren rd. 120 Kälber des Jahrgangs 1991 an BSE verendet. Großbritannien führte die BSE-Fälle auf Verunreinigungen bei der Futtermittelherstellung und die Verfütterung von Altbeständen an Tiermehl zurück.

**SPD-Forderungen:** Die SPD wies darauf hin, daß der R. auch sieben Jahre nach dem Verbot der Tiermehlverfütterung nicht abgeklungen sei. Von Dezember 1994, als die Importlockerungen beschlossen wurden, bis Mitte 1995 stieg die Zahl der 1991 geborenen BSE-infizierten Rinder um 3000%. Da die Inkubationszeit vier- bis sechs Jahre beträgt, sei nicht auszuschließen, daß weitere 1992 geborene Rinder den Erreger in sich trügen, aber noch nicht erkankt seien. SPD und Bundesrat forderten ein Importverbot für britisches Rindfleisch.

**Gegenmaßnahmen:** Die unionsgeführten Länder Bayern und Baden-Württemberg ließen Anfang 1995 britische Rinder im Land aufkaufen und schlachten. Sechs SPD-regierte Länder und Thüringen vereinbarten mit der Fleischindustrie einen freiwilligen Boykott von britischem Rindfleisch.

**Konsum:** Die Einfuhr britischen Rindfleischs nach Deutschland fiel 1994 von 2250 t (1993) auf 300 t (Schätzungen). Deutsche aßen 1994 mit 60,7 kg 2,2 kg weniger Fleisch als 1993.

## RISC

(Reduced Instruction Set Computer, engl.; Prozessor mit reduziertem Befehlssatz), Chip, der Steuerfunktionen in einem Computer übernimmt. Im Gegensatz zu den in Personalcomputern (PC) gebräuchlichen CISC-Halbleitern (Complex Instruction Set Computer, engl.; Prozessor mit komplettem Befehlssatz) beschränken sich R. auf die für den Betrieb eines Computers notwendigsten Instruktionen und erzielen höhere Rechengeschwindigkeiten. Aus diesem Grund eignen sie sich insbes. für die Bearbeitung großer Datenmengen (z. B. Sprache, Video, Computersimulationen). Die Herstellung von R. ist einfacher und preiswerter, hingegen ist ihre Entwicklung teurer. Die Branchenorganisation Dataquest ging davon aus, daß der Absatz von PC mit R. von 70 000 (1993) auf rd. 10 Mio Stück (1998) steigt.

R. können rd. 50 Befehle verarbeiten, während CISC über einen Befehlssatz von 100 Instruktionen verfügen. Bei den meisten Funktionen kommen nur 20 simple Befehle zum Einsatz. Die übrigen werden selten genutzt, senken aber die Rechengeschwindigkeit, weil der verwendete Befehl erst aus der Vielzahl der Instruktionen ausgewählt werden muß.

→ Chip → Flash-Chip

## Roboter

Elektronisch gesteuerte, mit Greifern oder Werkzeugen ausgestattete Automaten, die standardisierte manuelle Arbeitstätigkeiten ausführen. Weltweit waren 1994 ca. 610 000 R. im Einsatz, davon 368 000 in Japan. Bis 1997 wird ein Anstieg auf 831 000 R. prognostiziert. Das Fraunhofer-Institut für Produktionstechnik (Stuttgart) ging von einem Marktpotential von 12 Mrd DM 1996 in Deutschland für R. aus, die einfache Dienstleistungen ausführen (sog. Service-R.). Bis zum Jahr 2010 könne es auf rd. 45 Mrd DM ansteigen. Am Massachusetts Institute of Technology (MIT, Boston/USA) begannen

| Roboter: Funktion nachgebildeter Sinnesorgane |
|---|
| **Infrarot-, Mikrowellen-, Radar-, Ultraschallsensoren:** Abtasten der Umgebung |
| **Optische Feuer:** Liefern Hinweise auf die Position |
| **Kreiselkompaß, Beschleunigungs-, Neigungsmesser:** Verhelfen zu sicherer Fortbewegung |
| **Kraftmessende Sensoren:** Begünstigen einen festen Stand |

Quelle: Bild der Wissenschaft 6/1995

## Roboter: Anwendung und prognostizierter Absatz von Service-Robotern in Deutschland

| Bereich | Anwendung | Absatz[1] (Stück) | Geplante Einführung | Geplante Kosten (DM) |
|---|---|---|---|---|
| Haushalt | Bodenreinigung | bis zu 50 000 | 1998 | max. 2 500 |
| Baugewerbe | Transport, Hochhausbau | über 5 000 | 1998 | max. 50 000 |
| Hotel, Gastronomie | Mobile Minibar | bis zu 5 000 | 1998 | 50 000 |
| Handel, Transport, Verkehr | Großflächenreinigung | bis zu 5 000 | 1995 | 50 000 |
| Sicherheit, Katastrophenschutz | Werkschutz, Inspektion | bis zu 2 500 | 1994 | 50 000 |
| Kommunale Aufgaben | Müllsortierung, Reinigung | bis zu 2 000 | 1997 | über 400 000 |

1) Prognose; Quelle: VDI-Nachrichten, 2. 12. 1994

Wissenschaftler 1994 mit der Entwicklung eines R., der die geistigen und körperlichen Fähigkeiten eines sechs Monate alten Kindes nachbilden soll.

**Einsatzgebiete:** Einsatzbereiche waren 1995 Reinigungsarbeiten, Transport, Wartung und das Baugewerbe. In den USA und Japan waren R., die Essen austeilten, in Krankenhäusern im Einsatz. Experten sahen im Haushalt, im Pflegebereich und in der Medizin sowie im Katastrophenschutz, wo R. Menschen gefährliche Aufgaben abnehmen sollen, Absatzchancen für R.

**Fähigkeiten:** Die meisten R. verrichteten Arbeiten stationär und wurden von Menschen bedient (z. B. Autoindustrie). Entwickelt wurden sog. autonome R., die sich frei bewegen. Lernfähige Programme (sog. Künstliche Intelligenz) und Mikroprozessoren, die jeweils für eine Aufgabe zuständig sind (sog. Neuronale Netze), sollen Sinneseindrücke aufnehmen; Sensoren sollen menschliche Sinnesorgane nachbilden. Damit wird ein R. in die Lage versetzt, Hindernisse zu erkennen und zu umgehen oder einen Lageplan einer unbekannten Umgebung anzufertigen und sich zu orientieren.

→ Künstliches Leben

## Rollende Landstraße

→ Kombinierter Verkehr

## Rollende Raststätte

Ab April 1995 von der Deutschen Bahn eingerichtete Zugverbindung zum Transport von PKW und Insassen zwischen Berlin und Hannover. Autofahrer, die aus Nordwestdeutschland nach Berlin und zurück wollen, können eine Fahrt auf der häufig überlasteten Autobahn A 2 Hannover–Berlin vermeiden. Die Umwelt wird entlastet, weil luftverschmutzende Autofahrten durch Bahntransporte ersetzt werden. Die R. verkehrt mit täglich vier Zügen zwischen Lehrte östlich von Hannover und Berlin-Grunewald. Sie besteht aus zwei Restaurantwagen, zwei 1. Klasse-Sitzwagen und elf Autotransportwagen, die Platz für 55 PKW bieten. Die einfache Fahrt (Entfernung: ca. 280 km) für einen PKW mit bis zu fünf Insassen kostete 129 DM, Hin- und Rückfahrt 199 DM.

→ Autoverkehr → Bahn, Deutsche

## Rote Armee Fraktion

(RAF), linksextremistische terroristische Vereinigung in Deutschland. Ende 1994 ging Generalbundesanwalt Kay Nehm davon aus, daß die RAF als Terrororganisation nicht mehr aktionsfähig sei. Seit der Gewaltverzichtserklärung der RAF 1992 sei es zu ideologischen Auseinandersetzungen und Abspaltungen gekommen. Nach der vorzeitigen Entlassung mehrerer Terroristen aus der Haft wende sich das Sympathisanten-Feld von der RAF ab.

**Haftprüfung:** Nehm setzte sich 1995 dafür ein, bei allen Verurteilten zu prüfen, ob nach Verbüßen von 15 Jahren bei lebenslanger Freiheitsstrafe eine Strafaussetzung auf Bewährung in Frage kommt. Damit soll die Initiative zur Versöhnung zwischen Staat und

**Rote Armee Fraktion: Generalbundesanwalt**

**Kay Nehm**
* 4. 5. 1941 in Flensburg. Mitte der 70er Jahre Hauptankläger gegen die RAF-Terroristen, die 1975 die deutsche Botschaft in Stockholm überfallen hatten. 1988 Bundesanwalt in der Abteilung für Terrorismusstrafsachen. 1994 Nachfolger von Generalbundesanwalt Alexander von Stahl.

| RAF: Vorzeitige Freilassung | | |
|---|---|---|
| Frei-lassung | Name | Verbüßte Haftstrafe (Jahre) |
| 10/1994 | Ingrid Jakobsmeier | 10 |
| 12/1994 | Irmgard Möller | 22 |
| 2/1995 | Christine Kuby | 17 |
| 4/1995 | Lutz Taufer | 20 |
| 5/1995 | Karlheinz Dellwo | 20 |
| 6/1995 | Silke Maier-Witt | 5 |

inhaftierten Terroristen, die 1992 der damalige Bundesjustizminister Klaus Kinkel (FDP) angeregt hatte, fortgeführt werden. Nach 22 Jahren Gefängnis kam Ende 1994 die am längsten inhaftierte deutsche Terroristin, Irmgard Möller, auf Bewährung frei.

**Nachfolgeorganisation:** Ende 1994 kündigte die terroristische Vereinigung Antiimperialistische Zellen (AIZ) Anschläge auf Politiker und Wirtschaftsrepräsentanten in Deutschland an und berief sich auf gewaltsame Aktionen der RAF in den 70er und 80er Jahren. Bis Mitte 1995 verübten die AIZ sieben Sprengstoffanschläge auf Parteibüros und Wohnhäuser von Politikern. Nach Einschätzung von Sicherheitsfachleuten handelt es sich bei den AIZ um eine Abspaltung von der RAF, die sich nach der Gewaltverzichtserklärung der RAF gebildet hatte.

**Prozesse:** Im September 1994 wurde die RAF-Terroristin Adelheid Schulz, die bereits wegen Beteiligung an der Entführung und Ermordung des früheren Arbeitgeberpräsidenten Hanns-Martin Schleyer eine lebenslange Haftstrafe verbüßt, erneut zu lebenslänglicher Haft verurteilt. Das Gericht in Stuttgart befand Schulz für schuldig, 1978 bei einer Schießerei am Grenzübergang Kerkrade/Niederlande beteiligt gewesen zu sein, bei der zwei Zollbeamte getötet wurden. Im November 1994 begann in Frankfurt/M. der Prozeß gegen die mutmaßliche RAF-Terroristin Birgit Hogefeld, der vierfacher Mord, zehnfacher Mordversuch und ein Sprengstoffanschlag vorgeworfen wurden. Hogefeld war in der Anti-Terror-Aktion in Bad Kleinen gefaßt worden, bei der ein Beamter der Sondereinheit GSG 9 und der mutmaßliche RAF-Terrorist Wolfgang Grams starben. Kurz vor Ablauf einer 15jährigen Haftstrafe wegen Mitwirkung an der gescheiterten Entführung des Bankiers Jürgen Ponto wurde die frühere RAF-Terroristin Sieglinde Hofmann im April 1995 wegen Mitwirkung an der Schleyer-Entführung (1977) angeklagt.

→ Extremismus → Kronzeugenregelung → Terrorismus

## Rotes Kreuz, Internationales

**Abkürzung** IRK

**Sitz** Genf/Schweiz

**Gründung** 1928

**Mitglieder** 150 Staaten

**Präsident** Cornelio Sommaruga/Schweiz (Präsident des Internationalen Komitees, IKRK seit 1987)

**Ziel** Freiwillige Hilfsorganisation

## RSI

(Repetitive Strain Injury, engl.; Schädigung durch wiederholte Anstrengung), Erkrankung an Armen und Händen, die von Dateneingabe am Computer verursacht wird. In Australien, Großbritannien und den USA war RSI 1995 als Berufskrankheit anerkannt. In Deutschland litten Schätzungen zufolge rd. 25% der an einem Bildschirmarbeitsplatz Tätigen an RSI-Symptomen.

**Symptome:** Sporadisch auftretende Schwellungen über den Handgelenken, Kribbeln und Taubheitsgefühle an den Händen und Unterarmen zählen zu den ersten Symptomen der RSI. Später treten Lähmungen in Armen und Händen sowie Sehnenscheiden- und Schleimbeutelentzündungen auf.

**Ursachen:** Die sich ständig wiederholende Beanspruchung derselben Muskeln, Sehnen und Gelenke bei der Dateneingabe verursacht Verschleißerscheinungen. Wissenschaftler führten RSI auf die hohe Schlagfrequenz der Finger auf der Tastatur zurück. Die leichtgängige Computertastatur ermöglicht eine gegenüber der Schreibmaschine höhere Eingabegeschwindigkeit, so daß einzelne Finger bis zu 10 000mal pro Tag dieselbe Bewegung ausführen.

**EU-Richtlinie:** Der DGB ging davon aus, daß im Jahr 2000 rd. zwei Drittel aller Beschäftigten regelmäßig am Computer arbeiten würden. Er forderte, die EU-Richtlinie zur Bildschirmarbeit von 1990, die ab 1993 in den Mitgliedstaaten hätte gelten sollen, unverzüglich in nationales Recht umzusetzen. Danach soll eine Analyse von Computerarbeitsplätzen, zu der jeder Arbeitgeber verpflichtet werden soll, Grundlage für die arbeitstechnisch richtige und der Gesundheit zuträgliche Gestaltung sein. Die EU-Richtlinie sieht vor, daß vor 1993 eingerichtete Bildschirmarbeitsplätze bis 1997 umgerüstet werden müssen, nach 1993 eingerichtete müssen der Richtlinie sofort entsprechen.

## RU 486

→ Abtreibungspille

## Rundfunkgebühren

Bei der 1995 von den Unionsparteien entfachten Diskussion um den Bestand des öffentlich-rechtlichen Rundfunks neben privaten Anbietern im sog. Dualen Rundfunksystem hatte die Gebührenfinanzierung von ARD und ZDF zentrale Bedeutung. Während das Privatfernsehen sich ausschließlich mit Einnahmen aus der Fernsehwerbung finanziert, sind die R. wichtigste Einnahmequelle der öffentlich-rechtlichen Anstalten. Für die nächste Periode ab 1997 forderten ARD und ZDF eine Gebührenanhebung auf knapp 30 DM, CDU/CSU lehnten dies als für den Gebührenzahler unzumutbar ab. 1992–1997 zahlen die Bundesbürger 23,80 DM R. monatlich, im Osten wurden die R. schrittweise an westdeutsches Niveau angepaßt.

**Verteilung:** 1992–1997 werden jährlich 8,6 Mrd DM R. eingenommen, die an 13 Rundfunkanstalten für zwölf Fernseh- und über 50 Hörfunkprogramme, 27 000 feste und rd. 10 000 freie Mitarbeiter verteilt werden. 70% der R. erhält die ARD, 30% das ZDF. 1970–1995 stieg die R. parallel zu den Lebenshaltungskosten.

**Forderungen:** Mit der privaten Konkurrenz verringerte sich der Anteil der Werbeeinnahmen an der Finanzierung der öffentlich-rechtlichen Sender seit Ende der 80er Jahre bis 1994 von etwa 40% auf 15% beim ZDF und von rd. 20% auf 7,5% bei der ARD. Unter Hinweis auf ihr hohes Programmniveau und steigende Kosten (u. a. für Serien und Sportberichte) meldeten ARD und ZDF 1997–2000 einen zusätzlichen Finanzbedarf von 5,9 Mrd DM bzw. 3,7 Mrd DM an. Die Kommission zur Ermittlung des Finanzbedarfs der öffentlich-rechtlichen Rundfunkanstalten (KEF) aus Juristen, Wirtschaftsexperten und Vertretern der Landesrechnungshöfe muß bis August 1995 über die Gebührenhöhe entscheiden. Den Vorschlag der KEF können die Landesparlamente nur dann ablehnen, wenn er sozial unverträglich ist. Mitte 1995 zeichnete sich ab, daß der Verteilungsschlüssel aufgehoben wird. Statt dessen soll die KEF über die Aufteilung der R. entscheiden.

| Rundfunkgebühren: Verteilung bis 1995 | |
|---|---|
| **Empfänger** | **Gebühr (DM)** |
| ARD-Fernsehen | 10,66[1] |
| ARD-Hörfunk | 7,35 |
| ZDF | 4,57[1] |
| Deutschland-radio | 0,74 |
| Landesme-dienanstalten | 0,48 |

1) Inkl. 0,74 DM für den europäischen Kulturkanal Arte; Quelle: ZDF

| Rundfunkgebühren: Europa-Vergleich | | | |
|---|---|---|---|
| **Land** | **Gebühren pro Jahr (DM)** | **Gebühren pro Tag (DM)** | **Anteil am Einkommen[1] (%)** |
| Österreich | 397,54 | 1,09 | 1,50 |
| Belgien | 387,01 | 1,06 | 1,36 |
| Deutschland | 285,60 | 0,78 | 1,10 |
| Großbritannien | 206,48 | 0,57 | 1,04 |
| Schweiz | 476,70 | 1,31 | 1,03 |
| Dänemark | 304,06 | 0,83 | 1,03 |
| Italien | 152,55 | 0,42 | 0,73 |
| Frankreich | 184,15 | 0,50 | 0,72 |
| Niederlande | 164,19 | 0,45 | 0,67 |

Stand: 1994; 1) der Privathaushalte; Quelle: Wirtschaftsforschungsinstitut WEFA

**KEF:** Mitte 1994 beschlossen die Ministerpräsidenten der Bundesländer, die Ländervertreter in der KEF durch unabhängige Mediensachverständige zu ersetzen. Sie entsprachen damit dem Urteil des Bundesverfassungsgerichts (Karlsruhe) von 1994, das ein politikunabhängiges Gremium für die Gebührenfestsetzung gefordert hatte. 1996 soll das Verfahren zur Festlegung der R. mit einem Staatsvertrag neu geregelt werden.
→ Fernsehen → Fernsehwerbung

## Rüstungsausgaben

In den meisten westlichen Industriestaaten, in den Staaten Osteuropas und in Rußland gingen die R. nach Angaben des Stockholmer Friedensforschungsinstituts (SIPRI) 1994 gegenüber dem Vorjahr zurück. In der NATO sanken die Ausgaben für Waffenbeschaffung mehr als zweimal so schnell wie die gesamten R. (−4,65%). Gründe waren die wirtschaftliche Rezession in Osteuropa, Haushaltskürzungen, Abrüstung und Truppenabbau sowie die Änderung von Verteidigungsplanung und Militärdoktrin nach Ende des Ost-West-Konflikts. Hingegen stiegen die R. in Nahost, Süd- und Südostasien.
Bei einer Begrenzung der US-R. 1995–1999 auf 1200 Mrd Dollar (1700 Mrd DM), wie 1994 von der Regierung beschlossen, fehlten nach Berechnung des Kongresses Ende 1994 rd. 150 Mrd Dollar (211 Mrd DM) für laufende Rüstungsprogramme. Der Entwurf für den Verteidigungshaushalt 1996 (258,3 Mrd Dollar, 363,7 Mrd DM) sah gegenüber 1995 eine Kürzung der R. um rd. 5% vor. 1995–2000 soll der Anteil der R. am BIP von 3,8% auf 2,9% sinken. 1994 trugen die USA 59% der R. in der NATO.
In Rußland gingen die R. lt. SIPRI in dem Maße wie das BIP zurück (−15%). 1993 lagen die russischen R. nach Angabe der US-Rüstungskontrollbehörde bei rd. 113,8 Mrd Dollar (160,2 Mrd DM). Die R. inkl. der Ausgaben für paramilitärische Aufgaben

| Rüstungsausgaben: NATO | | | | | |
|---|---|---|---|---|---|
| Land | Ausgaben (Mio Dollar) | | | | |
| | 1990 | 1991 | 1992 | 1993 | 1994 |
| Belgien | 4 644 | 4 579 | 3 760 | 3 571 | 3 549 |
| Dänemark | 2 650 | 2 697 | 2 648 | 2 653 | 2 608 |
| Deutschland | 42 320 | 39 216 | 37 697 | 33 486 | 31 258 |
| Frankreich | 42 589 | 42 875 | 41 502 | 41 052 | 41 235 |
| Griechenland | 3 863 | 3 663 | 3 808 | 3 716 | 3 778 |
| Großbritannien | 39 776 | 41 078 | 37 141 | 36 312 | 35 055 |
| Italien | 23 376 | 23 706 | 23 004 | 23 187 | 23 492 |
| Kanada | 11 547 | 10 413 | 10 482 | 10 433 | 10 151 |
| Luxemburg | 97 | 107 | 111 | 102 | 110 |
| Niederlande | 7 421 | 7 161 | 7 088 | 6 355 | 6 173 |
| Norwegen | 3 395 | 3 293 | 3 569 | 3 385 | 3 523 |
| Portugal | 1 875 | 1 925 | 1 977 | 1 914 | 1 948 |
| Spanien | 9 053 | 8 775 | 8 113 | 8 823 | 8 141 |
| Türkei | 5 315 | 5 463 | 5 747 | 6 355 | 6 173 |
| USA | 306 170 | 268 994 | 284 116 | 269 111 | 252 358 |

Angaben in Preisen von 1990; Quelle: P. George/R. Bedeski/B.-G. Bergstrand/J. Cooper/E. Loose-Weintraub, World military expenditure, in: SIPRI-Yearbook 1995

(z. B. Innen- und Eisenbahnministerium, Grenzkontrolle) erreichten 1994 lt. SIPRI 6,5% des BIP (rd. 24% des Gesamtbudgets).
→ Bundeswehr → Truppenabbau

## Rüstungsexport

Der Handel mit konventionellen Waffen blieb 1991–1994 nach Angaben des Stockholmer Internationalen Friedensforschungsinstituts (SIPRI) mit etwa 22 Mrd Dollar (31 Mrd DM, Angaben in Preisen von 1990) im wesentlichen auf dem gleichen Niveau. Mit einem Anteil von 55% waren die USA größter Waffenexporteur (EU: 30%). Entwicklungsländer nahmen 58% der Ausfuhren ab (1985: 66%), europäische Staaten etwa 31% (26%). Größter Waffenimporteur war die Türkei. Rußland und die USA strebten eine Ausweitung des R. nach Osteuropa bzw. Südostasien und Lateinamerika an.
**Deutschland:** 29% der erteilten Ausfuhrgenehmigungen entfielen auf Rüstungsgüter. Die deutschen Waffenausfuhren bestanden 1994 größtenteils aus gepanzerten Fahrzeugen der ehe-

| Rüstungsausgaben: Wirtschaftsleistung | |
|---|---|
| Land | % des BIP |
| Bosnien | 48,7 |
| Angola | 32,4 |
| Korea-Nord | 25,2 |
| Irak | 15,3 |
| Oman | 15,3 |
| Nicaragua | 13,4 |
| Saudi-Arabien | 13,1 |
| Jemen | 12,5 |
| Kuwait | 12,1 |
| Sudan | 11,6 |

Stand: 1993; Quelle: Internationales Institut für Strategische Studien (IISS, London)

## Rüstungsexport: Die größten Lieferanten

| Rang | Land | Mio Dollar[1] | | Veränderung zu 1993 (%) |
|------|------|------|------|------|
| | | 1990–1994 | 1994 | |
| 1 | USA | 62 354 | 11 959 | −7,36 |
| 2 | UdSSR/Rußland | 21 912 | 842 | −75,14 |
| 3 | Deutschland[2] | 10 536 | 3 162 | +83,20 |
| 4 | Großbritannien | 6 554 | 1 593 | +25,04 |
| 5 | Frankreich | 6 287 | 705 | −39,17 |
| 6 | China | 5 980 | 1 204 | −4,22 |
| 7 | Niederlande | 2 065 | 558 | +0,56 |
| 8 | Italien | 1 997 | 357 | −30,54 |
| 9 | Tschech. Rep.[3] | 1 587 | 79 | −83,33 |
| 10 | Schweiz | 1 142 | 46 | −44,58 |

1) Angaben in Preisen von 1990; 2) 1990 Westdeutschland; 3) bis 1992 Tschechoslowakei; Quelle: I. Anthony/P. D. Wezeman/S. T. Wezemann, The trade in major conventional weapons, in: SIPRI-Yearbook 1995

## Rüstungsexport: Die größten Importeure

| Rang | Land | Mio Dollar[1] | | Veränderung zu 1993 (%) |
|------|------|------|------|------|
| | | 1990–1994 | 1994 | |
| 1 | Saudi-Arabien | 8 999 | 1 602 | −36,78 |
| 2 | Japan | 8 383 | 919 | −23,35 |
| 3 | Türkei | 7 814 | 2 135 | −2,02 |
| 4 | Griechenland | 6 375 | 973 | +10,44 |
| 5 | Indien | 5 998 | 773 | −20,00 |
| 6 | Ägypten | 5 990 | 1 370 | +0,22 |
| 7 | Deutschland[2] | 5 781 | 629 | −47,67 |
| 8 | Taiwan | 3 878 | 1 069 | +9,75 |
| 9 | Afghanistan | 3 678 | 0 | − |
| 10 | Israel | 3 640 | 557 | −4,79 |

1) Angaben in Preisen von 1990; 2) Westdeutschland; I. Anthony/ P. D. Wezeman/S. T. Wezeman, The trade in major conventional weapons, in: SIPRI-Yearbook 1995

## Rüstungexport: Waffenhandel weltweit

| Region | Importe (Mio Dollar)[1] | | | |
|--------|------|------|------|------|
| | 1991 | 1992 | 1993 | 1994 |
| Insgesamt | 25 527 | 24 776 | 24 494 | 21 725 |
| Entwicklungsländer | 13 492 | 12 566 | 13 165 | 12 622 |
| Industrieländer | 12 035 | 12 210 | 11 329 | 9 103 |
| Asien | 8 878 | 7 548 | 6 482 | 7 296 |
| Nahost | 5 080 | 5 307 | 7 056 | 5 263 |
| Europa | 8 033 | 9 143 | 8 327 | 6 762 |
| Nordamerika | 1 421 | 1 007 | 1 121 | 1 206 |
| Afrika | 846 | 626 | 317 | 297 |

1) Angaben in Preisen von 1990; Quelle: I. Anthony/G. Hagmeyer-Gaverus/P. D. Wezeman/S. T. Wezeman, Tables of the volume of the trade in major conventional weapons, in: SIPRI-Yearbook 1995

maligen DDR-Armee, die z. T. kostenlos an die UNO-Friedenstruppen abgegeben bzw. an die NATO-Bündnispartner verkauft wurden. Innenpolitisch umstritten waren deutsche Waffenlieferungen an das NATO-Mitglied Türkei (Umfang 1964–1994: etwa 6 Mrd DM). Dem Land wurde vorgeworfen, Militärgerät aus Deutschland gegen aufständische Kurden einzusetzen. Zu den größten R.-Geschäften seit den 80er Jahren (rd. 3 Mrd DM) gehörte die Ende 1994 vereinbarte Lieferung von 390 Kampfpanzern an Spanien.

**Internationale Kontrolle:** Die UNO veröffentlicht seit 1993 von ihren Mitgliedstaaten angegebene Waffentransfers. Die Angaben sind freiwillig. Bis zum 1. 3. 1995 meldeten 88 von 185 UNO-Mitgliedern 149 Im- und Exporte für 1993 (1992: 157). Daten über Ein- und Ausfuhren stimmten jedoch häufig nicht überein. Eine Ausweitung der erfaßten sieben Waffenkategorien auf Minen, Boden-Luft-Raketen und ABC-Waffen sowie die Erfassung der nationalen Militärbestände und Waffenbeschaffung wurde 1994/95 angestrebt. Über eine Kontrolle von konventionellen Waffen und militärisch verwendbare Gütern (dual use, engl.; doppelte Verwendung) innerhalb der OECD-Staaten war bis Mitte 1995 nicht entschieden. Verhandlungsgrundlage ist das 1994 aufgelöste R.-Kontrollsystem für die Länder des ehemals kommunistisch beherrschten Machtbereichs (CoCom). Die CoCom-Listen für Rüstungsgüter blieben für die 17 Mitglieder auch nach der Auflösung 1994 gültig. Multinationale R.-Kontrollen gab es Mitte 1995 auch für ABC-Waffen, für Trägerraketen mit einer Reichweite über 300 km und für Dual-use-Produkte in der EU. Den Vereinbarungen waren bis 1995 insgesamt 33 Teilnehmerstaaten beigetreten.

**Europäische Union:** In der EU gelten ab 1. 3. 1995 gemeinsame Kontrollen für Dual-use-Güter:
▷ Eine Ausfuhrerlaubnis eines EU-Staats ist auch in anderen Mitgliedsländern gültig. Zuständig für die

Genehmigung ist der Staat, in dem der Exporteur seinen Hauptsitz hat
▷ Ausfuhren in ein anderes EU-Land sind ohne Genehmigung möglich. Für bestimmte Güter, z. B. Raketentechnik, gelten bis 1997 Ausnahmeregelungen. Ausfuhren in Drittstaaten bei vorherigem Export in einen anderen EU-Staat dürfen weiterhin national kontrolliert werden
▷ Eine Liste von Waren wird angelegt, deren Export aus der EU in allen Mitgliedsländern genehmigungspflichtig ist. Sie ist im wesentlichen deckungsgleich mit der bisherigen deutschen Ausfuhrliste
▷ Nicht erfaßte Waren sind genehmigungspflichtig, wenn der Exporteur von seiner Regierung unterrichtet wird, daß diese für ABC-Waffen und dafür geeignete Trägerraketen bestimmt sind oder verwendet werden können. Nicht aufgelistete Dual-use-Güter für konventionelle Rüstungsprojekte bleiben nur in Deutschland genehmigungspflichtig. Diese Sonderkontrollen gelten ab 1995 für Ausfuhren in zwölf Staaten (bis 1994: 32 Staaten). Die Kontrolle des Waffenhandels bleibt in nationaler Verantwortung.
→ Atomwaffen → Chemische Waffen
→ Minen

## Rüstungsindustrie

Abrüstungsvereinbarungen, Truppenabbau, die Reduzierung der Waffenbestände und steigende Haushaltsdefizite führten seit Beginn der 90er Jahre in Nordamerika, Europa und der GUS zu sinkenden Rüstungsausgaben, insbes. bei der Waffenbeschaffung (1991–1993: –80%). Dies zwang die R. zu

### Rüstungsindustrie: Die größten Unternehmen der Welt

| Rang | Firma[1] | Land | Waffenhandel (Mio Dollar) | | Anteil am Umsatz (%) 1993 | Beschäftigte 1993 |
|------|----------|------|------|------|------|------|
| | | | 1993 | 1992 | | |
| 1 | Lockheed | USA | 10 070 | 6 700 | 77 | 83 500 |
| 2 | McDonnell Douglas | USA | 9 050 | 9 290 | 62 | 70 016 |
| 3 | General Motors (GM) | USA | 6 900 | 6 000 | 5 | 711 000 |
| 4 | Martin Marietta | USA | 6 500 | 4 400 | 69 | 92 000 |
| | GM Hughes Electronics (GM) | USA | 6 110 | 5 550 | 45 | 78 000 |
| 5 | British Aerospace | GB | 5 950 | 7 070 | 37 | 87 400 |
| 6 | Raytheon | USA | 4 500 | 4 670 | 49 | 62 800 |
| 7 | Northrop | USA | 4 480 | 4 960 | 88 | 29 800 |
| 8 | Thomson S. A. | F | 4 240 | 4 980 | 36 | 99 895 |
| | Thomson-CSF (Thomson S.A) | F | 4 240 | 4 980 | 70 | 48 858 |
| 9 | United Technologies | USA | 4 200 | 4 300 | 20 | 168 600 |
| 10 | Boeing | USA | 3 800 | 4 700 | 15 | 125 500 |
| 11 | Loral | USA | 3 750 | 3 050 | 94 | k. A. |
| 12 | Daimler-Benz | D | 3 540 | 4 120 | 6 | 366 736 |
| 13 | DCN | F | 3 440 | 3 790 | 97 | 26 892 |
| 14 | Rockwell International | USA | 3 350 | 3 750 | 31 | 77 028 |
| | DASA (Daimler-Benz) | D | 3 250 | 4 060 | 29 | 86 086 |
| 15 | GEC | GB | 3 210 | 3 750 | 22 | 86 121 |
| 16 | Litton Industries | USA | 3 170 | 3 380 | 91 | 32 300 |
| 17 | General Dynamics | USA | 3 000 | 3 200 | 94 | 30 500 |
| 18 | Aérospatiale Groupe | F | 2 860 | 3 290 | 32 | 43 913 |
| 19 | Grumman | USA | 2 700 | 2 980 | 84 | 17 900 |
| 20 | TRW | USA | 2 470 | 2 600 | 31 | 61 200 |

1) OECD und Entwicklungsländer; Quelle: E. Sköns/G. Hagmeyer-Gaverus/P. D. Wezeman/S. T. Wezeman, The 100 largest arms producing companies, 1993, in: SIPRI-Yearbook 1995

einer Verlagerung ihrer Produktion in den zivilen Sektor (Konversion). Der Waffenverkauf der 100 größten Rüstungsunternehmen verringerte sich nach Angaben des Stockholmer Internationalen Friedensforschungsinstituts (SIPRI) 1993 gegenüber dem Vorjahr um rd. 10% auf 156 Mrd Dollar (218 Mrd DM).

Auf den Druck Kapazitäten abzubauen, reagierte die R. mit unterschiedlichen Maßnahmen:

▷ Stillegung der Produktion, Verkauf von Unternehmensteilen und Entlassung von Personal. 1990–1994 wurde die Zahl der Arbeitsplätze weltweit um ein Drittel auf 11,5 Mio abgebaut, davon 60% in Rußland

▷ Erweiterung der Produktpalette (Diversifikation) und Ersatz wehrtechnischer durch zivile Produktion. Probleme der Rüstungskonversion liegen vor allem in der Notwendigkeit, Produktionsanlagen umzubauen, Beschäftigte in der Industrie und bei den Streitkräften umzuschulen und Marktnischen für zivile Produkte zu besetzen. In der russischen R. produzierten 1994 nur 16% der rd. 2000 Unternehmen ausschließlich Militärgüter

▷ Fusionen oder Zusammenarbeit bei Rüstungsprojekten. Mit der Fusion der US-Unternehmen Lockheed und Martin Marietta entstand Ende 1994 der weltweit größte Rüstungskonzern (Umsatz: rd. 23 Mrd Dollar, 32 Mrd DM).

Eine Ausweitung des Waffenexports verspricht wegen des Überangebots wenig Gewinnchancen

→ Truppenabbau

---

## Rüstungsmüll

Internationale Abrüstungsverträge verlangen bis 2010 die Vernichtung von ca. 100 000 t Giftgasmunition und eines Großteils der Atomwaffen. Etwa 50 000 konventionelle Waffensysteme in 29 europäischen Staaten müssen lt. KSE-Vertrag von 1990 bis November 1995 beseitigt werden (Deutschland: etwa 11 000, Abrüstung im Mai 1995 abgeschlossen).

**Altlasten:** R. von Militärstandorten, Übungsplätzen, Waffenlagern, Produktions- und Forschungsstätten tragen zur Verseuchung von Luft, Boden und Grundwasser bei. Die Kosten für die Beseitigung des R. und die Sanierung der Altlastenflächen in Deutschland (rd. 4400 Verdachtsstandorte) wurden 1994/95 auf rd. 200 Mrd DM geschätzt. Drei Viertel der von der früheren Sowjettruppen in Ostdeutschland genutzten Fläche muß von R. gesäubert werden.

Die Vernichtung bzw. Lagerung von Rückständen aus der US-Atomwaffenproduktion und die Sanierung von rd. 10 500 radioaktiv verseuchten Flächen und Objekten kostet nach Angaben der US-Regierung vom April 1995 mindestens 230 Mrd Dollar (324 Mrd DM).

**Russischer Atomschrott:** Wegen der Verringerung der seegestützten Atomwaffen gemäß START-I-Vertrag werden bis 2000 wahrscheinlich 32 der 46 russischen strategischen U-Boote außer Dienst gestellt. Auf etwa 120 bis 1995 ausgemusterten Atom-U-Booten der russischen Nordmeerflotte gab es rd. 135 Reaktoren mit abgebrannten hochradioaktiven Brennelementen, für die keine sicheren Lagerstätten existierten. Eine atomare Wiederaufarbeitung konnte nicht finanziert werden. Die U-Boote sind in den Fjorden der Halbinsel Kola verankert. Drei Wracks wurden bis Mitte 1995 zerlegt, ein Dutzend Brennstäbe entfernt.

**Giftgas:** Die einzige europäische Verbrennungsanlage für chemische Waffen in Munster/Deutschland soll ab 1997 durch einen Neubau mit 20facher Kapazität (2400 t) ersetzt werden (Kosten: 200 Mio DM), in dem auch Arsen haltige Kampfstoffe, rd. 60% der dortigen Lagerbestände (1994: 6500 t), entsorgt werden können. Dies war bis dahin nicht möglich. Das Giftgas stammt aus deutschen Wehrmachtsbeständen.

→ Atomwaffen  → Chemische Waffen
→ KSE-Vertrag  → Minen

# S

## Satelliten

Unbemannte Raumflugkörper auf einer Erdumlaufbahn bis zu einer Höhe von 36 000 km (sog. geostationäre Bahn). Größte Anwendungsbereiche der S.-Technik waren Mitte der 90er Jahre die Telekommunikation und die Erderkundung. S. werden darüber hinaus zur Weltraumerkundung, Wetterbeobachtung, Navigation und Vermessung sowie für Forschungslabors benutzt. Deutschland erwog Mitte 1995, sich mit rd. 600 Mio DM an einem europäischen S.-Aufklärungssystem zu beteiligen (Gesamtkosten: 3,3 Mrd DM). Zusammen mit Frankreich sollen innerhalb von zehn Jahren der optische S. Helios II und der Radar-S. Osiris entwickelt werden, die militärische Aufklärung aus dem Weltraum ermöglichen.

**Wachstumsmarkt:** 1995 galten 85% der Aufträge in der kommerziellen Raumfahrt Telekommunikations-S., insbes. Fernseh-S. Experten schätzten das Marktvolumen von Telekommunikations-S. für 1995–2004 auf 16 Mrd Dollar (22,5 Mrd DM). Nach einer Studie von Arianespace, der Betreibergesellschaft der europäischen Trägerrakete Ariane, wird der Bedarf 1995–1997 auf 23–24 S. pro Jahr anwachsen. Die Zahl der TV-Übertragungskanäle werde von 2240 auf 3480 steigen. Zur Jahrhundertwende soll die Nachfrage auf 15–20 S. pro Jahr sinken, da sich Lebensdauer und Kapazität der S. erhöhen und vor allem in den USA Bodenverbindungen über Glasfasernetze ausgebaut würden.

**Telefon:** Telekommunikationsunternehmen planten 1995 die Errichtung globaler, mobiler Datenübertragungsnetze ab 1998. Je nach Globalfunksystem sollen dabei 10–66 S. in Höhen von 780–10 300 km die Erde umkreisen. Gegenüber bisherigen S.-Funkdiensten, die 1995 mit S. in der geostationären Bahn arbeiteten, ist der

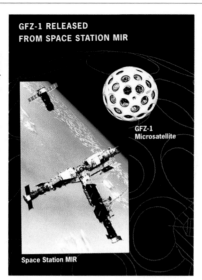

**GFZ-1 RELEASED FROM SPACE STATION MIR**

GFZ-1 Microsatellite

Space Station MIR

Der Satellit GFZ-1 des Potsdamer Geoforschungszentrums wurde im April 1995 von der russischen Raumstation Mir ausgesetzt (Kosten: 1 Mio DM). Der Mikro-Satellit (Durchmesser: 21,5 cm) ist mit 60 Laserreflektoren ausgestattet und soll die Struktur des Erdinneren untersuchen.

größte Vorteil die schnelle Sendezeit aufgrund der kurzen Funkstrecke.

**Minisatelliten:** Der Trend zu kostensparenden Klein-S., die von Raumtransportern oder Trägerraketen ins All befördert werden, hielt Mitte der 90er Jahre vor allem in der Forschung an. Über Mini-S. im All verfügten 1995 die Hochschulen Berlin (Tubsat A und B, seit 1991 und 1994) und Bremen (Bremsat, seit 1994). Groß-S. wie der deutsche Astro-SPAS (seit 1993, Gewicht: 3,5 kg), dienten vor allem als wiederverwendbare Weltraum-Plattformen, an denen Instrumente für unterschiedliche Experimente befristet befestigt werden können.

→ Ariane → Astra 1 E → Erderkundung → Globalfunk → Hot Bird 1 → Raumfahrt → Telekommunikation → Verkehrs-Leitsystem

## Satelliten-Navigation

Satellitengestütztes Ortungsverfahren für den Verkehr. Kurs und Position von Kfz, Flugzeugen, Schiffen etc. lassen sich mit S. schneller und präziser bestimmen als mit Navigationsverfahren wie der Radartechnik. Die meisten

S.-Geräte erhielten 1995 Daten von Satelliten des US-amerikanischen Global Positioning System (GPS, engl.; weltweites Navigationssystem).

**Anwendung:** Das vom US-Verteidigungsministerium betriebene GPS ermöglicht jederzeit an jedem Punkt der Erde eine genaue Positionsbestimmung. 1995 boten deutsche Unternehmen PKW mit GPS-gestützten Navigationssystemen an. Daten zu Standort und Fahrtrichtung des Kfz bestimmt der im Auto eingebaute Computer mit GPS sowie einem Kompaß und Meßfühlern an den Vorderrädern, die Fahrbewegungen melden. Die Daten werden mit dem auf einer CD-ROM gespeicherten Straßennetz verglichen. Der Fahrer gibt den Zielort ein. Auf dem Bildschirm erscheint die kürzeste Streckenführung, oder ein Gerät zur künstlichen Spracherzeugung gibt Anweisungen zur Fahrtroute. Staus können umfahren und Luftverschmutzung verringert werden.

**Funktion:** 1995 umkreisen 25 GPS-Satelliten in einer Höhe von 20 200 km die Erde. Der Nutzer nimmt mit einem Empfangsgerät Signale von mehreren Satelliten auf, die Sendezeit und Satellitenposition mitteilen. Beim Vergleich mit der Empfangszeit kann die Laufzeit der Signale ermittelt werden, aus der sich die Entfernungen zwischen Sendern und Empfängern und damit die Position des Nutzers berechnen lassen.

→ Verkehrs-Leitsystem

| Schengener Abkommen: Unterzeichnerstaaten | |
|---|---|
| **Land** | **Jahr** |
| Belgien | 1985 |
| Deutschland | 1985 |
| Frankreich | 1985 |
| Griechenland | 1992 |
| Italien | 1990 |
| Luxemburg | 1985 |
| Niederlande | 1985 |
| Österreich | 1995 |
| Portugal | 1991 |
| Spanien | 1991 |

## Saugrüssel

→ Tankstellen-Umrüstung

## Scheinselbständige

Erwerbstätige, die ohne arbeits- und sozialrechtliche Absicherung und ohne Anspruch auf Lohnfortzahlung im Krankheitsfall als freie Mitarbeiter beschäftigt sind, obwohl sie für Angestellte typische Arbeitsleistungen erbringen. S. sind von einem Auftraggeber nicht nur finanziell abhängig, sondern auch weisungsgebunden und verfügen weder über Eigenkapital noch über Produktionsmittel. Für S. brauchen die Auftraggeber keine Sozialleistungen zu entrichten. 1995 wurden in Deutschland besonders im Außendienstbereich von Unternehmen, im Speditionsgewerbe, im Baubereich und in der Computer- und Medienbranche S. registriert.

Nach Schätzungen des Deutschen Gewerkschaftsbunds (DGB) gab es 1994 in Deutschland rd. 200 000 Arbeitnehmer, die im Zuge von Stellenabbau in eine vorgetäuschte Selbständigkeit abgedrängt wurden. Der DGB bezifferte die dadurch verursachten jährlichen Beitragsausfälle bei den Sozialversicherungen auf mindestens 3,5 Mrd DM. Die Kommunen werden durch die oftmals fehlende private Vorsorge der S. bei Krankheit oder im Alter durch Sozialhilfezahlungen finanziell belastet.

Die Sozialversicherungsträger fordern eine Ausweitung des juristischen Arbeitnehmerbegriffs, so daß auch Personen von der Versicherungspflicht erfaßt werden, die regelmäßig für nur einen Auftraggeber arbeiten und keine anderen Arbeitnehmer beschäftigen.

→ Sozialabgaben → Sozialdumping → Sozialleistungsmißbrauch

## Schengener Abkommen

Vertrag zwischen zehn EU-Staaten außer Dänemark, Finnland, Großbritannien, Irland und Schweden über die Abschaffung von Personen- und Warenkontrollen an Grenzen sowie über eine gemeinsame Sicherheits- und Asylpolitik. Das 1985 im luxemburgischen Schengen unterzeichnete Abkommen trat am 26. 3. 1995 in sieben EU-Staaten in Kraft. Griechenland, Italien und Österreich (Beitritt: 28. 4. 1995) waren 1995 aus computertechnischen Gründen noch nicht zur Anwendung des S. bereit.

Zum Ausgleich für die Abschaffung der Kontrollen an Binnengrenzen wurden folgende Maßnahmen vereinbart:

▷ Es werden strenge Personenkontrollen an den Außengrenzen der Mitgliedstaaten durchgeführt

▷ Ein Zentralcomputer in Straßburg/Frankreich (sog. Schengener Informationssystem, SIS) speichert polizeiliche Fahndungen

▷ Polizisten dürfen fliehende Tatverdächtige unter Umständen bis zu sechs Stunden lang im Nachbarland verfolgen und festnehmen

▷ Gemeinsame Listen visumpflichtiger und -freier Länder regeln die Einreise für Bürger aus Nicht-EU-Staaten, einheitliche Einreisevisa sollen illegale Einwanderung unterbinden

▷ Asylanträge werden vom Einreiseland beurteilt, die anderen Länder erkennen die Entscheidung an.

Die Asylbewerber-Regelung, für die 1993 in Deutschland und Frankreich die Verfassung geändert wurde, soll mehrmalige Anträge in verschiedenen EU-Ländern verhindern.

Frankreich kritisierte nach einer dreimonatigen Erprobungsphase des S. im Juni 1995, daß keine ausreichende Absicherung der Außengrenzen gegen illegale Einwanderung, Drogenhandel und Schmuggel gelänge. Zudem beständen weiterhin unterschiedliche Regelungen der Mitgliedstaaten, z. B. bei der Visa-Erteilung. Frankreich kündigte an, bis Ende 1995 an den Binnengrenzen Stichprobenkontrollen durchzuführen.

→ Asylbewerber → Europäische Union → Europol

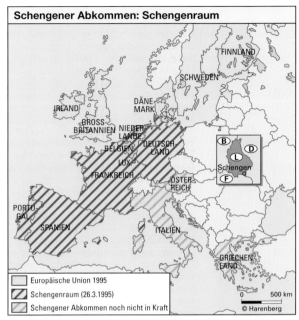

**Schengener Abkommen: Schengenraum**

☐ Europäische Union 1995
▨ Schengenraum (26.3.1995)
▨ Schengener Abkommen noch nicht in Kraft

0        500 km
© Harenberg

### Schiffahrt

1994 erreichte der weltweite Bestand von Handelsschiffen über 100 t die Rekordmarke von 80 676. Dies entsprach beim Laderaum einer Steigerung um 18 Mio auf 476 Mio Bruttoregistertonnen gegenüber dem Vorjahr. Der Umschlag von Containern stieg nach Angaben des Instituts für Weltwirtschaft (Kiel) in den 20 größten Häfen der Welt um 14%. Ursache für höheren Warenumschlag und steigende Frachtkapazität war der Anfang der 90er Jahre steigende Welthandel (Anstieg 1994: 9%). Die größten Handelsflotten waren in Panama, Liberia, Griechenland und Japan registriert. Das durchschnittliche Alter der Seeschiffe stieg 1979–1994 von 13 auf 18 Jahre. Folgen der Überalterung waren Anfang der 90er Jahre Schiffsunfälle vor allem von Tankern. Die größte Schiffbau-Nation war 1994 Japan mit 510 ausgelieferten Handelsschiffen. Es folgten Korea-Süd (115) und Deutschland (67).

→ Fährschiffsicherheit

### Schlechtwettergeld

Lohnersatzleistung für Beschäftige im Baugewerbe, die bei witterungsbedingtem Arbeitsausfall von November bis März von der Bundesanstalt für Arbeit (BA, Nürnberg) gezahlt wird. Beschäftigte mit Kind erhalten 67% des ausfallenden Nettoarbeitsentgeltes (kinderlose Beschäftigte: 60%).

| Schiffahrt: Größte Flotte | |
|---|---|
| Land | Tonnage (Mio BRT) |
| Panama | 57,6 |
| Liberia | 53,9 |
| Griechenl. | 29,1 |
| Japan | 24,2 |
| Zypern | 22,8 |
| Norwegen | 21,5 |
| Bahamas | 21,2 |
| Rußland | 16,8 |
| China | 14,9 |
| Malta | 14,2 |
| USA | 14,0 |
| Singapur | 11,0 |
| Philippinen | 8,5 |
| Hongkong | 7,7 |
| Italien | 7,0 |

Stand: Anfang 1994; Quelle: Verband Deutscher Reeder, Lloyd's Register

Die CDU/CSU/FDP-Bundesregierung schaffte S. ab 1. 1. 1996 ab. Arbeitgebervertreter des Baugewerbes und die IG Bau, Steine, Erden verhandelten 1995 über eine tarifvertragliche Regelung, die das S. ersetzen soll. Beide Tarifpartner verlangten, daß sich der Staat auch ab 1996 an der Finanzierung des S. beteiligen sollte.

Der Vorschlag der Arbeitgeber sieht vor, jedem Beschäftigten für maximal 195 Ausfallstunden ein Überbrückungsgeld in Höhe des Tarifstundenlohns zu zahlen. Als Kostenausgleich für die Arbeitgeber soll den Beschäftigten ein Drittel der Ausfallzeit (maximal acht Tage) vom Jahresurlaub abgezogen werden. Der pauschale Winterausgleich (durchschnittlich 350 DM pro Beschäftigten) und das Wintergeld, eine in der kalten Jahreszeit gezahlte Zulage von netto 2 DM pro Stunde, soll entfallen. Die IG Bau lehnte die Vorschläge mit der Begründung ab, daß das Witterungsrisiko nicht einseitig den Arbeitnehmern aufgebürdet werden dürfe.

## Schmerz

1995 litten in Deutschland 5 Mio–8 Mio Menschen an chronischem S. teils mit, teils ohne erkennbare körperliche Ursache, darunter 640 000 schwer. Etwa 3000–4000 S.-Patienten pro Jahr nehmen sich infolge ihres Leidens das Leben. 1995 wurde das Phänomen des sog. S.-Gedächtnisses als Ursache für dauerhafte S. diskutiert. Wissenschaftler gingen davon aus, daß sich das Gehirn S.-Reize ebenso einprägt wie Namen und Gesichter und das erlernte Programm bei Belastungen wie Streß, Depressionen und Wetterumschwung abspult. Die Therapie soll die S.-Erinnerung des Gehirns verhindern.

**Erinnerung:** Münchner Forscher stellten eine Hypothese auf, wie sich Nervenzellen an S. erinnern. Angeregt durch einen schmerzhaften Reiz bilden sie immer neue Stellen (Rezeptoren) auf der Zelloberfläche, an denen sich von Reizen ausgelöste Überträgerstof-

fe mit der Zelle verbinden. Beim nächsten Reiz können mehr Botenstoffe anlegen, die Zelle wird gegenüber neuen Reizen immer empfindlicher. Chronische Übererregbarkeit der Nervenzelle ist die Folge, die bei der geringsten Belastung S.-Empfindungen signalisiert.

**Vermeidung:** Ziel der S.-Therapeuten ist es, das Nervensystem vor Veränderungen zu schützen und so die Erinnerung an S. im Gehirn zu vermeiden. Bei zu erwartendem starkem S. z. B. bei Operationen sollten betäubende Medikamente eingesetzt werden, bevor der S. spürbar wird. Eine lokale Betäubung der Nerven oder Morphin verhindert die Weiterleitung des S. an das Rückenmark und damit die S.-Erinnerung.

**Morphine:** Die Verabreichung von Opiaten, speziell Morphinen, die häufig einzig wirksames Mittel gegen S. sind, unterlag in Deutschland 1995 strenger Überwachung. Nur jeder fünfte Arzt verschrieb Opiate oder Morphine, zahlreiche Mediziner scheuten Kontrolle und Aufwand der Verordnung. Die Suchtgefahr durch das Medikament ist im Rahmen einer Therapie verschwindend gering.

## Schmiergeld

Die SPD-Bundestagsfraktion brachte im März 1995 zur Bekämpfung der Korruption einen Gesetzentwurf ein, mit dem die steuerliche Abzugsfähigkeit von S. als Betriebsausgabe nach § 4 Abs. 5 des Einkommensteuergesetzes abgeschafft werden soll. Die Finanzbehörden sollen ihre Informationen über die Zahlung von S. an die Strafverfolgungsbehörden weiterleiten. Die CDU/CSU/FDP-Bundesregierung war gegen eine Gesetzesänderung. Die steuerliche Berücksichtigung von S. sei notwendig, um deutsche Unternehmen gegenüber ausländischen Firmen nicht zu benachteiligen. Die Streichung der Absetzbarkeit von S. soll den öffentlichen Haushalten Mehreinnahmen in Höhe von rd. 100 Mio DM jährlich einbringen. In den meisten Branchen gingen Mitte der 90er Jahre S. direkt in die Kalkulation von Projekten ein. Schätzungen zufolge werden in Deutschland bei öffentlichen Aufträgen 3–5% des Auftragswertes für S. aufgeschlagen, in Italien und Spanien 10–15%, in Entwicklungsländern und bei Waffengeschäften bis zu 30%. Nach Angaben des Instituts für Entwicklungsgraphik (Berlin) resultieren rd. 30% der Schulden von Entwicklungsländern aus unsachgemäßen Auftragsvergaben, die durch Zahlung von S. zustande kamen.

## Schneider-Affäre

Einer der größten Firmenkonkurse der deutschen Geschichte, verursacht von dem Immobilienunternehmer Jürgen Schneider, der sich durch Täuschung von Banken Kredite erschwindelt haben soll. Nach Angaben der Staatsanwaltschaft in Frankfurt/M. beginnt Ende 1996 der Gerichtsprozeß gegen Schneider, der im Mai 1995 im US-Staat Florida verhaftet wurde.

Wenige Tage vor der Eröffnung des Konkursverfahrens gegen das Unternehmen Dr. Jürgen Schneider AG durch das Amtsgericht Königstein/Ts. im April 1994 war Schneider mit ca. 240 Mio DM untergetaucht. Die als Steuerungsgesellschaft kleiner Gesellschaften fungierende AG hatte bei 40 Gläubigerbanken 5 Mrd–7 Mrd DM Schulden. Rechnungen von Bauunternehmern und Handwerkern wurden auf 250 Mio DM geschätzt. Kreditinstituten wie der Deutschen Bank wurde vorgeworfen, die Überschuldung des Unternehmens nicht bemerkt zu haben. Im Mai 1995 ersuchte die Frankfurter Staatsanwaltschaft die US-Behörden, Schneider auszuliefern.

→ Insolvenzen

## Schnellbahnnetz

Eisenbahnverbindung großer Städte mit über 200 km/h schnellen Hochgeschwindigkeitszügen. In Europa soll bis 2015 ein 30 000 km langes S. aufgebaut werden (Kosten: ca. 375 Mrd DM). Kurze Fahrzeiten sollen Reisende zum Umsteigen vom Auto- und Luftverkehr auf das umweltfreundlichere Verkehrsmittel Eisenbahn bewegen. Der Marktanteil der Bahnen betrug 1995 im europäischen Personenfernverkehr ca. 16% (Auto: 65%, Flugzeug: 19%). Gegenüber 1995 sollen die Reisezeiten halbiert und die Fahrgastzahlen um 50–100% gesteigert werden.

**Europa:** Ab 1998 soll die Kernstrecke des europäischen S. zwischen Paris, London, Brüssel, Amsterdam und Köln betriebsbereit sein. Ab 1995 verkehren auf dem S.-Teilstück zwischen Brüssel und Paris dreimal täglich in beiden Richtungen Hochgeschwindigkeitszüge. Zur Überwindung von Gebirgsketten und Meerengen wurden für das europäische S. Bauwerke wie der Kanaltunnel, die Ostseeüberbrückung und Tunnel für den Alpentransitverkehr erforderlich.

**Deutschland:** In Deutschland ist bis 2010 ein S. von 3250 km Länge geplant. 1995 umfaßte das deutsche Schienennetz insgesamt ca. 40 000 km Länge, davon wurden 1000 km als Schnellbahnstrecken betrieben. 1995 gab es bei der Deutschen Bahn Überlegungen, das S. wie in Frankreich nur für Hochgeschwindigkeitszüge im Passagierverkehr auszubauen. Die Effizienz des S. wird gesteigert, da langsamere Personen- und Güterzüge Hochgeschwindigkeitszüge nicht aufhalten.

**Frankreich:** In Frankreich, das mit dem TGV seit 1981 ein S. betreibt, bestanden 1995 Schnellfahrstrecken von 2000 km Länge, bis 2010 ist ein Ausbau auf 5000 km geplant. Zu Beginn des 21. Jh. sind Verbindungen zwischen dem französischen und dem deutschen S. in Südwestdeutschland vorgesehen. Karte → S. 368

→ Alpentransit → Bahn, Deutsche → Hochgeschwindigkeitszüge → Kanaltunnel → Ostsee-Überbrückung → Transeuropäische Netze

## Schnellbahnnetz: Geplante Strecken in Europa

Kernstrecke des europäischen Schnellbahnnetzes (geplante Fertigstellung: 1998)

Nord-Süd-Hauptstrecken

Ost-West-Hauptstrecken

Quelle: Deutsche Bahn Internationaler Eisenbahnverband

© Harenberg

## Schönes-Wochenende-Ticket

Im Februar 1995 von der Deutschen Bahn eingeführte Nahverkehrs-Sonderfahrkarte, die zu 40% Neukunden und einer bundesweit um 30% höheren Zugauslastung an Wochenenden führte. Bis zu fünf Personen können mit dem S. von samstags 0 Uhr bis sonntags 24 Uhr in Nahverkehrszügen ohne Kilometerbegrenzung fahren. Im Juli 1995 verdoppelte die Bahn wegen großer Nachfrage und Überlastung vieler Züge den Preis für das Ticket von 15 DM auf 30 DM. Züge wurden verlängert. Das S. berechtigt in fast allen der 17 großen Verkehrsverbünde zur Nutzung von Bussen, U- und Straßenbahnen.

→ Bahn, Deutsche

## Schuldenkrise

Die Verschuldung der Entwicklungsländer stieg Ende 1994 gegenüber dem Vorjahr um 11,2% auf 1945 Mrd Dollar (2809 Mrd DM) an. Dennoch betrachteten die Kreditgeber in den reichen Industrienationen die S. der Entwicklungsländer als beendet, da die Wirtschaftsleistung der sog. Dritten Welt zunahm. Nach Angaben des Internationalen Währungsfonds sank die Schuldenlast 1986–1995 von 40% auf 31% des BSP. Vom wirtschaftlichen Aufschwung in der sog. Dritten Welt profitierten aber nur wenige Entwicklungsländer mit mittleren Einkommen und Schwellenländer, die sich zum Industriestaat wandelten. In den ärmsten Staaten verhinderten Schulden und Schuldentilgung die wirtschaftliche Entwicklung.

**Kapitalfluß:** Nach Umschuldungen und Schuldenerlassen seit Ende der 80er Jahre wuchs das Vertrauen von Kreditgebern in die Entwicklungsländer. Als Folge stieg der Kapitalzufluß aus privaten Quellen 1990–1994 um 280% auf 172,9 Mrd Dollar (243,4 Mrd DM). Insgesamt flossen 1994 227,4 Mrd Dollar (320,2 Mrd DM) in die Entwicklungsländer. Etwa 95% der Finanzmittel bekamen nur 20 Länder, vor allem die wachsenden Märkte Ostasiens und Südamerikas.

**Ärmste Länder:** 32 Staaten in Schwarzafrika, Lateinamerika und Asien stufte die Weltbank 1994 als hochverschuldet ein. Sie waren nicht in der Lage, den Schuldendienst (Zinsen und Tilgung) zu leisten. Länder wie Guinea-Bissau hätten bis zum Dreifachen ihrer Exporterlöse für den Schuldendienst aufbringen müssen.

**Erlaß:** Die im Pariser Club zusammengefaßten Gläubigerländer beschlossen Ende 1994, den 27 ärmsten Ländern zwei Drittel ihrer Schulden (28 Mrd Dollar, 39 Mrd DM) zu erlassen. Entwicklungshilfeorganisationen kritisierten den Beschluß als unzureichend und forderte einen Erlaß von 80–95%.

**Kreislauf:** Schuldenerlaß und -aufschub verbanden die Gläubiger mit Bedingungen wie Sparmaßnahmen zur Inflationsbekämpfung. Die Auflagen führten häufig zur Kürzung von Sozialleistungen und trafen besonders ärmere Bevölkerungsschichten. Sie verschärften soziale Spannungen und führten zu politischen Unruhen.

→ Entwicklungspolitik → Hermes-Bürgschaften → Internationaler Währungsfonds → Schwellenländer → Weltbank

---

### Schulden, Private

Die Schulden von privaten Haushalten aus Konsumentenkrediten stiegen in Deutschland 1994 auf 364 Mrd DM (1993: 346 Mrd DM). Als überschuldet galten 1995 etwa 1,5 Mio Haushalte (4,5% aller Haushalte). Die CDU/CSU/FDP-Bundesregierung plante für 1999 ein Gesetz, das die Befreiung der Schuldner von Restschulden regelt.

**Gesetz:** Schuldner, gegen die ein gerichtliches Insolvenzverfahren durchgeführt wurde, sollen auf Antrag eine Restschuldbefreiung erhalten, wenn sie in einer sog. Wohlverhaltensphase von sieben Jahren jede zumutbare Arbeit annehmen und den pfändbaren Teil ihres Einkommens an einen gerichtlich bestellten Treuhänder abführen. 1995 mußten Privatpersonen lebenslang für Verbindlichkeiten einstehen und konnten frühestens nach 30 Jahren mit einer Verjährung rechnen. Nach der Wohlverhaltensphase soll der Treuhänder das Geld an die Gläubiger verteilen und das Gericht die Restschuld erlassen können. Gläubiger sollen wenigstens einen Teil ihrer Forderungen zurückbekommen, Schuldner erhalten den Anreiz, Geld zu verdienen und die Schulden abzuzahlen.

**Kreditaufnahme:** Konsumentenkredite wurden vor allem von 25–35jährigen nachgefragt, die eine Familie gründeten. Etwa 40% der Autokäufe wurden von Privatleuten mit Krediten finanziert. Zahlungsschwierigkeiten entstanden insbes. als Folge von Arbeitslosigkeit, Krankheit und Ehescheidung.

**Schuldnerberater:** Die seit Anfang der 80er Jahre in Deutschland tätigen Schuldnerberatungen (Mitte 1994: etwa 600 Beratungsstellen) versuchen einen gesellschaftlichen Abstieg der Schuldner zu verhindern und eine Rückzahlung zu ermöglichen. Sie stellen kostenlos Haushalts- und Finanzierungspläne auf und versuchen Kreditverlängerungen oder Tilgungsaussetzungen bei den Banken zu erreichen.

→ Einkommen → Insolvenzen → Verbrauch, Privater

🛈 Bundesarbeitsgemeinschaft Schuldnerberatung, Gottschalkstraße 51, D-34127 Kassel

---

### Schulden, Staatliche

→ Staatsverschuldung

| Schuldenkrise: Entwicklungsländer | |
|---|---|
| Jahr | Schulden (Mrd Dollar) |
| 1986 | 658 |
| 1985 | 1112 |
| 1990 | 1518 |
| 1991 | 1606 |
| 1992 | 1662 |
| 1993 | 1770 |
| 1994[1] | 1945 |

1) Schätzung; Quelle: Weltbank

| Schuldenkrise: Höchstverschuldete Entwicklungsländer | |
|---|---|
| Land | Schulden (Mrd Dollar) |
| Mexiko | 119 |
| Brasilien | 106 |
| Indonesien | 94 |
| China | 89 |
| Indien | 81 |
| Ehem. UdSSR | 79 |
| Argentinien | 73 |
| Korea-Süd | 67 |
| Türkei | 62 |
| Griechenland | 53 |

Stand: Anfang 1994; Quelle: OECD

## Schule

1994/95 besuchten 9,8 Mio Kinder und Jugendliche allgemeinbildende S., 2,1% mehr als 1993/94. Gründe für den Anfang der 90er Jahre einsetzenden Anstieg der Schülerzahlen waren geburtenstarke Jahrgänge und ein längerer Schulbesuch. Bis 2005 soll die Schülerzahl auf 10,6 Mio steigen.

### Schule: Einschulungsregelungen der Bundesländer

| Land | Regelung | Zurückstellungen (%)[1] |
|---|---|---|
| Baden-Württemb. | Schulreife-Untersuchung bei vorzeitiger Einschulung oder Zurückstellung | 9,5 |
| Bayern | Schulärztliche Untersuchung, Schulleiter kann Testteilnahme verlangen | 4,3 |
| Berlin | Empfehlung der Vorschule, Begutachtung von Kindern ohne Vorschule | 11,2 |
| Brandenburg | Schulärztliche Untersuchung; vorzeitige Einschulung: Reifetest, Elternanhörung | k. A. |
| Bremen | Grundsätzlich Einschulung mit sechs Jahren, Reifeuntersuchung im Unterricht | 9,4 |
| Hamburg | Ärztliche Untersuchung, Reifeuntersuchung nur bei Sonderfällen | 10,2 |
| Hessen | Entscheidung der Eltern, Modellversuch: Einschulung zum 1. 8. oder 1. 2. | 11,1 |
| Mecklenburg-Vorp. | Gemeinsame Entscheidung von Schulleitung und Schularzt | 5,0 |
| Niedersachsen | Grundsätzlich Einschulung mit sechs Jahren, Reifeüberprüfung in den ersten sechs Unterrichtswochen, evtl. Reifetest | 10,5 |
| Nordrhein-Westfalen | Grundsätzlich Einschulung mit sechs Jahren, Reifeüberprüfung in den ersten sechs Unterrichtswochen, evtl. Reifetest | 8,3 |
| Rheinland-Pfalz | Schulärztliche Untersuchung; vorzeitige Einschulung: Test der geistigen Reife | 7,2 |
| Saarland | Ärztliche Untersuchung, selten Prüfung durch Schulpsychologen | 6,0 |
| Sachsen | Untersuchung durch jugendärztlichen Gesundheitsdienst, Gutachten bei vorzeitiger Einschulung | 8,5 |
| Sachsen-Anhalt | Schulleitung schätzt Schulfähigkeit ein, schulärztliche Untersuchung, Kooperation von Kindergarten und Schule | 8,0[2] |
| Schleswig-Holstein | Untersuchung vor der Einschulung | 16,7 |
| Thüringen | Schulärztliche Untersuchung; vorzeitige Einschulung: Test der geistigen Reife | 8,0[2] |

Stand: Anfang 1995; 1) Anteil der zurückgestellten Schulanfänger 1994; 2) Schätzung; Quelle: Focus, 23. 1. 1995

**Einsparungen:** Die Kultusminister wollen durch höhere Schülerzahlen pro Klasse, Mehrarbeit für Lehrer und Streichung von Unterrichtsstunden im Lehrplan finanzielle Einsparungen für die Länderhaushalte erreichen. Die KMK kündigte Anfang 1995 eine Reform des Beamtenrechts an, die u. a. flexiblere Arbeitszeitregelungen ermöglichen soll. Die schleswig-holsteinische Ministerpräsidentin Heide Simonis (SPD) forderte 1995 die Abschaffung des Beamtenstatus für Lehrer, um die Belastung der Länder durch Versorgungsansprüche zu senken.

**Lehrer:** Die Bund-Länder-Kommission für Bildungsplanung und Forschungsförderung bezifferte Ende 1994 den zusätzlichen Lehrerbedarf durch steigende Schülerzahlen und Pensionierungen in den alten Ländern 1992–2005 auf 96 000, wenn das Schüler-Lehrer-Verhältnis von 1992 (16,8 : 1) gewahrt bleiben soll. Für die neuen Bundesländer wurde ein sinkender Lehrerbedarf berechnet. 14 876 Lehrer wurden 1994 in den öffentlichen Dienst eingestellt (1990: 10 687), nach Angaben der Gewerkschaft Erziehung und Wissenschaft rd. 10 000 Lehrer zuwenig. Folgen sind neben dem Anwachsen der Schulklassen ein zunehmendes Durchschnittsalter deutscher Lehrer, das 1980–1994 von 38 auf 48 Jahre anstieg.

**Einschulung:** Die Vorsitzende der KMK, Rosemarie Raab, forderte 1995 eine generelle Einschulung mit sechs Jahren in allen Bundesländern. Deutsche Schulabgänger seien, verglichen mit dem europäischen Ausland, im

### Schule: Schülerverteilung

| Schulart | Schüler (1000)[1] | Anteil (%) |
|---|---|---|
| Hauptschule | 219,2 | 25,6 |
| Haupt- und Realschule[2] | 63,0 | 7,4 |
| Realschule | 223,2 | 26,1 |
| Gymnasium | 268,4 | 31,4 |
| Integrierte Gesamtschule | 76,4 | 8,9 |
| Freie Waldorfschule | 4,7 | 0,6 |

Stand: 1993, 1) Klasse 8; 2) mit integrierten Klassen; Quelle: Kultusministerkonferenz

Durchschnitt zu alt. 1994/95 betrug der Anteil zurückgestellter ABC-Schützen rd. 10%, 1980/81 lag er bei etwa 5%. Nach Ansicht von Schulexperten wollen viele Eltern ihren Kindern nicht nur eine unbeschwerte Kindheit ermöglichen, sondern sie versprechen sich von einem späteren Schulanfang auch eine im Klassenvergleich höhere Leistungsfähigkeit.

→ Abitur → Gesamtschule → Gewalt → Hochschulen → Islam-Unterricht → Koedukation

## Schürmann-Bau

Vom Kölner Architekten Joachim Schürmann entworfenes Gebäude, das vor dem geplanten Umzug der Regierung in die Hauptstadt Berlin als Erweiterung für den Bundestag in Bonn vorgesehen war. Beim Rheinhochwasser im Dezember 1993 wurde etwa ein Drittel des Rohbaus beschädigt, der Bau wurde eingestellt (bis dahin angefallene Baukosten: rd. 370 Mio DM). Mitte 1995 war nicht entschieden, ob der S. saniert und weitergebaut oder abgerissen werden soll. Bundesbauminister Klaus Töpfer (CDU) plädierte für Sanierung und Weiterbau. Er wollte das Gebäude dem einzigen Rundfunksender unter Bundeshoheit, Deutsche Welle, zur Verfügung stellen, der sein Kölner Funkhaus wegen Asbestverseuchung verlassen muß. Bundesfinanzminister Theo Waigel (CSU) errechnete dafür Kosten in Höhe von 580 Mio DM. Der Finanzminister sprach sich für den Verkauf des S. mit Grundstück an einen privaten Investor aus, der den Rohbau abreißen und einen Neubau für den Bundessender errichten sollte. Diese Variante würde nach Waigels Berechnungen mit 250 Mio DM zu Buche schlagen.
Ein Gutachten im Auftrag des Landgerichts Bonn ergab Mitte 1994, daß der Schaden am S. auf fehlenden Hochwasserschutz zurückzuführen ist. Dies sei Mängeln bei der Bauausführung und der Bauleitung anzulasten.

## Schwangerschaftsabbruch

Der Deutsche Bundestag verabschiedete im Juni 1995 einen von der CDU/CSU/FDP-Regierungskoalition und der SPD-Opposition gemeinsam eingebrachten Gesetzentwurf zur Neuregelung des Abtreibungsrechts. Der Entwurf sieht eine Fristenregelung mit Beratungspflicht vor. Danach bleibt S. in den ersten zwölf Wochen der Schwangerschaft straffrei, wenn die Schwangere sich vorher beraten läßt. Bei Verstoß gegen die gesetzlichen Vorschriften droht den Frauen Haft bis zu drei Jahren und Geldstrafe.
**Vorgeschichte:** Der im Mai 1994 von CDU, CSU und FDP im Bundestag verabschiedete Entwurf war im Juli 1994 im SPD-dominierten Bundesrat gescheitert, weil er nach Ansicht der SPD eine Verschlechterung des geltenden Rechts darstellte. Eine Neuregelung war nach dem Urteil des Bundesverfassungsgerichts (BVG, Karlsruhe) Mitte 1993 erforderlich geworden, das die 1992 von SPD, FDP und CDU-Mitgliedern unterstützte Fristenregelung mit Beratungspflicht für in Teilen verfassungswidrig erklärt und Vorgaben für eine Nachbesserung gemacht hatte.
**Indikationen:** Straffrei und rechtmäßig ist der S. nach Indikation. Die medizinische Indikation liegt vor bei Gefahr für das Leben der Mutter und bei Gefahr einer schwerwiegenden Beeinträchtigung des körperlichen oder seelischen Gesundheitszustands der Frau. Die embryopathische Indikation (voraussichtlich geschädigtes Kind) soll in der medizinischen aufgehen. S. nach Vergewaltigung (kriminologische Indikation) bleibt innerhalb von zwölf Wochen rechtmäßig und straffrei (vorher: 20 Wochen).
**Beratung:** Die obligatorische Beratung der Schwangeren in den anerkannten Stellen dient dem Schutz des ungeborenen Lebens. Das Recht des ungeborenen Kindes auf Leben auch gegenüber der Mutter soll bewußt gemacht werden. Die Beratung wird ergebnisoffen geführt und darf nicht

bevormunden. Angehörige und der Vater des Ungeborenen werden im Einvernehmen mit der Schwangeren hinzugezogen. Die Beratungsstellen sollen alle drei Jahre überprüft werden. Abtreibende Ärzte müssen der Frau Gelegenheit geben, die Gründe für den Abbruch darzulegen, und sie über Folgen des Eingriffs aufklären. Bei Gesetzesübertretung droht ihnen Freiheitsentzug bis zu einem Jahr und Geldstrafe bis zu 10 000 DM.

**Strafandrohung für das Umfeld:** Für Fälle von Nötigung zum S. soll der neue § 170 b ins Strafrecht aufgenommen werden. Wer einer Schwangeren zum Unterhalt verpflichtet ist und sie durch Zahlungsverweigerung zum S. bewegt, wird mit Haft bis zu fünf Jahren oder Geldstrafe belegt. Im § 240 StGB, dem Nötigungsparagraphen, soll bei der Beschreibung von Fällen schwerer Nötigung ein Hinweis auf Nötigung zum S. aufgenommen werden.

**Finanzierung:** Generell müssen Frauen S. selbst finanzieren, ausgenommen sind Abbrüche nach Indikation. Frauen mit einem Nettoeinkommen von maximal 1700 DM (Ostdeutschland: 1500 DM) erstatten die Kassen die Kosten, die wiederum von den Ländern ersetzt werden. Damit soll den Frauen der Gang zum Sozialamt erspart bleiben.

**Kritik:** Bündnis 90/Die Grünen setzten sich für eine liberalere Lösung ein. Sie wandten sich vor allem gegen die Strafandrohung für das familiäre Umfeld der Schwangeren und plädierten wie die PDS für die Abschaffung des § 218 StGB. Die PDS wollte die Ergänzung von § 2 GG erreichen, nach der jede Frau das Recht haben soll, selbst über S. zu entscheiden.

**Abbrüche:** 1993 wurden in Deutschland 111 236 Abbrüche vorgenommen (1992: 118 619). Der Rückgang wurde auf die anhaltende Diskussion um das Abtreibungsrecht zurückgeführt, die Frauen verunsichere, so daß sie für S. ins Ausland mit liberaleren Bestimmungen auswichen (sog. Abtreibungstourismus).

→ Abtreibungspille

## Schwarzarbeit

Berufliche Tätigkeit, die ausgeführt wird, ohne der gesetzlichen Anmelde- und Abgabepflicht nachzukommen. Die Zahl der wegen Leistungsmißbrauch und S. in Deutschland eingeleiteten Ermittlungsverfahren der Bundesanstalt für Arbeit (BA, Nürnberg) stieg 1994 gegenüber dem Vorjahr um 16,2% auf 620 300 an.

Jeder Arbeitsplatz, der infolge illegaler Beschäftigung verlorengeht, verursachte in der Sozialversicherung 1994 Beitragsausfälle von 19 700 DM. Die Summe setzte sich nach Schätzung der CDU/CSU/FDP-Bundesregierung aus Verlusten von 9400 DM in der Renten-, 6400 DM in der Kranken- und 3200 DM in der Arbeitslosenversicherung sowie 700 DM in der Unfallversicherung zusammen. Hinzu kamen 7700 DM Lohnsteuerausfälle.

Im August 1994 trat eine Reform des Gesetzes zur S. in Kraft:

▷ Dem Schwarzarbeiter und seinem Auftraggeber muß nicht mehr nachgewiesen werden, daß er durch S. wirtschaftliche Vorteile erzielt. Der Beweis, daß S. in erheblichem Umfang ausgeführt wird, reicht aus

▷ Mit Geldbuße kann bestraft werden, wer einen Subunternehmer beauftragt, von dem er weiß, daß dieser zur Erfüllung des Auftrags ausländische Arbeitnehmer ohne Arbeitserlaubnis beschäftigt

▷ Gegen Anbieter handwerklicher Leistungen in Zeitungen, die nicht in die Handwerksrolle eingetragen sind, kann eine Geldstrafe von bis zu 10 000 DM verhängt werden

▷ Arbeitgeber, die illegale Arbeitnehmer beschäftigen, S. in Auftrag geben und Sozialabgaben nicht abführen, erhalten keine öffentlichen Aufträge mehr.

S. wurde 1994 vor allem im Baugewerbe, aber auch in der Hotel- und Gaststättenbranche sowie im öffentlichen Dienst (unerlaubte Vermittlung von Versicherungen) aufgedeckt.

→ Sozialleistungsmißbrauch

| Schwarzarbeit: Entwicklung | |
|---|---|
| **Jahr** | **Fälle (1000)**[1] |
| 1983 | 143 |
| 1985 | 192 |
| 1987 | 260 |
| 1989 | 288 |
| 1991 | 433 |
| 1993 | 534 |
| 1994 | 620 |

1) Von Arbeitsämtern eingeleitete Ermittlungsverfahren wegen Schwarzarbeit, bis 1989 Westdeutschland; Quelle: BA

## Schweinepest

Ansteckende, virusverursachte Seuche mit tödlichem Krankheitsverlauf, die für Menschen ungefährlich ist. Im März 1995 wurde in Niedersachsen das Ende der 1993 ausgebrochenen S. festgestellt und die Hilfsaktion für Landwirte, deren Betriebe von der S. betroffen waren, eingestellt. Der Bund führte sein Notprogramm bis Juni 1995 fort.

Die S. war ab Oktober 1993 verstärkt in Niedersachsen, Ende 1994 auch in Bayern und Mecklenburg-Vorpommern aufgetreten. Die betroffenen Gebiete erklärte die Europäische Union zum Sperrgebiet, alle Schweine in einem Umkreis von 3 km der betroffenen Ställe wurden getötet. In Niedersachsen wurden 1993/94 rd. 1,3 Mio Schweine und Ferkel notgeschlachtet, die Ställe mußten danach 30 Tage leerstehen. Den Gesamtschaden bezifferte Niedersachsens Landwirtschaftsminister Karl-Heinz Funke (SPD) Ende 1994 auf etwa 1,5 Mrd DM. Die Beihilfen (rd. 260 Mio DM) trug zur 70% die EU, 30% finanzierten die betroffenen Länder.

Experten sehen in der Massentierhaltung die Hauptursache für die Ausbreitung der seit rd. 100 Jahren gelegentlich auftretenden S. Der Deutsche Bundestag forderte die EU-Kommission im September 1994 auf, Schutzimpfungen zuzulassen. Die EU setzte Mitte der 90er Jahre auf die Ausrottung des Virus und lehnte Impfaktionen ab. Es bestehe die Gefahr, daß Schweine, die sich bereits vor einer Impfung infiziert hätten, nach der Impfaktion als gesund deklariert in den Handel gelangen würden.

## Schwellenländer

(auch NIC, Newly Industrializing Countries, engl.; Länder, die seit kurzem Industrien aufbauen), Entwicklungsländer, die wirtschaftlich auf der Stufe zum Industrieland stehen. Die UNO definiert ein Land als S., wenn

**Schwellenländer: Vier kleine Tiger und China**

| Land | BSP 1993 (Mrd $) | BSP pro Kopf 1993 ($) | BIP-Anstieg 1991–1997 (%)[1] |
|---|---|---|---|
| China | 425,6 | 490 | 10,0 |
| Hongkong | 90,0 | 18 860 | 4,8 |
| Korea-Süd | 330,8 | 7 660 | 6,2 |
| Singapur | 55,2 | 19 850 | 5,6 |
| Taiwan | 215,0[2] | 10 566 | 6,2 |

1) Durchschnitt pro Jahr, Prognose; 2) BIP; Quellen: Der Spiegel, 6. 2. 1995, Weltbank

es ein jährliches BIP je Einwohner von 2000 Dollar (2816 DM) erreicht und ein Drittel davon aus industrieller Produktion erwirtschaftet.

Als Region mit überdurchschnittlichem Wachstum galt Mitte der 90er Jahre der ostasiatische Raum, insbes. die vier kleinen Tiger (Hongkong, Korea-Süd, Singapur, Taiwan). Ihr Wirtschaftswachstum betrug nach Schätzungen der Weltbank 1994 im Durchschnitt 9,3% (Industrieländer: 2%). Einige S. Südamerikas verzeichneten ebenfalls hohe Zuwachsraten (u. a. Argentinien: 7,1%).

Ursachen des Wachstums sind vor allem niedrige Löhne und die Ansiedlung neuer Industrien wie der Elektrotechnik. Folge des Wirtschaftsbooms ist ein wachsender Kapitalbedarf in den S. 1994 stieg der Nettokapitalfluß aus den Industrieländern in die sog. neuen Märkte (engl.: emerging markets) der S. gegenüber dem Vorjahr um 5% auf 172,9 Mrd Dollar (243 Mrd DM). Größter Empfänger war China. Der Anteil der S. sowie junger Industrieländer und Staaten im Übergang zur Marktwirtschaft an der weltweiten Produktion betrug Mitte der 90er Jahre etwa 35% (Industrieländer: 55%).

→ ASEAN → Entwicklungsländer

## Scientology

Bezeichnung einer weltweit organisierten Vereinigung, die 1995/96 zu den aktivsten Sekten in Deutschland gehörte. S. verspricht ihren Mitgliedern Bewußtseinserweiterung durch die Praktizierung der S.-Lehre.

**Gewerbe:** 1995 lehnte das Bundesverwaltungsgericht (BVG, Berlin) Revisionsanträge der S.-Kirche Hamburg gegen ein Urteil des Oberverwaltungsgerichts (OVG, Hamburg) von 1993 ab. Der systematische Verkauf von Büchern, Elektrometern und Kursen durch die S.-Kirche in Hamburg ist nach dem OVG-Urteil eine auf Gewinn abzielende Aktivität und muß als Gewerbe angemeldet werden. Laut BVG gilt dies auch, wenn das Informationsmaterial und die Kurse nach dem Selbstverständnis der Gemeinschaft zugleich ein Element der Religionsausübung sind. 1993 hatte die US-amerikanische Steuerbehörde die S.-Kirchen in den USA als gemeinnützig anerkannt und befreite sie von der Einkommensteuer.

**Arbeitsvermittlung:** Im September 1994 wies Bundesarbeitsminister Norbert Blüm (CDU) die Bundesanstalt für Arbeit (Nürnberg) an, Lizenzen für die private Arbeitsvermittlung nicht an S.-Mitglieder zu vergeben, weil sie nicht die erforderliche Zuverlässigkeit aufwiesen. Blüm befürchtete außerdem, daß die in einem Persönlichkeitstest mit mehr als 200 Fragen erhobenen Daten über Arbeitssuchende für die Zwecke der Sekte mißbraucht werden könnten.

**Organisation:** 1995 hatte S. in 30 Ländern 8 Mio–25 Mio Anhänger. In Deutschland zählte sie 20 000–70 000 Mitglieder und unterhielt zehn Kirchen und 30 Zentren.

ℹ️ Evangelische Zentralstelle für Weltanschauungsfragen, Hölderlinplatz 2 a, D-70193 Stuttgart

## SED-Unrecht

→ Regierungskriminalität

## Seerechtsabkommen

UNO-Vertrag, der Schutz und Nutzung der Meere, insbes. die Ausbeutung von Bodenschätzen, regelt. Ein Jahr nach Hinterlegung der 60. Ratifizierungsurkunde trat am 16. 11. 1994 das S. der UNO, eines der umfangreichsten internationalen Vertragswerke, in Kraft. Es regelt die Meeresnutzungen (Schifffahrt, Fischerei, Bergbau, Forschung), den Meeresumweltschutz sowie verschiedene Hoheitsrechte und -befugnisse (Überflug-, Durchfahrts- und Zufahrtsrechte). Das S. enthält auch ein umfassendes Streitbeilegungssystem, dessen wichtigstes Organ, der Internationale Seegerichtshof (ISGH), seine Tätigkeit 1996 aufnehmen wird. Es handelt sich um die erste im Rahmen der UNO geschaffene Institution mit Sitz in Deutschland (Hamburg).

## Sekten

Religiös-weltanschauliche Glaubensgemeinschaften, die Heils-, Selbstverwirklichungs- und Sinnversprechungen anbieten. In Deutschland waren 1995 ca. 300 S. mit 2 Mio Mitgliedern aktiv. 1995 kam es zu Selbstmordaktionen und Terroranschlägen von S., die das Ende der Welt erwarten. 48 Angehörige der kanadisch-schweizerischen S. der Sonnentempler wollten mit ihrer Selbstauslöschung dem Weltuntergang zuvorkommen. Die japanische S. Aum Shinri Kyo verübte Giftgasanschläge in Japan.

Psychologen halten S. mit folgenden Merkmalen für gefährlich:

▷ Die Vereinigung erwartet das Weltende und schottet sich ab

| Sekten: Typen | | |
|---|---|---|
| **Gemeinschaften christlichen Typs:** Neugründungen. Geringere Anhängerzahl. Beispiele: Fiat Lux, Gralsbewegung, Michaelsvereinigung. **Jugendreligionen:** In den 60er und 70er Jahren des 20. Jh. entstanden. Beziehen ihre Grundlagen meist aus östlichen Weltreligionen wie Buddhis- | mus und Hinduismus. Westliche Welt gilt als Feindbild. Beispiele: ISKCON (Hare-Krishna-Bewegung), Transzendentale Meditation. **Religionsähnliche Gruppierungen:** Weltrettungs- und Heilsvorstellungen auf weltlicher, oft psychologistischer oder pseudowissenschaftlicher Basis. | Beispiele: Scientology, magisch-okkulte Gruppen. **Traditionelle Sekten:** Von der christlichen Tradition abgespalten. Zumeist im 19. Jh. entstanden. Hohe Zahl von Anhängern. Beispiele: Mormonen, Neuapostolische Kirche, Zeugen Jehovas. |

## Sekten: Vereinigungen im Überblick

| Name | Ziel | Anhänger | Gründer | Gründung |
|---|---|---|---|---|
| Ananda Marga | Religiös-polit. Erneuerung | 2,5 Mio | Prabhat Ranjan Sarkar | 1955 |
| Christengemeinschaft | Lehrfreiheit | 30 000 | Rudolf Steiner | 1922 |
| Christian Science | Positives Denken | 150 000 | Mary Baker Eddy | 1879 |
| Christl. Gemeinschaft Hirt und Herde | Vollkommenheit | 7 000 | A. Hermann Hain | 1894 |
| Divine Light Mission | Selbsterkenntnis | 10 000 | Shri Hansji Maharaj | 1960 |
| Fiat Lux | Umkehr vor Weltende | – | Erika Bertschinger | 1980 |
| Gralsbewegung | Weg der Läuterung | 9 000 | Oskar E. Bernhardt | 1928 |
| ISKCON (Hare-Krishna) | Liebe zu Gott | 750 000 | B. S. Prabhupada | 1966 |
| Johannische Kirche | Gelebtes Christsein | 6 000 | J. Weißenberg | 1926 |
| Kinder Gottes (Die Familie) | Rettung der Seele | 10 000 | David Berg | 1968/69 |
| Michaelsvereinigung | Wiederkunft Christi | 4 000 | Paul Kuhn | 1970 |
| Mormonen | Gottgleichheit | 8,4 Mio | Joseph Smith | 1830 |
| Neuapostol. Kirche | Apostelnachfolge | 7,5 Mio | Fritz Krebs | 1895 |
| Neue Kirche | Neues Zeitalter | 30 000 | I. Swedenborg | 1745 |
| Norwegische Brüder | Alltags-Heiligung | 15 000 | J. O. Smith | 1898 |
| Ordo Templis Orientis (O.T.O) Sexual-Magie | Lebenssteigerung | – | C. Kellner/F. Hartmann | 1901 |
| Pfingstbewegung | Geisterfahrung | 146 Mio | Charles F. Parham | 1900 |
| Priesterbruderschaft St. Pius X. | Antimodernismus | 600 | Marcel Lefebvre | 1970 |
| Scientology | Geistige Freiheit | 7 Mio–8 Mio | L. Ron Hubbard | 1955 |
| Theosoph. Gesellschaft | Okkultismus | – | Helena P. Blawatsky | 1875 |
| Transzendentale Meditation (TM) | Kreative Intelligenz | 2 Mio | Mahesh Prasad Varma | 1958 |
| Universelles Leben (Heimholungswerk) | Christusstaat | 100 000 | Gabriele Wittek | 1977 |
| Vereinigungskirche (Mun-Sekte) | Vollkommene Menschenfamilie | 200 000 | Sun Myung Mun | 1954 |
| VPM | Gemeinschaftsgefühl | 4 000 | Freunde F. Lieblings | 1986 |
| Zeugen Jehovas | Errettung vor Weltende | 4,5 Mio | Charles T. Russell | 1879 |

▷ Mitglieder werden mit unterschiedlichen Heilsversprechen finanziell ausgebeutet
▷ Angehörige werden durch psychische Abhängigkeit an die Gruppe gebunden
→ Aum Shinri Kyo → Scientology

ℹ Evangelische Zentralstelle für Weltanschauungsfragen, Hölderlinplatz 2 a, D-70193 Stuttgart

## Sexuelle Belästigung

Am 1. 9. 1994 trat in Deutschland das Beschäftigtenschutzgesetz in Kraft, nach dem jedes vorsätzliche, sexuell bestimmte Verhalten, das die Würde von Beschäftigten am Arbeitsplatz verletzt, arbeits- und dienstrechtlich bestraft werden kann. Unter S. fallen

Im Herbst 1994 startete die niederländische Regierung eine Aufklärungskampagne zur sexuellen Belästigung am Arbeitsplatz. Tatort ist hier der Kopierer, der als bevorzugter Ort für Belästigungen in Verruf geraten war. Text: „So fühlen sich Frauen, wenn sie sexuell belästigt werden."

**ZO VOELEN VROUWEN ZICH ALS ZE OP HET WERK WORDEN LASTIG GEVALLEN.**

**Sexuelle Belästigung: Schadenersatz in Millionenhöhe**

Einer US-amerikanischen Sekretärin, die Anklage wegen sexueller Belästigung am Arbeitsplatz erhoben hatte, wurde 1994 von einem Gericht in San Francisco ein Schadenersatz in Höhe von 7,15 Mio Dollar (10,06 Mio DM) zugesprochen. Der Arbeitgeber mußte rd. 97% der Geldstrafe zahlen, weil er nach Ansicht der Geschworenen seiner Pflicht, die Angestellte vor den Übergriffen zu schützen, nicht nachgekommen war.

neben schon durch das Strafrecht sanktionierten Delikten wie Vergewaltigung, sexuelle Nötigung, Sex mit Minderjährigen und Beleidigung mit Sex-Bezug auch Aufforderungen zu sexuellen Handlungen, sexuell bestimmte körperliche Berührungen, Bemerkungen eindeutig sexuellen Inhalts und das Zeigen und Anbringen von pornographischen Darstellungen.

Betroffene haben das Recht zur Beschwerde. Das Gesetz verpflichtet den Arbeitgeber zur Prüfung. Er muß ggf. Abmahnungen, Umsetzungen, Versetzungen oder Kündigungen aussprechen. Reagiert der Arbeitgeber nicht, hat die betroffene Person ein Arbeitsverweigerungsrecht bei voller Lohnfortzahlung. Betriebe sind außerdem zu vorbeugenden Maßnahmen verpflichtet.

Das Bundesfrauenministerium bezifferte den Anteil der Frauen, die am Arbeitsplatz S. mindestens einmal ausgesetzt waren, auf rd. 70%. Die Internationale Arbeitsorganisation (Genf/Schweiz) schätzte die Verluste, die Betrieben durch Fernbleiben des Opfers von der Arbeit und geringere Arbeitsleistung entstehen, auf mehrere Mio Dollar jährlich.

## Sicherheitsdienste, Private

Der Umsatz des deutschen Sicherheitsgewerbes stieg 1994 gegenüber dem Vorjahr um 7% auf 14,8 Mrd DM. Davon wurden jeweils rd. 30% in den Bereichen Bewachung/Dienstleistung und elektronische Sicherheitseinrichtungen erwirtschaftet. Den größten Marktanteil behielt der Bereich mechanische Sicherheitstechnik (6,4 Mrd DM Umsatz). 1994 entfiel rd. ein Viertel der Aufträge an S. auf die öffentliche Hand. Erstmals wurde ab 1994 ein Gefängnis von einem S. bewacht.

**Auftraggeber:** Der Aufschwung der Branche wird auf wachsende Angst der Bürger vor Kriminalität, die Unterbesetzung der Polizei sowie die steigende Nachfrage von Wirtschaftsunternehmen und Kommunen zurückgeführt. In westdeutschen Großstädten werden Wohnsiedlungen höherer Einkommensschichten und Ladenpassagen der Innenstädte zunehmend von S. kontrolliert. In der Justizvollzugsanstalt für Abschiebehäftlinge in Büren (Westfalen) arbeiten seit 1994 im Innendienst private Wachleute mit staatlichen Gefängnisbeamten als Doppelstreife. In Wilhelmshaven begann 1994 ein Test des Einsatzes von S. zur Bewachung von Kasernen. S. führten Fluggastkontrollen in Berlin-Tegel und Radarkontrollen auf Bayerns Straßen durch.

**Gewerbeordnung:** Mit der Verabschiedung des Verbrechensbekämp-

**Private Sicherheitsdienste: Branchenentwicklung**

| Jahr | Umsatz (Mrd DM) | Unternehmen | Beschäftigte |
|------|------|------|------|
| 1984 | 1,4 | 620 | k. A. |
| 1986 | 1,7 | 721 | 38 300 |
| 1988 | 2,0 | 798 | 45 500 |
| 1990 | 2,3 | 899 | 56 000 |
| 1992 | 3,8 | 1290 | 95 000 |
| 1994 | 4,2 | 1320 | 105 000 |

Quellen: Bundesverband Deutscher Wach- und Sicherheitsunternehmen, Statistisches Bundesamt

fungsgesetzes, das im Dezember 1994 in Kraft trat, wurde die Gewerbeordnung für die Bewachungsbranche erweitert. Für die Zulassung als Sicherheitsunternehmer ist künftig die Erfüllung von Qualitätskriterien wie Zuverlässigkeit, finanzielle Sicherheiten und Kenntnisse über die rechtlichen Vorschriften des Wach- und Sicherheitsgewerbes notwendig. Zur Geschäftseröffnung reichte bis dahin ein Gewerbeschein aus.

**Kompetenzen:** Mitarbeiter von S. dürfen, wie jeder Bürger, Straftäter bzw. Verdächtige bis zum Eintreffen der Polizei festhalten. Die Ausbildung der S. galt Mitte der 90er Jahre als mangelhaft (Einstellungsvoraussetzung bis Mitte 1995: keine Vorstrafen).

**Branchenstruktur:** Nach Angaben des Bundesverbands deutscher Wach- und Sicherheitsunternehmen (BDWS, Bad Homburg, 370 Mitglieder mit 75% Marktanteil) arbeiteten Ende 1994 rd. 105 000 Menschen in rd. 1300 Firmen. 30% der Unternehmen hatten 1994 weniger als 20 Beschäftigte, 74% weniger als 100. Marktführer war 1994 die Raab Karcher Sicherheit (Essen) mit rd. 9000 Beschäftigten und 460 Mio DM Umsatz.

→ Kriminalität

**Gewaltbegriff:** Das BVG begründete seine Entscheidung mit einem geänderten Gewaltbegriff. Psychische Gewalt sei beim Straftatbestand der Nötigung in den Vordergrund gerückt. Gewalt sei daher als Tatbestandsmerkmal nicht mehr eindeutig definierbar.

**Rehabilitierung:** In den 80er Jahren wurden rd. 10 000 Bürger wegen Nötigung verurteilt, als die Friedensbewegung mit S. gegen die Nachrüstung protestierte. Rheinland-Pfalz und Hessen leiteten nach dem BVG-Urteil die Rehabilitierung der wegen Nötigung verurteilten Sitzblockierer ein. Die Staatsanwaltschaften wurden dort beauftragt, die Prozesse wieder aufzunehmen. Haftzeiten, Geldstrafen und Gerichtskosten sollen den Verurteilten ersetzt werden. Die SPD-Fraktion plante Mitte 1995, im Bundestag einen Gesetzentwurf zur Rehabilitierung der Verurteilten einzubringen.

**Folgen:** Friedlich verlaufende S. können nach dem BVG-Urteil nur noch nach versammlungs- oder verkehrsrechtlichen Vorschriften aufgelöst und geahndet werden. Vertreter von CDU und CSU planten, den Gewaltbegriff in § 240 StGB so zu definieren, daß S. wieder als Nötigung bestraft werden können.

| Sicherheitsdienste: Einsatzbereiche | |
|---|---|
| Einsatz-<br>bereiche | Anteil<br>(%) |
| Einzelposten (Pförtner, Parkwächter etc.) | 34 |
| Werk-, Objektschutz | 19 |
| Ordnungsdienst | 12 |
| Militärische Einrichtungen | 7 |
| Revier-, Streifendienst | 6 |
| Hundeführer | 6 |
| Sonstige | 16 |

Quelle: Wirtschaftswoche, 24. 11. 1994

---

## Sitzblockaden

Das Bundesverfassungsgericht (BVG) in Karlsruhe entschied im März 1995, daß S. nicht als Nötigung strafbar sind (Az.: 1 BvR 718/89 u. a.). Damit revidierte das BVG die seit 1969 geltende, zuletzt 1986 von ihm selbst bekräftigte Rechtsprechung, daß S. nach § 240 StGB (Nötigung) als Gewalt angesehen werden können. Anlaß für die Entscheidung waren vier Verfassungsbeschwerden von Teilnehmern einer Blockade vor dem Munitionslager der Bundeswehr in Großengstingen (Baden-Württemberg), die 1989 zu Geldstrafen verurteilt wurden. Das BVG-Urteil ermöglicht allen wegen Nötigung verurteilten Sitzblockierern die Wiederaufnahme des Verfahrens.

## Smart-Auto

Stadtauto (sog. Mikro-Kompakt-Wagen), das der Schweizer Armbanduhrenhersteller SMH (Schweizerische Gesellschaft für Mikroelektronik und Uhrenindustrie, Biel) und der deutsche Autohersteller Mercedes-Benz (Stuttgart) ab 1998 im lothringischen Hambach produzieren wollen. Das zweisitzige S. ist 2,50 m lang und 1,40 m breit. Als Antrieb war ein Benzinmotor mit einem Verbrauch von 3–4 l Treibstoff/100 km, ein Dieselmotor (ca. 3 l/100 km/h), ein Elektromotor oder eine Kombination aus Diesel- und Elektromotor (Hybridantrieb) geplant. Das S. soll 15 000–20 000 DM kosten.

→ Autobranche → Elektroauto → Fünfliter-Auto

Markt wuchs in Deutschland 1994/95 gegenüber dem Vorjahr um 30% auf etwa 43 000 verkaufte S. an, der Branchenumsatz betrug 28 Mio DM. Für 1995/96 erwarten die Hersteller eine Umsatzsteigerung auf 36 Mio DM und 56 000 verkaufte S.

Die Grundtechnik des S.-Fahrens ist innerhalb weniger Tage zu erlernen. Nach einer Umfrage des Deutschen Skisportverbandes fühlen sich 24% der Skifahrer durch die häufig unkontrollierte Fahrweise der Snowboarder behindert. Ärzte bemängelten den hohen Anteil von Verletzungen, die auf mangelhafte Ausbildung und Ausrüstung zurückzuführen waren.

Zu den Kennzeichen der Snowboard-Szene gehören bunte Kleidung, ein eigener Jargon und Musikstile wie Techno und Jungle.

**Software: Präsident von Microsoft**

**William H. Gates III.**
* 27. 10. 1955 in Seattle (Washington/USA). 1975 Gründung der Microsoft Corp., 1981 Entwicklung des weltweit erfolgreichsten Betriebssystems MS-DOS. 1994 mit einem Umsatz von 2,9 Mrd Dollar (4,1 Mrd DM) größter Software-Hersteller.

## Snowboard

(engl.; Schneebrett), ca. 1,20 m bis 1,80 m langes Schnee-Gleitbrett. Mitte der 90er Jahre entwickelte sich der S.-Sport, dem 1994/95 weltweit etwa 3 Mio und in Deutschland rd. 200 000 Menschen nachgingen, zum Mode-Freizeitvergnügen. Das Internationale Olympische Komitee (IOK) stellte 1995 in Aussicht, daß die Sportart, 1976 von dem US-amerikanischen Surfer Jake Burton erfunden, erstmals in Nagano/Japan 1998 olympische Disziplin wird. Seit 1994 werden vom Internationalen Skisportverband FIS Weltcup-Rennen veranstaltet. Der

## Software

Die zum Betrieb eines Computers erforderlichen Programme, im Unterschied zur Hardware, den technischen Einrichtungen einer Anlage zur elektronischen Datenverarbeitung. Unterschieden wird zwischen System-S. (Betriebssystemen) und Anwender-S. (z. B. Textverarbeitung, Tabellenkalkulation). Der Umsatz mit S. stieg 1994 weltweit um ca. 4% auf 129 Mrd DM an, in Deutschland und Österreich sanken die Umsätze gegenüber 1993 um rd. 10% auf 474,5 Mio Dollar (668 Mio DM). Grund für den Rückgang war ein Preisverfall bei S. 1995 ver-

### Software: Größte Hersteller 1994

| Rang | Unternehmen | Umsatz (Mio Dollar) | | Veränderung (%) | Marktanteil (%) |
|---|---|---|---|---|---|
| | | 1994 | 1993 | | |
| 1 | Microsoft | 2872 | 2221 | +29,4 | 34,7 |
| 2 | Lotus | 968 | 986 | − 1,8 | 11,7 |
| 3 | Novell | 617 | 698 | −11,6 | 7,5 |
| 4 | Adobe | 253 | 197 | +28,1 | 3,1 |
| 5 | Symantec | 238 | 207 | +15,2 | 2,9 |
| 6 | Claris | 175 | 160 | + 9,3 | 2,1 |
| 7 | Borland | 170 | 360 | −52,8 | 2,1 |
| 8 | Intuit | 163 | 104 | +56,9 | 2,0 |
| 9 | Corel | 148 | 105 | +41,6 | 1,8 |
| 10 | Delrina | 94 | 65 | +43,1 | 1,1 |
| – | Sonstige | 2573 | 2617 | − 1,7 | 31,0 |
| – | Insgesamt | 8272 | 7720 | + 7,2 | 100,0 |

Quelle: Handelsblatt, 26. 12. 1994

suchte der Büromaschinenhersteller IBM (USA) mit der Übernahme des 1994 zweitgrößten S.-Herstellers Lotus die Marktführerschaft von Microsoft (USA) zu brechen.

**Marktbeherrschende Stellung:** 1994 wuchs der Umsatz von Microsoft mit einem Anstieg von 650 Mio Dollar (915 Mio DM) stärker als der der gesamten Mitbewerber der Branche (Umsatzsteigerung: 550 Mio Dollar, 774 Mio DM). Microsoft hatte einen Anteil von 34,7% am S.-Markt. In allen Kategorien der Anwender-S. lag Microsoft Mitte der 90er Jahre vor seinen Konkurrenten, rd. 80% aller PC wurden mit Microsoft-Betriebssystemen betrieben. Im Mai 1995 zog Microsoft das Übernahmeangebot der Firma Intuit Inc. zurück, nachdem das US-Justizministerium gegen den Aufkauf aus kartellrechtlichen Gründen geklagt hatte. Mit der Übernahme sei eine marktdominierende Stellung von Microsoft im Bereich der Finanz-S. für PC zu befürchten gewesen.

**IBM:** Die Übernahme von Lotus durch den größten Computerhersteller der Welt, IBM (Umsatz 1994: 64 Mrd Dollar, 90 Mrd DM), war mit einem Kaufpreis von 3,5 Mrd Dollar (4,9 Mrd DM) die größte Unternehmensfusion auf dem S.-Markt bis Mitte 1995. Mit dem Kauf will IBM vor allem auf dem Markt der Arbeitsgruppen-S. Marktführer werden.

**Zweitgrößte Übernahme:** Im Mai 1995 kaufte Computer Associates (CA, USA) für 1,78 Mrd Dollar (2,5 Mrd DM) den Konkurrenten Legent Corporation (USA) auf. CA wird damit nach IBM größter Anbieter von S. für große Datenverarbeitungssysteme.

**Hilfsprogramm:** Microsoft verkaufte 1995 in den USA S., die die PC-Nutzung vereinfachen soll. Comicfiguren führen den Anwender durch die Programme. Psychologen hatten herausgefunden, daß Laien um so besser mit Computern zurechtkommen, je stärker die Anleitung personalisiert wird.

→ Betriebssystem → Computer → Multinormen-PC → PC

Beim Computerprogramm Bob des Software-Marktführers Microsoft (USA) erklären Comicfiguren (hier ein Hund) die Nutzung von Computerprogrammen.

## Softwarepiraterie

In der Computerkriminalität ist das Kopieren, Vervielfältigen und Nachmachen von urheberrechtlich geschützten Computerprogrammen die am weitesten verbreitete Straftat. Die meisten Raubkopien wurden 1994 der Software Publishers Association (SPA) zufolge in China benutzt. Für 98% der Software hatten die Anwender in China keine Nutzungslizenz des Herstellers. Den Softwareproduzenten entstand 1994 weltweit ein Schaden von rd. 15 Mrd Dollar (21 Mrd DM).

Im Februar 1995 vereinbarten die USA, wo die meisten großen Softwarefirmen ihren Sitz haben, mit China ein Abkommen über den Schutz der Urheberrechte, mit dem sich China verpflichtete, S. stärker polizeilich zu verfolgen. In Deutschland kann S. nach dem Urheberrecht von 1993 mit Geldbußen und Freiheitsstrafen bis zu fünf Jahren geahndet werden. In Deutschland wurde auf etwa jedem siebten Computer, der zu kommerziellen Zwecken genutzt wird, eine Raubkopie betrieben, in Privathaushalten wurden ca. zwei Drittel der Programme illegal genutzt.

Der Zugriff auf globale Datennetze wie das Internet, in denen weltweit Software verbreitet werden, erhöht die

| Softwarepiraterie: Verluste 1994 | |
|---|---|
| Land | Verlust (Mio $) |
| USA | 2877 |
| Japan | 2076 |
| Deutschland | 1875 |
| Frankreich | 771 |
| Brasilien | 550 |
| Korea-Süd | 546 |
| Großbritannien | 544 |
| Rußland | 541 |
| China | 527 |
| Italien | 404 |

Quelle: Wirtschafts-
woche, 8. 6. 1995

Gefahr der S. Das Urheberrecht ist international nicht einheitlich geregelt. In Großbritannien und den USA gilt z. B. das Copyright, das insbes. die Ansprüche des Erstverwerters schützt. In Deutschland hat der geistige Schöpfer das Urheberrecht.

→ Markenpiraterie

## Solarzellen

→ Sonnenenergie

## Soldatenurteil

Im September 1994 hob das Bundesverfassungsgericht (BVG, Karlsruhe) drei Gerichtsurteile gegen einen Krefelder Sozialpädagogen auf, der aufgrund eines Autoaufklebers mit der Aufschrift „Soldaten sind Mörder" wegen Volksverhetzung und Beleidigung schuldig gesprochen und zu einer Geldstrafe von 8400 DM verurteilt worden war. Das BVG sah die Aufschrift, die 1991 aus Protest gegen den Golfkrieg angebracht wurde und mit der Faksimile-Unterschrift des Urhebers, des Schriftstellers Kurt Tucholsky (1890–1935), versehen war, durch das Grundrecht auf freie Meinungsäußerung (Art. 5 Abs. 1 GG) gedeckt. CDU, CSU, FDP und SPD kritisierten das S. als Verunglimpfung von Bundeswehr und Beleidigung ihrer Angehörigen.

Im S. wurde die einseitige strafrechtliche Auslegung des Mordbegriffs (heimtückische, grausame oder gemeingefährliche vorsätzliche Tötung aus niedrigen Beweggründen) beanstandet. In der Alltagssprache werde unter Mord dagegen jede Tötung eines Menschen verstanden, die als ungerechtfertigt empfunden und daher mißbilligt werde. Das Tucholsky-Zitat könne die Bundeswehr nicht der Begehung von Mordtaten beschuldigen, da sie seit ihrer Gründung nicht an bewaffneten Auseinandersetzungen teilgenommen habe. Nicht erlaubt sei, einzelne Soldaten der Bundeswehr als Mörder zu bezeichnen.

## Solidaritätszuschlag

Ergänzungsabgabe zur Einkommen- und Körperschaftsteuer für den wirtschaftlichen Aufbau Ostdeutschlands. 1995 wurde über die Befristung des zu Jahresbeginn von der Bundesregierung eingeführten S. diskutiert.

**Zuschlag:** Der S. beträgt 7,5% von der Steuerschuld. Zuschläge unter 100 DM (Verheiratete: 200 DM) im Jahr werden nicht erhoben. Das betrifft zu versteuernde Einkommen bis 14 147 DM (28 295 DM). Darüber gibt es einen Übergangsbereich, in dem der S. abhängig von Kinderzahl und Einkommen nicht in voller Höhe erhoben wird. Die Regierung rechnet 1995 mit Einnahmen durch den S. von 26,5 Mrd DM für den Bund.

**Befristung:** Die Bundesregierung plante 1995, den S. jährlich zu überprüfen. Der Zuschlag soll gesenkt werden, wenn der Bedarf der ostdeutschen Länder nach Bundesleistungen zurückgeht oder wenn der S. dauerhaft mehr einbringt als geplant. Mitte 1995 stellte die Koalition eine Senkung auf 5% ab 1998 in Aussicht. Die FDP bevorzugte eine Befristung auf drei Jahre. Die SPD forderte eine Befreiung geringer Einkommen vom S. Der Sachverständigenrat zur Begutachtung der gesamtwirtschaftlichen Entwicklung empfahl einen stufenweisen Abbau bis Ende 1997, um die Steuerlast für Bürger und Unternehmen zu verringern. Zum Ausgleich sollten ungerechtfertigte Steuervergünstigungen abgebaut werden.

→ Steuern → Unternehmensteuerreform

## Sommersmog

Erhöhte Konzentration des Reizgases Ozon bei hohem Verkehrsaufkommen an sonnigen Tagen, die das Wohlbefinden des Menschen beeinträchtigen und die Gesundheit schädigen kann. Ab 160 Mikrogramm Ozon pro Kubikmeter Luft treten bei körperlicher Belastung im Freien bei Menschen Hustenanfälle, Kurzatmigkeit und Schmerzen beim Einatmen auf. S. wird durch Schadstoffe wie Stickstoffdioxid, Ruß und Benzol gefördert. Im Juni 1995 verabschiedete der Deutsche Bundestag ein Gesetz, das großräumige Fahrverbote für Autos ohne geregelten Katalysator vorsieht, wenn ein Wert von 240 Mikrogramm Ozon pro Kubikmeter Luft erreicht ist. Ein Tempolimit gibt es nicht. SPD-regierte Länder und Umweltverbände lehnten die Vorlage als unzureichend ab. Das Gesetz tritt nach Zustimmung des Bundesrates in Kraft.

Das Fahrverbot soll für 24 Stunden gelten, Verstöße sollen mit 80 DM Bußgeld geahndet werden. Voraussetzung für Fahrverbote ist, daß der Ozon-Grenzwert mindestens an drei Meßstellen gleichzeitig, die 50 km bis 250 km voneinander entfernt liegen, eine Stunde lang erreicht wird. Die Wettervorhersage muß für den nächsten Tag weiterhin einen hohen Ozonwert erwarten lassen. Für Taxen, Krankenwagen, Notfalldienste und den öffentlichen Personennahverkehr sind Ausnahmen vorgesehen. Die Landesbehörden können auch für Urlauber Sonderregelungen erlassen.

SPD und Bündnis 90/Die Grünen forderten Geschwindigkeitsbeschränkungen bei einem Ozonwert von 180 Mikrogramm Ozon pro Kubikmeter Luft, wie sie in einigen Ländern (Hessen und Niedersachsen) bei erhöhten Ozonwerten vorgesehen waren, und weniger Ausnahmeregelungen.

→ Autoverkehr → Ozonloch

## Sommerzeit

Von der Standardzeit abweichende Zeit in den Sommermonaten, die am letzten Wochenende im März beginnt und am letzten Septemberwochenende endet (Ausnahmen: Großbritannien und Irland, letztes Oktoberwochenende). Bei Beginn der S. werden die Uhren eine Stunde vorgestellt, am Ende wieder zurückgestellt. Die 1976 eingeführte S. soll insbes. der Energieeinsparung

dienen. Nach einem Beschluß der Energieminister der EU wird zunächst 1996 und 1997 Beginn und Ende der S. innerhalb der EU an die Regelung in Großbritannien und Irland angepaßt, um Verkehr und Kommunikation zu erleichtern.

## Sonnenbrandwarndienst

Ab März 1995 gibt der erste deutsche telefonische S. vom Deutschen Wetterdienst (DWD, Offenbach) Auskunft über die Belastung mit ultravioletten (UV) Strahlen, die Sonnenbrand verursachen können. Die jeweils für 48 Stunden geltende Vorhersage – differenziert in 24 Regionen – ist verbunden mit dem Hinweis, wie lange sich Menschen ungefährdet in der Sonne aufhalten können. Der DWD plante, den Telefonservice jährlich von März bis September anzubieten.

Grundlage für die Berechnung der Sonneneinstrahlung sind Satellitenmessungen an 80 Punkten in der Atmosphäre. Die UV-Strahlung wird mit einem international gültigen Index angegeben, der u. a. in Australien, Kanada, Neuseeland, und den USA 1995 verwendet wird. Ab Indexwert 4 setzt Gefahr für Kinder bei längerem ungeschütztem Aufenthalt im Freien ein, ab den Indexwerten 7–9 eine starke, über 9 eine sehr starke Belastung durch UV-Strahlen für Erwachsene.

## Sonnenenergie

S. kann mit Solarzellen direkt in Strom umgewandelt (Photovoltaik), passiv zur Einsparung von Heizenergie und mit Hilfe von Sonnenkollektoren zur Wärmegewinnung genutzt werden. S. gehört zu den erneuerbaren Energien, die im Gegensatz zu fossilen Energieträgern die Umwelt nicht mit Schadstoffen belastet. Der Einsatz der Photovoltaik gilt insbes. in Regionen als sinnvoll, die nicht über ein flächendeckendes Stromverteilungsnetz verfügen (z. B. Entwicklungsländer). S. und Windenergie hatten Mitte der 90er

Jahre in Deutschland einen Anteil von 0,1% am Energieverbrauch.

**Solarzellen:** Zur großflächigen Nutzung von S. wurde eine Integration von Solarzellen in Häuserfassaden und Lärmschutzwände angestrebt. Die Forschung konzentrierte sich Mitte der 90er Jahre auf die Erhöhung des elektrischen Wirkungsgrads (Verhältnis zwischen eingesetzter und nutzbarer Energie). Ziel war, die Photosynthese der Pflanzen zu kopieren. Bis Ende 1994 wurde ein Wirkungsgrad von 23,5% erreicht. Das Max-Planck-Institut für Festkörperforschung (Stuttgart) hielt 43% für möglich, wenn die energiereiche ultraviolette Strahlung zur Stromerzeugung verwertet werden könnte.

**Photovoltaik:** 1994 wurden weltweit Solarzellen mit einer Leistung von 60,1 MW produziert. Größter Hersteller war Siemens Solar (Weltmarktanteil: 23%). Solarstrom war in Deutschland mit Erzeugungskosten von rd. 1,80 DM/kWh etwa zehn- bis zwanzigmal so teurer wie Elektrizität aus Atomenergie und fossilen Energieträgern (USA: 40–48 Pf/kWh). Eine Senkung der Stromkosten ist an einen zentralen Einsatz von Solarzellen (z. B.

Kleinkraftwerk), die Großserienproduktion, vereinfachte Herstellungsverfahren und öffentliche Förderprogramme zur Steigerung des Absatzes gebunden. Im deutschen 1000-Dächer-Programm wurden 1990–1994 rd. 2250 Photovoltaik-Anlagen zu 75% von Bund und Ländern gefördert (Gesamtleistung: 6 MW). Einzelne Bundesländer und rd. 20 Kommunen setzten die Unterstützung fort. Der Aachener Stromversorger etwa zahlte privaten Erzeugern bis zu 2 DM/kWh für Strom aus Solarzellen. Eine Erweiterung des Aachener Modells auf Deutschland würde die Strompreise nach Angaben des dortigen Solarenergie-Fördervereins durchschnittlich um nur 0,24–0,8 Pf/kWh erhöhen. Japan plante mit dem 70 000-Dächer-Programm (Kosten 1995: 558 Mio Dollar, 786 Mio DM) eines der größten Projekte. Die installierte Gesamtleistung der Photovoltaikanlagen soll auf 980 MW gesteigert werden.

**Sonnenkraftwerke:** 1994 wurden in Toledo/Spanien und in Serre/Italien mit einer Leistung von 1 MW bzw. 3,3 MW die größten europäischen Sonnenkraftwerke in Betrieb genommen. Sie können den Energiebedarf von 2000 bzw. 3000 Haushalten decken. Im US-Bundesstaat Nevada soll bis 2010 ein Solarkraftwerk mit 100 MW Leistung in Betrieb gehen (Kosten: 230 Mio Dollar, 322 Mrd DM).

**Speicherung:** Die ungleichmäßige Sonnenstrahlung je nach Tages- und Jahreszeit sowie geographischer Lage machen die Speicherung und den Transport notwendig. Mit Hilfe von Wasserstoff, der in sonnenreichen Regionen mit Solarstrom aus Wasser hergestellt wird, könnte S. in sonnenärmere Gebiete transportiert und in Brennstoffzellen umweltfreundlich in Strom umgewandelt werden. Die Kosten für den Transport von Wasserstoff und die Energieverluste waren jedoch wirtschaftlich nicht tragbar. Seit 1990 wird die Erzeugung von Wasserstoff aus S. in Neunburg vorm Wald (Bayern) getestet. 1994/95

**Sonnenenergie: Nutzung von Wasserstoff**

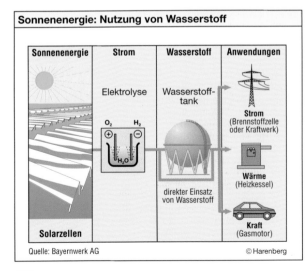

Quelle: Bayernwerk AG                    © Harenberg

wurde mit Kohlenmonoxid- und Lithium-Batterien als Speichermedien experimentiert.

**Sonnenkollektoren:** Mitte 1995 waren in Deutschland rd. 1 Mio m$^2$ Kollektoren installiert. Die S. wurde vorwiegend zur Warmwasseraufbereitung genutzt. 1995 förderte der Bund die Errichtung bis zu 100 m$^2$ Fläche mit 250 DM/m$^2$ bzw. mit 1500 DM pro Einfamilienhaus. Der Bau von Häusern, die sich ausschließlich mit S. versorgen, war für Mitteleuropa Mitte der 90er Jahre technisch möglich (z. B. das energieautarke Solarhaus des Freiburger Fraunhofer-Instituts für Solare Energiesysteme).

→ Brennstoffzelle → Energien, Erneuerbare → Heizung

Das größte dachmontierte Photovoltaik-Kraftwerk Deutschlands, ein 55 m$^2$ großes Sonnensegel, steht auf dem sog. Solarturm einer Firma in Offenburg-Elgersweiler. Die Anlage deckt rd. 3% des Strombedarfs.

## Sorgerecht

Nach § 1671 BGB bestimmt das Familiengericht, welchem Elternteil bei einer Scheidung das S. für die Kinder zusteht. Im Juli 1994 kündigte Bundesjustizministerin Sabine Leutheusser-Schnarrenberger (FDP) eine Reform des Kindschaftsrechts bis zum Ende der Legislaturperiode 1998 an, die ein gemeinsames S. der Eltern vorsieht. Auch die Gleichstellung von ehelichen und nichtehelichen Kindern soll durch Gesetzesänderungen im Bereich der Amtspflegschaft, des Umgangsrechts und der Abstammungsrechts gewährleistet werden.

Ehepaare sollen, solange kein Antrag auf Alleinsorge gestellt wird, nach der Scheidung automatisch ohne Hinzuziehung des Gerichts ein gemeinsames S. erhalten. Dem Elternteil, bei dem sich das Kind rechtmäßig aufhält, wird die Alleinentscheidungsbefugnis in Angelegenheiten des täglichen Lebens zugesprochen. Auch nicht miteinander verheirateten Eltern soll künftig das gemeinsame S. zustehen, wenn sie eine entsprechende Erklärung abgeben. Ein Zusammenleben der Paare ist keine Voraussetzung.

→ Nichteheliche Kinder

| Sorgerecht: Scheidungswaisen | | |
|---|---|---|
| Jahr | Scheidungen | Betroffene Kinder |
| 1990[1] | 155 000 | 118 000 |
| 1991 | 136 000 | 101 000 |
| 1992 | 135 000 | 102 000 |
| 1993 | 156 000 | 124 000 |
| 1994 | 166 000 | 135 300 |

1) Westdeutschland; Quelle: Statistisches Bundesamt

## Sozialabgaben

Beiträge der Arbeitnehmer und Arbeitgeber (je hälftig) zur Renten-, Kranken-, Arbeitslosen- und Pflegeversicherung in Deutschland. Wirtschaftsvertreter und Gewerkschaften forderten Mitte der 90er Jahre, die Sozialversicherungen von versicherungsfremden Leistungen zu befreien, um die Abgabenquote zu senken, die 1995 mit 39,3% des Bruttomonatseinkommens (Westdeutschland) ihren bis dahin höchsten Stand erreichte. Wirtschaftsexperten warnten vor den ökonomischen Auswirkungen des Abgabenanstiegs, der bei Unternehmen

| Sozialabgaben: Entwicklung | |
|---|---|
| Jahr | Abgaben[1] (% des BSP) |
| 1960 | 33,3 |
| 1965 | 34,1 |
| 1970 | 36,6 |
| 1975 | 41,0 |
| 1980 | 42,6 |
| 1985 | 42,5 |
| 1990 | 40,2 |
| 1995[2] | 44,9 |

1) Steuern und Sozialabgaben; 2) Schätzung für Gesamtdeutschland; Quelle: RWI

| Sozialabgaben: Beiträge in Deutschland | | | | |
|---|---|---|---|---|
| Sozialversicherung | Höchstbetrag (DM pro Monat)[1] | | | |
| | 1994 | | 1995 | |
| | West | Ost | West | Ost |
| Rentenversicherung | 1459 | 1133 | 1451 | 1190 |
| Krankenversicherung | 752 | 575 | 755[2] | 610[2] |
| Arbeitslosenversicherung | 494 | 384 | 507 | 416 |
| Pflegeversicherung | — | — | 59 | 48 |
| Summe | 2705 | 2092 | 2772 | 2264 |
| Sozialversicherung | Beitragsbemessungsgrenze (DM)[3] | | | |
| | 1994 | | 1995 | |
| | West | Ost | West | Ost |
| Rentenversicherung | 7600 | 5900 | 7800 | 6400 |
| Krankenversicherung | 5700 | 4425 | 5850 | 4800 |
| Arbeitslosenversicherung | 7600 | 5900 | 7800 | 6400 |
| Pflegeversicherung | — | — | 5850 | 4800 |

1) Arbeitnehmer- und Arbeitgeberanteil; 2) Schätzung; 3) monatliches Bruttoeinkommen; Quellen: Institut der deutschen Wirtschaft

| Sozialleistungen: Ausgabenentwicklung | |
|---|---|
| Jahr | Budget[1] (Mrd DM) |
| 1960 | 69,2 |
| 1970 | 179,2 |
| 1980 | 479,9 |
| 1990 | 742,9 |
| 1991 | 893,5 |
| 1992 | 1005,3 |
| 1993 | 1062,6 |
| 1997[2] | 1205,9 |

1) Ab 1990 Gesamtdeutschland; 2) Schätzung; Quelle: Bundesarbeitsministerium

zu verstärkten Produktionsverlagerungen ins Ausland und bei Arbeitnehmern zu Kaufkraftverlusten führt. Politiker, Gewerkschaften und Arbeitgebervertreter diskutierten 1995 über einen kostensenkenden Umbau des Sozialstaats.

**Beitragssätze:** Der Beitragssatz zur gesetzlichen Rentenversicherung sank 1995 auf 18,6% des monatlichen Bruttoeinkommens (1994: 19,2%). Bis 1998 erwartet die Bundesversicherungsanstalt für Angestellte (Berlin) jedoch einen Anstieg auf bis zu 19,8%. Mit 6,5% blieb der Beitrag zur Arbeitslosenversicherung gegenüber dem Vorjahr stabil. Der Beitragssatz zur Krankenversicherung betrug durchschnittlich in Westdeutschland 13,2%, in Ostdeutschland 12,8%. Der Arbeitgeberanteil für die 1995 eingeführte Abgabe zur Pflegeversicherung (Beitragssatz: 1%) wurde in allen Bundesländern (Ausnahme: Sachsen) durch die Streichung eines Feiertages ausgeglichen.

**Höchstbeiträge:** Die Höhe der abgeführten S. ist abhängig von Arbeitsentgelt und Beitragssatz. 1995 wurden die gesetzlich festgelegten Einkommensgrenzen (sog. Beitragsbemessungsgrenzen), bis zu deren Höhe S. berechnet werden, angehoben, so daß der

Höchstbeitrag zur Sozialversicherung im Westen monatlich 2772 DM (1994: 2705 DM) und im Osten 2264 DM (1994: 2092 DM) betrug.

**Prognose:** Die CDU/CSU/FDP-Bundesregierung prognostierte für die Sozialversicherung 1996 einen Beitragssatz, der erstmals die 40%-Grenze überschreitet und bis 1998 auf rd. 41% ansteigt. 2040 wird die gesamte Abgabenbelastung der Arbeitgeber und Arbeitnehmer einem Gutachten des Prognos-Instituts (Basel/Schweiz) zufolge bei günstiger wirtschaftlicher Entwicklung (jährlicher Anstieg des Bruttoinlandsprodukts: 2,1%) 48,6% betragen.

**Sondergratifikationen:** Das Bundesverfassungsgericht verurteilte den Abzug der Sozialversicherungsbeiträge vom Urlaubs- und Weihnachtsgeld sowie von Tantiemen im Januar 1995 als verfassungswidrig. Es verstoße gegen den Gleichheitsgrundsatz des GG, wenn einerseits Abzüge vorgenommen würden, andererseits die Einmalzahlungen bei Lohnersatzleistungen wie Arbeitslosen- und Krankengeld nicht positiv berücksichtigt würden. Der Gesetzgeber wurde aufgefordert, bis 1997 eine neue Regelung zu treffen, die entweder die Einmalzahlungen von der Abgabenpflicht befreit oder die Sonderzahlungen bei Lohnersatzleistungen berücksichtigt. → Arbeitslosenversicherung → Krankenversicherung → Pflegeversicherung → Rentenversicherung → Sozialstaat

## Sozialdumping

(dumping, engl.; verschleudern), Unterlaufen sozialer Mindeststandards wie Lohnhöhe (auch Lohndumping) oder maximal zulässige Arbeitszeit. Die Verabschiedung einer EU-Richtlinie (sog. Entsenderichtlinie), die durch die Festlegung von gesetzlichen Mindeststandards S. bei der Beschäftigung ausländischer Arbeitskräfte verhindern soll, scheiterte im März 1995 am Widerstand von Großbritannien, Ir-

**Sozialdumping: Baugewerbe**

| Land | Stunden-lohn (DM) | Lohnneben-kosten (DM) |
|---|---|---|
| Deutschland | 23,58[1] | 26,88 |
| Großbritannien | 15,00 | 4,35 |
| Portugal | 6,50 | 2,60 |

Stand: 1995; 1) Tariflicher Ecklohn; Quelle: Hauptverband der Deutschen Bauindustrie

land, Italien und Portugal. Bis Mitte 1995 wurde keine Übereinstimmung im EU-Ministerrat erzielt. Die Koalitionsparteien CDU/CSU und FDP einigten sich im Juni 1995 auf einen Gesetzentwurf, der die Arbeitsbedingungen für ausländische Arbeitskräfte dem deutschen Niveau angleichen soll.
**Mindestlohn:** Beschäftigte, die von ausländischen Firmen für befristete Zeit an deutsche Unternehmen entliehen oder als sog. Scheinselbständige ohne Anspruch auf Sozialleistungen vermittelt werden, sollen künftig vom ersten Arbeitstag an das in Deutschland geltende Tarifentgelt der unteren Lohngruppe mit einem Bruttostundenlohn von 21 DM pro Stunde erhalten. Die Regelung soll auf zwei Jahre

beschränkt werden und nur für das Bauhauptgewerbe mit rd. 1,4 Mio Beschäftigten gelten. Das Baunebengewerbe (Installateure, Fliesenleger, Dachdecker) bleibt unberücksichtigt.
**Billige Konkurrenz:** Die CDU/CSU/ FDP-Bundesregierung reagierte mit ihrem Entwurf auf die wachsende Zahl von Bauarbeitern aus Portugal und Großbritannien (1994: rd. 130 000 offiziell Beschäftigte), die aufgrund niedriger Löhne und geringer Lohnnebenkosten gegenüber einheimischen Arbeitskräften bevorzugt werden. Obwohl die deutsche Baubranche 1994 eine wirtschaftliche Zuwachsrate von 2,5% verzeichnete, stieg die Zahl der arbeitslosen deutschen Baufachkräfte 1994 auf rd. 200 000 Personen. Neben den Gewerkschaften forderten auch Vertreter der Bauwirtschaft eine Beschränkung der Beschäftigung ausländischer Arbeitskräfte, weil vor allem mittelständische Betriebe durch das S. großer Bauunternehmen Wettbewerbsnachteile erlitten.
→ Scheinselbständige → Sozialleistungsmißbrauch → Sozialpolitik, Europäische

**Sozialdumping: Beschäftigungsregelungen für Arbeitskräfte aus Mittel- und Osteuropa**

| Regelung | Inländer-vorrang | Bedingungen | Vermittlungen 1994 | Befristung | Wirtschafts-bereiche |
|---|---|---|---|---|---|
| Werkverträge (zweiseitige Abkommen) | nein | Subunternehmer: dt. Lohnstandard, Sozialversicherung: Heimatland | ca. 500 000 | maximal 2 Jahre; Verlängerungs-möglichkeit um 1 Jahr | Baugewerbe |
| Gastarbeit-nehmer (zweiseitige Abkommen) | nein | dt. Lohn- und Sozialversicherungs-standards; angemessene Unterkunft | 5529 | maximal 1 Jahr; Verlängerungs-möglichkeit um 6 Monate | Baugewerbe, Metallindustrie |
| Saisonarbeiter (Gesetz) | ja | tariflicher oder orts-üblicher Lohn; angemessene Unterkunft | 155 217 | maximal 3 Monate pro Jahr | Landwirtschaft, Bau-, Hotel- und Gast-stättengewerbe |
| Kranken- und Altenpflegeper-sonal (Gesetz) | ja | tariflicher oder orts-üblicher Lohn; angemessene Unterkunft | 412 | nein | Kranken- und Altenpflege |
| Grenzgänger (Gesetz) | ja | in 50-km-Grenz-region, dt. Tarif- u. Versicherungs-bedingungen; tägliches Pendeln | k. A. | nein | Verarbeit. Gewerbe, Handwerk, Industrie, Hotel- u. Gast-stättengewerbe |

Stand: Ende 1994; Quelle: Institut für Arbeitsmarkt- und Berufsforschung

# Einsparungen auf Kosten der Einkommensschwachen

Die Ausgaben der Kommunen für Sozialhilfe erreichten 1994 den Rekordstand von 54,1 Mrd DM, sie hatten sich seit Beginn der 80er Jahre verdreifacht. Steigenden Sozialhilfeausgaben standen sinkende Steuereinnahmen gegenüber, so daß die Gemeindehaushalte ein Defizit von 11,3 Mrd DM verzeichneten. Bundessozialminister Horst Seehofer (CSU) legte im März 1995 einen Gesetzentwurf zur Reform des Sozialhilferechts vor, der den Ausgabenzuwachs bremsen soll. Den Entwurf kritisierten der Deutsche Gewerkschaftsbund (DGB), die SPD und Wohlfahrtsverbände.

**Mehrzahl der Empfänger sind Bedürftige:** 1993 bezogen 4,7 Mio Personen Sozialhilfe. 37% der Gesamtausgaben (18 Mrd DM) entfielen auf die laufende Hilfe zum Lebensunterhalt für 3,6 Mio Menschen, vor allem Alleinerziehende, Rentner und Langzeitarbeitslose. Jeder achte Empfänger von Arbeitslosenhilfe war dem DGB zufolge im Westen auf zusätzliche Leistungen der Sozialhilfe angewiesen. Für Hilfe in besonderen Lebenslagen, zu der insbes. Leistungen für Pflegebedürftige und Behinderte zählen, wurden 30,9 Mrd DM ausgegeben. Der Anteil der arbeitsfähigen Leistungsempfänger wurde auf rd. 10% geschätzt.

**Sanktionen bei Arbeitsverweigerung:** Die Arbeitsaufnahme von schwer vermittelbaren Sozialhilfeempfängern soll Seehofer zufolge durch befristete Lohnkosten- und Einarbeitungszuschüsse unterstützt werden. Sie sollen die Möglichkeit erhalten, an Fortbildungs- und Umschulungsmaßnahmen teilzunehmen. Um den Anreiz zur Arbeitsaufnahme zu erhöhen, soll der anrechnungsfreie Betrag von 260 DM im Monat (1995), der zur Sozialhilfe hinzuverdient werden darf, angehoben werden. Arbeitsfähige Empfänger sind ab 1994 gesetzlich verpflichtet, Arbeitsangebote der Kommunen anzunehmen. Sie erhalten eine Aufwandsentschädigung von bis zu 2,50 DM/Stunde. Wird eine zumutbare Arbeit verweigert, legt der Entwurf eine Kürzung der Sozialhilfe um 25% fest. Der DGB wandte sich gegen den Arbeitseinsatz, weil ein Arbeitsmarkt mit untertariflichen Löhnen entstünde.

**Nettolöhne als Bemessungsmaßstab:** Die Regelsätze, die 1993 um 2% und 1995 um 3% erhöht wurden, sollen sich ab Juni 1996 am Nettolohnanstieg orientieren. Ab 1999 sollen die Mindestregelsätze jährlich durch eine Anpassungsformel, die Veränderungen von Nettoeinkommen, Verbraucherverhalten und Lebenshaltungskosten berücksichtigt, festgelegt werden. Der Paritätische Wohlfahrtsverband lehnte die Kopplung der Sozialhilfe an die Nettolöhne ab, weil Reallohneinbußen zu stagnierenden Regelsätzen führten, die den tatsächlichen Bedarf für den Lebensunterhalt nicht deckten. Nur eine an die Preisentwicklung angelehnte Erhöhung entspreche der Bedürftigkeit.

**Lohnabstandsgebot nicht gefährdet:** Ab 1999 soll der Abstand zwischen Sozialhilfe und unterstem Nettoeinkommen vergleichbarer Arbeitnehmerhaushalte 15% betragen. Erhebungen des Instituts für Sozialforschung und Gesellschaftspolitik (Köln) von 1992 zufolge lag das Leistungsniveau der Sozialhilfe deutlich unter dem verfügbaren Einkommen vergleichbarer Erwerbstätigenhaushalte. Die Differenz verringerte sich jedoch mit steigender Kinderzahl. Um den Lohnabstand zu gewährleisten, forderte der DGB eine Reform des Familienlastenausgleichs, die das Einkommen kinderreicher Arbeitnehmerhaushalte durch höhere Kindergeldleistungen verbessert.

**Keine Vorschußkasse für andere Träger:** 1993 zahlten die Kommunen 400 000 Menschen S. als Überbrückung für verspätete Zahlungen von Rente oder Arbeitslosengeld. Die vorübergehend gewährte Hilfe, die zurückgezahlt werden muß, belastete die Kommunen zusätzlich. Die zuständigen Sozialleistungsträger sollen zu Vorschußzahlungen verpflichtet werden, wenn ausreichende Hinweise auf die Bedürftigkeit des Antragstellers vorliegen.

**Leistungsausbau statt Kürzung:** Den starken Anstieg der Leistungsempfänger (Hilfe zum Lebensunterhalt 1979–1994: 150%) erklärte die SPD mit mangelhafter Erfüllung der Aufgaben der sozialen Systeme, die der Sozialhilfe vorgeschaltet sind. Lohnersatzleistungen sowie Kindergeld und Wohngeld müßten erhöht werden, so daß keine ergänzenden Sozialhilfeansprüche entstünden. Die SPD verwies auf die Nachrangigkeit der Sozialhilfe als unterste Stufe des Sozialgefüges. (Lo)

→ Armut → Existenzminimum → Familienlastenausgleich → Gemeindefinanzen

## Sozialhilfe: Ausgaben und Einnahmen

| Jahr | Ausgaben für Sozialhilfe (Mio DM)[1] | | | Ausgaben (DM) je Einwohner | Einnahmen[2] (Mio DM) |
|------|-------------------------|------------------------------|-----------|------------------------|-----------------------|
| | Hilfe zum Lebens- unterhalt | Hilfe in besond. Lebenslagen | Insgesamt | | |
| 1970 | 1 180,6 | 2 154,5 | 3 353,1 | 43,31 | 708,3 |
| 1975 | 3 024,7 | 5 380,3 | 8 405,1 | 106,69 | 1 808,2 |
| 1980 | 4 338,7 | 8 927,3 | 13 265,9 | 164,69 | 3 113,7 |
| 1985 | 8 024,6 | 12 821,0 | 20 845,6 | 266,97 | 4 553,9 |
| 1990 | 13 084,7 | 18 816,7 | 31 901,4 | 319,47 | 6 546,9 |
| 1991 | 14 245,5 | 23 091,9 | 37 337,4 | 379,03 | 7 021,2 |
| 1992 | 15 724,7 | 26 878,0 | 42 602,6 | 434,73 | 7 565,9 |
| 1993 | 18 017,2 | 30 901,9 | 48 919,1 | 495,00 | 8 735,5 |

1) Ab 1990 Gesamtdeutschland; 2) Kostenerstattung anderer Sozialleistungsträger an die Kommunen; Quelle: Statistisches Bundesamt

## Sozialleistungsmißbrauch

1994 wurden in Deutschland 620 300 Ermittlungsverfahren gegen S. eingeleitet. Die für S. verhängten Geldbußen und Verwarnungsgelder in Höhe von 72,3 Mio DM (1993: 58,4 Mio DM) richteten sich zu zwei Dritteln gegen Arbeitgeber. Während der registrierte Mißbrauch von Arbeitslosen- und Kindergeld mit rd. 400 000 Fällen und 340 Mio DM zu Unrecht gezahlter Leistungen dem Stand von 1993 entsprach, stieg die Zahl der Verfahren gegen illegale Beschäftigung. In rd. 40 000 Fällen bestand der Verdacht auf Schwarzarbeit. 1994 wurden 3100 Fälle von unerlaubter Leiharbeit aufgedeckt, die die Ver- und Entleiher 23 Mio DM (1993: 20,6 Mio DM) Geldbußen kostete. Die Zahl der Verfahren gegen die illegale Beschäftigung von ausländischen Arbeitskräften ohne Arbeitserlaubnis stieg um rd. 4% auf 78 300, die Geldbußen und Verwarnungsgelder betrugen 23,6 Mio DM (1993: 15,4 Mio DM).
→ Leiharbeit → Scheinselbständige → Schwarzarbeit → Sozialdumping

## Sozialpolitik, Europäische

Mitte 1994 legte die EU-Kommission das Weißbuch der Sozialpolitik vor, das die Strategie der S. bis 1999 festlegt. Im Vordergrund steht die Verringerung der Arbeitslosigkeit durch die Flexibilisierung der Arbeitszeit, die Förderung von Aus- und Weiterbildung und die effektive Verwendung der Mittel für Arbeitsmarktpolitik. Die Verabschiedung der 47 in der Europäischen Sozialcharta von 1989 festgelegten Vorschläge und die Umsetzung von EU-Richtlinien in nationales Recht sollen anstelle von neuen Gesetzesvorhaben vorangetrieben werden. Der EU-Kommission und den Mitgliedstaaten wurde aufgetragen, künftig das Gleichgewicht zwischen wirtschaftlichen und sozialen Zielen zu beachten. Im September 1994 verabschiedete der Ministerrat eine Richtlinie zur Errichtung von Euro-Betriebsräten, die Arbeitnehmern in multinationalen Betrieben ein Unterrichtungs- und Anhörungsrecht zusichert. Eine Richtlinie über Teilzeitarbeit, die teilzeit- und vollzeitbeschäftigte Arbeitnehmer arbeitsrechtlich gleichsetzt, scheiterte im Dezember 1994 am Widerstand von Großbritannien. Auch über die Entsenderichtlinie, die soziale Mindeststandards für die Beschäftigung ausländischer Arbeitnehmer festlegt, wurde bis Mitte 1995 keine Einigung erzielt. Sie soll Billiglohnarbeit (sog. Sozialdumping) verhindern, in dem sie Unternehmer verpflichtet, die zeitweilig in ein anderes EU-Land entsandten Arbeitnehmer zu den dortigen Mindestarbeitsbedingungen zu beschäftigen.
→ Euro-Betriebsrat → Sozialdumping → Teilzeitarbeit

### Sozialpolitik: Umgesetzte EU-Richtlinien

| Mitglied- staat | Umset- zung (%)[1] |
|-----------------|---------------------|
| Großbritannien | 92 |
| Portugal | 92 |
| Dänemark | 86 |
| Irland | 86 |
| Frankreich | 78 |
| Belgien | 76 |
| Deutschland | 71 |
| Niederlande | 70 |
| Spanien | 68 |
| Griechenland | 67 |
| Luxemburg | 59 |
| Italien | 57 |

Stand: Juli 1994; 1) 38 beschäftigungs- und sozialpolitische Richtlinien; Quelle: Europäische Kommission

# Abschied von der Solidargemeinschaft eingeläutet?

Der größte Einzelhaushalt des Bundes war 1995 der Bereich Arbeit und Soziales mit einem Anteil von 27% und einem Etat von 131,6 Mrd DM. Der Anteil der Sozialausgaben am Bruttosozialprodukt stieg 1960–1993 von 23% auf 34%. 1995 trat als vierte Säule der Sozialversicherung neben Renten-, Arbeitslosen- und Krankenversicherung die Pflegeversicherung, bei der erstmals von der hälftigen Finanzierung der Beiträge durch Arbeitnehmer und Arbeitgeber abgewichen wurde. Unternehmer beklagten die verschlechterte internationale Wettbewerbsfähigkeit der deutschen Wirtschaft wegen steigender Lohnnebenkosten. Arbeitnehmer erlitten Kaufkrafteinbußen durch die Einkommensbelastung mit Sozialabgaben. Die Forderungen von Politikern, Unternehmern und Gewerkschaften zum Umbau des Sozialstaats reichten 1995 von kostensenkenden Reformen bis zur Abschaffung der Solidargemeinschaft.

**Verschiebung des Gleichgewichts:** Mit steigender Lebenserwartung und sinkender Geburtenrate verändert sich die Altersstruktur in Deutschland, so daß 2030 ein Drittel der Bevölkerung 60 Jahre und älter sein wird. Der demographische Wandel und die hohe Arbeitslosigkeit verschieben das Verhältnis zwischen Beitragszahlern und Leistungsempfängern. Die Zahl der Empfänger nimmt zu, während sich der Anteil der Versorger verringert. 2040 wird die Abgabenbelastung (ohne Steuern) der Arbeitnehmer und Arbeitgeber Prognosen zufolge auf insgesamt rd. 49% des monatlichen Bruttoeinkommens ansteigen (1995: 39,2%).

**Kostendämpfung durch private Vorsorge:** 1994 legte die Bundesvereinigung der Deutschen Arbeitgeberverbände (BDA) ein Konzept vor, das zur Verringerung der Sozialabgaben eine stärkere Selbstbeteiligung der Bürger fordert. Arbeitnehmer müßten bei Krankheit mit Abstrichen bei der Lohnfortzahlung rechnen. Rentner sollten statt rd. 70% (1995) nur noch 65% ihres früheren Einkommens erhalten. Gewerkschaften und Politiker aller Parteien lehnten die Vorschläge als radikale Attacke auf den Sozialstaat ab. Ein Sachverständigengutachten zur Gesundheitsreform stellte 1994 Modelle vor, die den Beitragsanstieg in der Krankenversicherung durch die Reduzierung der Leistungen auf eine Grundversorgung bremsen soll.

**Steuerfinanzierte Grundsicherung:** Die FDP, Teile der CDU und Bündnis 90/Die Grünen forderten, die Sozialleistungen durch eine Basisversorgung zu ersetzen, die das Sozialleistungsrecht vereinfacht und Verwaltungskosten spart. Das FDP/CDU-Modell (sog. Bürgergeld) soll aus dem Steueraufkommen finanziert werden und das Existenzminimum garantieren. Für darüber hinausgehende Ansprüche soll der einzelne privat sorgen.

**Kostensenkung durch Umverteilung:** Der Deutsche Gewerkschaftsbund (DGB) setzte sich für die Beibehaltung des lohn- und beitragsorientierten Sozialsystems ein. Zur Senkung der Beitragssätze müßten die Versicherungen von beitragsfremden Leistungen befreit werden. Staatliche Aufgaben wie die Finanzierung der deutschen Einheit und die Bewältigung der Arbeitslosigkeit dürften nicht zu Lasten der Sozialversicherungen gehen, sondern müßten von allen Bürgern, auch Beamten und Selbständigen, finanziert werden. Allein 1992/93 belief sich der beitragsfinanzierte Transfer der Bundesanstalt für Arbeit und der Rentenversicherungsträger nach Ostdeutschland auf rd. 52 Mrd DM. Den Arbeitgebern warf der DGB vor, die Sozialkassen durch die Frühverrentung von älteren und gesundheitlich eingeschränkten Arbeitnehmern in erheblichem Umfang belastet zu haben.

**Arbeitslosigkeit als Ursache:** Die CDU/CSU/-FDP-Bundesregierung setzte 1995 ihre Reformbestrebungen für den Umbau des Sozialstaates fort. Sie plante u. a., die Selbstbeteiligung im Gesundheitswesen auszubauen und Leistungen der Sozialhilfe sowie der Arbeitslosenunterstützung zu kürzen. Als wichtigste Voraussetzung für die Senkung der Sozialausgaben bezeichnete Bundesarbeitsminister Norbert Blüm (CDU) die Steigerung der Erwerbstätigkeit, um das Verhältnis zwischen Beitragszahlern und Leistungsempfängern auszugleichen. Neben einer verstärkten Arbeitsförderung und der Eindämmung des Vorruhestands sollte insbes. die Berufstätigkeit von Frauen durch die Schaffung von Teilzeitarbeitsplätzen und Kinderbetreuungsmöglichkeiten gefördert werden. (Lo)
→ Alter → Arbeitslosenversicherung → Bevölkerungsentwicklung → Gesundheitsreform → Pflegeversicherung → Rentenversicherung → Sozialabgaben → Sozialhilfe

| Sender | Gesellschafter | Anteil (%) | Programminhalt | Zielgruppe | Start |
|--------|----------------|-----------|----------------|------------|-------|
| **Spartenkanal: Neue Anbieter 1995** | | | | | |
| Com-TV | Excalibur Comm, NEN-TV | 95 5 | Country-Musik, Oldies, Pop, Schlager | 25–55jährige | Sept. 1995 |
| FAB | 39 Gesellschafter | – | TV-Magazine, Talk-Shows | Jüngere Städter | Mitte 1995 |
| Nickel-odeon | Viacom Ravensburger AG | 90 10 | Gewaltfreie Kinderunterhaltung | Kinder, Jugendliche | Aug. 1995 |
| Super RTL[2] | CLT[1] Walt Disney | 50 50 | Gewaltfreies Familienprogramm | Kinder, Familien | April 1995 |
| TM 3 | Bauer-Verlag Tele München | 50 50 | Gewaltfreie Frauensendungen | Frauen | Aug. 1995 |
| VH-1 | Viacom | 100 | Rock-, Pop-musik | 25–49-jährige | März 1995 |
| VIVA 2 | Sechs Gesellschafter | – | Rock-, Pop-musik | 25–49-jährige | März 1995 |
| Wetter- und Reise-TV | Vier Gesellschafter | – | Wetterberichte Reisenachrichten Reisedokumentationen | Wetter- und Reise-interessierte | – |
| Zap TV | Acht Gesellschafter | – | Fernseh-programm | – | Sept. 1995 |

1) Compagnie Luxembourgeoise de Télédiffusion

## Spartenkanal

Fernsehprogramm für eine bestimmte Zielgruppe mit beschränktem Angebot im Gegensatz zu Vollprogrammen. Bis Mitte 1995 erteilten die für Privatrundfunk zuständigen Landesmedienanstalten neun werbefinanzierten S. in Deutschland eine Zulassung. Weitere S. waren geplant. Die S. wurden i. d. R. von bereits im TV-Bereich engagierten Gesellschaftern betrieben. Sie sollen über Satellit und Kabelnetze bundesweit verbreitet werden. Anfang 1995 gab es bereits Kabel 1 (ab 1992, Spielfilme, Serien), n-tv (ab 1993, Nachrichten), DSF (ab 1993, Sport), und Viva (ab 1993, Popmusik) als deutschsprachige werbefinanzierte S. Als Tochtergesellschaften etablierter Sender können S. vielfach kostengünstig arbeiten. Die Muttersender übernehmen z. B. die technische Sendeabwicklung und können eigene Filme nochmals verwerten. Die Landesmedienanstalten bemängelten, daß die Muttersender bei geringem Finanzaufwand versuchen könnten, zusätzliche Werbegelder auf sich zu ziehen. Die Angebotsvielfalt erhöhe sich nicht.

→ Fernsehen → Digitales Fernsehen → Fernsehwerbung → Kinderkanal → Pay-TV → Privatfernsehen

## SPD

**Abkürzung** Sozialdemokratische Partei Deutschlands
**Gründung** 1890
**Mitglieder** 849 000 (Stand: 1995)
**Vorsitz** Rudolf Scharping (seit 1993)
**Ausrichtung** Sozialdemokratisch

Nach der Bundestagswahl vom 16. 10. 1994 wurde die SPD unter ihrem Kanzlerkandidaten Rudolf Scharping mit 36,4% der Wählerstimmen zweitstärkste Fraktion (1990: 33,5%). Bei Landtagswahlen Mitte 1994 bis Mitte 1995 verzeichneten die Sozialdemokraten in fünf Bundesländern Stimmenverluste und in vier Ländern Gewinne. Im Bundesrat verfügten zehn Länder, die von der SPD oder SPD-geführten Koalitionen regiert wurden, über eine Mehrheit von 41 der 68 Stimmen.

**Wahlen:** Nach Stimmenzuwächsen bei der Landtagswahl in Brandenburg kann die SPD ohne Koalitionspartner regieren. Im CSU-regierten Bayern sowie in Mecklenburg-Vorpommern und Thüringen, wo CDU/FDP-Koalitionen die Regierung stellten, konnte die SPD ihr Wahlergebnis gegenüber 1990 verbessern. Im CDU-regierten Sachsen büßten sie Wählerstimmen ein. Im Saarland und in Hessen verteidigte die SPD trotz Stimmenverlusten ihre absoluten Mehrheiten, dagegen mußte sie nach Verlusten Koalitionen bilden (NRW: Bündnis 90/Die Grünen, Bremen: CDU).

**Ziele:** Die SPD bezog folgende politische Positionen:

▷ Kampfflugzeuge der Bundeswehr zum Schutz von UNO-Friedenstruppen sollen nicht nach Bosnien-Herzegowina entsandt werden

▷ Angesichts der Belastung privater Haushalte lehnte sie die von der Bundesregierung geplanten Steuersenkungen für Unternehmen ab

▷ Die Einführung von Ökosteuern soll zur Reform des Wirtschaftssystems beitragen

▷ Der Steuergrundfreibetrag zur Sicherung des Existenzminimums soll auf 13 000 DM angehoben werden

▷ Das Kindergeld soll auf 250 DM erhöht werden, der Kinderfreibetrag wegfallen

▷ Ein Ausstieg aus der Atomenergie wird angestrebt, eine Stromsparsteuer soll im Absinken des Strompreises verhindern

▷ Im Juni 1995 verabschiedete die SPD mit der Regierungskoalition einen Gesetzentwurf zum Schwangerschaftsabbruch.

→ Bundeswehr → Energiekonsens → Existenzminimum → Familienlastenausgleich → Ökosteuern → Schwangerschaftsabbruch → Wahlen

## Spenden

Mit rd. 4,1 Mrd DM erzielten humanitär-karitative Organisationen 1994 nach Angaben des Deutschen Zentralinstituts für Soziale Fragen (DZI, Berlin) im Vergleich zu 1993 ein gleichbleibendes S.-Aufkommen. Um die seit 1990 unveränderten S.-Gelder bewarben sich 1994 rd. 2000 überregional sammelnde karitative Organisationen und rd. 240 000 gemeinnützige Vereine. Als Ursachen für die stagnierende S.-Bereitschaft nannte das DZI sinkende Realeinkommen und Arbeitslosigkeit. Zudem erschütterten S.-Skandale das Vertrauen der Bürger in die Seriosität der Organisationen. Die SPD forderte mehr staatliche Kontrolle und größere Transparenz des S.-Marktes, um unlautere Geschäftemacher fernzuhalten.

**Erträge:** Etwa 80% des S.-Aufkommens flossen 1994 an die 200 größten Hilfsorganisationen für humanitär-karitative Zwecke. Während einige Organisationen und Vereine über S.-Rückgänge gegenüber 1993 klagten, verzeichneten die rd. 72 mit dem S.-Siegel des DZI ausgezeichneten Organisationen Steigerungsraten von rd. 4%. Das DZI überprüft die satzungsgemäße Verwendung der S., den Anteil der Verwaltungskosten (maximal 35%) und die Art der Werbung.

### SPD: Parteiführung

**Rudolf Scharping,** * 2. 12. 1947 in Niederelbert (Westerwald). 1991 Ministerpräsident von Rheinland-Pfalz, 1993 SPD-Bundesvorsitzender, 1994 Kanzlerkandidat und Fraktionschef im Bundestag.

**Günter Verheugen,** * 28. 4. 1944 in Bad Kreuznach. FDP-Austritt 1982, 1983 SPD-Bundestagsmandat. 1987–1989 Chefredakteur des SPD-Blatts „Vorwärts", 1993 Bundesgeschäftsführer.

| Spenden: Aufkommen in Deutschland | |
|---|---|
| Bereich | Anteil (%) |
| Religion/Kirchen | 17,2 |
| Katastrophenhilfe | 14,3 |
| Wohlfahrt/Soziales | 14,0 |
| Umweltschutz | 13,2 |
| Politische Arbeit | 8,2 |
| Entwicklungshilfe | 7,6 |
| Gesundheitswesen | 7,2 |
| Bildung/Wissenschaft | 6,5 |
| Kunst/Kultur | 6,1 |
| Sonstige | 6,2 |

Stand: 1993; Quelle: LOGO-S, stern, 15. 12. 1994

**Wettbewerb:** Im Konkurrenzkampf um S. bedienten sich Organisationen 1994 z. T. aggressiver und teurer Werbemethoden. Das Elend in hilfsbedürftigen Ländern wurde laut DZI häufig in entwürdigender Weise dargestellt, um die S.-Bereitschaft zu fördern. Zudem gewann professionelles Management an Bedeutung.

**Skandale:** Im November 1994 leitete die Staatsanwaltschaft Bonn ein Ermittlungsverfahren gegen die Führung der Hilfsorganisation Care wegen des Verdachts der Untreue ein. Der Organisation wurde vorgeworfen, Gelder des Entwicklungshilfeministeriums zweckentfremdet verwendet zu haben. Mitte 1994 war ein Care-Einsatz in Zaïre wegen unzureichender Koordination gescheitert. Zudem wurden überhöhte Spesenabrechnungen entdeckt. Der Deutsche Welthungerhilfe warf das Ministerium 1994 Verstöße gegen den Grundsatz der Sparsamkeit und Wirtschaftlichkeit vor. Anfang 1995 erstattete es Strafanzeige gegen die Afghanistan-Nothilfe e. V. wegen Fälschung von Verwendungsbelegen, die einen Schaden von rd. 1 Mio DM verursacht haben soll.

## Spielsucht

Von den Betroffenen nicht zu kontrollierender Zwang zur grenzenlosen Beteiligung an Glücksspielen. Der bundesweite Arbeitskreis Glücksspielsucht bezifferte die Zahl der Spielsüchtigen 1995 auf 100 000. S. zerstört familiäre und soziale Bindungen und zieht z. T. hohe Verschuldung sowie Beschaffungskriminalität nach sich. Außerhalb der rd. 140 Selbsthilfeorganisationen gab es keine therapeutischen Angebote.

**Umsatzrückgang:** Im dritten Jahr in Folge sank der Absatz der Automatenindustrie in Deutschland. 1994 verkaufte sie mit 80 000 rd. 13% weniger Geräte als 1993 (Branchenumsatz: rd. 6 Mrd DM). Bis Ende 1994 wurden in der Branche 10 000 von 70 000 (1992) Arbeitsplätzen abgebaut. Die Verluste führte die Industrie vor allem auf politischen Druck und fiskalische Eingriffe zurück.

**Ursachenforschung:** Eine Studie von US-Medizinern führte die S. 1994 auf biologische Ursachen zurück. Während das Gehirn üblicherweise sprachliche Aufgaben mit der linken und nichtsprachliche Aufgaben mit der rechten Hälfte löst, kommt bei Spielsüchtigen stets dieselbe, meist die rechte, Hirnhälfte zum Einsatz. Das Phänomen war bereits an konzentrationsgestörten Kindern beobachtet worden.

| Spielsucht: Automaten in Deutschland 1994 | |
|---|---|
| Spielart | Anteil (%) |
| Geldspiele | 50 |
| Sportspiele | 18 |
| Flipper | 12 |
| Musik | 7 |
| Videospiele | 7 |
| Punktspiele | 6 |

Quelle: Verband der Deutschen Automatenindustrie

## Spionage-Urteil

Nach einem Urteil des Bundesverfassungsgerichts (BVG, Karlsruhe) vom Mai 1995 dürfen DDR-Bürger, die vor der deutschen Vereinigung gegen die Bundesrepublik spioniert haben, nur eingeschränkt wegen Spionage strafrechtlich verfolgt werden. Das BVG begründete seine Entscheidung damit, Spionage gelte nicht grundsätzlich als Unrecht, sondern nur dann, wenn sie sich gegen den eigenen Staat richte. Die Bundesrepublik dürfe nach der Vereinigung nicht länger wie eine fremde Macht gegen die DDR-Spione handeln.

**Urteile:** Das Kammergericht Berlin hatte das Verfahren gegen den früheren DDR-Spionage-Chef (1986–1990) Werner Großmann 1991 ausgesetzt

| SPÖ: Nationalrats-wahlergebnisse | |
|---|---|
| **Jahr** | **Stimmen-anteil (%)** |
| 1979 | 51,0 |
| 1983 | 47,7 |
| 1986 | 43,1 |
| 1990 | 42,8 |
| 1994 | 34,9 |

und das BVG aufgefordert, die Strafbarkeit von DDR-Spionage zu überprüfen. Großmanns Vorgänger, der langjährige Spionage-Chef (1953 bis 1986) Markus Wolf, war 1993 vom Düsseldorfer Oberlandesgericht zu sechs Jahren Haft wegen Landesverrats und Bestechung verurteilt worden. **Strafkriterien:** DDR-Spione, die nur von ihrem Land aus operiert haben, bleiben straffrei. DDR-Bürger, die als Agenten in der Bundesrepublik tätig waren, können in Strafverfahren besondere Milderungsgründe erwarten. Auch für DDR-Bürger, die von einem Drittstaat aus spionierten, gilt eingeschränkte Strafverfolgung. Andere Delikte (z. B. Bestechung, Urkundenfälschung, Menschenraub), die in Zusammenhang mit der Spionage begangen wurden, bleiben strafbar. **Folgen:** Nach dem BVG-Urteil (Az.: 2 BvL 19/91) müssen allein in Berlin fast 700 Ermittlungsverfahren gegen ehemalige hauptamtliche Mitarbeiter der Ost-Berliner Hauptverwaltung Aufklärung im Ministerium für Staatssicherheit (MfS) daraufhin überprüft werden, ob sie einzustellen sind. Insgesamt drohten bis dahin rd. 6000 ehemaligen Spionen Ermittlungsverfahren. Bundesbürger, die für die DDR spionierten, werden weiterhin strafrechtlich verfolgt.

→ Regierungskriminalität

## SPÖ

| | |
|---|---|
| **Name** | Sozialdemokratische Partei Österreichs |
| **Gründung** | 1945 |
| **Mitglieder** | 600 000 |
| **Vorsitzender** | Franz Vranitzky (seit 1988) |
| **Ausrichtung** | Sozialdemokratisch |

Bei der Nationalratswahl vom 9. 10. 1994 verlor die SPÖ 7,6 Prozentpunkte (Stimmenanteil: 34,9%). Mit 65 Abgeordneten (1990: 80) blieb sie jedoch stärkste Fraktion und setzte die Regierungskoalition mit der ÖVP (seit 1986) fort. In acht von neun Bundesländern war die SPÖ Mitte 1995 an der Regierung beteiligt. Mit ihrem Vorsitzenden Franz Vranitzky stellte sie ab 1986 den Bundeskanzler. Die SPÖ-ÖVP-Koalition will die Staatsfinanzen sanieren und die Privatisierung von Staatsunternehmen fortsetzen.

## Sponsoring

(engl.; fördern), Werbung, bei der Personen, Institutionen, Veranstaltungen und Rundfunksendungen von Firmen finanziell oder mit Sach- und Dienstleistungen unterstützt werden. Im Gegenzug wird der Name des Unternehmens (Sponsors) öffentlich genannt. Nach Angaben des Fachmagazins „Sponsor News" stiegen die Aufwendungen für Sport-S. in Deutschland 1994 gegenüber 1993 um 12% auf 1,68 Mrd DM. Kunst und Kultur wurden einer Umfrage des Wirtschaftsforschungsinstituts Ifo zufolge 1994 mit 500 Mio DM gesponsert. In den Umweltschutz (sog. Öko-S.) fließen jährlich 65 Mio DM. **Ziele:** Die Unternehmen wollen mit S. ihr Image verbessern, ihren Bekanntheitsgrad in der Bevölkerung erhöhen, um Sympathie bei Verbrauchern werben und ihren Umsatz steigern. Zunehmend zielten sie Mitte der 90er Jahre auf Mitarbeitermotivation und Verbesserung des Arbeitsklimas ab. **Programm-S.:** Zum 1. 8. 1994 trat eine Änderung des Rundfunkstaatsvertrags in Kraft, die den Hinweis auf den Sponsor in bewegten Bildern (vorher statisch) sowie erstmals Werbeschaltungen des Sponsors in den Werbeinseln innerhalb der Sendung erlaubt. Nach der Änderung stieg das Interesse der Unternehmen an der finanziellen Unterstützung von Fernsehsendungen. Das Umsatzvolumen von Programm-S. lag 1994 nach Schätzung der Vermarktungsgesellschaft IPA plus bei 50 Mio–60 Mio DM und soll 1995 auf rd. 80 Mio DM steigen. 1994 akzeptierten erstmals werbefreie Sender wie das Pay-TV Premiere Programm-S. **Formen:** S. im Rahmen einer langjährigen vertraglichen Partnerschaft zwischen Unterstützer und S.-Empfänger war 1995 in Deutschland selten. Das Engagement der Unternehmen bestand häufig in Geld- und Warengeschenken sowie im Sammeln von Spenden zur Verwirklichung größerer Projekte. Sozial- und Öko-S. standen Unternehmen skeptisch gegenüber. Sie befürchteten den Vorwurf der Kunden, soziale Mißstände zu Marktzwecken auszunutzen und mangelnde Professionalität der S.-Empfänger in diesem Bereich.

→ Fernsehen → Fernsehwerbung

## Spracherkennungs-Software

Computerprogramme, die gesprochene Befehle verarbeiten können. Mitte 1995 boten Computerhersteller wie IBM, Apple Macintosh und Dragon Systems S. an, die einfache Kommandos verstehen und Diktate in Schriftzeichen umsetzen konnten (Kosten: rd. 2500 DM je Programm). Die meisten Programme hatten Mitte der 90er Jahre einen begrenzten Wortschatz, konnten nur exakt ausgesprochene Wörter verstehen und benötigten kurze Pausen zwischen einzelnen Wörtern, um sie zu verarbeiten. Das US-amerikanische Stanford Research Institute prognostizierte für 1997 einen Umsatz von 7 Mrd Dollar (10 Mrd DM). Das jährliche Marktwachstum wurde auf 40% geschätzt.

Bei S. registriert der Computer Sprache als eine Folge von Lauten (Phoneme), deren Frequenzsignale er mit gespeicherten Phonemen vergleicht und je nach Wahrscheinlichkeit der Lautfolge zuordnet. Zur Unterscheidung von Wörtern mit ähnlichen Lautfolgen setzt die S. künstliche Intelligenz ein und entscheidet aus dem Textzusammenhang, welches Wort richtig ist. S. konnte 1995 maximal 25 000 Wörter erkennen (durchschnittlicher Wortschatz eines Menschen: 30 000 Wörter). S. existierte Mitte 1995 für fast alle Betriebssysteme.

→ Betriebssystem → Software → Übersetzungssoftware

## SPS

**Name** Sozialdemokratische Partei der Schweiz

**Gründung** 1888

**Mitglieder** 39 000

**Präsident** Peter Bodenmann (seit 1990)

**Ausrichtung** Sozialreformerisch

Die SPS bildet seit 1959 mit den bürgerlichen Parteien FDP, CVP und SVP die Bundesregierung. Im Bundesparlament besetzte die SPS als zweitstärkste Partei 43 von 200 Sitzen (Wahl 1991). In ihrem Wahlkampf für die Parlamentswahl im Oktober 1995 warb die SPS als einzige Partei für einen Beitritt der Schweiz zur Europäischen Union und sprach sich für die Sicherung und den Ausbau des sozialen Systems aus.

## Staatsverschuldung

Finanzierung öffentlicher Haushalte durch Kredite. Die Schulden von Bund, Ländern und Gemeinden lagen Ende 1994 in Deutschland bei rd. 1655 Mrd DM und dürften 1995 unter Einbeziehung des neuen Erblastentilgungsfonds die 2-Billionen-Marke erreichen. Die Zinsausgaben des Bundes machten ein Fünftel des Haushalts aus. Anreiz zur Mäßigung der S. ging von den Stabilitätsbedingungen für den Beitritt zur Europäischen Währungsunion (EWU) aus.

**Situation:** Ende 1994 erreichten die Schulden des Bundes (ohne Treuhandanstalt und Bundespost) 1003 Mrd DM, die Länder waren mit 470 Mrd DM verschuldet, die Gemeinden mit 182 Mrd DM. Einen Teil seiner Schulden nahm der Bund über z. T. neugeschaffene Sonderhaushalte auf, den Fonds Deutsche Einheit, das ERP-Sondervermögen, das Bundeseisenbahnvermögen und den Kreditabwicklungsfonds. 1996 ist im Bundeshaushalt eine Kreditaufnahme von 60 Mrd DM geplant (1995: 49,5 Mrd DM). Die gesamte staatliche Kreditaufnahme wird 1995 voraussichtlich 120 Mrd DM betragen. Die Zinsausgaben belaufen sich auf 150 Mrd DM.

| SPS: Nationalratswahlergebnisse | |
|---|---|
| Jahr | Stimmenanteil (%) |
| 1975 | 24,9 |
| 1979 | 24,4 |
| 1983 | 22,8 |
| 1987 | 18,4 |
| 1991 | 19,0 |

| Staatsverschuldung: Zinslast des Bundeshaushalts | | |
|---|---|---|
| Jahr | Zinsen[1] Mrd DM | %[2] |
| 1992 | 44 | 10 |
| 1993 | 57 | 12 |
| 1994 | 74 | 15 |
| 1995 | 98 | 20 |
| 1996 | 99 | 21 |
| 1997 | 101 | 21 |
| 1998 | 106 | 22 |

1) Für Bund und Sonderhaushalte; ab 1994 geschätzt; 2) Anteil am Haushalt; Quelle: Bundesfinanzministerium

## Staatsverschuldung: Kreditaufnahme seit der deutschen Einheit 1990

| Kreditnehmer | Nettokreditaufnahme (Mrd DM) | | | | | |
|---|---|---|---|---|---|---|
| | 1989 | 1990 | 1991 | 1992 | 1993 | 1994 |
| Bund | 15,4 | 51,6 | 30,2 | 24,6 | 74,2 | 27,2 |
| Fonds Deutsche Einheit | – | 19,9 | 30,7 | 23,9 | 13,3 | 1,5 |
| Kreditabwicklungsfonds | – | 14,9 | – 0,2 | 64,3 | 0,1 | – 0,1 |
| ERP-Sondervermögen | 1,1 | 2,4 | 6,9 | 7,9 | 4,0 | – 0,1 |
| Bundeseisenbahnvermögen | – | – | – | – | – | 5,3 |
| Westdeutsche Länder | 7,3 | 18,9 | 18,6 | 19,2 | 27,0 | 20,7 |
| Ostdeutsche Länder | – | 0,3 | 4,9 | 17,6 | 17,7 | 15,1 |
| Westdeutsche Gemeinden | 2,1 | 4,2 | 6,5 | 9,3 | 12,5 | 4,3 |
| Ostdeutsche Gemeinden | – | – | 8,6 | 4,6 | 5,7 | 4,5 |
| Öffentliche Haushalte insgesamt | 25,8 | 112,2 | 106,2 | 171,4 | 154,6 | 78,4 |

Quelle: Deutsche Bundesbank

**Kritik:** Die SPD-Opposition kritisierte, die Bundesregierung habe aufgrund der Zinsverpflichtungen infolge ihrer Verschuldungspolitik kein Geld mehr für staatliche Aufgaben wie die soziale Absicherung der Bürger oder Investitionen zur Schaffung von Arbeitsplätzen zur Verfügung. Die Deutsche Bundesbank forderte Sparmaßnahmen der öffentlichen Haushalte, z. B. Kürzung von Subventionen und Einschränkung der Sozialleistungen.

**EWU:** Teilnehmer der EWU dürfen ein staatliches Defizit von höchstens 3% des BIP aufweisen, und die gesamten öffentlichen Schulden dürfen 60% des BIP nicht übersteigen. 1995 erfüllte Deutschland diese Bedingungen mit 2,5% bzw. 50,2%.

→ Europäische Währungsunion (Tabelle) → Haushalte, Öffentliche

## Stasi

(Ministerium für Staatssicherheit, MfS), die Behörde des Sonderbeauftragten für die Unterlagen des früheren DDR-Ministeriums, Joachim Gauck, bearbeitete 1990 bis Mitte 1995 rd. 1,6 Mio Anträge auf Überprüfung von Personen auf S.-Tätigkeit. Bis Mitte 1995 gingen rd. 974 000 Anträge ehemaliger DDR-Bürger auf Einsicht in ihre persönlichen S.-Akten ein, die Hälfte der Anträge wurde bereits bearbeitet. Seit 1992 darf jeder Bundesbürger bei der Gauck-Behörde anfragen, ob die S. ein Dossier über ihn hat.

**Bilanz:** Nach vorläufigen Ergebnissen der Gauck-Behörde vom Februar 1995 beschäftigte das MfS zwischen 1950 und 1989 etwa 180 000 hauptamtliche Mitarbeiter, außerdem 94 000 Perso-

## Staatsverschuldung: Sonderhaushalte des Bundes

**Bundeseisenbahnvermögen:** Die 1994 zusammengefaßten Schulden der Bundesbahn und Reichsbahn von 71 Mrd DM steigen 1995 auf 80 Mrd DM. Ab 1996 dürfen keine Kredite aufgenommen, ab 1998 sollen jährlich 2,8 Mrd DM getilgt werden.
**Entschädigungsfonds:** Der 1995 geschaffene Entschädigungsfonds für in der DDR Enteignete und Vertriebene soll bis 2004 zunächst keine Schulden machen.
**Erblastentilgungsfonds:** 1995 wurden die Schulden der Treuhandanstalt (1994: 205 Mrd DM), des Kredit-

abwicklungsfonds (Verschuldung der DDR, Kosten der Währungsunion; 1994: 102 Mrd DM) und Schulden der DDR-Wohnungswirtschaft (1994: 30 Mrd DM) zusammengefaßt. Neue Schulden dürfen nicht aufgenommen werden. Nach Modellrechnungen sollen die Verbindlichkeiten bis 2019 getilgt sein.
**ERP-Sondervermögen:** Grundlage des ERP-Haushalts sind Restgelder des Europäischen Wiederaufbauprogramms (engl.: European Recovery Program, ERP), das die USA nach dem Zweiten Weltkrieg finanzierten.

Die Schulden von 28 Mrd DM werden 1995 um 7 Mrd DM erweitert. Aus seinen Mitteln werden Kredite zur Wirtschaftsförderung in Ostdeutschland vergeben.
**Fonds Deutsche Einheit:** Der Fonds Deutsche Einheit versorgte die ostdeutschen Bundesländer 1990–1994 mit Finanzmitteln für ihren wirtschaftlichen Aufbau. 1995 wurden sie in den Finanzausgleich einbezogen. Die Schulden beliefen sich 1995 auf 89 Mrd DM. Der Fonds nimmt keine neuen Schulden mehr auf und soll bis 2013 abgetragen sein.

nen bei einem Wachregiment und rd. 500 000 sog. Inoffizielle Mitarbeiter (IM). 1989 waren rd. 2,5% der Gesamtbevölkerung der DDR im Alter von 18 bis 65 Jahren für die S. tätig (91 000 hauptamtliche S.-Mitarbeiter, 11 000 Personen bei dem Wachregiment und 174 200 Inoffizielle Mitarbeiter).

**Terrorismus-Kontakte:** Im Mai 1995 erhob die Berliner Staatsanwaltschaft Anklage gegen sechs ehemalige S.-Offiziere wegen Strafvereitelung. Den Angeklagten wurde vorgeworfen, 1980 bis 1990 zehn gesuchten früheren Terroristen der Rote Armee Fraktion (RAF) die Einreise in die DDR ermöglicht und ihnen eine neue Identität verschafft zu haben. Die RAF-Terroristen waren nach der deutschen Vereinigung enttarnt worden.

**Gutachten:** Ein vom Immunitätsausschuß des Bundestags im März 1995 angefordertes neues Gutachten der Gauck-Behörde über S.-Kontakte des PDS-Abgeordneten Gregor Gysi belastete den Politiker Mitte 1995 schwer. Danach soll Gysi zehn Jahre lang als Informeller Mitarbeiter der S. Informationen geliefert haben. Ehemalige DDR-Bürgerrechtler und Mandanten des Rechtsanwalts Gysi hatten diesen bereits vor der Bundestagswahl im Oktober 1994 als S.-Spitzel beschuldigt. Gysi wies das Gauck-Gutachten als manipuliert zurück.

→ Amnestie → Regierungskriminalität → Spionage-Urteil

## STATT Partei

| | |
|---|---|
| **Gründung** 1993 | |
| **Mitglieder** 1800 (Mitte 1995) | |
| **Vorsitzender** Harald Kaiser (seit 1994) | |
| **Ausrichtung** Rechtskonservativ | |

Die in Hamburg von Markus Wegner gegründete Wählervereinigung orientiert sich an der Lösung politischer Einzelprobleme. Bei der Bundestagswahl 1994 erreichte die S. etwa 63 000 Stimmen (0,1%). Im August 1994 löste der Vorsitzende des Landesverbandes

NRW, Harald Kaiser, Mike Bashford als Bundesvorsitzenden ab.

Mitte 1995 war die S. in einem Landesparlament vertreten. Bei der Bürgerschaftswahl in Hamburg hatte sie 1993 einen Stimmenanteil von 5,6% errungen und stellte in der SPD-geführten Regierung zwei parteilose Senatoren. Durch den Austritt des Parteigründers Wegner und eines weiteren S.-Abgeordneten nach innerparteilichen Auseinandersetzungen im Juni 1995 verlor die S. ihren Fraktionsstatus in der Hamburger Bürgerschaft.

## Steinkohle

→ Kohle

## Sterbehilfe

(auch Euthanasie; Euthanasía, griech.; gutes Sterben), Maßnahmen, die den Tod eines Kranken herbeiführen und dem Sterbenden den Tod erleichtern sollen (aktive S.). Als passive S. wird das bewußte Unterlassen von Maßnahmen bezeichnet, die das Leben eines Sterbenden verlängern oder einen Todeswilligen am Sterben hindern. Indirekte S. liegt vor, wenn schmerzstillende Mittel verabreicht werden und damit der Eintritt des Todes möglicherweise beschleunigt wird. Weltweit legalisierte der australische Teilstaat Northern Territory erstmals im Mai 1995 aktive S.

**Legalisierung:** Northern Territory ließ die aktive S. bei unheilbar Kranken zu, wenn zwei Ärzte die Diagnose stellen und der Patient eine Bedenkzeit einhält, bevor er mit Hilfe des Arztes aus dem Leben scheidet. Bis dahin verfügten die Niederlande über das weltweit weitestgehende S.-Gesetz, nach dem S. zwar verboten ist, Ärzte aber unter Einhaltung bestimmter Bedingungen bei aktiver S. straffrei bleiben: Der todkranke Patient muß bei geistiger Zurechnungsfähigkeit mehrmals ernsthaft um aktive S. nachsuchen. Der Arzt zieht einen zweiten Mediziner und die Familie des Patienten zu Rate. Die S.

1995 hatte sich die Zahl der stationären Hospize, in denen Sterbende von professionellen Sterbebegleitern unterstützt ihre letzten Lebenswochen verbringen können, gegenüber 1990 auf 32 vervierfacht. In den Hospizen werden auch Angehörige betreut, Pflegedienste und Hausärzte bei der Schmerztherapie beraten und Seminare über das Sterben abgehalten. Die Häuser finanzieren sich aus Spenden, Kirchenbeiträgen und Stiftungsgeldern. Der Aufenthalt für die Sterbenden ist kostenlos.

ist schriftlich zu protokollieren und dem Gerichtsmediziner zuzuleiten.

**Deutschland:** Bei Juristen und Ärzten war die passive S. 1995 kaum umstritten, Kritiker der aktiven S. wenden sich in erster Linie gegen die Forderung der Deutschen Gesellschaft für Humanes Sterben (DGHS, Augsburg), die sog. einverständliche Tötung gesetzlich zu verankern und § 216 StGB einzuschränken. Der Paragraph verbietet es, Menschen auf deren Verlangen zu töten. Gegner verweisen u. a. auf die Euthanasiepraxis der Nationalsozialisten. Im sog. Dritten Reich (1933–1945) waren Behinderte und Kranke getötet worden, weil sie den Ideen der NSDAP von der deutschen Rasse nicht entsprachen. In der Moralenzyklika Evangelium Vitae (lat.; Evangelium des Lebens) verurteilte Papst Johannes Paul II. Anfang 1995 S. als Verbrechen, das kein menschliches Gesetz für rechtmäßig erklären könne.

**BGH-Urteil:** Der Bundesgerichtshof (BGH, Karlsruhe) änderte im September 1994 die Rechtsprechung, nach der Ärzte das Recht zu passiver S. nur dann hatten, wenn ein Sterbender Erlösung verlangte, z. B. weil er starke Schmerzen hatte oder der Tod bevorstand. Der BGH stärkte den Patientenwillen mit der Entscheidung, daß ein Behandlungsabbruch bei irreversibel hirngeschädigten Personen im Koma zulässig sein kann, wenn deren mutmaßliche oder tatsächliche Einwilligung vorliegt. Dies gelte auch, wenn der Patient keine Schmerzen empfinde und der Tod nicht direkt bevorstehe.

## Stereogramme

Computermanipulierte Bilder, die einen dreidimensionalen Eindruck vermitteln. Das erste deutsche S.-Buch „Das magische Auge" erreichte 1994 eine Auflagenhöhe von rd. 1 Mio. Die beiden Nachfolgebände führten 1994 die Bestsellerlisten des deutschen Buchhandels an. Neben Büchern waren 1995 Videokassetten, Disketten und Anleitungen zur Eigenproduktion von dreidimensionalen Bildern erhältlich. 1995 wurden bewegliche 3-D-Objekte erprobt, die in Computerspielen oder Werbespots eingesetzt werden sollen.

S. bestehen aus einem Grundbild (Muster oder Foto) und einem dahinterliegenden dreidimensionalen Objekt, das vom Betrachter nur mit einer besonderen Blicktechnik erkannt werden kann. Durch das Vordergrundbild hindurch wird ein weitentfernter Punkt anvisiert. Die Pupillen betrachten einen Bildpunkt aus geringfügig unterschiedlichen Blickwinkeln. Das Gehirn erfaßt über die Netzhaut die Informationen beider Augen und verbindet sie zu einem Gesamtbild mit dreidimensionalem Effekt.

## Steuern

Die CDU/CSU/FDP-Bundesregierung faßte 1995 geplante Änderungen des S.-Rechts im Jahressteuergesetz 1996 zusammen. Wichtige Bereiche waren das Existenzminimum, die Investitionsförderung für Ostdeutschland, die Entlastung von Familien und S.-Vereinfachungen. Die Unternehmensteuerreform wurde Mitte 1995 vom Jahressteuergesetz abgekoppelt. Die Abgabenbelastung von Durchschnittsverdienern mit S. und Sozialabgaben erreichte 1995 nach Berechnungen des Bundes der Steuerzahler mit 48% des Bruttoeinkommens ihren bis dahin höchsten Stand (1960: 27%).

**Jahressteuergesetz 1996:** Das Existenzminimum muß nach einem Urteil des Bundesverfassungsgerichts ab

| Steuern: Einnahmen in Deutschland nach Empfängern | | |
|---|---|---|
| Haushalt | Einnahmen (Mio DM) | |
| | 1993 | 1994 |
| Bund | 360 250 | 386 145 |
| Länder | 256 131 | 261 947 |
| Ostdeutsche Länder | 27 542 | 32 052 |
| Gemeinden | 95 809 | 97 116 |
| Ostdeutsche Gemeinden | 5 863 | 7 677 |
| EU | 36 634 | 40 692 |
| Steuereinnahmen insgesamt | 749 119 | 786 162 |

Quelle: Deutsche Bundesbank

1996 durch eine Änderung des Einkommensteuertarifs steuerfrei bleiben. Die Wirtschaftsförderung für Ostdeutschland z. B. durch Investitionszulagen und Sonderabschreibungen soll bis 1998 fortgesetzt werden. Im Familienlastenausgleich sind Erhöhungen der Kindergeldbeträge und des steuerlichen Kinderfreibetrages sowie das Wahlrecht zwischen Kindergeld und -freibetrag vorgesehen.

**Unternehmensteuerreform:** Für Unternehmen ist ab 1997 die Abschaffung der Gewerbekapitalsteuer und eine Ermäßigung der Gewerbeertragsteuer vorgesehen. Einnahmeeinbußen für die Gemeinden sollen durch eine Beteiligung am Mehrwertsteueraufkommen ausgeglichen werden.

**Abgabenlast:** Zu der hohen Abgabenbelastung 1995 trugen der neue Solidaritätszuschlag, die Einführung der Pflegeversicherung sowie höhere Vermögen- und Versicherungsteuern bei. Der Bund der Steuerzahler und andere Finanzfachleute warnten u. a. vor zunehmender Schwarzarbeit, S.-Flucht ins Ausland und S.-Hinterziehung. Die Kirchen stellten eine erhöhte Zahl von Austritten zur Vermeidung der Kirchensteuer fest. Die SPD kritisierte, daß eine hohe Belastung gerade niedriger Einkommen das Ausweichen in die Schattenwirtschaft fördere bzw. durch eine Verringerung des privaten Verbrauchs die wirtschaftliche Entwicklung beeinträchtige. Das Deutsche Institut für Wirtschaftsforschung (DIW, Berlin) und der Sachverständigenrat zur Begutachtung der gesamtwirtschaftlichen Entwicklung kritisierten, daß die steuerliche Belastung von Unternehmen sich im internationalen Vergleich seit 1990 verschlechtert habe.

**Vereinfachung:** Das Jahressteuergesetz 1996 sieht das Wahlrecht vor, S.-Erklärungen nur noch alle zwei Jahre abzugeben, ebenso kann eine vereinfachte sog. Kurzveranlagung von nur zwei Seiten gewählt werden, für die der Antragsteller einen besonderen S.-Freibetrag von 1200 DM (Verheiratete: 2400 DM) erhält.

| Steuern: Einnahmen in Deutschland nach Steuerarten | | |
|---|---|---|
| **Steuer** | **Einnahmen (Mio DM)** | |
| | **1993** | **1994** |
| **Gemeinschaftliche Steuern** | | |
| Lohnsteuer | 236 738 | 241 885 |
| Veranlagte Einkommensteuer | 34 541 | 26 478 |
| Körperschaftsteuer | 28 286 | 18 622 |
| Kapitalertragsteuern | 22 234 | 30 585 |
| *Einkommensteuern zusammen* | *321 799* | *317 569* |
| Mehrwertsteuer | 166 309 | 182 674 |
| Einfuhrumsatzsteuer | 41 037 | 39 593 |
| *Umsatzsteuern zusammen* | *207 346* | *222 267* |
| Gewerbesteuerumlage | 4 093 | 6 031 |
| **Bundessteuern** | | |
| Mineralölsteuer | 56 300 | 63 847 |
| Tabaksteuer | 19 459 | 20 264 |
| Versicherungsteuer | 9 290 | 11 400 |
| Branntweinabgaben | 5 134 | 4 889 |
| Kapitalverkehrsteuern | 79 | 77 |
| Sonstige Bundessteuern | 3 495 | 5 011 |
| **Ländersteuern** | | |
| Kfz-Steuer | 14 059 | 14 169 |
| Vermögensteuer | 6 784 | 6 627 |
| Erbschaftsteuer | 3 044 | 3 479 |
| Biersteuer | 1 769 | 1 795 |
| Sonstige Ländersteuern | 9 065 | 10 482 |
| **Gemeindesteuern** | | |
| Gewerbesteuer | 42 266 | 44 086 |
| Grundsteuern | 11 633 | 12 664 |
| Sonstige Gemeindesteuern | 1 383 | 1 445 |

Quelle: Deutsche Bundesbank

**Einnahmen:** Nach der offiziellen S.-Schätzung von Mai 1995 wurden für das laufende Jahr in Deutschland S.-Einnahmen der öffentlichen Haushalte von 845,8 Mrd DM erwartet. Davon entfallen auf den Bund 378,5 Mrd DM, auf die Länder 327,4 Mrd DM, auf die Gemeinden 99,1 Mrd DM (ostdeutsche Gemeinden: 9,0 Mrd DM) und den EU-Haushalt 40,8 Mrd DM.

**Weitere Entwicklungen:** Für Ende 1995 wurden Entscheidungen des Bundesverfassungsgerichts zur Rechtmäßigkeit der Besteuerung von Grundstücken und Gebäuden nach Einheitswerten, des Arbeitnehmerpauschbetrags für die Werbungskosten bei der Einkommensteuer sowie des Erbschaftsteuergesetzes erwartet. Verfassungsrechtlich umstritten war auch der Zinsabschlag für Kapitaleinkünfte. Die Kfz-Steuer sollte auf den Schadstoffausstoß umgestellt werden.

In der EU setzten die Finanzminister 1995 darauf, daß die Verflechtung der Wirtschaften ohne Harmonisierungsmaßnahmen zur Angleichung der S.-Sätze in den EU-Staaten führt. Sie diskutierten über eine Vereinfachung des Mehrwertsteuersystems für den grenzüberschreitenden Handel. In der öffentlichen Diskussion nahm die ökologische Umgestaltung des Steuersystems, u. a. durch die Einführung von Energiesteuern, breiten Raum ein.

→ Einheitswerte → Erbschaftsteuer → Existenzminimum → Familienlastenausgleich → Gewerbesteuer → Haushalte, Öffentliche → Kfz-Steuer → Kirchenaustritte → Mehrwertsteuer → Ökosteuern → Solidaritätszuschlag → Unternehmensteuerreform → Werbungskosten → Wirtschaftsförderung-Ost → Zinsbesteuerung

## Straßenkinder

Obdachlose, oft drogenabhängige Kinder, die ihren Lebensunterhalt durch Betteln, Diebstahl, Gelegenheitsarbeit, Straßenverkauf und Prostitution verdienen. Mitte der 90er Jahre lebten nach Schätzung des Kinderhilfswerks der Vereinten Nationen (UNICEF, New York) etwa 100 Mio S. in der sog. Dritten Welt. S. kommen i. d. R. aus den Elendsvierteln großer Städte, können von den Eltern nicht ernährt werden oder verlassen ihre Familie wegen Mißhandlung.

**Europa:** Wachsende Armut in den Familien und gewaltsame Konflike zu Hause trieben in Europa Kinder in die Obdachlosigkeit. Nach Angaben des Deutschen Kinderschutzbundes (Hannover) gab es in Deutschland 1994 rd. 50 000 S. Auch in den ehemaligen Ostblockstaaten führten Armut und zerfallende Familienstrukturen zu einer steigenden Zahl von S.

**Südamerika:** Die US-amerikanische Kinderschutzorganisation Childhope

bezifferte 1994 die Zahl der Kinder auf den Straßen der lateinamerikanischen Großstädte mit 35 Mio. In Brasilien wurden jährlich Hunderte S. ermordet, allein in Rio de Janeiro waren es im ersten Halbjahr 1994 rd. 320. Privatleute, die sich von S. belästigt fühlten, beauftragten Killer. Auch in Guatemala häuften sich 1994 Gewalttaten gegen S. Die Menschenrechtsorganisation Amnesty International machte Polizisten und private Sicherheitsdienste für die Morde verantwortlich.

**Afrika/Asien:** Die UNO rechnet zu Beginn des nächsten Jahrzehnts mit rd. 16 Mio Aids-Waisen in Schwarzafrika, deren Betreuung ungewiß ist. Im asiatischen Raum hatte 1994 Indien nach Schätzung der UNO die meisten S. In den Metropolen Bombay, Kalkutta und Neu-Delhi lebten je rd. 100 000 S.

→ Armut → Mega-Städte → Obdachlose

## Streikparagraph

Nach dem 1986 verabschiedeten § 116 des Arbeitsförderungsgesetzes haben Arbeitnehmer außerhalb der umkämpften Tarifgebiete keinen Anspruch auf Kurzarbeitergeld, wenn bei Zulieferfirmen als Folge von Streiks oder Aussperrungen Arbeitsengpässe entstehen. Im Juni 1995 erklärte das Bundesverfassungsgericht (BVG) den S. als verfassungskonform und wies damit die Klage des Deutschen Gewerkschaftsbunds (DGB) zurück, die von Bremen, Hamburg, Nordrhein-Westfalen und Saarland sowie SPD-Bundestagsabgeordneten unterstützt worden war. Das Gericht begründete das Urteil damit, daß der S. keinen Eingriff in die verfassungsrechtlich garantierte Tarifautonomie darstelle. Die Grenze der Verfassungswidrigkeit sei erst überschritten, wenn das Gleichgewicht der Tarifvertragsparteien gestört werde. Der Gesetzgeber wurde aufgefordert, bei künftigen Arbeitskämpfen die Auswirkungen des S. zu prüfen und bei auftretender Ungleichheit die Regelung zu korrigieren.

→ Tarifverträge

| Streikparagraph: Arbeitsausfall durch Streik | |
|---|---|
| **Land** | **Tage[1]** |
| Griechenland | 568 |
| Spanien | 420 |
| Italien | 223 |
| Irland | 147 |
| Großbritannien | 70 |
| USA | 66 |
| Frankreich | 39 |
| Deutschland (W) | 18 |
| Österreich | 7 |
| Japan | 3 |
| Schweiz | 0,4 |

1) Je 1000 Arbeitnehmer, Durchschnitt 1989–1993; Quelle: IW

## Strompreise

Die deutschen Energieversorgungsunternehmen (EVU) planten Mitte 1995, die S. ab 1996 um durchschnittlich 2 Pf/kWh für Privathaushalte und 1,5 Pf/kWh für Industrieabnehmer in Westdeutschland zu senken. Grund war der Wegfall der von den EVU und den Stromverbrauchern geleisteten Kohlesubventionen (Selbstbehalt der Stromversorger und Kohlepfennig). Die industriellen Stromkunden forderten eine Senkung der S. um 3,3 Pf/kWh. Die SPD befürwortete Mitte 1995 die Einführung einer Stromsparsteuer von 1,5 Pf/kWh, weil eine Senkung der S. den Energieverbrauch erhöhe.

**Preisvergleich:** Im EU-Durchschnitt waren die S. in Deutschland trotz einer Senkung um 3,5% von 1989 bis 1994 (EU: −1,0%) nach Angaben des Bundesverbandes der Energie-Abnehmer (VEA) um etwa 30% niedriger. Folgende Faktoren führten bis 1995 in Deutschland zu höheren S.:
▷ Subventionen für die heimische Steinkohle
▷ Zahlungen der EVU an die Kommunen für das alleinige Recht zur zentralen Energieversorgung (Konzessionsabgabe)
▷ Nachrüstung der Kraftwerke für Entschwefelung und Entstickung. Die Aufwendungen werden nach Angaben des Verbands der Industriellen Energie- und Kraftwirtschaft (VIK) 1993–1996 um 57% auf 2,7 Mrd DM sinken

### Strompreise: Haushaltskosten

| Rechnung[1] | Preis (DM) | |
|---|---|---|
| | West | Ost |
| Verbrauch | 59,00 | 59,00 |
| Grundbetrag | 9,00 | 10,50 |
| Summe | 68,00 | 69,50 |
| 8,5% Kohlepfennig | 5,80 | – |
| 15% Mehrwertsteuer | 11,00 | 10,50 |
| Monatsbetrag | 84,80 | 80,00 |

Stand: Januar 1995; 1) Drei-Personen-Haushalt bei Monatsverbrauch von 250 kWh; Quelle: VDEW

▷ Mindestvergütung für Strom aus erneuerbaren Energien, der in das öffentliche Netz eingespeist wird (seit 1990).
Hinzu kamen die Erdgassteuer (0,36 Pf/kWh) und eine Zinsabgabe für Abnehmer von inländisch gefördertem Erdgas. In Bayern waren die S. für Privatkunden mit 30 Pf/kWh am höchsten (Bundesdurchschnitt: 27 Pf/kWh).
**Private Erzeuger:** Seit 1979 bzw. 1985 gibt es Vereinbarungen zwischen dem Bundesverband der Deutschen Industrie, der Vereinigung Deutscher Elektrizitätswerke und dem VIK über die Vergütung von Strom aus industriellen und privaten Anlagen, die Strom einsparen, z. B. durch Kraft-Wärme-Kopplung. Ab 1995 zahlen die EVU an industrielle und private Stromerzeuger, die Elektrizität ins öffentliche Netz einspeisen, bis zu 15% höhere S. Sie lagen jedoch unter den Vergütungen für erneuerbare Energien.
→ Energien, Erneuerbare → Energiesteuer → Energieversorgung → Kohle → Ökosteuern

### Strompreise: EU-Vergleich

| Land | Indexwert[1] |
|---|---|
| Niederl. | 72 |
| Dänemark | 81 |
| Irland | 87 |
| Luxemburg | 90 |
| Griechenl. | 91 |
| Großbrit. | 95 |
| Deutschl. | 100 |
| Frankreich | 105 |
| Belgien | 114 |
| Spanien | 129 |
| Portugal | 142 |
| Italien | 176 |

1) Privathaushalte 1993 mit 3500 kWh Verbrauch, Deutschland = 100; Quelle: VDEW

## Stromverbund

Der S. führt unterschiedliche Stromnetze zusammen und erleichtert Energietransport und -nutzung. Strom kann jeweils von dort bezogen werden, wo er mit dem geringsten Aufwand, den niedrigsten Kosten und der geringsten Umweltbelastung erzeugt wird. Mit dem Baltic Cable zwischen Südschweden und Lübeck wurde 1994 das weltweit längste (250 km) und leistungsstärkste (Übertragungsleistung: 600 MW) Hochspannungsseekabel für Gleichstrom verlegt.

**Skandinavien:** Der vereinbarte Stromaustausch sieht Lieferungen aus schwedischen Wasserkraftwerken und bei Wasserknappheit auch solche aus deutschen Kohle- und Atomkraftwerken vor. Ab 1998 sollen Schleswig-Holstein und Niedersachsen mit Elektrizität (mindestens 2 Mrd kWh pro Jahr) aus norwegischen Wasserkraftwerken versorgt werden. 2003 soll ein

Seekabel zwischen Norwegen und der deutschen Nordseeküste (Viking Cable, Länge: 500 km, Kosten: 1 Mrd DM) die Übertragung von 600 MW gewährleisten. Der Bau eines dritten Seekabels war Mitte 1995 geplant.

**Osteuropa:** Geographische und technische Besonderheiten behinderten Mitte der 90er Jahre den Stromaustausch mit Osteuropa. Eine Kopplung zwischen dem IPS-Netz und dem westeuropäischen Netz (UCPTE) ist nicht möglich, weil das IPS höhere Frequenzschwankungen aufweist als das UCPTE-Netz (maximal 0,05 Hertz; IPS: rd. 1 Hertz). Kurzkupplungen, die den Transport kleiner Strommengen ermöglichen, waren zwischen Bayern und der Tschechischen Republik sowie zwischen Österreich, Ungarn und der Slowakei in Betrieb.

**Deutschland:** Berlin und die ostdeutschen Bundesländer sollen bis Ende 1995 an das westeuropäische Netz angeschlossen werden, wenn die letzte dafür notwendige 380-kV-Verbindung zwischen Hessen und Thüringen fertiggestellt ist. Im Dezember 1994 wurde eine Verbindung (Länge: 130 km) zwischen Wolmirstedt bei Magdeburg und Berlin in Betrieb genommen (Kosten: 815 Mio DM). Sie deckt etwa die Hälfte des Westberliner Strombedarfs und ist über Helmstedt (Niedersachsen) an das UCPTE-Netz angeschlossen.

→ Energie-Binnenmarkt → Energiecharta, Europäische

## Strukturfonds

→ Regionalförderung

## Subventionen

Ausgaben der öffentlichen Haushalte zur Förderung von Branchen und privaten Haushalten bzw. der regionalen oder gesamten Wirtschaftsentwicklung. Das Deutsche Institut für Wirtschaftsforschung (DIW, Berlin) kritisierte 1995, daß in Deutschland 40% aller S. zur Erhaltung schrumpfender Branchen ausgegeben werden, deren Produkte nicht mehr gefragt sind, und so die Umstellung auf zukunftsorientierte Produkte verzögert werde (1987: 37%).

Der Großteil der S. geht dem DIW zufolge in Deutschland an die Landwirtschaft, den westdeutschen Kohlebergbau, den Wohnungsbau und die Bahn. Seit der deutschen Einheit 1990 gingen die S. für Westdeutschland bis 1993 von 82,8 Mrd DM auf 77,1 Mrd DM leicht zurück, während die S. für Ostdeutschland von 10,5 Mrd DM auf 72,9 Mrd DM stark stiegen. Insgesamt nahmen die S. von 93,3 Mrd DM auf 150,0 Mrd DM zu.

S. werden in der Form von Finanzhilfen (Zuschüsse, zinsgünstige Darlehen, Garantien) oder Steuervergünstigungen vergeben. Krisenbranchen mit Absatzschwierigkeiten (z. B. Werften, Kohlebergbau) erhalten S., um den Rückgang zu verlangsamen und Arbeitsplätze vorübergehend zu erhalten. Konjunktur-, Investitions- oder Be-

**Stromverbund: Systeme in Europa**

Grenze asynchroner Netze
Seekabel
Seekabel in Bau/geplant
Kurzkupplung

NORWEGEN
FINNLAND
SCHWEDEN
ESTLAND
IRLAND
GROSS-BRITANNIEN
DÄNE-MARK
LETTLAND RUSSLAND
LITAUEN
RUS.
NIEDER-LANDE
WEISS-RUSSLAND
BELGIEN
DEUTSCH-LAND
POLEN
LUX.
TSCHECH. REP.
UKRAINE
FRANKREICH LIECH.
SLOWAKEI
SCHWEIZ
ÖSTER-REICH
UNGARN
MOLDA-WIEN
SLO.
RUMÄNIEN
KROATIEN
BOS. HERZ.
PORTU-GAL
AND.
SPANIEN
ITALIEN
JUGOS. BULGARIEN
ALBA-NIEN MAZ.
GRIECHEN-LAND
TÜRKEI
MALTA

0    500 km

© Harenberg    Stand: Mitte 1995    Quelle: Stromthemen

Verbundnetz der skand. Länder (NORDEL)
Verbundnetz Osteuropa (IPS)
Verbundnetz GUS (UPS)
Verbundnetz Westeuropa (UCPTE)
Verbundnetz GB (CEGB)
CENTREL-Staaten

schäftigungsprogramme sollen die wirtschaftliche Entwicklung einer Region (z. B. Ostdeutschland, Randgebiete der EU, Dritte Welt) oder eines ganzen Wirtschaftsraumes fördern (z. B. Transeuropäische Netze in der EU).
→ Haushalte, Öffentliche → Regionalförderung → Transeuropäische Netze

## Supercomputer

→ Parallelcomputer

## Superjumbo

1996 wollen die Flugzeugproduzenten Airbus Industrie (Toulouse/Frankreich) und die Boeing Co. (Seattle/ USA) prüfen, ob Marktchancen für ein Passagierflugzeug mit 600–1000 Sitzen bestehen, das mehr Passagiere bei einem geringeren Kerosinverbrauch als herkömmliche Großflugzeuge transportieren kann. Die Hersteller gingen von einem Absatz von 500 S. aus, um wirtschaftlich produzieren zu können. Die Entwicklungskosten (ca. 15 Mrd Dollar, 21 Mrd DM) machten es einzelnen Unternehmen unmöglich, den S. zu produzieren. Das größte Flugzeug war 1995 die 71 m lange Boeing 747 (sog. Jumbo-Jet) mit einer Transportkapazität von maximal 450 Personen.

## Superschwere Elemente

Chemische Elemente mit Atomkernen, die aus mindestens 114 Protonen bestehen und in der Natur nicht vorkommen. Die Zahl der Protonen im Atomkern bestimmt den Stand des Elements im chemischen Periodensystem (sog.

### Subventionen: Entwicklung in Deutschland

| Branche | 1991 (Mrd DM) | | 1993 (Mrd DM) | |
|---|---|---|---|---|
| | West | Ost[1] | West | Ost[1] |
| Landwirtschaft | 15,3 | 4,7 | 17,1 | 4,8 |
| Ernährungsgewerbe | 1,4 | 1,6 | 1,1 | 2,4 |
| Großhandel | 0,7 | 2,1 | 0,5 | 3,5 |
| Kohlebergbau | 8,7 | 1,1 | 8,0 | 0,9 |
| Eisenbahnen | 7,0 | 7,8 | 7,2 | 8,3 |
| Wohnungsvermietung | 7,5 | 2,0 | 7,2 | 4,7 |

Stand: 1995; 1) ohne Treuhandanstalt; Quelle: Deutsches Institut für Wirtschaftsforschung (DIW, Berlin)

Ordnungszahl). Elemente ab der Ordnungszahl 104, die künstlich hergestellt werden müssen, zerfallen unter Aussendung radioaktiver Strahlen innerhalb von Tausendstel Sekunden. Ende 1994 erzeugten Forscher der Gesellschaft für Schwerionenforschung (Darmstadt) erstmals die Elemente mit den Ordnungszahlen 110 und 111. Von S. ab der Ordnungszahl 114 erhoffen sich Forscher eine Lebensdauer von mehreren Stunden oder Tagen.
Das Element 110 stellten die Forscher her, indem sie ein Bleiatom (82 Protonen) in einem Teilchenbeschleuniger mit einem Nickel-Ion (28 Protonen) beschossen, Element 111 entstand durch den Nickelbeschuß von Wismut (83 Protonen). Die Lebensdauer des Elements 111 war mit rd. 1,5 Millisekunden ähnlich lang wie die des Elements 110. Die Lebensdauer der Elemente 107–110 hatte mit steigender Ordnungszahl abgenommen.

### Superjumbo: Vergleich

| Kenndaten | Superjumbo | Boeing 747 |
|---|---|---|
| Passagiere | 600–1000 | 450 |
| Länge (m) | 80 | 71 |
| Höhe (m) | 25 | 19 |
| Gewicht (t) | 510 | 395 |
| Reichweite (km) | 13 000 | 13 380 |

### Superschwere Elemente: Glossar

**Alpha-Zerfall:** Eine der drei radioaktiven Zerfallsarten. Ein Atomkern stößt zwei Protonen und zwei Neutronen ab.
**Ion:** Ein Atom, dem Elektronen in der Hülle fehlen. Das positiv geladene Ion kann, im Gegensatz zu den neutralen Atomen, durch elektrische Felder beschleunigt werden.
**Isotop:** Atome mit gleicher Zahl von Protonen und identischem chemischem Verhalten, aber unterschiedlicher Neutronenzahl.

**Schalenmodell:** Kernphysikalisches Modell des Atomkerns, das einen schalenförmigen Aufbau der Kernbausteine annimmt.
**Transurane:** Elemente mit einer höheren Ordnungszahl als Uran (Ordnungszahl: 92); müssen künstlich hergestellt werden.
**Tröpfchenmodell:** Kernphysikalisches Modell, das den Atomkern mit einem Flüssigkeitstropfen vergleicht, in dem Protonen und Neutronen gleichmäßig über das Kernvolumen verteilt sind.

| SVP: Nationalrats-wahlergebnisse | |
|---|---|
| Jahr | Stimmen anteil (%) |
| 1975 | 9,9 |
| 1979 | 11,6 |
| 1983 | 11,1 |
| 1987 | 11,0 |
| 1991 | 11,8 |

## Supraleiter

Materialien, die unterhalb einer Temperatur sprunghaft ihren elektronischen Widerstand verlieren und Strom ohne Energieverlust leiten. Ziel der Forschung war es Mitte der 90er Jahre, S. mit möglichst hoher Sprungtemperatur zu entwickeln. Bei sog. Hochtemperatur-S. (HTSL) kann die teure Kühlung mit flüssigem Helium durch Stickstoffkühlung ersetzt werden (Stickstoffsiedepunkt: $-196\,°C$). Mitte 1995 war $-120\,°C$ die höchste erreichte Temperatur. Eine Aussage französischer Forscher, ein Material gefunden zu haben, das bei $-23\,°C$ supraleitet, konnte in weiteren Versuchen nicht bestätigt werden. Der weltweite Umsatz mit S. soll bis 2000 bei rd. 15 Mrd DM liegen und bis 2020 auf 150 Mrd–300 Mrd DM steigen.

**Anwendung:** Forscher erhoffen sich folgende Einsatzgebiete für S.:

▷ Energieeinsparung bei Stromerzeugung, -tranformation und -transport

▷ Die Rechengeschwindigkeit von Computern soll durch Chips erhöht werden, die mit supraleitenden Materialien bedampft sind. Da widerstandslos geleiteter Strom keine Wärme erzeugt, können supraleitende Chips dichter mit Bauteilen bepackt werden

▷ Supraleitende Sensoren, sog. Squids (Abk. für Supraleitender Quanten-Interferenz-Detektor), können kleinste Veränderungen in Magnetfeldern messen. In der Medizin sollen sie als Meßfühler für Hirnströme und für die Überprüfung metallischer Materialien eingesetzt werden.

1995 fanden S. vor allem wegen der aufwendigen Kühlung in der Industrie nur geringe Verwendung.

**Kabel:** 1995 entwickelten Forscher in Los Alamos (New Mexico/USA) einen flexiblen, bandförmigen HTSL, der Stromdichten bis zu 1 Mio Ampere pro $cm^2$ Kabelquerschnitt transportieren kann (Kupferkabel: 1000 Ampere pro $cm^2$). Diese Stromstärke gilt als Schwellenwert zur möglichen industri-

ellen Anwendung. Die US-amerikanische Firma American Superconductor Corporation brachte 1994 erstmals ein HTSL-Kabel von 1000 m Länge auf den Markt, das aus Silberröhrchen gefüllt mit Keramikpulver besteht.

→ Werkstoffe, Neue

## Sustainable Development

→ Nachhaltige Entwicklung

## SVP

| | |
|---|---|
| **Name** | Schweizerische Volkspartei |
| **Gründung** | 1971 |
| **Mitglieder** | 80 000 |
| **Präsident** | Hans Uhlmann (1987) |
| **Ausrichtung** | Liberal-konservativ |

Gemeinsam mit FDP, SPS und CVP stellte die SVP 1995 die Bundesregierung. Sie besetzte 25 der 200 Sitze im Nationalrat (Wahl von 1991). In der Regierung wurde die SVP von Alfred Ogi als Vorsteher des Verkehrs- und Energiewirtschaftsdepartementes vertreten. In ihrem Programm für die Parlamentswahl im Oktober 1995 wandte sich die Partei gegen einen Beitritt der Schweiz zur EU bis 1999. In der Drogenpolitik sprachen sie sich gegen eine staatliche Heroinabgabe und die Aufhebung von öffentlichen Injektionsräumen für Drogen aus. Mitte 1995 war die SVP in 16 der 26 Kantonalparlamente vertreten.

## Swatch-Auto

→ Smart-Auto

# T

## Taliban

(paschtu; Studenten der islamischen Theologie), fundamentalistische Studentenmiliz, die 1994/95 im afghanischen Bürgerkrieg militärische Erfolge errang und im Februar 1995 Teile der

Hauptstadt Kabul einnahm. Im März 1995 mußten die T., die 40% des afghanischen Territoriums kontrollierten, erstmals Niederlagen hinnehmen. Die Truppen des afghanischen Präsidenten Burhanuddin Rabbani unter Führung von Ahmed Schah Massud vertrieben sie aus Kabul.

Ziel der etwa 25 000 Mann starken Truppe ist die Entwaffnung der zerstrittenen Mudschaheddin-Fraktionen und die Befriedung Afghanistans auf der Grundlage des islamischen Rechts. Die Hintermänner der T. sind nicht bekannt. Vermutet wird eine Unterstützung durch das Nachbarland Pakistan, das an sicheren Handelsrouten nach Zentralasien interessiert ist.

→ Mudschaheddin

## Tamilen

Vorwiegend hinduistische Bevölkerungsminderheit auf Sri Lanka (Bevölkerungsanteil: 20%), die eine Trennung von der buddhistischen singhalesischen Mehrheit (rd. 70%) und einen autonomen Staat (Tamil Eelam) anstrebt. Die radikale Untergrundbewegung LTTE (Liberation Tigers of Tamil Eelam, engl.; tamilische Befreiungstiger) unter Velupillai Prabhakaran beansprucht 40% des Territoriums im Norden und Osten der Insel und versucht seit 1983, dieses Ziel mit Gewalt durchzusetzen. Der Guerillakrieg forderte bis Mitte 1995 rd. 50 000 Menschenleben. Einen Waffenstillstand vom Januar 1995 kündigte die LTTE, die über rd. 12 000 bewaffnete Kämpfer verfügt, im April 1995 auf. Im Juli starteten 10 000 Regierungssoldaten eine Großoffensive gegen die LTTE.

**Frieden gescheitert:** Mit Anschlägen auf zwei Patrouillenboote, bei denen 16 Menschen starben, markierte die LTTE nach vier Gesprächsrunden das Ende der im Oktober 1994 in Jaffna aufgenommenen Friedensgespräche. Als Grund gab Prabhakaran an, die Regierung hätte die Waffenruhe benutzt, um ihre militärische Position zu stärken. Außerdem verweigerte die Regierung die Räumung eines Militärstützpunktes, der den einzigen Zugang zur Halbinsel Jaffna kontrolliert. Im Januar 1995 hatte sich die LTTE bereit erklärt, nicht länger auf einen eigenen Staat zu bestehen.

**Wahlversprechen:** Die seit November 1994 als Präsidentin amtierende Chandrika Kumaratunga von der linksgerichteten People's Alliance (PA) hatte der Bevölkerung ein Ende des Bürgerkriegs versprochen. Im Oktober 1994 war bei einem Attentat der LTTE Gamini Disanayake, Präsidentschaftskandidat der seit 1978 regierenden United National Party (UNP), gestorben.

## Tank Girl

Englische Comic-Heldin, die Mitte der 90er Jahre in Großbritannien und USA zur Kultfigur wurde. T. verkörpert Anarchismus und extreme Ich-Bezogenheit ohne Verantwortungsgefühl und Gewissen in einer vermeintlich perspektivlosen Welt. Im Mai 1995 begann der Verkauf die gleichnamige Comic-Reihe in Deutschland (Preis: pro Heft: 8,90 DM, Erscheinung: alle zwei Monate). T. steht Pate für Mode-

Tank Girl, schrill und ohne Moral – der Kult-Comic wider den guten Geschmack.

| Tarifverträge: Lohn-erhöhungen in Westdeutschland | |
|---|---|
| Bereich | Erhöhung (%) |
| Einzelhandel | 3,3 |
| Landwirtschaft | 2,9 |
| Nahrungsmittel | 2,9 |
| Baugewerbe | 2,8 |
| Hotelgewerbe | 2,6 |
| Banken | 2,5 |
| Holzindustrie | 2,4 |
| Transport | 2,4 |
| Großhandel | 2,2 |
| Metallindustrie | 1,9 |
| Chemieindustrie | 1,8 |
| Druckindustrie | 1,8 |
| Lederindustrie | 1,6 |
| Deutsche Bahn | 1,5 |
| Textilindustrie | 1,2 |
| Öffentl. Dienst | 0,9 |

Stand: 1994; Quelle: WSI

kollektionen. Sie ist Vorbild für Musikgruppen (sog. Girlie-Bands) und einen Hollywood-Film (Start: Juni 1995). Zielgruppe von T. sind Mädchen ab 14 Jahre.

Die schwarz-weißen, schrillen und geschmacklosen T.-Comics von Jamie Hewlett (Zeichnung) und Alan Martin (Text) zeichnen sich vor allem durch ihren derben Wortschatz aus. Die Geschichten spielen in Australien des Jahres 2033. T. lebt, begleitet von ihrem Freund Booga, dem Känguruh, in einer von Meteoriten zerstörten Wüstenwelt. Ihre Behausung ist ein kanonenbestückter Kampfpanzer.

## Tankstellen-Umrüstung

Bis Ende 1997 müssen Tankstellen in Deutschland mit einem Absaugsystem für giftige Benzindämpfe (sog. Saugrüssel) und mit flüssigkeitsdichten Fahrbahnen ausgerüstet sein. Etwa 3000 der 18 000 (Stand: 1995) Tankstellen werden bis 2000 schließen müssen, weil sie die Investitionen von 200 000–350 000 DM nicht finanzieren können.

**Saugrüssel:** Die Benzin-Zapfpistole ist mit einem Gummiring um den Einfüllstutzen ausgestattet, die das Entweichen giftiger Kohlenwasserstoffe, vor allem von krebserregendem Benzol, in die Luft beim Betanken von Autos verhindert. Durch einen Schlauch werden die Benzindämpfe von der Zapfpistole in einen Kraftstofftank unter der Zapfsäule geleitet. Mit dem Saugrüssel können nach Angaben des Bundesumweltministeriums ca. 85% der 45 000 t jährlich in Deutschland verdampfenden Kohlenwasserstoffe aufgefangen werden. Anfang 1995 waren 3742 Tankstellen (21% aller Tankstellen) mit Saugrüsseln ausgerüstet, die ab 1993 für neue Anlagen verpflichtend sind. Je nach Anzahl der Zapfsäulen kostet die Umrüstung 100 000–150 000 DM.

**Fahrbahn:** Der flüssigkeitsdichte Fahrbelag soll das Eindringen von Öl in das Erdreich verhindern. Sein Bau erfordert je nach Tankstellengröße Investitionen von 100 000–200 000 DM. **Sonderregelung:** Ausgenommen von der T. sind Tankstellen, die weniger als 1 Mio l Kraftstoff jährlich absetzen.

## Tarifverträge

Zwischen Arbeitgeberverbänden und Gewerkschaften geschlossene befristete Vereinbarungen über Arbeitsbedingungen (z. B. Lohnerhöhungen und Arbeitzeit). Arbeitgeber schließen T., um den Betriebsfrieden zu erhalten. Die Gewerkschaften wollen mehr Rechte für Arbeitnehmer durchsetzen. Die Erhöhung der Tarifverdienste betrug 1994 im Westen durchschnittlich 2%. Die gleichzeitig gegenüber dem Vorjahr um 3% gestiegenen Preise führten zu Reallohneinbußen der Arbeitnehmer. Die Spannweite der Lohnerhöhungen reichte von 0,9% im Öffentlichen Dienst bis zu 3,3% im Einzelhandel. Wichtigstes Ziel der westdeutschen Tarifverhandlungen war 1994/95 die Beschäftigungssicherung durch Arbeitszeitverkürzung. Die Tarifpartner der westdeutschen Metallindustrie vereinbarten 1994 die Möglichkeit zur Verkürzung der Wochenarbeitszeit von 36 auf bis zu 30 Stunden mit Teillohnausgleich. Der Ausgleichszeitraum für zusätzlich geleistete Arbeitsstunden wurde von sechs auf zwölf Monate verlängert.

Mit einer Erhöhung der ostdeutschen Tariflöhne um durchschnittlich 6,4% wurde 1994 die Angleichung an das Lohnniveau der alten Bundesländer fortgesetzt (84%).

→ Arbeitszeit → DGB → Einkommen → Gewerkschaften → Streikparagraph

## Täter-Opfer-Ausgleich

Im Rahmen des Verbrechensbekämpfungsgesetzes ergänzte die CDU/CSU/FDP-Bundesregierung mit den Stimmen der SPD im September 1994 das StGB durch den § 46a. Dieser sieht den Ausgleich zwischen Straftätern und Opfern von Straftaten (z. B. Dieb-

stahl, Raub) vor, der mit einer Schadenswiedergutmachung verbunden sein kann. Der Straftäter soll die Unrechtmäßigkeit seiner Tat einsehen und die Verantwortung für die Folgen übernehmen.
Wiedergutmachung des Straftäters für das Opfer wirkt beim Urteil strafmildernd. Wenn keine höhere Strafe als Freiheitsstrafe bis zu einem Jahr oder Geldstrafe bis zu 360 Tagessätzen fällig ist, kann das Gericht von der Bestrafung des Täters absehen.
Voraussetzung für einen T. sind das Schuldeingeständnis des Täters und die Einwilligung des Opfers. Täter und Opfer sollen an einem neutralen Ort über das Geschehen sprechen. Kritiker befürchteten, daß die Justiz zur eigenen Entlastung Druck auf die Opfer ausübt, sich mit dem Straftäter auszusöhnen.

## Teilchenbeschleuniger

Forschungsanlagen, in denen Elementarteilchen nahezu auf Lichtgeschwindigkeit (300 000 km/sec) beschleunigt und zur Kollision gebracht werden. T. dienen zur Erforschung der kleinsten Bestandteile der Materie und zur Überprüfung der physikalischen Standardtheorie zur Entstehung des Universums, der sog. Urknall-Theorie. Im Dezember 1994 beschlossen die Mitglieder der europäischen Organisation für Kernforschung CERN den Bau des weltweit größten T., der Large Hadron Collider (LHC, engl.; große Hadronen-Kollisionsanlage) in Genf/Schweiz. Japan plante 1995 rd. 60 km nordöstlich von Tokio den Bau eines 25 km langen linearen T. Ende 1994 wurde das weltweit größte Labor, ESRF, zur Röntgenstrahlenerzeugung in Grenoble/Frankreich eingeweiht.
**Funktionsweise:** In T. werden positiv und negativ geladene Elementarteilchen in linearen oder ringförmigen Vakuumröhren durch Elektromagneten oder supraleitende Magneten beschleunigt. Beim Zusammenprall der Teilchen zerfallen die Elementarteil-

---

### Tarifverträge: Arbeitskampf

**Aussperrung:** Kampfmittel der Arbeitgeber bei Tarifauseinandersetzungen. Streikende und arbeitswillige Arbeitnehmer eines Betriebes können unter Fortfall der Lohnzahlung vorübergehend von der Arbeit ausgeschlossen werden.
**Mitbestimmung:** Gesetzlich verankertes Recht zur Beteiligung der Arbeitnehmer bzw. ihrer Interessenvertretung an Entscheidungen (z. B. Festsetzung von Überstunden, Festlegung der Arbeitszeit, Verteilung übertariflicher Zulagen) in privaten Unternehmen und im öffentlichen Dienst.
**Öffnungsklauseln:** Vereinbarungen zwischen den Tarifpart-

nern über die zeitweise Außerkraftsetzung von Tarifbestimmungen in Betrieben. Ö. ermöglichen eine vorübergehende untertarifliche Entlohnung der Beschäftigten, wenn Konkurse und Entlassungen drohen.
**Tarifautonomie:** Im GG garantiertes Recht der Gewerkschaften und Arbeitgeberverbände, Arbeitslöhne und -bedingungen ohne staatliche Einflußnahme auszuhandeln.
**Urabstimmung:** Geheime Abstimmung aller Gewerkschaftsmitglieder über einen geplanten Streik oder die Annahme von Tarifverträgen in einem Tarifbereich. Die Zustimmung von 75% der Mitglieder ist erforderlich.

---

chen und setzen sich neu zusammen. Diese Prozesse werden als Nachahmung der Bedingungen interpretiert, die vor rd. 15 Mrd Jahren bei der Entstehung des Universums vorlagen.
**LHC:** Der T. wird in den 27 km langen Elektron-Positron-Speicherring Lep eingebaut. Er soll rd. 3,1 Mrd DM kosten und im Jahr 2008 eine Energie von 14 Billionen Elektronenvolt erreichen. Die Forscher wollen nach Teilchen suchen, die es lt. Urknall-Theorie nur zum Zeitpunkt der Entstehung des Universums gab (sog. Higgs-Bosonen). Japan beteiligt sich mit 80 Mio DM an dem europäischen Projekt.
**ESRF:** In dem 850 m langen Ringbeschleuniger wird eine Röntgenstrahlung mit einem kontinuierlichen Spektrum an Wellenlängen, sog. Synchrotronstrahlung, erzeugt. Den Forschern dient der T. als Supermikroskop, mit dem sie u. a. den atomaren Aufbau von Werkstoffen erkunden wollen.
→ Neutrinos → Quarks → Supraleiter

## Teilzeitarbeit

Sozialversicherungspflichtiges Dauerarbeitsverhältnis mit kürzerer als der tariflich oder betrieblich vereinbarten Regelarbeitszeit. Die Zahl der T.-Beschäftigten stieg in Deutschland

| Teilzeitarbeit: Stellenmarkt 1994 | |
|---|---|
| Branche | Teilzeitkräfte[1] |
| Post | 38 |
| Wissensch., Kunst, Medien | 30 |
| Organisationen, Verbände | 29 |
| Reinigung, Körperpflege | 26 |
| Gesundheitswesen | 21 |
| Staat, Sozialversicherung | 20 |
| Handel | 18 |
| Beratung | 14 |
| Kreditinstitute | 13 |
| Sonstige Dienstleistungen | 13 |
| Gastgewerbe | 11 |
| Versicherungen | 10 |
| Verkehr | 6 |
| Landwirtschaft | 6 |
| Industrie | 4 |
| Baugewerbe | 3 |

1) Je 100 Vollzeitbeschäftigten; Quelle: BA

| Teilzeitarbeit: Länder-Vergleich | |
|---|---|
| Land[1] | Anteil (%)[2] |
| Niederlande | 32,8 |
| Norwegen | 26,9 |
| Schweden | 24,3 |
| Großbritannien | 23,2 |
| Dänemark | 23,1 |
| Japan | 20,5 |
| USA | 17,5 |
| Deutschland | 15,4 |
| Frankreich | 12,7 |
| Belgien | 11,8 |
| Österreich | 9,1 |
| Irland | 8,4 |
| Finnland | 7,9 |
| Portugal | 7,2 |
| Spanien | 5,9 |
| Italien | 5,4 |
| Griechenland | 3,9 |

Stand: 1993; 1) Auswahl; 2) Anteil der Teilzeitbeschäftigten an den abhängig Beschäftigten; Quelle: OECD

1991–1993 um 165 000 Personen auf 4,9 Mio (15% aller abhängig Beschäftigten) an. 94% der Teilzeitkräfte waren Frauen. Politiker, Unternehmer und Gewerkschaften einigten sich Mitte der 90er Jahre darauf, T. als Mittel zur Bekämpfung der Arbeitslosigkeit zu fördern. Mitte 1994 startete Bundesarbeitsminister Norbert Blüm (CDU) eine Werbekampagne für T. Durch Umverteilung der vorhandenen Arbeit könnten nach Angaben der CDU/CSU/FDP-Bundesregierung rd. 2 Mio neue Stellen geschaffen werden. Der Deutsche Gewerkschaftsbund (DGB) erwartete einen Stellenzuwachs von 300 000.

**Soziale Absicherung:** Der DGB forderte die Verbesserung der sozialen Absicherung der in T. Beschäftigten. Benachteiligungen gegenüber Normalbeschäftigten bei der Bezahlung und bei Aufstiegs- und Weiterbildungschancen müßten abgebaut werden. Der Übergang von der Vollerwerbstätigkeit in die T. sollte eine freiwillige Entscheidung der Erwerbstätigen sein, die auf Wunsch zur Vollbeschäftigung zurückkehren können.

**EU-Richtlinie:** Die Verabschiedung einer Richtlinie, die arbeitsrechtliche Mindeststandards für Teilzeitbeschäftigte in der EU festlegt und Benachteiligungen gegenüber Vollzeitbeschäftigten entgegenwirken soll, scheiterte im Dezember 1994 am Widerstand von Großbritannien.

**Gesetzentwurf:** Der Bundesrat legte im Mai 1995 einen Gesetzentwurf zur Förderung von T. vor. Zentraler Bestandteil war die Einführung einer Teilzeitbeihilfe, die einmalig an Arbeitnehmer gezahlt werden soll, die ihre Arbeitszeit um mindestens 20% kürzen. Weitere Voraussetzung für die Förderung war, daß durch die Schaffung von T. Entlassungen verhindert oder Arbeitslose zusätzlich eingestellt würden.

→ Arbeitslosigkeit → Geringfügige Beschäftigung → Sozialpolitik, Europäische

## Telefonbanking

1995 konnten Kunden deutscher Banken telefonisch Kontostände abfragen, Überweisungen tätigen oder Daueraufträge einrichten und löschen sowie Eurocheques bestellen. Mit einer Geheimnummer, die über die Telefontastatur eingegeben wird, oder einem Kennwort weist sich der Bankkunde aus. Nach Eingabe bestimmter Zahlen erhält er die gewünschte Art der Information (z. B. Kontostand).

1995 bestand bei Banken die Möglichkeit, einen Spracherkennungscomputer Anweisungen zu geben. Er versteht die Worte ja, nein, die Ziffern von null bis neun und antwortet in Standardsätzen. Außerdem konnten Kunden Angestellten telefonisch Aufträge erteilen. Menschliche Telefonkontakter stehen i. d. R. zwischen 7 h und 22 h außer sonntags zur Verfügung. Die Zahl der T.-Nutzer stieg 1993–1995 von 700 000 auf 2 Mio.

→ Electronic Banking

## Telefonbetrug

Die deutsche Telefongesellschaft Telekom berechnet Privatkunden, deren Telefonrechnungen offensichtlich zu hoch sind, bei Anzeichen für eine Manipulation von außen ab Januar 1995 nur noch den Mittelwert der Rechnungen der letzten Monate. Als Indiz für eine Unregelmäßigkeit gilt z. B. ein aufgebrochener Leitungskasten. Die Telekom reagierte damit auf betrügerische Manipulationen an Telefonen. Leitungen waren so verändert worden, daß über die Anschlüsse ahnungsloser Kunden insbes. Sextelefondienste in Übersee angerufen wurden. Bis 1995 mußten Kunden auch offensichtlich zu hohe Telefongebühren zahlen, da Rechnungen der Telekom vor Gericht als glaubwürdig galten.

**Weitere Maßnahmen:** Den Kunden werden ab Januar 1995 kostenlos Telefonrechnungen angeboten, in denen Nummern und Dauer aller Fern- und Auslandsgespräche aufgelistet werden. Ortsgespräche sind als Summe ausgewiesen. Ab 1996 sollen Kunden der Telekom ein Rechnungslimit angeben können, bei dessen Überschreiten sie informiert werden.

**Manipulationen:** Bei Telefondiensten in Übersee erhält die Telekom 52% der anfallenden Gebühren, 48% bekommt die Telefongesellschaft in Übersee, die wiederum eine Provision an die Betreiber der Sexdienste zahlt. Telefonbetrüger schalten in Deutschland einen Wählautomaten an Leitungen, der auf Überseenummern programmiert ist und per Zufallsprinzip Anschlüsse auswählt, die diese Nummern automatisch anwählen.

## Telefonnummern

Die von der Europäischen Union für 1998 beschlossene Auflösung der Monopole für Telefonnetze bedingt eine Reform des Ziffernsystems bei den T. in Deutschland, um den privaten Konkurrenten der Deutschen Telekom Rufnummernkontingente zur Verfügung stellen zu können. Private Telefonnetzanbieter benötigen eigene Netzkennziffern, die bei einem Wechsel des Telefonnetzes zusätzlich zur Vorwahl gewählt werden müssen.

**Bestehendes System:** Nach einem weltweiten Abkommen der nationalen Postdienste dürfen T. nicht mehr als zwölf Ziffern haben (ab 1997: 15), plus die Doppelnull für internationale Verbindungen. Ohne die zweistellige Landesvorwahl bleiben maximal zehn Nummern pro Teilnehmer. Die ersten zwei bis vier Ziffern (ohne die Null) sind für die Ortsvorwahl reserviert. Insbes. in Ballungsräumen, in denen Großkunden und die wachsende Zahl an Telefax-Geräten T. benötigen, kam es 1995 zu Engpässen bei der Vergabe der Zahlen. Statt der vereinbarten zehn Ziffern teilte die Telekom z. T. elfstellige T. zu, die Auslandsvermittlungen nicht immer verarbeiten konnten.

**Modellösungen:** Die Telekom schlug u. a. vor, Netzkennziffern für private Betreiber ins bisherige T.-System vor Länder- und Ortsvorwahl zu integrieren. Bei 15 Ziffern wäre maximal eine dreistellige Netzkennziffer möglich. Eine weitere Möglichkeit sah die Telekom in einer europaweiten Reform. Eine einstellige gemeinsame Europavorwahl könnte die Ländervorwahlen ersetzten. EU-weite Netz- und Dienstekennziffern (z. B. 0 130 für kostenlose Telefonate für Anrufer) würden das T.-System vereinheitlichen.
→ Telekommunikation

## Teleheimarbeit

Angestellte üben bei T. ihre Tätigkeit in der eigenen Wohnung aus. Ihr Computer ist über Datenleitungen mit dem Arbeitgeber verbunden, so daß Arbeitsaufträge und -ergebnisse übermittelt werden können. Der Arbeitnehmer kann bei T. die Arbeitszeiten selbst bestimmen. Der Betrieb kann z. B. auf Bürobauten verzichten. Die Kosten für die Einrichtung eines T.-Platzes trägt der Arbeitgeber, der sich häufig auch an der Miete beteiligt. Während in den USA die Zahl der Beschäftigten in T. 1995 bei rd. 7 Mio und in Großbritannien bei 60 000 lag, waren in Deutschland nur ca. 15 000 Menschen in T. tätig. Bis 2000 wird ein Anstieg der

Teleheimarbeiter auf weltweit 11,7 Mio prognostiziert.

Eine US-amerikanische Studie ergab 1994 Vor- und Nachteile von T. Krankmeldungen gingen bei Teleheimarbeitern stark zurück, und die Arbeitsproduktivität stieg an. Die meisten Beschäftigten bevorzugten T., weil sie ihren familiären Verpflichtungen besser nachkommen konnten. Viele Mitarbeiter arbeiteten in T. über die vorgesehene Regelarbeitszeit hinaus, weil sie eine Beeinträchtigung ihrer Karriere befürchteten.

In Deutschland forderte der DGB ein T.-Gesetz, das Arbeitsschutzmaßnahmen und die Einhaltung der gesetzlichen Arbeitszeit zusichert sowie die Rückkehr auf einen Büroarbeitsplatz ermöglicht.

→ Datenautobahn

## Telekom

Zum Januar 1995 wurde die staatliche Telefongesellschaft in eine Aktiengesellschaft mit dem Namen Deutsche Telekom AG umgewandelt. Die Privatisierung wird Mitte 1996 vorangetrieben, wenn erstmals Aktien der T. an der Börse gehandelt werden. Das Umsatzvolumen erhöhte sich 1994 gegenüber dem Vorjahr um 8,4% auf 64 Mrd DM.

**Haushalt:** Die T. erwirtschaftete 1994 einen Gewinn von 7,1 Mrd DM, muß aber bis 1996 an den Bund anstelle von Steuern Ablieferungen leisten (1994: 5,9 Mrd DM), so daß der Gewinn bei 1,2 Mrd DM lag. Die T. verdankt diesen Überschuß im wesentlichen der Übertragung des C-Mobilfunknetzes auf die Konzerntochter DeTeMobil und der Verbuchung eines entsprechenden Gewinns. Für 1995 rechnete die T. mit einem Anstieg der Gesamtverschuldung von 116,5 Mrd DM (1994) auf 122 Mrd DM. Der seit Jahren unter der gesetzlichen Vorgabe von 33% liegende Eigenkapitalanteil am Gesamtkapital sinkt 1995 auf voraussichtlich 19% (1994: 20,7%), daher habe eine Kapitalerhöhung durch Akti-

enverkäufe ab 1996 große Bedeutung. Die Neuinvestitionen will die T. mit 23,5 Mrd DM auf dem Niveau von 1994 halten. Bis 2000 soll die Zahl der Mitarbeiter um 60 000 reduziert werden (1994: 230 000 Stellen).

**Börsengang:** Ein Bankenkonsortium unter Führung von Deutscher Bank, Dresdner Bank und der US-amerikanischen Investmentbank Goldman Sachs soll die Aktien der T. an der Börse handeln. Vorgesehen ist, 1996 einen Privatisierungserlös bei einem Aktienkurs von 300 DM/Stück von rd. 15 Mrd DM zu erzielen. Zwei Drittel der Aktien sollen in Bundesbesitz bleiben. 1998 soll ein Aktienpaket gleicher Größe an der Börse gehandelt werden. Im Jahr 2000 soll die Privatisierung abgeschlossen sein.

**Wettbewerb:** 1998 wird sowohl das Telefon- als auch das Netzmonopol aller Telekommunikationsanbieter in der EU aufgehoben. Wegen der erwarteten Konkurrenz bemühte sich die T. 1995 um den Zugang zu ausländischen Märkten und die Kooperation mit ausländischen Firmen:

▷ Mit dem US-amerikanischen Softwarehersteller Microsoft vereinbarte die T. Ende 1994 die gemeinsame Entwicklung von Software für das sog. interaktive Fernsehen

▷ Mitte 1995 schloß sich die T. mit den Fernsehanstalten ARD, ZDF, RTL, Canal Plus und den Medienkonzernen Bertelsmann und CLT zusammen, um das digitale Fernsehen in Deutschland auszubauen

▷ Gemeinsam mit France Télécom plante die T. eine Beteiligung von insgesamt 20% am drittgrößten US-Telekommunikationsanbieter Sprint

▷ Im März 1995 erwarb die T. Anteile in Höhe von 25% am indonesischen Telefonunternehmen Satellit Palapa Indonesia

▷ Die T. plante 1995, 27% der Anteile des tschechischen Telekommunikationsunternehmens SPT Telekom zu erwerben.

Im Mai 1995 untersagte die EU-Kommission wegen kartellrechtlicher Be-

**Telekom: Vorsitzender**

**Ron Sommer**
* 29. 7. 1949 in Haifa/Israel, Dr. rer. nat. 1973–1980 Tätigkeit für Nixdorf, 1980 Wechsel zum Elektronikkonzern Sony, 1986 Sony-Chef Deutschland, 1991 oberster Manager in den USA, 1993 Sony-Präsident in Europa. März 1995 Nachfolger von Helmut Ricke als Telekom-Chef.

| Telekom: Größte Gesellschaften | | |
|---|---|---|
| Gesellschaft (Land) | Umsatz 1994 (Mrd DM) | Veränd. zu 1992 (%) |
| AT&T (USA) | 107,5 | +142 |
| NTT (Japan) | 96,2 | +17 |
| Telekom (D) | 64,0 | +18 |
| FT[1] (F) | 35,9 | –13 |
| BT[2] (GB) | 32,9 | –10 |

1) France Télécom; 2) British Telekom;
Quelle: Wirtschaftswoche, 30. 3. 1995

denken die geplante Allianz Atlas zwischen der T. und France Télécom.
**Telefongebühren:** Ab 1996 sollen Ortsgespräche um rd. 100% teurer werden, während Gebühren für Fern- und Auslandsgespräche sinken. An die Stelle der Zweiteilung in Normal- und Billigtarif sollen vier Tarife treten. Der Preis pro Gebühreneinheit soll von 0,23 DM auf 0,12 DM gesenkt werden, gleichzeitig werden die Zeittakte auf bis zu 90 sec im Orts- und Nahbereich verkürzt (bis dahin: 6 min). Die Gebühren für die Fernmeldeauskunft sollen von bis dahin 0,23 DM pro Gesprächseinheit auf ca. 0,60 DM (Auslandsauskünfte: 0,96 DM) steigen.
→ Digitales Fernsehen → Interaktives Fernsehen → Medienkonzentration → Mobilfunk → Postreform

## Telekommunikation

→ Übersichtsartikel S. 410

## Telematik

→ Verkehrs-Leitsystem

## Teleshopping

(engl.; per Bildschirm einkaufen), in Deutschland wurde im Mai 1995 der erste T.-Kanal HOT gegründet. Der TV-Sender wird über Satellit und Kabelnetz verbreitet und strahlt ausschließlich Werbespots aus, die zur Bestellung der Waren und Dienstleistungen animieren sollen. HOT will 1995 mit Tests und 1996 mit einem 24-Stunden-Programm starten. Gesell-

schafter von HOT waren mit jeweils 50% der drittgrößte Privatfernsehsender Pro 7 und das Versandhaus Quelle der Schickedanz AG (Fürth).
Zunächst soll telefonisch bestellt werden. Elektronische Kommunikationsmöglichkeiten mit dem Anbieter erwartete HOT erst ab dem Jahr 2000.
Mitte 1995 durften Sender der EU-Fernsehrichtlinie und dem deutschen Rundfunkstaatsvertrag zufolge lediglich eine Stunde täglich Werbung ausstrahlen. Die EU-Kommission schlug 1995 eine Änderung der Richtlinie vor, nach der Vollprogramme drei Stunden täglich und Spezialsender wie HOT 24 Stunden täglich T. anbieten dürfen.
→ Datex J → Interaktives Fernsehen → Multimedia

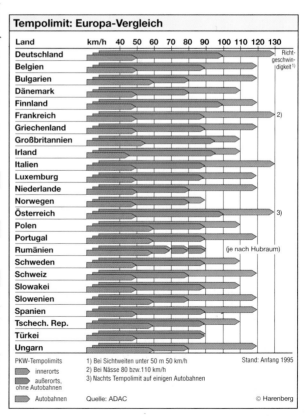

**Tempolimit: Europa-Vergleich**

| Land | km/h | 40 50 60 70 80 90 100 110 120 130 |
|---|---|---|
| Deutschland | | Richtgeschwindigkeit[1] |
| Belgien | | |
| Bulgarien | | |
| Dänemark | | |
| Finnland | | |
| Frankreich | | [2] |
| Griechenland | | |
| Großbritannien | | |
| Irland | | |
| Italien | | |
| Luxemburg | | |
| Niederlande | | |
| Norwegen | | |
| Österreich | | [3] |
| Polen | | |
| Portugal | | |
| Rumänien | | (je nach Hubraum) |
| Schweden | | |
| Schweiz | | |
| Slowakei | | |
| Slowenien | | |
| Spanien | | |
| Tschech. Rep. | | |
| Türkei | | |
| Ungarn | | |

PKW-Tempolimits
innerorts
außerorts, ohne Autobahnen
Autobahnen

1) Bei Sichtweiten unter 50 m 50 km/h
2) Bei Nässe 80 bzw.110 km/h
3) Nachts Tempolimit auf einigen Autobahnen

Quelle: ADAC

Stand: Anfang 1995

© Harenberg

# Auflösung nationaler Monopole lockt Energiekonzerne

Ab 1998 werden die Monopole staatlicher Postgesellschaften für Verlegung und Betrieb von Netzen, die der Fernübertragung von Sprache, Daten, Texten und Bildern dienen, EU-weit aufgelöst. Auch der Markt für den Sprachtelefondienst ist ab 1998 für alle Anbieter offen. Weltweit lag der Umsatz für Telekommunikationsdienstleistungen und -geräte 1994 bei 880 Mrd DM, in Deutschland bei 70 Mrd DM. Bis 2000 soll er weltweit auf 1500 Mrd DM steigen (Deutschland: 100 Mrd DM). In Deutschland planten vor allem die großen Energieversorgungsunternehmen, ihre Aktivitäten auf die Telekommunikation auszudehnen. Sie verfügten häufig bereits über Glasfaserkabelnetze für die firmeninterne Datenübertragung, die z. T. Tausende von Kilometern lang waren.

**Kaum Beschränkungen für Lizenzvergabe:** Für 1996 plante der deutsche Bundespostminister Wolfgang Bötsch (CSU) ein Gesetz, das die Lizenzvergabe für Netze und den Sprachtelefondienst ab 1998 an alle Antragsteller ermöglichen soll. Bei knappen Ressourcen (z. B. Funkfrequenzen) soll die Zahl der Anbieter jedoch beschränkt werden. Zu den Auflagen für eine Netzbetriebslizenz gehört u. a. die Bereitstellung der Netze für andere Anbieter, für eine Telefondienstlizenz die Sicherstellung des Datenschutzes. Unternehmen können sich entscheiden, ob sie ein eigenes Telefonnetz und einen Telefondienst oder nur eines von beiden anbieten wollen. Auch Lizenzen für ein bestimmtes Bundesland, einen Ballungsraum oder eine Stadt sollen vergeben werden. Unternehmen, die über einen Marktanteil von mindestens 25% verfügen, werden verpflichtet, ihre Dienste flächendeckend anzubieten.

**Telekom kritisiert Bötsch-Pläne:** Die Deutsche Telekom AG lehnte die Vorschläge des Postministers als Benachteiligung der Telekom gegenüber den neuen Wettbewerbern ab. Voraussichtlich sei die Telekom der einzige Anbieter mit einem Marktanteil über 25% (Schätzung des Postministers für 1998: 70% Marktanteil). Als einziger Telefondienst- und -netzbetreiber sei sie damit zu einem flächendeckenden und kostenintensiven Angebot verpflichtet. Die Privatunternehmen würden ihre Aktivitäten auf Ballungsräume und Großunternehmen beschränken, für die aufgrund der Konkurrenz niedrige Gebühren gelten würden, während die Telekom ihre Verluste in ländlichen Gebieten über höhere Gebühren kompensieren müsse. Eine weitere Benachteiligung sei die staatliche Festlegung der Entgelte, die Firmen für die Nutzung von Telekom-Netzen entrichten müßten, während die anderen Netzbetreiber ihre Preise frei gestalten dürften.

**Vor- und Nachteile für die Verbraucher:** Die Konkurrenz verringert insbes. für Großkunden die Gebühren. Voraussichtlich wird es auch einen besseren Kundenservice geben (z. B. Telefonanschluß innerhalb von 24 Stunden, lebenslange Telefonnummer). In ländlichen Gebieten wird aufgrund fehlender Konkurrenz ein Anstieg der Gebühren prognostiziert. Die SPD schlug 1995 vor, eine flächendeckende Versorgung für Netz- und Telefondienstbetreiber nach fünf Jahren zur Auflage zu machen, um zu vermeiden, daß nur ein Anbieter in ländlichen Regionen zur Bereitstellung von Datenübertragungsdiensten verpflichtet ist.

**Energieversorger drängen ins Geschäft:** Die Stromkonzerne strebten zusammen mit ausländischen Partnern an, große Anteile am Wachstumsmarkt Telekommunikation zu erringen. Der Stromkonzern VEBA kooperiert z. B. seit Ende 1994 mit der britischen Telefongesellschaft Cable & Wireless. Sie sind gemeinsam an der Vebacom beteiligt, die in Zusammenarbeit mit der Deutschen Bahn AG ein Telefonnetz entlang des Schienennetzes aufbauen will. Das bayrische Elektrizitätsunternehmen VIAG will mit der British Telecom firmeninterne Netze zu einem Telefonnetz ausbauen. Im Februar 1995 kündigten sieben deutsche Stromversorger (darunter die RWE) an, ihre firmeninternen Fernmeldenetze künftig gemeinsam zu nutzen, um sie schließlich zu einem flächendeckenden Hochgeschwindigkeitsnetz zusammenzuschalten. VEBA, VIAG und RWE verfügten über Glasfaserkabelnetze von insgesamt rd. 10 000 km Länge (Telekom: rd. 90 000 km). Am Mobilfunkmarkt, der ab 1989 stufenweise für private Anbieter geöffnet wurde, waren die Energiekonzerne VEBA und RWE über eigens gegründete Firmen Mitte der 90er Jahre beteiligt.           (sim)
→ Datenautobahn → Glasfaserkabel → ISDN → Mobilfunk → Telefonnummern

## Tempolimit

Als einziger europäischer Staat hatte Deutschland 1995 keine Geschwindigkeitsbegrenzung auf den Autobahnen. Der europäische Verkehrssicherheitsrat forderte ein allgemeines T. von 120 km/h auf Autobahnen in der EU, um die Zahl der Verkehrsunfälle zu vermindern. Die CDU/CSU/FDP-Bundesregierung wandte sich gegen die Einführung eines T. auf deutschen Autobahnen, dagegen sprach sich die SPD-Opposition für T. von 120 km/h auf Autobahnen, von 90 km/h auf Landstraßen und von 30 km/h in Wohngebieten aus.

Die Zahl von 50 000 Verkehrstoten und 1,5 Mio Verletzten im Straßenverkehr in der EU pro Jahr könne laut Verkehrssicherheitsrat um 11 000 Tote und 180 000 Verletzte verringert werden, wenn die durchschnittliche Geschwindigkeit auf Autobahnen um 5 km/h gesenkt wird.

1994 beschloß Hamburg aus Verkehrssicherheits- und Lärmschutzgründen die Einführung von Tempo 120 km/h für die letzten 80 Autobahnkilometer, auf denen noch kein T. galt. Das Bundesverkehrsministerium kritisierte die Entscheidung als Verstoß gegen das Grundgesetz, weil der Bund für die Regelung des Straßenverkehrs zuständig ist. Fast alle Bundesländer hatten bis 1995 auf Autobahnabschnitten und im Stadtgebiet T. verhängt. Einige Länder erließen Verordnungen für vorübergehende T. bei erhöhten Ozonwerten. → Grafik S. 409

→ Sommersmog → Verkehrssicherheit

## Terminbörse

Markt für den Handel mit Rechten (Optionen) oder Verpflichtungen zum Kauf bzw. Verkauf von Rohstoffen sowie Wertpapieren, Indizes oder Devisen (sog. Finanzterminkontrakte, auch Futures) zu einem Termin, der nach dem Vertragsabschluß über die Konditionen liegt. Die umsatzstärksten T. der Welt, die CME und CBOT (beide Chicago/USA), erhöhten 1994 die Anzahl der gehandelten Terminkontrakte um 54,2 bzw. 17,7%. 1994 gab es in Europa 23 T., die größte war die Londoner T. (LIFFE).

**Deutschland:** Die 1990 gegründete Deutsche T. (DTB, Frankfurt/M.) war Mitte der 90er Jahre der größte europäische Handelsplatz für Optionen. Mit 93,2 Mio Kontrakten 1994 machten Optionen auf den Deutschen Aktienindex (DAX) nahezu 40% des Umsatzes aus. Der Handel wird ausschließlich über Computerbildschirme abgewickelt.

**Zusammenarbeit:** Auf der Grundlage der 1993 beschlossenen Kooperation zwischen DTB und der französischen T. MATIF (Präsenzbörse) wurden im September 1994 in Paris der elektronische Handel mit vier DTB-Produkten aufgenommen. Ende 1995 sollen ausgewählte MATIF-Produkte aus dem französischen Parketthandel herausgenommen und ausschließlich über DTB-Terminals gehandelt werden. Ziel war eine Ausweitung des Handelsvolumens und des Produktangebots für deutsche Teilnehmer. LIFFE und CBOT planten, ab 1996 umsatzstarke

| Terminbörsen: Finanzterminkontrakte | | | |
|---|---|---|---|
| Name | Land | Anzahl (Mio) | Anstieg (%)[1] |
| Chicago Mercantile Exchange (CME) | USA | 226,3 | 46 |
| Chicago Board of Trade (CBOT) | USA | 219,5 | 45 |
| London Int. Financial Futures Exchange (LIFFE) | GB | 153,0 | 92 |
| Marché à Terme International de France (MATIF) | F | 93,1 | 72 |
| Tokyo Int. Financial Futures Exchange (TIFFE) | J | 74,1 | 103 |
| Deutsche Terminbörse (DTB) | D | 59,2 | 63 |

Stand: 1994; 1) Januar–Juli 1994 gegenüber Vorjahreszeitraum; Quelle: Deutsche Terminbörse (DTB); Frankfurter Allgemeine Zeitung, 6. 10. 1994

Kontrakte auch an der jeweils anderen Börse handeln zu lassen.

**Globale Vernetzung:** 1994 sagte die DTB ihre Teilnahme am ersten weltumspannenden elektronischen 24-Stunden-Handelssystem Globex zu. Mitte 1995 nahmen nur CME und MATIF an Globex teil. Französische Terminkontrakte waren 1994 zu vier Fünfteln am Umsatz beteiligt.

→ Börse → Derivate

## Terrorismus

→ Übersichtsartikel S. 413

## TGV

→ Hochgeschwindigkeitszüge

## Tierschutz

Maßnahmen zum Schutz des Lebens und Wohlergehens von Tieren. In Deutschland regelt das T.-Gesetz von 1986 den Umgang mit Haus- und Nutztieren, zum Erhalt von wildlebenden Tieren wird durch Gesetze zum Arten- und Naturschutz beigetragen.

Der World Wide Fund for Nature (WWF) schätzte Mitte der 90er Jahre,

daß der weltweite legale und illegale Handel mit geschützten Tier- und Pflanzenarten ein Gesamtvolumen von über 8 Mrd Dollar (11,3 Mrd DM) im Jahr erreicht. In den Handel gelangen weltweit jährlich 500 Mio bis 600 Mio tropische Fische, 2 Mio bis 5 Mio Vögel, 3 Mio Schildkröten, 2 Mio bis 3 Mio andere Reptilien und 40 000 Affen.

→ Artenschutz → Naturschutz

## Tiertransporte

Im Juni 1995 einigten sich die EU-Landwirtschaftsminister darauf, T. auf acht Stunden zu beschränken. Der Transport kann auf 28 Stunden verlängert werden, wenn die Fahrzeuge mit Ventilatoren und Tränken ausgestattet sind. Eine Ausnahme besteht für Jungtiere (Kälber, Lämmer), die nicht länger als 18 Stunden transportiert werden dürfen. Nach Erreichen der Höchstdauer ist eine Pause von 25 Stunden vorgeschrieben. Bundeslandwirtschaftsminister Jochen Borchert (CDU) kündigte Mitte 1995 eine Verordnung an, die T. in Deutschland ausnahmslos auf acht Stunden begrenzt. Anfang der 90er Jahre wurde Vieh in Europa bis zu 80 Stunden ohne Wasser und Futter zu den Schlachthöfen transportiert. Jedes 50. Schwein, jedes zwölfte Rind und 31% des Federviehs wurden beim Transport verletzt.

## Tierversuche

Das Tierschutzgesetz von 1987 betrachtet Eingriffe, die für Tiere mit Schmerzen, Leiden oder Schäden verbunden sein können, als T. Eine vom Bundesernährungsministerium vorgesehene Erweiterung des Tierschutzgesetzes sieht vor, daß alle für wissenschaftliche Zwecke verwendeten Wirbeltiere erfaßt werden; nach gültigem Tierschutzgesetz werden T., die zur Ausbildung an Hochschulen oder für die Impfstoffherstellung benötigt werden, nicht statistisch erfaßt. Die Vorschriften über Eingriffe und Behand-

**Tierversuche: Entwicklung in Deutschland**

| Tierart | 1990[1] | 1991 | 1992 | 1993 |
|---|---|---|---|---|
| Mäuse | 1 196 782 | 1 223 741 | 1 064 883 | 973 106 |
| Ratten | 604 780 | 611 530 | 558 516 | 508 769 |
| Fische | 226 377 | 246 387 | 170 563 | 163 494 |
| Vögel | 90 509 | 87 621 | 85 676 | 89 636 |
| Meerschweinchen | 106 361 | 101 842 | 86 252 | 73 905 |
| Kaninchen | 68 506 | 70 228 | 63 210 | 52 188 |
| Schweine | 9 784 | 12 158 | 11 239 | 10 719 |
| Amphibien | 14 092 | 6 568 | 6 705 | 10 718 |
| Hunde | 6 906 | 6 517 | 6 007 | 5 551 |
| Rinder | 2 211 | 3 079 | 2 096 | 2 910 |
| Ziegen, Schafe | 3 256 | 2 690 | 2 550 | 1 911 |
| Affen | 2 081 | 1 547 | 1 580 | 1 297 |
| Katzen | 2 148 | 1 921 | 1 725 | 1 127 |
| Reptilien | 281 | 124 | 82 | 281 |
| Pferde, Esel | 206 | 217 | 284 | 200 |
| Sonstige | 31 891 | 26 540 | 21 083 | 27 492 |

1) Westdeutschland; Quelle: Bundesministerium für Ernährung, Landwirtschaft und Forsten

# Fanatiker nutzen erstmals Massenvernichtungswaffen

Eine Serie von blutigen Terroranschlägen erschütterte 1995 die Weltöffentlichkeit. In Japan setzten Terroristen mit dem Nervengas Sarin im März 1995 erstmals Massenvernichtungswaffen ein. Damit erreichte die terroristische Bedrohung bis dahin unbekannte Dimensionen. Großstädte galten als bevorzugte Angriffsobjekte der Terroristen, da Anschläge in den Ballungszentren die größtmögliche Zahl von Opfern auf engstem Raum fordern. Die modernen Industriegesellschaften waren schutzlos gegen diese neuen, anonymen Formen der terroristischen Gewalt. Im Juni 1995 trafen Briefbombenattentate auch Personen außerhalb Österreichs, wo Ende 1993 eine Serie von Anschlägen mit Brief- und Rohrbomben begonnen hatte, die 1995 die ersten Menschenleben kostete.

**Giftgasanschläge lähmen Japan:** Bei einem Anschlag der japanischen Sekte Aum Shinri Kyo mit dem nicht sichtbaren und geruchlosen Nervengift Sarin auf die U-Bahn in Tokio während der morgendlichen Hauptverkehrszeit starben im März 1995 zwölf Menschen, rd. 5500 Fahrgäste wurden verletzt. Im April 1995 forderte ein Giftgasaustritt auf dem Hauptbahnhof in Yokohama rd. 300 Verletzte. Eine erneute Giftgaskatastrophe in der Tokioter U-Bahn konnte im Mai 1995 verhindert werden. Die sichergestellten brennenden Chemalienmengen, die kurze Zeit später zu dem hochgiftigen Blausäuregas Zyanid reagiert hätten, hätten nach Einschätzung von Experten ausgereicht, um 20 000 Menschen zu töten. Mit den Anschlägen trafen die Täter einen Nervenstrang der japanischen Hauptstadt, das Tokioter Nahverkehrssystem. Polizeieinheiten stellten auf dem Gelände der Aum-Sekte am Fuji-Berg neben Sarin-Spuren auch sog. Killerbakterien sicher, mit denen biologische Waffen hergestellt werden können. US-amerikanische Waffenexperten gingen davon aus, daß der urbane Terrorismus mit Massenvernichtungswaffen zunehmen wird, weil die Grundstoffe dafür relativ leicht zu beschaffen sind.

**USA vor Terror nicht mehr sicher:** Im April 1995 starben bei einem Sprengstoffanschlag auf ein Bürogebäude in Oklahoma City, in dem auch US-Bundesbehörden untergebracht waren, 167 Menschen. Die Spuren des blutigsten Anschlags der US-Geschichte führten zu rechtsradikalen Milizen im Mittleren Westen der USA, die zum offenen Kampf gegen den Staat und die US-Bundesregierung aufriefen. Auch Verbindungen der Attentäter zur militanten Davidianer-Sekte, deren Hauptquartier in Waco/Texas auf den Tag genau zwei Jahre vor dem Anschlag in Oklahoma City bei einem mißglückten FBI-Einsatz in Flammen aufgegangen war – rd. 80 Menschen kamen dabei ums Leben –, wurden vermutet. Anders als bei dem Sprengstoffanschlag islamistischer Fundamentalisten auf das World Trade Center in New York im Februar 1993, der sechs Todesopfer gefordert hatte, stellte das Attentat von Oklahoma City Terror von Amerikanern gegen Amerikaner dar.

**Verwundbare Kommunikationsgesellschaft:** In Deutschland verübten im Februar 1995 Terroristen einen Anschlag gegen die Kommunikationsgesellschaft. Sie zerstörten drei Glasfaserkabel-Knotenpunkte, über die der Computer-, Telefon- und Telefax-Verkehr des Frankfurter Flughafens abgewickelt wird, und legten diesen teilweise lahm. Die genaue Lage und Bedeutung der Kabel-Knotenpunkte ist nur wenigen Fachleuten bekannt. Sicherheitsexperten warnten davor, daß Attentäter zentrale Informations- und Kommunikationssysteme lähmen und damit Katastrophen auslösen könnten, indem sie z. B. die Verbindung zu Kontrollstellen unterbrächen. Banken und Versicherungen, Krankenhäuser und Verwaltungen, Kraftwerke, Fabriken und Sicherheitskräfte hängen vom Informationsaustausch via Kabel ab.

**Spektakuläre Festnahmen:** Der seit 1976 international gesuchte Top-Terrorist Illich Ramirez Sanchez (Deckname Carlos) wurde im August 1994 im Sudan festgenommen und an Frankreich ausgeliefert. Carlos hatte in den 70er und 80er Jahren Attentate in Frankreich verübt. Ein mutmaßlicher Komplize von Carlos, der Deutsche Johannes Weinrich, wurde im Juni 1995 im Jemen verhaftet und an Deutschland ausgeliefert. Weinrich soll an dem Sprengstoffanschlag auf das französische Kulturzentrum Maison de France in West-Berlin 1983 beteiligt gewesen sein, der ein Todesopfer gefordert hatte. (CL)

→ Aum Shinri Kyo → Dschihad Islami → ETA → Hamas → IRA → Islamische Heilsfront → Rechtsextremismus → Rote Armee Fraktion

lungen an Tieren sollen verschärft werden. Geplant sind auch strengere Einfuhrbestimmungen und erweiterte Anzeigepflichten bei Versuchen.
Die Zahl der T. ging von 2,6 Mio (1989 in den alten Bundesländern) auf 1,9 Mio (1993 in Gesamtdeutschland) zurück. Etwa die Hälfte der Tiere (1 Mio) wurde zur Entwicklung und Prüfung von Arzneimitteln eingesetzt.

## Tissue engineering

(engl.; Gewebekonstruktion), Züchtung von lebendem Gewebe in der Medizin. Ab 1996 sollen in Europa und den USA Verfahren klinisch erprobt werden, bei denen dem Patienten Knorpel- bzw. Hautzellen entnommen, im Labor vermehrt und rückübertragen werden. Damit sollen die Narbenbildung nach Hautschädigungen, z. B. Verbrennungen, und fortschreitende Gelenkschädigung nach Knorpelverletzungen, die langfristig die Implantation eines künstlichen Gelenks nach sich ziehen, vermieden werden.
**Knorpelzüchtung:** Wissenschaftler des Massachusetts Institute of Technology (Boston/USA) entwickelten ein dreidimensionales Textilfasergeflecht, in das dem Patienten entnommene und außerhalb seines Körpers vermehrte Knorpelzellen eingesetzt werden und sich weiter vermehren. Das Textilgeflecht gibt der gezüchteten Knorpelmasse ihre Form. Die Textilfasern lösen sich mit der Zeit auf. Die zurückbleibenden Zellen werden in die Knorpelschadstellen im Körper gepflanzt, wo sie mit der verbliebenen Knorpelmasse verwachsen und deren Funktion wiederherstellen sollen. Bis 1995 wurden die Nasen zweier Patienten nach Unfällen mit gezüchtetem Knorpel wieder aufgebaut. Heilungserfolge wurden auch im Tierversuch erzielt. Vor der breiten Anwendung beim Menschen muß geklärt werden, ob und wie sich das gezüchtete Gewebe langfristig verändert.
**Haut:** Einer US-Firma gelang es Mitte der 90er Jahre, künstliche Lederhaut,

die untere der beiden Hautschichten, zu züchten. Die benötigten Hautzellen entstammen der Vorhaut beschnittener Säuglinge. Die künstliche Haut wird bis zum Bedarfsfall tiefgefroren aufbewahrt. Die menschliche Lederhaut heilt nach Verletzungen wie Verbrennungen nur sehr langsam, der Körper bildet meistens hartes Narbengewebe, was die künstliche Lederhaut verhindert. An anderer Stelle entnommene Oberhaut des Patienten wird über die Lederhaut gelegt. Wenn die Transplantation z. B. bei großflächigen Verletzungen nicht möglich ist, soll Oberhaut des Patienten nachgezüchtet werden. Etwa zwei Wochen lang muß die Lederhaut mit einem siliconbeschichteten Gewebe abgedeckt werden, bis genügend Oberhautzellen gezüchtet sind. Erste Studien in den USA zeigten, daß die künstliche Oberhaut angenommen wurde.
**Forschung:** Wissenschaftler strebten 1995 an, langfristig mit T. innere Organe wie Leber und Niere, insulinproduzierende Zellen, Muskelzellen und amputierte Brüste krebskranker Frauen aufbauen zu können. Blutgefäße, Harnleiter und Speiseröhren sollen ebenfalls künstlich gezüchtet und Kranken eingepflanzt werden.

## Todesstrafe

1994 registrierte die unabhängige Menschenrechtsorganisation Amnesty International rd. 2500 Hinrichtungen (1993: 2000) in 32 Ländern, wobei von einer wesentlich höheren Dunkelziffer ausgegangen werden muß. Die T. wurde in 97 von 193 Ländern (50,3%) bzw. Territorien angewendet. In 27 weiteren Ländern (13,9%) war die T. im Gesetz verankert, wurde aber seit 1984 nicht mehr vollstreckt. 15 Länder sehen die T. lediglich unter Kriegsrecht vor. Auf eine vollständige Abschaffung haben sich in ihren Verfassungen 54 Länder bzw. Territorien festgelegt. In der Bundesrepublik Deutschland wurde die T. im Jahr 1949 (DDR: 1987) abgeschafft.

| Todesstrafe: Größte Anzahl von Hinrichtungen 1994 | |
|---|---|
| Land | Zahl |
| VR China | 1791 |
| Iran | 139 |
| Nigeria | 100 |
| S.-Arabien | 53 |
| USA | 31 |

Quelle: Amnesty International

Mit dem Tod bedroht sind Mord, Entführung, Drogenhandel, Kannibalismus, Hochverrat, Ehebruch, Bestechlichkeit und Wirtschaftsverbrechen. Die gebräuchlichsten Hinrichtungsarten sind Erhängen, Erschießen, Vergasen, elektrische Stromstöße, Enthauptung, Giftinjektionen und Steinigung. Im Juni 1995 schaffte Südafrika die T. ab, nachdem das Oberste Verfassungsgericht die T. als mit den in der Übergangsverfassung verankerten Rechten unvereinbar erklärt hat. Das Parlament von Sri Lanka führte die T. im Juni 1995 wieder ein. Das italienische Parlament hatte im Oktober 1994 der Streichung der T. aus dem für Kriegszeiten geltenden Militärstrafgesetzbuch zugestimmt.

→ Menschenrechte

ℹ️ Amnesty International, Sektion der Bundesrep. Deutschland, Heerstr. 178, D-53111 Bonn

## Tourismus

1994 gingen nach einer Schätzung der Welt-Tourismus-Organisation (WTO) etwa 528 Mio Menschen auf Reisen, 15 Mio mehr als im Vorjahr und doppelt so viele wie 1980. Insgesamt gaben die Urlauber 1994 rd. 321 Mrd Dollar (452 Mrd DM) im Ausland aus (1993: 305 Mrd Dollar; 430 Mrd DM). Die Hälfte aller T.-Einnahmen verbuchten europäische Länder, wo etwa 60% aller ausländischen Gäste ihren Urlaub verbrachten. Mit Ausgaben von rd. 67 Mrd DM und 65 Mio Auslandsreisen nahm Deutschland 1994 weltweit den ersten Platz ein. Frankreich verzeichnete mit rd. 60 Mio von allen

### Tourismus: Größte internationale Hotelketten

| Rang | Name (Land) | Zimmer | Hotels |
|------|-------------|--------|--------|
| 1 | Hospitality Franchise Systems (USA) | 384 452 | 3 790 |
| 2 | Holiday Inn Worldwide (USA) | 340 881 | 1 795 |
| 3 | Best Western International (USA) | 272 743 | 3 308 |
| 4 | Accor (Frankreich) | 250 319 | 2 181 |
| 5 | Choice Hotels International (USA) | 229 784 | 2 607 |
| 6 | Marriott International (USA) | 173 048 | 782 |
| 7 | ITT Sheraton Corp. (USA) | 129 714 | 407 |
| 8 | Hilton Hotels Corp. (USA) | 94 952 | 237 |
| 9 | Forte Plc (Großbritannien) | 78 691 | 855 |
| 10 | Promus Cos. (USA) | 78 309 | 509 |

Stand: 1993; Quelle: Handelsblatt, 30. 8. 1994

### Tourismus: Größte Veranstalter

| Name[1] | Gäste 1994 (Mio) | Veränd. zu 1993 (%) |
|---------|------------------|---------------------|
| TUI | 3,261 | +11,1 |
| NUR | 2,887 | +15,8 |
| DER-Tour | 1,903 | +12,1 |
| ITS-Deutschl. | 1,067 | +7,1 |
| Alltours | 0,620 | +39,3 |
| THR | 0,606 | +11,3 |
| Ameropa | 0,534 | −2,7 |
| Jahn | 0,520 | +15,9 |
| Tjaereborg | 0,460 | +21,0 |
| Öger | 0,446 | +42,0 |

1) Deutsche Reiseveranstalter; Quelle: Süddeutsche Zeitung, 29. 12. 1994

Reisezielen die meisten Besucher (zweite Stelle: USA mit 44,6 Mio Gästen). Deutschland belegte mit rd. 15 Mio den zehnten Rang.

## Transeuropäische Netze

(TEN), staatenübergreifende Infrastruktur in den Bereichen Verkehr, Telekommunikation und Energietransport für den Europäischen Binnenmarkt. Die T. sind Teil eines Konjunkturprogramms, das die Staats- und Regierungschefs der Europäischen Union 1993 beschlossen. Investitionen von 400 Mrd ECU (748 Mrd DM) in die T. bis zum Jahr 2010, davon rd. 220 Mrd ECU (411 Mrd DM) bis 2000, sollen zur Belebung der EU-Konjunktur und zum Abbau der Arbeitslosigkeit

### Tourismus: Entwicklung weltweit

| Jahr | Reisende (Mio) | Ausgaben (Mrd Dollar) |
|------|----------------|-----------------------|
| 1980 | 288 | 102 |
| 1985 | 330 | 115 |
| 1990 | 456 | 255 |
| 1992 | 476 | 279 |
| 1993 | 515 | 305 |
| 1994 | 528 | 321 |

Quelle: Welt-Tourismus-Organisation

### Tourismus: Reiseziele der Deutschen

| Land | Ausgaben (Mrd DM) |
|------|-------------------|
| Österreich | 9,0 |
| Italien | 8,7 |
| Spanien | 7,8 |
| Frankreich | 5,4 |
| Schweiz | 4,3 |
| USA | 4,1 |
| Niederlande | 3,5 |
| Griechenland | 2,5 |
| Großbritannien | 2,4 |
| Tunesien | 1,7 |
| Dänemark | 1,6 |
| Mittel-, Osteuro. | 1,4 |
| Belg., Luxem. | 1,0 |
| Portugal | 0,9 |
| Türkei | 0,9 |
| Schweden | 0,9 |

Stand: 1994; Quelle: Deutsche Bundesbank

## Transeuropäische Netze: Glossar

**Europäische Investitionsbank:** Die Europäische Investitionsbank (EIB) ist eine Institution der EU für die Finanzierung von Investitionen, die die europäische Einheit fördern. Sitz der 1958 gegründeten Bank ist Luxemburg. Präsident ist Sir Brian Unwin/Großbritannien (Amtszeit: 1993–1999). Die EIB stellt Finanzmittel für Darlehen und Kreditgarantien für Investitionen in die transeuropäischen Netze bereit.

**Europäischer Investitionsfonds:** Der im Juni 1994 gegründete Europäische Investitionsfonds (EIF) soll zur Finanzierung der transeuropäischen Netze beitragen. Er ist zunächst mit einem Kapital von 2 Mrd ECU (3,7 Mrd DM) ausgestattet und soll Garantien für langfristige Darlehen an Unternehmen übernehmen. Durch die Garantien des EIF sollen Investitionen im Umfang von 15 Mrd ECU (28 Mrd DM) angeregt werden. Die Fonds-Mittel werden aufgebracht von der EIB (40%), Banken (30%) und aus dem EU-Haushalt (30%).

beitragen. Die T. sollen den freien Verkehr von Waren, Dienstleistungen, Kapital und Personen erleichtern und die internationale Wettbewerbsfähigkeit Europas verbessern.

**Finanzierung:** Die meist auf nationale Bedürfnisse ausgerichteten Infrastrukturnetze der europäischen Staaten sollen zu T. verknüpft werden. Für private Anbieter soll der Zugang zu den Netzen verbessert werden. Die Finanzierung der T. soll von privaten Unternehmen und öffentlichen Haushalten aufgebracht werden. Im März 1995 einigte sich der Europäische Rat der Wirtschafts- und Finanzminister, im Zeitraum 1995–1999 Zuschüsse von 2,3 Mrd ECU (4,3 Mrd DM) für die T. zu gewähren. Die Europäische Investitionsbank (EIB) und der Europäische Investitionsfonds (EIF) tragen zur Finanzierung der T. bei.

**Verkehr:** Ende 1994 stufte der Europäische Rat 14 Verkehrsprojekte als vorrangig ein, die ab spätestens 1996 mit Investitionen von 220 Mrd ECU (411 Mrd DM) ausgebaut werden sollen. Der Verkehr wird z. B. durch unterschiedliche Bahnsysteme behindert.

**Telekommunikation:** Mit Kosten von 150 Mrd ECU (281 Mrd DM) soll ein EU-Telekommunikationsnetz geschaffen werden, in dem private Anbieter von 1998 an frei konkurrieren können. Die Telekommunikation soll u. a. durch ein digitales Euro-ISDN-Netz verbessert werden.

**Energie:** 30 Mrd ECU (56 Mrd DM) sind für den Aufbau eines europaweiten Strom- und Gasnetzes vorgesehen. Insbes. sollen grenzüberschreitende Stromverbundnetze geknüpft werden.
→ Energie-Binnenmarkt → Subventionen → Telekommunikation → Verkehr

## Transeuropäische Netze: 14 vorrangige Verkehrsprojekte

| Verkehrsmittel | Bauprojekt |
|---|---|
| Schnellbahn | Paris (F)–London (Großbrit.)–Brüssel (Belgien)–Amsterdam (Niederlande)/Köln |
| Schnellbahn | Perpignan (F)–Barcelona (Spanien)–Madrid (Spanien)–Vitoria (Spanien)–Dax (F) |
| Schnellbahn | Paris–Metz (Frankreich)–Luxemburg/Straßburg (Frankreich)–Karlsruhe |
| Eisenbahn | Cork (Irland)–Dublin (Irland)–Belfast (Großbritannien)–Stranraer (Großbrit.) |
| Eisenbahn | Westküstenstrecke Großbritannien |
| Schnellbahn/Kombinierter Verkehr | Verona (Italien)–Brenner-Tunnel (Österreich)–München–Berlin |
| Schnellbahn/Kombinierter Verkehr | Lyon (Frankreich)–Turin (Italien)–Mailand (Italien)–Triest (Italien) |
| Schnellbahn/Autobahn | Kopenhagen (Dänemark)–Öresund-Ostseebrücke–Malmö (Schweden) |
| Kombinierter Verkehr | Rotterdam (Niederlande)–Ruhrgebiet |
| Autobahn | Patras–Athen–Saloniki–Promachonas und Igoumenitsa–Saloniki–Kipi (Griech.) |
| Autobahn | Lissabon (Portugal)–Valladolid (Spanien) |
| Autobahn | Dreiecksverbindung in Südskandinavien |
| Autoverkehr | Straße Irland–Großbritannien–Belgien |
| Luftverkehr | Flughafen Mailand-Malpensa (Italien) |

Stand: Mitte 1995; Quelle: Europäische Kommission

## Transgene Tiere

Mit Hilfe der Gentechnik gezüchtete Tiere, deren Erbanlagen ein oder mehrere Gene enthalten, die aus einem anderen Organismus stammen. Die fremden Gene sollen Eigenschaften zum Nutzen der Menschen verändern, z. B. die Fleischqualität oder die Widerstandsfähigkeit erhöhen. 1993 war die sog. Krebsmaus das erste T., das in Europa patentiert wurde. Das Erbgut der Maus wurde so manipuliert, daß sie für Krebserkrankungen anfälliger ist. In Deutschland wurde 1994 das erste Patent auf ein gentechnisch manipuliertes Tier erteilt, dem menschliche Genabschnitte eingebaut worden waren. Beide T. dienen als Versuchstiere in der Medikamentenforschung.

Naturschützer protestierten dagegen, Tiere als Industriegut und geistiges Eigentum des Menschen zu betrachten. Sie warnten vor den Gefahren, die etwa von der unkontrollierten Übertragung von Genen auf andere Organismen ausgehen. T. könnten sich ebenso wie gentechnisch veränderte Pflanzen verbreiten und das ökologische Gleichgewicht stören.
→ Freilandversuche → Genpatent → Gentechnik

## Transrapid

Hochgeschwindigkeits-Magnetschwebebahn, für die 1998–2005 eine erste Strecke zwischen Hamburg und Berlin gebaut werden soll. Der T. soll wegen des wachsenden Verkehrsaufkommens in Deutschland als fünftes Verkehrsmittel neben Auto, Eisenbahn, Flugzeug und Schiff treten.
**Technik:** Der T. wird mit einem Elektromotor angetrieben, dessen Magnetfeld in der Schiene erzeugt wird. Es zieht die Bahn mit bis zu 500 km/h vorwärts und hält sie 1 cm über dem Fahrweg schwebend. Der T. fährt auf einer ca. 5 m hohen Stahl-Beton-Konstruktion. Er soll auf der bestehenden Versuchsstrecke im Emsland bis 1996 zur Serienreife entwickelt werden.

**Vorteile:** Auf einer Versuchsfahrt 1989 erreichte der T. 435 km/h. Im Unterschied zur Eisenbahn entfallen Roll- und Bremsgeräusche. Bis 150 km/h fährt der T. nahezu geräuschlos. Der Energieverbrauch liegt bei gleicher Geschwindigkeit ca. 20% unter dem eines Hochgeschwindigkeitszuges. Ursache ist sein geringeres Gewicht, weil Teile des Motors Bestandteil des Fahrwegs sind. Die Magnetbahn gilt als entgleisungssicher.
**Strecke:** Die Verbindung Hamburg–Berlin wurde ausgewählt, weil eine große Entfernung mit wenigen Zwischenhalten überbrückt wird, so daß die hohe Geschwindigkeit zur Wirkung kommt. Die 284 km lange Fahrt zwischen Berlin und Hamburg soll ca. 1 h dauern. Die Hersteller rechneten mit 14,5 Mio Reisenden pro Jahr. Die Züge sollen in Abständen von 10 min verkehren.
**Finanzierung:** Von den geplanten Kosten von 8,9 Mrd DM übernimmt der Bund 5,6 Mrd DM für den Fahrweg. Der Betrieb soll von einer privaten Gesellschaft finanziert werden, an der sich u. a. Deutsche Bahn und Lufthansa beteiligen.
**Bedarf:** Dem Bundesverkehrsministerium zufolge könnte der T. als umweltfreundliche, kostengünstige und rentable Alternative den Inlandsluftverkehr ersetzen und den Autoverkehr verringern. Nach Ansicht der T.-Hersteller ist eine Anwendung in Deutschland zur Exportförderung erforderlich. Kritiker wiesen darauf hin, daß bereits ein europäisches Schnellbahnnetz für Eisenbahn-Hochgeschwindigkeitszüge im Aufbau ist. Deutschland sei zudem als dichtbesiedeltes Land für den T. ungeeignet, da er seine Höchstgeschwindigkeit nur auf kurzen Strecken entfalten könne. Die Eisenbahnverbindung zwischen Hamburg und Berlin wird bis 1996 ausgebaut, die Fahrzeit verkürzt sich von ca. 3 h (1995) auf 2 h und kann durch weiteren Ausbau auf 80 min reduziert werden.
**Konkurrenz:** 1997 soll in Japan auf einer 18,4 km langen Strecke bei Tokio

ein dreijähriger Magnetbahntest beginnen. Danach soll entschieden werden, ob auf der 515 km langen Strecke zwischen Tokio und Osaka der Maglev (magnetically levitated train, engl.; Magnetschwebebahn) oder der Hochgeschwindigkeitszug der Eisenbahn, Shinkansen, zum Einsatz kommt. Die USA wollen die Entwicklung eines eigenen Magnetschnellbahnprojekts bis 1998 mit 1,3 Mrd Dollar (1,8 Mrd DM) fördern.

→ Hochgeschwindigkeitszüge → Schnellbahnnetz → Verkehr

## Treibhauseffekt

Erwärmung des Klimas durch einen erhöhten Gehalt von Kohlendioxid ($CO_2$) und anderen sog. Spurengasen (u. a. Methan, Lachgas, Ozon) in der Atmosphäre. 1994 waren die weltweiten Temperaturen der Atmosphäre 0,3 °C höher als im Durchschnitt der vergangenen 30 Jahre und damit zum 18. aufeinanderfolgenden Mal über dem langfristigen Durchschnitt. In den vorangegangenen 135 Jahren stiegen die Temperaturen weltweit nach Angaben der Weltorganisation für Meteorologie (WMO) um 0,5 °C. Bei Fortschreiten dieser Entwicklung werden Dürren, Windstürme, Eisschmelze und Landüberflutungen erwartet.

**Ursachen:** Spurengase wirken in der Atmosphäre wie die Scheiben eines Treibhauses. Sie lassen Sonnenlicht herein, bilden aber eine Barriere für die von der Erde reflektierten Wärmestrahlen. Neben dem $CO_2$, das zu ca. 50% für den T. verantwortlich war, tragen Fluorchlorkohlenwasserstoffe (FCKW) zu 20% und Methangas ($CH_4$), das u. a. aus Reisfeldern, Mülldeponien, Kohlebergwerken und Rindermägen entweicht, zu 13% zum T. bei. Auch Lachgas (Distickstoffoxid) aus dem Einsatz von Düngemitteln in der Landwirtschaft verursacht den T. Spurengase verstärken den natürlich vorhandenen T.

**Aussichten:** Die Internationale Energie-Agentur (IEA, Paris) prognostiziert angesichts steigender Bevölkerungszahl einen wachsenden Weltenergieverbrauch und damit höheren $CO_2$-Ausstoß. Die Weltbevölkerung wird nach UNO- und IEA-Angaben von 5,3 Mrd (1990) auf 7,1 Mrd (2000) steigen und der $CO_2$-Ausstoß von 22,6 Mrd t auf 31,9 Mrd t. Die Reduzierung der $CO_2$-Emissionen bis 2000 auf das Niveau von 1990, die die Unterzeichnerstaaten der Klimakonvention auf der UNO-Umweltkonferenz in Rio de Janeiro/Brasilien 1992 beschlossen hatten, sei utopisch.

→ Energieverbrauch → FCKW → Kohlendioxid → Klimaveränderung → Naturkatastrophen

## Treibnetzfischerei

Fischfangmethode, bei der Nylonnetze bis zu 60 km Länge von Schiffen im Meer ausgelegt werden und bis zu 15 m tief im Wasser treiben. Mit den Treibnetzen sollen vor allem Thunfische, Lachse und Schwertfische gefangen werden. In dem transparenten Nylon sterben jährlich Hunderttausende von Delphinen, Tausende von Walen, Haien, Robben, Seevögeln und Jungfischen.

Ein EU-Gesetz von 1992 erlaubt T. in Gewässern der Union mit Netzen bis zu 2,5 km Länge. Umweltschutzorganisationen forderten ein vollständiges Verbot. Die Europäische Kommission sprach sich 1994 dafür aus, T. bis 1998 abzuschaffen.

→ Fischereistreit

## Treuhand-Nachfolge

Drei Bundesbehörden mit 4000 Mitarbeitern, die ab 1995 als Nachfolger der Ende 1994 aufgelösten Treuhandanstalt die Privatisierung des staatlichen Eigentums der ehemaligen DDR übernahmen.

**BVS:** Die Bundesanstalt für vereinigungsbedingte Sonderaufgaben (BVS) ist für die Überwachung der 85 000 von der Treuhandanstalt abgeschlossenen Privatisierungsverträge zuständig.

Sie führte Mitte 1995 ca. 1000 Gerichtsprozesse gegen Käufer ehemaliger DDR-Betriebe, die ihre Arbeitsplatz- und Investitionsauflagen nicht erfüllten. Die BVS ist für die Abwicklung der ca. 3500 in Konkurs gegangenen Unternehmen zuständig, die von der Treuhand nicht verkauft werden konnten, sowie für die Privatisierung des land- und forstwirtschaftlichen Vermögens.

**TLG:** Die seit 1991 bestehende Liegenschaftsgesellschaft der Treuhand (TLG) soll 60 000 Flächen und Grundstücke verkaufen, die nicht landwirtschaftlich genutzt werden.

**BMGB:** Die Beteiligungs-Management-Gesellschaft Berlin (BMGB) ist für den Verkauf von 65 Unternehmen mit 20 000 Mitarbeitern verantwortlich, die sanierbar sind, aber von der Treuhand nicht verkauft wurden.

**Treuhandbilanz:** Die 1990 gegründete Treuhandanstalt (Bundesanstalt zur treuhänderischen Verwaltung des Volkseigentums, Berlin) übernahm 15 102 DDR-Unternehmen. Von 4 Mio Arbeitsplätzen fielen 2,5 Mio weg. Trotz 40 Mrd DM Erlösen aus Privatisierungen hinterläßt die Treuhandanstalt 204 Mrd DM Schulden, die u. a. zur Entschuldung von Unternehmen und für die Sanierung der Umwelt aufgenommen wurden. Sie gingen in den sog. Erblastentilgungsfonds des Bundes über.
→ Privatisierung → Staatsverschuldung

## Trinkwasserverunreinigung

Das für den menschlichen Gebrauch geeignete Wasser wird u. a. durch Pestizide und Nitrate aus der Landwirtschaft sowie Schadstoffe aus Industrie und Altlasten verschmutzt. Mit rd. 70% der Gesamtmenge war weltweit die Landwirtschaft Hauptnutzer von Frischwasser (Industrie: 21%, private Haushalte: 6%).

**Verbrauch:** Der Mensch benötigt nach Angaben der Weltgesundheitsorganisation (WHO, Genf/Schweiz) täglich 80 l zum Trinken, Kochen und Waschen. Während ein US-Amerikaner Mitte der 90er Jahre rd. 500 l pro Tag verbrauchte, waren es in den Entwicklungsländern rd. 5,4 l pro Person. In der sog. Dritten Welt verfügte 1994 nur etwa die Hälfte der Menschen über einen Anschluß an das Wasserleitungssystem.

**Pestizide:** Die Umweltschutzorganisation Greenpeace trug 1994 erstmals für Gesamtdeutschland Grundwasserdaten zusammen, die eine großflächige Belastung der Trinkwasserreserven mit Pflanzengiften ergaben. Im Trinkwasser von 253 von 518 Kreisen wurden Pestizide nachgewiesen, in 165 lagen die Funde über dem europäischen Grenzwert für Trinkwasser (0,1 Mikrogramm/Liter).

**Preise:** Wegen starker Verschmutzung wurde die Aufbereitung des Wassers zum Trinkwasser immer teurer. Die Trinkwasserpreise verteuerten sich 1993 für private Haushalte um 6,4% auf 2,67 DM je $m^3$. Der Verbrauch nahm 1993 in den alten Ländern um 130 Mio $m^3$ auf rd. 3,8 Mrd $m^3$ ab.
→ Pestizide → Wasserknappheit → Wasserverschmutzung

## Tropenwälder

Immergrüne Regenwälder mit den artenreichsten Vegetationsformen der Erde, die sich entlang des Äquators erstrecken. Von Mitte der 80er bis Mitte der 90er Jahre verringerte sich die Fläche der T. von 1910 Mio ha auf 1756 Mio ha.

**Bedeutung:** Als Wasserspeicher stabilisieren T. das tropische Klima. Das Abholzen der T. ist Ursache für Überflutungen und die Erosion fruchtbaren

| Tropenwälder: Tropenholzeinfuhr | | |
|---|---|---|
| Holzart | Einfuhr (1000 m³) | |
| | 1992 | 1993 |
| Schnittholz | 346,1 | 247,3 |
| Rundholz | 281,9 | 214,9 |
| Furnier | 66,9 | 58,7 |

Einfuhr nach Deutschland; Quelle: Verein Deutscher Holzeinfuhrhäuser

Bodens, die zur Ausdehnung von Wüsten führt, und beschleunigt die Klimaveränderung. T. nehmen Kohlendioxid auf, das z. B. bei Verbrennungsprozessen entsteht, und wandeln es in Sauerstoff um. Der Luftschadstoff Kohlendioxid trägt zur Aufheizung der Atmosphäre bei.

**Bilanz:** Die Landwirtschafts- und Ernährungsorganisation der UNO (FAO, Rom) benannte als Ursachen für das Abholzen der T. vor allem das Bevölkerungswachstum. 50–60% der Waldrodung fielen der Landnahme für Landwirtschaftszwecke zum Opfer. Die Möbelindustrie in den Industrieländern deckte Anfang der 90er Jahre 5% ihres Bedarfs mit Tropenholz.

**Tropenholzabkommen:** 1994 unterzeichneten rd. 50 Staaten ein auf vier Jahre befristetes Abkommen zur Kontrolle des Handels mit Tropenhölzern. Die Erzeugerländer exportieren ab 1995 nur noch Holz aus forstwirtschaftlich kontrollierten Wäldern, die Einfuhrländer setzten sich für den Import das gleiche Ziel. Umweltschützer forderten von Industriestaaten finanzielle Unterstützung für Wiederaufforstungsprojekte in Ländern der sog. Dritten Welt, in denen Raubbau an T. betrieben wurde.

→ Desertifikation → Klimaveränderung → Kohlendioxid

## Truppenabbau

Das Ende des Ost-West-Konflikts, Abrüstung und sinkende Rüstungsausgaben führten 1990–1994 weltweit zu einer Verringerung der Soldatenzahl um rd. 12% auf etwa 23 Mio. Der T.

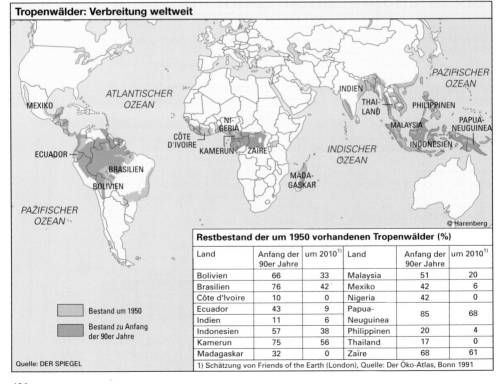

**Tropenwälder: Verbreitung weltweit**

Bestand um 1950

Bestand zu Anfang der 90er Jahre

Quelle: DER SPIEGEL

**Restbestand der um 1950 vorhandenen Tropenwälder (%)**

| Land | Anfang der 90er Jahre | um 2010[1] | Land | Anfang der 90er Jahre | um 2010[1] |
|---|---|---|---|---|---|
| Bolivien | 66 | 33 | Malaysia | 51 | 20 |
| Brasilien | 76 | 42 | Mexiko | 42 | 6 |
| Côte d'Ivoire | 10 | 0 | Nigeria | 42 | 0 |
| Ecuador | 43 | 9 | Papua-Neuguinea | 85 | 68 |
| Indien | 11 | 6 | | | |
| Indonesien | 57 | 38 | Philippinen | 20 | 4 |
| Kamerun | 75 | 56 | Thailand | 17 | 0 |
| Madagaskar | 32 | 0 | Zaïre | 68 | 61 |

1) Schätzung von Friends of the Earth (London), Quelle: Der Öko-Atlas, Bonn 1991

betraf vor allem die europäischen NATO-Staaten und die GUS. Er hat wirtschaftliche Verluste für strukturschwache Regionen zur Folge, weil Aufträge und Konsumausgaben wegfallen und zivile Arbeitsplätze abgebaut werden. Für diese Gebiete stellt die EU 1994–1997 rd. 950 Mio DM zur Verfügung. Mit 44% erhält Deutschland den größten Anteil.

**Großmächte:** Die USA verringern ihre Militärpräsenz in Europa bis 1997 um zwei Drittel auf 100 000 Soldaten (Deutschland: 65 000). Die gleiche Anzahl bleiben in Japan und Korea-Süd stationiert. 1989–1994 kehrten rd. 700 000 Soldaten aus den Staaten des 1991 aufgelösten Warschauer Pakts und Republiken der ehemaligen Sowjetunion nach Rußland zurück. Dort fehlten 1994 nach Angaben des russischen Verteidigungsministeriums rd. 170 000 Soldatenwohnungen. Drei Viertel aller Offiziersfamilien lebten unterhalb der Armutsgrenze.

**Deutschland:** Bis 31. 8. 1994 war der Abzug von rd. 550 000 Soldaten und Militärangehörigen der ehemaligen sowjetischen Streitkräfte aus Ostdeutschland abgeschlossen. Für Aufenthalt, Abzug, Umschulungs- und Wohnungsbauprogramme sowie Kredite zahlte Deutschland ab 1990 rd. 14 Mrd DM. Geplant war der Bau von ca. 45 000 Soldatenwohnungen an 40 Standorten in Rußland, der Ukraine und Weißrußland. 80% waren bis Ende 1994 fertiggestellt. Im September 1994 verließen die letzten Streitkräfte der westalliierten Schutzmächte Berlin. Die Bundeswehr plante 1995 einen T. von 370 000 auf 338 000 Soldaten. Von 1989 bis Ende 1995 wird die Zahl der ausländischen Soldaten in Deutschland um zwei Drittel auf rd. 130 000 Soldaten reduziert.

**Liegenschaften:** Grundstücke und militärische Anlagen der Westalliierten und der russischen Streitkräfte fallen nach dem T. an den Bund zurück. Die Kosten für die Beseitigung von Umweltschäden und Altlasten auf den Liegenschaften der Westalliierten werden

mit dem Restwert der militärischen Immobilien verrechnet. Die russischen Streitkräfte überließen ihr Eigentum (rd. 240 000 ha) kostenlos dem Bund, der 22% selbst, vor allem durch die Bundeswehr, nutzen will. Den Rest erhalten die ostdeutschen Bundesländer z. T. kostenlos. Die Sanierung von Flächen mit Rüstungsaltlasten mit besonders schwerer Verseuchung übernimmt der Bund (bis zu 0,8% der von den Ländern übernommenen Fläche). Aus dem Verkauf von rd. 5200 Militärgrundstücken erzielte das Bundesfinanzministerium 1991–1994 Einnahmen in Höhe von 5,4 Mrd DM. Zwei Drittel der Liegenschaften wurden von Privatunternehmen erworben. Etwa 33 000 Soldatenwohnungen wurden an die Kommunen verkauft.

→ Altlasten → Bundeswehr → Rüstungsausgaben → Rüstungsindustrie

## Tschernobyl

Die ukrainische Regierung legte im Mai 1995 einen Zeitplan für die Schließung des Atomkraftwerks T. bis 2000 vor. In T. ereignete sich 1986 das bis 1995 schwerste Unglück bei der zivilen Nutzung der Atomenergie. Eine radioaktive Wolke breitete sich bis nach Nord- und Mitteleuropa aus. Die Kosten für die Stillegung von T. und den Bau eines Ersatzkraftwerks bezifferte die ukrainische Regierung mit ca. 4 Mrd Dollar (5,6 Mrd DM). Für die Schließung von T. versprachen die sieben wichtigsten Industriestaaten und die EU Finanzhilfen in Höhe von 200 Mio Dollar (280 Mio DM) bzw. 1 Mrd ECU (1,87 Mrd DM). Die EU will der Ukraine zusätzlich Kredite von 400 Mio ECU (748 Mio DM) gewähren.

**Reaktoren:** Zwei der vier Reaktorblöcke (1 und 3) waren 1994/95, unterbrochen von Störfällen, in Betrieb. Sie deckten rd. 6% des ukrainischen Energiebedarfs und sollen durch ein Gas-Heizkraftwerk (Leistung: 3000 MW, Bauzeit: ca. zwei Jahre) ersetzt werden, das von einem internationalen Konsortium unter Führung des

| Truppenabbau: Die größten Armeen ||
| Land | Soldaten (1000) |
| --- | --- |
| China | 2930 |
| Rußland | 1714 |
| USA | 1651 |
| Indien | 1265 |
| Korea-Nord | 1128 |
| Korea-Süd | 633 |
| Pakistan | 587 |
| Vietnam | 572 |
| Iran | 513 |
| Türkei | 504 |

Stand: 1993/94; Quelle: Internationales Institut für Strategische Studien (IISS, London)

**Dschochar Dudajew**
\* Januar 1944 in Jalchori (Tschetschenien). Dudajew wurde als erster Tschetschene 1982 General der Sowjetarmee. Von 1987 bis 1990 kommandierte er eine strategische Bomberdivision in Tartu/Estland. Im Oktober 1991 gewann Dudajew als Kandidat der nationalistischen Opposition die Präsidentenwahl.

Schweizer Konzerns Asean Brown Boveri gebaut wird. Block 2 wurde 1991 nach einem Brand abgeschaltet und soll als erster Reaktor 1996 stillgelegt werden. Der explodierte Reaktor 4 wurde nach dem Unglück mit einem Stahlbetonmantel umgeben. Weitere Atomkraftwerke vom T.-Typ (RBMK, graphitmoderiert) waren Mitte 1995 in Litauen und Rußland in Betrieb.
**Sicherheit:** Nach einem im März 1995 veröffentlichten Gutachten der Europäischen Kommission wies die Betonhülle Risse auf. Die Reaktoren 3 und 4 sowie das Verbindungsgebäude seien, z. B. bei einem Erdbeben, vom Einsturz bedroht. Zum Schutz vor radioaktiver Strahlung plante ein westliches Firmenkonsortium Mitte 1995 den Bau eines neuen Betonmantels (Kosten: 1,6 Mrd Dollar, 2,2 Mrd DM).
**Verseuchung:** Unklar blieb bis 1995, wieviel Menschen an den Folgen des Reaktorunglücks starben. Die Schätzungen schwanken zwischen 15 000 und 125 000. Etwa 600 000–800 000 Menschen im Umkreis von 30–65 km waren Partikeln ausgesetzt, die aus dem Kernbrennstoff stammten. Unter

den Katastrophenhelfern von 1986 wurde keine überdurchschnittliche Sterblichkeit, jedoch eine im Vergleich zur übrigen Bevölkerung erhöhte Krankheits- und Selbstmordrate festgestellt. Bei Kindern in der Ukraine und Weißrußland wurde seit 1986 eine starke Zunahme von Schilddrüsenkrebs registriert. Etwa 16 Mio ha landwirtschaftlicher Nutzfläche waren infolge des Unglücks radioaktiv verseucht.
→ Reaktorsicherheit

## Tschetschenien

Moslemische Republik im Nordkaukasus (Einwohnerzahl 1,3 Mio), die im Oktober 1991 einseitig ihre Unabhängigkeit von der Russischen Föderation erklärte. Nachdem von Moskau unterstützte Umsturzversuche gegen Präsident Dschochar Dudajew im August und November 1994 scheiterten, marschierten russische Truppen am 11. 12. in T. ein. Nach heftiger Gegenwehr zogen sich die Widerstandskämpfer unter Dudajew in die Berge im Süden des Landes zurück und führten einen Guerillakrieg gegen die Invasionstruppen. Die Geiselnahme von Budjonnowsk/Rußland durch ein tschetschenisches Kommando ebnete im Juni 1995 den Weg zu Friedensverhandlungen, die zu einer vorläufigen Waffenruhe führten.
**Verhandlungen:** Im Juli 1995 einigten sich die Verhandlungsdelegationen auf die Abhaltung freier und demokratischer Wahlen in T. Ungeklärt blieb der künftige Status der Kaukasusrepublik. Tschetschenische Freischärler hatten am 14. 6. 1995 die südrussische Stadt überfallen und sich mit rd. 1000 Geiseln in einem Krankenhaus verschanzt. Befreiungsversuche der russischen Armee schlugen fehl und forderten 120 Menschenleben. Gegen die Freilassung der Geiseln erpreßten die Geiselnehmer nach fünf Tagen die Aufnahme von Friedensverhandlungen.
**Kriegsverlauf:** Im Februar 1995 eroberten russische Truppen die Haupt-

### Tschetschenien: Chronik

| Datum | Ereignis |
|-------|----------|
| 19. Jh. | Im Krieg der Kaukasusvölker gegen die Russen kämpfen die Tschetschenen auf moslemischer Seite |
| 1936 | Tschetschenien ist Autonome Republik in der UdSSR |
| 1944 | Deportationen von Tschetschenen wegen angeblicher Kollaboration mit den deutschen Besatzern nach Kasachstan und Mittelasien |
| 1957 | Wiederherstellung der Autonomen Republik, die Tschetschenen dürfen zurückkehren |
| Okt. 1991 | Unabhängigkeitserklärung, Dschochar Dudajew gewinnt die Präsidentenwahl |
| 8. 11. 1991 | Rußland verhängt den Ausnahmezustand |
| 2. 8. 1994 | Gewaltsamer Umsturzversuch der Opposition, von russischer Regierung unterstützt, scheitert |
| 15. 9. 1994 | Dudajew ruft den Kriegszustand aus |
| 25. 11. 1994 | Opposition beginnt mit dem Angriff auf die Hauptstadt Grosny |
| 12. 2. 1995 | Russische Truppen haben Grosny erobert, die Kämpfe verlagern sich in die Berge |
| Juni 1995 | Aufnahme von Friedensgesprächen nach der Geiselnahme von Budjonnowsk |

stadt Grosny. Im April fielen mit Schali, Gudermes und Samaschki die letzten größeren Städte. Nach offiziellen Angaben starben bei den Kämpfen 1146 russische Soldaten. Militärangehörige vor Ort schätzten eine weit höhere Verlustquote. Die Zahl der bei den Kämpfen um Grosny getöteten Zivilisten wurde auf 24 350 beziffert. Dazu kommen etwa 1000 getötete bewaffnete Separatisten. Das Internationale Komitee vom Roten Kreuz (IKRK) gab die Zahl der Flüchtlinge mit 260 000 Menschen an.

**Hintergrund:** Der Widerstand gegen die gewaltsame russische Kolonisierung reicht zurück bis ins 18. Jh. Unter dem sowjetischen Diktator Josef W. Stalin wurden die Tschetschenen und ihr ethnisch verwandtes Nachbarvolk, die Inguschen, 1944 wegen angeblicher Kollaboration mit den deutschen Besatzern nach Kasachstan und Mittelasien deportiert. 1957 wurde den Tschetschenen die Rückkehr in die Autonome Republik T. gestattet, wo sie sich der antireligiösen Sowjetpolitik widersetzten. 1992 weigerte sich T., den russischen Föderationsvertrag zu unterzeichnen.

→ Kaukasus

---

## Tuberkulose

(Tb, Tbc), in Deutschland meldepflichtige Infektionskrankheit, die von Bakterien verursacht wird. In 90% der Fälle befallen die eingeatmeten Bakterien die Atemwege und setzen sich in der Lunge fest, die sie funktionsunfähig machen können. Von da aus können sie nahezu jedes andere Organ und die Knochen befallen. Der Weltgesundheitsorganisation (WHO, Genf/Schweiz) zufolge werden 1990–2000 rd. 90 Mio Menschen an T. erkranken und etwa 30 Mio sterben. Die T. war die am häufigsten zum Tode führende Infektionskrankheit.

**Ausbreitung:** 95% der Fälle wurden Mitte der 90er Jahre in den Entwicklungsländern registriert. Zwei Drittel der Erkrankten lebten in der Westpazifik-Region und in Südostasien. In Afrika starben jährlich 1,25 Mio Menschen an T. In den USA nahm die Zahl der Erkrankungen seit 1985 um rd. 20% zu, in den westeuropäischen Staaten waren Anstiege von bis zu 33% zu verzeichnen. Nach einem Zuwachs 1992 und 1993 sank die Zahl der T.-Fälle in Deutschland 1994 gegenüber dem Vorjahr um 8% auf 12 982, der bis dahin niedrigste Stand. Mehr als die Hälfte der Patienten hatte Lungen-T.

**Ursachen:** Mitte der 90er Jahre trug etwa ein Drittel der Menschen den T.-Erreger in sich. Medizinern zufolge war die Gefahr zu erkranken dort am größten, wo viele Personen auf engem Raum zusammenlebten. Die Krankheit käme lediglich bei Menschen mit geschwächtem Immunsystem infolge von Mangelernährung, Streß und Angst sowie anderen Infektionen wie Aids zum Ausbruch. Alkohol, Drogen und Obdachlosigkeit begünstigen die T. Zudem war die zunehmende Resistenz der Erreger gegen Antibiotika für die Ausbreitung verantwortlich.

**Medikamentenresistenz:** Die T. wird i. d. R. mit einer Kombination aus chemischen Substanzen und Antibiotika behandelt. Die Resistenzen entstehen z. B., wenn die sechs- bis zwölfmonatige Behandlung unregelmäßig fortgesetzt oder zu früh abgebrochen wird. Bis dahin nicht abgetötete Erreger können sich so verändern, daß sie gegen das Mittel resistent werden. Sie geben die Widerstandsfähigkeit weiter.

**Bekämpfung:** Eine T. zu behandeln kostete 1995 rd. 45 DM pro Patient. Laut WHO würden 100 Mio–150 Mio Dollar pro Jahr (141 Mio–211 Mio DM) ausreichen, um in den folgenden zehn Jahren etwa 12 Mio Menschen vor dem Tod durch T. zu retten. Die entwickelten Länder wendeten jährlich rd. 16 Mio Dollar (23 Mio DM) für die T.-Bekämpfung weltweit auf.

→ Antibiotika

---

## Tutsi

→ Hutu und Tutsi

# U

## Überhangmandate

Bei Wahlen auf Bundesebene hat der Wähler zwei Stimmen. Die Hälfte der Abgeordneten wird in den Wahlkreisen mit der Erststimme nach dem relativen Mehrheitswahlrecht gewählt (Direktmandate). Mit der Zweitstimme wählt der Wähler die Landesliste einer Partei nach dem Verhältniswahlrecht. Erst- und Zweitstimme können verschiedenen Parteien gegeben werden (Stimmensplitting). Ü. entstehen, wenn eine Partei in einem Bundesland mehr Direktmandate erzielt, als ihr nach der Zahl ihrer Zweitstimmen Sitze zustehen. Da die Direktmandate der Partei nicht vorenthalten werden können, erhöht sich die Zahl der Abgeordneten um die Ü. Bei der Bundestagswahl am

16. 10. 1994 ergab sich die Rekordzahl von 16 Ü. Die Mehrheit der CDU/CSU/FDP-Koalition erhöhte sich mit den Ü. von zwei auf zehn Stimmen.

**BVG-Urteil:** Im Februar 1995 wies das Bundesverfassungsgericht (BVG, Karlsruhe) die Organklage von Bündnis 90/Die Grünen gegen die Vergabe von Ü. im Bundestag wegen Fristversäumnis zurück. Niedersachsen bereitete Mitte 1995 eine Normenkontrollklage beim BVG gegen die Ü.-Regelung im Bundeswahlgesetz vor.

**Hintergrund:** Die hohe Zahl von Ü. wurde auf folgende Ursachen zurückgeführt:
▷ Immer mehr Wähler geben die Erst- und Zweitstimme verschiedenen Parteien (Stimmensplitting)
▷ Die große Zahl kleiner Wahlkreise in den neuen Bundesländern führt dort zu einer Überbewertung der Erststimmen. 1994 entstanden 13 der 16 Ü. in Ostdeutschland
▷ Die niedrige Wahlbeteiligung in Ostdeutschland (72,5%, bundesweit 79,1%) gab den ostdeutschen Zweitstimmen mehr Gewicht.

**Reform:** Durch die Ü.-Regelung brauchen kleine Parteien, die meist wenige Direktmandate gewinnen, rechnerisch mehr Zweitstimmen für ein Mandat als große Parteien. Um die gleiche Gewichtung der Zweitstimmen herzustellen, müßte der 13. Bundestag durch Ausgleichsmandate an andere Parteien auf 891 Abgeordnete anwachsen. SPD und Grüne forderten eine Wahlrechtsänderung bis 1998, z. B. einen neuen Zuschnitt der Wahlkreise.
→ Bundestag, Deutscher → Wahlen

### Überhangmandate: Einspruchrekord

Gegen die Bundestagswahl vom 16. 10. 1994 gingen mit rd. 1140 Einsprüchen zehnmal mehr Beschwerden von Wahlberechtigten ein als im langjährigen Durchschnitt. Die meisten Beschwerden richteten sich gegen die hohe Zahl von Überhangmandaten.

### Überhangmandate: Bundestag

| Wahlperiode (Wahljahr) | Überhang-mandate | Überhangmandate pro Bundesland | für Partei |
|---|---|---|---|
| 1. WP (1949) | 2 | Baden 1 | CDU |
| | | Bremen 1 | SPD |
| 2. WP (1953) | 3 | Schleswig-Holstein 2 | CDU |
| | | Hamburg 1 | DP |
| 3. WP (1957) | 3 | Schleswig-Holstein 3 | CDU |
| 4. WP (1961) | 5 | Schleswig-Holstein 4 | CDU |
| | | Saarland 1 | CDU |
| 5. WP (1965) | 0 | – | – |
| 6. WP (1969) | 0 | – | – |
| 7. WP (1972) | 0 | – | – |
| 8. WP (1976) | 0 | – | – |
| 9. WP (1980) | 1 | Schleswig-Holstein 1 | SPD |
| 10. WP (1983) | 2 | Bremen 1 | SPD |
| | | Hamburg 1 | SPD |
| 11. WP (1987) | 1 | Baden-Württemberg 1 | CDU |
| 12. WP (1990) | 6 | Sachsen-Anhalt 3 | CDU |
| | | Mecklenburg-Vorp. 2 | CDU |
| | | Thüringen 1 | CDU |
| 13. WP (1994) | 16 | Sachsen 3 | CDU |
| | | Thüringen 3 | CDU |
| | | Baden-Württemberg 2 | CDU |
| | | Mecklenburg-Vorp. 2 | CDU |
| | | Sachsen-Anhalt 2 | CDU |
| | | Brandenburg 3 | SPD |
| | | Bremen 1 | SPD |

Quelle: Das Parlament, 13./20. 1. 1995

## Übersetzungssoftware

Computerprogramme zur Übertragung von Texten aus einer Sprache in die andere. Mitte der 90er Jahre diente Ü. als Hilfsmittel für Übersetzer, vollautomatische Übersetzungen waren nicht möglich. Das deutsche Bundesforschungsministerium unterstützte von 1995 bis 2000 mit 66,4 Mio DM die Entwicklung einer Ü. für gesprochene

Sprache (sog. Verbmobil), das ab 2000 bei Verhandlungen zwischen Personen unterschiedlicher Sprache den Dolmetscher ersetzen soll. Eine erste Version umfaßte 1995 rd. 1200 Wörter, die vom Englischen ins Deutsche und Japanische übersetzt werden können. Für einen Satz mit bis zu zehn Wörtern benötigte die Ü. rd. 30 sec.
Ü. wurden insbes. bei der Übertragung technischer Texte eingesetzt. Wenn Programme Standardformulierungen gespeichert haben, können sie schneller als Menschen Übersetzungen anfertigen. Die Texte müssen überarbeitet werden, weil Ü. die Komplexität der Grammatik nicht bewältigen kann. Ü. kosteten 1995 bis zu 200 000 DM.
→ Spracherkennungs-Software

## Umsatzsteuer

→ Mehrwertsteuer

## Umweltagentur, Europäische

**Sitz** Kopenhagen/Dänemark
**Gründung** 1994
**Aufbau** EU-Behörde, rd. 100 Mitarbeiter
**Exekutivdirektor** Domingo Jimenez-Beltran/Spanien (seit 1994)
**Funktion** Sammlung und Aufbereitung umweltbezogener Daten, die als Grundlage für politische Entscheidungen im Umweltschutz der Union dienen sollen

## Umweltprobenbank

Ab 1994 werden in der U. des Bundes, deren Organisation auf das Umweltbundesamt (UBA), das Forschungszentrum Jülich (KFA) und die Westfälische Wilhelms-Universität Münster verteilt ist, ökologisch repräsentative Umwelt- und Human-Organproben gesammelt, auf umweltrelevante Stoffe analysiert und bis 2001 eingelagert. Später sollen Konzentrationen von Stoffen ermittelt werden, deren Bedeutung zum Zeitpunkt ihrer Einwirkung nicht bekannt waren. Die Proben werden so gelagert, daß Veränderungen über einen Zeitraum von mehreren Jahrzehnten ausgeschlossen sind.

### Überhangmandate: Gewicht der Zweitstimmen 1994[1]

| Partei | Mandate | davon Überhang-mandate | Zweitstimmen pro Mandat |
|---|---|---|---|
| CDU | 244 | 12 | 65 941 |
| SPD | 252 | 4 | 68 021 |
| CSU | 50 | – | 68 542 |
| PDS | 30 | – | 68 913 |
| FDP | 47 | – | 69 316 |
| Bündnis 90/Die Grünen | 49 | – | 69 859 |

1) Bei der Bundestagswahl am 16. 10. 1994

## Umweltschutz

Das Worldwatch-Institut (Washington/USA) wies 1995 auf die negativen Auswirkungen von Umweltschäden (z. B. Überfischung der Meere, Abholzen der Wälder, Wasserknappheit) auf

**Umweltprobenbank: Probennahmegebiete**

Quelle: Bundesamt für Naturschutz © Harenberg

Forst-Ökosystem | Humanproben | Salzwasser-Ökosystem | NP Nationalpark / BR Biosphärenreservat
Agrar-Ökosystem | Süßwasser-Ökosystem | Naturnahes Ökosystem | Ballungsraumnahe Ökosysteme

## Umweltschutz: Umweltstraftaten in Deutschland

| Straftat | Delikte[1] | | | | |
|---|---|---|---|---|---|
| | 1990 | 1991 | 1992 | 1993 | 1994 |
| Umweltgefäh. Abfallbeseitig. | 8 157 | 9 724 | 12 453 | 18 575 | 21 587 |
| Gewässerver- unreinigung | 9 942 | 9 601 | 8 687 | 8 701 | 8 207 |
| Unerlaubtes Betreiben von Anlagen | 1 525 | 1 457 | 1 573 | 1 715 | 1 608 |
| Sonstige | 1 788 | 2 420 | 674 | 867 | 853 |
| Insgesamt | 21 412 | 23 202 | 23 387 | 29 732 | 32 082 |

1) Bis 1992 Westdeutschland; Quelle: Polizeiliche Kriminalstatistik 1994

**Umweltschutz: UBA-Präsident**

**Andreas Troge**
* 17. 7. 1950 in Berlin, Dr. rer. pol. 1981 bis 1986 Umweltreferent im Bundesverband der Deutschen Industrie (Köln), 1986 bis 1990 Geschäftsführer des Instituts für gewerbliche Wasserwirtschaft und Luftreinhaltung, 1990 Vizepräsident des Umweltbundesamtes (UBA, Berlin). August 1995 Nachfolger von Heinrich Freiherr von Lersner als Präsident des Umweltbundesamtes.

die weltweite Wirtschaftsleistung hin. Das Institut schlug eine weltweite Umweltsteuer vor und verlangte von der UNO finanzielles Engagement beim U. Auf der Klimakonferenz vom 28. 3. bis 7. 4. 1995 in Berlin faßten die Teilnehmerstaaten keine verbindlichen Ziele für die Reduzierung der Treibhausgas-Emissionen ($CO_2$) ab 2000. Deutsche Politiker aus allen Parteien und Künstler hatten 1993 ein Programm zum Wiederaufbau der zerstörten Natur erarbeitet, den sog. ökologischen Marschallplan. 1995 forderten die Initiatoren des Plans Umweltpolitiker der Industriestaaten auf, sich über eine verbindliche Kohlendioxid-Reduktion von 20% bis 2005 zu einigen, erneuerbare Energien stärker zu fördern und eine Flugbenzinsteuer von 0,05 DM pro Flugkilometer und Gast einzuführer. Die Einnahmen aus dieser Steuer (jährlich 100 Mrd DM) sollten U.-Maßnahmen finanzieren.
→ Bodenverschmutzung → Klimaveränderung → Kohlendioxid → Luftverschmutzung → Waldsterben → Wasserverschmutzung

## Universitätsrundfunk

Im Januar 1995 ging das Uni-Radio Baden auf Sendung, das von den Universitäten Freiburg/Br., Heidelberg, Karlsruhe und Mannheim jeweils dienstags von 18 bis 19 Uhr auf der Frequenz eines Mannheimer Privathörfunks veranstaltet wird. Mitte 1995 erhielten die Universitäten in Berlin/ Potsdam und in Düsseldorf von den für privaten Rundfunk zuständigen Landesmedienanstalten Lizenzen für ein Hörfunk- bzw. zwei TV-Programme.
Während das bereits bestehende Uni-Radio Tübingen nur in Tübingen zu empfangen ist, erreicht der Badener Hörfunk das Elsaß und die Nordschweiz. Neben gemeinsamen Nachrichten erhalten die Hochschulen Sendezeit für eigene Themen.
Das Berliner Programm wird ebenfalls auf der Frequenz eines Privatsenders abwechselnd in Englisch und Deutsch verbreitet. Das Musikangebot soll sich mit Klassik, Jazz und Soft Rock von anderen Sendern absetzen. Studenten der Hochschule sollen praxisnah in Journalistik ausgebildet werden.
NRW-weit will der Düsseldorfer Hochschulrundfunk über aktuelle Themen berichten, Forschungsergebnisse vorstellen und über neue Technologien informieren. Das zweite TV-Programm, der Campusrundfunk, soll mit einer Reichweite von 3 km auf dem Universitätsgelände ausgestrahlt werden.

## Universumsalter

Ende 1994 wurde der 20jährige Streit zwischen Astronomen über das Alter des Universums durch Messungen des Hubble Space Telescopes neu entfacht. Nach dem physikalischen Standardmodell von der Entstehung des Universums, der sog. Urknall-Theorie, beträgt das U. 15 Mrd–18 Mrd Jahre. Eine Messung des Teleskops ergab dem Astronomen Wendy Freedman (USA) zufolge jedoch nur ein U. von rd. 8 Mrd Jahren. Die ältesten Sterne sind nach übereinstimmender Astronomenmeinung mindestens 14 Mrd Jahre alt, wären damit also älter als das Universum. Dies würde die Urknall-Theorie, nach der sich alle Sterne nach Entstehung des Universums entwickelt haben sollen, verwerfen.
**Neue Messung:** Die sog. Hubble-Konstante mißt die Expansion des Universums nach dem angenommenen Zeitpunkt des Urknalls. Sie besagt, daß

Galaxien sich um so schneller von der Erde wegbewegen, je größer die Entfernung von der Erde ist. Die Galaxiengeschwindigkeit wird anhand der Verzerrung des Lichts gemessen, das eine Galaxie abstrahlt. Freedman stellte eine Hubble-Konstante fest, nach der sich das Universum um 80 km/sec ausdehnt (Hubble-Konstante = 80). Demnach wäre das U. 8 Mrd Jahre alt. Bei einer Hubble-Konstante von 50 läge das U. bei mindestens 15 Mrd Jahren.

**Kritik:** Forscher, die von einem älteren U. ausgingen, vermuteten, daß Freedman die Expansionsgeschwindigkeit überschätzt habe. Andere nahmen an, daß Gravitationskräfte die Expansionsbewegung des Universums überlagern und die Messungen verfälschen.
→ Dunkle Materie

## UNO

→ Übersichtsartikel S. 430

## UNO-Friedenstruppen

Von der UNO aufgestellte Militäreinheiten oder zivile Beobachter, die seit 1948 vom UNO-Sicherheitsrat zu friedenssichernden Operationen entsandt werden. Zur Selbstverteidigung und zur Sicherung ihrer Arbeit dürfen die U. Gewalt anwenden. Zu den Aufgaben der Blauhelme genannten U. gehört die Sicherung von Waffenstillständen. Mitte 1995 waren weltweit rd. 75 000 Mann der U. im Einsatz.

**Bilanz:** Die Zahl der Friedensmissionen stieg von 1988 bis Ende 1994 von fünf auf 17 an, die jährlichen Kosten

**UNO: Generalsekretär**

**Butros Butros Ghali**
* 14. 11. 1922 in Kairo/Ägypten, Dr. jur. 1992 als erster Afrikaner Generalsekretär der Vereinten Nationen.

### UNO-Friedenstruppen: Missionen

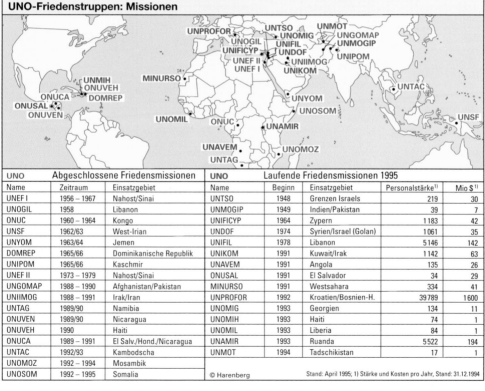

| UNO | Abgeschlossene Friedensmissionen | | UNO | Laufende Friedensmissionen 1995 | | | | |
|-----|-----------|------------|------|--------|------------|-----------------|-----------|
| Name | Zeitraum | Einsatzgebiet | Name | Beginn | Einsatzgebiet | Personalstärke[1] | Mio $[1] |
| UNEF I | 1956 – 1967 | Nahost/Sinai | UNTSO | 1948 | Grenzen Israels | 219 | 30 |
| UNOGIL | 1958 | Libanon | UNMOGIP | 1949 | Indien/Pakistan | 39 | 7 |
| ONUC | 1960 – 1964 | Kongo | UNIFICYP | 1964 | Zypern | 1 183 | 42 |
| UNSF | 1962/63 | West-Irian | UNDOF | 1974 | Syrien/Israel (Golan) | 1 061 | 35 |
| UNYOM | 1963/64 | Jemen | UNIFIL | 1978 | Libanon | 5 146 | 142 |
| DOMREP | 1965/66 | Dominikanische Republik | UNIKOM | 1991 | Kuwait/Irak | 1 142 | 63 |
| UNIPOM | 1965/66 | Kaschmir | UNAVEM | 1991 | Angola | 135 | 26 |
| UNEF II | 1973 – 1979 | Nahost/Sinai | ONUSAL | 1991 | El Salvador | 34 | 29 |
| UNGOMAP | 1988 – 1990 | Afghanistan/Pakistan | MINURSO | 1991 | Westsahara | 334 | 41 |
| UNIIMOG | 1988 – 1991 | Irak/Iran | UNPROFOR | 1992 | Kroatien/Bosnien-H. | 39 789 | 1 600 |
| UNTAG | 1989/90 | Namibia | UNOMIG | 1993 | Georgien | 134 | 11 |
| ONUVEN | 1989/90 | Nicaragua | UNOMIH | 1993 | Haiti | 74 | 1 |
| ONUVEH | 1990 | Haiti | UNOMIL | 1993 | Liberia | 84 | 1 |
| ONUCA | 1989 – 1991 | El Salv./Hond./Nicaragua | UNAMIR | 1993 | Ruanda | 5 522 | 194 |
| UNTAC | 1992/93 | Kambodscha | UNMOT | 1994 | Tadschikistan | 17 | 1 |
| UNOMOZ | 1992 – 1994 | Mosambik | | | | | |
| UNOSOM | 1992 – 1995 | Somalia | © Harenberg | | Stand: April 1995; 1) Stärke und Kosten pro Jahr, Stand: 31.12.1994 | | |

## UNO: Sonder- und Unterorganisationen

| Name | Gründung Sitz | Vorsitz Mitglieder 1995 | Funktion |
|---|---|---|---|
| **Sonderorganisationen** | | | |
| **FAO** (Food and Agricultural Organization, engl.; Ernährungs- und Landwirtschaftsorganisation) | 1945 Rom | Jacques Diouf/Senegal Generaldirektor 1994–1995 170 Staaten | Verbesserung der Ernährungslage und Förderung der Landwirtschaft |
| **IAEA** (International Atomic Energy Agency, engl.; Internationale Atomenergie-Agentur) | 1956 Wien | Hans Blix/Schweden Generalsekretär seit 1981 121 Staaten | Weltweite Kontrolle kerntechnischer Anlagen und des Atomwaffensperrvertrags |
| **ICAO** (International Civil Aviation Organization, engl.; Internationale Zivilluftfahrtorganisation) | 1947 Montreal/ Kanada | Philippe H. P. Rochat/ Schweiz, Generalsekretär seit 1992, 183 Staaten | Förderung der internationalen zivilen Luftfahrt |
| **IDA** (International Development Association, engl.; Internationale Entwicklungsassoziation) | 1960, Washington/ USA | James Wolfensohn/USA, Präsident der Weltbank seit 1995, 157 Staaten | Förderung der wirtschaftlichen Entwicklung der ärmsten Länder (Weltbank-Tochter) |
| **IFAD** (International Fund for Agricultural Development, engl.; Internationaler Agrarentwicklungsfonds) | 1974 Rom | Fawsi Hamad as-Sultan/ Kuwait, Präsident seit 1993 157 Staaten | Verbesserung der Nahrungsmittelversorgung (Weltbank-Tochter) |
| **IFC** (International Finance Corporation, engl.; Internationale Finanzgesellschaft) | 1956 Washington/ USA | James Wolfensohn/USA, Präsident der Weltbank seit 1995, 161 Staaten | Förderung privater Investitionen in Entwicklungsländern |
| **ILO** (International Labour Organization, engl.; Internationale Arbeitsorganisation) | 1919 (Neugr. 1946) Genf/Schweiz | Michel Hansenne/Belgien Generaldirektor 1988–1999 171 Staaten | Verbesserung der Lebens- und Arbeitsbedingungen der der Arbeiter |
| **IMO** (Intergovernmental Maritime Organization, engl.; Internationale Seeschiffahrtsorganisation) | 1948 London | W. A. O'Neil/Kanada Generalsekretär seit 1990 149 Staaten | Beratung in Schiffahrtsfragen (Seesicherheit, Umweltschutz) |
| **ITU** (International Telecommunication Union, engl.; Internationale Fernmeldeunion) | 1865 (Neugr. 1947) Genf/Schweiz | Pekka Tarjanne/Finnland Generalsekretär seit 1989 184 Staaten | Förderung der Telekommunikation und des Funkwesens (inkl. Satellitenfunk) |
| **IWF** (Internationaler Währungsfonds, engl.: International Monetary Fund, IMF) | 1944 Washington/ USA | Michel Camdessus/ Frankreich Direktor 1987–1997 179 Staaten | Überwachung des internationalen Währungssystems und Leistung von Entwicklungshilfe |
| **MIGA** (Multilateral Investment Guarantee Agency, engl.; Multilaterale Investitions-Garantie-Agentur) | 1985 Washington/ USA | James Wolfensohn/USA Präsident der Weltbank seit 1995 122 Staaten | Sicherung privater Investitionen in Entwicklungsländern (Weltbank-Tochter) |
| **UNESCO** (United Nations Educational, Scientific and Cultural Organization, engl.; Organisation der Vereinten Nationen für Erziehung, Wissenschaft und Kultur) | 1945 Paris | Federico Mayor Zaragoza/Spanien Generaldirektor 1987–1999 183 Staaten | Förderung der internationalen Zusammenarbeit bei Erziehung, Wissenschaft, Information und des Zugangs zu Bildung und Kultur |
| **UNIDO** (United Nations Industrial Development Organization, engl.; Organisation der Vereinten Nationen für industrielle Entwicklung) | 1966 Wien | Mauricio de Maria y Campas/Mexiko Generaldirektor seit 1993 166 Staaten | Förderung der industriellen Entwicklung vor allem in Entwicklungsländern |
| **UPU** (Universal Postal Union, engl.; Weltpostverein) | 1874 (Neugr. 1948) Bern/Schweiz | Adwaldo C. B. des Barros/ Brasilien, Generaldirektor seit 1985, 184 Staaten | Vervollkommnung der internationalen Postdienste |
| **Weltbank** (International Bank for Reconstruction and Development, IBRD, engl.; Internationale Bank für Wiederaufbau und Entwicklung) | 1944 Washington/ USA | James Wolfensohn/USA Präsident seit 1995 178 Staaten | Förderung der wirtschaftlichen Entwicklung in den Mitgliedsländern |

## UNO: Sonder- und Unterorganisationen

| Name | Gründung Sitz | Vorsitz Mitglieder 1995 | Funktion und Ziel |
|------|------|------|------|
| **Sonderorganisationen** | | | |
| **WHO** (World Health Organization, engl.; Weltgesundheitsorganisation) | 1948 Genf/Schweiz | Hiroshi Nakajima/Japan Generaldirektor seit 1988 189 Staaten | Bekämpfung von Seuchen und Epidemien, Verbesserung der Gesundheitsversorgung |
| **WIPO** (World Intellectual Property Organization, engl.; Weltorganisation für geistiges Eigentum) | 1967 Genf/Schweiz | Arpad Bogsch/USA Generaldirektor seit 1973 149 Staaten | Förderung des gewerblichen Rechtschutzes sowie des Urheberschutzes |
| **WMO** (World Meteorological Organization, engl.; Weltorganisation für Meteorologie) | 1951 Genf/Schweiz | Godwin Obasi/Nigeria Generalsekretär seit 1984 175 Staaten | Kooperation bei der Errichtung von Stationsnetzen und meteorologischen Meßstellen |
| **WTO** (World Trade Organization, engl.; Welthandelsorganisation) | 1995 Genf/Schweiz | Renato Ruggiero/Italien Generaldirektor seit 1995 Ratifizierung bis 1996 | Förderung und Überwachung des Welthandels |
| **Wichtige Unterorganisationen** | | | |
| **ECOSOC** (Economic and Social Council, engl.; Wirtschafts- und Sozialrat) | 1945 New York | Juan O. Somavia/Chile Präsident seit 1993 54 Staaten | Koordination im wirtschaftlichen und sozialen Bereich |
| **INCB** (International Narcotics Control Board, engl.; Internationaler Suchstoffkontrollrat) | 1961 Wien | Hamid Ghodse/Iran Präsident seit 1993 – | Überwachung der Einhaltung von Drogenkontrollmaßnahmen der Regierungen |
| **Internationaler Gerichtshof** (engl.: International Court of Justice, ICJ) | 1945 Den Haag/ Niederlande | Mohammed Bedjaoui/ Algerien, Präsident seit 1993, 15 Richter | Hauptrechtsprechungsorgan der UNO |
| **UNCTAD** (United Nations Conference on Trade and Development, engl.; Handels- und Entwicklungskonferenz der Vereinten Nationen) | 1964 Genf/Schweiz | Mitte 1995 ohne Generalsekretär – | Förderung des internationalen Handels, insbes. mit den Entwicklungsländern |
| **UNDP** (United Nations Development Programme, engl.; Entwicklungsprogramm der Vereinten Nationen) | 1965 New York | James Gustav Speth/USA Direktor seit 1994 – | Koordination der technischen Hilfe für die Entwicklungsländer |
| **UNEP** (United Nations Environmental Programme, engl.; Umweltprogramm der Vereinten Nationen) | 1972 Nairobi/Kenia | Elizabeth Dowdeswell/ Kanada, Exekutivdirektorin seit 1993 58 Staaten | Koordination von Umweltschutzmaßnahmen |
| **UNFPA** (United Nations Fund for Population Activities, engl.; Bevölkerungsfonds der Vereinten Nationen) | 1967 New York | Nafis Sadik/Pakistan Exekutivdirektor seit 1987 – | Förderung von Familienplanung und Aufklärung über Zusammenhänge von Bevölkerungs- und Wirtschaftsentwicklung |
| **UNHCR** (United Nations High Commissioner for Refugees, engl.; Hoher Flüchtlingskommissar der Vereinten Nationen) | 1949 Genf/Schweiz | Sadako Ogata/Japan Hochkommissarin 1991–1998 – | Hilfe für Flüchtlinge |
| **UNICEF** (United Nations International Childrens' Emergency Fund, engl.; Internationales Kinderhilfswerk der Vereinten Nationen) | 1946 New York | Carol Bellamy/USA Exekutivdirektorin seit April 1995 – | Versorgung von Kindern und Müttern mit Nahrungsmitteln, Kleidern, Medikamenten und und medizinischer Betreuung |
| **UNO-Sicherheitsrat** | 1945 New York | – 15 Staaten | Organ der UNO für die Sicherung des Weltfriedens |
| **WFP** (World Food Programme, engl.; Welternährungsprogramm) | 1963 Rom | Catherine Bertini/USA Direktorin seit 1993 | Notstandshilfe bei Hungerkatastrophen |

# Vereinte Nationen zwischen Reform und Ruin

Ein halbes Jahrhundert nach ihrer Gründung (1945) und wenige Jahre nach dem Ende des Ost-West-Konflikts befanden sich die Vereinten Nationen Mitte der 90er Jahre in einer Krise. Mißlungene UNO-Missionen in Bosnien-Herzegowina und Somalia, bei denen es nach mehrjähriger Intervention nicht gelungen war, Frieden zu vermitteln, sowie fehlende finanzielle Mittel und ein schwerfälliger Verwaltungsapparat stellten die Autorität der Weltorganisation mit 185 Mitgliedstaaten in Frage. Politiker und Hilfsorganisationen forderten grundlegende Reformen, damit die UNO ihre Aufgaben der Friedenssicherung sowie der Förderung von Menschenrechten und wirtschaftlicher Entwicklung erfüllen könne.

**Ruf nach neuen Schwerpunkten:** Eine unabhängige Expertenkommission der UNO, die u. a. vom deutschen Ex-Bundespräsidenten Richard von Weizsäcker geleitet wurde, forderte im Juni 1995, die UNO solle in Zukunft den Weltfrieden nicht nur politisch und militärisch sichern, sondern sich bereits im Vorfeld verstärkt wirtschaftlichen und sozialen Aufgaben zuwenden. Der Wirtschafts- und Sozialrat (ECOSOC) soll durch zwei unabhängige Räte ersetzt werden, die für UNO-Sonder- und Unterorganisationen verbindliche Richtlinien erstellen. Beide Gremien sollen eine sog. Globale Allianz für nachhaltige Entwicklung bilden und einmal jährlich Lösungswege für globale Probleme formulieren. Angeregt wurde zudem eine Reform der Weltbank und des Internationalen Währungsfonds (IWF). Die UNO-Sonderorganisationen vergeben Kredite an Entwicklungsländer. Private Hilfsorganisationen (NGO) kritisierten Mitte der 90er Jahre, daß Weltbank und IWF, in denen die Stimmanteile den Kapitalanlagen der Mitglieder entsprechen, in erster Linie die Interessen der Industriestaaten vertraten.

**Erweiterung des Sicherheitsrats:** Um die steigende Zahl unabhängiger Staaten zu berücksichtigen, schlug die Reformkommission vor, die Zahl der Mitglieder des UNO-Organs zur Sicherung des Weltfriedens von 15 auf 23 zu erhöhen. Das umfassende Vetorecht der fünf ständigen Mitglieder (China, Frankreich, Großbritannien, Rußland, USA) soll auf Fragen der Friedenssicherung und -erzwingung beschränkt werden. Seit ihrer Wahl durch die UNO-Vollversammlung Ende 1994 sind Botswana, Deutschland, Honduras, Indonesien und Italien für zwei Jahre nichtständige Mitglieder im Sicherheitsrat. Das Mandat der übrigen Mitglieder (Argentinien, Nigeria, Oman, Ruanda, Tschechische Republik) läuft Ende 1995 aus. Deutschland und Japan forderten 1995 einen ständigen Sitz im Sicherheitsrat. Fast alle UNO-Mitglieder befürworteten eine Reform des Sicherheitsrats, die auf der Vollversammlung mit Zweidrittelmehrheit beschlossen werden müßte. Die ständigen Mitglieder des Rats, die auch in dieser Frage ein Vetorecht besaßen, konnten sich aber auf keine Vergrößerung einigen.

**Eingreiftruppe soll Frieden schaffen:** Generalsekretär Butros Butros Ghali fordert seit 1992 die Einrichtung einer ständigen schnellen Eingreiftruppe unter Kontrolle der UNO. Während UNO-Friedenstruppen ursprünglich i. d. R. nach beendeten Kriegen den Frieden sicherten, würden sie in den 90er Jahren in Kampfgebieten eingesetzt. Die Teileinheiten einer Eingreiftruppe könnten zwar in ihren Heimatländern stationiert sein, müßten aber gleich ausgebildet und ausgerüstet sein. Langwierige Entscheidungsprozesse, in denen die Mitglieder zunächst prüfen, ob und in welchem Umfang sie Soldaten für Friedensmissionen zur Verfügung stellen, würden durch eine ständige UNO-Eingreiftruppe vermieden.

**Säumige Beitragszahler:** Im April 1995 bezeichnete UNO-Generalsekretär Butros Butros Ghali die Vereinten Nationen als bankrott. Insgesamt standen 3,1 Mrd Dollar (4,4 Mrd DM) säumige Beiträge der Mitgliedstaaten aus, die Schulden der UNO betrugen Ende 1994 etwa 1,7 Mrd Dollar (2,4 Mrd DM). Den Vereinten Nationen fehlten Möglichkeiten, ihre Mitglieder zur Schuldenbegleichung zu zwingen. Im August 1994 hatte die Vollversammlung den deutschen Diplomaten Karl-Theodor Paschke zum ersten UNO-Generalinspekteur gewählt. Der Revisor soll Mißmanagement und Korruption in der Verwaltung beseitigen, durch die jährlich etwa 680 Mio DM verloren gehen. → Tabelle S. 428 (FH)

→ Balkan-Konflikt → Kriegsverbrechertribunal → UNO-Friedenstruppen → Weltsozialgipfel

wuchsen im gleichen Zeitraum von 230 Mio (324 Mio DM) auf 3610 Mio Dollar (5083 Mio DM). 1948–1995 kamen ca. 1000 Blauhelme bei Friedensmissionen ums Leben (1993: rd. 200).

**Einsätze:** Im Juni 1995 stimmte der UNO-Sicherheitsrat für die Entsendung einer schnellen Eingreiftruppe nach Bosnien-Herzegowina. Die Finanzierung der Aktion (Kosten: rd. 500 Mio Dollar, 704 Mio DM) blieb ungeklärt. Bis zu 12 500 europäische Soldaten sollen die seit 1992 auf dem Balkan stationierten UNPROFOR-Truppen vor Übergriffen der Kriegsparteien schützen. Bosnische Serben hatten im Mai 1995 Blauhelme als Geiseln gefangengenommen.

Im Dezember 1994 entsandte die UNO Militärbeobachter ins zentralasiatische Tadschikistan. Sie sollen im bewaffneten Konflikt zwischen kommunistischer Regierung und islamischen Oppositionsgruppen vermitteln.

→ Balkan-Konflikt → Bundeswehr → UNO

## UNPO

**Name** Unrepresented Nations' and Peoples' Organization, engl.; Organisation nichtrepräsentierter Nationen und Völker

**Sitz** Den Haag/Niederlande

**Gründung** 1991

**Mitglieder** 46 Nationen und Völker

**Generalsekretär** Michel van Walt van Prag/Niederlande (seit 1991)

**Funktion** Interessenvertretung von Nationen und Völkern, die in der UNO nicht oder nur unzureichend vertreten sind

## Unterhaltungselektronik

Der Umsatz der U.-Branche in Deutschland ging 1994 gegenüber dem Vorjahr um 9% auf 20,6 Mrd DM zurück. Ursache waren insbes. die sinkenden Preise aufgrund der starken Konkurrenz sowie die schwache Konjunktur. Für 1995 kündigte der Fachverband U. Preiserhöhungen um 5–8% für U.-Geräte an. Hohe Verkaufsraten erwartet der Verband für 1995 vor

### Unterhaltungselektronik: Markt in Deutschland

| Gerät, Medium | Verkauf (Stück) 1994 | 1993 | Veränderung (%) |
|---|---|---|---|
| **Videoelektronik** | | | |
| TV | 5 480 000 | 5 420 000 | +1,1 |
| Videorekorder | 3 090 000 | 3 010 000 | +2,7 |
| SAT-Receiver | 1 950 000 | 1 900 000 | +2,6 |
| SAT-Antennen | 1 220 000 | 1 300 000 | –6,2 |
| Camcorder | 780 000 | 990 000 | –21,2 |
| Video-Leerkassetten | 109 000 000 | 114 000 000 | –4,4 |
| **Audioelektronik** | | | |
| Tragbare Audiogeräte | 13 100 000 | 13 800 000 | –5,1 |
| Stereoanlagen | 2 600 000 | 2 400 000 | +8,3 |
| CD-Spieler | 2 470 000 | 2 770 000 | –10,8 |
| Lautsprecher | 2 150 000 | 2 060 000 | +4,4 |
| Verstärker, Tuner[1] | 1 410 000 | 1 735 000 | –18,7 |
| Kassettendecks | 780 000 | 960 000 | –18,8 |
| Plattenspieler | 205 000 | 295 000 | –30,5 |
| Audio-Leerkassetten | 115 300 000 | 138 000 000 | –16,4 |

1) Inkl. Receiver; Quelle: Frankfurter Allgemeine Zeitung, 12. 4. 1995

allem bei hochpreisigen Farbfernsehern, bedienerfreundlichen Videorekordern und im Multimedia-Bereich, der Verknüpfung von U., Computertechnik und Telekommunikation. Jeder deutsche Haushalt gab 1994 durchschnittlich 577 DM für U. aus.

→ CD → Computerspiele → Datenautobahn → Digitales Fernsehen → Digitaler Hörfunk → HDTV → Interaktives Fernsehen → Mini Disc → Multimedia → Virtuelle Realität → Video on demand

## Unternehmensgewinne

In Deutschland stiegen die Bruttoeinkommen aus Unternehmertätigkeit und Vermögen 1994 gegenüber dem Vorjahr wegen der Erholung der Konjunktur um 9% auf 663,9 Mrd DM, die Einkommen aus unselbständiger Arbeit um 2,2%. 1993 waren die Unternehmenseinkommen um 2,5% zurückgegangen. Für 1995 rechneten die führenden deutschen Wirtschaftsinstitute mit einem erneuten Anstieg der Einkommen aus Unternehmertätigkeit und Vermögen um 8,5%.

→ Einkommen

### Unternehmensteuern: Vergleich

| Land | Steuersatz 1994 (%)[1] |
|---|---|
| Belgien | 39,0 |
| Dänemark | 34,0 |
| Deutschland[2] | 45,0 |
| Frankreich | 33,4 |
| Griechenland | 35,0 |
| Großbritannien | 33,0 |
| Irland | 40,0 |
| Italien | 52,2 |
| Luxemburg | 33,0 |
| Niederlande | 35,0 |
| Portugal | 36,0 |
| Spanien | 35,0 |

1) Körperschaftsteuersätze für einbehaltene Gewinne; 2) inkl. Gewerbeertragsteuer und Solidaritätszuschlag (ab 1995): 57,0%; Quelle: Bundesfinanzministerium

## Unternehmen: Größte deutsche Industrie-Unternehmen 1994 (Konzernergebnisse)

| Rang '94 | '93 | Unternehmen | Sitz | Vorstands-vorsitzender | Branche | Umsatz (Mrd DM) 1994 | 1993 | Jahresüberschuß (Mio DM) 1994 | 1993 |
|---|---|---|---|---|---|---|---|---|---|
| 1 | 1 | Daimler-Benz | Stuttgart | Jürgen Schrempp | Fahrzeuge/Elektro | 104,1 | 98,5 | 895 | 615 |
| 2 | 2 | Siemens | Münch./Berl. | Heinrich von Pierer | Elektro | 84,6 | 81,6 | 1993 | 1982 |
| 3 | 3 | Volkswagen | Wolfsburg | Ferdinand Piëch | Auto | 80,0 | 76,6 | 150 | −1940 |
| 4 | 4 | Veba | Düsseldorf | Ulrich Hartmann | Energie/Chemie | 71,0 | 66,3 | 1529 | 1013 |
| 5 | 5 | RWE | Essen | Dietmar Kuhnt | Energie | 55,8 | 53,1 | 1114 | 1048 |
| 6 | 6 | Hoechst | Frankfurt/M. | Jürgen Dormann | Chemie | 50,0 | 46,1 | 1363 | 756 |
| 7 | 7 | BASF | Ludwigshafen | Jürgen Strube | Chemie | 46,6 | 43,1 | 1284 | 858 |
| 8 | 8 | Bayer | Leverkusen | Manfred Schneider | Chemie | 43,2 | 41,0 | 2012 | 1372 |
| 9 | 11 | BMW | München | B. Pischetsrieder | Auto | 42,1 | 29,0 | 697 | 516 |
| 10 | 9 | Thyssen | Duisburg | Heinz Kriwet[1] | Stahl/Maschinen | 34,9 | 33,5 | 90 | −994 |
| 11 | 10 | Bosch | Stuttgart | Hermann Scholl | Elektro | 34,5 | 32,5 | 512 | 426 |
| 12 | 12 | Mannesmann | Düsseldorf | Joachim Funk | Maschinen | 30,4 | 27,9 | 340 | −513 |
| 13 | 14 | VIAG | München | Georg Obermaier[2] | Energie/Chemie | 28,9 | 23,7 | 1120 | 302 |
| 14 | 17 | Opel | Rüsselsheim | David J. Herman | Auto | 25,6 | 22,4 | 307 | −570 |
| 15 | 15 | Ruhrkohle | Essen | Gerhard Neipp | Bergbau/Energie | 25,5 | 23,4 | 128 | 49 |
| 16 | 18 | Ford | Köln | Albert Caspers | Auto | 23,4 | 21,2 | 676 | −132 |
| 17 | 16 | Preussag | Hannover | Michael Frenzen | Energie/Anlagen | 23,2 | 23,3 | 245 | 193 |
| 18 | 13 | Metallgesellsch. | Frankfurt/M. | Kajo Neukirchen | Metall/Anlagen | 20,5 | 26,1 | −2627 | −1969 |
| 19 | 19 | Krupp-Hoesch | Essen | Gerhard Cromme | Stahl/Maschinen | 20,4 | 20,5 | 40 | −589 |
| 20 | 21 | Bertelsmann | Gütersloh | Mark Wössner | Medien | 18,4 | 17,2 | 759 | 662 |
| 21 | 20 | MAN | München | Klaus Götte | Maschinen/Anlagen | 18,1 | 19,0 | 160 | 230 |
| 22 | 24 | Henkel | Düsseldorf | Hans-D. Winkhaus | Kosmetik/Chemie | 14,1 | 13,9 | 460 | 385 |
| 23 | 22 | Degussa | Frankfurt/M. | Gert Becker | Edelmetall/Chemie | 13,8 | 14,9 | 174 | 121 |
| 24 | 23 | Ruhrgas | Essen | Klaus Liesen | Energie | 13,8 | 14,3 | 609 | 612 |
| 25 | 25 | IBM Deutschl. | Berlin | Edmund Hug | Computer | 12,9 | 12,6 | 900 | −582 |

1) Ab März 1996 Dieter Vogel; 2) ab 1. 8. 1995; Quelle: Aktuell-Recherche

## Unternehmensteuerreform

Die CDU/CSU/FDP-Bundesregierung plante 1995, die deutschen Unternehmen steuerlich zu entlasten. Die Steuersenkungen sollen die internationale Wettbewerbsfähigkeit verbessern.

**Unternehmensteuern:** Für einbehaltene Gewinne galt 1995 ein Körperschaftsteuersatz von 45%, für ausgeschüttete Gewinne von 30%. Personengesellschaften wie OHG und KG sowie Einzelkaufleute (zusammen ca. 85% aller Unternehmen) sind einkommensteuerpflichtig mit einem Steuersatz von 47%. Daneben werden die Unternehmensgewinne von den Gemeinden mit Gewerbeertragsteuer belegt. Auf den Unternehmensbesitz erheben die Länder Vermögensteuer, die Gemeinden Gewerbekapitalsteuer sowie Grundsteuern.

**Maßnahmen:** Die Regierungspläne sahen Mitte 1995 vor, die Gewerbeertragsteuer ab 1997 im Umfang von jährlich rd. 2,5 Mrd DM zu senken. Die gleichzeitige Abschaffung der (nur in Westdeutschland erhobenen) Gewerbekapitalsteuer soll die Unternehmen um ca. 3,4 Mrd DM pro Jahr entlasten. Die betriebliche Vermögensteuer soll in Ostdeutschland bis Ende 1998 weiter ausgesetzt werden. Bei der Erbschaftsteuer für die Übertragung eines Betriebes sind ab 1996 Ermäßigungen vorgesehen.

**Kritik:** Der Deutsche Städtetag und die SPD-Opposition, auf deren Zustimmung die Regierung im Bundesrat angewiesen war, sprachen sich gegen eine Gewerbesteuerreform in der vorliegenden Form aus. Das Deutsche Institut für Wirtschaftsforschung (DIW, Berlin) warf der Regierung vor, ab 1990 die steuerliche Belastung der deutschen Unternehmen im internationalen Vergleich verschlechtert zu haben. DIW und der Sachverständigenrat zur Begutachtung der gesamtwirtschaftlichen Entwicklung schlugen neben Steuerentlastungen u. a. einen Abbau des Solidaritätszuschlags, den auch Unternehmen zahlen, vor.

→ Erbschaftsteuer → Gemeindefinanzen → Gewerbesteuer → Solidaritätszuschlag → Steuern

## Untersuchungsausschuß

Parlamentarisches Gremium zur Aufklärung strittiger Sachverhalte. Der U. stellt ein Kontrollinstrument der Abgeordneten gegenüber Regierung und Verwaltung dar. Nach Art. 44 GG entspricht in Deutschland die Zusammensetzung des U. der Sitzverteilung im Parlament. Der Abschlußbericht muß mehrheitlich verabschiedet werden. Die Minderheit hat das Recht, ein Sondervotum abzugeben. Für die Einsetzung eines U. im Deutschen Bundestag ist die Unterstützung eines Viertels der Parlamentsmitglieder erforderlich. U. müssen ihre Arbeit innerhalb der Legislaturperiode abschließen, in der sie eingesetzt wurden. Auf Bundesebene arbeitete Mitte 1995 ein U., in den Parlamenten der Bundesländer zwölf.

Im Mai 1995 setzte der Bundestag einen U. zur Klärung der Hintergründe des Schmuggels mit waffenfähigem Plutonium ein, den der Bundesnachrichtendienst veranlaßt haben soll. Die SPD-Bundestagsfraktion beschloß im

| Untersuchungsausschuß: Bilanz der Bundesländer | | | |
|---|---|---|---|
| Bundesland | Anzahl nach 1949 | Mitte 1995 tätig | Untersuchungsgegenstand |
| Baden-Württemberg | 18 | 1 | Störfall im Kernkraftwerk Obrigheim |
| Bayern | 50 | 0 | – |
| Berlin | 28 | 4 | Überprüfung der Abgeordneten auf Stasi-Tätigkeit Attentat auf kurdische Politiker im Restaurant Mykonos 1992 Überprüfung des Grunderwerbs für den neuen Flughafen durch die Berlin-Brandenburg-Flughafen-GmbH und die Berlin-Schönefeld-Flughafen-GmbH Unregelmäßigkeiten in der Arbeit der Olympia-GmbH |
| Brandenburg | 5 | 1 | Überprüfung des Grunderwerbs für den neuen Flughafen durch die Berlin-Brandenburg-Flughafen-GmbH und die Berlin-Schönefeld-Flughafen-GmbH |
| Bremen | 15 | 0 | – |
| Hamburg | 44 | 1 | Gewaltsame Übergriffe der Hamburger Polizei |
| Hessen | 20 | 0 | – |
| Mecklenburg-Vorpommern | 4 | 1 | Klärung von Sachverhalten im Zusammenhang mit Kauf und Betrieb der Deponie Ihlenberg bei Schönberg |
| Niedersachsen | 13 | 1 | Vorwürfe gegen Umweltministerin Monika Griefahn (SPD), ihr Amt für private Geschäftsinteressen genutzt zu haben |
| Nordrhein-Westfalen | 15 | 0 | – |
| Rheinland-Pfalz | 28 | 0 | – |
| Saarland | 19 | 0 | – |
| Sachsen | 8 | 1 | Förderpraxis der Staatsregierung in der Milchwirtschaft |
| Sachsen-Anhalt | 6 | 1 | Arbeit der Treuhandanstalt |
| Schleswig-Holstein | 20 | 1 | Kontakte der SPD zu Rolf Pfeiffer, Medienreferent des ehemaligen Ministerpräsidenten Uwe Barschel (CDU) |
| Thüringen | 3 | 0 | – |

Stand: Juni 1995; Quelle: Aktuell-Recherche

Juni 1995, einen neuen U. einzusetzen, der die vom Schalck-U. und vom Treuhand-U. aus Zeitmangel in der vergangenen Legislaturperiode nicht geklärten Fragen abschließend untersuchen soll. Der U. Veruntreutes DDR-Vermögen soll auch Fragen nach dem Verbleib des SED-Vermögens klären.

→ Blutpräparate → Bundesnachrichtendienst → Treuhand-Nachfolge

## Unwort des Jahres

1994 wurde „Peanuts" (Erdnüsse, engl.) von einer sechsköpfigen Jury unter Leitung des Vorsitzenden des Frankfurter Zweiges der Gesellschaft für Deutsche Sprache (GfDS), Horst Dieter Schlosser, zum U. erklärt. Der Vorstandsvorsitzende der Deutschen Bank, Hilmar Kopper, hatte 1994 den durch die Pleite des deutschen Bauunternehmers Jürgen Schneider entstandenen Schaden, der zahlreiche Hand-

### Unwort des Jahres: Auswahl 1994

**Peanuts (Erdnüsse, engl.):** Vom Vorstandsvorsitzenden der Deutschen Bank, Hilmar Kopper, benutzter Begriff für den durch die Pleite des deutschen Bauunternehmers Jürgen Schneider entstandenen Schaden, der Handwerksbetriebe in den Konkurs getrieben hatte

**Schalterhygiene:** Umschreibung für die Abweisung finanzschwacher Kunden bei einer Girokontoeröffnung

**Besserverdienende:** Auf der Suche nach neuen Quellen für Steuereinnahmen von der SPD aufgebrachtes Schlagwort

**Dunkeldeutschland:** Bezeichnung für die neuen Bundesländer

**Buschgeld:** Gehaltszulage für westdeutsche Arbeitnehmer, die in den neuen Bundesländern tätig sind

**Freisetzung:** Euphemismus für Massenentlassungen

### Wörter des Jahres

| Jahr | Unwort des Jahres | Wort des Jahres[1] |
|------|-------------------|--------------------|
| 1991 | Ausländerfrei | Besserwessi |
| 1992 | Ethnische Säuberung | Politikverdrossenheit |
| 1993 | Überfremdung | Sozialabbau |
| 1994 | Peanuts | Superwahljahr |

1) Von der Gesellschaft für Deutsche Sprache (Wiesbaden) erhobene auffällige Begriffe; Quelle: GfDS

werksbetriebe ruiniert hatte, mit dem Begriff „Peanuts" verharmlost.

Die Gesellschaft für Deutsche Sprache (GfDS, Wiesbaden) hatte den U.-Wettbewerb 1991 ins Leben gerufen. 1993 setzte die Jury den von Bundeskanzler Helmut Kohl (CDU) geprägten Begriff des „kollektiven Freizeitparks" als unangemessene Pauschalierung der sozialen Situation auf Platz zwei der U.-Rangliste. Aufgrund der Kritik des Kanzleramtes distanzierte sich die GfDS 1994 von der Entscheidung. Ab 1994 erfolgte die Auswahl der U. unabhängig von der GfDS.

## Ureinwohner

Mitte der 90er Jahre waren U., etwa 300 Mio Menschen in rd. 6000 Völkern und 70 Staaten, besonders von Armut und Arbeitslosigkeit betroffen. Vom Zugang zu Bildungs- und Gesundheitssystemen waren sie häufig ausgeschlossen. In vielen Staaten wurden sie diskriminiert und ausgebeutet. Zur Verbesserung ihrer Lage fordern sie seit Anfang der 90er Jahre die Einrichtung eines Hochkommissariats der UNO für ihre Angelegenheiten.

**USA:** Indianervölker konnten Mitte der 90er Jahre durch den Betrieb von Glücksspielzentren hohe Gewinne erzielen. 1991–1995 entstanden in den Reservaten 39 Spielcasinos, die 1995 jeweils bis zu 1 Mrd Dollar (1,4 Mrd DM) Gewinn einbringen. 1988 hatte ein US-Gesetz den Reservaten das Glücksspiel als Mittel der Wirtschaftsentwicklung ermöglicht. Da die Indianer die Reservate autonom führen und ihre inneren Angelegenheiten selbst regeln, bleiben die Casinogewinne steuerfrei. Indianische Kritiker befürchteten allerdings durch den Zustrom von Touristen einen Verfall der traditionellen Kultur.

**Lateinamerika:** 1994/95 wuchs der Widerstand der indianischen U. gegen ihre Verarmung. Regierungsprogramme, die u. a. eine Privatisierung und Intensivierung der Landwirtschaft anstreben, führten in Chile, Ecuador,

Mexiko und Paraguay zur Mißachtung traditioneller Landrechte und zu indianischen Protesten. Die Regierungen akzeptierten Landraub durch Großgrundbesitzer oder verkauften staatliche Flächen, die von den Indianern beansprucht wurden.

**Brasilien:** Die Gesellschaft für bedrohte Völker (Göttingen), die sich für die Interessen und das Überleben der U. einsetzt, richtete im August 1994 einen Hilfsappell für die Yanomami an die Bundesregierung. Das Indianervolk war vom Aussterben bedroht, da seit den 70er Jahren Goldsucher den Lebensraum zerstören und Krankheiten einschleppen. Anfang 1995 stellte die Bundesregierung im Rahmen eines Projekts zum Schutz des Regenwaldes 37 Mio DM für Indianergebiete bereit.

**Australien:** Aborigines überreichten der Regierung im März 1995 eine Liste mit Entschädigungsvorschlägen für Verluste seit der Vertreibung durch weiße Siedler ab dem 18. Jh. Die U. forderten Autonomiegebiete und die Anerkennung von Stammesrecht.

→ UNPO → Zapatisten

# V

## Verbraucherkredite

→ Schulden, Private

## Verbrauch, Privater

Ausgaben der privaten Haushalte für Waren und Dienstleistungen. Der V. hat entscheidenden Anteil an der wirtschaftlichen Entwicklung. Mit rd. 58% leistete der private Konsum 1994 den größten Beitrag zur Verwendung des Bruttoinlandsprodukts in Deutschland. Die reale (inflationsbereinigte) Steigerung des V. für Gesamtdeutschland war 1994 mit 1,3% unterdurchschnittlich, lag jedoch über dem Wert von 1993 (0,5%). Für 1995 sagten die führenden Wirtschaftsforschungsinstitute einen realen Anstieg um 1,0% voraus. In den

neuen Bundesländern wurde eine Zunahme von 2,0%, in Westdeutschland ein Wachstum von 1,0% erwartet.

1994 wuchs der V. im früheren Bundesgebiet real um 0,8% gegenüber 1993 an. Jeder Einwohner gab durchschnittlich 25 000 DM aus. In den neuen Ländern betrug die Zunahme 4,5% (V. pro Kopf: 16 800 DM). Begünstigend wirkten die niedrigen Inflationsraten von 3,0% bzw. 3,4% in West- und Ostdeutschland. Verteuerungen insbes. bei Kraftstoffen, Mieten und Dienstleistungen gingen mit einer Verringerung der Sparquote auf 12,6% des verfügbaren Einkommens einher (1993: 13,3%).

→ Bruttoinlandsprodukt → Inflation → Wirtschaftliche Entwicklung

Australische Aborigines protestierten Anfang 1995 gegen die geplante Privatisierung des Flughafens von Perth. Die Ureinwohner beanspruchten das Gelände, das ihre Vorfahren schon vor 5000 Jahren besiedelten.

| Privater Verbrauch: Verteilung in Westdeutschland | | |
|---|---|---|
| Verwendungszwecke | Verbrauch 1994 (Mrd DM) | Veränderung zu 1993 (%)[1] |
| Nahrungs-, Genußmittel | 310,1 | – 0,9 |
| Kleidung, Schuhe | 119,2 | – 4,0 |
| Wohnungsmieten | 301,4 | + 4,3 |
| Haushaltsenergie | 60,2 | – 0,4 |
| Haushaltsführung | 146,6 | – 0,9 |
| Gesundheits-/Körperpflege | 86,7 | 0,0 |
| Verkehr, Kommunikation | 266,5 | + 0,7 |
| Bildung, Unterhaltung, Freizeit | 160,6 | – 0,3 |
| Dienstleistungen | 124,2 | + 2,2 |
| Insgesamt | 1644,5 | + 0,8 |

1) Real (inflationsbereinigt); Quelle: Deutsches Institut für Wirtschaftsforschung, Statistisches Bundesamt

## Verdeckte Ermittler

Polizeibeamte, die zur Verbrechensbekämpfung mit falschen Papieren
ausgestattet werden und i. d. R. kriminelle Banden unterwandern sollen. Ein
Gesetzentwurf, den die CDU/CSU/
FDP-Bundesregierung Anfang 1995
vorlegte, erlaubt V. künftig zu ihrer eigenen Sicherheit die Benutzung technischer Mittel (z. B. Abhörgeräte). Im
Gesetz zum Einsatz von V. von 1992
war der sog. Kleine Lauschangriff, der
Einsatz von Abhörgeräten in Anwesenheit von V., ausgeschlossen worden.
Der Bundesgerichtshof (BGH, Karlsruhe) erleichterte im Mai 1995 in
einem Grundsatzurteil den V.-Einsatz.
Die Ermittlungsergebnisse sind auch
dann vor Gericht verwertbar, wenn
keine richterliche Zustimmung innerhalb von drei Tagen eingeholt wurde.
In dem Fall, der dem BGH-Urteil zu-
grundelag, war nur die Staatsanwaltschaft von dem Einsatz eines V. informiert worden, der sich über acht Tage
erstreckte. Das Gesetz zur Bekämpfung der organisierten Kriminalität
sieht eine Beendigung des V.-Einsatzes
vor, falls der Richter nicht binnen drei
Tagen zustimmt. Bei der Novellierung
des Gesetzes 1992 war der Richtervor-
behalt als Kontrolle der V. eingefügt
worden. Der BGH legte die richterliche Zustimmungspflicht so aus, daß
die staatsanwaltliche Eilkompetenz die
Richterkompetenz ersetzen kann.
→ Kriminalität → Mafia

## Verfassungsreform

→ Grundgesetz

## Verfassungsschutz

Staatliche Einrichtung des Bundes und
der Länder mit der Aufgabe, Informationen über verfassungs- und staats-
feindliche Bestrebungen im Inland zu
sammeln und den Strafverfolgungsbehörden zuzuleiten. Seit Anfang der
90er Jahre befaßt sich das Bundesamt
für V. (BfV, Köln) verstärkt mit der Be-

obachtung rechtsextremistischer Bestrebungen. Aufgrund von Kontakten
der Republikaner zu Rechtsextremisten stufte das BfV die Partei Mitte
1995 als rechtsextremistisch ein. Der
Präsident des BfV 1991–1995, Eckart
Werthebach, wechselte im Juni 1995
ins Bundesinnenministerium. Seine
Nachfolge trat Hansjörg Geiger an, bis
dahin Direktor beim Bundesbeauftragten für die Stasi-Unterlagen.
Ein wichtiges Aufgabengebiet des V.
ist die Spionageabwehr, u. a. in den
Bereichen Biotechnologie, Computer,
Fertigung, Kernkraft, Mikroelektronik
und Pharmakologie. Seit August 1994
beteiligt sich das bayerische Landes-
amt für V. als erste und bislang einzige
V.-Behörde Deutschlands an der Beobachtung und damit der Bekämpfung
der organisierten Kriminalität.
→ Bundesnachrichtendienst → Extremismus → Rechtsextremismus

## Vergewaltigung in der Ehe

Politiker aller Parteien waren sich
1995 darüber einig, V. als eigenen Tatbestand in das Strafgesetzbuch aufzunehmen. Eheliche Gewalt ist in
Deutschland vom § 177 StGB ausgenommen, der die gewaltsame Nötigung einer Frau zum Geschlechtsverkehr unter Strafe stellt. Die nach gel-
tendem Recht als Nötigung oder Körperverletzung geahndete V. soll künftig
mit Haftstrafen zwischen einem und
15 Jahren bestraft werden.
Mitte 1995 lagen Gesetzentwürfe von
SPD, PDS, Bündnis 90/Die Grünen
und dem Bundesrat vor, die den Tatbestand der Vergewaltigung nicht nur auf
Ehedelikte, sondern auch auf erzwungene orale und anale Sexualpraktiken
sowie auf sexuelle Gewalt unter Männern ausweiteten. Auch die Ausnutzung einer hilflosen Lage sollte als V.
gelten, so daß sich eine vom Opfer
vorgetäuschte Einwilligung zum Geschlechtsverkehr nicht strafmindernd
zugunsten des Täters auswirkt.
Ein Gesetzentwurf der Bundesjustizministerin Sabine Leutheusser-Schnar-

**Verfassungsschutz:
Präsident**

**Hansjörg Geiger**
* 1942 in Brünn, Dr.
jur. 1974–1977 Staats-
anwalt und Richter in
München. 1980–1990
Referent beim Bayeri-
schen Landesbeauf-
tragten für Daten-
schutz. 1990–1995 Di-
rektor beim Bundes-
beauftragten für die
Stasi-Unterlagen. Im
Juli 1995 Nachfolger
von Eckart Werthe-
bach als Präsident
des Bundesamtes für
Verfassungsschutz.

renberger (FDP) scheiterte im März 1995 am Widerstand der CDU/CSU. Hauptstreitpunkt war die sog. Versöhnungsklausel, die dem Gericht im Falle einer Einigung zwischen Täter und Opfer die Entscheidung zur Strafmilderung überläßt. Vertreter der CDU/CSU forderten, der betroffenen Ehefrau das Recht zum Widerruf der Klage zuzubilligen.

| Vergewaltigung: Sexualstraftaten 1994 | | |
|---|---|---|
| Tatbestand | Gemeldete Fälle | Aufklärungs-quote (%) |
| Vergewaltigung (§ 177 StGB) | 6 095 | 73,6 |
| Sexuelle Nötigung (§ 178 StGB) | 4 934 | 62,3 |
| Sexueller Mißbrauch von Kindern[1] | 15 096 | 67,2 |
| Förderung der Prostitution[2] | 947 | 96,8 |
| Verbreitung v. Pornographie[3] | 2 792 | 89,9 |

1) § 176 StGB; 2) inkl. Förderung sexueller Handlungen Minderjähriger, §§ 180, 180a, 180b Abs. 2 Nr. 2 StGB; 3) § 184 StGB; Quelle: Polizeiliche Kriminalstatistik

# Verkehr

Der zunehmende V. war in Deutschland Mitte der 90er Jahre erstmals wichtigster Energieverbraucher, verursachte Luftverschmutzung und zerstörte durch hohen Flächenverbrauch natürliche Lebensräume.

**Höheres Aufkommen:** Die Steigerung des PKW-Bestands 1995–2010 von 40 Mio auf 50 Mio und die Verdoppelung des Straßengüter-V. von 122 Mrd Tonnenkilometern auf 257 Mrd Tonnenkilometern (1988–2010) werden nach einer Studie des Deutschen Instituts für Wirtschaftsforschung (DIW, Berlin) zu wachsendem Straßen-V. führen. Die V.-Leistungen der Bahnen halbierten sich 1988–1994. Das DIW forderte einen stärkeren Ausbau des Kombinierten V. zwischen Straße und Schiene, um den Straßengüter-V. auf die umweltfreundlichere Bahn zu verlagern.

**Umwelt:** Der Anteil des V. am Energieverbrauch nahm 1989–1993 von 23,5% auf 28,2% zu und überstieg den der Industrie (1993: 26,3%). Kfz, Bahnen, Flugzeuge und Schiffe waren 1995 mit ca. 20% am Ausstoß des giftigen Kohlendioxids beteiligt. Bis 2005 wurde ein Anstieg der Emissionen von 159 Mio t auf 196 Mio t prognostiziert.

**Bund:** Wegen fehlender finanzieller Mittel plante Bundesverkehrsminister Matthias Wissmann (CDU) im Haushalt 1996 gegenüber 1995 Ausgabenkürzungen von 2,3 Mrd DM auf 7,7 Mrd DM für die Finanzierung des Schienennetzes der Bahn. Für den Bundesverkehrswegeplan, der bis 2012 insbes. 17 Verkehrsprojekte in Ostdeutschland bzw. zur Verbindung von Ost- und Westdeutschland vorsieht (Umfang: 423 Mrd DM), fehlten 1995 18 Mrd DM in den Etatplanungen des Ministeriums. → Tabelle S. 438
→ Autoverkehr → Bahn, Deutsche → Bahnreform → Binnenschiffahrt → Kombinierter Verkehr → LKW-Verkehr → Luftverkehr → Öffentlicher Nahverkehr → Schnellbahnnetz

| Verkehrssicherheit: Opfer | |
|---|---|
| Jahr | Todesopfer |
| **Ostdeutschland** | |
| 1990 | 3140 |
| 1991 | 3733 |
| 1992 | 3341 |
| 1993 | 3023 |
| 1994 | 2990 |
| **Westdeutschland** | |
| 1990 | 7906 |
| 1991 | 7541 |
| 1992 | 7302 |
| 1993 | 6926 |
| 1994 | 6786 |

Quelle: Statistisches Bundesamt

| Verkehr: Projekte deutsche Einheit | | | |
|---|---|---|---|
| Nummer | Projekt | Nummer | Projekt |
| **Schiene** | | **Straße** | |
| 1 | Lübeck–Hagenow/Land–Rostock–Stralsund | 10 | A 20[1] Lübeck–Bundesgrenze |
| 2 | Hamburg–Büchen–Berlin | 11 | A 2/A 10 Hannover–Berlin/Berliner Ring |
| 3 | Uelzen–Salzwedel–Stendal | 12 | A 9 Berlin (A 10)–Nürnberg |
| 4 | Hannover–Stendal–Berlin | 13 | A 82 Göttingen (A 7)–Halle |
| 5 | Helmstedt–Magdeburg–Berlin | 14 | A 14 Halle–Magdeburg |
| 6 | Eichenberg–Halle | 15 | A 44[1]/A 4 Kassel–Bad Hersfeld–Görlitz |
| 7 | Bebra–Erfurt | 16 | A 73[1]/A 81[1] Erfurt–Schweinfurt bzw. Bamberg |
| 8 | Nürnberg–Erfurt–Halle/Leipzig | **Wasserstraße** | |
| 9 | Leipzig–Dresden | 17 | Mittellandkan./Elbe–Havel-Kan.–Untere Havel |

1) Straßenklasse noch offen; Quelle: Wirtschaftswoche, 30. 9. 1994

## Verkehr: Personenverkehr in Deutschland

| Verkehrsarten | Beförderte (Mio) | | Anstieg (%) |
|---|---|---|---|
| | 1994 | 1995[1] | |
| Öffentlich | 9 674 | 9 801 | 1,3 |
| Nah | 9 381 | 9 501 | 1,3 |
| Fern | 293 | 300 | 2,4 |
| Eisenbahn | 1 578 | 1 592 | 0,9 |
| Deutsche Bahn AG | 1 499 | 1 512 | 0,8 |
| Flugzeug | 83 | 88 | 6,8 |
| Individual[2] | 42 380 | 43 100 | 1,7 |

1) Prognose; 2) PKW, Krafträder, Mopeds; Quelle: Ifo-Institut für Wirtschaftsforschung (München)

## Verkehrs-Leitsystem

Elektronische Steuerung vor allem des Autoverkehrs für ein umweltfreundliches, kosten- und zeitsparendes Fahren. Bei zunehmendem Verkehr sollen die vorhandenen Straßen besser genutzt werden, indem Fahrzeuge unter Vermeidung von Staus geleitet werden.

**Kooperative Systeme:** Individual- und öffentlicher Verkehr werden vernetzt. Informationen über die Verkehrssituation einer Region werden in einen Rechner eingespeist, der sie an die Autofahrer weitergibt und sie in die Lage versetzt, zwischen Routen zu wählen oder auf öffentliche Verkehrsmittel umzusteigen:

▷ 1995 wurde im Raum Köln/Düsseldorf auf 450 km Autobahnen das System RDS/TMC getestet. Daten werden über den Rundfunk ständig an den Autofahrer gesendet, Radios zum Empfang dieser Nachrichten sollen ab 1996 erhältlich sein

▷ Ende 1995 soll das Leitsystem Co-pilot in deutschen Großstädten eingeführt werden. Baken am Straßenrand messen das Verkehrsaufkommen und senden Signale an den Computer im PKW. Auf einem Monitor, der die Fahrstrecke anzeigt, und mit einem Gerät zur künstlichen Spracherzeugung wird das Kfz auf dem kürzesten Weg an das Fahrziel geführt

▷ Auf der A 9 bei München waren ab 1992 Schilderbrücken über der Fahrbahn angebracht, die Ge-schwindigkeitsbegrenzungen und Wegweisungen zu Park-and-ride-Terminals anzeigen. Unfälle und Stauhäufigkeit gingen zurück.

**Autobahnen:** Auf elektronischen Wechselschildern über der Fahrbahn werden variable Höchstgeschwindigkeiten, Stau- und Nebelwarnungen sowie Umleitungen bei Staus angezeigt. 1994–1997 soll die Zahl dieser V. von 70 auf 130 erhöht werden.

→ Autoverkehr → Satelliten-Navigation

## Verkehrssicherheit

Die Zahl der Verkehrstoten in Deutschland lag 1994 mit 9776 um 1,7 % niedriger als 1993 und erreichte den zweitniedrigsten Stand seit 1953 (geringster Wert 1987: 9498). Die Zahl der im Straßenverkehr Verletzten stieg um 1,9% auf 515 400 (alte Bundesländer: 0,8%, neue Bundesländer: 7,1%).

**Ursachen:** Häufigste Unfallursachen waren überhöhte Geschwindigkeit, Mißachtung der Vorfahrt, ungenügender Sicherheitsabstand und Alkoholmißbrauch. Der starke Anstieg der Verletztenzahlen in Ostdeutschland hatte seine Ursache im Umstieg von untermotorisierten Fahrzeugen aus DDR-Produktion auf schnellere westdeutsche Autos nach Öffnung der DDR-Grenze 1989. Dies führte zu Autounfällen insbes. durch überhöhtes Tempo, riskante Überholmanöver und falsche Einschätzung der eigenen Geschwindigkeit.

**Aufprallschutz:** Die EU-Kommission plante 1995 Richtlinien für einen Seitenaufprallschutz bei PKW. Dies könne die Zahl der Todesfälle und Schwerverletzten in der EU um 25 000 jährlich verringern. Mitte der 90er Jahre kamen in der Union jährlich 50 000 Verkehrsteilnehmer ums Leben, 1,5 Mio wurden verletzt. Ein verbesserter Seitenaufprallschutz kann u. a. durch verstärkte Bleche erreicht werden.

→ Autoverkehr → Promillegrenze → Tempolimit

## Verkehrssicherheit: Brücke für Tiere

An der A 395 zwischen Braunschweig und Bad Harzburg entstand 1994/95 im Oderwald ein Autobahnübergang für Tiere. Über die 3,4 Mio DM teure Brücke können 450 Hirsche und Rehe sowie 150 Wildschweine des Gebiets, ohne sich oder Autos zu gefährden, die Schnellstraße überqueren.

## Vermittlungsausschuß

Nach Art. 77 Abs. 2 GG Organ, das die Gesetzgebungsarbeit zwischen Bundestag und Bundesrat regelt. Dem V. gehören 16 vom Bundestag nach Fraktionsproporz gewählte Bundestagsabgeordnete und 16 von den Länderregierungen bestimmte Mitglieder des Bundesrats an, die nicht an Weisungen der Länderkabinette gebunden sind. Der V. erhält politisches Gewicht, wenn in Bundestag und Bundesrat unterschiedliche Mehrheitsverhältnisse bestehen. Die CDU/CSU/FDP-Bundesregierung setzte im Februar 1995 ein neues Verfahren zur Auszählung der Stimmen bei der Wahl des V. durch. Damit wurde die PDS aus dem V. ferngehalten.

Nach dem alten Rechenverfahren hätte der PDS ein Sitz im V. zugestanden. Das neue Zählverfahren benachteiligt kleine Parteien, der Sitz fiel der CDU/CSU zu. Mitte 1995 besaßen SPD und Bündnis 90/Grüne im V. eine 17:15-Mehrheit. Bundestag und Bundesrat stellen im V. je einen Vorsitzenden, die sich in der Amtsführung alle drei Monate abwechseln. Ende 1995 waren Heribert Blens (CDU) und Oskar Lafontaine (SPD) Vorsitzende des V.

Der Bundesrat kann binnen drei Wochen nach Eingang eines Gesetzesbeschlusses des Bundestags verlangen, daß der V. für die gemeinsame Beratung der Gesetzesvorlage einberufen wird. Ist zu einem Gesetz die Zustimmung des Bundesrates erforderlich, können auch Bundestag und Bundesregierung den V. einberufen. Der V. empfiehlt Einigungsvorschläge, die erneut in beiden Gesetzgebungskörperschaften beraten werden. → Tabelle S. 440 → Bundesrat, Deutscher → Bundestag, Deutscher

## Verpackungsmüll

Im Dezember 1994 wurde die europäische Verpackungsrichtlinie, die bis 2001 höhere Quoten (50–65%) verlangt, verabschiedet. Die Quoten lie-

### Verkehrssicherheit: Getötete nach Verkehrsträgern

| Jahr | Getötete Fahrzeuginsassen | | | |
| --- | --- | --- | --- | --- |
| | PKW | Bus | Flugzeug | Bahn |
| 1980[1] | 6640 | 43 | 68 | 288 |
| 1990[1] | 4558 | 13 | 59 | 205 |
| 1992 | 6431 | 58 | 118 | 340 |
| 1993 | 6127 | 18 | – | – |

1) Westdeutschland; Quelle: Bundesministerium für Verkehr

gen niedriger als die deutschen Vorgaben, die 1991 in der Verpackungsverordnung festgelegt wurden und Hersteller zur Rücknahme gebrauchter Verpackungen verpflichten.

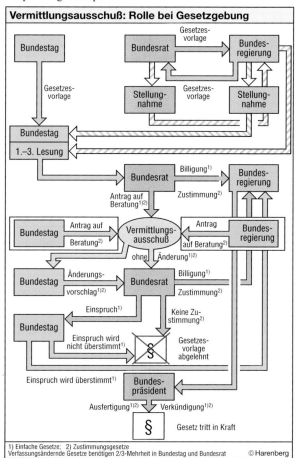

**Vermittlungsausschuß: Rolle bei Gesetzgebung**

1) Einfache Gesetze;  2) Zustimmungsgesetze
Verfassungsändernde Gesetze benötigen 2/3-Mehrheit in Bundestag und Bundesrat   ©Harenberg

## Vermittlungsausschuß: Mehrheitsverhältnisse

| Vertreter | Regierungskoalition | | Oppositionsparteien | |
|---|---|---|---|---|
| 16 Mitglieder des | CDU/CSU | 8 | SPD | 6 |
| Bundestages | FDP | 1 | Bündnis 90/Grüne | 1 |
| 16 Mitglieder des | CDU- und CSU- | | SPD-regierte | |
| Bundesrates | geführte Länder | 2 | Länder | 4 |
| | CDU-geführte | | SPD-geführte | |
| | Koalitionen | 4 | Koalitionen | 6 |

Stand: Juni 1995

### Verpackungsmüll: Verwertungsquoten in Deutschland

| Material | Quote (%)[1] |
|---|---|
| Aluminium | 72 |
| Glas | 72 |
| Kunststoffe | 64 |
| Papier, Pappe | 64 |
| Verbundmaterial[2] | 64 |
| Weißblech | 72 |

1) Mindestverwertungsquote ab 1. 7. 1995; 2) überwiegend Getränkekartons; Quelle: Verpackungsverordnung

Im Juni 1995 sprach der Verwaltungsgerichtshof den deutschen Kommunen das Recht zu, Steuern auf Einwegverpackungen und -geschirr beim Verkauf von Speisen und Getränken zum Verzehr an Ort und Stelle zu erheben. Kassel hatte als erste Kommune die Steuer 1992 eingeführt.

1994 wurden in Deutschland 4,7 Mio t Verkaufsverpackungen dem Recycling zugeführt (Anstieg zu 1993: 11%). Das entsprach einem Aufkommen von 60,5 kg pro Einwohner. Der Verpackungsverbrauch ging 1991–1993 um 930 000 t auf 11,86 Mio t zurück.
→ Abfallbeseitigung → Duales System

## Versicherungen

Am 1. 7. 1994 trat für V. der freizügige Verkehr im europäischen Binnenmarkt in Kraft. Kunden können sich in jedem Mitgliedstaat versichern lassen, Gesellschaften mit Sitz in einem EU-Staat können ihre Dienste EU-weit anbieten. Kunden profitieren vom erhöhten Wettbewerb.

Folgende Regeln gelten für V., die ab Juli 1994 abgeschlossen wurden:

### Versicherungen: Private Verträge

| Versicherung | Anteil[1] (%) |
|---|---|
| PKW-Haftpflicht | 77,9 |
| Hausrat | 78,2 |
| Privathaftpflicht | 68,0 |
| Leben | 58,4 |
| Rechtsschutz | 45,0 |
| Privat-Unfall | 42,0 |
| Vollkasko | 31,6 |
| Privat-Kranken | 10,0 |

1) der Haushalte; Quelle: Handelsblatt, 10. 11. 1994

▷ Der Versicherer muß dem Kunden vor Abschluß des Vertrags seine allgemeinen V.-Bedingungen und die im V.-Aufsichtsgesetz aufgeführten Verbraucherinformationen übergeben

▷ Nach Abschluß eines Vertrags steht dem Kunden ein 14tägiges Widerspruchsrecht zu

▷ Kunden können Verträge kündigen, wenn Prämienerhöhungen ohne Leistungsverbesserungen erfolgen

▷ V. mit einer Laufzeit von mehr als fünf Jahren können unter Einhaltung einer Frist von drei Monaten nach Ablauf des fünften Jahres und jedes darauf folgenden Jahres gekündigt werden.

Die Freigabe der V.-Bedingungen führte bis Mitte 1995 zur Registrierung von 120 ausländischen V.-Unternehmen, die ihre Leistungen in Deutschland anbieten wollen, beim Bundesaufsichtsamt für Versicherungswesen (Berlin).

Der Umsatz der V.-Gesellschaften in Deutschland stieg 1994 um 9% auf 214 Mrd DM. Für 1995 wurde mit einem geringeren Wachstum von 6% gerechnet, weil Kunden wegen gestiegener Steuer- und Sozialabgaben (Solidaritätszuschlag, Pflegeversicherung) weniger für V. ausgeben.

## Video

1994 stieg der Umsatz der V.-Branche in Deutschland gegenüber dem Vorjahr um 6% auf 1,67 Mio DM. Der Anstieg war auf die Entwicklung bei den Kauf-V. zurückzuführen (Umsatzsteigerung: 14% auf 950 Mio DM), während der Verleih von V. um 2,7% abnahm. 57% der Haushalte in Deutschland besaßen 1994 einen V.-Rekorder.

Der Elektronikhersteller JVC (Japan), dessen VHS-System den V.-Gerätemarkt weltweit beherrscht (ca. 500 Mio Geräte), kündigte im April 1995 eine digitale V.-Kassette (D-VHS) an. Zwar war 1995 bereits eine Digital Video Cassette (DVC) anderer Hersteller erhältlich, doch benötigte der Kunde einen Rekorder, der analoge Daten komprimiert und digitalisiert, was ihn etwa dreimal so teuer machte wie herkömmliche Abspielgeräte. Der D-VHS-Rekorder, der rd. 600 DM mehr kosten soll als vergleichbare VHS-Geräte, nimmt den Datenstrom vom digitalen Fernsehen, das in Deutschland 1996 eingeführt werden soll, direkt auf. Bei analoger Übertragung arbeitet D-VHS wie ein normaler VHS-Rekorder.

→ Digitales Fernsehen → Unterhaltungselektronik → Video Disc

## Video: Kaufhits 1994

| Rang | Spielfilm | Kinderfilm | Special Interest | Musik |
|------|-----------|------------|------------------|-------|
| 1 | Jurassic Park | Aladdin | Mr. Bean (Reihe) | Take That – The Party live at Wembley |
| 2 | Free Willy | Das Dschungelbuch | Loriot Edition | Michael Jackson – Dangerous Short Films |
| 3 | Mrs. Doubtfire | Schneewittchen | Cindy Crawford – Shape your body | Take That – Take That & Party |
| 4 | Dennis | Bambi | Cindy Crawford – The next challenge | Take That – Everything changes |
| 5 | Bodyguard | Die Schöne u. das Biest | WWF – Undertaker | Bryan Adams – So far, so good & more |

Erhebungszeitraum: 29. 11. 1993 – 27. 11. 1994; Quelle: w + v, 24. 3. 1995

## Video Disc

Speicherplatte (CD) mit einer Speicherkapazität von bis zu 360 min Film. Die digitale V. soll die analogen Videokassetten ablösen. Anfang 1995 entwickelten sowohl der japanische Elektronikhersteller Toshiba in Kooperation mit dem US-amerikanischen Medienkonzern Time Warner als auch der Elektronikkonzern Sony (Japan) in Zusammenarbeit mit Philips (Niederlande) V. 1996 soll V. auf den Markt kommen. Abspielgeräte sollen zwischen 750 und 1000 DM kosten.
Herkömmliche CD können maximal 75 min Musik oder Film speichern. Die von Sony/Philips entwickelte V. hat eine Kapazität von 3,7 Gigabyte (herkömmliche CD: 650 Mbyte), die von Toshiba/Time Warner ist von zwei Seiten bespielbar und faßt 9,6 Gigabyte. Im Gegensatz zu Videokassetten soll der Verbraucher die V. nicht selbst bespielen können. Der V. von Toshiba/Time Warner wurden größere Marktchancen eingeräumt, weil sich führende Elektronikunternehmen, darunter Matsushita und Hitachi (beide Japan) Anfang 1995 entschieden, die Firmen zu unterstützen.
→ CD → CD-ROM → Digitaltechnik

## Video on demand

(engl.; Video auf Anfrage), Bestellung eines Videos bei Archiven und Empfang des Films über Telefonleitung oder Kabelnetz. Voraussetzung für V. ist das digitale Fernsehen, das 1996 in Deutschland eingeführt werden soll. Zur Entschlüsselung ist eine sog. Set-Top-Box (engl.; Aufsatzgerät) nötig, die zwischen Bildschirm und Datenleitung geschaltet wird und digitale in analoge Signale umwandelt. Für 1995 waren in Deutschland in sechs Ballungsräumen Versuche mit V. geplant.
**Funktionsweise:** Der ausgewählte Film wird in digitale Signale zerlegt.

## Video Disc: Konkurrenzprodukte im Vergleich

| Merkmal | Sony/Philips | Toshiba/Time Warner |
|---------|--------------|---------------------|
| Speicherkapazität | 3,7 Gigabyte, ausreichend für 135 min Videosignale in Spielfilmqualität mit Stereosound und Dialog in drei Sprachen | 4,8 Gigabyte pro Seite (insgesamt 9,6 Gigabyte), ausreichend für insgesamt 360 min Videosignale |
| Preis des Abspielgeräts | unter 500 Dollar (700 DM) | unter 500 Dollar (700 DM) |
| Technik | Weiterentwicklung von Musik-CD und Computer-CD-ROM | Weiterentwicklung der Bildplatte |
| Preis | 30–40 DM/Stück | k. A. |

Quelle: Handelsblatt, 19. 1. 1995

Das Archiv stellt den Film einem sog. Video Server, einem Zentralcomputer beim V.-Anbieter, zur Verfügung, der ihn über Datennetze an die Set-Top-Box überträgt. Kunden können einen Film unterbrechen sowie vor- und zurückspulen. Die Set-Top-Box benötigt bei einer konstanten Leitungsverbindung keinen Speicher für den ganzen Film, sondern nur für die Stücke, die vom Video Server gesandt werden. Bei einem vergrößerten Speicher für den gesamten Film erhöht sich der Preis für die Box (geplanter Preis: ca. 1000 DM). Mitte der 90er Jahre, gab es für V.-Anbieter keinen Computer mit ausreichender Speicherkapazität, der parallel die Wünsche vieler Kunden erfüllen konnte.

**Rentabilität:** Eine Modellrechnung der Bayerischen Landeszentrale für neue Medien ergab 1995, daß durch V. etwa die gleiche Umsatz wie beim Videoverleih (rd. 740 Mio DM) erzielt werden könnte. V. arbeitet rentabel, wenn 1,4 Mio Haushalte jeweils 51 Filme pro Jahr ausleihen (pro Abruf ca. 6 DM).

→ Datenautobahn → Digitales Fernsehen → Interaktives Fernsehen

## Videospiele

→ Computerspiele

## Vierte Welt

→ Entwicklungsländer

## Vietnamesen

Im Januar 1995 unterzeichneten die deutsche und die vietnamesische Regierung eine Übereinkunft über die Rückführung von rd. 40 000 V. aus Deutschland in ihre Heimat. Bis Ende 1995 soll ein Rücknahmeabkommen abgeschlossen werden, das u. a. die jährlichen Rückführungsquoten festlegt. Anfang 1995 lebten nach Angaben der Bundesregierung rd. 97 000 V. in Deutschland, von denen 47 500 ausreisepflichtig waren oder sich im Asyl-

verfahren befanden. Etwa 22 000 V. hatten eine unbefristete Aufenthaltserlaubnis, die übrigen 27 500 V. durften sich vorübergehend oder befristet in Deutschland aufhalten.

**Vereinbarung:** Bonn und Hanoi einigten sich darauf, 1995–1998 mindestens 20 000 V. in ihr Heimatland zurückzuschicken (bis 2000: weitere 20 000 Personen). 20 000 der 40 000 von der Ausweisung betroffenen V. waren abgelehnte Asylbewerber, 10 000 ausreisepflichtige Vertragsarbeiter der ehemaligen DDR, weitere 10 000 V. seit 1990 illegal eingereist. Bis Ende 1994 hatte sich Vietnam geweigert, abgeschobene Rückkehrer aufzunehmen. Die Bundesregierung sagte Vietnam für 1995 und 1996 je 100 Mio DM Entwicklungshilfe und die Erweiterung des Finanzrahmens für Ausfuhrbürgschaften auf 100 Mio DM zu.

**Kritik:** Nach der Bleiberechtsregelung von 1993 galt der Nachweis einer legalen Erwerbstätigkeit zur Sicherung des Lebensunterhalts als Voraussetzung für die Erteilung einer zunächst auf zwei Jahre befristeten Aufenthaltsbefugnis. Die Flüchtlingsinitiative Pro Asyl lehnte die Rückführungspläne ab, weil die V. vielfach gut integriert und nicht für ihre Arbeitslosigkeit verantwortlich seien.

→ Abschiebung → Asylbewerber

## Virtuelle Realität

(auch cyberspace, engl.; künstlicher Raum), vom Computer simulierte dreidimensionale Räume, in denen sich ein technisch entsprechend ausgerüsteter Mensch wie in realer Umgebung bewegen kann. Der Umsatz mit V. in den USA, dem Hauptabsatzland für V., wurde 1994 auf rd. 200 Mio Dollar (280 Mio DM) geschätzt. Bis 1997 wird ein Anstieg auf ca. 1 Mrd Dollar (1,4 Mrd DM) prognostiziert. Der größte Umsatz (ca. 30%) wurde in der Unterhaltungsindustrie erwirtschaftet.

**Ausrüstung:** Ein mit Flüssigkristallbildschirmen ausgestatteter Datenhelm erfaßt die Kopfbewegungen des Benutzers und gibt sie an den Computer weiter. Das Bild der im Rechner gespeicherten Räume wird an den Blickwinkel angepaßt. Mit einem von Glasfasern und Sensoren durchzogenen Handschuh, der Handbewegungen an den Computer überträgt, können Objekte im künstlichen Raum verschoben werden. 1995 soll ein Datenhelm für den Privatgebrauch auf den Markt kommen, der rd. 850 DM kostet (professionelles Equipment: ca. 30 000 DM). 1995 gab es nur wenige dreidimensionale Computerprogramme.

**Anwendung:** V. erleichtert die Lösung von wissenschaftlichen Problemen, die eine räumliche Darstellung erfordern, und wird z. B. in der Molekularchemie angewandt. V. ermöglicht die Steuerung von Robotern in für Menschen unzugänglichen Umgebungen. Die Autobranche nutzt V. zum Entwurf neuer Modelle. Architekten simulieren bauliche Veränderungen am Rechner. In der Medizin wird V. insbes. zum Erproben von Operationen genutzt. 1994 wurde ein Fernsehstudio vorgestellt, das mit V. arbeitet. Kulissen werden vom Computer simuliert.

→ Computeranimation → Computerspiele

| Vornamen: Rangliste 1994 | | |
|---|---|---|
| **Rang** | **Westdeutsch.** | **Ostdeutsch.** |
| Mädchen | | |
| 1 | Julia | Lisa |
| 2 | Katharina | Maria |
| 3 | Maria | Julia |
| 4 | Laura | Anne/Anna |
| 5 | Anna | Sarah |
| 6 | Lisa | Franziska |
| 7 | Sarah | Jessica |
| 8 | Vanessa | Sophie |
| 9 | Jessica | Laura |
| 10 | Franziska | Jennifer |
| Jungen | | |
| 1 | Alexander | Philipp |
| 2 | Daniel | Maximilian |
| 3 | Maximilian | Paul |
| 4 | Christian | Kevin |
| 5 | Lukas | Sebastian |
| 6 | Tobias | Florian |
| 7 | Kevin | Felix |
| 8 | Marcel | Tobias |
| 9 | Philipp | Max |
| 10 | Sebastian | Alexander |

Quelle: Gesellschaft für Deutsche Sprache (Wiesbaden)

**Visegrád-Allianz**

→ CEFTA

**Vornamen**

Lisa und Philipp waren 1994 in Ostdeutschland zum viertenmal in Folge die beliebtesten V. In den alten Bundesländern stand Julia zum drittenmal an erster Stelle. Bei den Jungennamen lösten sich Daniel und Alexander auf den beiden Spitzenplätzen ab. Erstmals seit 35 Jahren war Michael nicht unter den zehn beliebtesten Jungennamen vertreten.

Seit 1977 stellt die Gesellschaft für Deutsche Sprache (Wiesbaden) eine Liste der zehn beliebtesten V. aus den Angaben repräsentativ ausgewählter Standesämter zusammen.

**Wahlen**

Im Superwahljahr 1994 (insgesamt 19 W. auf europäischer, Bundes-, Landes- und kommunaler Ebene) stand die Lösung wirtschaftlicher und sozialer Probleme wie Rezession und Arbeitslosigkeit im Mittelpunkt. Bei der W. zum zweiten gesamtdeutschen Bundestag am 16. 10. 1994 konnte die Regierungskoalition aus CDU/CSU und FDP ihre Mehrheit knapp behaupten. Die SED-Nachfolgepartei PDS konnte sich in Ostdeutschland nach CDU und SPD als drittstärkste Partei etablieren. In den westdeutschen Landtagen verdrängten Bündnis 90/Die Grünen die FDP als drittstärkste Partei. Mitte 1995 war die FDP in Westdeutschland nur in fünf von insgesamt 16 Landtagen vertreten.

## Wahlen

| Partei | Stimmenanteil (%) | Veränderung zur letzten Wahl (%) | Zahl der Mandate |
|---|---|---|---|
| **Bundestagswahl vom 16. 10. 1994** | | | |
| CDU/CSU | 41,5 | −2,3 | 294 |
| SPD | 36,4 | +2,9 | 252 |
| Bündnis 90/Grüne | 7,3 | +2,2 | 49 |
| FDP | 6,9 | −4,1 | 47 |
| PDS | 4,4 | +2,0 | 30 |
| Republikaner | 1,9 | −0,2 | – |
| Sonstige | 1,6 | −0,5 | – |
| Regierung: CDU/CSU/FDP<br>Nächste Wahl: 1998 | | | |
| **Landtagswahl Baden-Württemberg vom 5. 4. 1992** | | | |
| CDU | 39,6 | −9,5 | 64 |
| SPD | 28,9 | −3,1 | 46 |
| Republikaner | 10,9 | +9,9 | 15 |
| Bündnis 90/Grüne | 9,1 | +1,2 | 13 |
| FDP | 5,7 | −0,2 | 8 |
| Sonstige | 5,4 | +1,2 | – |
| Regierung: CDU/SPD; nächste Wahl: 24. 3. 1996 | | | |
| **Landtagswahl Bayern vom 25. 9. 1994** | | | |
| CSU | 52,8 | −2,1 | 120 |
| SPD | 30,1 | +4,1 | 70 |
| Bündnis 90/Grüne | 6,1 | −0,3 | 14 |
| Republikaner | 3,9 | −1,0 | – |
| FDP | 2,8 | −2,4 | – |
| Sonstige | 4,3 | +1,7 | – |
| Regierung: CSU; nächste Wahl: 1998 | | | |
| **Abgeordnetenhaus Berlin vom 2. 12. 1990** | | | |
| CDU | 40,3 | +2,6 | 101 |
| SPD | 30,5 | −6,8 | 76 |
| PDS | 9,2 | – | 23 |
| FDP | 7,1 | +3,2 | 18 |
| Altern. Liste (AL) | 5,0 | −6,8 | 12 |
| Bündnis 90/Grüne | 4,4[1] | – | 11 |
| Sonstige | 3,6 | – | – |
| Regierung: CDU/SPD<br>Nächste Wahl: 22. 10. 1995 | | | |

| Partei | Stimmenanteil (%) | Veränderung zur letzten Wahl (%) | Zahl der Mandate |
|---|---|---|---|
| **Landtagswahl Brandenburg vom 11. 9. 1994** | | | |
| SPD | 54,1 | +15,8 | 52 |
| CDU | 18,7 | −10,7 | 18 |
| PDS | 18,7 | +5,3 | 18 |
| Bündnis 90/Grüne | 2,9 | −3,5 | – |
| FDP | 2,2 | −4,4 | – |
| Sonstige | 3,3 | −2,5 | – |
| Regierung: SPD<br>Nächste Wahl: 1998 | | | |
| **Bürgerschaftswahl Bremen vom 14. 5. 1995** | | | |
| SPD | 33,4 | −5,4 | 37 |
| CDU | 32,6 | +1,9 | 37 |
| Bündnis 90/Grüne | 13,1 | +1,7 | 14 |
| Arbeit für Bremen | 10,7 | – | 12 |
| FDP | 3,4 | −6,1 | – |
| DVU | 2,5 | −3,7 | – |
| PDS | 2,4 | | – |
| Sonstige | 2,1 | −1,3 | – |
| Regierung: SPD/CDU<br>Nächste Wahl: 1999 | | | |
| **Bürgerschaftswahl Hamburg vom 19. 9. 1993** | | | |
| SPD | 40,4 | − 7,6 | 58 |
| CDU | 25,1 | −10,0 | 36 |
| Bündnis 90/Grüne | 13,5 | +6,3 | 19 |
| STATT Partei | 5,6 | – | 8 |
| Sonstige | 15,4 | +11,1 | – |
| Regierung: Kooperation von SPD und STATT Partei<br>Nächste Wahl: 1997 | | | |
| **Landtagswahl Hessen vom 19. 2. 1995** | | | |
| CDU | 39,2 | −1,0 | 45 |
| SPD | 38,0 | −2,8 | 44 |
| Bündnis 90/Grüne | 11,2 | +2,4 | 13 |
| FDP | 7,4 | +0,0 | 8 |
| Sonstige | 4,2 | +1,4 | – |
| Regierung: SPD/Bündnis 90/Grüne<br>Nächste Wahl: 1999 | | | |

Die Sitzverteilung kann sich im Lauf einer Wahlperiode durch Fraktionsaustritte verändern; 1) Ost-Berlin: 9,7%;

**Bundestag:** Die Verluste der Regierungskoalition (CDU/CSU: −2,3 Prozentpunkte, FDP: −4,1 Prozentpunkte) fielen in Westdeutschland niedriger aus als in den fünf neuen Bundesländern (−4,8 Prozentpunkte gegenüber −12,6 Prozentpunkte). Die Koalition profitierte dem Forschungsinstitut infas zufolge vor allem von einer Belebung der Konjunktur in Deutschland, die zu wachsendem Optimismus der Bürger geführt habe. Als Folge habe sich das Protestwählerpotential in den alten Bundesländern verringert. Bündnis 90/Die Grünen schafften nach vierjähriger Pause auch in Westdeutschland wieder den Einzug in den Bundestag (7,3%). Die PDS erzielte bun-

## Wahlen

| Partei | Stimmenanteil (%) | Veränderung zur letzten Wahl (%) | Zahl der Mandate |
|---|---|---|---|
| **Landtagswahl Mecklenburg-Vorpommern vom 16. 10. 1994** | | | |
| CDU | 37,7 | –0,6 | 30 |
| SPD | 29,5 | +2,5 | 23 |
| PDS | 22,7 | +7,0 | 18 |
| FDP | 3,8 | –1,7 | – |
| Sonstige | 6,3[2] | –8,1 | – |
| Regierung: CDU/SPD; nächste Wahl: 1998 | | | |
| **Landtagswahl Niedersachsen vom 13. 3. 1994** | | | |
| SPD | 44,3 | +0,1 | 81 |
| CDU | 36,4 | –5,6 | 67 |
| Bündnis 90/Grüne | 7,4 | +1,9 | 13 |
| FDP | 4,4 | –1,6 | – |
| Sonstige | 7,5 | +5,2 | – |
| Regierung: SPD; nächste Wahl: 1998 | | | |
| **Landtagswahl Nordrhein-Westfalen vom 14. 5. 1995** | | | |
| SPD | 46,0 | –4,0 | 108 |
| CDU | 37,7 | +1,0 | 89 |
| Bündnis 90/Grüne | 10,0 | +5,0 | 24 |
| FDP | 4,0 | –1,8 | – |
| Sonstige | 2,3 | +0,0 | – |
| Regierung: SPD/Bündnis 90/Grüne Nächste Wahl: 2000 | | | |
| **Landtagswahl Rheinland-Pfalz vom 21. 4. 1991** | | | |
| SPD | 44,8 | +6,0 | 47 |
| CDU | 38,7 | –6,4 | 40 |
| FDP | 6,9 | –0,4 | 7 |
| Grüne | 6,4 | +0,5 | 7 |
| Sonstige | 3,1 | +0,2 | – |
| Regierung: SPD/FDP; nächste Wahl: 1996 | | | |
| **Landtagswahl Saarland vom 16. 10. 1994** | | | |
| SPD | 49,4 | –5,0 | 27 |
| CDU | 38,6 | +5,2 | 21 |
| Bündnis 90/Grüne | 5,5 | +2,9 | 3 |
| Sonstige | 6,5[3] | –2,9 | – |
| Regierung: SPD; nächste Wahl: 1999 | | | |

| Partei | Stimmenanteil (%) | Veränderung zur letzten Wahl (%) | Zahl der Mandate |
|---|---|---|---|
| **Landtagswahl Sachsen vom 11. 9. 1994** | | | |
| CDU | 58,1 | +4,3 | 77 |
| SPD | 16,6 | –2,5 | 22 |
| PDS | 16,5 | +6,3 | 21 |
| Bündnis 90/Grüne | 4,1 | –1,5 | – |
| FDP | 1,7 | –3,6 | – |
| Sonstige | 2,9[4] | –3,2 | – |
| Regierung: CDU; nächste Wahl: 1998 | | | |
| **Landtagswahl Sachsen-Anhalt vom 26. 6. 1994** | | | |
| CDU | 34,4 | –4,6 | 37 |
| SPD | 34,0 | +8,0 | 36 |
| PDS | 19,9 | +7,9 | 21 |
| Bündnis 90/Grüne | 5,1 | –0,2 | 5 |
| FDP | 3,6 | –9,9 | – |
| Sonstige | 3,0 | –1,3 | – |
| Regierung: SPD/Bündnis 90/Grüne Nächste Wahl: 1998 | | | |
| **Landtagswahl Schleswig-Holstein vom 5. 4. 1992** | | | |
| SPD | 46,2 | –8,6 | 45 |
| CDU | 33,8 | +0,5 | 32 |
| DVU | 6,3 | +6,0 | 6 |
| FDP | 5,6 | +1,2 | 5 |
| Grüne | 4,9 | +2,0 | – |
| SSW | 1,9 | +0,2 | 1 |
| Sonstige | 1,3 | –1,3 | – |
| Regierung: SPD Nächste Wahl: 24. 3. 1996 | | | |
| **Landtagswahl Thüringen vom 16. 10. 1994** | | | |
| CDU | 42,6 | –2,8 | 42 |
| SPD | 29,6 | +6,8 | 29 |
| PDS | 16,6 | +6,9 | 17 |
| Bündnis 90/Grüne | 4,5 | –2,0 | – |
| FDP | 3,2 | –6,1 | – |
| Sonstige | 3,5 | –2,7 | – |
| Regierung: CDU/SPD Nächste Wahl: 1998 | | | |

2) Bündnis 90/Grüne 3,7%; 3) FDP 2,1%; 4) Republikaner 1,3%, DVU 0,6%

desweit zwar nur 4,4%, konnte jedoch in Ost-Berlin vier Direktmandate erringen und war damit erneut im Bundestag vertreten.
**Nordrhein-Westfalen:** Bei der Landtags-W. im bevölkerungsreichsten Bundesland im Mai 1995 verlor die SPD ihre absolute Mehrheit. Gewinner waren Bündnis 90/Die Grünen, die ihren Stimmenanteil auf 10% verdoppeln konnten. Der FDP mißlang der Wiedereinzug in den Landtag. Von der Bildung einer rot-grünen Koalition in der industriellen Kernregion Deutschlands wurde eine Signalwirkung für die nächste Bundestags-W. erwartet.
**Protestparteien:** Bei der Bürgerschafts-W. in Bremen im Mai 1995 ge-

# Hilflosigkeit der Politik gegenüber Leitwährungsverfall

Der Handelskonflikt zwischen den USA und Japan, die Währungskrise in Mexiko Ende 1994 und Unsicherheiten über den Fortgang des Wirtschaftswachstums der USA Anfang 1995 begünstigten Devisenspekulationen, die den US-amerikanischen Dollar kontinuierlich abschwächten. Am 19. 4. 1995 fiel sein Kurs auf den absoluten Tiefstand von 1,3620 DM. Bis zur Jahresmitte blieb eine dauerhafte Wertanhebung aus. Die Kursentwicklung des Dollar beeinflußt die Weltwirtschaft, da er als Leitwährung im Welthandel und -kapitalverkehr fungiert. Der Anteil von Dollar an den Weltdevisenreserven beträgt 61% (DM: 17,3%, japanischer Yen: 9,3%). Auf dem Weltwirtschaftsgipfel in Halifax/Kanada wurde im Juni 1995 eine Reform des Internationalen Währungsfonds (IWF) angekündigt, um Krisen im Weltfinanzwesen u. a. durch ein sog. Frühwarnsystem besser bewältigen zu können.

**Folgen des Dollarverfalls:** DM, Yen und Schweizer Franken wurden gegenüber den Währungen der wichtigsten Handelspartner real aufgewertet. Der Außenwert der DM gegenüber dem Dollar lag im ersten Quartal 1995 um 16,5% höher als zwölf Monate zuvor. Ein niedriger Dollarkurs begünstigt die Exporte der USA und trägt zum Ausgleich des US-amerikanischen Außenhandelsdefizits gegenüber Japan bei. Gleichzeitig verteuern sich die Ausfuhren der Konkurrenten auf dem Weltmarkt. Steigende Exportpreise dämpfen die Investitionsfreudigkeit der Industrie. Das Wirtschaftswachstum wird negativ beeinflußt.

**Währungsstabilität in der EU gefährdet:** Im ersten Vierteljahr 1995 notierte die DM gegenüber allen übrigen EU-Währungen um 5% höher als im Vorjahreszeitraum. Die Aufwertung der DM bedrohte die Stabilität im Europäischen Währungssystem (EWS) als Voraussetzung für das Inkrafttreten der Europäischen Währungsunion (EWU). Im März wurden spanische Peseta und portugiesischer Escudo um 7% bzw. 3,5% abgewertet. Damit sanken die Chancen, daß die EWU bereits Anfang 1997 für eine Mehrheit der EU-Staaten verwirklicht werden kann. Eine Bedingung für den Beitritt zur EWU ist die zweijährige Stabilität einer Landeswährung ohne Abwertung. Das Deutsche Institut für Wirtschaftsforschung (DIW) forderte im Mai 1995 u. a. eine Verengung der Wechselkurs-

bandbreiten im EWS (seit 1993: maximal ±15% von Leitkursen) auf die bei Gründung des EWS 1979 festgelegten Werte (±2,25%), um die Teilnehmerstaaten zu einer disziplinierten Geldpolitik in Hinblick auf die EWU zu verpflichten. Das Europageld, zukünftiges Zahlungsmittel der EWU (geplant ab 2002), könnte nach Ansicht von Experten die weltwirtschaftliche Funktion des Dollar übernehmen, da es als Korbwährung gegenüber Einzelwährungen weniger Angriffsfläche für Devisengeschäfte bietet.

**Macht der Spekulanten:** Spekulationgeschäfte, die zumeist auf kurzfristigen Ertrag zielen, beeinflussen die Wechselkurse in unvorhersagbarer Weise. Täglich werden an den Devisenmärkten nach Schätzungen weltweit bis zu 2000 Mrd Dollar (2816 Mrd DM) gehandelt. Die Möglichkeiten der nationalen Zentralbanken und Finanzminister, schnell und wirksam einzugreifen, sind begrenzt. Da die Währungsreserven der Industrieländer insgesamt 670 Mrd Dollar (943 Mrd DM) nicht überschreiten, kann nur gemeinschaftliches Handeln der Notenbanken zu Kurskorrekturen führen. Wirtschaftsexperten schlugen die Einführung einer Umsatzsteuer auf Börsengeschäfte vor, um die Devisenspekulation einzudämmen. Gegen eine solche Maßnahme sprachen sich auch Banken aus, die einen erheblichen Teil ihrer Provisionseinnahmen im Devisenhandel erwirtschafteten.

**Ohnmacht der Zentralbanken:** Deutschland und Japan reagierten auf die Dollarschwäche im Frühjahr 1995 zunächst nur mit einer Senkung der Diskontsätze auf 4% (bis dahin: 4,5%) bzw. 1% zur Investitionsförderung ihrer exportorientierten Wirtschaft. Ende Mai griffen die Notenbanken der USA, Deutschlands und anderer europäischer Länder mit Stützungskäufen in das Devisengeschäft ein. Eine nachhaltige Wirkung auf das Kursniveau des Dollar blieb jedoch aus. Der Rückgang des US-amerikanischen Wirtschaftswachstums von real (inflationsbereinigt) 5,1% Ende 1994 auf 2,7% im ersten Quartal 1995 verhinderte eine längerfristige Höherbewertung. (He)

→ Bundesbank, Deutsche → Dollarkurs → ECU → EU-Konjunktur → Europäische Währungsunion → Internationaler Währungsfonds → Leitzinsen → Weltwirtschaft

lang der aus der SPD hervorgegangenen Gruppierung Arbeit für Bremen (AfB) mit 10,7% der Wählerstimmen der Einzug in die Bürgerschaft. Nach dem erfolgreichen Abschneiden der STATT Partei bei der Bürgerschaftswahl in Hamburg 1993 schaffte zum zweiten Mal eine Protestpartei den sofortigen Einzug in ein Landesparlament.

**Nichtwähler:** Bei neun Landtags-W. Mitte 1994 bis Mitte 1995 (Bayern, Brandenburg, Bremen, Hessen, Mecklenburg-Vorpommern, Nordrhein-Westfalen, Saarland, Sachsen, Thüringen) betrug die W.-Beteiligung durchschnittlich 68,1%. Unter 60% lag sie in Brandenburg (56,2%) und Sachsen (58,4%), über 80% im Saarland (83,5%). Das Meinungsforschungsinstitut EMNID (Bielefeld) führte die hohe Zahl der Nichtwähler (rd. 32% bei Landtags-W. und 21% bei der Bundestags-W.) auf die Unzufriedenheit der Wahlberechtigten mit den etablierten Parteien zurück.

## Währungskrise

→ Übersichtsartikel S. 446

## Wälder, Boreale

→ Boreale Wälder

## Waldsterben

Kranke Bäume beeinträchtigen die Funktion des Waldes, der Einfluß auf Klima und Wasserhaushalt hat. Die Produktion von Sauerstoff und der Schutz vor Bodenerosion, Wind und Lawinen werden durch das W. gefährdet. Wesentliche Ursache des W. ist Luftverschmutzung durch Stickoxide und Schwefeldioxid von Industrieanlagen, Kraftwerken, Verkehr und Landwirtschaft.

**Deutschland:** Der Waldzustandsbericht 1994 der Bundesregierung aus CDU/CSU und FDP ergab für 1993 keine Verschlechterung gegenüber dem Vorjahr. Jeder vierte Baum war deut-

**Waldsterben: Schäden in der EU**

| Baum/ Jahr | Schadstufe[1] 0[2] | 2-4[3] |
|---|---|---|
| Fichte | | |
| 1990 | 44,7 | 19,7 |
| 1991 | 42,1 | 24,4 |
| 1992 | 37,0 | 25,3 |
| 1993 | 44,9 | 21,9 |
| Kiefer | | |
| 1990 | 54,1 | 14,0 |
| 1991 | 45,7 | 19,3 |
| 1992 | 42,6 | 20,5 |
| 1993 | 46,9 | 16,9 |
| Buche | | |
| 1990 | 52,5 | 17,1 |
| 1991 | 49,2 | 18,3 |
| 1992 | 43,8 | 22,8 |
| 1993 | 48,8 | 17,3 |
| Tanne | | |
| 1990 | 55,6 | 22,6 |
| 1991 | 54,5 | 24,5 |
| 1992 | 49,6 | 23,5 |
| 1993 | 46,7 | 30,5 |

1) Schadstufen (% der Waldfläche); 2) ohne Merkmale; 3) deutlich geschädigt; Quelle: Waldzustandsbericht 1994

| Land | Schadstufen (% der Waldfläche) | | | | | |
|---|---|---|---|---|---|---|
| | 0 (ohne Merkmale) | | 1 (schwach geschädigt) | | 2-4 (deutlich geschädigt) | |
| | 1994 | 1993 | 1994 | 1993 | 1994 | 1993 |
| Baden-Württemberg | 35 | 23 | 38 | 46 | 26 | 31 |
| Bayern | 31 | 36 | 39 | 42 | 30 | 22 |
| Berlin | 32 | 31 | 47 | 44 | 21 | 25 |
| Brandenburg | 42 | 44 | 40 | 39 | 18 | 17 |
| Bremen | 55 | 59 | 30 | 28 | 15 | 13 |
| Hamburg | 52 | 55 | 33 | 31 | 15 | 14 |
| Hessen | 25 | 29 | 37 | 36 | 38 | 35 |
| Mecklenburg-Vorp. | 41 | 13 | 48 | 57 | 11 | 30 |
| Niedersachsen | 42 | 49 | 41 | 35 | 17 | 16 |
| Nordrhein-Westfalen | 49 | 50 | 36 | 34 | 15 | 16 |
| Rheinland-Pfalz | 39 | 46 | 40 | 40 | 21 | 14 |
| Saarland | 53 | 51 | 29 | 28 | 18 | 21 |
| Sachsen | 40 | 41 | 35 | 35 | 25 | 24 |
| Sachsen-Anhalt | 35 | 29 | 47 | 38 | 18 | 33 |
| Schleswig-Holstein | 50 | 57 | 32 | 27 | 18 | 16 |
| Thüringen | 22 | 17 | 33 | 33 | 45 | 50 |
| Nordwestdt. Länder | 46 | 50 | 38 | 34 | 16 | 16 |
| Ostdeutsche Länder | 37 | 31 | 40 | 40 | 23 | 29 |
| Süddeutsche Länder | 32 | 33 | 39 | 42 | 29 | 25 |

**Waldsterben: Schäden in Deutschland**

Quelle: Waldzustandsbericht der Bundesregierung 1994

## Waldsterben: Entwicklung in Deutschland

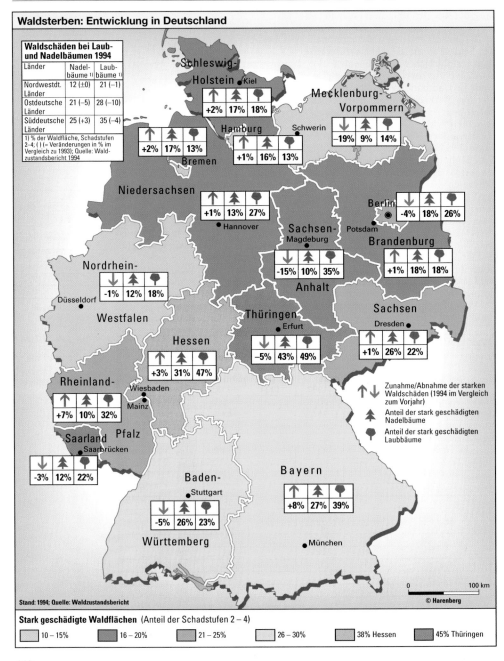

**Waldschäden bei Laub- und Nadelbäumen 1994**

| Länder | Nadel-bäume [1] | Laub-bäume [1] |
|---|---|---|
| Nordwestdt. Länder | 12 (±0) | 21 (−1) |
| Ostdeutsche Länder | 21 (−5) | 28 (−10) |
| Süddeutsche Länder | 25 (+3) | 35 (−4) |

[1] % der Waldfläche, Schadstufen 2–4; ( ) (= Veränderungen in % im Vergleich zu 1993); Quelle: Waldzustandsbericht 1994

**Schleswig-Holstein** ●Kiel
+2% 17% 18%

**Mecklenburg-Vorpommern** ●Schwerin
−19% 9% 14%

**Hamburg**
+2% 17% 13%

**Bremen**
+1% 16% 13%

**Niedersachsen** ●Hannover
+1% 13% 27%

**Berlin** ◉
−4% 18% 26%

**Sachsen-Anhalt** ●Magdeburg
−15% 10% 35%

**Brandenburg** ●Potsdam
+1% 18% 18%

**Nordrhein-Westfalen** ●Düsseldorf
−1% 12% 18%

**Thüringen** ●Erfurt
−5% 43% 49%

**Sachsen** ●Dresden
+1% 26% 22%

**Hessen** ●Wiesbaden
+3% 31% 47%

**Rheinland-Pfalz** ●Mainz
+7% 10% 32%

**Saarland** ●Saarbrücken
−3% 12% 22%

**Baden-Württemberg** ●Stuttgart
−5% 26% 23%

**Bayern** ●München
+8% 27% 39%

↑↓ Zunahme/Abnahme der starken Waldschäden (1994 im Vergleich zum Vorjahr)

🌲 Anteil der stark geschädigten Nadelbäume

🌳 Anteil der stark geschädigten Laubbäume

Stand: 1994; Quelle: Waldzustandsbericht

0 ___ 100 km

© Harenberg

**Stark geschädigte Waldflächen** (Anteil der Schadstufen 2 – 4)

| | | | | | |
|---|---|---|---|---|---|
| 10 – 15% | 16 – 20% | 21 – 25% | 26 – 30% | 38% Hessen | 45% Thüringen |

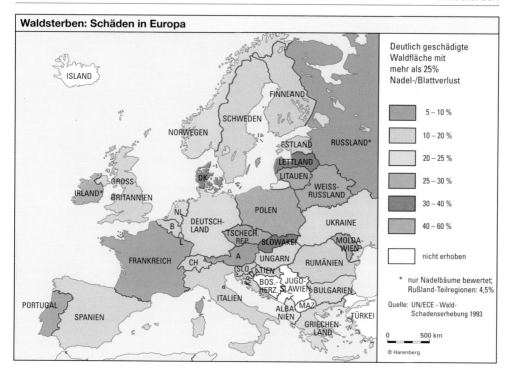

**Waldsterben: Schäden in Europa**

Deutlich geschädigte
Waldfläche mit
mehr als 25%
Nadel-/Blattverlust

- 5 – 10 %
- 10 – 20 %
- 20 – 25 %
- 25 – 30 %
- 30 – 40 %
- 40 – 60 %
- nicht erhoben

\* nur Nadelbäume bewertet;
Rußland-Teilregionen: 4,5%

Quelle: UN/ECE - Wald-
Schadenserhebung 1993

0 _____ 500 km

© Harenberg

lich geschädigt, d.h. er wies einen Blatt- oder Nadelverlust von 25% auf. Unverändert hatten 36% der Bäume keine Schäden, 39% (1992: 40%) waren schwach und 25% (24%) deutlich geschädigt. Von den Baumarten war die Eiche am stärksten betroffen (45% der Bäume). Die größten Schäden gab es in Thüringen (45%), die geringsten in Mecklenburg-Vorpommern (11%).

**Europa:** Die UNO-Wirtschaftskommission für Europa stellte in ihrem Waldschadensbericht 1994 fest, daß die Wälder in der Tschechischen Republik, Moldawien und Polen 1993 die größten Schäden aufwiesen (zwischen 50% und 53%). Gering war der Anteil der Bäume mit deutlichen Schäden in Portugal, Österreich und Frankreich.

**Ursachenforschung:** Schadensursachen wie Trockenheit oder Insektenbefall haben nur regionale Einflüsse.

Deutsche Waldschadensforscher gingen 1994 davon aus, daß nicht Schwefeldioxid, sondern Stickstoffverbindungen, die bei der Landwirtschaft entstehen, die Hauptursache für W. seien.

**Maßnahmen:** Das Bundesforschungsministerium hielt Mitte der 90er Jahre eine Reduzierung der Schwefeldioxidemissionen mit Hilfe der Rauchgasentschwefelung der Kohlekraftwerke um 25% für notwendig, um das W. zu stoppen. 1982–1993 bewirkte die Rauchgasentschwefelung einen Rückgang der Emissionen um etwa 70%. Reine Nadelwälder sollen in robustere Mischwälder umgewandelt werden. Umweltschützer forderten verschiedene Maßnahmen zur Reduzierung der Luftverschmutzung durch den Verkehr (u. a. Verteuerung der Benzinpreise)
→ Autoverkehr → Boreale Wälder → Luftverschmutzung → Verkehr

449

## Walfang

Im Dezember 1994 trat das von der Internationalen W.-Kommission (IWC, Brighton/Großbritannien) initiierte Abkommen über das Walschutzgebiet rund um den Südpol in Kraft. Es beherbergt auf einer Fläche von 8 Mio km² die Nahrungsgründe von rd. 90% der großen Wale und einen der wichtigsten Zwergwalbestände. Zugelassen blieb die Jagd zu wissenschaftlichen Zwecken.

Anfang 1995 setzten japanische Walfänger trotz internationaler Proteste den W. im Schutzgebiet fort. Die Umweltschutzorganisation Greenpeace warf Japan vor, das Fleisch der Wale, das bei Japanern als Delikatesse gilt, kommerziell zu nutzen.

Gegen den Widerstand einer Mehrheit in der IWC und der Tierschützer fing Norwegen auch 1995 Wale. Die Fang-

### Walfang: Wale in antarktischen Gewässern

| Art | Bestand | |
|-----|---------|------|
| | 1920[1] | 1993 |
| Zwergwal[2] | 850 000 | 750 000 |
| Finnwal | 500 000 | 20 000 |
| Buckelwal | 100 000 | 12 000 |
| Pottwal | 1 250 000 | 10 000 |
| Blauwal | 250 000 | 1 000 |

Geschätzte Angaben; 1) vor Beginn der kommerziellen Jagd; 2) Jagd ab 1972; Quelle: Der Spiegel, 17. 5. 1993

quote wurde von 301 (1994) auf 232 Zwergwale reduziert. Etwa ein Drittel wird zu Forschungszwecken erlegt.
→ Artenschutz

## Wasserknappheit

Von W. sprechen Wissenschaftler, wenn weniger als 1000 m³ Wasser pro Person jährlich (2,74 l pro Tag) zur Verfügung stehen. Weltweit waren Mitte der 90er Jahre 26 Länder mit 230 Mio Menschen von W. betroffen. Für das Wohlergehen des Menschen sind 1700 m³ pro Person und Jahr nötig. Hauptgrund für W. waren steigende Bevölkerungszahlen.

**Verteilung:** Die geringsten Mengen an Trinkwasser hatten Mitte der 90er Jahre Länder südlich der Sahara. Von den 500 Mio Menschen in dieser Region verfügten 265 Mio über kein sauberes Trinkwasser, 344 Mio Menschen mußten ohne sanitäre Einrichtungen auskommen. Vier Fünftel aller Krankheiten in diesen Ländern gingen nach Angaben der Weltgesundheitsorganisation auf verschmutztes Wasser zurück. Die wenigsten Wasservorräte besaß 1995 das ostafrikanische Dschibuti mit 23 m³ pro Kopf jährlich, über das meiste Wasser verfügte Island mit 666 667 m³ pro Jahr und Person. In den Industrieländern schwankte der tägliche Wasserverbrauch in den Haushalten pro Einwohner zwischen 110 l und 260 l.

**Prognosen:** Weltweit waren sich Fachleute einig, daß W. zum größten

### Wasserknappheit: Betroffene Länder

| Region/Land | Einwohner 1993 (Mio) | Bevölkerungswachstum[1] (%) | Wasserreserven[2] (m³) |
|-------------|---------------------|------------------------------|--------------------------|
| **Afrika** | | | |
| Ägypten | 57,1 | 1,7 | 30 |
| Algerien | 27,0 | 2,2 | 730 |
| Botswana | 1,4 | 2,8 | 710 |
| Burundi | 5,7 | 2,7 | 620 |
| Dschibuti | 0,6 | 3,0 | 23 |
| Kenia | 28,1 | 2,5 | 560 |
| Libyen | 4,6 | 3,6 | 160 |
| Mauretanien | 2,2 | 2,8 | 190 |
| Ruanda | 7,6 | 2,1 | 820 |
| Tunesien | 8,5 | 2,2 | 450 |
| **Naher Osten** | | | |
| Israel | 5,3 | 2,2 | 330 |
| Jemen | 12,5 | 3,3 | 240 |
| Jordanien | 3,8 | 3,4 | 190 |
| Kuwait | 1,4 | 4,4[3] | 0 |
| Saudi-Arabien | 17,4 | 3,3 | 140 |
| Syrien | 13,4 | 3,3 | 550 |
| Ver. Arab. Emirate | 2,0 | 2,0 | 120 |
| **Zum Vergleich** | | | |
| Island[4] | 0,3 | 1,1 | 666 667 |
| Deutschland | 81,2 | 0,1 | 1 300 |

1) Pro Jahr 1992–2000; 2) erneuerbare Wasserreserven pro Einwohner; 3) 1980–1992; 4) Land mit den weltweit meisten Wasserreserven; Quelle: FAO, UNDP, Weltbank

## Wasserknappheit: Ressourcen weltweit

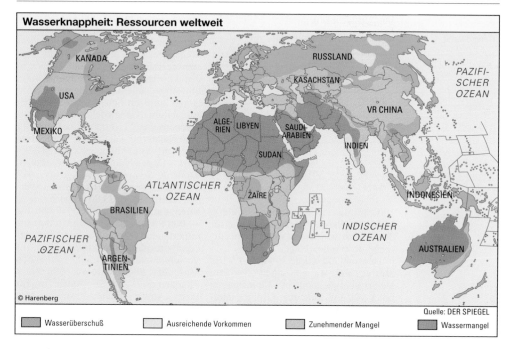

KANADA · RUSSLAND · PAZIFISCHER OZEAN · KASACHSTAN · USA · VR CHINA · MEXIKO · ALGERIEN · LIBYEN · SAUDI-ARABIEN · INDIEN · SUDAN · ATLANTISCHER OZEAN · ZAÏRE · INDONESIEN · BRASILIEN · INDISCHER OZEAN · PAZIFISCHER OZEAN · AUSTRALIEN · ARGENTINIEN

© Harenberg

Quelle: DER SPIEGEL

☐ Wasserüberschuß   ☐ Ausreichende Vorkommen   ☐ Zunehmender Mangel   ☐ Wassermangel

Problem der Menschheit werden wird. Das US-amerikanische Forschungszentrum Population Action International (PAI) ermittelte, daß 2025 auf der Erde rd. 3 Mrd Menschen unter Wasserknappheit leiden werden. 1995 wies die Weltmeteorologie-Organisation (WMO) darauf hin, daß im Jahr 2000 in Afrika jährlich pro Kopf nur ein Viertel der Wassermenge von 1950 zur Verfügung stehen wird. In Asien und Südamerika wird sich die Trinkwassermenge um je ein Drittel reduzieren.
→ Bevölkerungsentwicklung → Desertifikation → Entwicklungsländer → Trinkwasserverunreinigung

### Wasserkraft

1995 wurde weltweit ein Fünftel der W.-Reserven (Deutschland: 94%) zur Gewinnung von Elektrizität genutzt (rd. 13 Mio GWh pro Jahr). Für 2010 wird mit einer Ausnutzung von rd. 30% gerechnet. Asien hatte das größte Potential (Anteil: 27%). Der Bau von W.-Werken ist gegenüber Anlagen, die fossile Energieträger einsetzen, mit hohen Investitionen, z. B. für Staudämme, verbunden. Die Betriebskosten sind niedriger. Ein Kraftwerk setzt mit 80% etwa doppelt soviel Energie in Elektrizität um wie Kohlekraftwerke. Staudammprojekte wie der Drei-Schluchten-Damm in China zerstören Natur und Landschaft, zwingen zur Umsiedlung und verändern das Regionalklima.

Im September 1994 wurde am Paraná zwischen Argentinien und Paraguay das nach Itaipú (Brasilien/Paraguay) und Assuan (Ägypten) drittgrößte W.-Werk der Welt in Betrieb genommen (Leistung: 2700 MW). 20 Turbinen sollen rd. 40% des argentinischen Strombedarfs decken. Der Yaciretá-Staudamm (Länge: 65 km, Kosten: rd. 8 Mrd Dollar, 11 Mrd DM) staut bis voraussichtlich 1998 einen 1600 km² großen See, der 100 000 ha Land inkl.

451

**Wasserkraft: Größte Stauseen der Welt**

| Rang | Name | Land | Stauraum (Mio m³) | Fertig-stellung |
|------|------|------|-------------------|-----------------|
| 1 | Owen Falls | Uganda | 204 800 | 1954 |
| 2 | Kariba | Sambia | 180 600 | 1959 |
| 3 | Bratsk | Rußland | 169 270 | 1967 |
| 4 | Assuan | Ägypten | 168 900 | 1970 |
| 5 | Akosombo | Ghana | 147 960 | 1965 |
| 6 | Daniel Johnson | Kanada | 141 852 | 1968 |
| 7 | Krasnojarsk | Rußland | 73 300 | 1972 |
| 8 | W. A. C. Bennett | Kanada | 70 309 | 1968 |
| 9 | Seja | Rußland | 68 400 | 1978 |
| 10 | La Grande Deux | Kanada | 61 715 | 1978 |

Quelle: Statistisches Bundesamt

300 Inseln überschwemmt. 50 000 Menschen müssen umgesiedelt und für den Verlust von Grund und Boden entschädigt werden.

In Deutschland wurde 1994 rd. 4% des Stroms aus W. gewonnen (Bayern: 18%) überwiegend in Kleinanlagen unter 100 kW Leistung. Größter deutscher Stausee mit Energiegewinnung ist die Bleiloch-Talsperre (Saale, Fassungsvermögen: 215 Mio m³).
→ Drei-Schluchten-Damm → Energien, Erneuerbare → Energieverbrauch

## Wasserstoff

→ Brennstoffzelle → Sonnenenergie

## Wasserverschmutzung

Verunreinigung von Meeren, Binnengewässern und Grundwasser durch Abwässer, Abfall und Chemikalien aus Industrie, Landwirtschaft und Haushalten. W. schädigt Tiere und Pflanzen und bedroht über die Nahrungskette die menschliche Gesundheit. Bis zum Jahr 2000 müssen alle EU-Städte mit über 15 000 Einwohnern und bis 2005 alle Gemeinden mit mehr als 2000 Einwohnern über eine biologische Kläranlage verfügen. Für Küstenregionen und Einzugsgebiete der Zuflüsse gilt die Regelung für Städte mit über 10 000 Einwohnern ab 1998.

**Ostsee:** Die Ostsee war 1995 weltweit eines der am meisten verschmutzten Meere. Von den 442 000 km² war ein Viertel biologisch tot. Im Wassereinzugsgebiet der Ostsee leben 70 Mio Menschen, doch nur für 20 Mio existieren Kläranlagen. Täglich fließen in den Abwässern 350 t Nitrate und 600 t Phosphor in das Binnengewässer. Hinzu kommen Schadstoffbelastungen aus landwirtschaftlichen und Industriebetrieben. 150 000 t bis 300 000 t Kriegsmaterial lagern auf dem Meeresgrund. Die Anliegerstaaten (Dänemark, Deutschland, Finnland, Polen, Rußland, Schweden) wollen bis 2012 die Ostsee sanieren. Die Kosten wurden auf rd. 40 Mrd DM geschätzt.

**Nordsee:** Jährlich treiben 20 000 bis 40 000 t Müll aus den Flüssen der Anrainerländer in die Nordsee. Aus der Landwirtschaft, die zu rd. 50% zur Verschmutzung beiträgt, gelangten Mitte der 90er Jahre rd. 900 000 t Pflanzengifte und Stickstoffe in das Meer. Abwässer von etwa 30 Mio Menschen fließen ungeklärt in die Nordsee. Deutschland schlug 1995 vor, das gesamte Meer als gefährdetes Gebiet auszuweisen.

**Flüsse:** Unter den deutschen Flüssen war Mitte der 90er Jahre die Donau am geringsten und die Elbe mit ihren Nebenflüssen am stärksten mit Schadstoffen belastet. Die Verschmutzung wurde von Nährstoffen wie Ammonium und Phosphat aus der Landwirtschaft sowie von Schwermetallen hervorgerufen.
→ Abfallbeseitigung → Landwirtschaft → Pestizide → Trinkwasserverunreinigung

## Wegfahrsperre, Elektronische

Vorrichtung in Autos, die das Anlassen unmöglich macht und Diebstahl verhindert. Ab 1. 1. 1997 müssen Autoproduzenten in der EU neue Modelle und ab 1. 1. 1998 neue Fahrzeuge mit der W. ausrüsten. Nach Angaben des Bundesverkehrsministeriums wurden Kfz mit W. zehnmal weniger als solche ohne Vorrichtung entwendet. Ab 1995 bietet die deutsche Autoindustrie 90% der Neuwagen mit W. an.

Die W. besteht aus einem Sender, der in den Autoschlüssel integriert ist. Vor dem Anlassen des Kfz übermittelt der Sender der Empfangseinheit im Auto einen Erkennungscode. Die Motorelektronik einschließlich Einspritzanlage für Kraftstoff wird in Betrieb gesetzt. W., mit denen Gebrauchtwagen nachgerüstet werden können, unterbrechen nach dem Verriegeln des Kfz die Stromversorgung von Anlasser, Zündanlage und Kraftstoffpumpe. Nachrüstbare W. kosteten Mitte 1995 zwischen 200 DM und 800 DM. Ab 1. 1. 1995 ersetzen Versicherungen bei Neuverträgen für PKW, die nicht mit W. ausgerüstet sind, nur 90% des Neuwertes (vorher: 100%).

→ Autodiebstahl

## Wehrpflicht

Verpflichtung jedes wehrfähigen Bürgers, für einen gesetzlich festgelegten Zeitraum Dienst in der Armee seines Landes zu leisten. Der Grundwehrdienst in Deutschland wird ab 1996 von zwölf auf zehn Monate verkürzt (inkl. 22 Tage Urlaub). Dem Wehrdienst schließt sich eine höchstens zweimonatige Verfügungsbereitschaft an, aus der die Soldaten bei Bedarf zusätzlich zum Dienst herangezogen werden können. Die Verpflichtungszeiten für Wehrdienstbefreite, z. B. bei Feuerwehr, im Zivil- oder Katastrophenschutz, verkürzen sich von acht auf sechs Jahre.

**Personal:** Aus Personalmangel werden ab 1. 7. 1995 Wehrpflichtige einberufen, die bis dahin aus gesundheitlichen Gründen ausgemustert wurden (Tauglichkeitsstufe 7). Sie sind von der Grundausbildung freigestellt. Die Bundeswehr verspricht sich jährlich etwa 10 000–12 000 zusätzliche Soldaten. Mitte der 90er Jahre traten nach Angaben des Wehrbeauftragten des Deutschen Bundestags, Alfred Biehle (bis April 1995), nur 38% der Wehrpflichtigen in die Bundeswehr ein, die

### Wehrpflicht: Europa-Vergleich

| Staat | Dauer (Monate) | Wehrdienst-leistende |
|---|---|---|
| Albanien | 15 | 22 800 |
| Armenien | 18 | k. A. |
| Aserbaidschan | 17 | k. A. |
| Bulgarien | 18 | 51 300 |
| Dänemark | 5–12 (abh. von Funktion) | 8 500 |
| Deutschland | 12[1] | 154 100 |
| Estland | 12 | k. A. |
| Finnland | 8–11 (abh. von Dienststellung) | 23 900 |
| Frankreich | 10 | 189 200 |
| Griechenland | Heer: bis 19 Marine: bis 23 Luftwaffe: bis 21 | 122 300 |
| Italien | 12[2] | 197 100 |
| Jugoslawien | 12–15 | 60 000 |
| Kroatien | 10 | 65 000 |
| Lettland | 18 | k. A. |
| Litauen | 12 | k. A. |
| Moldawien | bis 18 | k. A. |
| Niederlande | 9 | 29 500 |
| Norwegen | Heer/Luftwaffe: 12 Marine: 9–12 | 22 100 |
| Österreich | 6 | 30 000[3] |
| Polen | 18 | 160 000 |
| Portugal | Heer: 4–8 Marine/Luftwaffe: 4–18 | 15 000 |
| Rumänien | Heer/Luftwaffe: 12 Marine: 18 | 125 000 |
| Rußland | Heer/Luftwaffe: 18 Marine: 24 | 950 000 |
| Schweden | Heer/Marine: 7–15 Luftwaffe: 8–12 | 36 600 |
| Schweiz | 17 Wochen, 8x3 Wochen in 12 Jahren (20.–32. Lebensjahr) | 28 000 |
| Slowakei | 18 | k. A. |
| Slowenien | 7 | k. A. |
| Spanien | 9 | 133 200 |
| Tschechische Republik | 12 | 40 400 |
| Türkei | 15[4]; im Ausland lebende Türken Freikauf +1 Monat | 410 200 |
| Ukraine | 24 | k. A. |
| Ungarn | 12 | 53 400 |
| Weißrußland | 18 | k. A. |
| Zypern | 26 | 8 700 |

1) Ab 1996: Zehn Monate; 2) Verkürzung auf sechs Monate geplant; 3) maximal; 4) 1995 Verlängerung auf 18 Monate; Quelle: Internationales Institut für Strategische Studien (IISS, London)

**Claire Marienfeld**
\* 21. 4. 1940 in
Bingen/Rhein, 1972
CSU-Beitritt, 1976
CDU, 1990 MdB,
30. 3. 1995 als erste
Frau Wahl zum Wehr-
beauftragten des
Bundestags.

### Weltausstellung: Austragungsorte

| Jahr | Ort |
|------|-----|
| 1900 | Paris |
| 1904 | Saint Louis |
| 1905 | Lüttich |
| 1906 | Mailand |
| 1909 | Amsterdam |
| 1910 | Brüssel |
| 1911 | Turin |
| 1913 | Gent |
| 1915 | S. Francisco |
| 1923 | Göteborg |
| 1924 | London |
| 1926 | Philadelphia |
| 1929 | Barcelona |
| 1933 | Chicago |
| 1935 | Brüssel |
| 1937 | Paris |
| 1939 | New York |
| 1958 | Brüssel |
| 1964 | New York |
| 1967 | Montreal |
| 1970 | Osaka |
| 1982 | Knoxville |
| 1984 | New Orleans |
| 1992 | Sevilla |
| 1993 | Taejon |
| 1998 | Lissabon |
| 2000 | Hannover |

übrigen leisteten Zivildienst, waren als untauglich gemustert oder vom Wehrdienst befreit. 1994 seien lediglich 7% der 158 318 Rekruten uneingeschränkt und 75% eingeschränkt, z. B. nicht für bestimmte Truppenteile, verwendungsfähig (Tauglichkeitsgrad 1 und 2, T 3–T 6: 18%).

**Neuerungen:** Wehrpflichtige, die sich freiwillig zu den Einheiten melden, die für Kriseneinsätze der NATO vorgesehen sind, können zusätzlich zwei bis 13 Monate Wehrdienst leisten. Ihnen wird 1200 DM pro Monat als Zuschlag zum Wehrsold bezahlt. Wehrdienstleistende, die mehr als 100 km von ihrem Wohnort eingesetzt werden (1994: 37%), erhalten einen Mobilitätszuschlag von 60 DM monatlich (ab 200 km: 120 DM). Die erste dienstliche Beförderung wird vom siebten auf den vierten Monat vorgezogen.
→ Bundeswehr → Kriegsdienstverweigerung → Zivildienst

### Weltausstellung

Internationale Ausstellung, auf der industrielle, kulturelle und wissenschaftliche Errungenschaften der beteiligten Länder vorgestellt werden. W. finden seit 1851 an wechselnden Orten und in unregelmäßiger Folge statt. Über die Bewerbung der Veranstaltungsorte entscheidet das Bureau International des Expositions (frz.; Internationales Ausstellungsbüro, B.I.E., Paris). Die erste W. im ehemaligen Ostblock, die 1996 in der ungarischen Hauptstadt Budapest stattfinden sollte, wurde 1994 von der Regierung aus finanziellen Gründen abgesagt. Die nächste W. wird 1998 in Lissabon/Portugal abgehalten. Auf einer Fläche von 200 ha soll die Expo 2000 in Hannover stattfinden. 1995 wurden die Kosten für die fünfmonatige Veranstaltung auf 2,86 Mrd DM veranschlagt (erwartete Einnahmen: 2,93 Mrd DM). Den größten Einnahmeposten sollen mit 1,6 Mrd DM die Eintrittskarten ausmachen (pro Karte: 40 DM). Es wurden 40 Mio Besucher erwartet. Der Bund wird sich

mit 40%, Niedersachsen mit 30%, Unternehmen mit 20% und Gemeinden der Region Hannover mit 10% an der Finanzierung beteiligen.

### Weltbank

**Name** International Bank for Reconstruction and Development (engl.; Internationale Bank für Wiederaufbau und Entwicklung)
**Abkürzung** IBRD
**Sitz** Washington/USA
**Gründung** 1944
**Mitglieder** 178 Staaten
**Präsident** James Wolfensohn/USA (seit 1995)
**Ziel** Sonderorganisation der UNO zur Förderung der wirtschaftlichen Entwicklung in den Mitgliedsländern

In den ersten 50 Jahren ihres Bestehens (1944–1994) finanzierte die W. rd. 6000 Projekte in 140 Ländern mit etwa 300 Mrd Dollar (422 Mrd DM). Ab Anfang der 70er Jahre konzentrierten sich die Aktivitäten der W. auf Entwicklungsländer in Afrika, Asien und Lateinamerika, ab Anfang der 90er Jahre kamen Aufbauhilfen für die ehemaligen Ostblockstaaten hinzu. Armutsbekämpfung, Förderung von Industrie und Privatwirtschaft sowie Umweltschutz sind entwicklungspolitische Schwerpunkte.

**Kreditvergabe:** Das Kreditvolumen der größten Entwicklungshilfeinstitution ging im Finanzjahr 1993/94 (Abschluß: 30. 6.) gegenüber dem Vorjahr zurück. Die neuen Kreditzusagen lagen mit 14,2 Mrd Dollar (20,0 Mrd DM) um 16% unter dem Vorjahresergebnis. Die Auszahlungen sanken um 19% auf 10,4 Mrd Dollar (14,6 Mrd DM). Die W. nahm erstmals mehr Geld ein (Rückzahlungen der Schuldnerländer) als sie ausschüttete. Auch die W.-Tochter IDA (International Development Association, engl.; Internationale Entwicklungsvereinigung), die nur die ärmsten Entwicklungsländer (jährliches Pro-Kopf-Einkommen unter 800 Dollar, 1126 DM) mit zinsgünstigen und langfristigen Krediten bedient, machte 1994 niedrigere Kreditzusagen als im Vorjahr (–3%). Größte Kreditnehmer der W. waren

1994 China, Mexiko und Rußland. An der Spitze der IDA-Kreditnehmer standen China, Indien und Bangladesch. Ursachen für die rückläufige Kreditnahme waren die erhöhte Vergabe privatwirtschaftlicher Kredite in die Entwicklungsländer und die verstärkte Aktivität regionaler Entwicklungsbanken.

**Umstrukturierung:** Durch die Einbeziehung nichtstaatlicher Entwicklungsorganisationen (NGO) in die Projektplanung sollen die Kredite der W. effektiver eingesetzt werden. Bis 1997 sollen 100 Mio Dollar (141 Mio DM) im Verwaltungsbudget eingespart werden (1994/95: rd. 1,4 Mrd Dollar, 2,0 Mrd DM). 1994 beschäftigte die W. rd. 6300 festangestellte Mitarbeiter.

**Kontrollinstanz:** Eine Untersuchung der W. kam 1993 zu dem Ergebnis, daß bis 1996 rd. 4 Mio Menschen durch W.-Projekte wie Staudämme, Kanäle und Straßen ihre Heimat verlieren werden. Die bei der W. Mitte 1994 eingerichtete Beschwerdekommission stoppte Ende 1994 erstmals ein Entwicklungsprojekt. Die Kommission empfahl dem Exekutivdirektorium der W., das in Nepal vorgesehene Wasserkraftwerk am Fluß Arun (Arun III) zu überprüfen, weil die Umweltverträglichkeit des Projekts nicht ausreichend untersucht worden sei. Mit rd. 1,7 Mrd DM sind die Kosten für Arun III höher als der nepalesische Haushalt 1994.

**Organisation:** Die W. fungiert als Makler zwischen privaten Banken und Entwicklungsländern. Staaten der sog. Dritten Welt gelten als unsichere Kunden und müssen hohe Zinsen zahlen. Die W., deren Eigenkapital durch die Industriestaaten garantiert ist, bekommt günstige Kredite, die sie an Entwicklungsländer weitergibt. Die Zinsdifferenz zwischen Anleihen und Darlehen der W. deckt die Verwaltungskosten. Die Stimmrechte der 178 Mitglieder richten sich nach der Höhe ihres Kapitalanteils. Deutschland war 1995 mit 5,3% Stimmanteilen nach den USA und Japan drittgrößter Aktionär.

→ Entwicklungspolitik → Internationaler Währungsfonds → Schuldenkrise

| Weltbank: Entwicklung der Kapitalströme | | | | |
|---|---|---|---|---|
| Kennzahl | Betrag (Mrd Dollar) | | | |
| | 1990/91 | 1991/92 | 1992/93 | 1993/94 |
| **Weltbank** | | | | |
| Kreditzusagen | 16,4 | 15,2 | 16,9 | 14,2 |
| Auszahlungen | 11,4 | 11,7 | 12,9 | 10,4 |
| Nettoauszahlungen[1] | 2,1 | 1,8 | 2,4 | –0,7 |
| Ausstehende Kredite | 90,6 | 100,8 | 104,5 | 109,3 |
| Ungenutzter Kreditspielraum | 61,7 | 67,6 | 78,9 | 79,9 |
| **Internationale Entwicklungsorganisation (IDA)[2]** | | | | |
| Kreditzusagen | 6,3 | 6,6 | 6,8 | 6,6 |
| Auszahlungen | 4,5 | 4,8 | 4,9 | 5,5 |
| Nettoauszahlungen[1] | 4,3 | 4,4 | 4,6 | 5,5 |

1) Auszahlungen abzüglich Rückzahlungen; 2) Weltbanktochter; Quelle: Neue Zürcher Zeitung, 27. 9. 1994

## Weltgesundheit

Im Mai 1995 legte die Weltgesundheitsorganisation (WHO, Genf) den ersten W.-Bericht vor, demzufolge jeder dritte Mensch auf der Erde ernsthaft krank und ein Drittel der Kinder unterernährt war. Die WHO führte dies darauf zurück, daß mehr als ein Fünftel der Weltbevölkerung in Armut lebte. Seuchen wie Cholera, Tuberkulose und Pest breiteten sich wegen der schlechten Lebensbedingungen der Menschen insbes. in Entwicklungsländern aus, wo jährlich 12 Mio Kinder an Krankheiten sterben, die sich mit geringem Aufwand bekämpfen ließen. 50% der Menschheit konnte sich die wichtigsten Medikamente nicht leisten.

40% der weltweiten Todesfälle waren auf Komplikationen vor und während der Niederkunft zurückzuführen, die meisten davon in Entwicklungsländern. Während in den armen Staaten 161 von 1000 Kindern nicht das fünfte Lebensjahr erreichen, waren es in den reichen Ländern fünf. In den Industriestaaten starben drei Viertel der Menschen an nicht übertragbaren Krankheiten und an Erkrankungen, die z. T. durch Lebensführung bedingt sind, z. B. Herz-Kreislauf-Erkrankungen.

Bis 2000 will die WHO Kinderlähmung und Masern weltweit ausrotten.

→ Aids → Malaria → Tuberkulose

**Weltbank: Präsident**

**James Wolfensohn** * 1. 12. 1933 in Sydney/Australien, US-amerikanische Staatsbürgerschaft. Jurist und Absolvent der Harvard Business School, Führungspositionen bei Banken in Australien und Großbritannien. 1981 Gründung einer Bank in New York. Juni 1995 Nachfolger des im Mai verstorbenen Weltbank-Präsidenten Lewis Preston (Amtszeit: bis 2000).

## Weltkulturerbe

Im März 1995 wurde die Altstadt von Quedlinburg (Sachsen-Anhalt) mit dem Schloß und der Stiftskirche St. Servatius in die Liste des Weltkultur- und Naturerbes der Menschheit aufgenommen, die von der Organisation der Vereinten Nationen für Erziehung, Wissenschaft und Kultur (UNESCO) geführt wird. Das Weltkultur- und Naturerbe steht unter dem besonderen Schutz der UNESCO. Im Kriegsfall soll das W. verschont werden. Quedlinburg ist die erste ostdeutsche Stadt auf der UNESCO-Liste, die 440 Kultur- und Naturdenkmäler in 96 Ländern umfaßte, davon 15 in Deutschland (Stand: Mitte 1995).

**Aufnahmeverfahren:** Erhaltenswerte Kulturgüter und Naturdenkmäler werden von den Unterzeichnerstaaten der Internationalen Konvention für das Kultur- und Naturerbe der Menschheit von 1972 benannt und von der UNESCO auf ihre Bedeutung, den Erhaltungszustand und Pläne zum Schutz überprüft. Die Aufnahme in die Liste ist Voraussetzung für eine finanzielle Unterstützung der Erhaltungsmaßnahmen durch die UNESCO. Eine Rote Liste führt besonders gefährdete Objekte des W. auf.

**Quedlinburg:** Die Kosten für die Sanierung und Erhaltung der historischen Innenstadt werden auf rd. 1 Mrd DM geschätzt. Sofortmaßnahmen zur Rettung von 150 denkmalgeschützten Gebäuden, die vom Einsturz bedroht sind, kosten bis 1998 rd. 30 Mio DM.

**Völklingen:** Die UNESCO plante, die Völklinger Hütte (Saarland) im August 1995 als W. anzuerkennen. Die 1986 geschlossene Hütte stammt teilweise aus dem 19. Jh. Das Saarland verpflichtete sich als Eigentümer der Industrieanlage, rd. 3,1 Mio DM für die Erhaltung der Eisenhütte aufzubringen.

### Weltkulturerbe: Deutschland

| Ort (Bundesland) | Kulturdenkmal |
|---|---|
| Aachen (Nordrhein-Westfalen) | Dom |
| Bamberg (Bayern) | Altstadt |
| Berlin/Potsdam (Brandenburg) | Schlösser und Parks (Sanssouci, Glienicke, Pfaueninsel, Sacrow), Heilandskirche |
| Brühl (Nordrhein-Westfalen) | Schlösser Augustusburg und Falkenlust |
| Goslar (Niedersachsen) | Altstadt, Kaiserpfalz und Silberbergwerk Rammelsberg |
| Hildesheim (Niedersachsen) | Dom und Michaelskirche |
| Lorsch (Hessen) | Königshalle |
| Lübeck (Schleswig-Holstein) | Altstadt |
| Maulbronn (Baden-Württemberg) | Kloster |
| Quedlinburg (Sachsen-Anhalt) | Altstadt mit Schloß und Stiftskirche St. Servatius |
| Speyer (Rheinland-Pfalz) | Dom |
| Steingaden (Bayern) | Wieskirche |
| Trier (Rheinland-Pfalz) | Römische Baudenkmäler, Dom und Liebfrauenkirche |
| Völklingen (Saarland) | Eisenhütte[1] |
| Würzburg (Bayern) | Residenz |

Stand: Juni 1995; 1) Aufnahme in die Weltkulturliste für August 1995 geplant

### Weltraummüll: Gefahr für Alpha

Eine Risikostudie der TH Braunschweig kam Anfang 1995 zu dem Ergebnis, daß die geplante internationale Raumstation Alpha (ab 1997) bei einer Betriebszeit von 30 Jahren mit einer Wahrscheinlichkeit von eins zu fünf von einem Splitter, der größer als 1 cm ist, getroffen würde. 1995 gab es etwa 60 000 Objekte dieser Größe im All. Bei einem Aufprall hätten zentimetergroße Splitter die Wirkung einer Handgranate.

## Weltraummüll

Trümmerteile von Raumflugobjekten und abgebrannten Triebwerken, die im All um die Erde kreisen. 95% der Objekte im Weltraum sind W., die eine Gefahr für die Raumfahrt darstellt. Ende 1994 waren 7860 W.-Objekte von 10 cm Durchmesser oder größer bekannt, darunter 2247 ausgediente Satelliten. Experten erwarten, daß sich der W. bis 2015 verdoppeln wird. Zwei Drittel der 1957–1994 entdeckten W. verglühten in der Atmosphäre oder stürzten auf die Erde. Die größte Dichte von W. herrscht in 800–1100 km Höhe, in der Teile bis zu 1000 Jahre im Umlauf bleiben. Die Aussetzung von TV-Satelliten verschärft das Problem auch in größeren Höhen. Eine Entsorgung von W. aus dem erdnahen Raum war Mitte der 90er Jahre technisch und wegen der hohen Kosten nicht möglich. Ausgediente Satelliten wurden z. T. in den sog. Weltraumfriedhof jenseits der geostationären Umlaufbahn (36 000 km Erdabstand) befördert, wo sie keinen Schaden anrichten.

→ Raumfahrt → Satelliten

## Weltsozialgipfel

Vom 6. 3. bis 12. 3. 1995 fand in Kopenhagen/Dänemark der erste Weltgipfel für soziale Entwicklung der Vereinten Nationen statt. Die Bekämpfung von Armut und Arbeitslosigkeit und die Förderung sozialer Gerechtigkeit waren die Hauptthemen des Treffens, an dem 118 Staats- und Regierungschefs sowie Delegierte aus 185 Ländern teilnahmen. In der Schlußerklärung bekannten sich die Regierungen zu zehn völkerrechtlich nicht bindenden Selbstverpflichtungen:

▷ Schaffung der wirtschaftlichen, rechtlichen, politischen und kulturellen Rahmenbedingungen für soziale Entwicklung
▷ Beseitigung der weltweiten Armut
▷ Verringerung der Arbeitslosigkeit
▷ Förderung der sozialen Integration durch Beseitigung von Diskriminierung und Bekämpfung von Gewalt und Drogenmißbrauch
▷ Gleichstellung von Mann und Frau
▷ Gleicher Zugang für alle zu Bildung und Gesundheitsdiensten
▷ Höhere Finanzhilfe für die ärmsten Staaten, besonders in Afrika
▷ Stärkere Berücksichtigung von sozialen Zielen bei Strukturanpassungsprogrammen
▷ Anhebung der Entwicklungshilfe auf 0,7% des Bruttosozialprodukts der Geberländer
▷ Verbesserung der internationalen Zusammenarbeit.

Die Vertreter der regierungsunabhängigen Organisationen (NGO), die den Gipfel mit einer Parallelkonferenz begleiteten, kritisierten die Beschlüsse als unverbindliche Absichtserklärungen. Ihre Forderungen nach zusätzlichen Mitteln zur Bekämpfung der Armut und nach Schuldenerlaß zugunsten der armen Länder fanden keine Beachtung. Auch das 20/20-Prinzip, das die Industrieländer verpflichtet, 20% ihrer Hilfeleistungen in allen Bevölkerungsschichten zugute kommende Sozialprogramme (z. B. Erziehungswesen) fließen zu lassen,

### Weltsozialgipfel: Ärmste Länder der Welt

| Land | BSP/Kopf 1994 ($) | Wirtschaftswachstum (%)[1] | Entwicklungshilfe 1992 (% des BSP) |
|---|---|---|---|
| Mosambik | 90 | – 3,6 | 115,6 |
| Tansania | 90 | 0,0 | 48,2 |
| Äthiopien | 100 | – 1,9 | 20,4 |
| Sierra Leone | 150 | – 1,4 | 14,5 |
| Bhutan | 170 | + 6,3 | 21,7 |
| Vietnam | 170 | k. A. | k. A. |
| Burundi | 180 | + 1,3 | 25,8 |
| Uganda | 180 | k. A. | 22,6 |
| Nepal | 190 | + 2,0 | 12,6 |
| Malawi | 200 | – 1,2 | 22,6 |

1) Durchschnittliche Veränderung des BSP/Kopf pro Jahr (1980–1992); Quelle: Weltbank

während die Entwicklungsländer 20% ihrer Staatsausgaben für den sozialen Bereich zur Verfügung stellen müssen, konnte nicht durchgesetzt werden. Im Jahr 2000 sollen die Auswirkungen des W. bei einer neuen Zusammenkunft überprüft werden.
→ NGO

## Weltwirtschaft

Die Lage der W. war bis zur Mitte 1995 gekennzeichnet von einer konjunkturellen Aufwärtsentwicklung, die sich nach Expertenmeinung trotz Währungskrise in das kommende Jahr fortsetzen wird, von hoher Arbeitslosigkeit in den westlichen Industriestaaten und von Handelsstreitigkeiten zwischen den USA und Japan. Der Internationale Währungsfonds (IWF) sagte für 1995 eine weltweite Zunahme des realen (inflationsbereinigten) Bruttoinlandsprodukts um 3,8% voraus (1994: 3,7%), für die Industriestaaten 3,0% wie im Vorjahr (darunter Kanada: 4,3%, USA: 3,2%, Japan: 1,8%). In der EU wird sich das BIP nach Berechnungen der Europäischen Kommission um 3,1% erhöhen (1994: 2,6%).

**Osteuropa:** Die gesamtwirtschaftliche Leistung in den östlichen Nachbarstaaten der EU verbesserte sich 1994 durchschnittlich um 3,9%. Für 1995 prognostizierte das Deutsche Institut für Wirtschaftsforschung (DIW) eine Fortset-

## Weltwirtschaft: Vergleich

| Land | Wirtschaftswachstum (%)[1] | | Arbeitslosenquote (%)[2] | | Inflationsrate (%)[3] | |
|------|------|------|------|------|------|------|
| | 1993 | 1994 | 1993 | 1994 | 1993 | 1994 |
| Belgien | − 1,7 | + 2,3 | 8,9 | 10,0 | + 2,8 | + 2,4 |
| Dänemark | + 1,4 | + 4,7 | 10,5 | 10,3 | + 1,2 | + 2,0 |
| Deutschland | − 1,1 | + 2,8 | 7,9 | 8,4 | + 4,2[4] | + 3,0[4] |
| Finnland[5] | − 2,0 | + 3,5 | 17,9 | 18,4 | + 2,1 | + 1,1 |
| Frankreich | − 1,0 | + 2,2 | 11,8 | 12,6 | + 2,1 | + 1,7 |
| Griechenland | − 0,5 | + 1,0 | 8,6 | 8,8 | + 14,4 | + 10,9 |
| Großbritannien | + 2,0 | + 3,5 | 10,4 | 9,6 | + 1,6 | + 2,4 |
| Irland | + 4,0 | + 5,0 | 15,7 | 15,1 | + 1,5 | + 2,4 |
| Italien | − 0,7 | + 2,2 | 10,3 | 11,5 | + 4,3 | + 3,7 |
| Japan | + 0,1 | + 1,0 | 2,5 | 2,9 | + 1,3 | + 0,7 |
| Kanada | + 2,2 | + 4,1 | 11,2 | 10,3 | + 1,8 | + 0,2 |
| Luxemburg | + 0,3 | + 2,6 | 2,6 | 3,5 | + 3,6 | + 2,2 |
| Niederlande | + 0,4 | + 2,5 | 6,6 | 7,0 | + 2,6 | + 2,7 |
| Norwegen | + 2,2 | + 3,6 | 5,5 | 5,2 | + 2,3 | + 1,4 |
| Österreich[5] | − 0,3 | + 2,6 | 6,8 | 6,5 | + 3,6 | + 3,0 |
| Portugal | − 1,1 | + 1,0 | 5,7 | 7,0 | + 6,5 | + 5,2 |
| Schweden[5] | − 2,1 | + 2,3 | 9,5 | 9,8 | + 4,7 | + 2,2 |
| Schweiz | − 0,9 | + 1,7 | 4,5 | 4,7 | + 3,3 | + 0,9 |
| Spanien | − 1,0 | + 1,7 | 22,8 | 24,1 | + 4,6 | + 4,8 |
| USA | + 3,1 | + 3,9 | 6,8 | 6,1 | + 3,0 | + 2,6 |
| EU insgesamt[6] | − 0,3 | + 2,6 | 10,8 | 11,3 | + 3,1 | + 3,2 |
| **Osteuropa** | | | | | | |
| Bulgarien | − 4,2 | 0,0 | 16,4 | 12,5 | + 63,5 | + 100,0 |
| Polen | + 3,8 | + 5,0 | 16,4 | 16,0 | + 35,3 | + 32,0 |
| Rumänien | + 1,3 | + 3,5 | 10,1 | 11,0 | + 257,4 | + 160,0 |
| Slowakei | − 4,1 | + 4,5 | 14,4 | 15,0 | + 23,2 | + 13,5 |
| Slowenien | + 1,0 | + 4,5 | 15,4 | 14,5 | + 32,7 | + 20,0 |
| Tschech. Rep. | − 0,9 | + 2,5 | 3,5 | 3,0 | + 20,8 | + 10,0 |
| Ungarn | − 2,3 | + 3,0 | 12,1 | 11,5 | + 22,2 | + 19,0 |
| **GUS (Europa)** | | | | | | |
| Rußland | − 12,0 | − 15,0 | k. A.[7] | k. A.[7] | + 840,0 | + 220,0 |
| Ukraine | − 14,0 | − 23,0 | k. A.[7] | k. A.[7] | + 10 225,0 | + 800,0 |
| Weißrußland | − 9,0 | − 20,0 | k. A.[7] | k. A.[7] | + 1 576,0 | + 2 200,0 |

1) Reale Veränderung des BIP im Vergleich zum Vorjahr; 2) Anteil an den zivilen Erwerbspersonen; 3) Veränderung gegenüber Vorjahr; 4) nur Westdeutschland; 5) Mitglied der EU seit 1. 1. 1995; 6) ohne Finnland, Österreich, Schweden; 7) offizielle Statistik gibt nicht die tatsächlichen Arbeitslosenzahlen an; Quelle: Bundesministerium für Wirtschaft, Deutsches Institut für Wirtschaftsforschung, OECD

zung des Aufschwungs (Polen, Slowenien: 5%, Slowakei, Tschechische Republik: 4%, Ungarn: 1%). Das BIP der europäischen GUS-Staaten ging 1994 zwischen 15,0% und 23,0% zurück. Unsicherheiten über die zukünftige Wirtschaftspolitik führten zu einer Verringerung der Investitionen um rd. 25% und zu einer Zunahme der Kapitalflucht. 1995 wird sich nach Einschät-

zung des DIW die Situation weiter verschlechtern (Rußland: –7,0%, Ukraine, Weißrußland: –10,0%).

**Entwicklungsländer:** Die Entwicklungsländer verzeichneten 1994 mit durchschnittlich 6,3% ein starkes Wirtschaftswachstum (Asien: 8,6%, Lateinamerika: 4,6%, Afrika: 2,7%, Naher Osten/Europa: 0,7%). Der IWF sagte Afrika (3,7%) und dem nahöstlich-europäischen Bereich (2,9%) für 1995 eine Wachstumsbeschleunigung voraus. Asien wird seine kräftige Entwicklung mit 7,6% fortführen (China: rd. 10%). Der Aufschwung in Lateinamerika soll sich auf 2,3% abschwächen.

**Arbeitslosigkeit:** In den westlichen Industrieländern veränderte sich die angespannte Lage auf dem Arbeitsmarkt nicht wesentlich gegenüber 1993. Für das laufende Jahr prognostizierte der IWF 1995 einen Rückgang der Erwerbslosenquoten in den G-7-Staaten (Deutschland, Frankreich, Großbritannien, Italien, Japan, Kanada, USA) auf 6,7% (1994: 7,2%), während in Osteuropa (ohne GUS) ein Anstieg auf durchschnittlich 12,5% erwartet wurde (1994: 11,9%).

**Inflation:** Für 1995 sagte der IWF den G-7-Staaten einen Anstieg der Verbraucherpreise um 2,5% vorher (1994: 2,2%). Die rückläufige Entwicklung der Preissteigerungsraten in Osteuropa wird sich nach Ansicht des DIW 1995 fortsetzen (Bulgarien: 70%, 1994: 100%; Rumänien: 80%, 1994: 160%).

**Welt:** Der Welthandel fördert die Vernetzung nationaler Volkswirtschaften. Die Bildung regionaler Handelsblöcke (z. B. NAFTA) erschwert ausländischer Konkurrenz den Marktzugang.

Das Welthandelsvolumen erhöhte sich nach Schätzungen der Welthandelsorganisation WTO und des IWF im Jahr 1994 real um rd. 9% (1993: 4,0%). Für 1995 rechneten die Experten mit einem Anstieg um 8,0%. Im Handelskonflikt um die Öffnung des japanischen Automarktes für US-Importe setzten die USA Ende Juni 1995 ihre Forderungen gegenüber Japan durch.

→ Bruttoinlandsprodukt → Dollarkurs
→ EU-Konjunktur → Protektionismus
→ Wirtschaftliche Entwicklung →
Währungskrise → WTO

## Werbung

Versuch der Beeinflussung von Menschen mit dem Ziel, den Absatz von Produkten und Dienstleistungen zu steigern oder das Image von Institutio-

**Werbung: Umsatzstärkste Werbeträger 1994**

| Werbeträger | Nettoeinnahmen 1994 (Mrd DM) | Veränderung[1] (%) | Marktanteil (%) |
|---|---|---|---|
| Tageszeitungen | 10,4 | +3,9 | 31 |
| Fernsehen | 5,6 | +16,6 | 17 |
| Werbung per Post | 4,6 | +4,6 | 13 |
| Publikumszeitschr. | 3,3 | +2,8 | 10 |
| Anzeigenblätter | 2,8 | +8,6 | 8 |
| Fachzeitschriften | 2,2 | +1,0 | 6 |
| Adreßbücher | 2,2 | +4,6 | 6 |
| Hörfunk | 1,1 | +12,9 | 3 |
| Außenwerbung | 0,9 | +5,4 | 3 |
| Wochen-/Sonntags-zeitungen | 0,4 | −7,7 | 1 |

1) Gegenüber 1993; Quelle: Zentralverband der Deutschen Werbewirtschaft (ZAW, Bonn)

nen, Unternehmen und Branchen zu verbessern. 1994 erhöhten sich die Ausgaben für W. in Deutschland nach Angaben des Zentralverbands der Deutschen Werbewirtschaft (ZAW, Bonn) um 4,5% auf 50,8 Mrd DM. Für 1995 erwartete der ZAW bei einem gleichbleibenden Anstieg ein Volumen von 53 Mrd DM.

**Umsätze:** Die Presseerzeugnisse hatten mit 56% erneut den größten Anteil am Werbemarkt, verloren jedoch 2 Prozentpunkte gegenüber 1993. Das Fernsehen folgte mit um 16,6% auf 5,6 Mrd DM gestiegenen Nettoeinnahmen und einem Marktanteil von 17% (1993: 18%). Die Werbeagenturen profitierten nicht am Umsatzzuwachs der Branche. Sie verzeichneten 1994 eine Stagnation ihrer Einnahmen aus Provisionen und Honoraren bei 2,1 Mrd DM. Der Gesamtverband Werbeagenturen (Frankfurt/M.) führte dies auf den härteren Wettbewerb zurück, in dem insbes. Fernsehsender mit Sonderrabatten und kostenlosen Schaltungen von Spots um Kunden warben. Das erhöhe die Medienumsätze, schlage jedoch nicht bei den Agenturen zu Buche, die dafür kein Geld erhielten.

**Datennetz als Medium:** Weltweite Datennetze wie das Internet, dessen Teilnehmerzahl Mitte der 90er Jahre monatlich um rd. 30% zunahm, wurden für Firmen und Verbände attrakti-

**Werbung: Russisches Verbot trifft West-Unternehmen**

Der russische Präsident Boris Jelzin verbot im Februar 1995 Werbung für Alkohol und Tabakwaren in den Medien wegen der Gesundheitsgefährdung durch Genußmittel. In Rußland rauchten Mitte der 90er Jahre rd. ein Viertel der Bevölkerung (36 Mio Menschen) etwa 25 Mio Packungen Zigaretten pro Tag. Der Pro-Kopf-Verbrauch reinen Alkohols betrug 14 l (Deutschland: rd. 12 l). Von dem Verbot waren hauptsächlich westliche Unternehmen betroffen, heimische Hersteller warben selten für ihre Produkte.

## Werbung: Gespaltene Konjunktur 1994

| Branche | Bruttowerbeaufwand 1994 (1000 DM) | Veränderung zu 1993 (%) |
|---|---|---|
| **Gestiegene Werbeausgaben** | | |
| Finanzanlagen/-beratung | 119 317 | +57,1 |
| Konserven, Fleisch, Fisch | 277 668 | +39,8 |
| Massenmedien | 1 697 092 | +36,4 |
| Putz-/Pflegemittel | 369 990 | +36,0 |
| Pharmazie[1] | 972 168 | +26,3 |
| **Verminderte Werbeausgaben** | | |
| Zigaretten | 87 490 | –30,3 |
| Reisegesellschaften | 224 366 | –20,8 |
| Audio-/Videogeräte | 184 987 | –18,2 |
| Handelsorganisationen | 1 624 775 | –13,0 |
| Spielzeug | 194 860 | –12,2 |

1) Publikumswerbung; Quelle: Zentralverband der Deutschen Werbewirtschaft (ZAW, Bonn)

ves Werbemedium. Dem Medium angepaßt Werbeformen wurden entwickelt, z. B. konnte der Nutzer auf der Deutschen Datenautobahn, einem Internet-Service, ein beworbenes Auto wie bei einer Inspektion am Bildschirm prüfen.

**Zielgruppe Türken:** Mitte der 90er Jahre richteten sich deutsche Unternehmen mit ihrer W. an in Deutschland lebende Türken. 1995 stellten die Türken mit rd. 2 Mio im Bundesgebiet die größte Ausländergruppe, die jährlich über ein Einkommen von rd. 18 Mrd DM verfügte. Die Unternehmen produzierten 1994/95 Spots in türkischer Sprache für die auch in Deutschland ausgestrahlten türkischen Hörfunk- und Fernsehsender, schalteten Anzeigen in den in Deutschland angebotenen türkischen Tageszeitungen und beschäftigten türkische Kundenberater.

**Argumente:** Angesichts des langsamen Wirtschaftsaufschwungs und der vielfach niedrigeren Realeinkommen der Arbeitnehmer infolge erhöhter Steuerlast ab 1995 wurde verstärkt mit dem Preis von Produkten geworben. Nach Umfragen wollte 1995 jedes zweite Kosum- und Investitionsgüterunternehmen Interessenten mit dem Preis überzeugen.

→ Computeranimation → Fernsehwerbung → Presse

**Werbung: Frauenbild kritisiert**

1994 reduzierten sich die Eingaben beim Werberat, dem Selbstkontrollorgan der Werbung, gegenüber 1993 um ein Drittel auf 364. Allerdings wurden mit 167 etwa 20 Kampagnen mehr bemängelt. Fünf Unternehmen erteilte der Werberat eine Rüge, weil sie trotz Beanstandung an ihrer Kampagne festhielten. In allen fünf Fällen kritisierte der Rat diskriminierende, meist nackte Darstellungen von Frauen in den Spots bzw. Anzeigen.

## Werbungskosten

Aufwendungen für die Erzielung von Einkünften, die vom zu versteuernden Einkommen abgezogen werden können. Ende 1995 wurde eine Entscheidung des Bundesverfassungsgerichts erwartet, ob der 1990 in Deutschland eingeführte Arbeitnehmerpauschalbetrag bei der Einkommensteuer mit dem Gleichheitsgebot des GG vereinbar ist. Die CDU/CSU/FDP-Bundesregierung schuf die Pauschale von 2000 DM für die W. von Arbeitnehmern. Der Bundesfinanzhof, das oberste Finanzgericht, bemängelte, daß der Pauschalbetrag Arbeitnehmer begünstigt, die W. vom Arbeitgeber erstattet bekommen (z. B. Fahrtkosten, Fachliteratur) und dennoch die volle Pauschale absetzen dürfen. Steuerbescheide werden hinsichtlich des Pauschbetrags ab 1992 nur noch vorläufig erteilt.

→ Steuern

## Werkstoffe, Neue

Mitte der 90er Jahre wurden Keramik, stromleitende Kunststoffe (Polymere) und Faserverbundwerkstoffe erprobt. Sog. Hochleistungskeramik übertrifft viele Metalle in Härte und Hitzebeständigkeit, ihr Nachteil ist Bruchgefahr. Deutschland lag gemessen an der Anzahl der Entwicklungen von W. auf dem dritten Rang hinter den USA und Japan. Das Bundesforschungsministerium förderte die Entwicklung von W. 1994–1999 mit 140 Mio DM jährlich.

**Keramik:** Der Einsatz des W. Keramik wurde bei der Wärmeisolierung, der Herstellung von Automotoren und -katalysatoren, elektronischen Bauteilen und Schneidwerkzeugen erprobt. Auch die Anwendung von keramischen Materialien, die Strom ohne Energieverlust leiten (sog. Supraleiter), wurde getestet. An der Technischen Hochschule Darmstadt wurde 1994 eine Spezialkeramik entwickelt, die Temperaturen bis zu 1600 °C widersteht – rd. 400 °C mehr als alle bis dahin bekannten temperaturbeständigen Materialien.

**Polymere:** Wesentliches Einsatzgebiet von Polymeren ist die Abschirmung von Kabeln und mikroelektronischen Bauteilen. Der Kunststoff verhindert Eindringen und Entweichen von elektromagnetischen Feldern.

**Faserverbundstoffe:** Mit Fasern aus Glas oder Kohlenstoff verstärkte Kunststoffe haben gegenüber herkömmlichen Kunststoffen den Vorteil größerer Festigkeit und Verschleißbeständigkeit. In Verbindung mit Keramik lassen sich Hochtemperatur-Gasturbinen herstellen, mit denen eine wirksamere Nutzung von fossilen Energieträgern möglich ist.

**Oberflächenbehandlung:** Wissenschaftler des Saarbrücker Instituts für Neue Materialien entwickelten 1994 eine Methode zur Oberflächenbeschichtung, die die behandelten Materialien feuerfest, wasserabweisend oder rostbeständig macht. Bei dem Verfahren werden die zu beschichtenden Materialien in eine Flüssigkeit (Sol) getaucht, die aus millionstel Millimeter kleinen Materialteilchen (Nanopartikel), langen, flexiblen Molekülketten und speziellen Funktionsmolekülen besteht. Zwischen Grundmaterial und Sol entsteht eine chemische Bindung, die durch eine anschließende Wärmebehandlung ausgehärtet wird. Eingesetzt werden kann die Methode zum Korrosionsschutz von Autoteilen. → Supraleiter

## Wetterdienst, Deutscher

1995 plante das Bundesverkehrministerium eine Umorganisation des staatlichen W. (DWD), der mit regionalen Wetterämtern vor allem Medien, Seeschiffahrt und Landwirtschaft mit Informationen zum Wetter versorgt, in sieben Regionale Zentralen (RZ) und spezialisierte Außenstellen, um Kosten zu sparen und eine größere Kundennähe zu erreichen.

**Neuorganisation:** Die meisten regionalen Wetterämter, die jeweils sämtliche Dienstleistungen des W. erbrachten, werden aufgelöst. Die RZ (Essen, Hamburg, Leipzig, München, Offenbach, Potsdam, Stuttgart) übernehmen als Knotenpunkte meteorologischer Meßstationen die bundesweite Überwachung und Vorhersage des Wetters. Außenstellen in Kundennähe vermitteln Informationen u. a. für Luftfahrt, Seeschiffahrt, Landwirtschaft, Medizinmeteorologie sowie Wasserwirtschaft und erarbeiten Klimagutachten.

**Konkurrenz:** Seit 1994 beliefern neben dem DWD private Wetterdienste ARD und SWF mit Wetterdaten. Ihre Angebote waren kostengünstiger

**Behörde:** Der W. mit Sitz in Offenbach beschäftigte 1995 ca. 3000 Mitarbeiter. 1994 umfaßte sein zum größten Teil über das Bundesministerium für Verkehr finanzierter Haushalt 354 Mio DM.

## WEU

**Name** Westeuropäische Union
**Sitz** Brüssel/Belgien
**Gründung** 1954
**Mitglieder** Zehn EU-Staaten
**Generalsekretär** José Cutileiro/Portugal (seit November 1994)
**Funktion** Beistandspakt (militärischer Schutz durch NATO), europäische Integration; humanitäre, Friedens- und Militäreinsätze

Die WEU soll das Gewicht der europäischen Mitglieder der NATO erhöhen – auch mit eigenen militärischen Verbänden und Kommandobehörden – und zum Militärorgan der Europäischen Union ausgebaut werden. Vor allem Großbritannien und Portugal widersetzten sich 1994/95 jedoch einer Integration der WEU in die EU, weil sie eine Konkurrenz von WEU und NATO in Europa und eine Schwächung der nationalen Entscheidungsfreiheit befürchten. Die assoziierten ostmitteleuropäischen Staaten dürfen an WEU-Beratungen und Einsätzen teilnehmen, haben jedoch keine Entscheidungsbefugnisse. Die Türkei strebte 1995 eine Vollmitgliedschaft, Slowenien eine Assoziierung an. Mitte 1995 beteiligte sich die WEU

**WEU: Generalsekretär**

**José Cutileiro** * 20. 11. 1934 in Evora, Dr. phil. 1971–1974 Dozent an der London School of Economics and Political Science, 1974 Eintritt in diplomatischen Dienst, Botschafter beim Europarat (1977), in Mosambik (1980) und Südafrika (1989). 1988 Leiter der Verhandlungen über den Beitritt Portugals zur WEU, ab November 1994 WEU-Generalsekretär.

| WEU: Angeschlossene Staaten | | |
|---|---|---|
| **Mitglieder** | **Assoziierte Mitglieder** | **Assoziierte Partner** |
| Belgien[1] | Island[1] | Bulgarien |
| Frankreich[1] | Norwegen[1] | Estland |
| Deutschland[1] | Türkei[1] | Lettland |
| Griechenland[1] | | Litauen |
| Großbritannien[1] | **Beobachter** | Polen |
| Italien[1] | Dänemark[1] | Rumänien |
| Luxemburg[1] | Finnland | Slowakei |
| Niederlande[1] | Irland | Tschechische |
| Portugal[1] | Österreich | Republik |
| Spanien[1] | Schweden | Ungarn |

Stand: Mai 1995; 1) NATO-Mitglieder

an der Durchsetzung des internationalen Embargos gegen Jugoslawien in der Adria und auf der Donau.

Militärverbände der WEU werden aus Streitkräften der Mitglieder gebildet:

▷ Eurokorps: Das multinationale Korps mit Truppenteilen aus Belgien, Deutschland, Frankreich, Luxemburg und Spanien (rd. 50 000 Soldaten, Stab: Straßburg) soll zum 1. 10. 1995 militärisch einsatzfähig sein

▷ Eurofor: Schnelle Eingreiftruppe für den Mittelmeerraum (Stab: Florenz/Italien) mit je einer Brigade (rd. 3500 Soldaten) aus Frankreich, Italien, Portugal und Spanien

▷ Euromarfor: Gemeinsame Operation von Marineverbänden aus Frankreich, Italien, Portugal und Spanien ohne festes Hauptquartier.

Die Beteiligung weiterer Staaten an den Militärverbänden war angestrebt.
→ Europäische Union → NATO → OSZE

## Wiederaufarbeitung

→ Entsorgung

## Windenergie

Mit einem Zuwachs von 309 MW verdoppelte sich 1994 in Deutschland die Leistung von Windkraftanlagen auf 643 MW (Weltrang 2, USA: 1680 MW). Sie produzierten mit rd. 1430 GWh 0,29% des deutschen Stromauf-

kommens. Die Elektrizitätserzeugung mit windbetriebenen Rotoren ist umweltfreundlich, da außer Geräuschen keine Emissionen entstehen.

Etwa 70% der W.-Leistung wurden 1993/94 errichtet. Drei Viertel der 1994 aufgestellten Rotoren hatte eine Leistung von mehr als 500 kW (Durchschnitt pro Anlage: 370 kW). Ende 1996 sollen W.-Anlagen über 1 MW Serienreife erreichen. Die wirtschaftliche Attraktivität der W. hat folgende Ursachen:

▷ Sinkende Baukosten (Preis pro kW: 1992–1994: –20%)

▷ Breite Angebots- und Leistungspalette (1994: rd. 210 Typen)

▷ Öffentliche Förderung (Bund 1974–1993: rd. 330 Mio DM)

▷ Steigende Vergütung für Stromeinspeisung in das Versorgungsnetz (ab 1995: 17,28 Pf/kWh).

Bei Erzeugungskosten von 10–20 Pf/kWh Strom wurde Mitte der 90er Jahre eine Errichtung außerhalb der Küstengebiete rentabel.

Schleswig-Holstein will bis 2010 ein Viertel seines Strombedarfs mit W. decken (1995: ca. 5%). Zwei Drittel der Anlagen (Ende 1994: 331 Einzelrotoren, 46 Windparks) standen in Nordfriesland und Dithmarschen. Bewohner der Küstenregionen widersetzten sich 1994/95 dem Bau von W.-Anlagen, weil sie eine Beeinträchtigung des Landschaftsbildes sowie des Natur- und Vogelschutzes befürchte-

| Windenergie: Leistungssteigerung | |
|---|---|
| **Jahr** | **Leistung (MW)** |
| 1986 | 1 |
| 1987 | 3 |
| 1988 | 9 |
| 1989 | 21 |
| 1990 | 61 |
| 1991 | 111 |
| 1992 | 179 |
| 1993 | 334 |
| 1994 | 643 |

Quelle: Deutsches Windenergie-Institut (Wilhelmshaven)

| Windenergie: Kraftwerke | | |
|---|---|---|
| **Bundesland** | **Anzahl** | **Leistung (MW)** |
| Schleswig-Hostein | 962 | 287 |
| Niedersachsen | 813 | 190 |
| Nordrhein-Westfalen | 339 | 45 |
| Mecklenburg-Vorp. | 143 | 35 |
| Brandenburg | 81 | 19 |
| Rheinland-Pfalz | 73 | 13 |
| Hessen | 63 | 17 |
| Sachsen | 36 | 10 |
| Übrige | 107 | 27 |

Stand: Ende 1994; Quelle: Deutsches Windenergie-Institut (Wilhelmshaven)

ten. Sie beklagten Lärmbelästigungen und den schnellen Wechsel von Licht und Schatten durch die rotierenden Blätter. Die SPD-Landesregierung plante daher Ende 1994, die Errichtung von W.-Anlagen auf Bauernhöfen zu erschweren. 70% der Betreiber waren Landwirte.
→ Energien, Erneuerbare

## Windows

→ Betriebssystem

## Wirtschaftliche Entwicklung

Nach der Rezession des Jahres 1993 war die W. in Deutschland 1994 vom Aufschwung geprägt. Die führenden Forschungsinstitute rechneten für 1995 aufgrund des anhaltend starken Wachstums in Ostdeutschland und der wirtschaftlichen Belebung im Westen mit einer Fortsetzung der Aufwärtsentwicklung. Die Teuerungsrate soll bundesweit mit 2% niedriger ausfallen als 1994 (3,0%), das Bruttoinlandsprodukt (BIP) um real (inflationsbereinigt) 3,0% ansteigen (1994: 2,9%). Auf dem Arbeitsmarkt wurden nur geringe Veränderungen erwartet. Die Experten sagten einen Rückgang der Arbeitslosenquote auf 9,1% (1994: 9,6%) voraus.

**Produktivität:** Die Wirtschaftsforscher prognostizierten eine Gesamtzunahme der Anlageinvestitionen um 6% (1994: 4,3%) aus. Ein Wachstumsschub von 3,5% (1994: 1,2%) wurde im Westen erwartet. Im Bereich des Außenhandels sagten die Institute einen Anstieg des Ausfuhrüberschusses voraus. Der Exportzuwachs (real: 8,5%, 1994: 7,2%) soll größer sein als die Erhöhung der Einfuhren (real: 6,0%, 1994: 6,1%). Gesteigerte Investitionsfreudigkeit und Produktionsanstieg waren 1994 vor allem auf Rationalisierungs- und Umstrukturierungsmaßnahmen in Westdeutschland zurückzuführen.

**Einkommen und Verbrauch:** Trotz tariflicher Bruttolohnerhöhungen zwischen 3,5% und 4% (1994: 2%) werden die Nettolöhne 1995 aufgrund höherer

**Windenergie: Wirtschaftliche Nutzung**

Schleswig-
Kiel
Holstein
Hamburg
Mecklenburg-
Vorpommern
Schwerin
Bremen
Niedersachsen
Hannover
Berlin
Berlin
Sachsen-
Potsdam
Magdeburg
Brandenburg
Nordrhein-
Anhalt
Düsseldorf
Westfalen
Erfurt
Sachsen
Bonn
Hessen
Thüringen
Dresden
Rheinland-
Wiesbaden
Mainz
Pfalz
Saarland
Saarbrücken
Bayern
Stuttgart
Baden-
Württemberg
München

0    100 km
© Harenberg

**Mittlere Wingeschwindigkeit**, gemessen in 10 m Höhe
4 – 5 m/s     5 – 6 m/s     6 – 7 m/s     über 7 m/s

Steuern und Sozialabgaben (z. B. Solidaritätszuschlag) voraussichtlich nur um 1,5% steigen (1994: –0,4%). Die Wirtschaftsforscher erwarteten einen durchschnittlichen Realzuwachs des privaten Verbrauchs in Deutschland von 1,0% (1994: 1,3%). → Tabelle S. 464
→ Arbeitslosigkeit → Außenwirtschaft → Bruttoinlandsprodukt → Inflation → Investitionen → Verbrauch, Privater → Wirtschaftswachstum

## Wirtschaftsförderung-Ost

Subventionen für den wirtschaftlichen Aufbau in Ostdeutschland. Im Februar 1995 berichtete das Nachrichtenmagazin „Der Spiegel" unter Berufung auf Landesrechnungshöfe, daß insgesamt

| Wirtschaftsförde-rung-Ost: Finanzleistungen | |
|---|---|
| **Haushalt Leistun-gen 1995 (Mrd DM)** | |
| Bund | 114,5 |
| Finanzausgleich | 49,0 |
| Arbeitslosen-versicherung | 18,0 |
| Renten-versicherung | 14,0 |
| Summe | 195,5 |

Quelle: Arbeitsge-meinschaft deutscher wirtschaftswissen-schaftlicher For-schungsinstitute (München)

## Wirtschaftliche Entwicklung: Prognose für Deutschland 1995

| Position | Veränderung zu 1994 (%) | | |
|---|---|---|---|
| | West | Ost | Insgesamt |
| BIP real[1] (Wirtschaftswachstum) | + 2,5 | + 8,5 | + 3,0 |
| Bruttosozialprodukt real[1] | + 2,0 | + 8,5 | + 3,0 |
| Arbeitslosenquote[2] | 8,1 | 13,1 | 9,1 |
| Inflation (Preisniveau privater Verbrauch) | + 2,0 | + 3,0 | + 2,0 |
| Privater Verbrauch real[1] | + 1,0 | + 2,0 | + 1,0 |
| Staatsverbrauch real[1] | + 1,5 | + 2,0 | + 1,5 |
| Anlageinvestitionen insgesamt real[1] | + 3,5 | + 13,5 | + 6,0 |
| Ausrüstungen | + 7,5 | + 10,5 | + 8,0 |
| Bauten | + 1,0 | + 15,0 | + 4,5 |
| Ausfuhr real[1] | + 7,5 | + 21,5 | + 8,5 |
| Einfuhr real[1] | + 6,5 | + 5,5 | + 6,0 |
| Bruttolohn- und -gehaltssumme | + 3,5 | + 7,5 | + 4,0 |
| Nettolohn- und -gehaltssumme | + 1,0 | + 4,5 | + 1,5 |
| Bruttoeinkommen aus unselbständiger Arbeit | + 3,5 | + 7,5 | + 4,0 |
| Einkommen aus Unternehmen und Vermögen | + 7,5 | k. A. | + 8,5 |
| Volkseinkommen | + 4,5 | + 11,0 | + 5,5 |

1) Inflationsbereinigt, in Preisen von 1991; 2) Anteil an inländischen Erwerbspersonen; Quelle: Frühjahrsgutachten 1995 der Arbeitsgemeinschaft deutscher wirtschaftswissen-schaftlicher Forschungsinstitute

| Wohngeld: Empfänger in West-deutschland | |
|---|---|
| **Berufs-gruppe** | **Anteil[1] (%)** |
| Rentner | 41 |
| Arbeiter | 21 |
| Arbeitslose | 17 |
| Studenten[2] | 12 |
| Angestellte | 6 |
| Selbständige[3] | 3 |

1) Ohne Pauschal-Wohngeld und So-zialhilfeempfänger 1993; 2) inkl. Sonsti-ge; 3) inkl. Beamte; Quelle: Statistisches Bundesamt

bis zu 65 Mrd DM öffentliche Förder-mittel aus der W. verschwendet worden seien. Die CDU/CSU/FDP-Bundesre-gierung plante 1995 im Rahmen des Jahressteuergesetzes 1996, die W. bis Ende 1998 weiterzuführen. Von 1991 bis Ende 1994 beliefen sich die Ge-samtleistungen von Bund, Ländern und EU auf 640 Mrd DM (ohne Steu-ermindereinnahmen und Leistungen der Treuhandanstalt).

**Instrumente:** Mit Hilfe der W. werden Existenzgründungen gefördert, Eigen-kapitalhilfen gegeben, Investitionen bezuschußt sowie Infrastruktur, For-schung und Umweltschutz ausgebaut. Die Mittel werden u. a. von der bun-deseigenen Kreditanstalt für Wieder-aufbau, der ebenfalls staatlichen Deut-schen Ausgleichsbank und aus dem ERP-Sonderhaushalt des Bundes zur Verfügung gestellt. Weitere Hilfen er-folgen über den bundesstaatlichen Fi-nanzausgleich und die Regionalförde-rung der EU. Die Mittel werden in Form von Investitionszulagen, Sonder-abschreibungen etc. vergeben.

**Verschwendung:** Dem „Spiegel" zu-folge wurden Gelder fehlinvestiert und betrügerisch mißbraucht. Bundes- und Landesregierungen bestritten die Höhe der fehlgeleiteten Mittel von 65 Mrd DM. Die Schuld wurde in erster Linie den unerfahrenen und nicht voll ausgebauten Gemeinde- und Landes-verwaltungen zugewiesen. Die SPD warf Bundesfinanzminister Theo Wai-gel (CSU) vor, die Ausgabenkontrolle vernachlässigt zu haben. Die Länder planten 1995, ihre Kontrollsysteme zu verbessern.

**Weiterförderung:** Nach dem Regie-rungsentwurf werden Investitionszula-gen für das verarbeitende Gewerbe (Höhe: 5%) und den Mittelstand (10%) sowie die Möglichkeit zu günstigen Sonderabschreibungen bis Ende 1998 verlängert. Vermögensteuer müssen ostdeutsche Betriebe auch nach 1995 nicht zahlen. Das Eigenkapitalhilfe-Programm und die ERP-Darlehens-möglichkeiten wurden ebenfalls um drei Jahre verlängert. Im April 1995 wurden gewerblicher Mittelstand und Handwerk von Berlin/West in die W. einbezogen.

→ Regionalförderung

🛈 Industrie- und Handelskammern, Banken

## Wirtschaftswachstum

Anstieg der gesamtwirtschaftlichen Leistung. Nach der Rezession mit ihrem Tiefpunkt im ersten Halbjahr 1993 verzeichnete Gesamtdeutschland 1994 ein W. von real (bereinigt um die Preissteigerung) 2,9%. In den neuen Bundesländern stieg das BIP um durchschnittlich 9,2%, in Westdeutschland um 2,3% an. Für 1995 prognostizierten die führenden Wirtschaftsforschungsinstitute Wachstumsraten von real 2,5 bzw. 8,5% in West- und Ostdeutschland (Deutschland gesamt: 3,0%).

Wachstumsstärkste Bundesländer im Osten waren Thüringen (11,8%) und Sachsen (10,4%). Im Westen lag Rheinland-Pfalz mit 3,4% über dem Durchschnitt. Am schlechtesten schnitt Berlin ab (0,6%). Ausschlaggebend für die positive Entwicklung war die wirtschaftliche Belebung im früheren Bundesgebiet, auf das rd. 90% des deutschen BIP entfallen.

→ Bruttoinlandsprodukt  →Wirtschaftliche Entwicklung

## Wohngeld

Staatlicher Zuschuß zu den Wohnkosten, der in Deutschland Bürgern mit geringem Einkommen ein angemessenes Wohnen ermöglichen soll. Das in Ostdeutschland 1990 eingeführte vereinfachte Verfahren zur Berechnung und die Gewährung eines erhöhten W. gilt bis Ende 1995, um die steigenden Mieten auszugleichen. Anfang 1995 kündigte Bundesbauminister Klaus Töpfer (CDU) eine Erhöhung des W. an.

1994 erhielten in Westdeutschland 1,84 Mio Haushalte (1993: 1,80 Mio) W., was etwa 6% aller Haushalte in Westdeutschland entsprach. In den neuen Bundesländern war jeder fünfte Haushalt (1,37 Mio Haushalte, 1993: 1,4 Mio) auf diese Sozialleistung angewiesen. Die westdeutschen W.-Empfänger erhielten eine durchschnittliche monatliche Hilfe von 130 DM, im Osten wurde die Mietlast um durch-

schnittlich 127 DM gemindert. Die Höhe des W. richtet sich nach der Zahl der Haushaltsmitglieder, dem Familieneinkommen und der monatlichen Miete oder Belastung. Die Miete wird je nach Wohnungsgröße, Baujahr und Ausstattung der Wohnung sowie (in den alten Bundesländern) nach einer Mietenstufe abhängig von der Gemeinde bis zu einem bestimmten Höchstbetrag berücksichtigt. W. wird i. d. R. für zwölf Monate bewilligt. Zugrunde gelegt wird dabei das zu erwartende Jahreseinkommen. Übersteigt dies 15% des Vorjahreseinkommens, wird das W. gekürzt.
→ Mieten

### Wirtschaftswachstum: Unterschiede in Ländern

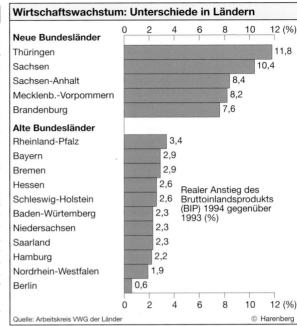

**Neue Bundesländer**

| | (%) |
|---|---|
| Thüringen | 11,8 |
| Sachsen | 10,4 |
| Sachsen-Anhalt | 8,4 |
| Mecklenb.-Vorpommern | 8,2 |
| Brandenburg | 7,6 |

**Alte Bundesländer**

| | (%) |
|---|---|
| Rheinland-Pfalz | 3,4 |
| Bayern | 2,9 |
| Bremen | 2,9 |
| Hessen | 2,6 |
| Schleswig-Holstein | 2,6 |
| Baden-Württemberg | 2,3 |
| Niedersachsen | 2,3 |
| Saarland | 2,3 |
| Hamburg | 2,2 |
| Nordrhein-Westfalen | 1,9 |
| Berlin | 0,6 |

Realer Anstieg des Bruttoinlandsprodukts (BIP) 1994 gegenüber 1993 (%)

Quelle: Arbeitskreis VWG der Länder  © Harenberg

### Wirtschaftswachstum: Entwicklung in Deutschland

| Bruttoinlandsprodukt | 1992 | 1993 | 1994 |
|---|---|---|---|
| Nominal (Mrd DM)[1] | 3075,6 | 3159,1 | 3321,1 |
| Real (Mrd DM)[2] | 2916,4 | 2883,6 | 2966,3 |
| Veränderung real (%)[2] | + 2,2 | − 1,1 | + 2,9 |

1) In jeweiligen Preisen; 2) in Preisen von 1991 (inflationsbereinigt); Quelle: Statistisches Bundesamt

| Wohngeld: Empfänger in Ostdeutschland | |
|---|---|
| Berufsgruppe | Anteil[1] (%) |
| Rentner | 47 |
| Arbeiter | 19 |
| Arbeitslose | 15 |
| Angestellte | 11 |
| Studenten[2] | 7 |
| Selbständige[3] | 1 |

1) Ohne Pauschal-Wohngeld und Sozialhilfeempfänger 1993; 2) inkl. Sonstige; 3) inkl. Beamte; Quelle: Statistisches Bundesamt

465

| Wohnungsbau: Finanzierung | |
|---|---|
| Kreditgeber | Anteil[1] (%) |
| Sparkassen | 31 |
| Kreditbanken | 16 |
| Hypothekenb. | 15 |
| Genossensch. | 12 |
| Bausparkassen | 12 |
| Versicherungen | 8 |
| Sonstige | 6 |

Stand: 1994; 1) Kredite für den Wohnungsbau an inländische Unternehmen und Privatpersonen; Quelle: Deutsche Bundesbank

## Wohngifte

In Baustoffen und Einrichtungsprodukten enthaltene Chemikalien, die bei Menschen Krankheiten verursachen können. W., zu denen Formaldehyd, Lösungsmittel, PVC (Polyvinylchlorid) und PCP (Pentachlorphenol) gehören, sind vor allem in Farben, Lacken, und Holzschutzmitteln enthalten. Die Verträglichkeit der Stoffe ist weitgehend ungeklärt. Neben Kopfschmerzen und Übelkeit können W. Organschäden und Veränderungen des Erbguts bewirken sowie Krebs erregen.

Als erste Krankenversicherung in Deutschland bietet die Innungskrankenkasse Düsseldorf zusammen mit dem Gesundheitsamt ab 1995 eine Umweltüberprüfung von Wohnungen an.

Wenn Verdacht auf Schadstoffe besteht, übernimmt die Krankenversicherung die Kosten der Untersuchung.
→ Chemikalien → Dioxin → Krebs

## Wohnungsbau

1994 wurden mit 573 859 so viele Wohnungen fertiggestellt wie seit 20 Jahren nicht mehr (Anstieg zu 1993: 26%). Nach etwa 600 000 neu erbauten Wohnungen 1995 wurden für 1996 rd. 480 000 und für das Jahr 2000 etwa 310 000 prognostiziert. Die Aussagen über den Fehlbestand sowie das notwendige Bauvolumen für ein ausgeglichenes Verhältnis von Angebot und Nachfrage gingen auseinander. Das Ifo-Institut für Wirtschaftsforschung (München) ging davon aus, daß in Westdeutschland zehn Jahre lang jeweils 550 000 Wohnungen gebaut werden müßten.
→ Mieten

## Wohnungsnot

Der Deutsche Mieterbund ging für 1994 von rd. 2,5 Mio fehlenden Wohnungen aus. Bis zum Jahr 2000 sei der Neubau von 550 000 bis 600 000 Wohnungen pro Jahr notwendig. Vor allem an preiswerten Wohnungen herrschte Mangel. Gründe für die W. waren steigende Bevölkerungszahlen und im Durchschnitt kleinere Haushalte mit dem Trend zu Einpersonenhaushalten.

In Westdeutschland standen 1993 etwa 800 000 Wohnungen vor allem wegen überhöhter Mietpreisforderungen leer. In den ostdeutschen Bundesländern wurden 400 000 Wohnungen nicht genutzt. Gründe waren ungeklärte Eigentumsverhältnisse und schlechter Wohnraumzustand.

Im Oktober 1994 trat ein Gesetz in Kraft, das die Einkommensgrenzen für den Anspruch auf eine Sozialwohnung erstmals seit 1981 erhöhte. Der Anteil der Haushalte mit Berechtigung auf eine Sozialwohnung stieg von 32% auf 40%. Für ein Ehepaar mit zwei Kindern erhöhte sich die Grenze von

### Wohnungsbau: Fertiggestellte Wohnungen

| Jahr | Deutschland | Westen | Osten |
|---|---|---|---|
| 1989 | 330 964 | 238 617 | 92 347 |
| 1990 | 318 956 | 256 488 | 62 468 |
| 1991 | 331 178 | 314 508 | 16 670 |
| 1992 | 386 052 | 374 575 | 11 477 |
| 1993 | 455 451 | 431 853 | 23 598 |
| 1994[1] | 573 859 | 505 198 | 68 661 |

1) Vorläufiges Ergebnis; Quelle: Statistisches Bundesamt

### Wohnungsbau: Neue Wohnungen in Bundesländern

| Land | 1980 | 1985 | 1990 | 1994[1] |
|---|---|---|---|---|
| Baden-Württemb. | 70 709 | 60 585 | 50 823 | 101 723 |
| Bayern | 75 925 | 70 213 | 61 879 | 113 335 |
| Berlin | 18 064 | 30 885 | 11 068 | 11 377 |
| Brandenburg | 18 611 | 14 889 | 9 550 | 13 835 |
| Bremen | 2 434 | 2 107 | 914 | 2 863 |
| Hamburg | 5 636 | 4 897 | 2 826 | 8 609 |
| Hessen | 30 738 | 25 633 | 20 474 | 41 400 |
| Meckl.-Vorpomm. | 13 666 | 11 701 | 9 779 | 8 500 |
| Niedersachsen | 49 394 | 29 298 | 33 731 | 69 213 |
| NRW | 96 898 | 74 651 | 51 892 | 100 491 |
| Rheinland-Pfalz | 25 142 | 21 458 | 17 282 | 34 120 |
| Saarland | 6 036 | 4 369 | 2 770 | 5 690 |
| Sachsen | 31 552 | 31 923 | 17 183 | 16 724 |
| Sachsen-Anhalt | 19 887 | 18 493 | 9 535 | 12 507 |
| Schleswig-Holstein | 19 209 | 11 474 | 8 976 | 21 114 |
| Thüringen | 16 935 | 15 199 | 19 274 | 12 358 |
| Deutschland | 500 837 | 427 775 | 318 178 | 573 859 |

1) Vorläufiges Ergebnis; Quelle: Statistisches Bundesamt

55 111 DM Jahresbruttoeinkommen auf 72 571 DM, für alleinstehende Erwerbstätige stieg sie von 26 000 DM auf 34 857 DM brutto im Jahr.
→ Mieten → Obdachlose

## WTO

**Name** World Trade Organization (engl.; Welthandelsorganisation)

**Sitz** Genf

**Gründung** 1995

**Oberste Instanz** Ministerkonferenz der Vertragspartner (mind. alle zwei Jahre)

**Generaldirektor** Renato Ruggiero/Italien (ab 1. 5. 1995, bis 1999)

**Funktion** UNO-Sonderorganisation zur Überwachung des Welthandels

Die WTO wurde am 1. 1. 1995 Rechtsnachfolgerin des GATT (General Agreement on Tariffs and Trade, engl.; Allgemeines Zoll- und Handelsabkommen, ab 1947) und bildet für alle seit Gründung des GATT geschlossenen Welthandelsabkommen, die ihre Gültigkeit behalten, den institutionellen Rahmen. Übergangsregelungen sehen eine einjährige Koexistenz von WTO und GATT vor. Generaldirektor Ruggiero löste GATT-Chef Peter Sutherland (Irland) ab, der die WTO Anfang 1995 kommissarisch geführt hatte. Das Gründungstreffen der rd. 125 Mitgliedstaaten findet 1996 in Singapur statt. Mit Einrichtung der WTO wurde ein Beschluß der achten GATT-Welthandelsrunde (sog. Uruguay-Runde, 1986–1994) umgesetzt.

**Aufgaben und Ziele:** Eine Hauptaufgabe der WTO ist die Bekämpfung des Protektionismus. Im Unterschied zum GATT sind Entscheidungen der WTO-Schlichtungsstelle verbindlich. Ein zweiter Arbeitsschwerpunkt ist die bessere Integration der Entwicklungsländer in die Weltwirtschaft. Die WTO will engere Beziehungen zur Weltbank und zum Internationalen Währungsfonds aufbauen, um die Probleme der Weltwirtschaft gemeinschaftlich zu lösen.

**Auswirkungen:** Nach Berechnungen der OECD führen die Ergebnisse der Uruguay-Runde von 1994 (z. B. Senkung von Zöllen um durchschnittlich 40%) zu einem Anstieg der Weltwirtschaftsleistung bis zum Jahr 2002 um 274 Mrd Dollar (386 Mrd DM). Allerdings wird der vereinbarte Subventionsabbau im Agrarhandel besonders die ärmsten Länder benachteiligen. Sie müssen mit steigenden Weltmarktpreisen für Nahrungsmittel rechnen.
→ Internationaler Währungsfonds → Protektionismus → Weltwirtschaft

## Wüstenausbreitung

→ Desertifikation

# Z

## Zapatisten

Angehörige der linksgerichteten Nationalen Befreiungsarmee Zapata (EZLN), die sich nach dem mexikanischen Revolutionsführer Emiliano Zapata (1879–1919) benannt haben. In dem südostmexikanischen Bundesstaat Chiapas begannen im Januar 1994 Kämpfe zwischen den Z. und der mexikanischen Armee. Die Z., die Teile der Provinz Chiapas unter ihre Kontrolle brachten, treten für die Rechte der unterdrückten indianischen Landbevölkerung ein und fordern demokratische Reformen für das mittelamerikanische Land.

Im Mai 1995 vereinbarten Regierung und Z. bei Waffenstillstandsgesprächen einen probeweisen Abzug der Armee aus den von ihr seit einer Großoffensive im Februar 1995 zurückeroberten Gebieten. Die Regierung behält die Souveränität über das Territorium, gesteht aber den Rebellen zu, für Sicherheit und Ordnung zu sorgen. Die Z. setzten ihren vorläufigen Anspruch auf Bewaffnung durch.

Die sozial benachteiligten Indios leben als Kleinbauern am Rande des Existenzminimums. Sie leiden unter gesellschaftlicher Diskriminierung, Ausbeutung und Landraub durch Groß-

| Wohnungsbau: Wohnflächen | |
|---|---|
| Land | Wohnfläche/ Einw.[1] (m²) |
| Saarland | 40,3 |
| Rheinl.-Pfalz | 39,6 |
| Niedersachsen | 38,3 |
| Bayern | 37,9 |
| Hessen | 37,4 |
| Schl.-Holstein | 37,3 |
| Baden-Württ. | 36,9 |
| Bremen | 36,5 |
| Berlin-West | 36,1 |
| NRW | 34,8 |
| Hamburg | 33,4 |
| Berlin-Ost | 30,6 |
| Thüringen | 29,8 |
| Sachsen-Anh. | 29,7 |
| Sachsen | 29,7 |
| Brandenburg | 28,7 |
| Meckl.-Vorp. | 26,8 |

Stand: 1995; 1) Durchschnittliche Wohnfläche; Quelle: Statistisches Bundesamt

| Zinsbesteuerung: Vergleich | |
|---|---|
| Land | Steuerabzug durch die Bank (%) |
| Belgien | 10–25 |
| Dänemark[1] | 0 |
| Deutschland[1] | 30 |
| Frankreich[1] | 15 |
| Großbritannien | 25 |
| Italien | 6,5–12,5 |
| Japan | 20 |
| Kanada[1] | 0–25 |
| Luxemburg | 0 |
| Niederlande[1] | 0 |
| Österreich | 22 |
| Schweiz | 35 |
| Spanien[1] | 25 |
| USA | 0–30 |

Stand: 1994; 1) Kontrollmitteilungen der Banken ans Finanzamt; Quelle: Bundesfinanzministerium

grundbesitzer. Gesundheitsfürsorge und Ausbildung sind mangelhaft. 1995 erhielten 60% der Kinder keinen Schulunterricht.

## Zeitarbeit

→ Leiharbeit

## Zeppelin

Für 1997 plante die Firma Zeppelin Lufttechnik (Friedrichshafen) den ersten Z.-Flug seit 1937. Anders als ballonartige Kleinluftschiffe (engl.: blimps), die seit den 70er Jahren für Reklamezwecke fahren, hat der Z. ein festes Gerüst. 1998 soll ein 70 m langer Z. für zwölf Passagiere in Serienfertigung gehen. Nach 2000 soll ein 110 m langer Z. 84 Passagiere oder 15 t Fracht transportieren. Das propellergetriebene Luftschiff besteht aus Leichtmetall und Kunststoff und ist mit unbrennbarem Helium gefüllt, das leichter als Luft ist und den Z. trägt.

## Zinsbesteuerung

Abgaben an den Staat für Kapitalerträge aus Spareinlagen und Wertpapieren. Für 1995 erwartete die Bundesregierung rd. 13,7 Mrd DM Einnahmen aus der Z. Jeweils 44% werden dem Bund bzw. den Ländern zugeteilt, die Gemeinden erhalten 12%. In Deutschland wurde 1995 die Verfassungsmäßigkeit der 1993 von der CDU/CSU/FDP-Koalition eingeführten Zinsabschlagsteuer diskutiert.

### Zeppelin: Alte und neue Technik im Vergleich

| Kennziffer | LZ 129 (1937) | LZN 07 (1997) | LZN 030 (2000) |
|---|---|---|---|
| Volumen (m³) | 200 000 | 7 200 | 30 000 |
| Länge (m) | 245 | 68 | 110 |
| Durchmesser (m) | 47 | 14 | 23 |
| Zuladung (kg) | 11 000 | 1 850 | 15 000 |
| Geschwind. (km/h) | 110 | 140 | 150 |
| max. Flughöhe (m) | 2 000 | 2 500 | 3 000 |
| Leistung (PS) | 4x1050 | 3x200 | – |
| Besatz./Passagiere | 60/72 | 2/12 | 2/84 |

Quelle: Wirtschaftswoche, 13. 4. 1995

**Zinsabschlag:** Die Banken müssen i. d. R. 30% der Zinseinkünfte jedes Sparers als Anzahlung auf dessen persönliche Einkommensteuer ans Finanzamt abführen. Die Differenz zur individuellen Steuerschuld sollen die Kapitaleigner über die Einkommensteuererklärung verrechnen. Der Steuerhöchstsatz beträgt 53%. Sparer, deren jährliche Kapitaleinkünfte unter 6100 DM (Verheiratete: 12 200 DM) liegen, können den Zinsabschlag durch Freistellungsaufträge an die Bank vermeiden (rd. 80% der Sparer).

**Steuerflucht:** 1991–1994 wurde Kapital im Umfang von ca. 300 Mrd DM ins Ausland verlagert. Hauptziel der Kapitalflucht ist Luxemburg, das als einziges EU-Land weder Quellensteuer noch Kontrollmitteilungen für Zinseinkünfte kennt. In der EU war 1994 die Einführung einer einheitlichen Z. gescheitert. Steuerfahndung und Staatsanwaltschaften ermittelten gegen Banken wegen des Verdachts auf Beihilfe zur Steuerhinterziehung.

**Neuregelung:** Die SPD sah in der Zinsabschlagsregelung einen Verstoß gegen das Gebot des Bundesverfassungsgerichts von 1991, durch bessere Kontrolle für eine tatsächlich und nicht nur nominell gleichmäßige Besteuerung zu sorgen. Steuern würden durch Kapitalflucht und Nichtangabe von Zinseinkünften in der Steuererklärung hinterzogen. Banken und SPD forderten eine sog. Abgeltungssteuer. Mit deren Zahlung durch die Bank wäre die Abgabepflicht erledigt, eine Nachversteuerung und damit die Möglichkeit zur Steuerhinterziehung entfiele. Diskutiert wurden auch Kontrollmitteilungen der Banken ans Finanzamt.
→ Banken → Steuern

## Zivildienst

Von Kriegsdienstverweigerern anstelle des Grundwehrdienstes abzuleistender Dienst. Ab 1. 1. 1996 wird die Dauer des Z. in Deutschland von 15 auf 13 Monate verkürzt. Der Z. ist um ein Drittel länger als der Wehrdienst. 1994

# Zivildienst

**Arbeitsbereiche von Zivildienstleistenden**

| Aufgaben | Aufteilung (%) |
|---|---|
| Pflege, Betreuung | 49 |
| Handwerk | 15 |
| Mobile Soziale Hilfsdienste | 11 |
| Krankentransport, Rettungswesen | 7 |
| Versorgung | 6 |
| Individuelle Schwerstbehindertenbetreuung | 5 |
| Umweltschutz | 4 |
| Sonstiges | 3 |

Stand: 1994; Quelle: Bundesamt für den Zivildienst (Köln)

Schleswig-Holstein
66,2% (5 208)
Kiel
WBV I

Barth-Gutglück
Mecklenburg-Vorpommern
67,2% (3 996)
Hamburg
Schwerin
72,4% (2 823)

63,5% (2 037)
Bremen
Buchholz
Bremen-Ritterhude
73,0% (14 054)
WBV II
Niedersachsen
Hannover
Braunschweig
Bad Oeynhausen
Ith

Sachsen-Anhalt
Berlin
72,4% (3 758)
Potsdam
WBV VII
Brandenburg
67,2% (4 516)
Magdeburg
75,4% (4 084)
Schleife
77,3% (10 218)
Dresden

Bocholt
WBV III
Nordrhein-Westfalen
Herdecke
64,2% (41 116)
Düsseldorf
59,1% (14 591)
Waldbröl
Erfurt
67,8% (6 075)
Thüringen
Hummelshain
Sachsen

Hessen
Wetzlar
WBV IV
Rheinland-Pfalz
Wiesbaden
Mainz
Trier
57,3% (7 570)
Staffelstein

68,0% (2 128)
Saarbrücken
Saarland
WBV V
Karlsruhe
Stuttgart
Seelbach
Bodelshausen
Baden-Württemberg
67,7% (26 906)

Bayern
WBV VI
67,8% (19 984)
Spiegelau
München
Geretsried

Zivildienstschulen
67,2% (3 996)
Zivildienstplätze und ihre Belegung
Stand: 15.5.1995; Quelle: Bundesamt für den Zivildienst

0        100 km
© Harenberg

**Zivildienstleistende** pro 100 000 Einwohner

| bis 100 | 101–130 | 131–160 | 161–190 | über 190 |
|---|---|---|---|---|

Grenze der Wehrbereichs-verwaltungen (WBV)

**Dieter Hackler**
* 3. 10. 1953 in Altenkirchen. CDU-Mitglied seit 1972, 1978–1981 Vikar und Pfarrer in Köln und Bergisch-Gladbach, 1981–1991 Pfarrer in Bonn, ab 1991 Bundesbeauftragter für den Zivildienst im Ministerium für Familie, Senioren, Frauen und Jugend.

gab es 127 566 Z.-Leistende. Von 169 100 Plätzen (Stand: 15. 5. 1995) waren 67% besetzt. Von Oktober 1994 bis Juni 1996 erhalten Verbände und freie Träger in Ostdeutschland, die Z.-Stellen einrichten, zusätzlich 4,50 DM für jeden besetzten Platz (Kosten: 39 Mio DM). Die Zahl der Z.-Plätze soll von 13 300 auf rd. 21 000 erhöht werden. Den Zivildienststellen wurde 1994 pro Person und Tag 16,22 DM gezahlt, 75% übernahm der Bund, der Rest der Träger.

→ Kriegsdienstverweigerung → Wehrpflicht

## Zweiter Arbeitsmarkt

Nichtamtliche Bezeichnung für einen staatlich finanzierten Ersatzarbeitsmarkt, der mit Programmen wie Arbeitsbeschaffungsmaßnahmen, Lohnkostenzuschüssen und Kurzarbeit zur Beschäftigungsförderung beitragen soll. Im Gegensatz zum ersten Arbeitsmarkt wird der Z. nicht durch Angebot und Nachfrage reguliert und ist an keine Tariflöhne gebunden. Dem Z. liegt die Idee zugrunde, staatliche Unterstützung nicht für die Finanzierung der Arbeitslosigkeit, sondern für produktive Beschäftigung einzusetzen.

Vor allem Langzeitarbeitslosen (Personen mit gesundheitlichen Einschränkungen und geringer Qualifikation, Frauen, ältere Arbeitnehmer) soll über Z. der Einstieg in den ersten Arbeitsmarkt ermöglicht werden. Gefördert werden zusätzlich geschaffene Tätigkeiten wie Umweltsanierung, soziale Dienste und Jugendhilfe. Die von den Kommunen angebotenen Arbeitsmöglichkeiten für Sozialhilfeempfänger zählen zum Z. Die Gewerkschaften kritisierten, daß der Z. dazu diene, Arbeitsplätze mit untertariflicher Bezahlung zu etablieren. Stellen des ersten Arbeitsmarktes würden zu Beschäftigungsmöglichkeiten des Z. umgewandelt, um Tariflöhne zu umgehen.

→ Arbeitsbeschaffungsmaßnahmen → Arbeitsmarkt → Lohnkostenzuschuß → Sozialhilfe

## Zwischenlagerung

Vorübergehende Lagerung (für einige Jahrzehnte) verbrauchten Kernbrennstoffs aus Atomkraftwerken vor der Wiederaufarbeitung oder Endlagerung. Mitte 1995 gab es weltweit keine Anlage zur Endlagerung von hochradioaktivem Müll. Im Juli 1994 genehmigte die Regierung von Mecklenburg-Vorpommern die Errichtung eines Zwischenlagers für schwach-, mittel- und hochradioaktiven Müll auf dem Gelände des stillgelegten Atomkraftwerks Lubmin bei Greifswald. Acht Lagerhallen (Fläche: 41 600 m$^2$) sollen ausgediente Brennelemente in CASTOR-Containern aufnehmen. Die erste Z. von hochradioaktiven Brennstäben in Gorleben verzögerte sich um ein Jahr bis April 1995 wegen der Weigerung Niedersachsens, die Erlaubnis für den Atomtransport zu erteilen. Atommüll wird außerdem in Atomkraftwerken, kerntechnischen Forschungseinrichtungen und Industrieanlagen aufbewahrt. Bis 2010 fallen in Deutschland nach einer Prognose des Bundesamts für Strahlenschutz 232 300 m$^3$ Atommüll an (1994: 63 800 m$^3$, davon ca. 1000 m$^3$ hochradioaktiv). Die Menge übersteigt die Kapazität der Zwischenlager von 1994 um nahezu das Doppelte.

→ Atomtransport → CASTOR → Endlagerung → Energiekonsens → Entsorgung

| Zwischenlagerung in Deutschland | |
|---|---|
| **Name (Bundesland)** | **Inbetriebnahme** |
| Ahaus[1] (NRW) | 1992 |
| Gorleben[1)2] (Niedersachsen) | 1984 |
| Jülich[1] (NRW) | 1993 |
| Karlsruhe[2)3] (Baden-Württem.) | k. A. |
| Lubmin[1)4] (Mecklenburg-Vorp.) | 1985 |
| Mitterteich[2] (Bayern) | 1987 |
| Rossendorf[2] (Sachsen) | 1994 |

1) Abgebrannte Brennelemente; 2) mittel- und schwachradioaktive Abfälle; 3) Kernforschungsanlage; 4) zusätzliches Zwischenlager 1996 geplant; Quelle: Bundesumweltministerium, Deutsches Atomforum

## Kriege und Krisenherde 1995

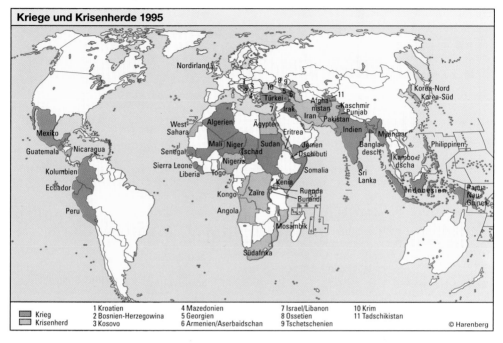

| | | | |
|---|---|---|---|
| ■ Krieg | 1 Kroatien | 4 Mazedonien | 7 Israel/Libanon | 10 Krim |
| ☐ Krisenherd | 2 Bosnien-Herzegowina | 5 Georgien | 8 Ossetien | 11 Tadschikistan |
| | 3 Kosovo | 6 Armenien/Aserbaidschan | 9 Tschetschenien | |

© Harenberg

Der Teil Staaten der Welt enthält die wichtigsten Daten auf dem letztverfügbaren Stand für alle 192 selbständigen Länder der Erde. Die Pilotkarte erleichtert eine geographische Einordnung. Unter dem Hinweis „Lage" findet sich der Verweis auf den Kartenteil in dieser Ausgabe.

Die Standarddaten ermöglichen einen Vergleich aller Länder der Welt hinsichtlich Fläche, Einwohner, Einwohner/km², Bevölkerungswachstum/Jahr, BSP/ Kopf, Inflation, Arbeitslosenrate, Urbanisierung, Alphabetisierung und Einwohner pro Arzt. Für Fläche und Einwohnerzahl wird in Klammern der Platz in der Weltrangliste innerhalb aller Staaten angegeben. Die Daten zum Bevölkerungswachstum/Jahr beziehen sich auf das durchschnittliche jährliche Wachstum des jeweils letztverfügbaren Zeitraums. Werden in dem Land mehrere Sprachen gesprochen, ist die Amtssprache kursiv gesetzt. Die Angabe Parlament gibt Auskunft über den Zeitpunkt der letzten Wahl sowie über die Sitzverteilung in der Volksvertretung. In Einzelfällen sind keine Angaben (Kennzeichnung mit k. A.) erhältlich.

A B C D E F

**D Ä N E M A R K**

Bornholm
(Dän.)

● ■ Bundes- u. Landes-
hauptstadt

Sylt
Föhr

Ostsee

■ □ Millionenstadt

Schleswig-

Fehmarn

Rügen

o sonstige Stadt

Helgoland

Holstein
Lübeck

Kiel

Usedom

0 25 75 km

● Rostock

Wollin

Nordsee

Ostfriesische In.

Hamburg

Mecklenburg-Vorpommern

Stettin

Westfriesische In.

Bremer-
haven

Schwerin

Neubranden-
burg

Groningen

Bremen

Oldenburg

Elbe

POLEN

Niedersachsen

Berlin

Ijssel-
meer

BUNDESREPUBLIK

Frankfurt/O.

NIEDER-
LANDE

Ems

Hannover

Sachsen-

Potsdam

Brandenburg

Münster

Weser

Magdeburg

Anhalt

Elbe

Oder

Nordrhein-Westfalen

Halle

Leipzig

Cottbus

Essen

Kassel

Saale

Sachsen

Düsseldorf

Erfurt

Dresden

Köln

Werra

Thüringen

Gera

Bonn

Hessen

Suhl

Chemnitz

BEL-
GIEN

Wiesbaden

Frankfurt/M.

Main

Prag

LUX.

Rheinland-

Würzburg

TSCHECHISCHE

Luxem-
burg

Mosel

Mainz

Pilsen

REPUBLIK

Saarland

Pfalz

Bayern

Metz

Saarbrücken

Mannheim

Nürnberg

Karlsruhe

Regensburg

Straßburg

Baden-

DEUTSCHLAND

Stuttgart

Donau

FRANKREICH

Rhein

Ulm

Augsburg

Donau

Württemberg

Freiburg

Bodensee

München

Salzburg

Basel

SCHWEIZ

ÖSTERREICH

© Harenberg

Europäisches Nordmeer

Jan Mayen (Norw.)

ISLAND

Reykjavik

■ Hauptstadt

■ □ Millionenstadt

○ sonstige Stadt

0    250    750 km

ATLANTISCHER

Färöer (Dän.)

NORWEGEN

FINNLAND

Shetland-Inseln

Orkney-Inseln

Bergen

SCHWEDEN

Helsinki

Oslo

Stockholm

Tallinn

St. Petersburg

Glasgow   Nord-

Göteborg

Ost-

ESTLAND

RUSSLAND

Belfast

IRLAND   Dublin   GROSS-BRITANNIEN   see   DÄNEMARK

Riga

LETT-LAND

Birmingham   NIEDER-LANDE   Kopenhagen

see

LITAUEN

Wilna

Minsk

London   Amsterdam   Hamburg

(RUSSL.)

Berlin

WEISS-RUSSLAND

OZEAN   Brüssel   DEUTSCH-LAND   POLEN   Warschau

BELGIEN

LUX.

Paris

Łódź

UKRAINE   Kiew

FRANKREICH   LIECH.   Prag   TSCHECH. REP.

München

Wien   SLOWAKEI

Bratislava

Lemberg

Bern   ÖSTER-REICH   Budapest   MOLDA-WIEN

SCHWEIZ

Lyon

UNGARN

Chişinău

Mailand   SLOWENIEN

RUMÄNIEN

Odessa

Turin   Zagreb

KROATIEN

Marseille   SAN. MARINO   BOSNIEN-HERZEG.   Belgrad   Bukarest

PORTU-GAL   ANDORRA   MONACO

Lissabon

Madrid   Barcelona   VATIKAN-STADT   Rom   Sarajevo   JUGO-SLAWIEN   Sofia   BULGARIEN

SPANIEN   Korsika

ITALIEN

Tirana   MAZEDO-NIEN   Istanbul

Sevilla   Valencia

Sardinien

Neapel

ALBA-NIEN   GRIECHEN-LAND   TÜRKEI

Málaga

Mittel-

Sizilien

Izmir

Gibraltar (GB)   Melilla (Sp.)

Balearen

Palermo

Athen

Rabat   Algier

Kreta

MAROKKO

Tunis   MALTA   Valletta

ALGERIEN   TUNESIEN

meer

Tripolis

LIBYEN

© Harenberg

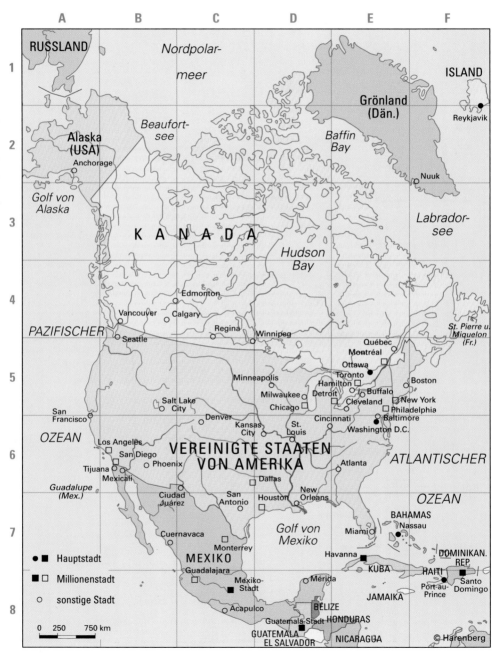

Nordamerika

A B C D E F

RUSSLAND

*Nordpolar-meer*

ISLAND

Grönland (Dän.)

Reykjavik

*Beaufort-see*

*Baffin Bay*

Alaska (USA)

Anchorage

Nuuk

*Golf von Alaska*

K A N A D A

*Labrador-see*

*Hudson Bay*

Edmonton

Vancouver Calgary

PAZIFISCHER

*St. Pierre u. Miquelon (Fr.)*

Regina Winnipeg

Seattle

Québec

Montréal

Ottawa

Minneapolis

Toronto

Hamilton Buffalo Boston

Milwaukee Detroit

Cleveland New York

San Francisco

Chicago Philadelphia

OZEAN

Salt Lake City

Denver Kansas City St. Louis Cincinnati Baltimore

Washington D.C.

Los Angeles

San Diego

VEREINIGTE STAATEN VON AMERIKA

Tijuana

Phoenix

Atlanta

ATLANTISCHER

Mexicali

Dallas

*Guadalupe (Mex.)*

Ciudad Juárez

San Antonio

New Orleans

Houston

OZEAN

BAHAMAS

Nassau

Miami

*Golf von Mexiko*

Cuernavaca

Havanna

DOMINIKAN. REP.

Monterrey

MEXIKO

KUBA

HAITI

Santo Domingo

Guadalajara

JAMAIKA

Port-au-Prince

Mexiko-Stadt

Mérida

● ■ Hauptstadt

■ □ Millionenstadt

○ sonstige Stadt

Acapulco

BELIZE

Guatemala-Stadt HONDURAS

0 250 750 km

GUATEMALA EL SALVADOR NICARAGUA

© Harenberg

472

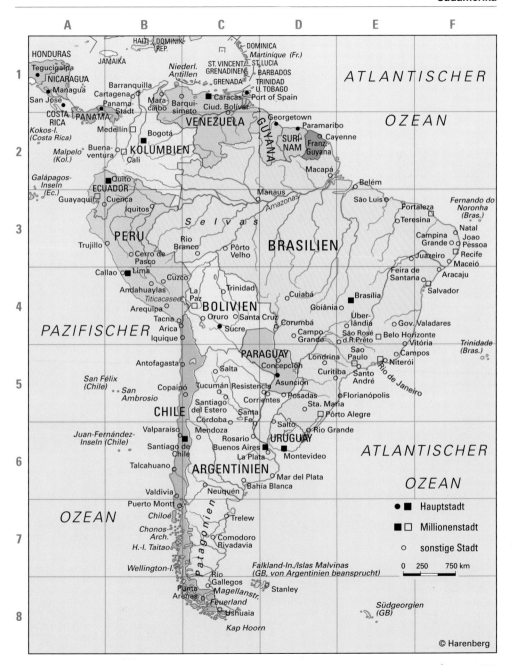

| | A | B | C | D | E | F |
|---|---|---|---|---|---|---|

HONDURAS

Tegucigalpa
NICARAGUA
Managua
San José
COSTA RICA
Kokos-I.
(Costa Rica)
Malpelo
(Kol.)
Galápagos-
Inseln
(Ec.)

JAMAIKA

Barranquilla
Cartagena
Panama-
Stadt
PANAMA
Medellín
Bogotá
Buena-
ventura
Cali
KOLUMBIEN
Quito
ECUADOR
Guayaquil  Cuenca
Iquitos
PERU
Trujillo
Cerro de
Pasco
Callao  Lima
Cúzco
Andahuaylas
Titicacasee
Arequipa
Tacna
Arica
Iquique

HAITI  DOMINIK.-
REP.
Niederl.
Antillen
Mara-
caibo  Barqui-
simeto
Caracas
Ciud. Bolívar
VENEZUELA

GUAYANA

DOMINICA
Martinique (Fr.)
ST. VINCENT  ST. LUCIA
GRENADINEN  BARBADOS
GRENADA  TRINIDAD
U. TOBAGO
Port of Spain
Georgetown  Paramaribo
SURI-  Cayenne
NAM  Franz.-
Guyana
Macapá

ATLANTISCHER

OZEAN

Belém

São Luis
Fortaleza
Teresina
Manaus
Amazonas
S e l v a s
Rio
Branco
Pôrto
Velho
BRASILIEN

Campina
Grande  Joao
Pessoa
Juàzeiro  Recife
Maceió
Feira de
Santana  Aracaju
Salvador

Fernando do
Noronha
(Bras.)
Natal

La
Paz
Trinidad
BOLIVIEN
Oruro  Santa Cruz
Sucre
PAZIFISCHER
Cuiabá
Corumbá
Campo
Grande
Goiânia
Brasília
Über-
lândia
São Rosé
d.R.Prêto
Gov. Valadares
Belo Horizonte
Vitória
Trinidade
(Bras.)

Antofagasta
San Félix
(Chile)
San
Ambrosio
Copaipó
PARAGUAY
Salta
Tucumán  Resistencia
Concepción
Asunción
Corrientes
Posadas
Londrina
Curitiba
Sao
Paulo
Santo
André
Campos
Niterói
Florianópolis
Rio de Janeiro

Juan-Fernández-
Inseln (Chile)
CHILE
Valparaíso
Santiago de
Chile
Talcahuano
Santiago
del Estero
Córdoba
Mendoza
Rosario
Santa
Fe
Salto
Rio Grande
URUGUAY
Buenos Aires
La Plata
Montevideo
Sta. Maria
Pôrto Alegre

ATLANTISCHER

OZEAN

Valdivia
Puerto Montt
Chiloé
Chonos-
Arch.
H.-I. Taitao
ARGENTINIEN
Neuquén
Bahía Blanca
Mar del Plata
Trelew

OZEAN

Patagonien

Comodoro
Rivadavia
Wellington-I.

Falkland-In./Islas Malvinas
(GB, von Argentinien beansprucht)

Rio
Gallegos
Punta
Arenas
Magellanstr.
Feuerland
Ushuaia
Stanley

Südgeorgien
(GB)

Kap Hoorn

● ■ Hauptstadt

■ □ Millionenstadt

○ sonstige Stadt

0  250  750 km

© Harenberg

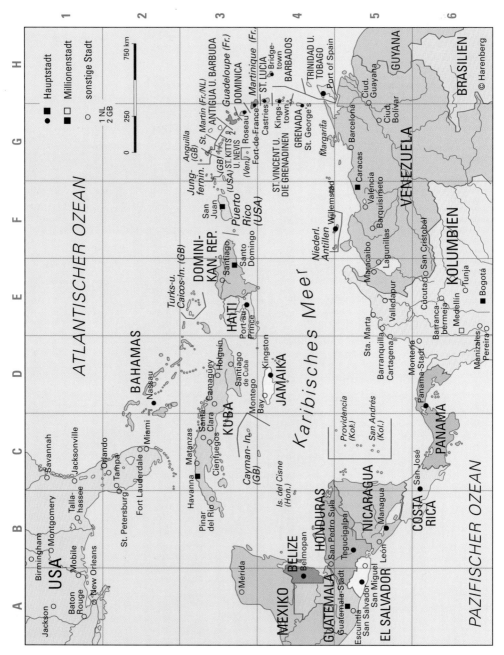

© Harenberg

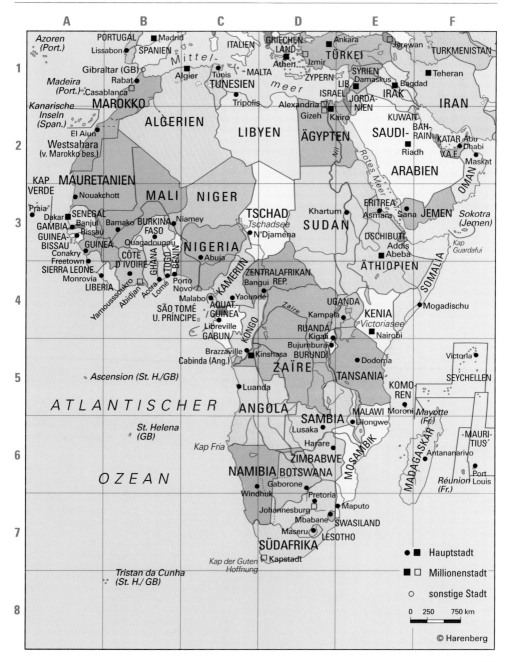

**Hauptstadt** ●■

**Millionenstadt** ■□

**sonstige Stadt** ○

0   250   750 km

© Harenberg

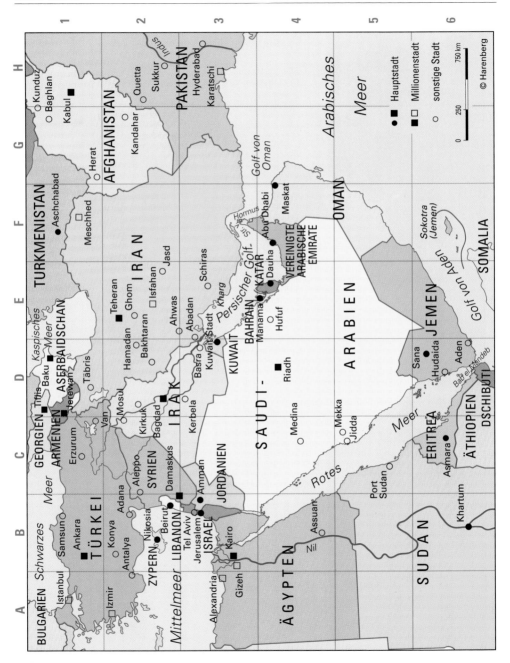

Naher Osten

Hauptstadt ■
Millionenstadt □
sonstige Stadt ○

0   250   750 km

© Harenberg

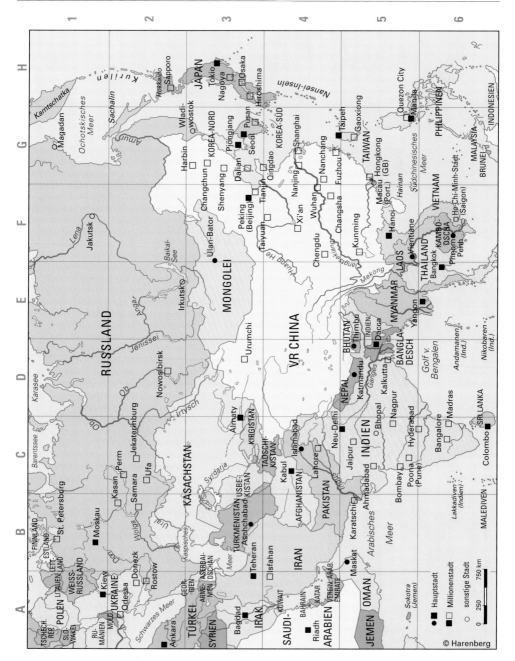

© Harenberg

479

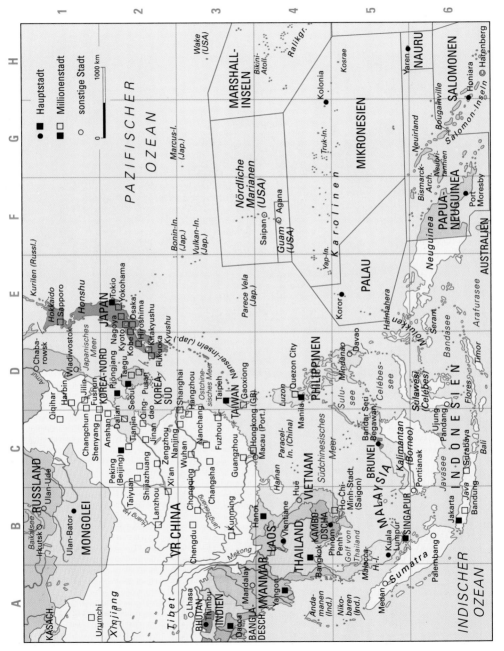

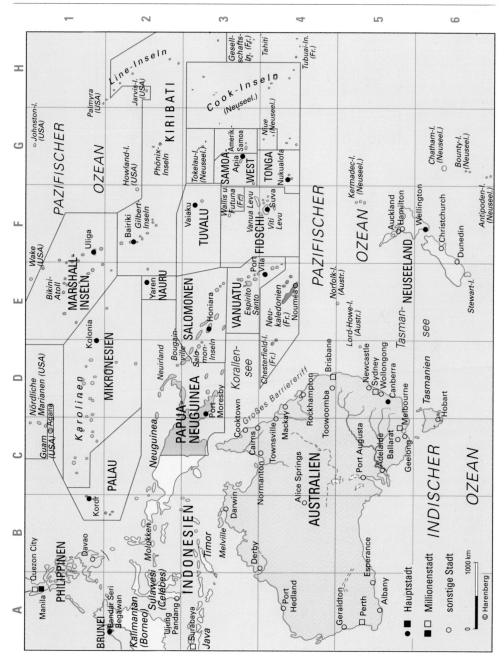

Line-Inseln
*Gesell-schafts-In. (Fr.)*
*Tahiti*
*Tubuai-In. (Fr.)*

*Johnston-I. (USA)*
*Palmyra (USA)*
*Jarvis-I. (USA)*

PAZIFISCHER
OZEAN

KIRIBATI

Cook-Inseln
(Neuseel.)

*Niue (Neuseel.)*

*Howland-I. (USA)*
*Phönix-Inseln*
*Bairiki*
*Gilbert-Inseln*

*Wake (USA)*
Uliga

*Bikini-Atoll*
MARSHALL-INSELN

*Tokelau-I. (Neuseel.)*
SAMOA
*Amerik.-Samoa*
Apia
WEST
TONGA
Nukualofa

*Wallis u. Futuna (Fr.)*

*Vaiaku*
TUVALU

*Vana Levu*
FIDSCHI
*Viti Levu*
Suva

*Chatham-I. (Neuseel.)*
*Bounty-I. (Neuseel.)*
*Antipoden-I. (Neuseel.)*

Kolonia

MIKRONESIEN

Yaren
NAURU

*Espirito Santo*
VANUATU
*Neu-kaledonien (Fr.)*
Nouméa

Port Vila

SALOMONEN
Honiara

PAZIFISCHER
OZEAN

*Kermadec-I. (Neuseel.)*

Auckland
Hamilton
Wellington

NEUSEELAND

Christchurch
Dunedin

*Stewart-I.*

*Norfolk-I. (Austr.)*

*Nördliche Marianen (USA)*
*Agana*

*Guam (USA)*

Karolinen

PALAU

Korol

*Neuirland*

*Bougain-ville*
*Salo-mon-Inseln*

PAPUA-NEUGUINEA

*Neuguinea*

Port Moresby

Korallen-see

*Großes Barriereriff*

*Chesterfield-I. (Fr.)*

*Lord-Howe-I. (Austr.)*

Tasman-
see

Quezon City
Davao

PHILIPPINEN
Manila

BRUNEI
Bandar Seri Begawan

*Kalimantan (Borneo)*
*Ujung Pandang*

*Sulawesi (Celebes)*

*Molukken*

INDONESIEN

*Timor*

Melville

Darwin

Derby

*Java*
Surabaya

Cooktown

Cairns

Normanton

Townsville

Mackay

Rockhampton

Brisbane

Toowoomba

Alice Springs

AUSTRALIEN

Port Augusta

Newcastle
Sydney
Wollongong
Canberra

Adelaide
Ballarat
Geelong
Melbourne

*Tasmanien*
Hobart

Port Hedland

Geraldton
Perth
Albany

Esperance

INDISCHER
OZEAN

INDISCHER
OZEAN

■ Hauptstadt
● Millionenstadt
□ sonstige Stadt
○

1000 km

0

© Harenberg

## Afghanistan

| | |
|---|---|
| **Lage** Asien, Karte S. 479, C 4 | |
| **Fläche** 652 225 km² (WR 40) | |
| **Einwohner** 20,3 Mio (WR 44) | |
| **Einwohner/km²** 31,1 (1993) | |
| **Bev.-Wachstum/Jahr** 4,2% Ø | |
| **Pkw.-Kennzeichen** AFG | |

**Hauptstadt** Kabul (1,4 Mio Einwohner)

**Sprache** Paschtu, Dari

**Religion** Moslemisch (99%)

**Währung** 1 Afghani (AF) = 100 Puls (PL)

| | |
|---|---|
| **BSP/Kopf** 300 $ (1992) | **Urbanisierung** 19,0% |
| **Inflation** k. A. | **Alphabetisierung** 29,0% |
| **Arbeitslos.** k. A. | **Einw. pro Arzt** 6430 |

**Reg.-Chef** Gulbuddin Hekmatyar (seit 1993) * 1950

**Staatsob.** Burhanuddin Rabbani (seit 1992) * 1940

**Staatsform** Islamische Republik

**Parlament** 205 Mitglieder der Wahlmännerversammlung (sog. Schura), die den Präsidenten wählt (Parlamentsbildung von 1993)

Bis Mitte 1995 dauerte der seit 1992 andauernde Bürgerkrieg zwischen den verschiedenen Mudschaheddin-Fraktionen in A. an. Im März 1995 scheiterte ein Friedensplan der UNO, demzufolge Präsident Burhanuddin Rabbani sein Amt an einen aus zehn Bürgerkriegsmilizen zu bildenden Übergangsrat abgeben sollte. Nach militärischen Erfolgen der Regierungstruppen unter Ahmed Schah Massud weigerte sich der Präsident, sein Amt niederzulegen.

Weite Teile der afghanischen Bevölkerung litten 1995 unter Hunger. Da 10 Mio Minen verlegt sind, konnten die Felder nicht bestellt werden. 200 000 Menschen fielen Minen zum Opfer, 400 000 wurden bei den Explosionen verstümmelt. Acht Minenräumtrupps der UNO konnten bis Mitte 1995 rd. 6000 Sprengkörper entschärfen. Nach UNO-Angaben starben seit dem Einmarsch der Russen in A. 1979 zwischen 3 Mio und 4 Mio Kinder an Unterernährung und leicht vermeidbaren Krankheiten. Drei Viertel der Bevölkerung verloren bis Mitte 1995 im Bürgerkrieg ihre Wohnungen und Häuser. Über 3 Mio Afghanen flohen vor dem Bürgerkrieg aus ihrem Land. Die monatelangen Kämpfe um die Hauptstadt Kabul, die bis Anfang 1995 andauerten, führten zur Flucht von rd. 1 Mio Menschen.

→ Minen → Mudschaheddin → Taliban

## Ägypten

| | |
|---|---|
| **Lage** Naher Osten, Karte S. 478, B 3 | |
| **Fläche** 997 739 km² (WR 29) | |
| **Einwohner** 57,1 Mio (WR 21) | |
| **Einwohner/km²** 57,2 (1993) | |
| **Bev.-Wachstum/Jahr** 2,2% Ø | |
| **Pkw.-Kennzeichen** ET | |

**Hauptstadt** Kairo (15 Mio Einwohner)

**Sprache** *Arabisch,* Englisch

**Religion** Moslemisch (90%), christlich (10%)

**Währung** 1 ägyptisches Pfund (LE) = 100 Piaster

| | |
|---|---|
| **BSP/Kopf** 660 $ (1993) | **Urbanisierung** 44% |
| **Inflation** 9,5% (1994) | **Alphabetisierung** 48% |
| **Arbeitslos.** 20% (1994) | **Einw. pro Arzt** 1320 |

**Reg.-Chef** Atif Sidki (seit 1986) * 21. 8. 1930

**Staatsob.** Mohamed Hosni Mubarak (seit 1981) * 4. 5.1928

**Staatsform** Präsidiale Republik

**Parlament** Nationalvers. mit 455 Abgeordneten, 414 Sitze für Nationaldemokr. Partei, 5 für Nat. Fortschrittsunion, 35 für Unabh. (Wahl von 1990); Schura als beratendes Organ

Staatspräsident Hosni Mubarak entging im Juni 1995 einem Attentat der fundamentalistischen Untergrundorganisation Dschamaat Islamija in der äthiopischen Hauptstadt Addis Abeba. Nachdem die ägyptische Regierung dem Sudan eine Beteiligung an dem Anschlag vorgeworfen hatte, bereitete Ä. militärische Maßnahmen vor. Khartum erwog die Aufkündigung aller Grenzverträge, u. a. über die gemeinsame Nutzung des Nilwassers. Auseinandersetzungen zwischen ägyptischen Sicherheitskräften und radikalen Islamisten, die einen Gottesstaat nach iranischem Vorbild anstreben, forderten seit 1991 rd. 2000 Menschenleben.

**Keine Demokratisierung:** Neben der regierenden Nationaldemokratischen Partei (NDP) nahmen im Juni/Juli 1994 Vertreter legaler Oppositionsparteien an der Konferenz des nationalen Dialogs in Kairo teil. Die geduldete, aber nicht als Partei zugelassene islamistische Ikhwan al-Muslimin (Moslem-Bruderschaft) war ausgeschlossen. Nasseristen und die Neue Wafd-Partei boykottierten die Konferenz, weil sie von der NDP dominiert war. Die Opposition kritisierte, daß nicht über ihre Forderungen, Verfassungsänderung, Wahlrechtsreform, uneingeschränkte Zulassung von Parteien u. a. diskutiert wurde.

**Terror und Gegengewalt:** Am 14. 10. 1994 verletzten islamische Extremisten den ägyptischen

**Ägypten: Staatspräsident Mohamed Hosni Mubarak**
* 4. 5. 1928 in Kafr al-Meselha. Der Berufsoffizier wurde 1969 Oberbefehlshaber der Luftwaffe. Seit 1975 Vizepräsident, war Mubarak 1979 Sondergesandter bei den Friedensverhandlungen mit Israel. 1981 trat er die Nachfolge des ermordeten Präsidenten Anwar as-Sadat an. 1993 wurde Mubarak als einziger Kandidat für eine dritte Amtsperiode gewählt.

Literaturnobelpreisträger Nagib Mahfus bei einem Attentat in Kairo. Mahfus spricht sich gegen religiösen Fanatismus aus. Für zahlreiche Anschläge werden die fundamentalistischen Untergrundorganisation Al-Dschihad (Heiliger Krieg), die 1981 Präsident Anwar as-Sadat ermordet hatte, und Dschamaat Islamija (Islamische Vereinigung) verantwortlich gemacht.
**Wirtschaft:** Im Rahmen des 1991 begonnenen Strukturreformprogramms wurden bis Mitte 1995 314 staatliche Unternehmen in Holdinggesellschaften zusammengefaßt. Für 80 Staatsbetriebe suchte die Regierung Mitte 1995 noch Käufer.

##  Algerien

| | |
|---|---|
| **Lage** Afrika, Karte S. 477, C 1 | |
| **Fläche** 2 381 741 km² (WR 11) | |
| **Einwohner** 27,0 Mio (WR 34) | |
| **Einwohner/km²** 11,3 (1993) | |
| **Bev.-Wachstum/Jahr** 2,2% Ø | |
| **Pkw.-Kennzeichen** DZ | |

**Hauptstadt** Algier (3,1 Mio Einwohner)

**Sprache** *Arabisch,* Französisch

**Religion** Moslemisch (99,5%), katholisch (0,1%)

**Währung** 1 Algerischer Dinar (DA) = 100 Centimes

| | |
|---|---|
| **BSP/Kopf** 1840 $ (1992) | **Urbanisierung** 54,0% |
| **Inflation** 38,7% (1994) | **Alphabetisierung** 57,0% |
| **Arbeitslos.** 30% (1994) | **Einw. pro Arzt** 1062 |

**Reg.-Chef** Mokdad Sifi (seit April 1994) * 21. 4. 1940

**Staatsob.** Liamine Zeroual (seit Februar 1994) * 3. 7. 1941

**Staatsform** Republik

**Parlament** Nationalversammlung mit 295 für fünf Jahre gewählten Abgeordneten; im Januar 1992 aufgelöst; Übergangsrat mit 180 Mitgliedern bis zu freien Wahlen voraussichtlich 1997

In einem Großeinsatz gegen islamische Extremisten töteten algerische Sicherheitskräfte im März 1995 über 300 Fundamentalisten. Die bürgerkriegsähnlichen Auseinandersetzungen seit Verhängung des Ausnahmezustandes im Februar 1992 forderten bis Mitte 1995 über 30 000 Todesopfer.
Die bei der ersten freien Wahl Ende 1991 durch Annullierung um den Sieg betrogene Islamische Heilsfront (FIS) strebt einen islamischen Staat an. Die Terrororganisation Bewaffnete Islamische Gruppe (GIA), die für die meisten Terroranschläge verantwortlich war, entführte Ende 1994 ein französisches Verkehrsflugzeug von Algier nach Marseille und tötete drei Passagiere. Mit dem Ziel A. zu destabilisieren, ermordeten Islamisten bis Mitte 1995 rd. 75 Ausländer.
Die wichtigsten Oppositionsgruppen, u. a. die verbotenen FIS, die Front der Sozialistischen Kräfte (FFS) und die ehemalige Einheitspartei Nationale Befreiungsfront (FLN), einigten sich im Januar 1995 in Rom auf einen Plan zur Beilegung der Krise. Sie forderten freie Wahlen, die Aufhebung des Ausnahmezustandes und die Freilassung aller politischen Gefangenen. Die Übergangsregierung unter Ministerpräsident Mokdad Sifi lehnte den Plan ab. Präsident Liamine Zeroual plant noch 1995 Präsidentschaftswahlen.

## Albanien

| | |
|---|---|
| **Lage** Europa, Karte S. 473, E 7 | |
| **Fläche** 28 748 km² (WR 139) | |
| **Einwohner** 3,4 Mio (WR 123) | |
| **Einwohner/km²** 119,0 (1993) | |
| **Bev.-Wachstum/Jahr** 1,0% Ø | |
| **Pkw.-Kennzeichen** AL | |

**Hauptstadt** Tirana (243 000 Einwohner)

**Sprache** Albanisch (Toskisch)

**Religion** Moslemisch (65%), christlich (33%)

**Währung** 1 Lek = 100 Quindarka

| | |
|---|---|
| **BSP/Kopf** 200 $ (1991) | **Urbanisierung** 35% |
| **Inflation** 27% (1994) | **Alphabetisierung** 72% |
| **Arbeitslos.** 18% (1994) | **Einw. pro Arzt** 574 |

**Reg.-Chef** Aleksander Meksi (seit 1992) * 8. 3. 1939

**Staatsob.** Salih Berisha (seit 1992) * 11. 7. 1944

**Staatsform** Präsidiale Republik

**Parlament** Volksversammlung mit 140 für vier Jahre gewählten Abgeordneten; 92 Sitze für Demokratische Partei, 38 für Sozialistische Partei, 7 für Sozialdemokraten, 2 für Omonia/VPM (griechische Minderheit), 1 für Republikaner (Wahl von 1992)

**Andorra**

| | |
|---|---|
| **Lage** Europa, Karte S. 473, B 6 | |
| **Fläche** 468 km² (WR 178) | |
| **Einwohner** 62 000 (WR 183) | |
| **Einwohner/km²** 132,5 (1993) | |
| **Bev.-Wachstum/Jahr** 3,5% Ø | |
| **Pkw.-Kennzeichen** AND | |

**Hauptstadt** Andorra la Vella (22 000 Einwohner)

**Sprache** *Katalanisch,* Spanisch, Französisch

**Religion** Katholisch (94,4%)

**Währung** Franz. Franc (FF), Spanische Peseta (Pta)

| | |
|---|---|
| **BSP/Kopf** 16 620 $ (1991) | **Urbanisierung** 63,0% |
| **Inflation** 10% (1991) | **Alphabetisierung** 100% |
| **Arbeitslos.** k. A. | **Einw. pro Arzt** 502 |

**Reg.-Chef** Marc Forné (seit 7. 12. 1994) * 1946

**Staatsob.** Bischof von Urgel/Spanien, franz. Präsident

**Staatsform** Parlamentarisches Fürstentum

**Parlament** Generalrat mit 28 für vier Jahre gewählten Abgeordneten; 4 Sitze für National-dem. Allianz, 3 Sitze für Liberale, 3 für Neue Demokratie, 2 für Dem. Initiative, 2 für Nationale Koalition, 14 für andere (Wahl von 1993)

Nach zwölfmonatigen Verhandlungen einigten sich die regierende sozialistische Volksbewegung zur Befreiung Angolas (MPLA) unter Staatspräsident José Eduardo dos Santos und die von Jonas Savimbi angeführten rechtsgerichteten Rebellen der Nationalunion für die völlige Unabhängigkeit Angolas (UNITA) am 20. 11. 1994 in Lusaka/Sambia auf ein Friedensabkommen. Damit wurde formal der seit 1975 andauernde Bürgerkrieg in dem südwestafrikanischen Land beendet. Bis 1995 forderte der Konflikt rd. 200 000 Menschenleben.

MPLA und UNITA beschlossen die Bildung einer gemeinsamen Regierung. Politische Gefangene sollen freigelassen, die von der Regierung angeheuerten südafrikanischen Söldner abgezogen und die UNITA-Streitkräfte entwaffnet werden. Die UNITA beendete im Februar 1995 den bewaffneten Kampf und wandelte sich in eine politische Partei um. Zur Sicherung des Friedensprozesses kamen im Mai 1995 die ersten Soldaten der 7500 Mann starken UNO-Blauhelmtruppe ins Land. Im Mai 1991 hatten die Kriegsparteien einen ersten Friedensvertrag geschlossen. Nach dem Sieg der MPLA bei den ersten freien Wahlen 1992 waren die Kämpfe erneut aufgeflammt. Im Mai 1995 erkannte Savimbi das Wahlergebnis von 1992 und dos Santos als Präsidenten an.

 **Angola**

| | |
|---|---|
| **Lage** Afrika, Karte S. 477, C 5 | |
| **Fläche** 1 246 700 km² (WR 23) | |
| **Einwohner** 10,9 Mio (WR 63) | |
| **Einwohner/km²** 8,8 (1993) | |
| **Bev.-Wachstum/Jahr** 3,0% Ø | |
| **Pkw.-Kennzeichen** k. A. | |

**Hauptstadt** Luanda (1,1 Mio Einwohner)

**Sprache** *Portugiesisch,* Bantusprachen

**Religion** Christlich (90,0%), Volksreligionen (9,5%)

**Währung** 1 Neuer Kwanza (NKz) = 100 Lwei (Lw)

| | |
|---|---|
| **BSP/Kopf** 800 $ (1992) | **Urbanisierung** 28% |
| **Inflation** 0,0% (offiz. Angabe) | **Alphabetisierung** 42% |
| **Arbeitslos.** 10% (1991) | **Einw. pro Arzt** 15 136 |

**Reg.-Chef** Marcolino Moco (seit 1992) * 1952

**Staatsob.** José Eduardo dos Santos (seit 1979) * 1942

**Staatsform** Republik

**Parlament** Volksversammlung mit 223 Abgeordneten; 129 Sitze für Volksbewegung zur Befreiung Angolas, 70 für Nationalunion für die völlige Unabhängigkeit Angolas, 24 für andere (Wahl von 1992)

 **Antigua und Barbuda**

| | |
|---|---|
| **Lage** Mittelam., Karte S. 510, G 3 | |
| **Fläche** 442 km² (WR 179) | |
| **Einwohner** 66 000 (WR 182) | |
| **Einwohner/km²** 149,5 (1993) | |
| **Bev.-Wachstum/Jahr** 1,2% Ø | |
| **Pkw.-Kennzeichen** k. A. | |

**Hauptstadt** Saint John's (36 000 Einwohner)

**Sprache** *Englisch,* kreolisches Englisch

**Religion** Christlich (96,3%), Rastafari (0,7%)

**Währung** 1 Ostkaribischer Dollar (EC $) = 100 Cents

| | |
|---|---|
| **BSP/Kopf** 6390 $ (1993) | **Urbanisierung** 31% |
| **Inflation** 6% (1994) | **Alphabetisierung** 90% |
| **Arbeitslos.** 12,2% (1994) | **Einw. pro Arzt** 1333 |

**Reg.-Chef** Lester Bryant Bird (seit 9. 3. 1994) * 21. 2. 1938

**Staatsob.** Königin Elizabeth II. (seit 1981) * 21. 4. 1926

**Staatsform** Parlam. Monarchie im Commonwealth

**Parlament** Senat mit 17 ernannten und Repräsentantenhaus mit 17 gewählten Abgeordneten; 11 Sitze für Konservative Antigua Labour Party, 5 für Progressive Party, 1 für Barbados People's Movement (Wahl vom März 1994)

# Argentinien

**Lage** Südamerika, Karte S. 475, D 6

**Fläche** 2,77 Mio km² (WR 8)

**Einwohner** 33,5 Mio (WR 31)

**Einwohner/km²** 12,1 (1993)

**Bev.-Wachstum/Jahr** 1,0% Ø

**Pkw.-Kennzeichen** RA

**Hauptstadt** Buenos Aires (2,92 Mio Einwohner)

**Sprache** Spanisch

**Religion** Kathol. (90%), protestant. (2%), jüdisch (1%)

**Währung** 1 Peso (P) = 100 Centavos (c)

| | |
|---|---|
| **BSP/Kopf** 7220 $ (1993) | **Urbanisierung** 86,0% |
| **Inflation** 6,0% (1994) | **Alphabetisierung** 95,0% |
| **Arbeitslos.** 12,2% (1994) | **Einw. pro Arzt** 340 |

**Reg.-Chef** Carlos Saúl Menem (seit 1989) * 2. 7. 1935

**Staatsob.** Carlos Saúl Menem (seit 1989) * 2. 7. 1935

**Staatsform** Bundesrepublik

**Parlament** Abgeordnetenhaus mit 257 und Senat mit 48 für vier Jahre gewählten Abgeordneten; im Abgeordnetenhaus 135 Sitze für peronistische Gerechtigkeitspartei, 61 für Bürgerlich-Radikale Partei, 61 für andere (Wahl von 1993, Teilergänzungswahl Mai 1995)

Der seit 1989 amtierende Staatspräsident Carlos Saúl Menem von der Peronistischen Partei wurde bei Präsidentschaftswahlen im Mai 1995 im Amt bestätigt. Die seit 1990 andauernde konjunkturelle Erholung erlitt Anfang 1995 einen Rückschlag.

**Wahlsieg:** Menem wurde mit 49,8% der Stimmen vor seinem Herausforderer José Octavio Bordón (31%) vom Wahlbündnis Solidarisches Land (FrePaSo) wiedergewählt. Der Kandidat der Bürgerlich-Radikalen Partei (UCR), Horacio Massaccesi, erhielt 16%. Nach den zeitgleich in 14 der 23 Provinzen stattfindenden Wahlen stellten die Peronisten zehn und die UCR drei Gouverneure. Die Hälfte der 257 Sitze im Unterhaus wurden ebenfalls neugewählt. Danach stellen die Peronisten insgesamt 135 Sitze (vorher: 122), die FrePaSo erreicht 29 Sitze (13), und die UCR fiel von 83 auf 61 Sitze zurück.

**Wirtschaft:** Seinen größten wirtschaftspolitischen Erfolg verbuchte Menem in der Inflationsbekämpfung. Die Quote fiel 1994 auf 6% (1989: 3082%). Zudem verzeichnete A. zwischen 1991 und 1994 ein Wirtschaftswachstum von insgesamt 34,4% (1994: +7,1%). Die Arbeitslosenquote erreichte 1994 mit 12,2% einen Rekordstand (1989: 7,8%). Die Abhängigkeit des Landes von Fremdkapital führte nach der Abwertung des mexikanischen

Pesos im Dezember 1994 zu Kurseinbrüchen an der argentinischen Börse. Es wurden umgerechnet rd. 7 Mrd Dollar (9,9 Mrd DM) Guthaben von argentinischen Banken abgezogen. Bis Mai 1995 wurden 40 von 173 Finanzinstituten von größeren Unternehmen aufgekauft oder liquidiert. Der Internationale Währungsfonds (IWF) und Weltbank sagten dem Land im März 1995 Kredite in Höhe von insgesamt 6,7 Mrd Dollar (9,4 Mrd DM) zu.

# Armenien

**Lage** Asien, Karte S. 479, A 3

**Fläche** 29 800 km² (WR 138)

**Einwohner** 3,6 Mio (WR 120)

**Einwohner/km²** 119,1 (1993)

**Bev.-Wachstum/Jahr** 1,1% Ø

**Pkw.-Kennzeichen** k. A.

**Hauptstadt** Jerewan (1,3 Mio Einwohner)

**Sprache** *Armenisch,* Russisch, Kurdisch

**Religion** Christlich, moslemisch, jesidisch

**Währung** Dram

| | |
|---|---|
| **BSP/Kopf** 660 $ (1993) | **Urbanisierung** 70,0% |
| **Inflation** 800% (1992) | **Alphabetisierung** k. A. |
| **Arbeitslos.** 10% (1991) | **Einw. pro Arzt** 246 |

**Reg.-Chef** Grant Bagratjan (seit 1993) * 18. 10. 1958

**Staatsob.** Lewon Ter-Petrosjan (seit 1991) * 9. 1. 1945

**Staatsform** Parlamentarische Republik

**Parlament** Parlament mit 260 für fünf Jahre gewählten Abgeordneten (Endergebnis der Wahlen von Juli 1995 lag noch nicht vor)

In dem seit 1988 andauernden Konflikt zwischen A. und Aserbaidschan um die auf aserischem Gebiet liegende Enklave Nagorny Karabach, die zu 75% von christlichen Armeniern bewohnt ist, zeichnete sich im April 1995 eine friedliche Lösung ab. Die mit dem islamischen Aserbaidschan sympathisierende Türkei sagte die Öffnung eines Luftkorridors für Hilfsflüge nach A. zu. Im Gegenzug wollte A. seine Truppen aus Aserbaidschan zurückziehen. Bei Parlamentswahlen im Juli 1995 siegten die Nationalisten unter Führung von Staatspräsident Lewon Ter-Petrosjan. Bei einem gleichzeitig abgehaltenen Referendum stimmten die Wähler einer neuen Verfassung zu, die dem Präsidenten mehr Rechte einräumt.

**Entspannung:** 1995 hatten armenische und Karabach-Truppen rd. ein Drittel des aserbaidschanischen Staatsgebietes erobert. Die von den USA vermittelte Annäherung zwischen der Türkei und A. galt als erster Schritt für eine Entspannung zwischen den kriegführenden Ländern. Die Türkei kündigte die Öffnung ihrer Grenzen zu A. an. Der Autonomie-Status von Nagorny Karabach soll erweitert werden.

**Annäherung an Moskau:** Im April 1995 unterzeichneten Rußland und A. ein Abkommen, das der Großmacht bis 2020 das Recht einräumt, seine 14 000 Mann starke Truppe in dem transkaukasischen Land zu belassen.

**Politische Morde:** Im Vorfeld der Parlamentswahlen verübten 1994/95 Anhänger der Rechtsallianz unter Führung der regierenden Nationalisten und der oppositionellen Linksallianz aus Nationaldemokraten (NDU) und Armenischer Revolutionärer Föderation (ARF) Attentate auf Journalisten und Politiker. Präsident Ter-Petrosjan (APM) verbot im Dezember 1994 die ARF.

**Wirtschaft:** Im Mai 1995 schlossen A. und der Iran ein Abkommen über Erdgaslieferungen. Vor dem Krieg erhielt A. 85% seiner Roh- und Brennstoffe aus Aserbaidschan. Der Konflikt führte zum Zusammenbruch der Energieversorgung. Ab 1993 wurde die Stromzulieferung rationiert und die Industrieproduktion gedrosselt. Die Europäische Union sagte A. und Aserbaidschan im Mai 1995 Hilfslieferungen im Wert von 15 Mio DM zu.

In dem Krieg gegen das Nachbarland um die auf aserbaidschanischem Gebiet liegende armenische Exklave Nagorny Karabach vermittelten im April 1995 die USA und die Türkei. Regierungstruppen schlugen im März 1995 einen Aufstand der rebellierenden Polizei-Einheit OPON in Baku nieder. Im September 1994 schloß A. mit elf Ölkonzernen ein Abkommen in Höhe von 14 Mrd DM über die Erschließung dreier Ölfelder am Kaspischen Meer.

**Entspannung:** Armenische und Nagorny-Karabach-Truppen besetzten Anfang 1995 rd. ein Drittel des Territoriums von A. Die mit A. sympathisierende Türkei sagte im April die Öffnung eines Luftkorridors für Hilfsflüge nach Armenien zu. Im Gegenzug wollte Armenien seine Truppen aus A. abziehen. Die USA kündigten hierauf die Aufhebung des Embargos gegen A. an.

**Aufstand niedergeschlagen:** Die 3000 Mann starke Elite-Einheit OPON widersetzte sich ihrer von Präsident Gajdar Alijew verfügten Auflösung. Bei den schweren Kämpfen kamen rd. 80 Menschen ums Leben. Im Oktober 1994 schlug Alijew mit Hilfe loyaler Truppen eine bewaffnete Rebellion nieder. Als Drahtzieher des Putsches entließ das Parlament den moskaunahen Regierungschef Surat Husseinow, der 1993 den gewählten Präsidenten Abulfas Eltschibej gestürzt und Alijew zur Macht verholfen hatte.

| **Aserbaidschan** | |
|---|---|
| **Lage** Asien, Karte S. 479, B 3 | |
| **Fläche** 86 600 km² (WR 111) | |
| **Einwohner** 7,4 Mio (WR 89) | |
| **Einwohner/km²** 85,0 (1993) | |
| **Bev.-Wachstum/Jahr** 1,2% Ø | |
| **Pkw.-Kennzeichen** k. A. | |
| **Hauptstadt** Baku (1,8 Mio Einwohner) | |
| **Sprache** *Türkisch,* Aseri, Russisch | |
| **Religion** Moslemisch (100%) | |
| **Währung** Manat | |
| **BSP/Kopf** 730 $ (1993) | **Urbanisierung** 54,0% |
| **Inflation** 1100% (1992) | **Alphabetisierung** k. A. |
| **Arbeitslos.** ca. 20% (1991) | **Einw. pro Arzt** 255 |
| **Reg.-Chef** Fuad Gulijew (kommissarisch seit 8. 10. 1994) | |
| **Staatsob.** Gajdar Alijew (seit 1993) * 10. 5. 1923 | |
| **Staatsform** Parlamentarische Republik | |
| **Parlament** Nationalrat mit 50 Sitzen (Übergangsparlament seit 15. 4. 1992); Republikanische Partei, Nationale Volksfront | |

| **Äthiopien** | |
|---|---|
| **Lage** Afrika, Karte S. 477, E 3 | |
| **Fläche** 1,13 Mio km² (WR 26) | |
| **Einwohner** 51,8 Mio (WR 23) | |
| **Einwohner/km²** 45,7 (1993) | |
| **Bev.-Wachstum/Jahr** 2,6% Ø | |
| **Pkw.-Kennzeichen** ETH | |
| **Hauptstadt** Addis Abeba (1,7 Mio Einwohner) | |
| **Sprache** *Amharisch,* Englisch, 70 Sprachen/Dialekte | |
| **Religion** Christl. (57%), mosl. (31,4%), Naturrelig. (11,4%) | |
| **Währung** 1 Birr (Br) = 100 Cents | |
| **BSP/Kopf** 100 $ (1993) | **Urbanisierung** 12% |
| **Inflation** 10,0% (1993) | **Alphabetisierung** 5,0% |
| **Arbeitslos.** 35–40% (1991) | **Einw. pro Arzt** 32 500 |
| **Reg.-Chef** Tamirat Layne (seit 1991) | |
| **Staatsob.** Meles Zenawi (seit 1991) * 9. 5. 1955 | |
| **Staatsform** Bundesrepublik | |
| **Nationalversammlung** Parlament mit 548 Sitzen, Mehrheit für Volksrevolutionäre Demokratische Front (EPRDF); (Wahl vom Mai 1995, Endergebnis lag Mitte 1995 noch nicht vor) | |

Aus den ersten freien Wahlen seit dem Sturz des kommunistischen Regimes unter Diktator Mengistu Haile Mariam 1991 ging im Mai 1995 die Volksrevolutionäre Demokratische Front (EPRDF) von Präsident Meles Zenawi als Sieger hervor. Die im Dezember 1994 verabschiedete Verfassung sieht Sezessionsrecht für die Bundesländer vor. Nach Ernteausfällen in Brasilien stieg der Kaffee-Export in Ä. 1994 auf 96 000 t (1993: 69 400 t). In dem zweitärmsten Land der Welt litten weite Teile der Bevölkerung bis Mitte 1995 Hunger.

Die im Bürgerkrieg siegreiche EPRDF bildete seit dem Sturz Mengistus die Übergangsregierung in Ä. Mit 90% der Wählerstimmen wurde sie im Mai stärkste Partei. Die Mehrzahl der Oppositionsparteien boykottierten die Wahl und warfen der Regierung Verfolgung der Opposition vor. Beobachter erwarten, daß Präsident Zenawi im September 1995 das Amt des Regierungschefs übernimmt.

Nach der neuen Verfassung wird Ä. föderaler Staat mit neun Bundesländern. 1993 hatte sich Eritrea abgespalten. In dem Zweikammernsystem liegt die Exekutive beim Premierminister, den das Unterhaus wählt. Beide Kammern wählen gemeinsam das Staatsoberhaupt. Die Verfassung garantiert Religions- und Meinungsfreiheit.

## Bahamas

| | |
|---|---|
| Lage | Mittelam., Karte S. 476, D 2 |
| Fläche | 13 939 km² (WR 154) |
| Einwohner | 266 000 (WR 166) |
| Einwohner/km² | 19,1 (1993) |
| Bev.-Wachstum/Jahr | 1,2% Ø |
| Pkw.-Kennzeichen | BS |
| Hauptstadt | Nassau (172 000 Einwohner) |
| Sprache | Englisch |
| Religion | Christlich (94,1%) |
| Währung | 1 Bahama-Dollar (B$) = 100 Cents |

| | | | |
|---|---|---|---|
| BSP/Kopf | 11 500 $ (1993) | Urbanisierung | 64% |
| Inflation | 2,8% (1993) | Alphabetisierung | 95% |
| Arbeitslos. | ca. 20% (1992) | Einw. pro Arzt | 714 |

**Reg.-Chef** Hubert Ingraham (seit 1992) * 4. 8. 1947
**Staatsob.** Königin Elizabeth II. (seit 1973) * 21. 4. 1926
**Staatsform** Parlamentar. Monarchie im Commonwealth
**Parlament** Senat mit 16 ernannten und Abgeordnetenhaus mit 49 gewählten Mitgliedern; 32 Sitze für Free National Movement, 17 für Progressive Liberal Party (Wahl von August 1992)

## Australien

| | |
|---|---|
| Lage | Ozeanien, Karte S. 481, D 5 |
| Fläche | 7 682 300 km² (WR 6) |
| Einwohner | 17,8 Mio (WR 48) |
| Einwohner/km² | 2,3 (1993) |
| Bev.-Wachstum/Jahr | 1,2% Ø |
| Pkw.-Kennzeichen | AUS |
| Hauptstadt | Canberra (300 000 Einwohner) |
| Sprache | Englisch |
| Religion | Anglikan. (24%), katholisch (26%), protestantisch |
| Währung | 1 Australischer Dollar (A$) = 100 Cents |

| | | | |
|---|---|---|---|
| BSP/Kopf | 17 500 $ (1993) | Urbanisierung | 85% |
| Inflation | 3,3% (1994) | Alphabetisierung | 99% |
| Arbeitslos. | 10,0% (1994) | Einw. pro Arzt | 438 |

**Reg.-Chef** Paul Keating (seit 1991) * 18. 1. 1944
**Staatsob.** Königin Elizabeth II. (seit 1952) * 21. 4. 1926
**Staatsform** Parl. föderative Monarchie im Commonwealth
**Parlament** Senat mit 76 für sechs Jahre gewählten und Repräsentantenhaus mit 147 für drei Jahre gewählten Abgeordneten; im Senat 30 Sitze (Repräsentantenhaus: 80) für Labor Party, 30 (49) für Liberal Party, 5 (16) für National Party, 11 (2) für andere (Wahl von 1993)

## Bahrain

| | |
|---|---|
| Lage | Naher Osten, Karte S. 478, E 4 |
| Fläche | 695 km² (WR 173) |
| Einwohner | 530 000 (WR 156) |
| Einwohner/km² | 762,5 (1993) |
| Bev.-Wachstum/Jahr | 2,6% Ø |
| Pkw.-Kennzeichen | BRN |
| Hauptstadt | Manama (137 000 Einwohner) |
| Sprache | Arabisch, Englisch |
| Religion | Moslemisch (85%), christlich (7,3%) |
| Währung | 1 Bahrain-Dinar (BD) = 1000 Fils |

| | | | |
|---|---|---|---|
| BSP/Kopf | 8030 $ (1994) | Urbanisierung | 83% |
| Inflation | –0,2% (1992) | Alphabetisierung | 70% |
| Arbeitslos. | 15% (1993) | Einw. pro Arzt | 953 |

**Reg.-Chef** Scheich Khalifa Ibn Salman al-Khalifa (seit 1970)
**Staatsob.** Scheich Isa Ibn Salman al-Khalifa (seit 1961)
**Staatsform** Emirat
**Parlament** Seit 1975 aufgelöst, keine politischen Parteien, Konsultativorgan mit 30 durch Staatsoberhaupt ernannten Mitgliedern

##  Bangladesch

| | |
|---|---|
| **Lage** Asien, Karte S. 479, D 5 | |
| **Fläche** 143 393 km² (WR 92) | |
| **Einwohner** 115,1 Mio (WR 9) | |
| **Einwohner/km²** 802,7 (1993) | |
| **Bev.-Wachstum/Jahr** 1,8% Ø | |
| **Pkw.-Kennzeichen** BD | |

**Hauptstadt** Dacca (6,1 Mio Einwohner)

**Sprache** *Bengali,* Englisch

**Religion** Moslem. (86,8%), hind. (11,9%), buddh. (0,6%)

**Währung** 1 Taka (TK) = 100 Poisha

| | |
|---|---|
| **BSP/Kopf** 220 $ (1993) | **Urbanisierung** 18% |
| **Inflation** 4,4% (1992) | **Alphabetisierung** 35% |
| **Arbeitslos.** k. A. | **Einw. pro Arzt** 5264 |

**Reg.-Chef** Khaleda Zia (seit 1991) * 15. 8. 1945

**Staatsob.** Abdur Rahman Biswas (seit 1991) * 1926

**Staatsform** Republik

**Parlament** Nationalversammlung mit 330 für fünf Jahre gewählten Abgeordneten; 170 Sitze für die Bengalische National-Partei, 92 für die Awami-Liga, 35 für die Jatiya-Partei, 20 für die Jamaat-i-Islami-Partei, 5 Sitze für kommunistische Partei, 8 für andere (Wahl von 1991)

##  Barbados

| | |
|---|---|
| **Lage** Mittelam., Karte S. 476, H 4 | |
| **Fläche** 430 km² (WR 180) | |
| **Einwohner** 260 000 (WR 168) | |
| **Einwohner/km²** 604,6 (1993) | |
| **Bev.-Wachstum/Jahr** 0,3% Ø | |
| **Pkw.-Kennzeichen** BDS | |

**Hauptstadt** Bridgetown (7000 Einwohner)

**Sprache** *Englisch,* Bajan

**Religion** Christlich (69,7%), konfessionslos (17,5%)

**Währung** 1 Barbados-Dollar (BD$) = 100 Cent

| | |
|---|---|
| **BSP/Kopf** 6240 $ (1993) | **Urbanisierung** 38% |
| **Inflation** 6,1% (1992) | **Alphabetisierung** 98% |
| **Arbeitslos.** ca. 22% (1993) | **Einw. pro Arzt** 1042 |

**Reg.-Chef** Owen Arthur (seit 7. 9. 1994) * 1937

**Staatsob.** Königin Elizabeth II. (seit 1966) * 21. 4. 1926

**Staatsform** Parlamentar. Monarchie im Commonwealth

**Parlament** Senat mit 21 vom Generalgouverneur ernannten und Volkskammer mit 28 für fünf Jahre gewählten Abgeordneten; 19 Sitze für Barb. Lab. Party, 8 Sitze für Dem. Lab. Party, 1 Sitz für Nat. Dem. Party (Wahl von Sept. 1994)

## Belgien

| | |
|---|---|
| **Lage** Europa, Karte S. 473, C 5 | |
| **Fläche** 30 518 km² (WR 136) | |
| **Einwohner** 10,0 Mio (WR 72) | |
| **Einwohner/km²** 330 (1993) | |
| **Bev.-Wachstum/Jahr** 0,1% Ø | |
| **Pkw.-Kennzeichen** B | |

**Hauptstadt** Brüssel (951 000 Einwohner)

**Sprache** *Niederländisch, Französisch, Deutsch*

**Religion** Christlich (88,0%), moslem. (1,5%), jüd. (0,4%)

**Währung** 1 Belgischer Franc (bfr) = 100 Centimes

| | |
|---|---|
| **BSP/Kopf** 21 650 $ (1993) | **Urbanisierung** 97% |
| **Inflation** 2,5% (1994) | **Alphabetisierung** 100% |
| **Arbeitslos.** 12,6% (1994) | **Einw. pro Arzt** 310 |

**Reg.-Chef** Jean-Luc Dehaene (seit 1992) * 7. 8. 1940

**Staatsob.** König Albert II. (seit 9. 8. 1993) * 6. 6. 1934

**Staatsform** Parlamentarische Monarchie

**Parlament** Senat mit 181 und Abgeordnetenhaus mit 150 für vier Jahre gewählten Abgeordneten; 29 Sitze für fläm. Christdemokr., 21 für wallon. Sozialisten, 21 für fläm. Liberale, 20 für fläm. Sozial., 79 für and. (Wahl vom Mai 1995)

Im Mai 1995 bestätigten die Belgier bei vorgezogenen Parlamentswahlen das Mitte-Links-Regierungsbündnis unter dem christdemokratischen Ministerpräsidenten Jean-Luc Dehaene (CVP). Mehrere Minister traten Anfang 1995 im Zusammenhang mit der Agusta-Schmiergeld-Affäre zurück. Mit 148% des BIP verzeichnete B. 1994 die höchste Staatsverschuldung in der EU.

**Wahlen:** In der verkleinerten nationalen Abgeordnetenkammer errangen flämische und wallonische Christdemokraten und Sozialisten zusammen 82 von 150 Sitzen (1991: 120 von 212 Mandaten). Ebenso wie die Liberalen, die mit 23,4% einen Zugewinn von 1,8 Prozentpunkten verzeichneten, bauten die rechtsextremen Parteien, Vlaams Blok in Flandern mit 12,2% (1991: 11%) und Front National in Wallonien mit 5,3% (1991: 1,7%), ihren Stimmenanteil aus. Um zu verhindern, daß die für den Sommer geplanten Sparbeschlüsse in die Wahlkampfzeit fielen, hatte die Regierung beschlossen, die Parlamentswahlen von Dezember auf Mai 1995 vorzuziehen.

**Agusta-Affäre:** Zwei Funktionäre der flämischen Sozialisten gaben im Februar 1995 zu, 1988 Parteispenden in Höhe von umgerechnet 2,5 Mio DM vom italienischen Rüstungskonzern Agusta entgegengenommen zu haben. Als Gegenleistung erhielt das Unternehmen einen Auftrag in Höhe von 600 Mio DM für 46 Kampfhubschrauber. Bereits im Januar waren drei Spitzenpolitiker der wallonischen Sozialisten, darunter Verteidigungsminister Guy Coeme, im Zusammenhang mit der Affäre zurückgetreten. Der sozialistische Außenminister Frank Vandenbrouke (SP) stellte im März 1995 sein Amt zur Verfügung. Nato-Generalsekretär Willy Claes, der als Wirtschaftsminister (1972–1992) dem Kauf der Hubschrauber zugestimmt hatte, wurde im April vor dem Untersuchungsgericht in Brüssel vernommen. Claes, dessen Immunität aufgehoben wurde, bestritt Korruptionsvorwürfe. Er räumte ein, von einem Bestechungsversuch gehört zu haben, bestritt aber jede Kenntnis von Schmiergeldzahlungen.

**Wirtschaft:** Die Regierung will die Staatsverschuldung, die 1994 rd. 148% des BIP betrug, bis 1997 auf 60% des BIP verringern und damit eine Bedingung für den Beitritt zu der ab 1997 geplanten Europäischen Währungsunion erfüllen. Das Haushaltsdefizit muß zudem von 5,1% des BIP (1994) auf 3% gesenkt werden. Gewerkschaften und Unternehmen schlossen im November 1994 einen branchenübergreifenden Tarifvertrag, dessen erstes Ziel die Bekämpfung der Arbeitslosigkeit (1994: 12,6%) war.

## Benin

| | |
|---|---|
| **Lage** Afrika, Karte S. 477, B 4 | |
| **Fläche** 112 680 km² (WR 99) | |
| **Einwohner** 5,1 Mio (WR 101) | |
| **Einwohner/km²** 45,2 (1993) | |
| **Bev.-Wachstum/Jahr** 2,8% Ø | |
| **Pkw.-Kennzeichen** RPB | |

**Hauptstadt** Porto Novo (160 000 Einwohner)

**Sprache** *Französisch*, ca. 60 Stammessprachen

**Religion** Volksreligionen (62,0%), christlich (23,3%)

**Währung** CFA-Franc (FCFA)

| | |
|---|---|
| **BSP/Kopf** 430 $ (1993) | **Urbanisierung** 40% |
| **Inflation** 5,0% (1991) | **Alphabetisierung** 23% |
| **Arbeitslos.** k. A. | **Einw. pro Arzt** 11 306 |

**Reg.-Chef** Nicéphore Soglo (seit 1991) * 29. 11. 1934

**Staatsob.** Nicéphore Soglo (seit 1991) * 29. 11. 1934

**Staatsform** Präsidialrepublik

**Parlament** Nationalversammlung mit 64 für fünf Jahre gewählten Abgeordneten; 12 Sitze für Demokrat. Union der Fortschrittskräfte (UDFP)/Union für Freiheit und Entwicklung (ULD), 9 für Nationalpartei für Demokratie und Entwicklung (PNDD)/Partei der Demokratische Erneuerung (PRD), 43 für andere (Wahl von 1991)

## Belize

| | |
|---|---|
| **Lage** Mittelam., Karte S. 476, A 4 | |
| **Fläche** 22 965 km² (WR 147) | |
| **Einwohner** 204 000 (WR 170) | |
| **Einwohner/km²** 9 (1993) | |
| **Bev.-Wachstum/Jahr** 2,2% Ø | |
| **Pkw.-Kennzeichen** BH | |

**Hauptstadt** Belmopan (5000 Einwohner)

**Sprache** *Englisch*, Kreolisch, Spanisch, Maya, Garifuna

**Religion** Christlich (92,6%)

**Währung** 1 Belize-Dollar (Bz$) = 100 Cents

| | |
|---|---|
| **BSP/Kopf** 2450 $ (1993) | **Urbanisierung** 47% |
| **Inflation** 2,8% (1992) | **Alphabetisierung** 93% |
| **Arbeitslos.** 9,7% (1993) | **Einw. pro Arzt** 1708 |

**Reg.-Chef** Manuel Esquivel (seit 1993) * 2. 5. 1940

**Staatsob.** Königin Elizabeth II. (seit 1981) * 21. 4. 1926

**Staatsform** Parlamentar. Monarchie im Commonwealth

**Parlament** Senat mit 9 ernannten und Repräsentantenhaus mit 29 für fünf Jahre gewählten Abgeordneten; 16 Sitze für United Democratic Party, 13 für People's United Party (Wahl von 1993)

## Bhutan

| | |
|---|---|
| **Lage** Asien, Karte S. 479, D 5 | |
| **Fläche** 47 000 km² (WR 128) | |
| **Einwohner** 1,6 Mio (WR 141) | |
| **Einwohner/km²** 32,9 (1993) | |
| **Bev.-Wachstum/Jahr** 2,4% Ø | |
| **Pkw.-Kennzeichen** k. A. | |

**Hauptstadt** Thimbu (20 000 Einwohner)

**Sprache** *Dzonka*, Englisch, tibetische Dialekte

**Religion** Buddhistisch (69,6%), hinduistisch (24,6%)

**Währung** 1 Ngultrum (NU) = 100 Chetrum

| | |
|---|---|
| **BSP/Kopf** 180 $ (1992) | **Urbanisierung** 13% |
| **Inflation** 8,0% (1993) | **Alphabetisierung** 38% |
| **Arbeitslos.** k. A. | **Einw. pro Arzt** 8969 |

**Reg.-Chef** König Jigme Wangchuk (seit 1972) * 1955

**Staatsob.** König Jigme Wangchuk (seit 1972) * 1955

**Staatsform** Konstitutionelle Monarchie

**Parlament** Nationalversammlung (Tshogdu) mit 155 Mitgliedern; 105 gewählte Abgeordnete, 37 vom König nominierte Beamte, 12 Vertreter buddhistischer Klöster, 1 Repräsentant der Wirtschaft

## Bolivien

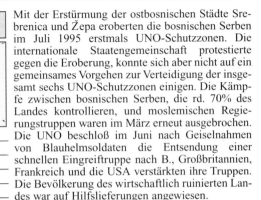

| | |
|---|---|
| **Lage** Südamerika, Karte S. 475, C 4 | |
| **Fläche** 1,1 Mio km² (WR 27) | |
| **Einwohner** 7,7 Mio (WR 86) | |
| **Einwohner/km²** 7,0 (1993) | |
| **Bev.-Wachstum/Jahr** 2,4% Ø | |
| **Pkw.-Kennzeichen** BOL | |

**Hauptstadt** Sucre (101 000 Einwohner)

**Sprache** *Spanisch, Aymará, Ketschua*

**Religion** Christlich (92,5%), Bahai (2,6%)

**Währung** 1 Boliviano (Bs) = 100 Centavos

| | |
|---|---|
| **BSP/Kopf** 760 $ (1993) | **Urbanisierung** 51% |
| **Inflation** 8,5% (1994) | **Alphabetisierung** 80% |
| **Arbeitslos.** 5,4% (1994) | **Einw. pro Arzt** 2124 |

**Reg.-Chef** Gonzalo Sanchez de Lozada (seit 1993) * 1930

**Staatsob.** Gonzalo Sanchez de Lozada (seit 1993) * 1930

**Staatsform** Präsidiale Republik

**Parlament** Kongreß aus Abgeordnetenhaus mit 130 und Senat mit 27 für vier Jahre gewählten Abgeordneten; 52 Sitze für Konservative (MNR), 35 für Patrioten (AP), 20 für Neopopulisten (UCS), 23 für andere (Wahl von 1993)

---

###  Bosnien-Herzegowina

| | |
|---|---|
| **Lage** Europa, Karte S. 473, E 6 | |
| **Fläche** 51 129 km² (WR 124) | |
| **Einwohner** 4,4 Mio (WR 110) | |
| **Einwohner/km²** 86,5 (1993) | |
| **Bev.-Wachstum/Jahr** 0,9% Ø | |
| **Pkw.-Kennzeichen** k. A. | |

**Hauptstadt** Sarajevo (360 000 Einwohner)

**Sprache** Kroatisch, Serbisch

**Religion** Moslem. (40%), serb.-orth. (31%), christl. (19%)

**Währung** 1 bosnisch-herzegowinischer Dinar

| | |
|---|---|
| **BSP/Kopf** 3438 $ (1990) | **Urbanisierung** 36,5% |
| **Inflation** ca. 1000% (1990) | **Alphabetisierung** 85,5% |
| **Arbeitslos.** 19,8% (1989) | **Einw. pro Arzt** k. A. |

**Reg.-Chef** Haris Silajdžić (seit Oktober 1993) * 1945

**Staatsob.** Alija Izetbegović (seit 1990) * 8. 8. 1925

**Staatsform** Republik

**Parlament** Zweikammerparlament mit 240 Sitzen; Rat der Bürger 130 Sitze, Rat der Gemeinden 110 Sitze; 86 Sitze für Moslems (SDA), 72 Sitze für Serben (SDS), 44 Sitze für Kroaten (HDZ), 14 Sitze für Kommunisten (SK), 24 Sitze für andere (Wahl von 1990)

Mit der Erstürmung der ostbosnischen Städte Srebrenica und Žepa eroberten die bosnischen Serben im Juli 1995 erstmals UNO-Schutzzonen. Die internationale Staatengemeinschaft protestierte gegen die Eroberung, konnte sich aber nicht auf ein gemeinsames Vorgehen zur Verteidigung der insgesamt sechs UNO-Schutzzonen einigen. Die Kämpfe zwischen bosnischen Serben, die rd. 70% des Landes kontrollieren, und moslemischen Regierungstruppen waren im März erneut ausgebrochen. Die UNO beschloß im Juni nach Geiselnahmen von Blauhelmsoldaten die Entsendung einer schnellen Eingreiftruppe nach B., Großbritannien, Frankreich und die USA verstärkten ihre Truppen. Die Bevölkerung des wirtschaftlich ruinierten Landes war auf Hilfslieferungen angewiesen.

**UNO-Schutzzonen erobert:** Rd. 17 000 Moslems flohen vor den serbischen Truppen in die UNO-Schutzzone Tuzla. Etwa 15 000 moslemische Bewohner, welche die Serben von ihren Familien getrennt hatten, wurden vermißt. Am 1. 1. 1995 war ein unter Vermittlung des ehemaligen US-Präsidenten Jimmy Carter zwischen Bosniens Präsident Alija Izetbegović und Serbenführer Radovan Karadžić ausgehandelter Waffenstillstand in Kraft getreten. Die bis zum 30. 4. vereinbarte Waffenruhe wurde mehrfach gebrochen, Verhandlungen über eine Verlängerung scheiterten. Mit dem Angriff serbischer Verbände auf die westbosnische Moslem-Enklave Bihać eskalierte im März der Konflikt erneut. Die bosnisch-moslemische Regierungsarmee startete im Juni 1995 eine Entlastungsoffensive gegen den Belagerungsring um Sarajevo.

**NATO-Luftangriffe:** Im Mai verstärkten die bosnischen Serben ihre Angriffe auf Sarajevo. Am 25. 5. verstrich ein UNO-Ultimatum, die Kämpfe einzustellen und vier aus einem UNO-Depot entwendete schwere Waffen zurückzugeben. NATO-Kampfflugzeuge bombardierten ein Munitionsdepot der bosnischen Serben in der Nähe ihres Hauptquartiers Pale. Die Serben reagierten mit Artillerieangriffen auf Tuzla, bei denen 71 Menschen starben.

**Blauhelme als Geiseln:** Bis Ende Mai brachten Serben 372 Blauhelm-Soldaten in ihre Gewalt und verlegten sie in die Nähe ihrer Munitionsdepots, um die NATO von weiteren Luftangriffen abzuhalten. Nach Vermittlung Griechenlands kamen bis Ende Juni alle Geiseln frei. Am 30. 5. kündigten die Serben alle mit der UNO geschlossenen Vereinbarungen auf und beanspruchten die Souveränität über ihr gesamtes Territorium und über ihren Luftraum. Festgehaltene UNO-Soldaten bezeichneten sie als Kriegsgefangene.

**Bosnien-Herzegowina:**
**Präsident Alija Izetbegović**
\* 8. 8. 1925 in Bosanski Šamac.
Der Antikommunist wurde in den
50er und 80er Jahren zu mehrjährigen Haftstrafen verurteilt.
1990 wurde Izetbegović Vorsitzender der von ihm gegründeten
moslemischen Partei der Demokratischen Aktion (SDA). Das
Volk wählte den Wirtschaftsjuri-
sten 1990 bei den ersten freien
Wahlen zum Präsidenten von
Bosnien-Herzegowina.

**Reaktionen:** Nach den gescheiterten Waffenstill-
standverhandlungen schlug UNO-Generalsekretär
Butros Butros Ghali im Mai 1995 die Verringerung
der insgesamt rd. 20 000 Mann starken UNO-
Schutztruppen UNPROFOR sowie ihre Umgrup-
pierung vor. Die Länder der Bosnien-Kontaktgrup-
pe (Rußland, USA, Großbritannien, Frankreich,
Deutschland) forderten hingegen eine Verstärkung
der Truppen. Anfang Juni beschlossen NATO und
EU die Bereitstellung einer rd. 10 000 Mann
umfassenden sog. schnellen Eingreiftruppe, die im
Juli einsatzbereit war. Großbritannien und Frankreich stellten jeweils 1500, die Briten zusätzlich
eine Luftlandebrigade mit 5000 Mann. Die Truppe
soll militärisch flexibler reagieren und schlagkräf-
tiger eingreifen können. Die USA, welche die Stationierung von Bodentruppen in B. ablehnten,
schickten einen Flugzeugträger und drei Kriegs-
schiffe mit 2000 Marinesoldaten in die Adria.

**Anerkennung Bosniens:** Die Bosnien-Kontakt-
gruppe verhandelte im Mai mit dem serbischen
Präsidenten Slobodan Milošević über die Anerkennung von B. Mit diesem Schritt würden die bosnischen Serben, die den Teilungsplan der Kontakt-
gruppe für B. ablehnen, weiter isoliert. Jugoslawi-
en, das aus Serbien und Montenegro besteht, hatte
Mitte 1994 die Kriegskoalition mit den bosnischen
Serben offiziell aufgekündigt, da das Land infolge
von UNO-Sanktionen vor dem wirtschaftlichen
Zusammenbruch stand. Im Falle einer Anerkennung von B. hat die UNO den Serben eine weitere
Lockerung der Sanktionen in Aussicht gestellt.

**Bevölkerung:** Der Krieg führte 1994/95 zum
Zusammenbruch aller Wirtschaftsbereiche in B. In
der Hauptstadt verschärfte sich die Versorgungsla-
ge Mitte des Jahres, da die bosnischen Serben den
Flughafen von Sarajevo seit Anfang April 1995
geschlossen hielten.
→ Balkan-Konflikt → Kriegsverbrechertribunal →
NATO → UNO → UNO-Friedenstruppen

---

 **Botswana**

| | |
|---|---|
| **Lage** Afrika, Karte S. 477, D 6 | |
| **Fläche** 581 730 km² (WR 46) | |
| **Einwohner** 1,4 Mio (WR 144) | |
| **Einwohner/km²** 2,4 (1993) | |
| **Bev.-Wachstum/Jahr** 2,8% Ø | |
| **Pkw.-Kennzeichen** RB | |

**Hauptstadt** Gaborone (133 800 Einwohner)

**Sprache** *Setswana, Englisch*

**Religion** Christlich (50,2%), Volksreligionen (49,2%)

**Währung** 1 Pula (P) = 100 Thebe

| | |
|---|---|
| **BSP/Kopf** 2790 $ (1993) | **Urbanisierung** 27% |
| **Inflation** 16,5% (1992) | **Alphabetisierung** 74% |
| **Arbeitslos.** 25% (1990) | **Einw. pro Arzt** 5417 |

**Reg.-Chef** Quett K. J. Masire (seit 1980) \* 23. 7. 1925

**Staatsob.** Quett K. J. Masire (seit 1980) \* 23. 7. 1925

**Staatsform** Präsidiale Republik

**Parlament** Nationalversammlung mit 40 für fünf Jahre
gewählten Abgeordneten sowie 4 gesondert vom Parlament gewählten Mitgliedern; 26 Sitze für Botswana
Democratic Party, 13 für Botswana National Front, 1 Sitz
offen (Wahl vom Oktober 1994)

---

 **Brasilien**

| | |
|---|---|
| **Lage** Südamerika, Karte S. 475, E 4 | |
| **Fläche** 8,5 Mio km² (WR 5) | |
| **Einwohner** 156,5 Mio (WR 5) | |
| **Einwohner/km²** 18,4 (1993) | |
| **Bev.-Wachstum/Jahr** 1,4% Ø | |
| **Pkw.-Kennzeichen** BR | |

**Hauptstadt** Brasilia (1,59 Mio Einwohner)

**Sprache** Portugiesisch

**Religion** Katholisch (89%), protestantisch (8%)

**Währung** 1 Cruzeiro Real (Cr$) = 100 Centavos

| | |
|---|---|
| **BSP/Kopf** 2930 $ (1993) | **Urbanisierung** 77% |
| **Inflation** 941,3% (1994) | **Alphabetisierung** 81% |
| **Arbeitslos.** 14,3% (1994) | **Einw. pro Arzt** 685 |

**Reg.-Chef** Fernando Henrique Cardoso (seit 1. 1. 1995)

**Staatsob.** Fernando Henrique Cardoso (seit 1. 1. 1995)

**Staatsform** Präsidiale Bundesrepublik

**Parlament** Kongreß aus Abgeordnetenhaus mit 513 und
Senat mit 81 Abgeordneten; im Kongreß 107 Sitze für
Demokratische Bewegung, 90 für Liberale Front, 63 für
Sozialdemokratische Partei, 51 für Reformpartei, 37 für
Fortschrittliche Partei, 165 für andere (Wahl vom Okt. 1994)

Bei den Präsidentschaftswahlen im Oktober 1994 gewann Fernando Henrique Cardoso von der sozialistischen PSDB mit 54,3% die absolute Mehrheit. Der frühere Finanzminister, der mit Unterstützung der Mitte-Rechts-Parteien regiert, will die Sanierung der Wirtschaft fortsetzen.

Hohe Exportüberschüsse (1994: 15 Mrd Dollar, 21 Mrd DM), Wirtschaftswachstum und eine Reduzierung des Haushaltsdefizits stützten den im Juli 1994 eingeführten Real. Die monatliche Inflationsquote sank von 50% im Juni auf 0,8% im September 1994. Eine Ankurbelung der Wirtschaft erhoffte sich B. von dem seit Anfang 1995 geltenden Gemeinsamen Markt des südlichen Teils Südamerikas (Mercosur), an dem neben B. Argentinien, Paraguay und Uruguay beteiligt sind. Bis zum Jahr 2000 sollen sämtliche Zölle für den Handel untereinander entfallen.

Die Sozialisten konnten ihr Ergebnis bei den zeitgleich stattfindenden Wahlen zu Abgeordnetenhaus und Senat von 37 (1990) auf 63 Sitze verbessern. Ebenfalls gestärkt ging die PSDB aus den Gouverneurswahlen im November 1994 hervor: In sechs (bislang einem) der insgesamt 26 Bundesstaaten stellten sie die Gouverneure, u. a. in den wirtschaftlichen Zentren São Paulo, Rio de Janeiro und Minas Gerais.

## Brunei

| | |
|---|---|
| **Lage** Ostasien, Karte S. 480, A 2 | |
| **Fläche** 5765 km² (WR 161) | |
| **Einwohner** 275 000 (WR 165) | |
| **Einwohner/km²** 47,7 (1993) | |
| **Bev.-Wachstum/Jahr** 0,3% ⌀ | |
| **Pkw.-Kennzeichen** BRU | |

| | |
|---|---|
| **Hauptstadt** Bandar Seri Begawan (52 300 Einwohner) | |
| **Sprache** Malaiisch, Chinesisch, Englisch | |
| **Religion** Moslem. (66,5%), buddh. (11,8%), christl. (8,9%) | |
| **Währung** 1 Brunei-Dollar (BR $) = 100 Cents | |

| | |
|---|---|
| **BSP/Kopf** 16 730 $ (1993) | **Urbanisierung** 90% |
| **Inflation** 2,5% (1993) | **Alphabetisierung** 85% |
| **Arbeitslos.** 5,8% (1993) | **Einw. pro Arzt** 1473 |

| | |
|---|---|
| **Reg.-Chef** Sultan Muda Hassanal Bolkiah (seit 1967) | |
| **Staatsob.** Sultan Muda Hassanal Bolkiah (seit 1967) | |
| **Staatsform** Sultanat | |

**Parlament** Legislativrat mit 21 vom Sultan ernannten Mitgliedern; nur beratende Funktion; keine politischen Parteien; Parlament ist seit Verhängung des Ausnahmezustandes 1962 aufgelöst

## Bulgarien

| | |
|---|---|
| **Lage** Europa, Karte S. 473, E 6 | |
| **Fläche** 110 994 km² (WR 101) | |
| **Einwohner** 8,5 Mio (WR 79) | |
| **Einwohner/km²** 76,5 (1993) | |
| **Bev.-Wachstum/Jahr** −0,1% ⌀ | |
| **Pkw.-Kennzeichen** BG | |

| | |
|---|---|
| **Hauptstadt** Sofia (1,2 Mio Einwohner) | |
| **Sprache** Bulgarisch | |
| **Religion** Orthodoxe Christen (87,0%), Moslems (12,7%) | |
| **Währung** 1 Lew (Lw) = 100 Stotinki | |

| | |
|---|---|
| **BSP/Kopf** 1140 $ (1992) | **Urbanisierung** 69% |
| **Inflation** 122% (1994) | **Alphabetisierung** 94% |
| **Arbeitslos.** 16,1% (1994) | **Einw. pro Arzt** 320 |

| | |
|---|---|
| **Reg.-Chef** Schan Widenow (seit 25. 1. 1995) * 22. 3. 1959 | |
| **Staatsob.** Schelju Schelev (seit 1990) * 3. 3. 1935 | |
| **Staatsform** Republik | |

**Parlament** Volksversammlung mit 240 Abgeordneten; 125 Sitze für Sozialistische Partei Bulgariens, 69 für Union Demokratischer Kräfte, 18 für Neuer Bund für Demokratie, 15 für Bewegung für Rechte und Freiheiten, 13 für andere (Wahl vom Dezember 1994)

Bei vorgezogenen Parlamentswahlen im Dezember 1994 lösten die Sozialisten (BSP) die antikommunistische Union der Demokraten (UDK) als stärkste politische Kraft ab. Im Januar 1995 wurde Schan Widenow (UDK) neuer Ministerpräsident. Das Parlament nahm im April 1995 die 1992 eingeführte Agrarreform zurück. Mit einem durchschnittlichen Pro-Kopf-Einkommen von 100 Dollar (141 DM) pro Monat gehörte Bulgarien 1994 zu den ärmsten Ländern Europas.

**Wahlen stärken Sozialisten:** Die BSP erreichte 43,5% der Stimmen (1991: 33,5). Die Nachfolgeorganisation der früheren Kommunistischen Partei profitierte von der schlechten wirtschaftlichen Lage des Landes, die den Reformern angelastet wurde. Die UDK erhielt 24,2% der Stimmen (1991: 34,3%).

**Reform gestoppt:** Bis Mitte 1994 waren rd. 60% des unter den Kommunisten enteigneten Landes an die früheren Besitzer zurückgegeben worden. Die UDK kritisierte den Antireform-Beschluß der BSP als Rückkehr zum Kollektivismus sowjetischer Prägung. Von den insgesamt 3100 staatlichen Unternehmen wurden bis Ende 1994 rd. 229 privatisiert. Weitere 610 sollen 1995 gegen Gutscheine veräußert werden.

**Bulgarien: Ministerpräsident Schan Widenow**
* 22. 3. 1959 in Plowdiw. Widenow, der 1983 der kommunistischen Partei beitrat, wurde 1990 Abgeordneter in der Nationalversammlung und 1991 Vorsitzender der aus der Kommunistischen Partei hervorgegangenen BSP. Nach dem Sieg seiner Partei bei Parlamentswahlen im Dezember 1994 führte Widenow im Januar 1995 die sozialistische Regierung an.

**Wirtschaft:** Die Rezession infolge der Auflösung der Wirtschaftsgemeinschaft COMECON 1991 setzte sich bis 1995 fort. Negative Folgen für den bulgarischen Handel hatte insbes. das 1992 von der UNO gegen Jugoslawien (Serbien und Montenegro) verhängte Embargo, da sämtliche bulgarische Verkehrsverbindungen ins westliche Ausland durch Serbien führen. Die Regierung bezifferte die hierdurch entstandenen Verluste auf mehrere Mrd Dollar. Weltbank und Internationaler Währungsfond (IWF) gewährten 1994 Kredite in Höhe von 550 Mio Dollar (775 Mio DM). Bis Ende 1995 sollen 340 Betriebe mit einem Aktienkapital von 1,63 Mrd Dollar (1,92 Mrd DM) in die Massenprivatisierung einbezogen werden.

## ⭐ Burkina Faso

**Lage** Afrika, Karte S. 477, B 3
**Fläche** 274 400 km² (WR 72)
**Einwohner** 9,8 Mio (WR 74)
**Einwohner/km²** 35,6 (1992)
**Bev.-Wachstum/Jahr** 3,0% Ø
**Pkw.-Kennzeichen** BF
**Hauptstadt** Ouagadougou (441 500 Einwohner)
**Sprache** *Französisch,* More, Diula, Fulbe
**Religion** Volksrel. (44,8%), moslem. (43%), christl. (12,2%)
**Währung** CFA-Franc (FCFA)

| | |
|---|---|
| **BSP/Kopf** 300 $ (1993) | **Urbanisierung** 17% |
| **Inflation** – 1,4% (1992) | **Alphabetisierung** 18% |
| **Arbeitslos.** k. A. | **Einw. pro Arzt** 57 310 |

**Reg.-Chef** Roch Marc Christian Kaboré (seit 23. 3. 1994)
**Staatsob.** Blaise Compaoré (seit 1987) * 3. 2. 1951
**Staatsform** Präsidiale Republik
**Parlament** Volksvertretung mit 107 Abgeordneten; 78 Sitze für Organisation für Volksdemokratie/Arbeitsbewegung (ODP-MT), 29 für andere (Wahl von 1992)

## Burundi

**Lage** Afrika, Karte S. 477, D 5
**Fläche** 27 816 km² (WR 142)
**Einwohner** 5,7 Mio (WR 94)
**Einwohner/km²** 203,7 (1993)
**Bev.-Wachstum/Jahr** 2,7% Ø
**Pkw.-Kennzeichen** BU
**Hauptstadt** Bujumbura (226 600 Einwohner)
**Sprache** *Ki-Rundi, Französisch,* Suaheli
**Religion** Christl. (78,9%), Volksrel. (18,6%), moslem. (1,6%)
**Währung** 1 Burundi-Franc (FBu) = 100 Centimes

| | |
|---|---|
| **BSP/Kopf** 180 $ (1993) | **Urbanisierung** 6% |
| **Inflation** 4,7% (1992) | **Alphabetisierung** 50% |
| **Arbeitslos.** k. A. | **Einw. pro Arzt** 31 777 |

**Reg.-Chef** Antoine Nduwayo (seit 20. 2. 1994) * 1942
**Staatsob.** Sylvestre Ntibantunganya (seit 30. 9. 1994)
**Staatsform** Präsidiale Republik
**Parlament** Nationalversammlung mit 81 Sitzen; 65 Sitze für Front für die Demokratie (FRODEBU), 16 für Partei des Nationalen Fortschritts (UPRONA) (Wahl von 1993)

Nach bewaffneten Auseinandersetzungen zwischen dem Mehrheitsvolk der Hutu und der Tutsi-Minderheit stand das westafrikanische Land 1995 am Rand eines Bürgerkriegs. Das von den Tutsi kontrollierte Militär stellte im Mai 1995 Hutu-Präsident Sylvestre Ntibantunganya wegen angeblicher Umsturzpläne gegen ihn unter Hausarrest. Bei der Erstürmung der Hutu-Viertel in der Hauptstadt Bujumbura, um dort angeblich anwesende Milizionäre zu vertreiben, tötete das Militär im Juni 1995 zahlreiche Hutu.

**Anschläge gegen Ausländer:** Seit der Ermordung des ersten freigewählten Präsidenten Melchior Ndadaye im Oktober 1993 starben rd. hunderttausend Menschen bei Stammesrivalitäten. Im März 1995 fielen erstmals auch Ausländer den Mordkommandos zum Opfer.

**Flüchtlingsproblem:** Die Lage in dem dichtbesiedelten Land verschärfte sich durch 200 000 Flüchtlinge, die nach dem Völkermord an den Tutsi in Ruanda 1994 nach B. flohen. Im Februar 1995 schloß die Tutsi-Partei UPRONA Ministerpräsident Anatole Kanyenkiko unter dem Vorwurf aus, mit der Hutu-Partei FRODEBU zu sympathisieren. Beide Parteien bilden zusammen die Regierung. Die UPRONA rief zum Generalstreik auf, der zum Rücktritt von Kanyenkiko führte. Nachfolger wurde Antoine Nduwayo (UPRONA).

## Chile

| | |
|---|---|
| **Lage** Südamerika, Karte S. 475, C 6 | |
| **Fläche** 756 626 km² (WR 37) | |
| **Einwohner** 13,5 Mio (WR 56) | |
| **Einwohner/km²** 17,8 (1993) | |
| **Bev.-Wachstum/Jahr** 1,7% Ø | |
| **Pkw.-Kennzeichen** RCH | |

**Hauptstadt** Santiago de Chile (5,18 Mio Einwohner)

**Sprache** Spanisch

**Religion** Katholisch (85%), protestantisch (9%)

**Währung** 1 Chilenischer Peso (chil$) = 100 Centavos

| | |
|---|---|
| **BSP/Kopf** 3170 $ (1993) | **Urbanisierung** 85% |
| **Inflation** 8,9% (1994) | **Alphabetisierung** 95% |
| **Arbeitslos.** 5,9% (1994) | **Einw. pro Arzt** 895 |

**Reg.-Chef** Eduardo Frei Ruiz-Tagle (seit März 1994) * 1942

**Staatsob.** Eduardo Frei Ruiz-Tagle (seit März 1994) * 1942

**Staatsform** Präsidiale Republik

**Parlament** Kongreß aus Senat mit 46 und Deputiertenkammer mit 120 Abgeordneten; in der Deputiertenkammer 37 Sitze für Christdemokraten (PDC), 29 für Konservative (RN), 15 für Demokraten (PPD), 15 für Unabhängige Demo. (UDI), 24 für andere (Wahl von 1993)

Im Mai 1995 bestätigte der Oberste Gerichtshof die Verurteilung des früheren Chefs des chilenischen Geheimdienstes DINA, General Manuel Contreras, zu sieben Jahren Gefängnis wegen Mittäterschaft an der Ermordung des früheren sozialistischen Außenministers Orlando Letelier im Jahr 1976. Der seit März 1994 als Staatspräsident amtierende Christdemokrat Eduardo Frei Ruiz-Tagle plante 1995 eine Verfassungsänderung zur Einschränkung der Macht des Militärs. Das Wirtschaftswachstum lag 1994 bei 4,3%.

**Starkes Militär:** Als Drohgebärde gegen die Urteilsverkündung versetzte der frühere Diktator Augusto Pinochet, der noch bis 1997 Chef der Armee bleibt, die Truppen im ganzen Land in Alarmzustand. Teile der Öffentlichkeit kritisierten 1995 eine Amnestie für Geheimdienstangehörige durch das Oberste Gericht. Pinochet-Polizisten standen unter dem Verdacht, während der Militärdiktatur (1973–1989) für die Ermordung von 78 Menschen verantwortlich zu sein. Ein unter Pinochet erlassenes Gesetz schützt Armeeangehörige, die Menschenrechtsverletzungen begehen, vor strafrechtlicher Verfolgung. Nach der Verfassung besetzt die Armeeführung acht von 46 Sitzen im Senat, der zweiten Parlamentskammer.

**Wirtschaft:** Gestiegene Industrieproduktion, der Fischereisektor und die niedrige Arbeitslosenquote (5,9%) stützten 1994 den Aufschwung. Eine weitere Belebung der Konjunktur erwartete C. vom 1994 erfolgten Beitritt zum asiatisch-pazifischen Wirtschaftsforum (APEC). Das Land wickelte 1995 rd. ein Drittel seines Handels mit Asien ab. Die Regierung plante für 1995 den Beitritt zum Nordamerikanischen Freihandelsabkommen (NAFTA) zwischen Kanada, Mexiko und den USA.

## China, Volksrepublik

| | |
|---|---|
| **Lage** Asien, Karte S. 479, F 3 | |
| **Fläche** 9 572 909 km² (WR 3) | |
| **Einwohner** 1,18 Mrd (WR 1) | |
| **Einwohner/km²** 123,3 (1993) | |
| **Bev.-Wachstum/Jahr** 1,0% Ø | |
| **Pkw.-Kennzeichen** TJ | |

**Hauptstadt** Beijing (Peking; 5,8 Mio Einwohner)

**Sprache** Chinesisch

**Religion** Volksrelig. (20,1%), buddh. (6%), moslem. (2,4%)

**Währung** 1 Renminbi Yuan (RMB) = 10 Jiao

| | |
|---|---|
| **BSP/Kopf** 490 $ (1993) | **Urbanisierung** 27% |
| **Inflation** 19,5 (1994) | **Alphabetisierung** 73% |
| **Arbeitslos.** ca. 2,7% (1994) | **Einw. pro Arzt** 648 |

**Reg.-Chef** Li Peng (seit 1987) * Oktober 1928

**Staatsob.** Jiang Zemin (seit 1993) * Juli 1926

**Staatsform** Sozialistische Volksrepublik

**Parlament** Nationaler Volkskongreß mit rund 2921 für fünf Jahre von den Provinzparlamenten gewählten Abgeordneten; sämtliche Sitze für die von der Kommunistischen Partei beherrschte Nationale Front (Wahl von 1993)

Eine von Staatspräsident Jiang Zemin eingeleitete Anti-Korruptions-Kampagne, die bis Mitte 1995 zu Verhaftungen und Rücktritten bekannter Politiker führte, ließ auf Machtkämpfe innerhalb der Kommunistischen Partei um die Nachfolge des 90jährigen starken Mannes der KP, Deng Xiaoping, schließen. Mit 11,8% hatte C. 1994 das höchste Wirtschaftswachstum der Welt.

**Machtkampf:** Mit Chen Xitong, dem KP-Chef von Peking, trat im April 1995 erstmals ein Mitglied des Politbüros der KP nach einer Korruptionsaffäre zurück. Er wurde u. a. für den Fall Wang Baosen verantwortlich gemacht. Der stellvertretende Bürgermeister von Peking hatte Selbstmord begangen, nachdem gegen ihn ein Verfahren wegen wirtschaftlicher Vergehen eingeleitet worden war. Im

Februar waren der frühere Sekretär von Chen sowie der vormalige Sekretär des Pekinger Bürgermeisters unter dem Vorwurf der Korruption verhaftet worden. Nach Einschätzungen von Beobachtern nutzte Parteichef Jiang Zemin die Affären, um die Pekinger Fraktion, die unter Chens Führung Anweisungen der Zentrale nicht befolgt hatte, zu entmachten. Chens Nachfolger als KP-Chef in Peking wurde der Sekretär der Disziplinarkommission der Partei, Wei Jianxing.

**Rüstungskonversion:** Die USA und C. schlossen im Oktober 1994 einen Vertrag über die Umstellung von Teilen der chinesischen Rüstungsproduktion auf zivile Produkte. Im September 1994 hatte C. gegenüber den USA eine Erklärung zur Nichtverbreitung von Raketentechnologie unterzeichnet. Die USA hoben daraufhin ihr Einfuhrverbot für Elektronik aus C. auf.

**Konfliktpotential entschärft:** In einem Vertragspaket verpflichteten sich die ehemaligen kommunistischen Rivalen Rußland und C. im September 1994, im Konfliktfall auf den Ersteinsatz von Atomwaffen zu verzichten. Erstmals steckten beide Länder den gemeinsamen Grenzverlauf friedlich ab. C. und Taiwan, das sich 1950 von C. abgespalten hatte, veröffentlichten im September 1994 eine Erklärung, in der C. die taiwanesische Rechtsprechung anerkennt. C. unterhält über die Kronkolonie Hongkong Handelsbeziehungen zu der kapitalistischen Insel. Beide Länder, die sich gegenseitig nicht anerkennen, erheben Alleinvertretungsanspruch für ganz C.

**Menschenrechte:** Mit einer Stimme Mehrheit entging C. im März 1995 einer Verurteilung durch die UNO-Menschenrechtskommission. Peking hatte Druck ausgeübt, um die Annahme der Resolution zu verhindern. Afrikanischen Staaten wurde z. B. die Einstellung von Entwicklungsprojekten angedroht. Der im Februar veröffentlichte jährliche Bericht des US-State Departments über Menschenrechtsverletzungen in C. listete Folterungen, Zwangsarbeit, Beschneidung der Meinungsfreiheit und Verfolgung von Regimegegnern auf. Im Juni 1994 trat ein Gesetz in Kraft, demzufolge sich strafbar macht, wer die Religion benutzt, um ethnische Unruhen zu schüren oder die Staatssicherheit gefährdende Ansichten verbreitet.

**Softwarepiraterie:** Anfang 1995 strebte C. den Beitritt zur Welthandelsorganisation (WTO) unter der Bedingung an, den Status eines Entwicklungslandes mit Handelsvorteilen zu erhalten. Insbes. die USA wandten sich wegen fehlender Copyright-Gesetze sowie Software- und Markenpiraterie chi-

**China: Ministerpräsident Li Peng**
\* 1928 in Chengdu (Sichuan). Der Ingenieur trat 1945 der KP bei. 1981 zum Minister für Energiefragen ernannt, wurde er 1982 ZK-Mitglied. Dem Politbüro trat Li 1985 bei und löste 1987 Zhao Ziyang als Ministerpräsident ab. Der Nationalkongreß bestätigte ihn 1988 im Amt. Li Peng gilt als Reformgegner und tritt für harte Bestrafung von Dissidenten ein.

nesischer Betriebe gegen den Beitritt von C. Im Februar schlossen die USA und C. ein Abkommen über den Schutz des Urheberrechts und verhinderten einen drohenden Handelskrieg.

**Wirtschaft:** Der Anstieg von Preisen und Gehältern in den Sonderwirtschaftszonen, in denen Handelsvergünstigungen gelten, trieb die Inflation 1994 auf 19,5% (1993: 13,2%). Während die Küstenregionen und die Städte vom Wirtschaftsboom profitierten, verarmte das ländliche Hinterland, wo die Arbeitslosigkeit auf bis zu 10% anstieg. 1994 kamen rd. 70 Mio Arbeiter in die florierenden Küstenregionen, um nach besser bezahlten Stellen zu suchen.

## Costa Rica

| | |
|---|---|
| **Lage** Mittelam., Karte S. 476, C 6 | |
| **Fläche** 51 100 km² (WR 125) | |
| **Einwohner** 3,2 Mio (WR 124) | |
| **Einwohner/km²** 62,6 (1992) | |
| **Bev.-Wachstum/Jahr** 1,9% ∅ | |
| **Pkw.-Kennzeichen** CR | |

| | |
|---|---|
| **Hauptstadt** San José (294 000 Einwohner) | |
| **Sprache** Spanisch | |
| **Religion** Katholisch (89,0%), Protestantisch (7,6%) | |
| **Währung** 1 Costa-Rica-Colón (C) = 100 Céntimos | |
| **BSP/Kopf** 2150 $ (1993) | **Urbanisierung** 44% |
| **Inflation** ca. 19% (1994) | **Alphabetisierung** 93% |
| **Arbeitslos.** 4,2% (1994) | **Einw. pro Arzt** 798 |
| **Reg.-Chef** José Maria Figueres Olsen (seit 1994) \* 1954 | |
| **Staatsob.** José Maria Figueres Olsen (seit 1994) \* 1954 | |
| **Staatsform** Präsidiale Republik | |
| **Parlament** Kongreß mit 57 für vier Jahre gewählten Abgeordneten; 26 Sitze für Partei der nationalen Befreiung, 24 Sitze für Christlich Soziale Einheitspartei, 7 für andere (Wahl vom Februar 1994) | |

## Côte d'Ivoire

**Lage** Afrika, Karte S. 477, B 4

**Fläche** 320 763 km² (WR 67)

**Einwohner** 13,5 Mio (WR 57)

**Einwohner/km²** 42,0 (1993)

**Bev.-Wachstum/Jahr** 3,5% Ø

**Pkw.-Kennzeichen** CI

**Hauptstadt** Yamoussoukro (110 000 Einwohner)

**Sprache** *Französisch,* Dyula, Kwa, Gur, Mande, Dialekte

**Religion** moslem. (38,0%), christ. (27,5%), animist. (17,0%)

**Währung** CFA-Franc (FCFA)

| | |
|---|---|
| **BSP/Kopf** 600 $ (1993) | **Urbanisierung** 40% |
| **Inflation** ca. 35% (1994) | **Alphabetisierung** 54% |
| **Arbeitslos.** k. A. | **Einw. pro Arzt** 17 847 |

**Reg.-Chef** Daniel Kablan Duncan (seit 1993) * 30. 6. 1943

**Staatsob.** Henri Konan Bédié (seit 1993) * 5. 5. 1934

**Staatsform** Präsidiale Republik

**Parlament** Nationalversammlung mit 175 für fünf Jahre gewählten Abgeordneten; 163 Sitze für Demokratische Partei der Elfenbeinküste (PDCI), 9 für Ivorische Volksfront (FPI), 2 für Unabhängige, 1 für Ivorische Arbeiterpartei (Wahl von 1990)

Nach dem Verlust der absoluten Mehrheit seiner Vier-Parteien-Koalition bei den Parlamentswahlen im September 1994 bildete der sozialdemokratische Ministerpräsident Poul Nyrup Rasmussen eine Minderheitsregierung. Gestiegener Export und Privatverbrauch sorgten 1994 für ein reales Wirtschaftswachstum in Höhe von 4,5%.

Gegenüber 1990 büßten die Sozialdemokraten 2,8% ein und errangen 34,6% der Stimmen. Sie bildeten mit den Sozialliberalen (4,6%, 1990: 3,5%) und den Zentrumsdemokraten (2,8%, 1990: 5,1%) eine Dreier-Koalition, die im Parlament über 75 von 179 Mandaten verfügt. Wahlgewinner waren die oppositionellen Rechtsliberalen unter Uffe Ellemann-Jensen, die 23,3 % (1990: 15,8%) der Stimmen erhielten. Die Rot/Grüne Einheitsliste schaffte mit 3,2% (1990: 1,7%) den Sprung ins Parlament.

Mit einem 7,4 km langen Eisenbahntunnel wurden im Oktober 1994 Seeland und die Insel Sprogø im Großen Belt verbunden. Die Querung des Großen Belt war nach dem Eurotunnel unter dem Ärmelkanal das größte Brücken- bzw. Tunnelprojekt in Europa. Im Juni 1994 begannen die Bauarbeiten für die Überquerung des 17,4 km langen Øresunds, die 2000 fertiggestellt sein soll.

## Dänemark

**Lage** Europa, Karte S. 473, D 4

**Fläche** 43 093 km² (WR 130)

**Einwohner** 5,19 Mio (WR 100)

**Einwohner/km²** 120,4 (1992)

**Bev.-Wachstum/Jahr** 0,2% Ø

**Pkw.-Kennzeichen** DK

**Hauptstadt** Kopenhagen (1,34 Mio Einwohner)

**Sprache** Dänisch

**Religion** Christlich (89,8%), moslemisch (1,3%)

**Währung** 1 Dänische Krone (dkr) = 100 Øre

| | |
|---|---|
| **BSP/Kopf** 26 730 $ (1993) | **Urbanisierung** 85% |
| **Inflation** 2,0% (1994) | **Alphabetisierung** 100% |
| **Arbeitslos.** 10,1% (1994) | **Einw. pro Arzt** 3600 |

**Reg.-Chef** Poul Nyrup Rasmussen (seit Jan.1993) * 1943

**Staatsob.** Königin Margrethe II. (seit 1972) * 16. 4. 1940

**Staatsform** Parlamentarische Monarchie

**Parlament** Folketing mit 179 für vier Jahre gewählten Abgeordneten; 62 Sitze für Sozialdemokraten, 42 für Liberale Venstre, 27 für Konservative Volkspartei, 13 für Sozialistische Volkspartei, 11 für Fortschrittspartei, 8 für Sozialliberale, 16 für andere (Wahl vom September 1994)

## Deutschland

**Lage** Europa, Karte S. 472

**Fläche** 356 733 km² (WR 61)

**Einwohner** 81,2 Mio (WR 12)

**Einwohner/km²** 228 (1993)

**Bev.-Wachstum/Jahr** 0,1% Ø

**Pkw.-Kennzeichen** D

**Hauptstadt** Berlin (3,46 Mio Einwohner)

**Sprache** Deutsch

**Religion** Katholisch (42,9%), protest. (42%), moslem. (3%)

**Währung** 1 Deutsche Mark (DM) = 100 Pfennig

| | |
|---|---|
| **BSP/Kopf** 23 560 DM (1993) | **Urbanisierung** 86% |
| **Inflation** 2,8% (1994) | **Alphabetisierung** 99% |
| **Arbeitslos.** 9,6% (1994) | **Einw. pro Arzt** 319 |

**Reg.-Chef** Helmut Kohl (seit 1982, CDU) * 3. 4. 1930

**Staatsob.** Roman Herzog (seit Juli 1994, CDU) * 5. 4. 1934

**Staatsform** Parlamentarische Bundesrepublik

**Parlament** Bundestag mit 672 für vier Jahre gewählten und Bundesrat mit 68 von den Länderregierungen gestellten Mitgliedern; im Bundestag 252 Sitze für SPD, 244 für CDU, 50 für CSU, 49 für Bündnis 90/Die Grünen, 47 für FDP, 30 für PDS (Wahl vom Oktober 1994)

Bei der Wahl zum zweiten gesamtdeutschen Bundestag im Oktober 1994 behauptete die Regierungskoalition aus CDU, CSU und FDP unter Bundeskanzler Helmut Kohl (CDU) knapp die Mehrheit. Mit Niederlagen in Bremen und Nordrhein-Westfalen bei Landtagswahlen setzte die FDP im Mai 1995 ihren Abwärtstrend fort. Im Juli beschloß das Parlament den Einsatz von Tornado-Kampfflugzeugen und Sanitätssoldaten zur Unterstützung der schnellen Eingreiftruppe der UNO für Bosnien-Herzegowina. Der wirtschaftliche Aufschwung dauerte 1994 mit 2,9% Wachstum an, ohne die Situation am Arbeitsmarkt zu entlasten. Der im Juli 1995 verabschiedete Bundeshaushalt 1996 sah zum ersten Mal seit 1953 Kürzungen vor. Der Etat sank um 1,3% auf 452 Mrd DM.

**Wahl:** Die Union verlor 2,3 Prozentpunkte gegenüber 1990 und erzielte mit 41,5% ihr schlechtestes Ergebnis seit 1949. Die Sozialdemokraten unter ihrem Spitzenkandidaten Rudolf Scharping verbesserten ihr Ergebnis um 2,9 Prozentpunkte auf 36,4%. Drittstärkste Kraft im Bundestag wurden Bündnis 90/Die Grünen mit 7,3% der Stimmen (1990: 4,5%). Mit einem Stimmverlust von 4,1% verzeichnete die FDP die größten Einbußen, sicherte sich jedoch mit 6,9% der Wählerstimmen den Wiedereinzug in den Bundestag. Als regionale politische Kraft erreichte die PDS in Ostdeutschland mit vier Direktmandaten den Einzug in den Bundestag. Landesweit erhielt sie 4,4% der Stimmen (1990: 2,4%). Kohl wurde im November 1995 zum fünften Mal seit 1982 als Bundeskanzler wiedergewählt. Im Bundesrat verfügte die SPD über die Mehrheit (41 von 68 Stimmen).

**Bundeswehreinsatz:** Um einen möglichen Abzug der UNO-Truppen aus dem Kriegsgebiet in Bosnien zu sichern, erging im Mai 1995 an die 16 NATO-Mitglieder die Aufforderung, Truppen bereitzustellen. D. beteiligt sich mit Tornado-Kampfflugzeugen an der Aktion. Grundlage für den Einsatz deutscher Truppen an UNO-Einsätzen ist ein Urteil des Bundesverfassungsgerichts von Juli 1994, das die Beteiligung deutscher Streitkräfte an Kampfeinsätzen oder Friedensmissionen im Ausland billigte, wenn jeweils die Zustimmung des Bundestages vorliegt.

**Wirtschaft:** Das Bruttoinlandsprodukt wuchs im Westen um 2,3% und im Osten um 9,2%. Wichtigste Stützen des Aufschwungs waren der Export, der um 7,2% zulegte, und die Bauwirtschaft, die insgesamt um 7,9% zulegte (Ostdeutschland: 21,6%). Unveränderte Realeinkommen infolge höherer Abgabenbelastung drosselten den privaten Verbrauch, der ein

Plus von 1,3 Prozentpunkte verbuchte. 3,7 Mio Menschen waren 1994 in Deutschland arbeitslos (1993: 3,6 Mio), davon 1,14 Mio in den neuen Bundesländern. Zu den Wachstumsbranchen im Osten zählten neben dem Baugewerbe der Dienstleistungsbereich.

**Treuhand:** Von 1990 bis 1994 privatisierte die Treuhandanstalt rd. 14 500 ehemalige DDR-Betriebe. 855 davon wurden an ausländische Investoren verkauft. 3661 Unternehmen wurden liquidiert. Rd. 230 000 Arbeitsplätze gingen durch Stillegungen verloren. Die Ende 1994 aufgelöste Anstalt gab 4300 Unternehmen bzw. Betriebsteile an frühere Besitzer zurück. Sie hinterließ 300 Mrd DM Schulden, die aus Steuermitteln beglichen werden.

**Steuererhöhung:** Durch den 1995 eingeführten Solidarzuschlag (7,5%ige Abgabe auf Lohn-, Einkommen- und Körperschaftsteuer) rechnet der Bund 1995 mit Mehreinnahmen in Höhe von 30 Mrd DM. Zusätzlich zu der Erhöhung der Versicherungsteuer (von 12% auf 15%) und der Steuer auf Privatvermögen (von 0,5% auf 1%) wurde 1% des Bruttoeinkommens (ab Juli 1996: 1,7%) für die gesetzliche Pflegeversicherung erhoben. Zum Ausgleich des Arbeitgeberanteils (50%) strichen alle Bundesländer außer Sachsen einen Feiertag. Mit rd. 44% (1993: 43,5%) des BIP erreichte die Abgabenlast 1995 einen Höchststand.

## Dominica

| Lage Mittelam., Karte S. 476, G 3 |  |
|---|---|
| **Fläche** 751 km² (WR 171) | |
| **Einwohner** 73 900 (WR 180) | |
| **Einwohner/km²** 99 (1993) | |
| **Bev.-Wachstum/Jahr** 0,9% ⌀ | |
| **Pkw.-Kennzeichen** WD | |

**Hauptstadt** Roseau (15 900 Einwohner)

**Sprache** *Englisch,* Patois

**Religion** Katholisch (67,4%), protestantisch (15,5%)

**Währung** 1 Ostkaribischer Dollar (EC-$) = 100 Cents

| **BSP/Kopf** 2720 $ (1993) | **Urbanisierung** 25% |
|---|---|
| **Inflation** 5,3% (1993) | **Alphabetisierung** 94% |
| **Arbeitslos.** 15% (1992) | **Einw. pro Arzt** 1947 |

**Reg.-Chef** Crispin Sorhaindo (seit 1993) * 1931

**Staatsob.** Clarence Augustus Seignoret (seit 1983) * 1919

**Staatsform** Parlamentarische Republik im Commonwealth

**Parlament** Abgeordnetenhaus mit 9 ernannten und 21 für fünf Jahre gewählten Mitgliedern; 11 Sitze für Vereinigte Arbeiterpartei, 10 für andere (Wahl von Juni 1995)

##  Dominikanische Republik

**Lage** Mittelam., Karte S. 476, E 3

**Fläche** 48 443 km² (WR 127)

**Einwohner** 7,6 Mio (WR 87)

**Einwohner/km²** 157,6 (1993)

**Bev.-Wachstum/Jahr** 1,5% Ø

**Pkw.-Kennzeichen** DOM

**Hauptstadt** Santo Domingo (2,4 Mio Einwohner)

**Sprache** Spanisch

**Religion** Katholisch (90,8%), protestantisch (0,3%)

**Währung** 1 Dominikanischer Peso (dom $) = 100 Centavos

| | |
|---|---|
| **BSP/Kopf** 1230 $ (1992) | **Urbanisierung** 62% |
| **Inflation** 8% (1994) | **Alphabetisierung** 83% |
| **Arbeitslos.** 19% (1994) | **Einw. pro Arzt** 934 |

**Reg.-Chef** Joaquín Balaguer (seit 1986) * 1. 9. 1907

**Staatsob.** Joaquín Balaguer (seit 1986) * 1. 9. 1907

**Staatsform** Präsidiale Republik

**Parlament** Abgeordnetenhaus mit 120 und Senat mit 30 für vier Jahre gewählten Abgeordneten; im Abgeordnetenhaus 55 Sitze für Sozialdemokraten (PRD), 52 für Christlichsoziale (PRSC), 13 für Sozialisten (PLD) (Wahl von Mai 1994)

## Ecuador

**Lage** Südamerika, Karte S. 475, B 2

**Fläche** 272 045 km² (WR 73)

**Einwohner** 11 Mio (WR 62)

**Einwohner/km²** 37 (1993)

**Bev.-Wachstum/Jahr** 2,0% Ø

**Pkw.-Kennzeichen** EC

**Hauptstadt** Quito (1,1 Mio Einwohner)

**Sprache** Spanisch, Ketschua

**Religion** Katholisch (92,1%)

**Währung** 1 Sucre (S/.) = 100 Centavos

| | |
|---|---|
| **BSP/Kopf** 1200 $ (1993) | **Urbanisierung** 58% |
| **Inflation** 25,4% (1994) | **Alphabetisierung** 86% |
| **Arbeitslos.** 7,1% (1994) | **Einw. pro Arzt** 980 |

**Reg.-Chef** Sixto Durán Ballén (seit 1992) * 14. 7. 1921

**Staatsob.** Sixto Durán Ballén (seit 1992) * 14. 7. 1921

**Staatsform** Präsidiale Republik

**Parlament** Nationalkongreß mit 77 für vier Jahre gewählten Abgeordneten; 26 Sitze für Christlich-Soziale (PSC), 11 für Zentrum (PRE), 8 für Marxisten (MDP), 7 für Sozialdemokraten (ID), 7 für Konservative (PCE), 18 für andere (nach Teilwahl vom 1. 5. 1994)

##  Dschibuti

**Lage** Afrika, Karte S. 477, E 3

**Fläche** 23 200 km² (WR 146)

**Einwohner** 565 000 (WR 155)

**Einwohner/km²** 24,4 (1993)

**Bev.-Wachstum/Jahr** 3,0% Ø

**Pkw.-Kennzeichen** k. A.

**Hauptstadt** Dschibuti-Stadt (290 000 Einwohner)

**Sprache** Französisch, Arabisch, Kuschitische Dialekte

**Religion** Moslemisch (96%), christlich (4%)

**Währung** 1 Franc de Djibouti (FD) = 100 Centimes

| | |
|---|---|
| **BSP/Kopf** 780 $ (1993) | **Urbanisierung** 81% |
| **Inflation** 3% (1992) | **Alphabetisierung** 34% |
| **Arbeitslos.** ca. 50% (1992) | **Einw. pro Arzt** 5258 |

**Reg.-Chef** Barkat Gourad Hamadou (seit 1978) * 1930

**Staatsob.** Hassan Gouled Aptidon (seit 1977) * 1916

**Staatsform** Präsidiale Republik

**Parlament** Nationalversammlung mit 65 für fünf Jahre gewählten Abgeordneten; sämtliche Sitze für die Volkspartei für den Fortschritt RPP (Wahl von 1992)

## El Salvador

**Lage** Mittelam., Karte, S. 476, A 5

**Fläche** 21 041 km² (WR 148)

**Einwohner** 5,5 Mio (WR 96)

**Einwohner/km²** 262,2 (1993)

**Bev.-Wachstum/Jahr** 1,7% Ø

**Pkw.-Kennzeichen** ES

**Hauptstadt** San Salvador (498 000 Einwohner)

**Sprache** Spanisch, indianische Dialekte

**Religion** Katholisch (93,6%)

**Währung** 1 El Salvador-Colon (C) = 100 Centavos

| | |
|---|---|
| **BSP/Kopf** 1320 $ (1992) | **Urbanisierung** 44% |
| **Inflation** 12,0% (1993) | **Alphabetisierung** 73% |
| **Arbeitslos.** 8,1% (1993) | **Einw. pro Arzt** 1322 |

**Reg.-Chef** Armando Calderón Sol (seit Juni 1994) * 1948

**Staatsob.** Armando Calderón Sol (seit Juni 1994) * 1948

**Staatsform** Präsidiale Republik

**Parlament** Nationalversammlung mit 84 für drei Jahre gewählten Abgeordneten; 39 Sitze für Nationalistisch-Republikanische Allianz (ARENA), 21 für Nationale Befreiungsfront (FMLN), 18 für Christdemokraten (PDC), 4 für Nat. Versöhnungspartei (PCN), 2 für andere (Wahl v. März 1994)

##  Eritrea

| | |
|---|---|
| **Lage** Afrika, Karte S. 477, E 3 | |
| **Fläche** 117 400 km² (WR 98) | |
| **Einwohner** 3,7 Mio (WR 119) | |
| **Einwohner/km²** 31,3 (1993) | |
| **Bev.-Wachstum/Jahr** 2,6 (%) | |
| **Pkw.-Kennzeichen** k. A. | |

**Hauptstadt** Asmara (350 000 Einwohner)

**Sprache** Arabisch, Tigrinja

**Religion** Moslemisch (50%), christlich (50%)

**Währung** 1 Birr (Br) = 100 Cents

| | |
|---|---|
| **BSP/Kopf** 115 $ (1993) | **Urbanisierung** k. A. |
| **Inflation** k. A. | **Alphabetisierung** ca. 20% |
| **Arbeitslos.** ca. 25% (1993) | **Einw. pro Arzt** 28 000 |

**Reg.-Chef** Issayas Afewerki (seit 1993) * 1945

**Staatsob.** Issayas Afewerki (seit 1993) * 1945

**Staatsform** Republik

**Parlament** Seit dem 24. 5. 1991 Provisorischer Nationalrat mit 150 Sitzen; alle Sitze für die Sozialisten (EPLF)


##  Fidschi

| | |
|---|---|
| **Lage** Ozeanien, Karte S. 481, H 4 | |
| **Fläche** 18 274 km² (WR 151) | |
| **Einwohner** 762 000 (WR 153) | |
| **Einwohner/km²** 41,7 (1993) | |
| **Bev.-Wachstum/Jahr** 1,0% Ø | |
| **Pkw.-Kennzeichen** FJI | |

**Hauptstadt** Suva (70 000 Einwohner)

**Sprache** *Englisch, Fidschianisch,* Hindi

**Religion** Christlich (52,9%), hind. (38,1%), moslem. (7,8%)

**Währung** 1 Fidschi-Dollar ($ F) = 100 Cents

| | |
|---|---|
| **BSP/Kopf** 2130 $ (1993) | **Urbanisierung** 39% |
| **Inflation** 4,9% (1992) | **Alphabetisierung** 87% |
| **Arbeitslos.** 6,4% (1990) | **Einw. pro Arzt** 2438 |

**Reg.-Chef** Sitiveni Rabuka (seit 1992) * 13. 8. 1948

**Staatsob.** Ratu Sir Kamisese Mara (seit Jan. 1994) * 1920

**Staatsform** Republik

**Parlament** Repräsentantenhaus mit 70 für fünf Jahre gewählten Abgeordneten; 31 Sitze für Polit. Partei von Fidschi (FPP), 20 für nat. Föderationspartei (NFP), 7 für Labour-Partei (FLP), 5 für Vereinigung von Fidschi (FA), 7 für andere (Wahl von 1992)


##  Estland

| | |
|---|---|
| **Lage** Europa, Karte S. 473, E 3 | |
| **Fläche** 45 226 km² (WR 129) | |
| **Einwohner** 1,54 Mio (WR 142) | |
| **Einwohner/km²** 34 (1993) | |
| **Bev.-Wachstum/Jahr** -0,3% Ø | |
| **Pkw.-Kennzeichen** EST | |

**Hauptstadt** Tallinn (471 600 Einwohner)

**Sprache** *Estnisch,* Russisch

**Religion** Protestantisch (92%)

**Währung** 1 Estnische Krone (ekr) = 100 Senti

| | |
|---|---|
| **BSP/Kopf** 3040 $ (1993) | **Urbanisierung** 71,3% |
| **Inflation** 45% (1994) | **Alphabetisierung** 99,7% |
| **Arbeitslos.** 1,5% (1994) | **Einw. pro Arzt** 210 |

**Reg.-Chef** Tiit Vähi (seit April 1995) * 10. 1. 1947

**Staatsob.** Lennart Meri (seit 1992) * 29. 3. 1929

**Staatsform** Parlamentarische Republik

**Parlament** Staatsversammlung mit 101 für drei Jahre gewählten Abgeordneten; 41 Sitze für Koalitionspartei/Bauernunion, 19 für Reformpartei, 16 für Zentrumspartei, 8 für Vaterlands- und Unabhängigkeitspartei, 6 für Gemäßigte, 11 für andere (Wahl vom 5. 3. 1995)


## Finnland

| | |
|---|---|
| **Lage** Europa, Karte S. 473, E 3 | |
| **Fläche** 338 145 km² (WR 63) | |
| **Einwohner** 5,06 Mio (WR 103) | |
| **Einwohner/km²** 16,6 (1993) | |
| **Bev.-Wachstum/Jahr** 0,3% Ø | |
| **Pkw.-Kennzeichen** FIN | |

**Hauptstadt** Helsinki (502 000 Einwohner)

**Sprache** *Finnisch, Schwedisch*

**Religion** Christlich (88,4%)

**Währung** 1 Finnmark (FMk) = 100 Penniä

| | |
|---|---|
| **BSP/Kopf** 19 300 $ (1993) | **Urbanisierung** 63% |
| **Inflation** 1,1% (1994) | **Alphabetisierung** 100% |
| **Arbeitslos.** 18,4% (1994) | **Einw. pro Arzt** 406 |

**Reg.-Chef** Paavo Lipponen (seit April 1995) * 23. 4. 1941

**Staatsob.** Martti Ahtisaari (seit März 1994) * 23. 6. 1937

**Staatsform** Parlamentarische Republik

**Parlament** Reichstag mit 200 für vier Jahre gewählten Abgeordneten; 63 für Sozialdemokraten, 44 Sitze für Zentrumspartei, 39 für Konservative, 22 für Linksbund (Volksdemokratische Union und Demokratische Alternative), 32 für andere (Wahl vom März 1995)

Am 1. 1. 1995 wurde F. Mitglied der Europäischen Union, nachdem 57,1% der Finnen im Oktober 1994 den Beitritt befürwortet hatten. Bei den Parlamentswahlen im März 1995 siegte die sozialdemokratische Partei (SDP) unter Paavo Lipponen. Sie erhielt 28,3% (1991: 22,1%) der Stimmen und 63 von 200 Mandaten. Eine Koalition von fünf Parteien löste die bisherige Regierungskoalition aus Zentrum (KESK), Konservativen (KOK) und Schwedischer Volkspartei (RKP) unter Esko Aho (KESK) ab.

Ahos Partei, die 19,9% (1991: 24,8%) der Wählerstimmen errang, büßte elf von 55 Sitzen ein. Die Konservativen erreichten 17,9% (1991: 19,3%). Neben SDP und KOK gehörten die ehemals kommunistische Allianz der Linken, die Grünen und die RKP der neuen Regierung an, die über 145 Mandate verfügt.

Erstes Ziel der Regierung war die Bekämpfung der Wirtschaftskrise. Die Staatsverschuldung lag 1994 bei rd. 100,1 Mrd DM (60% des BSP). Regierungschef Lipponen kündigte für die nächsten Jahre Einschnitte im Staatshaushalt in Höhe von umgerechnet rd. 6,5 Mrd DM an. Sozialausgaben und Subventionen für Industrie und Landwirtschaft werden gekürzt.

## Frankreich

| Lage Europa, Karte S. 473, C 5 |
| --- |
| **Fläche** 551 500 km² (WR 46) |
| **Einwohner** 57,7 Mio (WR 19) |
| **Einwohner/km²** 105 (1993) |
| **Bev.-Wachstum/Jahr** 0,4% Ø |
| **Pkw.-Kennzeichen** F |
| **Hauptstadt** Paris (9,1 Mio Einwohner) |
| **Sprache** *Französisch* |
| **Religion** Katholisch (76,3%), moslem. (4,5%), protest., jüd. |
| **Währung** 1 Französischer Franc (FF) = 100 Centimes |

| | |
| --- | --- |
| **BSP/Kopf** 22 490 $ (1993) | **Urbanisierung** 74% |
| **Inflation** 1,7% (1994) | **Alphabetisierung** 99% |
| **Arbeitslos.** 12,6% (1994) | **Einw. pro Arzt** 350 |

| |
| --- |
| **Reg.-Chef** Alain Juppé (seit Mai 1995) * 15. 8. 1945 |
| **Staatsob.** Jacques Chirac (seit Mai 1995) * 29. 11. 1932 |
| **Staatsform** Parlamentarische Republik |
| **Parlament** Senat mit 319 für neun Jahre und Nationalversammlung mit 577 für fünf Jahre gewählten Abgeordneten; in der Nationalversammlung 247 Sitze für Neo-Gaullisten; 213 für Rechtsliberale, 54 für Sozialisten, 23 für Kommunisten, 6 für Linksliberale, 34 für andere (Wahl von 1993) |

Der Gaullist und bisherige Pariser Bürgermeister Jacques Chirac (RPR) gewann im Mai 1995 die französischen Präsidentschaftswahlen. Er löste den seit 1981 amtierenden Sozialisten François Mitterrand ab. Chirac berief den bisherigen Außenminister Alain Juppé (RPR) nach dem Rücktritt von Edouard Balladur (RPR) zum Premierminister. Die Ankündigung, die 1994 eingestellten Atomtests im Südpazifik wiederaufzunehmen, löste im Juli 1995 weltweit Proteste gegen die französischen Regierung aus. Die Wirtschaft verzeichnete 1994 ein Wachstum in Höhe von 1,8% (1993: – 1%).

**Machtwechsel:** Im zweiten Wahlgang erhielt Chirac 52,6%, sein sozialistischer Herausforderer Lionel Jospin 47,4% der Stimmen. Jospin war mit 23,3% der Stimmen als Überraschungssieger aus dem ersten Wahlgang im April hervorgegangen. Chirac erreichte 20,8%, Premierminister Edouard Balladur (RPR) 18,9%. Nach seinem Scheitern erklärte Balladur seinen Rücktritt. Der Chef der rechtsextremen Nationalen Front, Jean Marie Le Pen, erzielte mit 15,0% bei seiner dritten Kandidatur sein bisher bestes Ergebnis.

**Atom-Versuche:** Im Juli enterten französische Marinesoldaten das Greenpeace-Schiff „Rainbow Warrior", das vor dem Mururoa-Atoll gegen die Wiederaufnahme der Atom-Versuche protestierte. Auf der Inselgruppe im Südpazifik will F. bis Mai 1996 acht unterirdische Explosionen vornehmen.

**Regierungsprogramm:** Im Mai kündigte Chirac eine Verfassungsänderung an, welche die Möglichkeit Volksabstimmungen durchzuführen, ausweitet. Im Wahlkampf hatte der Präsident ein Referendum über eine Reform des Erziehungswesens und über die Ergebnisse der 1996 stattfindenden Maastricht-Folgekonferenz gefordert. Im Juni kündigte Juppé ein Programm zur Bekämpfung der Arbeitslosigkeit an, das u. a. durch eine Erhöhung der Mehrwertsteuer um 2% auf 20,6% ab August 1995 finanziert werden soll. Bis Ende 1996 soll das Beschäftigungsprogramm 700 000 neue Arbeitsplätze schaffen.

**Bosnien-Engagement:** Nach dem Tod von zwei französischen Blauhelm-Soldaten beim Einsatz in Bosnien-Herzegowina drohte F. im April 1995 mit dem Abzug seiner Truppen aus dem Kriegsgebiet für den Fall, daß die UNO-Truppen nicht verstärkt würden. Da F. mit 4200 von 25 000 Mann das größte Kontingent der Schutztruppe stellte, drohte mit dem Abzug das Scheitern der UNO-Mission.

**Rechte gestärkt:** Bei Kommunalwahlen im Juni 1995 war die Nationale Front in drei Städten erfolgreich. Erstmals besetzte die rechtsextreme

Partei Le Pens in einer Großstadt (Toulon) und in zwei mittleren Gemeinden (Orange, Marignane) das Amt des Bürgermeisters.

**Korruption:** Im ersten großen Korruptionsprozeß gegen Politiker verurteilte das Strafgericht in Lyon im April 1995 den Bürgermeister von Lyon und früheren Außenhandelsminister Michel Noir wegen Bestechlichkeit zu 15 Monaten Haft auf Bewährung. 1994 hatten die Justizbehörden Ermittlungen gegen rd. 120 Direktoren, Bürgermeister, Beamte und Politiker wegen Korruption eingeleitet, u. a. gegen 30 Parlamentarier. Im Dezember 1994 hatte die Nationalversammlung Gesetze zur verschärften Bekämpfung der Korruption gebilligt.

**Wirtschaft:** Das Haushaltsdefizit von 5,7% des BIP stellte das größte Hindernis für den 1997 vorgesehenen Beitritt von F. zur Europäischen Währungsunion dar. Die 1992 im Vertrag von Maastricht festgelegte Höchstgrenze für den Beitritt liegt bei 3%. Die neue Regierung beschleunigte die 1993 eingeleitete Privatisierung von rd. 20 Staatsbetrieben (bis 1997), darunter die Mineralölfirma Elf Aquitaine und den Automobilhersteller Renault. Im Juni 1995 begann der Verkauf der im Usinor-Sacilor-Konzern zusammengefaßten staatlichen Stahlwirtschaft.

## Gambia

| | |
|---|---|
| **Lage** Afrika, Karte S. 477, A 3 | |
| **Fläche** 10 689 km² (WR 158) | |
| **Einwohner** 1,0 Mio (WR 149) | |
| **Einwohner/km²** 96,6 (1993) | |
| **Bev.-Wachstum/Jahr** 3,5% Ø | |
| **Pkw.-Kennzeichen** WAG | |

**Hauptstadt** Banjul (44 000 Einwohner)

**Sprache** *Englisch*, Mandingo, Wolof

**Religion** Moslem. (95,4%), christl. (3,7%), Naturrel. (0,9%)

**Währung** 1 Dalasi (D) = 100 Butut

| | |
|---|---|
| **BSP/Kopf** 350 $ (1993) | **Urbanisierung** 22% |
| **Inflation** 11,5% (1992) | **Alphabetisierung** 27% |
| **Arbeitslos.** k. A. | **Einw. pro Arzt** 14 536 |

**Reg.-Chef** Yaya Jammeh (seit Juli 1994)

**Staatsob.** Yaya Jammeh (seit Juli 1994)

**Staatsform** Präsidiale Republik

**Parlament** Repräsentantenhaus mit 36 für vier Jahre gewählten und 14 ernannten Abgeordneten; 25 Sitze für Progressive People's Party, 6 für National Congress Party, 3 für Unabhängige, 2 für Gambia People's Party, 14 für andere (Wahl von 1992, Parteien seit Juli 1994 verboten)

## Gabun

| | |
|---|---|
| **Lage** Afrika, Karte S. 477, C 4 | |
| **Fläche** 267 667 km² (WR 75) | |
| **Einwohner** 1,3 Mio (WR 146) | |
| **Einwohner/km²** 4,8 (1993) | |
| **Bev.-Wachstum/Jahr** 2,9% Ø | |
| **Pkw.-Kennzeichen** k. A. | |

**Hauptstadt** Libreville (352 000 Einwohner)

**Sprache** *Französisch*, Bantu-Sprachen

**Religion** Kath. (65,2%), protest. (18,8%), Naturrelig. (2,9%)

**Währung** CFA-Franc (FCFA)

| | |
|---|---|
| **BSP/Kopf** 4960 $ (1993) | **Urbanisierung** 46% |
| **Inflation** –9,6% (1992) | **Alphabetisierung** 61% |
| **Arbeitslos.** ca. 13% (1991) | **Einw. pro Arzt** 2000 |

**Reg.-Chef** Paulin Obame (seit Okt. 1994)

**Staatsob.** Omar Bongo (seit 1967) * 30. 12. 1935

**Staatsform** Präsidiale Republik

**Parlament** Nationalversammlung mit 120 für fünf Jahre gewählten Abgeordneten; 66 Sitze für PDG (Konservative), 19 für PGP (Fortschrittspartei), 17 für RNP (Reformer), 7 für MORENA (Reformer), 6 für APSG (Sozialisten), 5 für andere (Wahl von 1990/91)

## Georgien

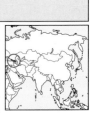

| | |
|---|---|
| **Lage** Asien, Karte S. 479, A 3 | |
| **Fläche** 69 700 km² (WR 118) | |
| **Einwohner** 5,5 Mio (WR 97) | |
| **Einwohner/km²** 78,9 (1993) | |
| **Bev.-Wachstum/Jahr** 0,7% Ø | |
| **Pkw.-Kennzeichen** k. A. | |

**Hauptstadt** Tiflis (1,28 Mio Einwohner)

**Sprache** Georgisch

**Religion** Georgisch-orthod. (65%), moslemisch (11%)

**Währung** 1 Kupon = 1 Rubel

| | |
|---|---|
| **BSP/Kopf** 580 $ (1993) | **Urbanisierung** 56% |
| **Inflation** rd. 20 000% (1994) | **Alphabetisierung** 99% |
| **Arbeitslos.** ca. 0,2% (1993) | **Einw. pro Arzt** 170 |

**Reg.-Chef** Otari Pazadzia (seit 1993) * 15. 5. 1929

**Staatsob.** Eduard Schewardnadse (seit 1992) * 28. 1. 1928

**Staatsform** Republik

**Parlament** mit 134 Abgeordneten; 29 Sitze für Friede, 18 für 11. Oktober, 14 für Einheit, 12 für Nationaldemokraten, 11 für Grüne, 10 für Demokratische Partei, 40 für andere (Wahl von 1992)

**Georgien: Staatsoberhaupt Eduard Schewardnadse**
\* 28. 1. 1928 in Mamati. Der Historiker war 1968–1972 Innenminister und 1972–1985 Parteichef in Georgien. 1985–1990 war Schewardnadse Außenminister der UdSSR unter Michail Gorgatschow. Im März 1992 wurde er Vorsitzender des provisorischen Staatsrats von Georgien und im Oktober als einziger Kandidat zum Staatschef gewählt.

Der seit 1991/92 andauernde Konflikt zwischen der nach Unabhängigkeit strebenden Schwarzmeerregion Abchasien und G. hielt bis Mitte 1995 an. Abchasische Milizionäre verübten im März ein Massaker an Georgiern, die in der abtrünnigen Region lebten. Im März stimmte Staatsoberhaupt Eduard Schewardnadse einem Vertrag mit Rußland über die Entsendung von Truppen nach G. zu.

**Fluchtwelle:** Abchasische Milizionäre ermordeten bei dem Massaker in der Region Gali zahlreiche Menschen. Folterungen und Plünderungen lösten eine Fluchtwelle in das von der georgischen Regierung kontrollierte Gebiet aus. Dort befanden sich Mitte 1995 rd. 300 000 Flüchtling.

**Militärabkommen:** Der Vertrag mit Rußland hat eine Laufzeit von 25 Jahren. An vier Stützpunkten sollen russische Truppen stationiert werden, die G. im Konflikt mit den Abchasen und den ebenfalls nach Unabhängigkeit strebenden Südosseytiern unterstützen. Bereits im Mai 1994 hatten sich Georgier und Abchasen auf die Stationierung einer GUS-Friedenstruppe zur Kontrolle eines zuvor geschlossenen Waffenstillstandsabkommens geeinigt. Rußland hatte G. seine Unterstützung im Kampf gegen die abtrünnigen Republiken als Gegenleistung für den 1994 erfolgten Beitritt von G. zur GUS zugesagt.

**Wirtschaft ruiniert:** Als Folge des Konflikts waren die Investitionen seit 1991 jährlich um durchschnittlich 73% rückläufig. Bis Mitte 1994 wurden 1200 kleine und mittlere Unternehmen sowie zwei Drittel der landwirtschaftlichen Betriebe privatisiert. Ende 1994 war G. im Ausland mit 870 Mio Dollar (1,23 Mrd DM) verschuldet. Die schlechte Versorgungslage der Bevölkerung spitzte sich Ende 1994 zu. Im September erhöhte die Regierung die Preise für Erdgas, Strom, öffentliche Verkehrsmittel und Brot um 280%. Die Versorgung mit Brot ging im November auf zwei Drittel der benötigten Menge zurück.

 **Ghana**

| Lage Afrika, Karte S. 477, B 4 | |
|---|---|
| Fläche 238 533 km² (WR 79) | |
| Einwohner 15,6 Mio (WR 53) | |
| Einwohner/km² 65,6 (1992) | |
| Bev.-Wachstum/Jahr 3,0% Ø | |
| Pkw.-Kennzeichen GH | |

| Hauptstadt Accra (949 100 Einwohner) |
|---|
| Sprache *Englisch*, 75 Sprachen und Dialekte |
| Religion Christl. (62,6%), trad. Rel. (21,4%), mosl. (15,7%) |
| Währung 1 Cedi (c) = 100 Pesewas |

| BSP/Kopf 430 $ (1993) | Urbanisierung 35% |
|---|---|
| Inflation 30% (1994) | Alphabetisierung 60% |
| Arbeitslos. k. A. | Einw. pro Arzt 22 970 |

| Reg.-Chef Jerry John Rawlings (seit 1981) \* 22. 6. 1947 |
|---|
| Staatsob. Jerry John Rawlings (seit 1981) \* 22. 6. 1947 |
| Staatsform Präsidiale Republik |
| Parlament Nationalversammlung mit 200 Abgeordneten; 189 Sitze für DNC, 8 für NCP, 2 für Unabhängige, 1 für EGLE Party (Wahl von 1992) |

 **Grenada**

| Lage Mittelam., Karte S. 476, G 4 | |
|---|---|
| Fläche 344 km² (WR 182) | |
| Einwohner 91 000 (WR 178) | |
| Einwohner/km² 264,5 (1993) | |
| Bev.-Wachstum/Jahr – 0,2% Ø | |
| Pkw.-Kennzeichen WG | |

| Hauptstadt St. George's (10 000 Einwohner) |
|---|
| Sprache *Englisch*, Patois |
| Religion Katholisch (59,3%), protestantisch (34,5%) |
| Währung 1 Ostkaribischer Dollar (EC-$) = 100 Cent |

| BSP/Kopf 2380 $ (1993) | Urbanisierung 65% |
|---|---|
| Inflation 3,7% (1990) | Alphabetisierung 85% |
| Arbeitslos. 35% (1993) | Einw. pro Arzt 1617 |

| Reg.-Chef George Brizan (seit 1. 2. 1995, NDC) |
|---|
| Staatsob. Königin Elizabeth II. (seit 1974) \* 21. 4. 1926 |
| Staatsform Konstitutionelle Monarchie im Commonwealth |
| Parlament Senat mit 13 ernannten und Repräsentantenhaus mit 15 für fünf Jahre gewählten Abgeordneten; 7 Sitze für National Democratic Congress, 4 für Sozialdemokraten (GULP), 2 für New National Party, 2 für Liberale (TNP, Wahl von 1993) |

 **Griechenland**

**Lage** Europa, Karte S. 473, E 7

**Fläche** 131 957 km² (WR 94)

**Einwohner** 10,3 Mio (WR 68)

**Einwohner/km²** 78,0 (1993)

**Bev.-Wachstum/Jahr** 0,1% ∅

**Pkw.-Kennzeichen** GR

**Hauptstadt** Athen (3,1 Mio Einwohner)

**Sprache** Neugriechisch

**Religion** Griech.-orth. (98,1%), mosl. (1,5%), kath. (0,4%)

**Währung** Drachme (Dr)

| | |
|---|---|
| **BSP/Kopf** 7390 $ (1993) | **Urbanisierung** 64% |
| **Inflation** 10,9% (1994) | **Alphabetisierung** 93% |
| **Arbeitslos.** 10,7% (1994) | **Einw. pro Arzt** 303 |

**Reg.-Chef** Andreas Papandreou (seit 1993) * 5. 2. 1919

**Staatsob.** Kostis Stephanopoulos (seit März 1995) * 1926

**Staatsform** Parlamentarische Republik

**Parlament** Ein-Kammer-Parlament mit 300 für vier Jahre gewählten Abgeordneten; 170 Sitze für Panhellenische Sozialistische Bewegung, 111 für Neue Demokratie, 10 für Polit. Frühling, 9 für Kommunistische Partei (Wahl von 1993)

Im März 1995 wählte die Nationalversammlung den konservativen Politiker Kostis Stephanopoulos zum Nachfolger des 88jährigen Staatspräsidenten Konstantin Karamanlis. Für 1995 strebt die Regierung unter dem Sozialisten Andreas Papandreou eine Verfassungsreform an, durch die u. a. die Todesstrafe abgeschafft sowie Kirche und Staat getrennt werden sollen. Die Beziehungen zu den Nachbarstaaten Albanien, Mazedonien und Türkei blieben bis Mitte 1995 gespannt.

**Wahl:** Die regierende Panhellenische Sozialistische Bewegung (PASOK) und die extremen Nationalisten des Politischen Frühlings (POLAN) unterstützten die Kandidatur von Stephanopoulos. Die rivalisierenden Parteien hatten sich auf den Rechtsliberalen geeinigt, um Parlamentsneuwahlen zu verhindern, die beim Scheitern des dritten Wahlgangs notwendig geworden wären.

**Streit mit Nachbarn:** Die Verurteilung von Angehörigen der griechischen Minderheitsorganisation Omonia wegen Spionage durch ein albanisches Gericht beantwortete G. im August und September 1994 mit der Abschiebung von 32 000 moslemischen Albanern, die sich ohne Genehmigung in G. aufhielten. Die Türkei drohte mit Militäraktionen, nachdem G. im Juni 1995 die internationale Seerechtskonvention von November 1994 ange-

nommen hat. Sie dehnt die Hoheitsgewässer um die griechischen Inseln vor der anatolischen Küste von sechs auf zwölf Seemeilen aus.

**Wirtschaft:** Anfang 1995 zeigte die Wirtschaft im ärmsten Land der EU Anzeichen eines Aufschwungs: Das Zahlungsbilanzdefizit sank zwischen 1990 und 1994 von 3,6 Mrd Dollar (5,1 Mrd DM) auf 130 Mio Dollar (183 Mio DM), die Inflation konnte gebremst und die Gesamtverschuldung der öffentlichen Hand 1994 auf 114% des BIP (1993: 115,3% des BIP) vermindert werden. Im April protestierten Landwirte gegen die geplante Steuerreform, die u. a. erstmals die Besteuerung von Bauern vorsieht.

 **Großbritannien**

**Lage** Europa, Karte S. 473, B 4

**Fläche** 244 110 km² (WR 76)

**Einwohner** 58,1 Mio (WR 17)

**Einwohner/km²** 238 (1992)

**Bev.-Wachstum/Jahr** 0,2% ∅

**Pkw.-Kennzeichen** GB

**Hauptstadt** London (6,8 Mio Einwohner)

**Sprache** *Englisch,* Walisisch, Gälisch

**Religion** Katholisch (21%), Anglik. (20%), presbyt. (7%)

**Währung** 1 Pfund Sterling (£) = 100 New Pence

| | |
|---|---|
| **BSP/Kopf** 18 060 $ (1993) | **Urbanisierung** 92% |
| **Inflation** 2,0% (1994) | **Alphabetisierung** 99% |
| **Arbeitslos.** 9,5% (1994) | **Einw. pro Arzt** 611 |

**Reg.-Chef** John Major (seit 1990) * 29. 3. 1943

**Staatsob.** Königin Elizabeth II. (seit 1952) * 21. 4. 1926

**Staatsform** Parlamentarische Monarchie

**Parlament** Oberhaus mit 1177 Lords und Unterhaus mit 651 für fünf Jahre gewählten Abgeordneten; 327 Sitze für Conservative Party, 270 für Labour Party, 23 für Liberal Democrats, 9 für Unionists, 21 für andere, 1 Sitz vakant (Wahl von 1992, Stand: Juni 1995 mit Nachwahlen)

Mit der umfassendsten Kabinettsumbildung seiner Amtszeit reagierte der konservative Premierminister John Major im Juli 1995 auf die anhaltende Krise der Tories. Mit 218 gegen 89 Stimmen ging er gestärkt aus den Wahlen zum Parteivorsitzenden hervor, nachdem er im Juni zurückgetreten war, um Kritikern aus den eigenen Reihen zu begegnen. Mit dem Beginn offizieller Gespräche zwischen Vertretern der britischen Regierung und Sinn Féin, dem politischen Arm der IRA, zeichnete sich nach 25 Jahren Bürgerkrieg im Mai eine friedliche

Lösung für Nordirland ab. Das Wirtschaftswachstum in Höhe von 3,9% (1994) ging insbes. auf Zuwächse im Exportgeschäft zurück.

**Torys in der Krise:** Bei der Abstimmung über den Parteivorsitz schlug Major seinen Herausforderer John Redwood. Der rechte Parteiflügel erlitt bei der anschließenden Kabinettsumbildung einen Rückschlag. Major berief Handels- und Industrieminister Michael Heseltine zum neuen Vizepremier, der bisherige Verteidigungsminister Malcolm Rifkind wurde neuer Außenminister als Nachfolger des zurückgetretenen Douglas Hurd. Michael Portillo wechselte vom Arbeits- ins Verteidigungsministerium. Das Festhalten der britischen Regierung an der vom Shell-Konzern geplanten, nach internationaler Kritik im Juni 1995 jedoch aufgegebenen Versenkung der Öl-Plattform Brent Spar im Nordatlantik hatte Major massive Kritik eingebracht. Der bereits 1994 bei Kommunalwahlen einsetzende Sympathieverlust der Torys hielt 1995 bei Regionalwahlen in Schottland, England, Wales und Nordirland an. 1994 aufgedeckte Korruptionsaffären von Regierungsmitgliedern und ein wachsendes Armutsgefälle schwächten das Ansehen der konservativen Regierung.

**Labour im Aufwind:** Unter dem seit Juni 1994 amtierenden Vorsitzenden Tony Blair, der dem rechten Parteiflügel zugerechnet wird, vollzog die Labour Party auf einem Sonderparteitag im April 1995 einen historischen Kurswechsel. Sie gab die Idee des Sozialismus auf und strich z. B. die Vergesellschaftung der Wirtschaft aus ihrem Parteiprogramm. Blair will mehr Wähler aus dem Mittelstand für seine Partei gewinnen. Anfang 1995 sprach er sich für eine verstärkte Integration des Landes in die EU und die Teilnahme an der Europäischen Währungsunion ab 1997 aus.

**Wirtschaft:** Die Auftragslage war 1994 die beste seit 1973. Die Abwertung des britischen Pfund führte zur Preissenkung britischer Waren auf dem Weltmarkt und förderte den Export. Der von der Regierung durchgesetzte Abbau von Arbeitnehmerrechten, wie z. B. die Abschaffung gesetzlicher Mindestlöhne und Einschränkungen beim Kündigungsschutz, erhöhte die Standortattraktivität für Investoren. Lohn- und Lohnnebenkosten waren 1994 mit durchschnittlich 12,82 Dollar/Stunde (18,07 DM) halb so hoch wie in Deutschland. Zum Ausgleich des Haushaltsdefizits (1994: umgerechnet 104 Mrd DM) erhöhte die Regierung im April 1995 die Steuern. Ab 1996 wird die Arbeitslosenunterstützung von zwölf auf sechs Monate gekürzt.
→ IRA → Nordirland-Konflikt

 **Guatemala**

| Lage Mittelam., Karte S. 476, A 5 | |
|---|---|
| Fläche 108 889 km² (WR 103) | |
| Einwohner 9,7 Mio (WR 75) | |
| Einwohner/km² 89 (1992) | |
| Bev.-Wachstum/Jahr 2,9% ∅ | |
| Pkw.-Kennzeichen GCA | |

Hauptstadt Guatemala-Stadt (1,1 Mio Einwohner)

Sprache *Spanisch,* Maya-Quiché-Dialekte

Religion Katholisch (75%), protestantisch (25%)

Währung 1 Quetzal (Q) = 100 Centavos

| BSP/Kopf 1100 $ (1993) | Urbanisierung 40% |
|---|---|
| Inflation 10% (1994) | Alphabetisierung 55% |
| Arbeitslos. 5,7% (1994) | Einw. pro Arzt 2356 |

Reg.-Chef Ramiro de León Carpio (seit 1993) * 12. 1. 1942

Staatsob. Ramiro de León Carpio (seit 1993) * 12. 1. 1942

Staatsform Präsidiale Republik

Parlament Kongreß mit 80 für vier Jahre gewählten Abgeordneten; 32 Sitze für Republikanische Front, 24 für Partei der Nationalen Vorhut, 13 für Christdemokraten, 7 für Nationale Zentrumsunion, 3 für Nationale Befreiungsbewegung, 1 für Demokratische Union (Wahl vom August 1994)

 **Guinea**

| Lage Afrika, Karte S. 477, A 3 | |
|---|---|
| Fläche 245 857 km² (WR 76) | |
| Einwohner 7,4 Mio (WR 90) | |
| Einwohner/km² 30,2 (1993) | |
| Bev.-Wachstum/Jahr 2,8% ∅ | |
| Pkw.-Kennzeichen k. A. | |

Hauptstadt Conakry (1 Mio Einwohner)

Sprache *Französisch,* Fulbe u. a. Stammessprachen

Religion Moslemisch (85%), animist. (5%), christl. (1,5%)

Währung 1 Guinea-Franc (FG) = 100 Cauris

| BSP/Kopf 500 $ (1993) | Urbanisierung 27% |
|---|---|
| Inflation 7,1% (1993) | Alphabetisierung 24% |
| Arbeitslos. k. A. | Einw. pro Arzt 9732 |

Reg.-Chef Lansana Conté (seit 1984) * 1934

Staatsob. Lansana Conté (seit 1984) * 1934

Staatsform Präsidiale Republik

Parlament Nationalversammlung 1984 aufgelöst, Parteienverbot im April 1992 aufgehoben

##  Guinea, Äquatorial-

| | |
|---|---|
| **Lage** Afrika, Karte S. 477, C 4 | |
| **Fläche** 28 051 km² (WR 141) | |
| **Einwohner** 377 000 (WR 161) | |
| **Einwohner/km²** 13,4 (1992) | |
| **Bev.-Wachstum/Jahr** 3,2% Ø | |
| **Pkw.-Kennzeichen** k. A. | |

**Hauptstadt** Malabo (30 400 Einwohner)

**Sprache** *Spanisch,* Bantuspr., Pidgin-Engl., Kreol.-Portug.

**Religion** Christl. (88,8%), Volksrel. (4,6%), moslem. (0,5%)

**Währung** CFA-Franc (FCFA)

| | |
|---|---|
| **BSP/Kopf** 330 $ (1992) | **Urbanisierung** 37% |
| **Inflation** –3,2% (1991) | **Alphabetisierung** 62% |
| **Arbeitslos.** k. A. | **Einw. pro Arzt** 3622 |

**Reg.-Chef** Silvestre Siále Bileka (seit 1992)

**Staatsob.** Teodoro Obiang Nguema Mbasogo (seit 1979)

**Staatsform** Präsidiale Republik

**Parlament** Nationalversammlung mit 80 für fünf Jahre gewählten Abgeordneten; 68 Sitze für Demokratische Partei von Äquatorial-Guinea (PDGE), 12 für andere (Wahl von 1993)

##  Guyana

| | |
|---|---|
| **Lage** Südamerika, Karte S. 475, D 2 | |
| **Fläche** 215 083 km² (WR 82) | |
| **Einwohner** 730 000 (WR 154) | |
| **Einwohner/km²** 3,7 (1993) | |
| **Bev.-Wachstum/Jahr** 1,7% Ø | |
| **Pkw.-Kennzeichen** GUY | |

**Hauptstadt** Georgetown (170 000 Einwohner)

**Sprache** *Englisch,* Hindi, Urdu

**Religion** Christlich (52%), hinduistisch (34%), moslem. (9%)

**Währung** 1 Guyana-Dollar (G$) = 100 Cents

| | |
|---|---|
| **BSP/Kopf** 350 $ (1993) | **Urbanisierung** 31% |
| **Inflation** 28,2% (1992) | **Alphabetisierung** 96% |
| **Arbeitslos.** 9,2% (1990) | **Einw. pro Arzt** 2552 |

**Reg.-Chef** Samuel Hinds (seit 1992) * 27. 12. 1943

**Staatsob.** Cheddi B. Jagan (seit 1992) * 22. 3. 1918

**Staatsform** Präsidiale Republik im Commonwealth

**Parlament** Nationalversammlung mit 65 Abgeordneten; 32 Sitze für PPP (Sozialisten), 31 für PNC (Sozialisten), 1 für WPA (Sozial. Bürgerbewegung), 1 für UF (Konservative; Wahl von 1992)

##  Guinea-Bissau

| | |
|---|---|
| **Lage** Afrika, Karte S. 477, A 3 | |
| **Fläche** 36 125 km² (WR 133) | |
| **Einwohner** 1,0 Mio (WR 150) | |
| **Einwohner/km²** 28,7 (1993) | |
| **Bev.-Wachstum/Jahr** 2,0% Ø | |
| **Pkw.-Kennzeichen** k. A. | |

**Hauptstadt** Bissau (125 000 Einwohner)

**Sprache** *Portugiesisch,* Kreolisch, Stammesdialekte

**Religion** Naturreligionen (54%), moslemisch (38%)

**Währung** 1 G.-B. Peso (PG) = 100 Centavos

| | |
|---|---|
| **BSP/Kopf** 220 $ (1993) | **Urbanisierung** 21% |
| **Inflation** ca. 100% (1992) | **Alphabetisierung** 36% |
| **Arbeitslos.** k. A. | **Einw. pro Arzt** 3263 |

**Reg.-Chef** Manuel Saturnino da Costa (seit 26. 10. 1994)

**Staatsob.** João Bernardo Vieira (seit 1980) * 27. 4. 1939

**Staatsform** Präsidiale Republik

**Parlament** Nationalversammlung mit 100 für fünf Jahre gewählten Abgeordneten; 62 Sitze für Partei der Unabhängigkeit von Guinea und Kap Verde, 19 für Marktwirtschaftler, 12 für Sozialisten, 6 für Oppositionsbündnis, 1 für FLING (Wahl vom Juli 1994)

##  Haiti

| | |
|---|---|
| **Lage** Mittelam., Karte S. 476, E 3 | |
| **Fläche** 27 700 km² (WR 143) | |
| **Einwohner** 6,9 Mio (WR 92) | |
| **Einwohner/km²** 249,2 (1993) | |
| **Bev.-Wachstum/Jahr** 1,7% Ø | |
| **Pkw.-Kennzeichen** RH | |

**Hauptstadt** Port-au-Prince (753 000 Einwohner)

**Sprache** *Französisch,* Kreolisch

**Religion** Katholisch (80,3%), protestantisch (15,8%)

**Währung** 1 Gourde (Gde.) = 100 Centimes

| | |
|---|---|
| **BSP/Kopf** 250 $ (1993) | **Urbanisierung** 30% |
| **Inflation** ca. 7,5% (1994) | **Alphabetisierung** 53% |
| **Arbeitslos.** ca. 2,3% (1994) | **Einw. pro Arzt** 6083 |

**Reg.-Chef** Smarck Michel (seit 8. 11. 1994) * 1937

**Staatsob.** Jean Bertrand Aristide (seit 1991) * 15. 7. 1953

**Staatsform** Präsidiale Republik

**Parlament** Senat 27 Sitze, Abgeordnetenhaus mit 83 gewählten Mitgliedern (1/3 d. Parlaments wird jeweils nach zwei Jahren neu gewählt); (Wahl vom Juni 1995, zweiter Wahlgang August 1995)

Über ein halbes Jahr nach der Wiedereinsetzung des von den USA unterstützten Staatspräsidenten Jean Bertrand Aristide war Mitte 1995 die innenpolitische Lage in dem Karibikstaat instabil. Als Folge des Embargos gegen das gestürzte Militärregime litten weite Teile der Bevölkerung Hunger.

**Fragile Sicherheit:** Im März 1995 stand Innenminister Mondesir Beaubrun unter dem Verdacht, in die Ermordung einer Oppositionspolitikerin mit Kontakten zur früheren Militärjunta verwickelt zu sein. Bis Mitte 1995 waren die paramilitärischen Banden aus der Zeit der Militärjunta nicht entwaffnet. Angesichts der Unsicherheit wurden die ursprünglich für Dezember 1994 geplanten Parlamentswahlen auf Juni/August 1995 verschoben. Aus den ersten Wahlgang ging Aristides Wahlbündnis „Vereinigung Lavalas" als Sieger hervor. Präsidentenwahlen finden im Dezember 1995 statt.

**UN-Kommando:** Drei Jahre nach seinem Sturz bei einem Militärputsch unter Führung von General Raoul Cédras kehrte Aristide im Oktober 1994 aus dem US-Exil nach H. zurück. Eine von den USA angedrohte Militärinvasion wurde durch den mit dem früheren US-Präsidenten Jimmy Carter ausgehandelten Rücktritt der Militärs abgewendet. Im September landeten 15 000 US-Soldaten in H., um die Machtübergabe der Militärjunta an den gewählten Präsidenten zu sichern. Im April 1995 übernahm die 6000 Mann starke (davon 2500 US-Soldaten) UNO-Mission in H. (UNMIH) das Kommando. Das Mandat ist zunächst auf ein Jahr befristet. Mit Unterstützung der UNO soll u. a. ein Polizeikorps von 7500 Mann ausgebildet werden.

**Wirtschaft:** Als Folge des Embargos gegen das Militärregime war das ärmste Land der westlichen Welt hoch verschuldet. Mit internationaler Hilfe wurde 1994 von 773 Mio Dollar (1,09 Mrd DM) Auslandschulden 82 Mio Dollar (116 Mio DM) beglichen. Die UNO sagte für 1995 rd. 550 Mio Dollar (776 Mio DM) Finanzhilfen zu.

**Haiti: Staatspräsident Jean Bertrand Aristide**
\* 15. 7. 1953 in Port-Salut. Der 1990 zum Präsidenten gewählte ehemalige Priester, der Korruption und Mißwirtschaft den Kampf angesagt hatte, wurde 1991 vom Militär gestürzt. Angesichts einer drohenden US-Militärinvasion trat die Junta im Oktober 1994 zurück. Aristide kehrte am 15. 10. 1994 aus seinem amerikanischen Exil nach Haiti zurück.

## Honduras

| | |
|---|---|
| **Lage** Mittelam., Karte S. 476, B 5 | |
| **Fläche** 112 088 km² (WR 100) | |
| **Einwohner** 5,1 Mio (WR 102) | |
| **Einwohner/km²** 46 (1993) | |
| **Bev.-Wachstum/Jahr** 2,8% Ø | |
| **Pkw.-Kennzeichen** k. A. | |

**Hauptstadt** Tegucigalpa (608 000 Einwohner)

**Sprache** *Spanisch*, Englisch, indianische Dialekte

**Religion** Katholisch (85%), protestantisch (10%)

**Währung** 1 Lempira (L) = 100 Centavos

| | |
|---|---|
| **BSP/Kopf** 600 $ (1993) | **Urbanisierung** 45% |
| **Inflation** 10,7% (1993) | **Alphabetisierung** 73% |
| **Arbeitslos.** ca. 40% (1992) | **Einw. pro Arzt** 3090 |

**Reg.-Chef** Carlos Roberto Reina (seit Jan. 1994) \* 1926

**Staatsob.** Carlos Roberto Reina (seit Jan. 1994) \* 1926

**Staatsform** Präsidiale Republik

**Parlament** Nationalversammlung mit 129 für vier Jahre gewählten Abgeordneten; 72 Sitze für Nationalpartei, 55 für Liberale Partei, 2 für Partei für Nationale Erneuerung und Einheit (Wahl von 1993)

## Indien

| | |
|---|---|
| **Lage** Asien, Karte S. 479, C 5 | |
| **Fläche** 3,17 Mio km² (WR 7) | |
| **Einwohner** 896,6 Mio (WR 2) | |
| **Einwohner/km²** 282,8 (1993) | |
| **Bev.-Wachstum/Jahr** 1,7% Ø | |
| **Pkw.-Kennzeichen** IND | |

**Hauptstadt** Neu-Delhi (301 297 Einwohner)

**Sprache** *Hindi, Englisch,* über 1500 Sprachen und Dialekte

**Religion** Hind. (80,3%), mosl. (11,0%), christlich (2,4%)

**Währung** 1 Indische Rupie (iR) = 100 Paise

| | |
|---|---|
| **BSP/Kopf** 300 $ (1993) | **Urbanisierung** 26% |
| **Inflation** 9,9% (1994) | **Alphabetisierung** 52% |
| **Arbeitslos.** ca. 70 Mio (1992) | **Einw. pro Arzt** 2460 |

**Reg.-Chef** Narasimha Rao (seit 1991) \* 18. 6. 1921

**Staatsob.** Shankar Dayal Sharma (seit 1992) \* 19. 8. 1918

**Staatsform** Parlamentarische Bundesrepublik

**Parlament** Oberhaus mit 232 für sechs Jahre und Unterhaus mit 545 für fünf Jahre gewählten Abgeordneten; im Unterhaus 227 Sitze für Indian National Congress, 119 für Bharatiya Janata Party, 55 für Janata Dal Party, 49 für Kommunisten, 64 für andere, 31 unbes. (Wahl von 1991)

**Indien: Premierminister Narasimha Rao**
* 18. 6. 1921 in Karim Nagar (Andhra Pradesh). Der Jurist und Literat wurde 1957 Mitglied des Bundesparlaments in Neu-Delhi. In den 80er Jahren war Rao Minister für die Ressorts Äußeres, Inneres und Verteidigung. Nach dem Attentat auf Premierminister Rajiv Gandhi wurde der Vorsitzende der Kongreßpartei (seit 1991) im Juni 1991 Regierungschef.

## Indonesien

| | |
|---|---|
| **Lage** Ostasien, Karte S. 480, B 6 | |
| **Fläche** 1,92 Mio km² (WR 15) | |
| **Einwohner** 188,2 Mio (WR 4) | |
| **Einwohner/km²** 98,1 (1993) | |
| **Bev.-Wachstum/Jahr** 1,4% Ø | |
| **Pkw.-Kennzeichen** RI | |

**Hauptstadt** Jakarta (8,26 Mio Einwohner)

**Sprache** *Indonesisch,* Englisch, ca. 250 lokale Sprachen

**Religion** Moslemisch (87,2%), christl. (9,6%), hind. (1,8%)

**Währung** 1 Rupiah (Rp) = 100 Sen

| | |
|---|---|
| **BSP/Kopf** 740 $ (1993) | **Urbanisierung** 32% |
| **Inflation** 8,4% (1994) | **Alphabetisierung** 77% |
| **Arbeitslos.** 2% (1994) | **Einw. pro Arzt** 7030 |

**Reg.-Chef** Suharto (seit 1966) * 8. 6. 1921

**Staatsob.** Suharto (seit 1966) * 8. 6. 1921

**Staatsform** Präsidiale Republik

**Parlament** Repräsentantenhaus mit 400 für fünf Jahre gewählten und 100 vom Präsidenten aus Reihen des Militärs ernannten Abgeordneten; 299 Sitze für Golkar-Partei, 61 für Vereinigte Entwicklungspartei und 40 für Demokratische Partei (Wahl von 1992)

Bei Wahlen in den Bundesstaaten im Dezember 1994 mußte die regierende Kongreßpartei von Premierminister Narasimha Rao Verluste hinnehmen. Sie wurden vor allem auf die schlechte Wirtschaftslage zurückgeführt. Die Wahlen galten als Test für die im Frühjahr 1996 stattfindenden Parlamentswahlen.

**Wahlen:** In vier Gliedstaaten (Andhra Pradesh, Karnataka, Goa, Sikkim) verlor die Kongreßpartei ihre Mehrheit und wurde abgelöst. Die größten Verluste erlitt sie in Raos Heimatstaat, Andhra Pradesh, wo sie 158 von 186 Sitzen verlor. Radikale Hindus gewannen im März 1995 die Mehrheit im industriellen Kernland von I., der Provinz Maharashtra. Anfang 1995 wurden in der Kongreßpartei Forderungen nach dem Rücktritt Raos und der Übernahme des Parteivorsitzes durch Gandhi-Witwe Sonia laut.

**Separatisten:** Die moslemischen Rebellengruppen im indisch verwalteten Teil von Kaschmir, dem Bundesstaat Jammu und Kaschmir, setzten bis Mitte 1995 ihren Kampf für Unabhängigkeit bzw. den Anschluß an Pakistan fort. Im nordindischen Bundesstaat Assam forderten im Juli 1994 Auseinandersetzungen zwischen dem Volksstamm der Bodo, die einen eigenen Staat anstreben, und Moslems 50 Tote.

**Pest:** Schlechte hygienische Verhältnisse begünstigten im September 1994 den Ausbruch einer Pestepidemie, die mehrere hundert Tote forderte und Exportverluste in Höhe von 600 Mio Dollar (846 Mio DM) verursachte. Ratten, die Hauptüberträger der Krankheit, gelten in I. als heilige Tiere.

**Reformen greifen nicht:** Seit der von Rao 1991 eingeleiteten Abkehr von der staatlich gelenkten Wirtschaft erzielte I. nur ein geringes Wachstum. Während die Mittelklasse von den Reformen profitierte, litt die Unterschicht nach Subventionswegfall unter hohen Preisen.

→ Kaschmir-Konflikt

Der autokratisch regierende Präsident Suharto stand 1994/95 wegen anhaltender Menschenrechtsverletzungen in I. unter Druck. Die Bevölkerung der 1976 annektierten ehemaligen portugiesischen Kolonie Ost-Timor war im besonderem Maße Repressionen ausgesetzt. Das stabile Wirtschaftswachstum von durchschnittlich 6% seit 1969 ließ das Pro-Kopf-Einkommen von 70 Dollar (99 DM) 1970 auf 740 Dollar (1043 DM) 1994 steigen.

**Ost-Timor:** Die portugiesische Regierung, die nach UNO-Beschluß Verwaltungsmacht der annektierten Provinz ist, verlangte im Januar 1995 einen Volksentscheid über den Status Ost-Timors. Die

**Indonesien: Staatspräsident Suharto**
* 8. 6. 1921 in Kemusu (Java). Nach der Unabhängigkeitserklärung Indonesiens 1945 leitete Suharto in Mitteljava den Partisanenkrieg gegen die Niederlande, die Indonesien 1949 anerkannten. Suharto wurde nach der Entmachtung von Staatsgründer Sukarno 1966 Regierungschef und 1968 Staatspräsident (1993 zum fünften Mal im Amt bestätigt).

indonesische Regierung lehnte den Vorschlag ab. Nach Angaben der unabhängigen Menschenrechtsorganisation Amnesty International kamen seit 1976 rd. 200 000 Menschen in Ost-Timor durch staatliche Gewalt ums Leben.

**Grundrechte eingeschränkt:** Im Juni 1994 hatte die Regierung die drei populärsten Wochenzeitungen „Editor", „DeTik" und „Tempo" verboten. Vorausgegangen waren kritische Berichte über Ost-Timor und ein Kreditskandal, in den der Sohn Suhartos verwickelt war. Die Neuzulassung politischer Parteien lehnte Suharto im Oktober 1994 ab. Im Parlament sind drei Parteien vertreten, die Gesetze nach dem Prinzip der politischen Harmonie einstimmig verabschieden. Nach seinem Deutschlandbesuch im April 1995 kündigte Suharto harte Strafen für seine Landsleute an, die in verschiedenen deutschen Städten gegen die Menschenrechtsverletzungen in I. demonstriert hatten.

**Wirtschaft:** Um die Wettbewerbsfähigkeit der indonesischen Wirtschaft zu verbessern, verabschiedete die Regierung im Mai 1995 ein Paket zur stufenweisen Senkung der Zölle für 6030 der insgesamt 9398 Produktkategorien. Zehn Wirtschaftssektoren, die für Auslandsinvestoren geschlossen waren, sollen geöffnet werden.

**Irak: Staatspräsident Saddam Hussein**
* 28. 4. 1937 in Tikrit. Bis zur Machtübernahme der Baath-Partei 1968 lebte Hussein im Untergrund oder war inhaftiert. Als Staats-, Regierungs- und Parteichef (seit 1979) führte er den Irak 1991 in den Golfkrieg. 1991 gab er das Ministerpräsidentenamt ab, übernahm es aufgrund der schlechten Wirtschaftslage im Mai 1994 vorübergehend wieder.

Im März 1995 verlängerte der UNO-Sicherheitsrat das 1991 als Folge des Golfkriegs gegen den I. verhängte Handels-Embargo. Eine nach Angaben von Beobachtern im Juni 1995 niedergeschlagene Militärrevolte, in deren Anschluß rd. 150 Soldaten hingerichtet wurden, ließ auf wachsende Opposition schließen. Große Teile der Bevölkerung litten infolge des Embargos unter Armut und Hunger.

**Embargo:** Das UNO-Embargo erlaubt lediglich die Einfuhr von Nahrungsmitteln und zivilen Gütern. Es soll den I. zur Anerkennung des 1991 vorübergehend besetzten Kuwait, zu Rüstungskontrollen und Reparationsleistungen bewegen. Im November 1994 hatte der I. die Grenze Kuwaits anerkannt. Das Angebot der UNO, in begrenztem Umfang Ölverkäufe zuzulassen, lehnte der I. im April 1995 ab. Die Auflagen sahen vor, daß ein Teil des Erlöses für Medikamente und Nahrungsmitteleinkäufe verwendet werden sollte, ein anderer Teil sollte als Reparationen nach Kuwait fließen. Der I. forderte freien Zugang zum Weltmarkt.

**Hussein provoziert Großmächte:** Im Oktober 1994 ließ der diktatorisch regierende Präsident Saddam Hussein an der Grenze zu Kuwait 64 000 Soldaten aufmarschieren. Nachdem der UNO-Sicherheitsrat den Aufmarsch verurteilt und die USA ihre Streitkräfte in der Golfregion verstärkt hatten, zog Hussein seine Truppen zurück.

**Unruheherd Kurdistan:** Im Februar 1995 tötete eine Autobombe in der nordirakischen Stadt Sachu 54 Menschen. Die Patriotische Union Kurdistan (PUK) machte den irakischen Geheimdienst für das Attentat verantwortlich. Nachdem die Türkei im März 1995 ihre Offensive gegen das nordirakische Kurdengebiet begann, rückten irakische Soldaten in das seit April 1991 zur UNO-Schutzzone erklärte Gebiet nördlich des 36. Breitengrades vor. 3000 Soldaten griffen mit 30 Panzern und Artillerie Dörfer im Grenzgebiet an.

→ Kurden

## Irak

| Lage | Naher Osten, Karte S.478, D 2 |
|---|---|
| **Fläche** | 438 317 km² (WR 57) |
| **Einwohner** | 19,4 Mio (WR 45) |
| **Einwohner/km²** | 44,2 (1992) |
| **Bev.-Wachstum/Jahr** | 3,1% Ø |
| **Pkw.-Kennzeichen** | IRQ |

**Hauptstadt** Bagdad (4,89 Mio Einwohner)

**Sprache** Arabisch, Kurdisch, Türkisch, Kaukasisch, Pers.

**Religion** Moslemisch (95,5%), christlich (3,7%)

**Währung** 1 Irak-Dinar (ID) = 1000 Fils

| BSP/Kopf | 850 $ (1992) | Urbanisierung | 70% |
|---|---|---|---|
| **Inflation** | ca. 3000% (1993) | **Alphabetisierung** | 60% |
| **Arbeitslos.** | 45% (1993) | **Einw. pro Arzt** | 1922 |

**Reg.-Chef** Saddam Hussein (seit Mai 1994) * 28. 4. 1937

**Staatsob.** Saddam Hussein (seit 1979) * 28. 4. 1937

**Staatsform** Präsidiale Republik

**Parlament** Nationalrat mit 250 für vier Jahre gewählten Abgeordneten; sämtliche Sitze für die Baath-Partei und unabhängige, der Baath-Partei nahestehende Kandidaten, oppositionelle Gruppierungen und Parteien sind nicht zugelassen (Wahl von 1992)

## Iran

| | |
|---|---|
| **Lage** Naher Osten, Karte S.478, E 2 | |
| **Fläche** 1,648 Mio km² (WR 17) | |
| **Einwohner** 60,8 Mio (WR 15) | |
| **Einwohner/km²** 36,9 (1993) | |
| **Bev.-Wachstum/Jahr** 2,8% Ø | |
| **Pkw.-Kennzeichen** IR | |

**Hauptstadt** Teheran (6,04 Mio Einwohner)

**Sprache** *Persisch,* Kurdisch, Turksprachen

**Religion** Moslemisch (98,3%), christlich (0,7%)

**Währung** 1 Rial (RI) = 100 Dinar

| | |
|---|---|
| **BSP/Kopf** 1900 $ (1992) | **Urbanisierung** 57% |
| **Inflation** ca. 35–40% (1994) | **Alphabetisierung** 54% |
| **Arbeitslos.** 11,5% (1994) | **Einw. pro Arzt** 2685 |

**Reg.-Chef** Ali Akbar Haschemi Rafsandschani (seit 1989)

**Staatsob.** Ali Akbar Haschemi Rafsandschani (seit 1989)

**Staatsform** Islamische präsidiale Republik

**Parlament** Islamischer Rat mit 270 gewählten Abgeordneten; Parteien nicht zugelassen (Wahl von 1992)

**Iran: Staatspräsident Ali Akbar Haschemi Rafsandschani**
\* 25. 8. 1934 Rafsandschan (Kerman). Nach der islamischen Revolution 1979 wurde der Schah-Gegner Mitglied des Revolutionsrates und Innenminister. 1980 wurde Rafsandschani Parlamentspräsident, 1989 Staatspräsident und Regierungschef. Die Präsidentschaftswahl 1993 gewann er mit 63,2% der Stimmen.

Im Mai 1995 verhängte US-Präsident Bill Clinton ein Wirtschaftsembargo. Die USA warfen dem I. Unterstützung des internationalen Terrorismus und Hochrüstung vor. Bei regierungsfeindlichen Ausschreitungen in der Teheraner Vorstadt Akbar Abad wurden im April bis zu 50 Menschen getötet. Die UNO schätzte die Zahl der politischen Gefangenen im I. 1995 auf rd. 19 000.

**Terrorismus:** Israel und die USA machten die Regierung des I. für den internationalen Terrorismus gegen Israel verantwortlich und beschuldigten sie, die islamischen Terrororganisationen Hamas, Hisbollah und Dschihad Islami zu unterstützen. Argentinische Behörden warfen iranischen Diplomaten Beteiligung an einem Bombenattentat auf ein jüdisches Zentrum in Buenos Aires vor, das im Juli 1994 rd. 95 Menschenleben forderte.

**Rüstung:** Experten warnten 1995, daß I. mit Hilfe russischer Plutoniumlieferungen bis 2000 ein Atomkraftwerk bauen und Atomwaffen herstellen könnte. Die französische Wochenzeitschrift „Express" berichtete im März 1995, Frankreich habe im Oktober 1994 unter Verletzung internationaler Embargoauflagen Waffen an I. geliefert. Angaben des US-Verteidigungsministeriums zufolgte verlegte I. im März 1995 chemische Waffen, Raketen und Soldaten auf Inseln im Golf, um Schiffe in der Straße von Hormus zu bedrohen.

**Kritik unterdrückt:** Die Proteste in Akbar Abad richteten sich gegen die schlechte Trinkwasserversorgung und Preiserhöhungen. 134 Schriftsteller kritisierten im Oktober 1994 die Unterdrückung der freien Meinungsäußerung. Die Regierung verbot 1995 Satellitenantennen, um den Empfang ausländischer Fernsehsender zu unterbinden.

**Wirtschaftskrise:** Bei gleichbleibenden Einkommen verdoppelten sich 1994 die Preise für Grundnahrungsmittel. Mit einem Fünfjahresplan, der u. a. den Abbau von Subventionen und die Verdopelung der Preise für Energieprodukte vorsieht, will die Regierung die Wirtschaft reformieren.

## Irland

| | |
|---|---|
| **Lage** Europa, Karte S. 473, B 4 | |
| **Fläche** 70 285 km² (WR 117) | |
| **Einwohner** 3,5 Mio (WR 121) | |
| **Einwohner/km²** 50,0 (1992) | |
| **Bev.-Wachstum/Jahr** 0,6% Ø | |
| **Pkw.-Kennzeichen** IRL | |

**Hauptstadt** Dublin (1,1 Mio Einwohner)

**Sprache** *Englisch, Gälisch*

**Religion** Katholisch (93,1%), anglikanisch (2,8%), presbyt.

**Währung** 1 Irisches Pfund (Ir £) = 100 New Pence

| | |
|---|---|
| **BSP/Kopf** 13 000 $ (1993) | **Urbanisierung** 57% |
| **Inflation** 2,5% (1994) | **Alphabetisierung** 100% |
| **Arbeitslos.** 15,2% (1994) | **Einw. pro Arzt** 681 |

**Reg.-Chef** John Bruton (seit Dezember 1994) \* 18. 5. 1947

**Staatsob.** Mary Robinson (seit 1990) \* 21. 5. 1944

**Staatsform** Parlamentarische Republik

**Parlament** Repräsentantenhaus mit 166 für fünf Jahre gewählten und Senat mit 60 Abgeordneten; im Repräsentantenhaus 68 Sitze für Fianna Fáil, 45 für Fine Gael, 33 für Labour Party, 10 für Progressive Democrats, 4 für Democratic Left, 6 für andere (Wahl von 1992)

Der Christdemokrat John Bruton (Fine Gael) bildete im Dezember 1994 eine neue Regierung aus Fine Gael, Labour und der sozialistischen Democratic Left und löste den gemäßigten konservativen Albert Reynolds (Fianna Fáil) als Ministerpräsident ab. Im Februar 1995 garantierten I. und Großbritannien in einem Rahmenabkommen das Selbstbestimmungsrecht für Nordirland. Mit rd. 5,5% verzeichnete die irische Wirtschaft 1994 die höchste Wachstumsrate in der europäischen Union.

Reynolds war nach dem Auseinanderbrechen seiner Regierungskoalition aus gemäßigten Konservativen (Fianna Fáil) und Sozialdemokraten vom Amt zurückgetreten. Anlaß für die Regierungskrise war die Berufung des umstrittenen rechtskatholischen Generalstaatsanwalts Harry Whelehan zum Präsidenten des Obersten Gerichtshofs.

Im Dezember 1994 nahm Premierminister Bruton Gespräche mit dem Präsidenten der nordirischen Partei Sinn Féin, Gerry Adams, auf. Sinn Féin, der legale politische Arm der katholischen Terrororganisation IRA, unterstützt die Vereinigung Nordirlands mit I. Voraussetzung für den Friedensprozeß war der seit September 1994 andauernde Gewaltverzicht der IRA. Im Februar 1995 wurden inhaftierte IRA-Terroristen vorzeitig entlassen.

→ Nordirland-Konflikt

## Island

| Lage Europa, Karte S. 473, B 1 | |
|---|---|
| Fläche 102 819 km² (WR 105) | |
| Einwohner 264 000 (WR 167) | |
| Einwohner/km² 3,4 (1993) | |
| Bev.-Wachstum/Jahr 1,1% ∅ | |
| Pkw.-Kennzeichen IS | |
| Hauptstadt Reykjavik (100 900 Einwohner) | |
| Sprache Isländisch | |
| Religion Protestantisch (96,2%), katholisch (1,0%) | |
| Währung 1 Isländische Krone (ikr) = 100 Aurar | |
| BSP/Kopf 24 950 $ (1993) | Urbanisierung 90% |
| Inflation 1,7% (1994) | Alphabetisierung 100% |
| Arbeitslos. 4,7% (1994) | Einw. pro Arzt 355 |
| Reg.-Chef David Oddsson (seit 1991) * 17. 1. 1948 | |
| Staatsob. Vigdís Finnbogadóttir (seit 1980) * 15. 4. 1930 | |
| Staatsform Parlamentarische Republik | |

**Parlament** Althing mit 63 für vier Jahre gewählten Abgeordneten; 25 Sitze für Unabhängigkeitspartei, 15 für Fortschrittspartei, 9 für Volksallianz, 7 für Sozialdemokraten, 4 für Volkserwacher, 3 für Frauenliste (Wahl vom April 1995)

## Israel

| Lage Naher Osten, Karte S.478, B 3 | |
|---|---|
| Fläche 20 770 km² (WR 149) | |
| Einwohner 5,3 Mio (WR 98) | |
| Einwohner/km² 256,6 (1993) | |
| Bev.-Wachstum/Jahr 2,2% ∅ | |
| Pkw.-Kennzeichen IL | |
| Hauptstadt Jerusalem (544 000 Einwohner) | |
| Sprache Iwrith (Neu-Hebräisch), Arabisch, Englisch | |
| Religion Jüdisch (81,4%), mosl. (14,1%), christlich (2,8%) | |
| Währung 1 Neuer Israel Schekel (NIS) = 100 Agorot | |
| BSP/Kopf 13 920 $ (1993) | Urbanisierung 90% |
| Inflation 14,5% (1994) | Alphabetisierung 92% |
| Arbeitslos. 7,7% (1994) | Einw. pro Arzt 345 |
| Reg.-Chef Yitzhak Rabin (seit 1992) * 1. 3. 1922 | |
| Staatsob. Ezer Weizman (seit 1993) * 15. 6. 1924 | |
| Staatsform Parlamentarische Republik | |

**Parlament** Knesset mit 120 für vier Jahre gewählten Abgeordneten; 44 Sitze für Arbeitspartei, 32 für Likud-Block, 12 für linkes Parteienbündnis Meretz, 11 für Zomet und Moledet, 6 für Shas, 15 für religiöse und arabische Parteien (Wahl von 1992)

Im Juli 1995 stand ein Abkommen mit der Palästinensischen Befreiungsorganisation (PLO) vor dem Abschluß, das die Ausdehnung des palästinensischen Autonomiegebietes im Gazastreifen und Jericho auf das Westjordanland vorsah. Ein im Oktober 1994 zwischen der israelischen Regierung unter Ministerpräsident Yitzhak Rabin von der sozialdemokratischen Arbeitspartei (AP) und Jordanien geschlossener Friedensvertrag beendete den seit 1948 herrschenden Kriegszustand. I. und Syrien verhandelten Mitte 1995 über die Rückgabe der israelisch besetzten Golan-Höhen. Die Wirtschaft verzeichnete mit 6,8% eine hohe Wachstumsrate, litt aber unter einer hohen Inflationsrate (14%).

**Autonomie:** Im Mai 1994 hatten Rabin und PLO-Führer Jasir Arafat das Kairoer Abkommen über die Autonomie der Palästinenser in den israelisch besetzten Gebieten geschlossen. Bis Ende Juli 1995 sollen in Verhandlungen die Voraussetzungen für Wahlen im Gazastreifen und im Westjordanland geschaffen werden. Wichtigster Streitpunkt war dabei der Abzug der israelischen Truppen aus dem Westjordanland. Der geplante Vertrag sieht den Abzug der Truppen aus sechs Städten u. a. Bethlehem vor, wobei I. die grundsätzliche Verantwortung für Sicherheit auf dem Land und in den Dör-

**Israel: Ministerpräsident Yitzhak Rabin**
\* 1. 3. 1922 in Jerusalem. 1973 für die Arbeiterpartei in die Knesset gewählt, wurde Rabin Außenminister und 1974–77 Ministerpräsident als Nachfolger Golda Meirs. 1984–1990 war er Verteidigungsminister. Der Vorsitzende der Arbeiterpartei (seit 1992) wurde 1992 Premierminister. Für seine Nahost-Politik erhielt er 1994 den Friedensnobelpreis.

fern behalten soll. Aus Hebron, wo wenige hundert zumeist militante Siedler inmitten von 100 000 Arabern wohnen, wird sich das israelische Militär zunächst nicht zurückziehen. Erst nach der Vertragsunterzeichnung sollen dort die Bedingungen für die Wahl des palästinensischen Autonomierates ausgehandelt werden. Der endgültige Rückzug israelischer Truppen wird nicht vor Mitte 1997 abgeschlossen sein. Palästinensische Wahlen sind für Ende 1995 geplant. Nachdem die israelische Armee im Mai 1994 ihre Stellungen im Gazastreifen und in Jericho geräumt hatte, war PLO-Führer Arafat im Juli 1994 aus seinem tunesischen Exil zurückgekehrt und hatte den Hauptsitz der PLO nach Gaza verlegt. Bis Ende 1994 übernahmen die Palästinenser im Gazastreifen und Westjordanland die Verwaltung für Bildung, Gesundheit, Soziales, Steuern und Tourismus.

**Enteignungen:** Nach internationalen Protesten und um eine drohende Niederlage bei einem Mißtrauensvotum im Parlament abzuwenden, verzichtete die Regierung im Mai 1995 auf die Enteignung von 53 ha palästinensischen Landes in Ost-Jerusalem, um darauf Häuser für jüdische Siedler zu bauen. Die Palästinenser erheben Anspruch auf Ost-Jerusalem als Hauptstadt ihres künftigen Staates. I. betrachtet Jerusalem als seine unteilbare Hauptstadt. Mit ihrem Veto hatten die USA zuvor eine Verurteilung von I. durch den Sicherheitsrat der Vereinten Nationen verhindert.

**Siedlungspolitik:** Seit dem Sechstagekrieg 1967 baute I. in den besetzten Gebieten jüdische Siedlungen. Bis 1995 stieg die Zahl der jüdischen Siedler in Gaza und Westjordanland auf 140 000. Die Siedlungspolitik führte zu gewalttätigen Auseinandersetzungen zwischen jüdischen Siedlern und Palästinensern. PLO-Führer Jasir Arafat forderte I. auf, den 1992 von Rabin verhängten Baustopp für jüdische Siedlungen in den besetzten Gebieten einzuhalten.

**Knappe Parlamentsmehrheit:** Im Dezember 1994 gelang Rabin die Eingliederung von zwei Abgeordneten der Yiud-Partei, einer Abspaltung der rechtsgerichteten Zomet-Partei, in die Regierungskoalition aus sozialdemokratischer Arbeitspartei und linkem Meretz-Bündnis. Sie verfügte damit über 58 von 120 Sitzen im Parlament. Stärkste Oppositionspartei war der konservative Likud, der Friedensgespräche und palästinensische Autonomie ablehnt.

**Wirtschaft**: Im September 1994 beendeten die Staaten der Golf-Kooperation ihre Sanktionen gegen ausländische Unternehmen, die mit I. kooperieren. Beim ersten Wirtschaftsgipfel für Nahost und Nordafrika im Oktober 1994 in Casablanca/ Marokko vereinbarte I. mit Jordanien und Ägypten Kooperationen. Zum hohen Wirtschaftswachstum trug 1994 insbes. die Industrie mit Zuwachsraten von 7,2% bei. Die Schwäche des US-Dollars verringerte in der ersten Jahreshälfte 1995 die Wettbewerbsfähigkeit der Exportwirtschaft. Das Handelsbilanzdefizit von 6 Mrd Dollar (8,5 Mrd DM) 1993 auf 8,3 Mrd Dollar (11,7 Mrd DM) 1994.
→ Dschihad Islami → Hamas → Hisbollah → Nahost-Konflikt → Palästinensische Autonomiegebiete → PLO

 **Italien**

| | |
|---|---|
| **Lage** Europa, Karte S. 473, D 6 |  |
| **Fläche** 301 278 km² (WR 70) | |
| **Einwohner** 57,2 Mio (WR 20) | |
| **Einwohner/km²** 190 (1993) | |
| **Bev.-Wachstum/Jahr** 0,0% Ø | |
| **Pkw.-Kennzeichen** I | |

**Hauptstadt** Rom (2,79 Mio Einwohner)

**Sprache** Italienisch

**Religion** Katholisch (83,2%), konfessionslos (16,2%)

**Währung** Italienische Lira (Lit)

| | | |
|---|---|---|
| **BSP/Kopf** 19 840 $ (1993) | **Urbanisierung** 70% | |
| **Inflation** 3,7% (1994) | **Alphabetisierung** 97% | |
| **Arbeitslos.** 11,8% (1994) | **Einw. pro Arzt** 210 | |

**Reg.-Chef** Lamberto Dini (seit Jan. 1995) \* 1. 3. 1931

**Staatsob.** Oscar Luigi Scálfaro (seit 1992) \* 9. 9. 1918

**Staatsform** Parlamentarische Republik

**Parlament** Abgeordnetenkammer mit 630 und Senat mit 322 Abgeordneten; in der Abgeordnetenkammer 137 Sitze für Forza Italia und CCD, 118 für Lega Nord, 115 für PDS, 105 für Nationale Allianz, 40 für Rifondazione Comunista, 33 für Volkspartei, 82 für andere (Wahl vom März 1994)

Mit dem Austritt der föderalistischen Lega Nord zerbrach im Dezember 1994 die Regierungskoalition von Ministerpräsident Silvio Berlusconi. Im Januar 1995 bildete der parteilose Schatzminister Lamberto Dini eine Übergangsregierung. Bei Regional- und Kommunalwahlen im April und Mai erlitt Berlusconis Forza Italia (FI) zugunsten des Mitte-Links-Bündnisses eine Niederlage. Die Wirtschaft verzeichnete 1994 ein Wachstum von 2%.

**Rechtskoalition:** An der Wirtschafts- und Finanzpolitik, insbes. der Rentenreform und den Privatisierungen entzündeten sich die Gegensätze innerhalb der Regierung aus rechtsliberaler Forza Italia, föderalistischer Lega Nord, neofaschistischer Nationaler Allianz (AN) und konservativen Kleinparteien (CDD, UDC). Als Inhaber seines einflußreichen Medien-, Handels- Immobilien- und Versicherungskonzerns Fininvest wurde Berlusconi die Vermischung von Amt und geschäftlichen Interessen vorgeworfen. Wegen Korruption und illegaler Parteienfinanzierung erhoben die Justizbehörden im Mai 1995 Anklage gegen den früheren Ministerpräsidenten. Per Volksabstimmung votierten die Italiener im Juni gegen eine Machtbeschneidung des Großunternehmers, dem u. a. drei der sechs großen nationalen Fernsehanstalten gehören. Das Verfassungsgericht hatte im Dezember 1994 das Mediengesetz als verfassungswidrig verurteilt. Berlusconis Sonderstellung gefährde Meinungspluralismus und freie Konkurrenz.

**Übergangsregierung:** Die 54. italienische Nachkriegsregierung bildete Dini aus parteilosen Fachleuten. Bei seinem Amtsantritt kündigte er an, nach der Verabschiedung eines Medienkontrollgesetzes, der Rentenreform und der Reform des Regionalwahlrechts von seinem Amt zurückzutreten. Neuwahlen sollen im Herbst 1995 stattfinden. Im März 1995 setzte Dini einen Nachtragshaushalt durch, indem er ihn mit der Vertrauensfrage im Parlament verknüpfte. Sein Spar- und Steuerpaket zielt darauf ab, das Budgetdefizit 1995 nicht über 130 Mrd DM steigen zu lassen.

**Berlusconi-Allianz geschwächt:** Bei den Regional- und Kommunalwahlen gewannen die Kandidaten des Mitte-Links-Bündnisses, in dem die vormals kommunistische Partei der demokratischen Linken (PDS) stärkster Partner ist, 45 von 54 Provinzen. Das von Berlusconi geführte rechte Lager erlangte in sechs Provinzen die Mehrheit. Von 24 Provinzhauptstädten fielen 21 an die linke Mitte, drei an die Berlusconi-Allianz.

**Korruption:** Im Juli 1994 begann der bis dahin größte Bestechungsprozeß gegen 32 Wirtschaftsmanager und ehemals führende Politiker. Fininvest gab 1994 zu, die Steuerfahndung mit Bestechungsgeldern abgewendet zu haben. Berlusconis Bruder Paolo wurde im Dezember 1994 als Fininvest-Manager wegen illegaler Parteienfinanzierung zu sieben Monaten, der ehemalige sozialistische Ministerpräsident Bettino Craxi im Juli 1994 zu achteinhalb Jahren Haft verurteilt.

**Mafia:** Giulio Andreotti (DC), siebenmaliger Ministerpräsident, sowie die ehemaligen Ministerpräsidenten Antonio Gava (DC) und Vincenzo Scotti (DC) standen 1994/95 unter dem Verdacht, mit dem organisierten Verbrechen zusammengearbeitet zu haben. Im September 1994 wurden Gava und 98 weitere Personen verhaftet, nachdem sie von ehemaligen bzw. inhaftierten Mafiamitgliedern belastet worden waren.

**Wirtschaft:** Die hohe Staatsverschuldung (1994: rd. 200 Mrd DM) schwächte die italienische Währung und führte zu hohen Zinsen. Investitionen wurden teurer und das Wachstum geschwächt (1994: +2,2%). Privatisierungen u. a. von Banken und Versicherungen sowie Mehreinnahmen, die aus Bußgeldern gegen die Gewährung von Straffreiheit für Steuersünder und für die Errichtung illegaler Bauten erzielt werden, sollen das Defizit im Staatshaushalt vermindern.

## Jamaika

| | |
|---|---|
| **Lage** Mittelam., Karte S. 476, D 4 | |
| **Fläche** 10 991 km² (WR 157) | |
| **Einwohner** 2,5 Mio (WR 133) | |
| **Einwohner/km²** 224,9 (1993) | |
| **Bev.-Wachstum/Jahr** 0,6% Ø | |
| **Pkw.-Kennzeichen** JA | |

**Hauptstadt** Kingston (104 000 Einwohner)

**Sprache** *Englisch,* Patois

**Religion** Protestantisch (55,9%), rastaf. (5%), kath. (5%)

**Währung** 1 Jamaika-Dollar (J$) = 100 Cents

| | |
|---|---|
| **BSP/Kopf** 1440 $ (1993) | **Urbanisierung** 54% |
| **Inflation** 34,1% (1994) | **Alphabetisierung** 98% |
| **Arbeitslos.** 16,2% (1993) | **Einw. pro Arzt** 6159 |

**Reg.-Chef** Percival James Patterson (seit 1992) * 1936

**Staatsob.** Königin Elizabeth II. (seit 1962) * 21. 4. 1926

**Staatsform** Parlamentar. Monarchie im Commonwealth

**Parlament** Senat mit 21 ernannten und Repräsentantenhaus mit 60 für fünf Jahre gewählten Abgeordneten; 55 Sitze für Peoples National Party, 5 für Jamaica Labour Party (Wahl von 1993)

# Japan

| | |
|---|---|
| **Lage** Asien, Karte S. 479, H 3 | |
| **Fläche** 377 835 km² (WR 60) | |
| **Einwohner** 124,7 Mio (WR 8) | |
| **Einwohner/km²** 330,0 (1992) | |
| **Bev.-Wachstum/Jahr** 0,2% Ø | |
| **Pkw.-Kennzeichen** J | |

**Hauptstadt** Tokio (8,1 Mio Einwohner)

**Sprache** Japanisch

**Religion** Shintoist. (39,5%), buddh. (38,3%), christl. (3,9%)

**Währung** 1 Yen (¥) = 100 Sen

| | |
|---|---|
| **BSP/Kopf** 31 490 $ (1993) | **Urbanisierung** 77% |
| **Inflation** 1,1% (1994) | **Alphabetisierung** 100% |
| **Arbeitslos.** 2,8% (1994) | **Einw. pro Arzt** 610 |

**Reg.-Chef** Tomiichi Murayama (seit Juni 1994) * 3. 3. 1924

**Staatsob.** Kaiser Akihito Tsuyu No Mija (seit 1989) * 1933

**Staatsform** Parlamentarische Monarchie

**Parlament** Oberhaus mit 252 und Unterhaus mit 511 Abgeordneten; 296 Sitze für Liberaldemokraten, 173 für Neue Fortschrittspartei, 134 für Sozialisten, 49 für Heiseikai, 26 für Kommunisten, 85 für andere (Wahl von 1993)

Mit Giftgasanschlägen brachten die Behörden die militante buddhistische Sekte Aum Shinri Kyo in Verbindung. Die Weigerung der Regierung unter Ministerpräsident Tomiichi Murayama von der sozialdemokratischen Partei (SDP), den japanischen Markt für US-Produkte zu öffnen, führte Mitte 1995 an die Schwelle eines Handelskrieges mit den USA. Das schwerste Erdbeben in J. seit 1923 forderte im Januar 1995 im Ballungsraum Osaka/Kobe 5200 Opfer.

**Giftgasanschlag:** Unbekannte verübten im März 1995 einen Anschlag mit dem hochgiftigen Nervengas Sarin auf die Tokioter U-Bahn. Zwölf Menschen starben an den Folgen der Vergiftungen, rd. 5500 wurden verletzt.

**Kommunalwahlen:** Die Regierungskoalition aus SDP und Liberaldemokratischer Partei (LDP) büßte im April 1995 bei Kommunalwahlen Stimmen ein. In den Präfektur-Parlamenten ging der Stimmenanteil von SDP und LDP von 62% (1991) auf 51% zurück. In den Stadtparlamenten erreichte die Regierungskoalition 18% (1991: 25%).

**Wirtschaft:** Die Aufwertung des Yen gegenüber dem Dollar gefährdete Anfang 1995 das angestrebte Ziel von 2,5% Wirtschaftswachstum. Von Januar bis April sank der Dollar von 101 Yen auf den historischen Tiefstand von 80,15 Yen. Der starke Yen

**Japan: Premierminister Tomiichi Murayama**
* 3. 3. 1924 in der Präfektur Oita (Kyushu). Der Wirtschaftswissenschaftler, Politologe und Gewerkschafter wurde 1955 in den Stadtrat von Oita gewählt. 1972 errang er ein Unterhausmandat für die Sozialistische Partei (SDP), deren Vorsitz er 1993 übernahm. Murayama wurde im Juni 1994 erster sozialistischer Premierminister in Japan seit 1957.

schadete der exportorientierten Wirtschaft. Der Handelsbilanzüberschuß lag 1994 bei 145 Mrd Dollar (204 Mrd DM). Anfang Juni kündigte die US-Regierung Strafzölle gegen Japan an, nachdem Verhandlungen zur Öffnung des japanischen Marktes für amerikanische Autos gescheitert waren. Kurz vor dem Inkrafttreten der Entscheidung lenkte die japanische Regierung Ende Juni ein und erklärte sich zur Öffnung ihres Marktes bereit.

**Erdbeben:** Das Beben erreichte die Stärke 7,2 auf der Richterskala. 56 000 Gebäude wurden zerstört, die als erdbebensicher eingestufte Autobahn Kobe/Osaka fiel an vielen Stellen zusammen.
→ Aum Shinri Kyo

 # Jemen

| | |
|---|---|
| **Lage** Naher Osten, Karte S. 478, D 6 | |
| **Fläche** 531 869 km² (WR 48) | |
| **Einwohner** 12,5 Mio (WR 61) | |
| **Einwohner/km²** 23,5 (1992) | |
| **Bev.-Wachstum/Jahr** 3,7% Ø | |
| **Pkw.-Kennzeichen** Al | |

**Hauptstadt** Sana (475 000 Einwohner)

**Sprache** Arabisch

**Religion** Moslemisch (99,9%)

**Währung** 1 Rial (YR) = 100 Fils

| | |
|---|---|
| **BSP/Kopf** 540 $ (1993) | **Urbanisierung** 21% |
| **Inflation** 50% (1993) | **Alphabetisierung** 38% |
| **Arbeitslos.** 36% (1993) | **Einw. pro Arzt** 5531 |

**Reg.-Chef** Abdulaziz Abdulghani (seit Okt. 1994) * 1939

**Staatsob.** Ali Abdallah Salih (seit 1978) * 1942

**Staatsform** Republik

**Parlament** 301 Abgeordnete; 128 Sitze für Allgemeinen Volkskongreß, 68 für Jemenitische Vereinigung für Reform, 56 für Sozialistische Partei, 47 für Unabhängige, 2 für andere (Wahl von 1993)

## Jordanien

| | |
|---|---|
| **Lage** Naher Osten, Karte S. 478, B 3 | |
| **Fläche** 88 572 km² (WR 110) | |
| **Einwohner** 3,8 Mio (WR 116) | |
| **Einwohner/km²** 42,9 (1993) | |
| **Bev.-Wachstum/Jahr** 3,4% Ø | |
| **Pkw.-Kennzeichen** JOR | |

**Hauptstadt** Amman (965 300 Einwohner)

**Sprache** *Arabisch*, Englisch

**Religion** Moslemisch (93,0%), christlich (4,9%)

**Währung** 1 Jordan-Dinar (JD) = 1000 Fils

| | |
|---|---|
| **BSP/Kopf** 1190 $ (1993) | **Urbanisierung** 68% |
| **Inflation** 4,5% (1993) | **Alphabetisierung** 80% |
| **Arbeitslos.** ca. 30% (1993) | **Einw. pro Arzt** 813 |

**Reg.-Chef** Said Ibn Schakir (seit Jan. 1995) * 4. 9. 1934

**Staatsob.** König Hussein II. (seit 1952) * 14. 11. 1935

**Staatsform** Konstitutionelle Monarchie

**Parlament** Senat mit 40 vom König ernannten und Abgeordnetenhaus mit 80 gewählten Abgeordneten; 58 Sitze für Nationalisten und Königstreue, 16 für Islamische Aktionsfront, 3 für Unabhängige Islamisten, 3 für Linke (Wahl von 1993)

## Jugoslawien

| | |
|---|---|
| **Lage** Europa, Karte S. 473, E 6 | |
| **Fläche** 102 173 km² (WR 105) | |
| **Einwohner** 10,6 Mio (WR 66) | |
| **Einwohner/km²** 103,4 (1993) | |
| **Bev.-Wachstum/Jahr** 0,7% Ø | |
| **Pkw.-Kennzeichen** YU | |

**Hauptstadt** Belgrad (1,55 Mio Einwohner)

**Sprache** *Serbisch,* Albanisch, Ungarisch

**Religion** Serbisch-orthodox. (44%), katholisch (31%)

**Währung** 1 Jugoslawischer Dinar = 100 Para

| | |
|---|---|
| **BSP/Kopf** k. A. | **Urbanisierung** 52% |
| **Inflation** 100 000% (1993) | **Alphabetisierung** 91% |
| **Arbeitslos.** 22–25% (1991) | **Einw. pro Arzt** 533 |

**Reg.-Chef** Radoje Kontić (seit 1993) * 1937

**Staatsob.** Zoran Lilić (seit 1993) * 1954

**Staatsform** Bundesrepublik

**Parlament** Bürgerrat mit 138 Abgeordneten; 47 Sitze für Sozialistische Partei Serbiens, 34 für Serbische Rad. Volkspartei, 20 für DEPOS (Demokraten), 17 für DSP (Sozialisten), 5 für Demokratische Partei, 5 für Sozialistische Partei Montenegros, 10 für andere (Wahl von 1992)

Um den wirtschaftlichen Zusammenbruch des serbisch dominierten J. (Serbien und Montenegro) zu verhindern, brach der serbische Präsident Slobodan Milošević im August 1994 offiziell alle wirtschaftlichen und politischen Beziehungen zu den bosnischen Serben ab. In dem seit 1992 andauernden Krieg in Bosnien-Herzegowina unterstützte J. die bosnischen Serben politisch und militärisch. Im April 1995 verlängerte die UNO ihren im Oktober 1994 gefaßten Beschluß über die Aussetzung eines Teils der Sanktionen gegen J. Über ein Drittel der Serben lebten Mitte 1995 in Armut (1990: 6,2%).

**UNO-Sanktionen:** Ziel der Serben war der Schaffung eines Großserbischen Reiches. Mitte 1994 lehnten die Serben in Bosnien-Herzegowina den von UNO und EU entworfenen Teilungsplan für Bosnien ab. Die UNO kündigte daraufhin die Verschärfung der Sanktionen gegen die Serben und J. an. Nach dem Bruch zwischen J. und den bosnischen Serben setzte die UNO die Sanktionen gegen J. in den Bereichen Flugverkehr, Kultur und Sport aus, die Wirtschaftssanktionen blieben bestehen. Unter dem Vorwurf, daß Belgrad kriegsrelevante Güter in serbisch besetzte Gebiete Bosnien-Herzegowinas schickt, wurde die Aussetzung der Sanktionen im April nur noch um 75 Tage verlängert. Mitte 1995 verhandelten die UNO und J. über die Aufhebung der Sanktionen als Gegenleistung für die Anerkennung der Grenzen von Kroatien und Bosnien-Herzegowina durch J.

**Wirtschaft:** Infolge des Krieges und der Sanktionen war Anfang 1995 nur rd. ein Viertel der Industriekapazität ausgelastet. Von Dezember 1994 bis März 1995 sank die Industrieproduktion pro Monat um 2%. Nachdem die monatliche Teuerung im Januar 1994 mit 313 Mio% die weltweit höchste Rate erreicht hatte, führte die Regierung den an die Deutsche Mark gekoppelten sog. Superdinar ein, der die Wirtschaft vorübergehend entlastete.

→ Balkan-Konflikt

**Serbien: Präsident Slobodan Milošević**
* 29. 8. 1941 in Požarevac. Der Jurist wurde 1987 Erster Sekretär der Kommunistischen Partei in Serbien. 1990 wählte in das Volk zum Präsidenten und bestätigte ihn 1992 im Amt. Milošević zielt auf die Schaffung eines großserbischen Staates ab. Seit Beginn seiner Amtszeit werden Angehörige nichtserbischer Nationalität unterdrückt.

##  Kambodscha

| | |
|---|---|
| **Lage** Ostasien, Karte S. 480, B 4 | |
| **Fläche** 181 916 km² (WR 87) | |
| **Einwohner** 9,3 Mio (WR 76) | |
| **Einwohner/km²** 51,1 (1992) | |
| **Bev.-Wachstum/Jahr** 2,4% Ø | |
| **Pkw.-Kennzeichen** K | |

**Hauptstadt** Phnom Penh (800 000 Einwohner)

**Sprache** *Khmer,* Französisch, Vietnamesisch

**Religion** Buddhistisch (88,4%), moslemisch (2,4%)

**Währung** 1 Riel = 100 Sen

| | |
|---|---|
| **BSP/Kopf** 250 $ (1993) | **Urbanisierung** 12% |
| **Inflation** 20% (1993) | **Alphabetisierung** 35% |
| **Arbeitslos.** k. A. | **Einw. pro Arzt** 27 000 |

**Reg.-Chef** Prinz Norodom Ranaridh (seit 1993) * 1941

**Staatsob.** König Norodom Sihanuk (seit 1993) * 1922

**Staatsform** Konstitutionelle Monarchie

**Parlament** Verfassunggebende Versammlung mit 120 Abgeordneten; 58 Sitze für Royalisten, 51 für Kommunisten, 10 für Buddhisten, 1 für Molinaka (Wahl von 1993)

##  Kanada

| | |
|---|---|
| **Lage** Nordamerika, Karte S. 474, E 5 | |
| **Fläche** 9 970 610 km² (WR 2) | |
| **Einwohner** 28,1 Mio (WR 32) | |
| **Einwohner/km²** 2,8 (1993) | |
| **Bev.-Wachstum/Jahr** 0,9% Ø | |
| **Pkw.-Kennzeichen** CDN | |

**Hauptstadt** Ottawa (921 000 Einwohner)

**Sprache** *Englisch, Französisch*

**Religion** Katholisch (46,5%), protest. (41,2%), jüd. (1,2%)

**Währung** 1 Kanadischer Dollar (kan$) = 100 Cents

| | |
|---|---|
| **BSP/Kopf** 19 970 $ (1993) | **Urbanisierung** 77% |
| **Inflation** 0,3% (1994) | **Alphabetisierung** 96% |
| **Arbeitslos.** 10,3% (1994) | **Einw. pro Arzt** 450 |

**Reg.-Chef** Jean Chrétien (seit 1993) * 11. 1. 1934

**Staatsob.** Königin Elizabeth II. (seit 1952) * 21. 4. 1926

**Staatsform** Parlam. Monarchie im Commonwealth

**Parlament** Senat mit 104 auf Vorschlag des Premierministers ernannten und Unterhaus mit 295 für fünf Jahre gewählten Abgeordneten; 177 Sitze für Liberale (LP), 54 für Bloc Québécois (BQ), 52 für Reformpartei (RPC), 9 für Sozialdemokraten (NDP), 3 für andere (Wahl von 1993)

##  Kamerun

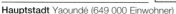

| | |
|---|---|
| **Lage** Afrika, Karte S. 477, C 4 | |
| **Fläche** 475 442 km² (WR 52) | |
| **Einwohner** 13,1 Mio (WR 60) | |
| **Einwohner/km²** 27,6 (1993) | |
| **Bev.-Wachstum/Jahr** 3,0% Ø | |
| **Pkw.-Kennzeichen** CAM | |

**Hauptstadt** Yaoundé (649 000 Einwohner)

**Sprache** *Französisch, Englisch,* Bantusprachen

**Religion** Christlich (52,2%), animist. (26%), moslem. (22%)

**Währung** CFA-Franc (FCFA)

| | |
|---|---|
| **BSP/Kopf** 770 $ (1993) | **Urbanisierung** 42% |
| **Inflation** ca. 1,4% (1992) | **Alphabetisierung** 54% |
| **Arbeitslos.** ca. 25% (1992) | **Einw. pro Arzt** 12 190 |

**Reg.-Chef** Simon Achidi Achu (seit 1992) * 1934

**Staatsob.** Paul Biya (seit 1982) * 13. 2. 1933

**Staatsform** Präsidiale Republik

**Parlament** Nationalversammlung mit 180 für fünf Jahre gewählten Abgeordneten; 88 Sitze für Demokratische Sammlung, 68 für Nationalunion für Demokratie und Fortschritt, 18 für Union des kamerunischen Volkes, 6 für Dem. Bewegung für die Verteidigung der Rep. (Wahl von 1992)

Im April 1995 legten die Europäische Union (EU) und K. ihre Auseinandersetzungen um den Fang schwarzen Heilbutts vor der Küste Neufundlands mit einem Kompromiß bei. Bei den Parlamentswahlen in der französischsprachigen Provinz Québec siegte im September 1994 die für eine Abspaltung von K. eintretende Parti Québécois (PQ).

**Fischfang:** Die Einigung bestätigte die im Vergleich zum Vorjahr gesenkte Gesamtfangmenge von 27 000 t Heilbutt für 1995, wobei der Anteil Spaniens und Portugals auf 41% erhöht wurde. Die Regierung von K. unter Ministerpräsident Jean Chrétien (Liberale) warf spanischen Fischern vor, durch Fischen mit zu engmaschigen Netzen die rückläufigen Bestände weiter zu schädigen. Im März brachte die kanadische Küstenwache einen spanischen Trawler auf und beschlagnahmte den Fang. Spanische und portugiesische Fischer kritisierten die Vereinbarung als existenzgefährdend.

**Referendum:** Die PQ erhielt 44,7% der Stimmen und löste die seit 1985 regierende Liberale Partei (44,3%) ab. Jacques Parizeau (PQ), Québecs neuer Premierminister, kündigte für Mitte 1995 ein Referendum über die Loslösung der Provinz von K. an. Voraussetzung dafür sind 50% Ja-Stimmen.

→ Fischereistreit

## Kap Verde

**Lage** Afrika, Karte S. 477, A 3

**Fläche** 4033 km² (WR 163)

**Einwohner** 350 000 (WR 163)

**Einwohner/km²** 87 (1993)

**Bev.-Wachstum/Jahr** 2,9% Ø

**Pkw.-Kennzeichen** k. A.

**Hauptstadt** Praia (62 000 Einwohner)

**Sprache** *Portugiesisch,* Kreolisch

**Religion** Katholisch (98%)

**Währung** 1 Kap Verde Escudo (KEsc) = 100 Centavos

| | |
|---|---|
| **BSP/Kopf** 920 $ (1993) | **Urbanisierung** 32% |
| **Inflation** 3,1% (1992) | **Alphabetisierung** 47% |
| **Arbeitslos.** k. A. | **Einw. pro Arzt** 4929 |

**Reg.-Chef** Carlos A. W. de Carvalho Veiga (seit 1991)

**Staatsob.** António Mascarenhas Monteiro (seit 1991)

**Staatsform** Republik

**Parlament** Nationale Volksversammlung mit 79 für fünf Jahre gewählten Abgeordneten; 56 Sitze für Bewegung für die Demokratie, 23 für Afrikanische Partei für die Unabhängigkeit der Kapverden (Wahl von 1991)

 ## Katar

**Lage** Naher Osten, Karte S. 478, E 4

**Fläche** 11 427 km² (WR 156)

**Einwohner** 521 000 (WR 157)

**Einwohner/km²** 45,6 (1993)

**Bev.-Wachstum/Jahr** 2,3% Ø

**Pkw.-Kennzeichen** Q

**Hauptstadt** Dauha (236 200 Einwohner)

**Sprache** *Arabisch,* Farsi, Urdu

**Religion** Moslem. (92,4%), christl. (5,9%), hinduist. (1,1%)

**Währung** 1 Katar-Riyal (QR) = 100 Dirham

| | |
|---|---|
| **BSP/Kopf** 15 030 $ (1993) | **Urbanisierung** 90% |
| **Inflation** 2,4% (1993) | **Alphabetisierung** 76% |
| **Arbeitslos.** 0%.(1993) | **Einw. pro Arzt** 660 |

**Reg.-Chef** Emir Scheich Hamad bin Khalifa ath-Thani

**Staatsob.** Emir Scheich Hamad bin Khalifa ath-Thani *1948

**Staatsform** Absolute Monarchie, Emirat

**Parlament** Beratende Versammlung mit 35 Mitgliedern, keine politischen Parteien

 ## Kasachstan

**Lage** Asien, Karte S. 479, C 3

**Fläche** 2,717 Mio km² (WR 9)

**Einwohner** 17,2 Mio (WR 52)

**Einwohner/km²** 6,0 (1993)

**Bev.-Wachstum/Jahr** 0,7% Ø

**Pkw.-Kennzeichen** k. A.

**Hauptstadt** Almaty (1,2 Mio Einwohner)

**Sprache** *Kasachisch,* Russisch

**Religion** Moslemisch, christlich, buddhistisch

**Währung** 1 Tenge = 100 Tiin

| | |
|---|---|
| **BSP/Kopf** 1560 $ (1993) | **Urbanisierung** 58% |
| **Inflation** ca. 2400% (1994) | **Alphabetisierung** k. A. |
| **Arbeitslos.** ca. 3% (1994) | **Einw. pro Arzt** 250 |

**Reg.-Chef** Akeschan Kaschegeldin (seit Okt. 1994) * 1952

**Staatsob.** Nursultan A. Nasarbajew (seit 1991) * 6. 7. 1940

**Staatsform** Republik

**Parlament** Abgeordnetenkammer mit 177 Mitgliedern; 60 Sitze für Unabhängige, 30 für Volksunion (Präsidentenpartei) 23 für Oppositionsparteien, 11 für Gewerkschaftsbund, 42 für Kandidaten der staatlichen Liste, 11 für andere (Wahl vom März 1994)

 ## Kenia

**Lage** Afrika, Karte S. 477, E 4

**Fläche** 582 646 km² (WR 45)

**Einwohner** 28,1 Mio (WR 33)

**Einwohner/km²** 48,3 (1993)

**Bev.-Wachstum/Jahr** 2,5% Ø

**Pkw.-Kennzeichen** EAK

**Hauptstadt** Nairobi (1,5 Mio Einwohner)

**Sprache** *Swahili,* Englisch, Stammessprachen, Arabisch

**Religion** Christl. (73%), animistisch (19%), moslem. (6%)

**Währung** 1 Kenya Shiling (KSh) = 100 Cents

| | |
|---|---|
| **BSP/Kopf** 270 $ (1993) | **Urbanisierung** 25% |
| **Inflation** ca. 12,0% (1994) | **Alphabetisierung** 69% |
| **Arbeitslos.** ca. 25% (1994) | **Einw. pro Arzt** 10 150 |

**Reg.-Chef** Daniel Arap Moi (seit 1978) * Sept. 1924

**Staatsob.** Daniel Arap Moi (seit 1978) * Sept. 1924

**Staatsform** Präsidiale Republik

**Parlament** Nationalversammlung mit 188 Abgeordneten; 107 Sitze für Afrikan. Nationalunion, 32 für Forum zur Wiederherst. der Demokratie (Kenya), 25 für Forum zur Wiederherst. der Demokratie (Asili), 22 für Demokrat. Partei Kenya, 2 für andere, 12 vom Präsidenten ernannt (Wahl von 1992)

##  Kirgistan

**Lage** Asien, Karte S. 479, C 3

**Fläche** 198 500 km² (WR 84)

**Einwohner** 4,5 Mio (WR 107)

**Einwohner/km²** 22,7 (1993)

**Bev.-Wachstum/Jahr** 1,2% Ø

**Pkw.-Kennzeichen** k. A.

**Hauptstadt** Bischkek (631 000 Einwohner)

**Sprache** *Kirgisisch, Russisch*

**Religion** Moslemisch, christlich

**Währung** 1 Kirgistan-Som (K.S.) = 100 Tyin

| | |
|---|---|
| **BSP/Kopf** 850 $ (1993) | **Urbanisierung** 38% |
| **Inflation** 466% (1993) | **Alphabetisierung** k. A. |
| **Arbeitslos.** 13% (1991) | **Einw. pro Arzt** 271 |

**Reg.-Chef** Askar Akajew (seit 5. 9. 1994) * 10. 11. 1944

**Staatsob.** Askar Akajew (seit 1991) * 10. 11. 1944

**Staatsform** Präsidiale Republik

**Parlament** Oberster Sowjet mit 105 für vier Jahre gewählten Abgeordneten; Unterhaus mit 35 Sitzen, Oberhaus mit 70 Sitzen; Mehrheit für unabhängige Kandidaten (Wahl vom Februar 1995)

##  Kolumbien

**Lage** Südamerika, Karte S. 475, B 2

**Fläche** 1,14 Mio km² (WR 25)

**Einwohner** 34,0 Mio (WR 30)

**Einwohner/km²** 30 (1993)

**Bev.-Wachstum/Jahr** 1,4% Ø

**Pkw.-Kennzeichen** CO

**Hauptstadt** Bogotá (5,0 Mio Einwohner)

**Sprache** *Spanisch,* indianische Sprachen

**Religion** Katholisch (92,7%), protestantisch (1%)

**Währung** 1 Kolumbianischer Peso (kol$) = 100 Centavos

| | |
|---|---|
| **BSP/Kopf** 1400 $ (1993) | **Urbanisierung** 71% |
| **Inflation** 22,6% (1994) | **Alphabetisierung** 87% |
| **Arbeitslos.** 7,4% (1994) | **Einw. pro Arzt** 1061 |

**Reg.-Chef** Ernesto Samper Pisano (seit Aug. 1994) * 1950

**Staatsob.** Ernesto Samper Pisano (seit Aug. 1994) * 1950

**Staatsform** Präsidiale Republik

**Parlament** Abgeordnetenhaus mit 163 und Senat mit 102 Abgeordneten; im Abgeordnetenhaus 89 Sitze (im Senat: 53) für Liberale, 50 (22) für Konservative, 1 (1) für Ex-Guerilla M-19, 23 (27) für andere (Wahl vom März 1994)

##  Kiribati

**Lage** Ozeanien, Karte S. 481, G 2

**Fläche** 811 km² (WR 169)

**Einwohner** 76 900 (WR 179)

**Einwohner/km²** 94,8 (1993)

**Bev.-Wachstum/Jahr** 1,2% Ø

**Pkw.-Kennzeichen** k. A.

**Hauptstadt** Bairiki (25 000 Einwohner)

**Sprache** *Englisch, Gilbertesisch*

**Religion** Christlich (92,4%), Bahai (2,4%)

**Währung** 1 Australischer Dollar (A $) = 100 Cents

| | |
|---|---|
| **BSP/Kopf** 710 $ (1993) | **Urbanisierung** 35% |
| **Inflation** 4,9% (1992) | **Alphabetisierung** 90% |
| **Arbeitslos.** 4,9% (1992) | **Einw. pro Arzt** 4483 |

**Reg.-Chef** Teburoro Tito (seit September 1994)

**Staatsob.** Teburoro Tito (seit September 1994)

**Staatsform** Präsidiale Republik

**Parlament** Abgeordnetenhaus mit 39 für vier Jahre gewählten Abgeordneten; 39 Sitze für Unabhängige, 1 Sitz ist reserviert für einen Vertreter der Insel Banaba (Wahl vom Juli 1994)

##  Komoren

**Lage** Afrika, Karte S. 477, E 5

**Fläche** 1862 km² (WR 167)

**Einwohner** 516 000 (WR 158)

**Einwohner/km²** 277 (1993)

**Bev.-Wachstum/Jahr** 3,6% Ø

**Pkw.-Kennzeichen** F

**Hauptstadt** Moroni (22 000 Einwohner)

**Sprache** *Französisch, Komorisch*

**Religion** Moslemisch (99,4%), christl. (0,5%), Baha'i (0,1%)

**Währung** Komoren-Franc (FC)

| | |
|---|---|
| **BSP/Kopf** 560 $ (1993) | **Urbanisierung** 28% |
| **Inflation** –0,4% (1992) | **Alphabetisierung** 50% |
| **Arbeitslos.** k. A. | **Einw. pro Arzt** 11 100 |

**Reg.-Chef** Muhammad Abdou Madi (seit Jan. 1994)

**Staatsob.** Said Muhammad Djohar (seit 1990)

**Staatsform** Präsidiale Republik

**Parlament** Nationalversammlung mit 42 für fünf Jahre gewählten Abgeordneten; 22 Sitze für das Parteienbündnis des Präsidenten (besteht aus 7 Parteien), 18 für oppositionelles Bündnis (besteht aus 14 Parteien), 2 vakant (Wahl von 1993)

##  Kongo

**Lage** Afrika, Karte S. 477, C 5

**Fläche** 342 000 km² (WR 62)

**Einwohner** 2,8 Mio (WR 130)

**Einwohner/km²** 8,1 (1993)

**Bev.-Wachstum/Jahr** 3,2% Ø

**Pkw.-Kennzeichen** RCB

**Hauptstadt** Brazzaville (937 600 Einwohner)

**Sprache** *Französisch,* Lingala, Kikongo, Teke u. a.

**Religion** Kath. (53,9%), protest. (24,9%), animistisch (19%)

**Währung** CFA-Franc (FCFA)

| | |
|---|---|
| **BSP/Kopf** 950 $ (1993) | **Urbanisierung** 42% |
| **Inflation** ca. 2,2% (1992) | **Alphabetisierung** 57% |
| **Arbeitslos.** ca. 25% (1994) | **Einw. pro Arzt** 3873 |

**Reg.-Chef** Joachim Yhombi-Opango (seit 1993) * 1939

**Staatsob.** Pascal Lissouba (seit 1992) * 15. 11. 1931

**Staatsform** Demokratische Republik

**Parlament** Volksvertretung mit 125 für fünf Jahre gewählten Abgeordneten; 64 Sitze für Sozialdemokraten (UPADS), 58 für Sozialisten (Bündnis PCT-URD), 2 für Demokratische Union, 1 für andere (Wahl von 1993)

## Korea-Süd

**Lage** Ostasien, Karte S. 480, D 2

**Fläche** 99 263 km² (WR 106)

**Einwohner** 44,0 Mio (WR 25)

**Einwohner/km²** 444 (1993)

**Bev.-Wachstum/Jahr** 0,8% Ø

**Pkw.-Kennzeichen** ROK

**Hauptstadt** Seoul (10,6 Mio Einwohner)

**Sprache** Koreanisch

**Religion** Konf.-lose (46%), buddh. (27,6%), christl. (24,3%)

**Währung** 1 Won (W) = 100 Chon

| | |
|---|---|
| **BSP/Kopf** 7660 $ (1993) | **Urbanisierung** 74% |
| **Inflation** 5,6% (1994) | **Alphabetisierung** 96% |
| **Arbeitslos.** 2,2% (1994) | **Einw. pro Arzt** 1070 |

**Reg.-Chef** Lee Hong Koo (seit Dez. 1994) * 5. 9. 1934

**Staatsob.** Kim Young Sam (seit 1993) * 20. 12. 1927

**Staatsform** Präsidiale Republik

**Parlament** Nationalversammlung mit 299 für vier Jahre gewählten Mitgliedern; 149 Sitze für Demokratisch-Liberale Partei, 97 für Demokratische Partei, 31 für Nationale Einheitspartei, 1 für Neue politische Reformpartei, 21 für Unabhängige (Wahl von 1992)

##  Korea-Nord

**Lage** Ostasien, Karte S. 480, D 2

**Fläche** 122 762 km² (WR 96)

**Einwohner** 22,6 Mio (WR 40)

**Einwohner/km²** 185 (1993)

**Bev.-Wachstum/Jahr** 1,7% Ø

**Pkw.-Kennzeichen** k. A.

**Hauptstadt** Pjöngjang (2,35 Mio Einwohner)

**Sprache** Koreanisch

**Religion** Konfessionslos (67,9%), Volksreligionen (15,6%)

**Währung** 1 Won (W) = 100 Chon

| | |
|---|---|
| **BSP/Kopf** ca. 991 $ (1992) | **Urbanisierung** 60% |
| **Inflation** k. A. | **Alphabetisierung** 99% |
| **Arbeitslos.** k. A. | **Einw. pro Arzt** 370 |

**Reg.-Chef** Kang Song San (seit 1992) * 1931

**Staatsob.** Kim Jong Il (seit Juli 1994) * 16. 2. 1942

**Staatsform** Kommunistische Volksrepublik

**Parlament** Oberste Volksversammlung mit 687 für vier Jahre gewählten Abgeordneten; sämtliche Sitze für die Kandidaten der von der kommunistischen Partei der Arbeit beherrschten Einheitsliste des Nationalen Blocks (Wahl von 1990)

## Kroatien

**Lage** Europa, Karte S. 473, D 6

**Fläche** 56 538 km² (WR 123)

**Einwohner** 4,8 Mio (WR 104)

**Einwohner/km²** 85,3 (1993)

**Bev.-Wachstum/Jahr** 0,13% Ø

**Pkw.-Kennzeichen** HR

**Hauptstadt** Zagreb (931 000 Einwohner)

**Sprache** Kroatisch

**Religion** Kath. (76,5%), serb.-orth. (11,1%), prot., mosl.

**Währung** 1 Kuna (K) = 100 Lipa

| | |
|---|---|
| **BSP/Kopf** 2505 $ (1993) | **Urbanisierung** 51% |
| **Inflation** 96,7% (1994) | **Alphabetisierung** 98% |
| **Arbeitslos.** 12,9% (1994) | **Einw. pro Arzt** 356 |

**Reg.-Chef** Nikica Valentić (seit 1993) * 24. 11. 1950

**Staatsob.** Franjo Tudjman (seit 1990) * 14. 5. 1922

**Staatsform** Republik

**Parlament** Sabor mit 137 für vier Jahre gewählten Abgeordneten (Distriktkammer mit 64 Sitzen); im Abgeordnetenhaus 75 Sitze für Konservative (HDZ), 16 für Sozialliberale (HSLS), 10 für Kroat. Unabhängige Demokraten, 5 für Sozialdemokraten, 31 für andere (Wahl von 1992)

**Kroatien: Staatspräsident Franjo Tudjman**
* 14. 5. 1922 in Veliko Trgovišče. Der Historiker war in den 50er Jahren General der jugoslawischen Armee. Aufgrund seines Engagements für mehr Eigenständigkeit Kroatiens wurde er nach 1967 mehrfach verhaftet. 1989 gründete er die Kroatische Demokratische Gemeinschaft (HDZ). 1990 wurde er zum Präsidenten gewählt und 1992 im Amt bestätigt.

# Kuba

| | |
|---|---|
| **Lage** Mittelam., Karte S. 476, C 3 | |
| **Fläche** 110 861 km² (WR 102) | |
| **Einwohner** 10,9 Mio (WR 64) | |
| **Einwohner/km²** 98,2 (1993) | |
| **Bev.-Wachstum/Jahr** 1,1% Ø | |
| **Pkw.-Kennzeichen** C | |

**Hauptstadt** Havanna (2,1 Mio Einwohner)

**Sprache** Spanisch

**Religion** Konfessionslos (55,1%), kath. (39,6%), protest.

**Währung** 1 Kubanischer Peso (Kub$) = 100 Centavos

| | |
|---|---|
| **BSP/Kopf** 600 $ (1993) | **Urbanisierung** 73% |
| **Inflation** k. A. | **Alphabetisierung** 96% |
| **Arbeitslos.** ca. 10% (1992) | **Einw. pro Arzt** 303 |

**Reg.-Chef** Fidel Castro Ruz (seit 1976) * 13. 8. 1927

**Staatsob.** Fidel Castro Ruz (seit 1976) * 13. 8. 1927

**Staatsform** Sozialistische Republik

**Parlament** Nationalversammlung mit 589 für fünf Jahre gewählten Abgeordneten; sämtliche Sitze für die Einheitspartei PCC (Kommunistische Partei Kubas, Wahl von 1993)

Im April 1995 eroberte die kroatische Armee das von Serben 1991 besetzte Westslawonien zurück. Der kroatische Präsident Franjo Tudjman (HDZ) stimmte einer letztmaligen Verlängerung des Mandats der UNO-Truppen in K. bis November 1995 zu. Der 1991 begonnene Krieg verursachte in K. bis Mitte 1995 Schäden in Höhe von 22 Mrd Dollar (31 Mrd DM).

**Neue Kämpfe:** Als Vergeltung für die Rückeroberung beschossen Serben die kroatische Hauptstadt Zagreb im Mai 1995 mit Raketen. Mehrere Menschen wurden getötet, etwa 100 verletzt. Seit 1991 hielten die Serben rd. ein Drittel von K. besetzt. Im März 1994 unterzeichneten beide Parteien einen Friedensschluß, der bis Mitte 1995 mehrfach gebrochen wurde.

**UNO-Mandat:** Das 1992 zwischen UNO-Vermittler Cyrus Vance und K. geschlossene Abkommen über die Entwaffnung der Serben und Rückführung von rd. 250 000 aus den serbisch besetzten Gebieten vertriebenen Kroaten wurde bis Mitte 1995 nicht verwirklicht. Im Januar 1995 kündigte Tudjman die Ausweisung der UNO-Truppen für Ende März an, stimmte nach Verhandlungen jedoch einer Verlängerung des Mandats bei von 12 000 auf 5000 Mann verringerter Truppenstärke zu.

**Wirtschaft:** Nach dem Friedensschluß erhielt K. 1994 von Weltbank und Internationalem Währungsfonds (IWF) Kredite in Höhe von rd. 400 Mio Dollar (564 Mio DM) für den Wiederaufbau. Mit Hilfe strenger Ausgabenpolitik, Lohnkontrollen und -kürzungen gelang es der konservativen Regierung unter Ministerpräsident Nikica Valentić, die Inflation 1994 auf 96,7% (1993: 1150%) zu senken. Steigende Industrieproduktion führte 1994 erstmals seit 1987 zu einem Wirtschaftswachstum. Seit Beginn des Stabilisierungsprogramms stieg das durchschnittliche Monatseinkommen von 100 DM im September 1994 auf 350 DM im Mai 1995.
→ Balkan-Konflikt

Die 20 000 in dem US-Militärstützpunkt Guantánamo auf K. arrestierten Flüchtlinge durften im April 1995 in die USA ausreisen. Unzufriedenheit mit dem politischen System und der Versorgungslage im Land hatten im August und September 1994 zum Massenexodus von Bootsflüchtlingen geführt. Zur Beilegung der andauernden Wirtschaftskrise setzte die kommunistische Regierung unter Staatschef Fidel Castro 1995 den Prozeß der wirtschaftlichen Liberalisierung fort.

**Fluchtwelle:** Nach den schwersten Unruhen in K. seit der Revolution von 1959 hob Castro im August 1994 die Küstenkontrollen auf und löste dadurch eine Massenflucht in die USA aus. In z. T. selbstgebauten Flößen flohen rd. 30 000 Kubaner. Im September einigten sich K. und die USA, daß K. die Küstenkontrollen wiederaufnehmen solle, um die Flucht zu beenden. Abweichend von der seit 1962 verfolgten Praxis, K.-Flüchtlingen automatisch Asyl zu gewähren, wurden 20 000 Flüchtlinge zunächst auf dem US-Stützpunkt interniert. Zeitgleich mit der Ausreiseerlaubnis kündigten die USA an, illegale Flüchtlinge künftig umgehend nach K. zurückzuschicken.

**Reformversuch:** Ein für Mitte 1995 geplantes Investitionsgesetz soll ausländischen Investoren Beteiligungen in allen Wirtschaftssektoren ermögli-

**Kuba: Staatspräsident Fidel Castro**
\* 13. 8. 1927 in Mayari (Provinz Oriente), Dr. jur. Nach einer fehlgeschlagenen Revolte 1953 stürzte er 1959 den Diktator Fulgencio Batista y Zaldívar. Der Chef der kommunistischen Guerilla wandelte Kuba in ein sozialistisches Land um. 1965 wurde Castro Generalsekretär der Kommunistischen Partei (PCC) und 1976 Staatsratsvorsitzender.

chen. Bis März 1995 wurden 180 Joint-ventures, vor allem mit mexikanischen und spanischen Tourismus-Firmen, vereinbart. Die USA halten seit 36 Jahren ein Embargo gegen K. aufrecht. Im Oktober 1994 ließ Castro freie Märkte für Agrarprodukte zu. Im Frühjahr 1995 machte der Anteil der frei verkauften Produkte 19% der insgesamt an die Bevölkerung abgegebenen Agrarprodukte aus. Zudem gab die Regierung den Devisen-Besitz frei. **Tourismus:** 1994 kamen 700 000 Touristen ins Land, 14% mehr als im Jahr zuvor. Sie gaben 800 Mio Dollar (1,13 Mrd DM) auf der Insel aus und steuerten 15% zum Bruttoinlandsprodukt bei.

##  Laos

| | |
|---|---|
| **Lage** Südostasien, Karte S. 480, B 4 | |
| **Fläche** 236 800 km² (WR 80) | |
| **Einwohner** 4,5 Mio (WR 108) | |
| **Einwohner/km²** 19,1 (1993) | |
| **Bev.-Wachstum/Jahr** 2,8% Ø | |
| **Pkw.-Kennzeichen** LAO | |

**Hauptstadt** Vientiane (300 000 Einwohner)

**Sprache** *Lao,* Französisch, Engl., Chines., Vietnames.

**Religion** Buddhistisch (58%), Stammesreligionen (34%)

**Währung** 1 Kip (K) = 100 AT

| | |
|---|---|
| **BSP/Kopf** 280 $ (1993) | **Urbanisierung** 19% |
| **Inflation** 10,8% (1993) | **Alphabetisierung** 50% |
| **Arbeitslos.** 15% (1989) | **Einw. pro Arzt** 3555 |

**Reg.-Chef** Khamtay Siphandone (seit 1991) \* 8. 2. 1924

**Staatsob.** Nouhak Phoumsavanh (seit 1992) \* 9. 4. 1915

**Staatsform** Volksrepublik

**Parlament** Nationalversammlung mit 85 für fünf Jahre gewählten Abgeordneten; alle Sitze für die kommunistische LRVP (Wahl von 1992)

##  Kuwait

| | |
|---|---|
| **Lage** Naher Osten, Karte S. 478 | |
| **Fläche** 17 818 km² (WR 152) | |
| **Einwohner** 1,4 Mio (WR 145) | |
| **Einwohner/km²** 78,5 (1993) | |
| **Bev.-Wachstum/Jahr** 4,4% Ø | |
| **Pkw.-Kennzeichen** KWT | |

**Hauptstadt** Kuwait-Stadt (170 000 Einwohner)

**Sprache** *Arabisch,* Englisch

**Religion** Moslemisch (90%), christlich (8%), hinduist. (2%)

**Währung** 1 Kuwait-Dinar (KD) = 1000 Fils

| | |
|---|---|
| **BSP/Kopf** 19 360 $ (1993) | **Urbanisierung** 96% |
| **Inflation** – 0,6% (1993) | **Alphabetisierung** 80% |
| **Arbeitslos.** 0% (1993) | **Einw. pro Arzt** 515 |

**Reg.-Chef** Saad al-Abdallah as-Sabah (seit 1978) \* 1930

**Staatsob.** Jabir al-Ahmad al-Jabir as-Sabah (seit 1978)

**Staatsform** Emirat

**Parlament** Nationalversammlung mit 50 Abgeordneten; 22 Sitze für islamische Gruppierungen, 18 für Anhänger des Emirs, 10 für unabhängige und liberale Kandidaten; keine politischen Parteien zugelassen (Wahl von 1992)

##  Lesotho

| | |
|---|---|
| **Lage** Afrika, Karte S. 477, D 7 | |
| **Fläche** 30 355 km² (WR 137) | |
| **Einwohner** 1,9 Mio (WR 139) | |
| **Einwohner/km²** 62,6 (1993) | |
| **Bev.-Wachstum/Jahr** 2,3% Ø | |
| **Pkw.-Kennzeichen** LS | |

**Hauptstadt** Maseru (109 000 Einwohner)

**Sprache** *Englisch,* Sotho, Afrikaans

**Religion** Kath. (43,5%), protest. (29,8%), anglik. (11,5%)

**Währung** 1 Loti (M) = 100 Lisente

| | |
|---|---|
| **BSP/Kopf** 650 $ (1993) | **Urbanisierung** 21% |
| **Inflation** 12,0% (1993) | **Alphabetisierung** 86% |
| **Arbeitslos.** 23% (1988) | **Einw. pro Arzt** 15 728 |

**Reg.-Chef** Ntsu Mokhehle (seit 1993) \* 26. 12. 1918

**Staatsob.** König Moshoeshoe II. (seit Jan.1995) \*2. 5. 1938

**Staatsform** Konstitutionelle Monarchie

**Parlament** 64 für fünf Jahre gewählten Abgeordneten; alle Sitze für Basotholand Congress Party BCP (Wahl von 1993)

##  Lettland

| | |
|---|---|
| **Lage** Europa, Karte S. 473, E 4 | |
| **Fläche** 64 600 km² (WR 121) | |
| **Einwohner** 2,6 Mio (WR 131) | |
| **Einwohner/km²** 41 (1993) | |
| **Bev.-Wachstum/Jahr** –0,4% Ø | |
| **Pkw.-Kennzeichen** LV | |

**Hauptstadt** Riga (856 000 Einwohner)

**Sprache** *Lettisch,* Russisch

**Religion** Lutheran. (55%), kathol. (24%), russ.-orthod. (9%)

**Währung** 1 Lat = 100 Santims

| | |
|---|---|
| **BSP/Kopf** 2010 $ (1993) | **Urbanisierung** 70% |
| **Inflation** 26,3% (1994) | **Alphabetisierung** 99,5% |
| **Arbeitslos.** 6,5% (1994) | **Einw. pro Arzt** 275 |

**Reg.-Chef** Māris Gailis (seit Sept. 1994) * 9. 7. 1951

**Staatsob.** Guntis Ulmanis (seit 1993) * 13. 8. 1939

**Staatsform** Republik

**Parlament** Saeima mit 100 für drei Jahre gewählten Abgeordneten; 36 Sitze für Liberalkonservative (LC), 15 für Nationalkonservative (LNNK), 13 für Eintracht, 12 für Konservative (LZS), 7 für Gleichberechtigung, 6 für Vaterland und Freiheit, 11 für andere (Wahl von 1993)

##  Liberia

| | |
|---|---|
| **Lage** Afrika, Karte S. 477, A 4 | |
| **Fläche** 99 067 km² (WR 107) | |
| **Einwohner** 2,8 Mio (WR 129) | |
| **Einwohner/km²** 28,7 (1993) | |
| **Bev.-Wachstum/Jahr** 3,0% Ø | |
| **Pkw.-Kennzeichen** LB | |

**Hauptstadt** Monrovia (465 000 Einwohner)

**Sprache** *Englisch,* Kpelle, Bassa, 9 andere Stammesspr.

**Religion** Christl. (67,7%), mosl. (13,8%), Volksrel. (18,5%)

**Währung** 1 Liberianischer Dollar (Lib$) = 100 Cents

| | |
|---|---|
| **BSP/Kopf** ca. 200 $ (1992) | **Urbanisierung** 46% |
| **Inflation** 8,1% (1990) | **Alphabetisierung** 40% |
| **Arbeitslos.** ca. 40% (1990) | **Einw. pro Arzt** 9324 |

**Reg.-Chef** David Kpomakpor (seit Februar 1994)

**Staatsob.** David Kpomakpor (seit Februar 1994)

**Staatsform** Präsidiale Republik

**Parlament** Repräsentantenhaus mit 64 Sitzen, 1990 nach Militärputsch aufgelöst, Übergangsnationalversammlung mit 35 Mitgliedern (seit März 1994)

##  Libanon

| | |
|---|---|
| **Lage** Naher Osten, Karte S. 478, B 2 | |
| **Fläche** 10 400 km² (WR 159) | |
| **Einwohner** 2,9 Mio (WR 127) | |
| **Einwohner/km²** 278,8 (1993) | |
| **Bev.-Wachstum/Jahr** 1,9% Ø | |
| **Pkw.-Kennzeichen** RL | |

**Hauptstadt** Beirut (1,5 Mio Einwohner)

**Sprache** *Arabisch,* Französisch

**Religion** Moslemisch (53%), christlich (40%), drusisch (7%)

**Währung** 1 Libanesisches Pfund (L£) = 100 Piastres

| | |
|---|---|
| **BSP/Kopf** 1075 $ (1992) | **Urbanisierung** 84% |
| **Inflation** 10% (1993) | **Alphabetisierung** 80% |
| **Arbeitslos.** 20–22% (1993) | **Einw. pro Arzt** 771 |

**Reg.-Chef** Rafik Hariri (seit 1992) * 1944

**Staatsob.** Elias Hrawi (seit 1989) * 4. 9. 1926

**Staatsform** Parlamentarische Republik

**Parlament** Nationalversammlung mit 128 für vier Jahre gewählten Abgeordneten; 19 Sitze für Amal-Partei, 12 für Hisbollah, 10 für Liste Selim al-Hoss, 7 für Sozialistische Fortschrittspartei, 6 für Syrisch-Nationale Partei, 74 für andere (Wahl von 1992)

## Libyen

| | |
|---|---|
| **Lage** Afrika, Karte S. 477, C 1 | |
| **Fläche** 1 757 000 km² (WR 16) | |
| **Einwohner** 4,6 Mio (WR 105) | |
| **Einwohner/km²** 2,6 (1993) | |
| **Bev.-Wachstum/Jahr** 3,6% Ø | |
| **Pkw.-Kennzeichen** LAR | |

**Hauptstadt** Tripolis (1,3 Mio Einwohner)

**Sprache** *Arabisch,* Berberdialekte

**Religion** Moslemisch (97%)

**Währung** 1 Libyscher Dinar (LD) = 1000 Dirham

| | |
|---|---|
| **BSP/Kopf** 6000 $ (1992) | **Urbanisierung** 82% |
| **Inflation** ca. 45% (1993) | **Alphabetisierung** 64% |
| **Arbeitslos.** unter 1% (1989) | **Einw. pro Arzt** 690 |

**Reg.-Chef** Abd al-Majid Kaud (seit Jan. 1994) * 1943

**Staatsoberhaupt** Z. M. Zentani (seit 1994), de facto Muammar al-Gaddhafi (seit 1969) * 1942

**Staatsform** Volksrepublik auf islamischer Grundlage

**Parlament** Allgemeiner Volkskongreß mit 3000 von sog. Volkskomitees und Volkskongressen ernannten und delegierten Mitgliedern

## Liechtenstein

| Lage Europa, Karte S. 473, C 5 | |
|---|---|
| **Fläche** 160 km² (WR 187) | |
| **Einwohner** 30 100 (WR 186) | |
| **Einwohner/km²** 188,1 (1993) | |
| **Bev.-Wachstum/Jahr** 1,35% Ø | |
| **Pkw.-Kennzeichen** FL | |

**Hauptstadt** Vaduz (4995 Einwohner)

**Sprache** *Deutsch,* alemannische Dialekte

**Religion** Katholisch (86,3%), protestantisch (7,9%)

**Währung** 1 Schweizer Franken (sfr) = 100 Rappen

| **BSP/Kopf** 33 000 $ (1991) | **Urbanisierung** 46% |
|---|---|
| **Inflation** 3,3% (1993) | **Alphabetisierung** 100% |
| **Arbeitslos.** 1,6% (1993) | **Einw. pro Arzt** 1007 |

**Reg.-Chef** Mario Frick (seit 1993) * 8. 5. 1965

**Staatsob.** Fürst Hans-Adam II. (seit 1984) * 14. 2. 1945

**Staatsform** Parlamentarische Monarchie

**Parlament** Landtag mit 25 für vier Jahre gewählten Abgeordneten; 13 Sitze für Vaterländische Union, 11 für Fortschrittliche Bürgerpartei, 1 für Freie Liste, Grüne (Wahl von 1993)

## Luxemburg

| Lage Europa, Karte S. 473, C 5 | |
|---|---|
| **Fläche** 2586 km² (WR 165) | |
| **Einwohner** 395 200 (WR 160) | |
| **Einwohner/km²** 152,8 (1992) | |
| **Bev.-Wachstum/Jahr** 0,1% Ø | |
| **Pkw.-Kennzeichen** L | |

**Hauptstadt** Luxemburg (75 713 Einwohner)

**Sprache** Lëtzebuergesch, Französisch, Deutsch

**Religion** Katholisch (96,9%), protestantisch (1,2%)

**Währung** 1 Luxemburgischer Franc (lfr) = 100 Centimes

| **BSP/Kopf** 37 320 $ (1993) | **Urbanisierung** 86% |
|---|---|
| **Inflation** 2,4% (1994) | **Alphabetisierung** 100% |
| **Arbeitslos.** 2,4% (1994) | **Einw. pro Arzt** 469 |

**Reg.-Chef** Jean-Claude Juncker (seit Jan. 1995) * 1954

**Staatsob.** Großherzog Jean (seit 1964) * 5. 1. 1921

**Staatsform** Konstitutionelle Monarchie

**Parlament** Abgeordnetenkammer mit 60 für fünf Jahre gewählten Abgeordneten; 21 Sitze für Christlich-Soziale Volkspartei, 17 für Sozialistische Arbeiterpartei, 12 für Demokratische Partei, 10 für andere (Wahl vom Juni 1994)

## Litauen

| Lage Europa, Karte S. 473, E 4 | |
|---|---|
| **Fläche** 65 200 km² (WR 120) | |
| **Einwohner** 3,8 Mio (WR 117) | |
| **Einwohner/km²** 58,2 (1992) | |
| **Bev.-Wachstum/Jahr** 0,2% Ø | |
| **Pkw.-Kennzeichen** LT | |

**Hauptstadt** Wilna (590 000 Einwohner)

**Sprache** *Litauisch,* Polnisch, Russisch

**Religion** Katholisch (90%)

**Währung** 1 Litas (LTL) = 100 Centas

| **BSP/Kopf** 1320 $ (1993) | **Urbanisierung** 69% |
|---|---|
| **Inflation** 45,1% (1994) | **Alphabetisierung** k. A. |
| **Arbeitslos.** 3,7% (1994) | **Einw. pro Arzt** 220 |

**Reg.-Chef** Alfonsas Šleževičius (seit 1993) * 2. 2. 1948

**Staatsob.** Algirdas Brazauskas (seit 1992) * 22. 9. 1932

**Staatsform** Parlamentarische Republik

**Parlament** Seimas mit 141 direkt für fünf Jahre gewählten Abgeordneten; 73 Sitze für Arbeiterpartei LDAP, 30 für Sajudis, 9 für Christdemokraten, 8 für Sozialdemokraten, 5 für Union der polit. Gefangenen,16 für andere (Wahl von 1992)

## Madagaskar

| Lage Afrika, Karte S. 477, F 6 | |
|---|---|
| **Fläche** 587 041 km² (WR 44) | |
| **Einwohner** 13,3 Mio (WR 59) | |
| **Einwohner/km²** 23 (1993) | |
| **Bev.-Wachstum/Jahr** 2,8% Ø | |
| **Pkw.-Kennzeichen** RM | |

**Hauptstadt** Antananarivo (802 000 Einwohner)

**Sprache** *Französisch,* Malagassy und einheimische Idiome

**Religion** Christlich (51%), traditionelle Religionen (47%)

**Währung** 1 Madagaskar-Franc (FMG) = 100 Centimes

| **BSP/Kopf** 220 $ (1993) | **Urbanisierung** 25% |
|---|---|
| **Inflation** 16,5% (1994) | **Alphabetisierung** 80% |
| **Arbeitslos.** ca. 40% (1993) | **Einw. pro Arzt** 8120 |

**Reg.-Chef** Francisque Ravony (seit 1993) * 1941

**Staatsob.** Albert Zafy (seit 1993) * 1. 5. 1927

**Staatsform** Republik

**Parlament** Nationale Volksversammlung mit 138 für 4 Jahre gewählten Abgeordneten; 75 Sitze für Forces Vives, 15 für Sozialisten (MFM), 13 für Leader-Fanilo, 11 für FAMINA, 8 für PSD-RPDS, 16 für andere (Wahl von 1993)

##  Malawi

| | |
|---|---|
| **Lage** Afrika, Karte S. 477, E 6 |  |
| **Fläche** 118 484 km² (WR 97) | |
| **Einwohner** 10,6 Mio (WR 67) | |
| **Einwohner/km²** 89,3 (1993) | |
| **Bev.-Wachstum/Jahr** 2,5% Ø | |
| **Pkw.-Kennzeichen** MW | |

**Hauptstadt** Lilongwe (220 300 Einwohner)

**Sprache** *Englisch, Chichewa*, Lomwe, Yao, Tumbuka u. a.

**Religion** Christl. (64,5%), Volksrel. (19%), moslem. (16,2%)

**Währung** 1 Malawi-Kwacha (MK) = 100 Tambala

| | |
|---|---|
| **BSP/Kopf** 200 $ (1993) | **Urbanisierung** 12% |
| **Inflation** 23,1% (1992) | **Alphabetisierung** 42% |
| **Arbeitslos.** k. A. | **Einw. pro Arzt** 45 740 |

**Reg.-Chef** Bakili Muluzi (seit Mai 1994) * 17. 3. 1943

**Staatsob.** Bakili Muluzi (seit Mai 1994) * 17. 3. 1943

**Staatsform** Präsidiale Republik

**Parlament** Nationalversammlung mit 177 für fünf Jahre gewählten Abgeordneten; 84 Sitze für Vereinigte Demokratische Front (UDF), 55 für Malawische Kongreßpartei, 36 für Allianz der Demokratie, 2 vakant (Wahl vom Mai 1994)

##  Malediven

| | |
|---|---|
| **Lage** Asien, Karte S. 479, C 6 |  |
| **Fläche** 298 km² (WR 184) | |
| **Einwohner** 237 000 (WR 169) | |
| **Einwohner/km²** 795 (1993) | |
| **Bev.-Wachstum/Jahr** 3,3% Ø | |
| **Pkw.-Kennzeichen** k. A. | |

**Hauptstadt** Malé (55 000 Einwohner)

**Sprache** Divehi, Englisch

**Religion** Sunnitische Moslems (100%)

**Währung** 1 Rufiyaa (Rf) = 100 Laari

| | |
|---|---|
| **BSP/Kopf** 820 $ (1993) | **Urbanisierung** 26% |
| **Inflation** 20% (1993) | **Alphabetisierung** 90% |
| **Arbeitslos.** 0,9% (1990) | **Einw. pro Arzt** 5377 |

**Reg.-Chef** Maumoon Abdul Gayoom (seit 1978) * 1937

**Staatsob.** Maumoon Abdul Gayoom (seit 1978) * 1937

**Staatsform** Präsidiale Republik im Commonwealth

**Parlament** Majilis mit 40 für fünf Jahre gewählten und acht vom Präsidenten ernannten Abgeordneten, keine politischen Parteien (Wahl von 1993)

## Malaysia

| | |
|---|---|
| **Lage** Ostasien, Karte S. 480, B 5 |  |
| **Fläche** 330 442 km² (WR 65) | |
| **Einwohner** 19,1 Mio (WR 47) | |
| **Einwohner/km²** 57,8 (1993) | |
| **Bev.-Wachstum/Jahr** 2,0% Ø | |
| **Pkw.-Kennzeichen** MAL | |

**Hauptstadt** Kuala Lumpur (1,3 Mio Einwohner)

**Sprache** *Malaiisch*, Chinesisch, Tamil, Iban, Englisch

**Religion** Mosl. (53%), buddh. (17,3%), ch. Volksrel. (11,6%)

**Währung** 1 Ringgit (R) = 100 Sen

| | |
|---|---|
| **BSP/Kopf** 3140 $ (1993) | **Urbanisierung** 45% |
| **Inflation** 3,8% (1994) | **Alphabetisierung** 80% |
| **Arbeitslos.** ca. 2,9% (1994) | **Einw. pro Arzt** 2410 |

**Reg.-Chef** D. S. Mahathir bin Mohamad (seit 1981) * 1925

**Staatsob.** Ja'far ibni A. Tuanku A. Rahman (seit April 1994)

**Staatsform** Parlamentarisch-demokrat. Wahlmonarchie

**Parlament** Abgeordnetenhaus mit 192 für fünf Jahre gewählten Abgeordneten; 162 Sitze für die aus 13 Parteien bestehende Regierungskoalition Nationale Front, 30 für Oppositionsallianz (Wahl vom April 1995)

## Mali

| | |
|---|---|
| **Lage** Afrika, Karte S. 477, B 3 |  |
| **Fläche** 1 248 574 km² (WR 22) | |
| **Einwohner** 8,7 Mio (WR 78) | |
| **Einwohner/km²** 6,9 (1993) | |
| **Bev.-Wachstum/Jahr** 3,2% Ø | |
| **Pkw.-Kennzeichen** RMM | |

**Hauptstadt** Bamako (740 000 Einwohner)

**Sprache** *Französisch,* Bambara

**Religion** Moslemisch (90%), animistisch (9%), christl. (1%)

**Währung** CFA-Franc (FCFA)

| | |
|---|---|
| **BSP/Kopf** 270 $ (1993) | **Urbanisierung** 25% |
| **Inflation** –6,2% (1992) | **Alphabetisierung** 32% |
| **Arbeitslos.** k. A. | **Einw. pro Arzt** 19 450 |

**Reg.-Chef** Ibrahim Boubacar Keïta (seit Febr. 1994) * 1945

**Staatsob.** Alpha Oumar Konaré (seit 1992) * 2. 2. 1946

**Staatsform** Präsidiale Republik

**Parlament** Nationalversammlung mit 129 für fünf Jahre gewählten Abgeordneten; 76 Sitze für Adéma, 9 für Nationalkongreß der demokratischen Initiative, 8 für Sudanesische Union RDA, 36 für andere (Wahl von 1992)

## Malta

| | |
|---|---|
| **Lage** Europa, Karte S. 473, D 8 | |
| **Fläche** 316 km² (WR 183) | |
| **Einwohner** 363 000 (WR 162) | |
| **Einwohner/km²** 1148,7 (1993) | |
| **Bev.-Wachstum/Jahr** 0,7% Ø | |
| **Pkw.-Kennzeichen** M | |

**Hauptstadt** Valletta (9200 Einwohner)

**Sprache** *Maltesisch,* Englisch

**Religion** Katholisch (98,9%), anglikanisch (1,1%)

**Währung** 1 maltes. Lira (Lm) = 100 cents = 1000 mils

| | |
|---|---|
| **BSP/Kopf** 7970 $ (1993) | **Urbanisierung** 88% |
| **Inflation** 4,1% (1993) | **Alphabetisierung** 96% |
| **Arbeitslos.** 4,5% (1993) | **Einw. pro Arzt** 890 |

**Reg.-Chef** Edward Fenech Adami (seit 1987) * 4. 2. 1934

**Staatsob.** Ugo Mifsud Bonnici (seit April 1994) * 8. 11. 1932

**Staatsform** Parlamentarische Republik

**Parlament** Repräsentantenhaus mit 65 für fünf Jahre gewählten Abgeordneten; 34 Sitze für Nationalist Party, 31 für Labour Party (Wahl von 1992)

## Marshall-Inseln

| | |
|---|---|
| **Lage** Ozeanien, Karte S. 481, F 1 | |
| **Fläche** 181 km² (WR 186) | |
| **Einwohner** 52 000 (WR 184) | |
| **Einwohner/km²** 286,5 (1993) | |
| **Bev.-Wachstum/Jahr** 1,7% Ø | |
| **Pkw.-Kennzeichen** k. A. | |

**Hauptstadt** Dalap-Uliga-Darrit (14 600 Einwohner)

**Sprache** Kajin-Majol, Englisch

**Religion** Protestantisch (90,1%), katholisch (8,5%)

**Währung** 1 US-Dollar (US-$) = 100 Cents

| | |
|---|---|
| **BSP/Kopf** 2500 $ (1992) | **Urbanisierung** 65% |
| **Inflation** k. A. | **Alphabetisierung** 91% |
| **Arbeitslos.** k. A. | **Einw. pro Arzt** 2217 |

**Reg.-Chef** Amata Kabua (seit 1980)

**Staatsob.** Amata Kabua (seit 1980)

**Staatsform** Republik

**Parlament** Nityela mit 33 Abgeordneten und beratende Versammlung mit Stammesführern (Haus der Iroij), keine politischen Parteien

## Marokko

| | |
|---|---|
| **Lage** Afrika, Karte S. 477, B 1 | |
| **Fläche** 458 730 km² (WR 54) | |
| **Einwohner** 26,1 Mio (WR 35) | |
| **Einwohner/km²** 57,8 (1993) | |
| **Bev.-Wachstum/Jahr** 2,2% Ø | |
| **Pkw.-Kennzeichen** MA | |

**Hauptstadt** Rabat (1,47 Mio Einwohner)

**Sprache** *Arabisch,* Französisch, Spanisch, Berberdialekte

**Religion** Moslemisch (98,7%), christlich (1,1%), jüd. (0,2%)

**Währung** 1 Dirham (DH) = 100 Centimes

| | |
|---|---|
| **BSP/Kopf** 1040 $ (1993) | **Urbanisierung** 50% |
| **Inflation** 5% (1994) | **Alphabetisierung** 50% |
| **Arbeitslos.** über 20% (1992) | **Einw. pro Arzt** 4415 |

**Reg.-Chef** Abdellatif Filali (seit Mai 1994) * 26. 1. 1928

**Staatsob.** König Hasan II. (seit 1961) * 9. 7. 1929

**Staatsform** Konstitutionelle Monarchie

**Parlament** Nationalversammlung aus 333 für sechs Jahre gewählten Abgeordneten, zusätzlich werden indirekt 111 von Gemeinderäten und Berufsorganisationen vergeben; 154 Sitze für Entente (4 königstreue Parteien), 115 für Unité, 64 für andere (Wahl von 1993)

## Mauretanien

| | |
|---|---|
| **Lage** Afrika, Karte S. 477, A 3 | |
| **Fläche** 1 030 700 km² (WR 28) | |
| **Einwohner** 2,2 Mio (WR 135) | |
| **Einwohner/km²** 2,1 (1993) | |
| **Bev.-Wachstum/Jahr** 2,8% Ø | |
| **Pkw.-Kennzeichen** RIM | |

**Hauptstadt** Nouakchott (393 300 Einwohner)

**Sprache** *Arabisch,* Französisch, afrik. Stammessprachen

**Religion** Moslemisch (99,4%), christlich (0,4%)

**Währung** 1 Ouguiya (UM) = 5 Khoums

| | |
|---|---|
| **BSP/Kopf** 500 $ (1993) | **Urbanisierung** 39% |
| **Inflation** 10,1% (1992) | **Alphabetisierung** 34% |
| **Arbeitslos.** 50% (1989) | **Einw. pro Arzt** 13 167 |

**Reg.-Chef** Sidi Mohamed Ould Boubakar (seit 1992) * 1945

**Staatsob.** Maaouya Ould Sid'Ahmed Taya (se. : 1984)*1943

**Staatsform** Präsidialrepublik

**Parlament** Nationalversammlung mit 79 für fünf Jahre gewählten Abgeordneten; 67 Sitze für Demokratisch-Soziale Partei der Republik (PRDS), 10 für unabhängige Demokratiebewegung (MDI), 2 für andere (Wahl von 1992)

## Mauritius

| | |
|---|---|
| **Lage** Afrika, Karte S. 477, F 6 | |
| **Fläche** 2040 km² (WR 166) | |
| **Einwohner** 1,1 Mio (WR 148) | |
| **Einwohner/km²** 541 (1993) | |
| **Bev.-Wachstum/Jahr** 1,0% Ø | |
| **Pkw.-Kennzeichen** MS | |

**Hauptstadt** Port Louis (143 500 Einwohner)

**Sprache** *Englisch*, Kreol., Hindi, Urdu, Chines., Französ.

**Religion** Hind. (52,5%), christlich (30,1%), mosl. (12,9%)

**Währung** 1 Mauritius-Rupie (MR) = 100 Cents

| | |
|---|---|
| **BSP/Kopf** 3030 $ (1993) | **Urbanisierung** 41% |
| **Inflation** 10,5% (1993) | **Alphabetisierung** 82% |
| **Arbeitslos.** 1,6% (1993) | **Einw. pro Arzt** 996 |

**Reg.-Chef** Anerood Jugnauth (seit 1982) * 29. 3. 1930

**Staatsob.** Cassam Uteem (seit 1992) * 22. 3. 1941

**Staatsform** Republik

**Parlament** Nationalversammlung mit 70 für fünf Jahre gewählten Abgeordneten; 29 Sitze für gemäßigte Linke MSM, 26 für linke MMM, 7 für Sozialdemokraten, 2 für Rodrigues Volksorganisation, 2 für Arbeiterpartei MTD, 4 Sitze unbesetzt (Wahl von 1991)

## Mazedonien

| | |
|---|---|
| **Lage** Europa, Karte S. 473, E 7 | |
| **Fläche** 25 713 km² (WR 145) | |
| **Einwohner** 2,1 Mio (WR 136) | |
| **Einwohner/km²** 70,2 (1993) | |
| **Bev.-Wachstum/Jahr** 1,2% Ø | |
| **Pkw.-Kennzeichen** MK | |

**Hauptstadt** Skopje (563 000 Einwohner)

**Sprache** *Makedonisch,* Albanisch, Türkisch, Serbisch

**Religion** Unabhängig maked. orthodox (50%), orthodox

**Währung** Mazedonischer Denar

| | |
|---|---|
| **BSP/Kopf** 780 $ (1993) | **Urbanisierung** 54% |
| **Inflation** 349% (1993) | **Alphabetisierung** 89% |
| **Arbeitslos.** 42,6% (1994) | **Einw. pro Arzt** 420 |

**Reg.-Chef** Branko Crvenkovski (seit 1992) * 1962

**Staatsob.** Kiro Gligorov (seit 1990) * 3. 5. 1917

**Staatsform** Republik

**Parlament** mit 120 für fünf Jahre gewählten Abgeordneten; 58 Sitze für Sozialdemokraten, 29 für Liberale, 10 für Albaner, (PDP), 8 für Sozialisten, 4 für Albaner (NDP), 1 für Demokraten (Wahl vom Oktober 1994)

## Mexiko

| | |
|---|---|
| **Lage** Nordam., Karte S. 474, C 8 | |
| **Fläche** 1,96 Mio km² (WR 14) | |
| **Einwohner** 90,0 Mio (WR 11) | |
| **Einwohner/km²** 45,9 (1993) | |
| **Bev.-Wachstum/Jahr** 1,8% Ø | |
| **Pkw.-Kennzeichen** MEX | |

**Hauptstadt** Mexiko-Stadt (19,4 Mio Einwohner)

**Sprache** *Spanisch,* indianische Umgangssprachen

**Religion** Christlich (94,6%), konfessionslos (3,2%)

**Währung** 1 Peso (mex $) = 100 Centavos

| | |
|---|---|
| **BSP/Kopf** 3610 $ (1993) | **Urbanisierung** 75% |
| **Inflation** 7,1% (1994) | **Alphabetisierung** 89% |
| **Arbeitslos.** 23% (1994) | **Einw. pro Arzt** 800 |

**Reg.-Chef** Ernesto Zedillo Ponce de León (seit Dez. 1994)

**Staatsob.** Ernesto Zedillo Ponce de León (seit Dez. 1994)

**Staatsform** Präsidiale Bundesrepublik

**Parlament** Kongreß aus Abgeordnetenhaus mit 500 für drei Jahre gewählten und Senat mit 128 Abgeordneten; im Kongreß 300 Sitze für Partei der Institutionalisierten Revolution, 119 für Konservative, 71 für Linkspartei (PRD), 10 für Linkspartei (PT) (Wahl vom August 1994)

Ernesto Zedillo von der Partei der Institutionalisierten Revolution (PRI) trat am 1. 12. 1994 die Nachfolge von Carlos Salinas de Gortari (PRI) an. Im April 1995 nahm die Regierung mit den aufständischen Rebellen im südmexikanischen Bundesstaat Chiapas Friedensgespräche auf. Hauptaufgabe der neuen Regierung war die Bekämpfung einer Währungskrise.

**Neue Regierung:** Bei den Präsidentschaftswahlen hatte Zedillo im August 1994 mit 49% der Stimmen gesiegt. Im Januar 1995 einigte sich Zedillo mit den Oppositionsparteien, den Konservativen (PAN) und der linksorientierten PRD, auf eine Wahlrechtsreform, die den Einfluß der PRI beschränkt.

**Wirtschaftskrise:** Nach seiner Freigabe im Dezember 1994 fiel der Peso-Kurs gegenüber dem Dollar um ein Drittel. Ausländische Investoren hatten wegen der instabilen politischen und wirtschaftlichen Verhältnisse in M. ihre Gelder abgezogen. Steigende Preise und höhere Kreditzinsen zwangen die Regierung im März 1995 zur Auflage eines Notprogramms, das Kürzungen der Staatsausgaben um 9,8%, Steuer- und Gebührenerhöhungen sowie Maßnahmen zur Stützung der Privatbanken vorsah.

**Mexiko: Staatspräsident Ernesto Zedillo Ponce de León** * 27. 12. 1951 in Mexiko-Stadt, Dr. oec. 1988 wurde der Wirtschaftsfachmann Planungsminister und wechselte 1992 ins Erziehungsministerium. Nach dem Attentat auf den Präsidentschaftskandidaten der PRI, Luis Donaldo Colosio, trat Zedillo dessen Nachfolge an. Im August 1994 gewann er die Präsidentschaftswahlen, im Dezember trat er sein Amt an.

**Aufstand in Chiapas:** Rebellen der linksgerichteten Nationalen Befreiungsarmee Zapatas (EZLN) hatten mit einem Aufstand im Januar 1994 Verhandlungen über Bildungs-, Gesundheits- und Landreformen zugunsten der indianischen Ureinwohner erzwungen. Im Februar 1995 führte eine Offensive der Regierungstruppen zu einer Fluchtwelle und gefährdete den Friedensprozeß.
**Politischer Mord:** Im März 1995 ließ Zedillo den Bruder des Ex-Präsidenten und hohen Funktionär der PRI, Raul Salinas, verhaften. Er galt als Drahtzieher bei der Ermordung des Generalsekretärs der PRI, Francisco Ruiz Massieu, im September 1994.
→ Zapatisten

##  Moldawien

| | |
|---|---|
| **Lage** Europa, Karte S. 473, F 5 | |
| **Fläche** 33 700 km² (WR 135) | |
| **Einwohner** 4,4 Mio (WR 111) | |
| **Einwohner/km²** 129,4 (1993) | |
| **Bev.-Wachstum/Jahr** 0,7% Ø | |
| **Pkw.-Kennzeichen** MD | |

**Hauptstadt** Chişinău (753 500 Einwohner)

**Sprache** *Moldawisch,* Russisch, Ukrainisch

**Religion** Christlich (60%), jüdisch (10%)

**Währung** Lei

| | |
|---|---|
| **BSP/Kopf** 1060 $ (1993) | **Urbanisierung** 48% |
| **Inflation** ca. 2500% (1993) | **Alphabetisierung** 96% |
| **Arbeitslos.** ca. 0,6% (1993) | **Einw. pro Arzt** 250 |

**Reg.-Chef** Andrei Sangheli (seit 1992) * 20. 7. 1944

**Staatsob.** Mircea Ion Snegur (seit 1990) * 17. 1. 1940

**Staatsform** Republik

**Parlament** 104 für fünf Jahre gewählte Abgeordnete; 56 Sitze für Demokratische Agrarierpartei, 28 für Sozialistische Partei, 11 für Bauernblock, 9 für Christlich Demokratische Volksfront (Wahl vom Februar 1994)

##  Mikronesien

| | |
|---|---|
| **Lage** Ozeanien, Karte S. 481, C 1 | |
| **Fläche** 701 km² (WR 172) | |
| **Einwohner** 103 000 (WR 176) | |
| **Einwohner/km²** 146,9 (1993) | |
| **Bev.-Wachstum/Jahr** 2,5% Ø | |
| **Pkw.-Kennzeichen** FSM | |

**Hauptort** Kolonia (6000 Einwohner)

**Sprache** *Englisch,* mikronesische Dialekte

**Religion** Christlich (100%)

**Währung** 1 US-Dollar (US-$) = 100 Cents

| | |
|---|---|
| **BSP/Kopf** 2000 $ (1992) | **Urbanisierung** 19% |
| **Inflation** k. A. | **Alphabetisierung** 77% |
| **Arbeitslos.** 80% (1990) | **Einw. pro Arzt** 3084 |

**Reg.-Chef** Bailey Olter (seit 1991)

**Staatsob.** Bailey Olter (seit 1991)

**Staatsform** Republik

**Parlament** Kongreß mit 14 Sitzen; 4 Abgeordnete für 4 Jahre und 10 Abgeordnete für 2 Jahre gewählt, die vier Bundesstaaten wählen eigene Parlamente; keine politischen Parteien (Wahl von 1991)

## Monaco

| | |
|---|---|
| **Lage** Europa, Karte S. 473, C 6 | |
| **Fläche** 1,95 km² (WR 191) | |
| **Einwohner** 29 900 (WR 187) | |
| **Einwohner/km²** 15 320 (1991) | |
| **Bev.-Wachstum/Jahr** 0,9% Ø | |
| **Pkw.-Kennzeichen** MC | |

**Hauptstadt** Monaco-Ville (1000 Einwohner)

**Sprache** *Französisch,* Monégasque, Italienisch

**Religion** Katholisch (87%), protestantisch (5%), jüd. (1%)

**Währung** 1 Französischer Franc (FF) = 100 Centimes

| | |
|---|---|
| **BSP/Kopf** k. A. | **Urbanisierung** 100% |
| **Inflation** k. A. | **Alphabetisierung** 100% |
| **Arbeitslos.** k. A. | **Einw. pro Arzt** 490 |

**Reg.-Chef** Paul Dijoud (seit Dezember 1994) * 25. 6. 1938

**Staatsob.** Fürst Rainier III. (seit 1949) * 31. 5. 1923

**Staatsform** Konstitutionelle Monarchie

**Parlament** Nationalrat mit 18 für fünf Jahre gewählten Abgeordneten; 15 Sitze für Liste Campora, 2 für Liste Médecin, 1 für Unabhängige (Wahl von 1993)

## Mongolei

**Lage** Asien, Karte S. 479, F 3

**Fläche** 1 566 500 km² (WR 18)

**Einwohner** 2,3 Mio (WR 134)

**Einwohner/km²** 1,4 (1993)

**Bev.-Wachstum/Jahr** 2,6% Ø

**Pkw.-Kennzeichen** MGL

**Hauptstadt** Ulan Bator (537 000 Einwohner)

**Sprache** Mongolisch, Kasachisch, Russisch

**Religion** Buddhistisch, lamaistisch, schamanist., moslem.

**Währung** 1 Tugrik (Tug.) = 100 Mongo

| | |
|---|---|
| **BSP/Kopf** 390 $ (1993) | **Urbanisierung** 59% |
| **Inflation** 200% (1993) | **Alphabetisierung** 98% |
| **Arbeitslos.** 12–15% (1993) | **Einw. pro Arzt** 380 |

**Reg.-Chef** Puntsagiyn Jasray (seit 1992) * 1933

**Staatsob.** Punsalmaagiyn Otschirbat (seit 1990) * 1942

**Staatsform** Republik

**Parlament** Großer Staatschural mit 76 für vier Jahre gewählten Abgeordneten; 70 Sitze für Mongolisch-Revolutionäre Volkspartei (MRVP), 4 für MDP, MNFP, VP, 1 für MSDP, 1 für Unabhängige (Wahl von 1992)

Die ersten freien Wahlen seit Ende des Bürgerkriegs (1977–1992) gewannen im Oktober 1994 Präsident Joaquim Alberto Chissano (53,3%) und seine seit der Unabhängigkeit 1975 regierende FRELIMO-Partei. Im Februar 1995 endete offiziell die UNO-Friedensmission für das südostafrikanische Land. Im Dezember 1994 waren die letzten von 7000 Blauhelmsoldaten abgezogen worden.

Chissano setzte sich gegen den Führer der rechtsgerichteten RENAMO, Afonso Dhlakama (33,7%), durch. Die beiden Führer der früheren Bürgerkriegsparteien hatten 1992 einen Friedensvertrag geschlossen. Bis Ende 1994 kehrten 1,5 Mio Flüchtlinge nach M. zurück.

Das ärmste Land der Erde erhielt im März 1995 Hilfszusagen von Internationalen Organisationen und Geberländern in Höhe von 780 Mio Dollar (1,1 Mrd DM). 1994 lagen 75% der landwirtschaftlichen Flächen brach. Hilfsorganisationen stellten heimkehrenden Flüchtlingen Geräte zum Bestellen der Felder und Saatgut zur Verfügung. Chissano, der eine marktwirtschaftlich orientierte Wirtschaftspolitik verfolgt, legte im April 1995 einen Haushaltsentwurf vor, der Kürzungen der Verteidigungsausgaben zugunsten des Gesundheits- und Erziehungswesens vorsah.

## Mosambik

**Lage** Afrika, Karte S. 477, E 7

**Fläche** 812 379 km² (WR 34)

**Einwohner** 15,2 Mio (WR 55)

**Einwohner/km²** 18,8 (1993)

**Bev.-Wachstum/Jahr** 2,6% Ø

**Pkw.-Kennzeichen** k. A.

**Hauptstadt** Maputo (1,07 Mio Einwohner)

**Sprache** Portugiesisch, Bantu, Suaheli

**Religion** Volksrel. (47,8%), christl. (38,9%), moslem. (13%)

**Währung** 1 Metical (MT) = 100 Centavos

| | |
|---|---|
| **BSP/Kopf** 90 $ (1993) | **Urbanisierung** 30% |
| **Inflation** 48% (1993) | **Alphabetisierung** 33% |
| **Arbeitslos.** 40% (1988) | **Einw. pro Arzt** 43 536 |

**Reg.-Chef** Pascoal Manuel Mocumbi (seit Dez. 1994) *1941

**Staatsob.** Joaquim Alberto Chissano (seit 1986) * 1939

**Staatsform** Republik

**Parlament** Volksversammlung mit 250 für fünf Jahre gewählten Abgeordneten; 129 Sitze für Front für die Nationale Befreiung Mosambiks FRELIMO, 112 für RENAMO, 9 für Demokratische Union (Wahl vom Oktober 1994)

 ## Myanmar

**Lage** Asien, Karte S. 479, E 6

**Fläche** 676 577 km² (WR 39)

**Einwohner** 44,6 Mio (WR 24)

**Einwohner/km²** 65,9 (1992)

**Bev.-Wachstum/Jahr** 2,1% Ø

**Pkw.-Kennzeichen** MYA

**Hauptstadt** Yangon (2 513 000 Einwohner)

**Sprache** Birmanisch, regionale Sprachen

**Religion** Buddh. (89,4%), christlich (4,9%), mosl. (3,8%)

**Währung** 1 Kyat (K) = 100 Pyas

| | |
|---|---|
| **BSP/Kopf** 250 $ (1992) | **Urbanisierung** 25% |
| **Inflation** 33% (1992) | **Alphabetisierung** 79% |
| **Arbeitslos.** 3,5% (1990) | **Einw. pro Arzt** 3389 |

**Reg.-Chef** Than Shwe (seit 1992) * 1933

**Staatsob.** Than Shwe (seit 1992) * 1933

**Staatsform** Sozialistische Republik, Militärregime

**Parlament** Volksversammlung mit 485 für vier Jahre gewählten Abgeordneten; 392 Sitze für Nationale Liga für Demokratie, 23 für Shan NLD, 11 für Rakhine Demokrat. Liga, 10 für Nationale Einheitspartei, 49 für andere (Wahl von 1990, vom Militärregime nicht anerkannt)

##  Namibia

| | |
|---|---|
| **Lage** Afrika, Karte S. 477, C 6 | |
| **Fläche** 824 292 km² (WR 33) | |
| **Einwohner** 1,5 Mio (WR 143) | |
| **Einwohner/km²** 1,9 (1993) | |
| **Bev.-Wachstum/Jahr** 2,6% Ø | |
| **Pkw.-Kennzeichen** N, | |

**Hauptstadt** Windhuk (114 500 Einwohner)

**Sprache** *Englisch,* Afrikaans, Deutsch, Bantu-Sprachen

**Religion** Lutheranisch (51,2%), katholisch (19,8%)

**Währung** 1 Namibischer Dollar (ND) = 100 Cents

| | |
|---|---|
| **BSP/Kopf** 1820 $ (1993) | **Urbanisierung** 28% |
| **Inflation** 21% (1991) | **Alphabetisierung** 73% |
| **Arbeitslos.** 30–40% (1993) | **Einw. pro Arzt** 4610 |

**Reg.-Chef** Hage Geingob (seit 1990) * 3. 8. 1941

**Staatsob.** Sam Nujoma (seit 1990) * 12. 5. 1929

**Staatsform** Präsidiale Republik

**Parlament** Nationalversammlung mit 72 für fünf Jahre gewählten Mitgliedern; 53 Sitze für gemäßigte Sozialisten SWAPO, 15 für Liberale DTA, 2 für gemäßigte Linke UDF, 1 für weiße Konservative MAG, 1 für demokratische Koalition DCN (Wahl vom Dezember 1994)

##  Nepal

| | |
|---|---|
| **Lage** Asien, Karte S. 479, D 5 | |
| **Fläche** 147 181 km² (WR 91) | |
| **Einwohner** 19,3 Mio (WR 46) | |
| **Einwohner/km²** 130,9 (1993) | |
| **Bev.-Wachstum/Jahr** 2,5% Ø | |
| **Pkw.-Kennzeichen** k. A. | |

**Hauptstadt** Katmandu (419 000 Einwohner)

**Sprache** *Nepali,* Bihari, Newari, Maithili, tibetische Dialekte

**Religion** Hinduistisch (86,2%), buddh. (7,2%), mosl. (3,8%)

**Währung** 1 Nepalesische Rupie (NR) = 100 Paisa

| | |
|---|---|
| **BSP/Kopf** 190 $ (1993) | **Urbanisierung** 10% |
| **Inflation** 9% (1993) | **Alphabetisierung** 26% |
| **Arbeitslos.** 5% (1990) | **Einw. pro Arzt** 16 830 |

**Reg.-Chef** Man Mohan Adhikari (seit Nov. 1994) * 1921

**Staatsob.** König Birendra Bir Bikram Schah Dev (seit 1972)

**Staatsform** Konstitutionelle Monarchie

**Parlament** Unterhaus mit 205 für fünf Jahre gewählten Abgeordneten; 88 Sitze für Kommunisten UML, 83 für Kongreßpartei NC, 20 für Nationaldemokraten NDP, 14 für andere (Wahl vom November 1994)

##  Nauru

| | |
|---|---|
| **Lage** Ozeanien, Karte S. 481, E 2 | |
| **Fläche** 21 km² (WR 190) | |
| **Einwohner** 10 000 (WR 190) | |
| **Einwohner/km²** 476,2 (1993) | |
| **Bev.-Wachstum/Jahr** 1,1% Ø | |
| **Pkw.-Kennzeichen** k. A. | |

**Hauptstadt** Yaren (4000 Einwohner)

**Sprache** Englisch, Nauruisch

**Religion** Protestantisch (60%), katholisch (30%)

**Währung** 1 Australischer Dollar (A$) = 100 Cents

| | |
|---|---|
| **BSP/Kopf** 13 000 $ (1991) | **Urbanisierung** 48% |
| **Inflation** k. A. | **Alphabetisierung** 99% |
| **Arbeitslos.** 0% (1992) | **Einw. pro Arzt** 700 |

**Reg.-Chef** Bernard Dowiyogo (seit 1989) * 14. 2. 1946

**Staatsob.** Bernard Dowiyogo (seit 1989) * 14. 2. 1946

**Staatsform** Parlamentarische Republik im Commonwealth

**Parlament** Gesetzgebender Rat mit 18 für drei Jahre gewählten unabhängigen Abgeordneten, keine politischen Parteien (Wahl von 1992)

## Neuseeland

| | |
|---|---|
| **Lage** Ozeanien, Karte S. 481, F 6 | |
| **Fläche** 270 986 km² (WR 73) | |
| **Einwohner** 3,5 Mio (WR 122) | |
| **Einwohner/km²** 12,9 (1992) | |
| **Bev.-Wachstum/Jahr** 0,8% Ø | |
| **Pkw.-Kennzeichen** NZ | |

**Hauptstadt** Wellington (326 000 Einwohner)

**Sprache** Englisch, Maori

**Religion** Anglik. (21,4%), presbyt. (16%), kathol. (14,8%)

**Währung** 1 Neuseeland-Dollar (NZ $) = 100 Cents

| | |
|---|---|
| **BSP/Kopf** 12 600 $ (1993) | **Urbanisierung** 85% |
| **Inflation** 1,3% (1994) | **Alphabetisierung** 100% |
| **Arbeitslos.** 7,5% (1994) | **Einw. pro Arzt** 359 |

**Reg.-Chef** James Brendan Bolger (seit 1990) * 31. 5. 1935

**Staatsob.** Königin Elizabeth II. (seit 1952) * 21. 4. 1926

**Staatsform** Parlament. Monarchie im Commonwealth

**Parlament** Repräsentantenhaus mit 99 für drei Jahre gewählten Abgeordneten; 50 Sitze für Nationalpartei, 45 für Labour-Partei, 2 für Allianz, 2 für New Zealand First (Wahl von 1993)

**Nicaragua**

**Lage** Mittelam., Karte S. 476, B 5

**Fläche** 131 779 km² (WR 95)

**Einwohner** 4,3 Mio (WR 112)

**Einwohner/km²** 35,2 (1993)

**Bev.-Wachstum/Jahr** 3,0% ∅

**Pkw.-Kennzeichen** NIC

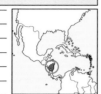

**Hauptstadt** Managua (682 000 Einwohner)

**Sprache** *Spanisch*, Chibcha

**Religion** Katholisch (90,7%), methodistisch, baptistisch

**Währung** 1 Córdoba (C$) = 100 Centavos

| | |
|---|---|
| **BSP/Kopf** 340 $ (1993) | **Urbanisierung** 61% |
| **Inflation** 20,4% (1993) | **Alphabetisierung** 74% |
| **Arbeitslos.** ca. 40% (1994) | **Einw. pro Arzt** 1882 |

**Reg.-Chef** Violeta Barrios de Chamorro (seit 1990) * 1929

**Staatsob.** Violeta Barrios de Chamorro (seit 1990) * 1929

**Staatsform** Präsidiale Republik

**Parlament** Nationalversammlung mit 92 für sechs Jahre gewählten Abgeordneten; 51 Sitze für Nationale Oppositionsunion, 39 für Sandinistische Front der Nationalen Befreiung, 1 für Linkspartei, 1 für Christdemokraten (Wahl von 1990)

 **Niederlande**

**Lage** Europa, Karte S. 473, C 4

**Fläche** 41 863 km² (WR 131)

**Einwohner** 15,3 Mio (WR 54)

**Einwohner/km²** 365 (1993)

**Bev.-Wachstum/Jahr** 0,5% ∅

**Pkw.-Kennzeichen** NL

**Hauptstadt** Amsterdam (724 096 Einwohner)

**Sprache** *Niederländisch, Friesisch*

**Religion** Katholisch (34,0%), protestantisch (25%)

**Währung** 1 Holl. Gulden (hfl) = 100 Cent

| | |
|---|---|
| **BSP/Kopf** 20 950 $ (1993) | **Urbanisierung** 89% |
| **Inflation** 2,1% (1994) | **Alphabetisierung** 100% |
| **Arbeitslos.** 9,3% (1994) | **Einw. pro Arzt** 400 |

**Reg.-Chef** Wim Kok (seit August 1994) * 29. 9. 1938

**Staatsob.** Königin Beatrix (seit 1980) * 31. 1. 1938

**Staatsform** Parlamentarische Monarchie

**Parlament** Generalstaaten; 1. Kammer mit 75 von den Provinzparlam. entsandten, 2. Kammer mit 150 Abgeordneten; 37 Sitze für Sozialdemokraten, 34 für Christdemokraten, 31 für Liberale, 24 für Demokraten '66, 5 für Seniorenverband, 5 für Grün-Links, 14 andere (Wahl vom Mai 1994)

Eine sozialliberale Koalition unter dem sozialdemokratischen Ministerpräsidenten Wim Kok (PvdA) trat nach der Wahlniederlage der Christdemokraten (CDA) und dem Auseinanderbrechen der Regierungskoalition aus CDA und PvdA im August 1994 die Regierungsgeschäfte an. Sie setzte 1994/95 die Sparpolitik fort. Eine Hochwasserkatastrophe führte im Januar 1995 zur größten Evakuierungsaktion in den N. seit 1953.

**Neue Regierung:** Die CDA, die 13,1% einbüßte und 22,2% der Stimmen erhielt, erlitt bei den Wahlen im Mai 1994 die schwerste Niederlage ihrer Parteigeschichte. Erstmals seit 1917 war sie nicht an der Regierung beteiligt. Trotz Einbußen wurde die PvdA mit 24,0% (1989: 31,9%) stärkste Partei. Zu den Wahlgewinnern zählten die linksliberalen Demokraten '66 (15,5%; 1989: 7,9%) und die rechtsliberale VVD, die mit einem Stimmenzuwachs von 5,3% als drittstärkste Partei 19,9% errang. Sozialdemokraten, Rechts- und Linksliberale bildeten die Regierungskoalition.

**Sparprogramm:** Im Mai 1995 beschloß die Regierung eine Reform des Sozialsystems: Ab 1996 soll u. a. die gesetzliche Krankengeldversicherung abgeschafft werden. Der Arbeitgeber trägt dann das Risiko für kranke Arbeitnehmer. Die Regierung plant, mit der Neuregelung Sozialleistungen in Höhe von umgerechnet 1,5 Mrd DM einzusparen. Im September 1994 hatte Königin Beatrix in ihrer Thronrede, die als Regierungserklärung gilt, Kürzungen u. a. beim Kindergeld sowie bei der Arbeitslosen- und Rentenversicherung verkündet. Das Sparprogramm soll das Haushaltsdefizit auf 2,9% bis 1998 (1995 geplant:18,7%) senken und 350 000 neue Arbeitsplätze schaffen.

**Provinz-Wahlen:** Stärkste politische Kraft bei den Wahlen zu den Provinzparlamenten wurde im März 1995 die VVD mit 27,2% der Stimmen. Die Christdemokraten kamen auf 22,9%. Verluste erlitt die PvdA, die 17,1% erhielt.

**Wirtschaft:** 1994 erhöhte sich das BIP gegenüber 1993 um 2,4%. Vor allem der gestiegene Export (1994: +5,6%) stützte das Wirtschaftswachstum. Mit 9,3% lag die Arbeitslosenquote unter dem EU-Durchschnitt (11,4%). Die umfangreichste Privatisierung in den N. wurde Mitte 1994 mit dem Börsengang der Post KPN eingeleitet. 30% der in Staatsbesitz befindlichen Aktien wurden verkauft.

**Hochwasser:** Durch anhaltende Regenfälle verursachtes Hochwasser führte im Februar 1995 zur Evakuierung von 250 000 Menschen. Die z. T. jahrhundertealten Flußdeiche von Maas, Waal und Lek/Rhein drohten zu brechen.

##  Niger

| Lage Afrika, Karte S. 477, B 3 | |
|---|---|
| Fläche 1 267 000 km² (WR 21) | |
| Einwohner 8,3 Mio (WR 80) | |
| Einwohner/km² 7 (1993) | |
| Bev.-Wachstum/Jahr 3,3% Ø | |
| Pkw.-Kennzeichen RN | |

**Hauptstadt** Niamey (398 000 Einwohner)

**Sprache** *Französisch,* Haussa, andere Stammessprachen

**Religion** Moslemisch (98,6%)

**Währung** CFA-Franc (FCFA)

| BSP/Kopf 270 $ (1993) | Urbanisierung 15% |
|---|---|
| Inflation –1,8% (1992) | Alphabetisierung 11% |
| Arbeitslos. 2,4% (1989) | Einw. pro Arzt 38 500 |

**Reg.-Chef** Hama Amadou (seit Febr. 1995) * 1950

**Staatsob.** Mahamane Ousmane (seit 1993) * 20. 1. 1950

**Staatsform** Präsidiale Republik

**Parlament** Nationalversammlung mit 83 für fünf Jahre gewählten Abgeordneten; 29 für ehemalige Einheitspartei MNSD, 23 für Sozialdemokraten, 12 für Sozialistische Demokraten, 19 für andere (Wahl vom Januar 1995)

## Norwegen

| Lage Europa, Karte S. 473, D 3 | |
|---|---|
| Fläche 323 878 km² (WR 66) | |
| Einwohner 4,3 Mio (WR 113) | |
| Einwohner/km² 13,3 (1993) | |
| Bev.-Wachstum/Jahr 0,4% Ø | |
| Pkw.-Kennzeichen N | |

**Hauptstadt** Oslo (473 000 Einwohner)

**Sprache** Norwegisch

**Religion** Lutherisch (87,9%), konfessionslos (3,2%)

**Währung** 1 Norwegische Krone (nkr) = 100 Øre

| BSP/Kopf 25 970 $ (1993) | Urbanisierung 76% |
|---|---|
| Inflation 1,4% (1994) | Alphabetisierung 100% |
| Arbeitslos. 5,2% (1994) | Einw. pro Arzt 305 |

**Reg.-Chef** Gro Harlem Brundtland (seit 1990) * 20. 4. 1939

**Staatsob.** König Harald V. (seit 1991) * 21. 2. 1937

**Staatsform** Parlamentarische Monarchie

**Parlament** Storting mit 165 für vier Jahre gewählten Abgeordneten; 67 Sitze für Arbeiterpartei, 32 für Zentrumspartei, 28 für konservative Høyre, 13 für Sozialistische Linkspartei, 13 für Christliche Volkspartei, 10 für Fortschrittspartei, 1 für Venstre, 1 für Rote Wahlallianz (Wahl von 1993)

## Nigeria

| Lage Afrika, Karte S. 477, C 4 | |
|---|---|
| Fläche 923 768 km² (WR 31) | |
| Einwohner 91,5 Mio (WR 10) | |
| Einwohner/km² 99,1 (1993) | |
| Bev.-Wachstum/Jahr 2,8% Ø | |
| Pkw.-Kennzeichen WAN | |

**Hauptstadt** Abuja (379 000 Einwohner)

**Sprache** *Englisch,* Arabisch, Stammessprachen

**Religion** Christlich (49%), moslemisch (45%), Volksrel. (6%)

**Währung** 1 Naira (N) = 100 Kobo

| BSP/Kopf 300 $ (1993) | Urbanisierung 35% |
|---|---|
| Inflation 26,8% (1994) | Alphabetisierung 51% |
| Arbeitslos. ca. 2,9% (1993) | Einw. pro Arzt 6573 |

**Reg.-Chef** Sani Abacha (seit 1993) * 20. 9. 1943

**Staatsob.** Sani Abacha (seit 1993) * 20. 9. 1943

**Staatsform** Präsidialrepublik, Militärregime

**Parlament** Nationalversammlung mit 2 Kammern; 593 Sitze im Repräsentantenhaus, 93 Sitze im Senat; 314 Sitze für Sozialdemokratische Partei (Senat: 52), 275 (37) für Republikanisch-Nationale Konvention, 4 Sitze im Repräsentantenhaus und 2 im Senat unbesetzt (Wahl von 1992, 1993 aufgelöst)

Im Gegensatz zu Finnen, Schweden und Österreichern entschieden sich 52,4% der Norweger am 28. 11. 1994 gegen einen EU-Beitritt. Das nordskandinavische Land will 1995 die tägliche Produktionsmenge von 2,7 Mio auf 3,0 Mio Barrel Öl erhöhen. N. steigt damit nach Saudi-Arabien zum weltweit zweitgrößten Öl-Exporteur auf. Das BSP wuchs 1994 um 4,5%.

**Gegen EU:** Die sozialdemokratische Ministerpräsidentin Gro Harlem Brundtland unterlag beim Referendum den EU-Gegnern der Zentrumspartei, der Sozialistischen Linkspartei und der Christlichen Volkspartei. In den ländlichen Gebieten war die Ablehnung gegenüber Europa mit über 70% am höchsten. Den Bauern drohten Einkommensverluste infolge von Agrarpreissenkungen und Subventionsabbau. Mit 76% ist die staatliche Unterstützung der Landwirte in N. nach der Schweiz die zweithöchste der Welt. Fischer fürchteten die Konkurrenz ausländischer Fangflotten in bislang von N. befischten Meeresgebieten. Der mögliche Abbau des Wohlfahrtsstaates war ein weiteres Argument der Beitrittsgegner. Als Folge des Neins zur EU nimmt N. nicht am vollständigen Zollabbau innerhalb des europäischen Binnenmarkts teil. Exporteuren entstehen dadurch Preisnachteile. Von

**Norwegen:**
**Ministerpräsidentin**
**Gro Harlem Brundtland**
* 20. 4. 1939 in Oslo, Dr. med.
Die Ärztin war 1981–1992 Vorsitzende der Arbeiterpartei. In Minderheitskabinetten war sie 1974–1979 Umweltministerin und 1981 für acht Monate Ministerpräsidentin, erneut 1986–1989. 1990 wurde Brundtland zum dritten Mal Chefin einer Minderheitsregierung, die 1993 bestätigt wurde.

der Mitsprache bei der Gestaltung des geplanten Energiebinnenmarktes ist der Öl- und Gasexporteur N. ausgeschlossen.

**Wirtschaftsfaktor Energie:** 1994 steigerte N. die Öl-Produktion im Vergleich zum Vorjahr um 13%. Staat und Erdölgesellschaften nahmen umgerechnet 43 Mrd DM ein. Die gesamte Erdgas- und 94% der Erdölproduktion werden exportiert. Bis 2000 soll die Erdgasausfuhr nach Europa auf 60 Mrd m³ mehr als verdoppelt, das Pipeline-Netz auf 5500 km erweitert werden. Im April 1995 zahlte N. 9 Mrd Kronen (2 Mrd DM) Auslandsschulden zurück, die damit auf 15,3 Mrd Kronen (3,4 Mrd DM) sanken. Die Konjunktur entwickelte sich im Gegensatz zur EU-Mehrheit seit 1989 positiv.

## Oman

| | |
|---|---|
| **Lage** Naher Osten, Karte S. 478, F 4 | |
| **Fläche** 306 000 km² (WR 69) | |
| **Einwohner** 1,7 Mio (WR 140) | |
| **Einwohner/km²** 5,5 (1993) | |
| **Bev.-Wachstum/Jahr** 3,5% Ø | |
| **Pkw.-Kennzeichen** OM | |

**Hauptstadt** Maskat (85 000 Einwohner)

**Sprache** *Arabisch,* Persisch, Urdu

**Religion** Moslemisch (86%), hinduistisch (13%)

**Währung** 1 Rial Omani (RO) = 1000 Baizas

| | |
|---|---|
| **BSP/Kopf** 4850 $ (1993) | **Urbanisierung** 11% |
| **Inflation** 1,0% (1993) | **Alphabetisierung** 41% |
| **Arbeitslos.** k. A. | **Einw. pro Arzt** 1078 |

**Reg.-Chef** Sultan Kabus ibn Said ibn Taimur as-Said

**Staatsob.** Sultan Kabus ibn Said ibn Taimur as-Said

**Staatsform** Sultanat

**Parlament** Kein Parlament, keine polit. Parteien; beratende Versammlung mit 80 Mitgliedern (ernannt im Januar 1995)

## Österreich

| | |
|---|---|
| **Lage** Europa, Karte S. 473, D 5 | |
| **Fläche** 83 855 km² (WR 112) | |
| **Einwohner** 8,0 Mio (WR 83) | |
| **Einwohner/km²** 96 (1993) | |
| **Bev.-Wachstum/Jahr** 0,4% Ø | |
| **Pkw.-Kennzeichen** A | |

**Hauptstadt** Wien (1,5 Mio Einwohner)

**Sprache** *Deutsch,* Slowenisch, Kroatisch

**Religion** Katholisch (84,8%), protestant. (5,7%), moslem.

**Währung** 1 Österreichischer Schilling (öS) = 100 Groschen

| | |
|---|---|
| **BSP/Kopf** 23 510 $ (1993) | **Urbanisierung** 59% |
| **Inflation** 3,6% (1993) | **Alphabetisierung** 100% |
| **Arbeitslos.** 4,5% (1994) | **Einw. pro Arzt** 230 |

**Reg.-Chef** Franz Vranitzky (seit 1986) * 4. 10. 1937

**Staatsob.** Thomas Klestil (seit 1992) * 4. 11. 1932

**Staatsform** Parlamentarisch-demokrat. Bundesrepublik

**Parlament** Nationalrat mit 183 für vier Jahre gewählten und Bundesrat mit 63 von den Landtagen entsandten Abgeordneten; im Nationalrat 65 Sitze für Sozialdemokratische Partei, 52 für Volkspartei, 42 für Freiheitliche, 13 für Grüne, 11 für Liberales Forum (Wahl vom Oktober 1994)

Aus der Nationalratswahl von Oktober 1994 ging die große Koalition aus SPÖ (65 Mandate, 1990: 80) und ÖVP (52 Mandate, 1990: 60) geschwächt hervor. Im April 1995 nahm Bundeskanzler Franz Vranitzky (SPÖ) eine umfangreiche Regierungsumbildung vor. Der zum 1. 1. 1995 erfolgte Beitritt Ö. zur EU förderte die wirtschaftliche Entwicklung des Landes.

**Opposition legt zu:** Gestärkt gingen die Oppositionsparteien, die rechtsnationalen Freiheitlichen (F; bis Januar 1995: FPÖ) mit 22,5% der Wählerstimmen und Grüne (7,3%) aus der Wahl hervor. Das erstmals angetretene Liberale Forum, eine linksliberale Abspaltung der FPÖ, erreichte 6%.

**Kabinettsumbildung:** Im April ersetzte Vranitzky die SPÖ-Minister im Finanz-, Innen-, Sozial- und Frauenressort. Die Minister hatten ihre Ämter nach parteiinternen Auseinandersetzungen u. a. um den Sparhaushalt 1995 niedergelegt.

**ÖVP-Krise:** Im April 1995 trat Außenminister Alois Mock (ÖVP) von seinem Amt zurück. Vorausgegangen war ein Führungswechsel an der Spitze der ÖVP. Wirtschaftsminister Wolfgang Schüssel war zum Nachfolger von Vizekanzler Erhard Busek gewählt worden. Busek wurde für das schlechte Abschneiden seiner Partei bei den Nationalratswahlen verantwortlich gemacht. Der neue ÖVP-Vorsitzende Schüssel trat zudem Mocks Nachfolge im Außenministerium an. Das Wirtschaftsressort übernahm der bisherige Finanzstaatssekretär Johannes Ditz. Die ÖVP, die von 1945 bis 1970 sämtliche Regierungschefs stellte, verlor zwischen 1986 und 1994 mehr als ein Drittel ihrer Wähler vor allem an die Freiheitlichen, die im selben Zeitraum von 9,7% auf 22,5% zulegten.

**EU-Beitritt:** Bei einer Volksabstimmung im Juni 1994 hatten sich 66,2% der Österreicher für den EU-Beitritt entschieden. Experten erwarten eine Zunahme ausländischer Investitionen und des Exports sowie die Schaffung von rd. 43 000 neuen Arbeitsplätzen bis zum Jahr 2000. 1994 gingen 63% der österreichischen Exporte in EU-Länder, 67% der Lieferungen stammten aus der Union. Mit dem Beitritt nimmt Ö. ab 1995 auch am Europäischen Währungssystem (EWS) teil. Die EU-Mitgliedschaft hat für Ö. den Austritt aus dem kleineren europäischen Wirtschaftsbündnis EFTA (Europäische Freihandelsassoziation) zur Folge.

**Bombenschläge:** Im Februar 1995 verübten rassistisch motivierte Gewalttäter erstmals in Ö. Bombenanschläge. Im Burgenland wurden bei einem Attentat vier Roma getötet.

**Pakistan: Premierministerin Benazir Bhutto**
* 21. 6. 1953 in der Provinz Sindh. Die Tochter des 1979 hingerichteten Präsidenten Zulfikar Ali Bhutto stieg 1982 zur Führerin der PPP auf. 1984–1986 lebte Benazir Bhutto im Exil. 1988 wurde sie Premierministerin, 1990 wegen Korruption und Amtsmißbrauchs abgesetzt. 1993 übernahm sie erneut das Amt der Regierungschefin.

Ein erstarkender islamischer Fundamentalismus und zunehmende Kriminalität waren 1994/95 Hauptprobleme des von der Pakistanischen Volkspartei (PPP) unter Benazir Bhutto regierten Landes. Religiös motivierten Anschlägen fielen mehrere hundert Menschen zum Opfer. Bis Mitte 1995 starben in der südpakistanischen Stadt Karatschi 958 Menschen bei Kämpfen zwischen Einwanderern aus Indien, die ein autonomes Karatschi anstreben. 1995 brachen in Kaschmir erneut Kämpfe zwischen militanten Moslems, die Unabhängigkeit bzw. den Anschluß Kaschmirs an P. fordern, und indischen Regierungstruppen aus.

**Fundamentalismus:** Im Juni 1995 erreichte die Gewaltserie in Karatschi ihren Höhepunkt. Im Kämpfen rivalisierender Gruppen, die sich Feuergefechte mit der Polizei lieferten, starben 334 Menschen. Im Swatal im Nordwesten des Landes bekämpften sich im November 1994 moslemische Fanatiker und Militärpolizei. Mit Geiselnahmen und Flughafenbesetzung versuchten die Fundamentalisten die Einführung des islamischen Rechts zu erzwingen. 1994/95 wurden religiöse Minderheiten wie die gemäßigte islamische Erneuerungsbewegung Ahmadiyya zunehmend Opfer religiös motivierter Anschläge. Die islamischen Geistlichen, sog. Mullahs, nutzten das 1992 erlassene Blasphemiegesetz, das die Todesstrafe für alle vorsieht, die den Koran oder den Propheten Mohammed verunglimpfen, um die Bevölkerung einzuschüchtern.

**Volkspartei gespalten:** Premierministerin Bhutto geriet Anfang 1995 wegen mangelhafter Bekämpfung der Kriminalität und ihrer insgesamt 24 Auslandsreisen in 16 Monaten unter Druck. Mit der Gründung der sog. Fraktion Shaheed Bhutto innerhalb der PPP vollzog ihr Bruder Murtaza Bhutto im März die Spaltung der Regierungspartei. Er forderte den Rücktritt seiner Schwester.

→ Kaschmir-Konflikt

## ☪ Pakistan

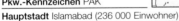

| | |
|---|---|
| **Lage** Asien, Karte S. 479, C 4 | |
| **Fläche** 796 095 km² (WR 35) | |
| **Einwohner** 128,0 Mio (WR 7) | |
| **Einwohner/km²** 160,8 (1993) | |
| **Bev.-Wachstum/Jahr** 2,7% Ø | |
| **Pkw.-Kennzeichen** PAK | |

**Hauptstadt** Islamabad (236 000 Einwohner)

**Sprache** Urdu, Englisch

**Religion** Moslem. (96,7%), christl. (1,6%), hinduist. (1,5%)

**Währung** 1 Pakistanische Rupie (pR) = 100 Paisa

| | |
|---|---|
| **BSP/Kopf** 430 $ (1993) | **Urbanisierung** 33% |
| **Inflation** ca. 11,2% (1994) | **Alphabetisierung** 35% |
| **Arbeitslos.** 6,0% (1994) | **Einw. pro Arzt** 2940 |

**Reg.-Chef** Benazir Bhutto (seit 1993) * 21. 6. 1953

**Staatsob.** Farook Leghari (seit 1993) * 1930

**Staatsform** Föderative Republik

**Parlament** Senat mit 87 für sechs Jahre und Nationalversammlung mit 201 für fünf Jahre gewählten Abgeordneten; in der Nationalversammlung 86 Sitze für Pakistanische Volkspartei, 72 für Muslimische Liga, 15 für Unabhängige, 24 für andere, 4 unbesetzt (Wahl von 1993)

##  Palau

| | |
|---|---|
| **Lage** Ozeanien, Karte S. 481, B 1 |  |
| **Fläche** 487 km² (WR 176) | |
| **Einwohner** 15 500 (WR 189) | |
| **Einwohner/km²** 31,1 (1991) | |
| **Bev.-Wachstum/Jahr** 3,5% Ø | |
| **Pkw.-Kennzeichen** k. A. | |

**Hauptstadt** Koror (11 000 Einwohner)

**Sprache** *Englisch, Mikronesische Dialekte*

**Religion** Christlich (65,4%), Naturreligionen (25,0%)

**Währung** 1 US-Dollar (US-$) = 100 Cents

| | |
|---|---|
| **BSP/Kopf** k. A. | **Urbanisierung** k. A. |
| **Inflation** k. A. | **Alphabetisierung** k. A. |
| **Arbeitslos.** k. A. | **Einw. pro Arzt** k. A. |

**Reg.-Chef** Kuniwo Nakamura (seit 1993)

**Staatsob.** Kuniwo Nakamura (seit 1993)

**Staatsform** Präsidiale Rep., unter US-Treuhandverwaltung

**Parlament** Delegiertenhaus 16 Sitze (Legislaturperiode 4 Jahre) und Senat 14 Sitze, keine Parteien

## Papua-Neuguinea

| | |
|---|---|
| **Lage** Ozeanien, Karte S. 481, D 3 | |
| **Fläche** 462 840 km² (WR 53) | |
| **Einwohner** 3,9 Mio (WR 115) | |
| **Einwohner/km²** 8,5 (1993) | |
| **Bev.-Wachstum/Jahr** 2,3% Ø | |
| **Pkw.-Kennzeichen** PNG | |

**Hauptstadt** Port Moresby (193 200 Einwohner)

**Sprache** *Englisch,* Pidgin, etwa 700 Papua-Sprachen

**Religion** Christlich (96,6%), animist. (2,5%), Baha'i (0,6%)

**Währung** 1 Kina (K) = 100 Toea

| | |
|---|---|
| **BSP/Kopf** 1130 $ (1993) | **Urbanisierung** 16% |
| **Inflation** 11,4% (1993) | **Alphabetisierung** 52% |
| **Arbeitslos.** 5,5% (1988) | **Einw. pro Arzt** 9953 |

**Reg.-Chef** Julius Chan (seit August 1994) * 29. 8. 1939

**Staatsob.** Königin Elizabeth II. (seit 1975) * 21. 4. 1926

**Staatsform** Parlament. Monarchie im Commonwealth

**Parlament** Abgeordnetenhaus mit 109 für fünf Jahre gewählten Abgeordneten; 22 Sitze für Pangu Pati, 15 für People's Democratic Movement, 13 für People's Action Party, 10 für People's Progress Party, 31 für Unabhängige, 17 für andere (Wahl von 1992)

##  Panama

| | |
|---|---|
| **Lage** Mittelam., Karte S. 476, D 6 | |
| **Fläche** 75 517 km² (WR 115) | |
| **Einwohner** 2,6 Mio (WR 132) | |
| **Einwohner/km²** 33,9 (1993) | |
| **Bev.-Wachstum/Jahr** 1,7% Ø | |
| **Pkw.-Kennzeichen** PA | |

**Hauptstadt** Panama-Stadt (414 000 Einwohner)

**Sprache** *Spanisch,* Englisch

**Religion** Katholisch (92%), protestantisch (6%)

**Währung** 1 Balboa (B/.) = 100 Centésimos

| | |
|---|---|
| **BSP/Kopf** 2600 $ (1993) | **Urbanisierung** 54% |
| **Inflation** ca. 1,5% (1994) | **Alphabetisierung** 88% |
| **Arbeitslos.** 13,0% (1993) | **Einw. pro Arzt** 840 |

**Reg.-Chef** Ernesto P. Balladares (seit Sept.1994) * 1946

**Staatsob.** Ernesto P. Balladares (seit Mai 1994) * 1946

**Staatsform** Präsidiale Republik

**Parlament** Nationalversammlung mit 72 für fünf Jahre gewählten Abgeordneten; 31 Sitze für Konservative, 14 für Arnulfisten, 6 für Umweltbewegung, 5 für Nationalliberale, 4 für Liberale, 12 für andere (Wahl vom Mai 1994)

##  Paraguay

| | |
|---|---|
| **Lage** Südamerika, Karte S. 475, D 5 |  |
| **Fläche** 406 752 km² (WR 58) | |
| **Einwohner** 4,6 Mio (WR 106) | |
| **Einwohner/km²** 11,3 (1993) | |
| **Bev.-Wachstum/Jahr** 2,8% Ø | |
| **Pkw.-Kennzeichen** PY | |

**Hauptstadt** Asunción (945 000 Einwohner)

**Sprache** Spanisch, Guaraní

**Religion** Katholisch (96%), protestantisch (2,1%)

**Währung** 1 Guaraní (G) = 100 Céntimos

| | |
|---|---|
| **BSP/Kopf** 1510 $ (1993) | **Urbanisierung** 50,5% |
| **Inflation** ca. 19,5% (1994) | **Alphabetisierung** 91,3% |
| **Arbeitslos.** 10% (1994) | **Einw. pro Arzt** 1250 |

**Reg.-Chef** Juan Carlos Wasmosy (seit 1993) * 15. 12. 1938

**Staatsob.** Juan Carlos Wasmosy (seit 1993) * 15. 12. 1938

**Staatsform** Präsidiale Republik

**Parlament** Senat mit 45 und Abgeordnetenhaus mit 80 für fünf Jahre gewählten Abgeordneten; 40 (Senat 20) Sitze für Colorado-Partei (ANR), 32 (17) für Liberale (PLRA), 8 (8) für Konservative (EN; Wahl von 1993)

**Peru**

| | |
|---|---|
| **Lage** Südamerika, Karte S. 475, B 4 | |
| **Fläche** 1 285 216 km² (WR 19) | |
| **Einwohner** 22,9 Mio (WR 38) | |
| **Einwohner/km²** 17,8 (1993) | |
| **Bev.-Wachstum/Jahr** 1,8% Ø | |
| **Pkw.-Kennzeichen** PE | |

**Hauptstadt** Lima (6,12 Mio Einwohner)

**Sprache** Spanisch, Ketschua, Aymará

**Religion** Katholisch (92,5%), protestantisch (5,5%)

**Währung** 1 Nuevo Sol (S/.) = 100 Céntimos

| | |
|---|---|
| **BSP/Kopf** 1490 $ (1993) | **Urbanisierung** 72% |
| **Inflation** ca. 16% (1994) | **Alphabetisierung** 89% |
| **Arbeitslos.** 11% (1994) | **Einw. pro Arzt** 997 |

**Reg.-Chef** Efrain Goldenberg Schreiber (seit Februar 1994)

**Staatsob.** Alberto Kenya Fujimori (seit 1990) * 28. 7. 1938

**Staatsform** Präsidiale Republik

**Parlament** Kongreß aus Abgeordnetenhaus mit 120 und Senat mit 60 für fünf Jahre gewählten Abgeordneten; im Abgeordnetenhaus 67 Sitze für Neue Mehrheit–Cambio 90, 17 für Union für Peru, 36 für andere (Wahl vom April 1995)

Bei den Präsidentschaftswahlen im April 1995 wurde der seit 1990 regierende Alberto Kenya Fujimori in seinem Amt bestätigt. Sein Reformkurs hatte 1994 zu einem Wirtschaftswachstum in Höhe von 12,8% geführt. Im Februar 1995 schloß die Regierung ein Friedensabkommen mit Ecuador im Streit um das gold- und erdölreiche Grenzgebiet.

**Regierung bestätigt:** Fujimori erreichte bei den Wahlen 64,1% der Stimmen. Sein Hauptkontrahent, der ehemalige UNO-Generalsekretär Javier Pérez de Cuéllar, erhielt 21,8%. Bei den gleichzeitig abgehaltenen Kongreßwahlen errang Fujimoris Partei Cambio 90 mit 52,1% die absolute Mehrheit. 15 Personen wurden verhaftet, nachdem sie versucht hatten, 600 000 Stimmen, 5% der Wahlberechtigten, zugunsten von Fujimoris Partei zu fälschen. Trotz Unregelmäßigkeiten erkannten internationale Beobachter das Wahlergebnis an.

**Krieg mit Ecuador:** Etwa 200 Menschen starben bei den im Januar 1995 ausgebrochenen Gefechten im Grenzkonflikt mit Ecuador. Peru zog 20 000, Ecuador 15 000 Soldaten im Kampfgebiet zusammen. Zahlreiche Dörfer der an den Auseinandersetzungen unbeteiligten indianischen Urbevölkerung wurden bei Bombardierungen und Artilleriebeschuß zerstört. Beide Seiten reklamierten den militärischen Sieg für sich.

**Terrorismus:** Bis November 1994 stellten sich ca. 6000 Rebellen der maoistischen Guerilla-Bewegung Sendero Luminoso (Leuchtender Pfad) den peruanischen Behörden. Nach dem seit 1992 geltenden Reuegesetz wurden sie amnestiert oder erhielten Straferleichterungen wenn sie mit den Behörden zusammenarbeiteten. In dem Bürgerkrieg zwischen der seit 1980 für eine kommunistische Revolution kämpfenden Bewegung und der Regierung starben bis Mitte 1995 rd. 30 000 Menschen. Ein im Juni 1995 verabschiedetes Amnestiegesetz, das alle im Rahmen des Antiterrorkampfes begangenen Menschenrechtsverletzungen betrifft und die Freilassung aller verurteilten Militärs und Polizisten zur Folge hat, stieß bei Opposition, Kirche und Menschenrechtsorganisationen auf Kritik.

**Wirtschaft:** Die Privatisierung von Staatsbetrieben, Verkleinerung von Behörden und die Liberalisierung des Marktes führten bis Anfang 1995 zu einem ausgeglichenen Staatshaushalt. Die Inflation sank 1994 auf rd. 16% (1993: 49%). Dem Wirtschaftswachstum stand eine anhaltend hohe Arbeitslosigkeit (1994: 11%) gegenüber. Große Teile der indianischen Bevölkerungsmehrheit (55%) lebte unterhalb des Existenzminimums.

→ Andenkrieg

 **Philippinen**

| | |
|---|---|
| **Lage** Ostasien, Karte S. 480, D 4 | |
| **Fläche** 300 076 km² (WR 71) | |
| **Einwohner** 65,0 Mio (WR 14) | |
| **Einwohner/km²** 216,6 (1993) | |
| **Bev.-Wachstum/Jahr** 2,3% Ø | |
| **Pkw.-Kennzeichen** RP | |

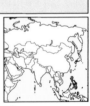

**Hauptstadt** Manila (1,88 Mio Einwohner)

**Sprache** Filipino, Spanisch, Englisch

**Religion** Christlich (94,2%), moslemisch (5,0%)

**Währung** 1 Philippinischer Peso (P) = 100 Centavos

| | |
|---|---|
| **BSP/Kopf** 850 $ (1993) | **Urbanisierung** 44% |
| **Inflation** 9,0% (1994) | **Alphabetisierung** 90% |
| **Arbeitslos.** 9,5% (1993) | **Einw. pro Arzt** 8120 |

**Reg.-Chef** Fidel Ramos (seit 1992) * 18. 3. 1928

**Staatsob.** Fidel Ramos (seit 1992) * 18. 3. 1928

**Staatsform** Präsidiale Republik

**Parlament** Repräsentantenhaus mit 198 für fünf Jahre gewählten und bis zu 50 ernannten Abgeordneten, Senat: 24; voraussichtlich absolute Mehrheit der Regierungkoalition Lakas-Laban in beiden Häusern; amtliches Endergebnis der Wahl von Mai 1995 lag Mitte 1995 noch nicht vor

## Polen

| | |
|---|---|
| **Lage** Europa, Karte S. 473, E 5 | |
| **Fläche** 312 683 km² (WR 68) | |
| **Einwohner** 38,5 Mio (WR 29) | |
| **Einwohner/km²** 123,2 (1993) | |
| **Bev.-Wachstum/Jahr** 0,4% Ø | |
| **Pkw.-Kennzeichen** PL | |

**Hauptstadt** Warschau (1 655 100 Einwohner)

**Sprache** Polnisch

**Religion** Katholisch (95%), orthodox (1,5%)

**Währung** 1 Zloty (Zl) = 100 Groszy

| | |
|---|---|
| **BSP/Kopf** 2260 $ (1993) | **Urbanisierung** 63% |
| **Inflation** 32,2% (1994) | **Alphabetisierung** 99% |
| **Arbeitslos.** 15,7% (1993) | **Einw. pro Arzt** 490 |

**Reg.-Chef** Józef Oleksy (seit März 1995) * 1946

**Staatsob.** Lech Walesa (seit 1990) * 29. 9. 1943

**Staatsform** Republik

**Parlament** Sejm mit 460 und Senat mit 100 gewählten Abgeordneten; im Sejm 171 Sitze für Demokr. Linksallianz (SLD), 132 für Bauernpartei (PSL), 74 für Demokratische Union (UD), 41 für Arbeitsunion (UP), 22 für Unabh. Polen (KPN), 20 für andere (Wahl von 1993)

**Polen: Staatspräsident Lech Walesa**
* 29. 9. 1943 in Popowo bei Lipno. Der frühere Elektromonteur und Arbeitervertreter auf der Danziger Leninwerft war 1980 Mitbegründer und erster Vorsitzender der Gewerkschaft Solidarność, die 1981 mit Verhängung des Kriegsrechts verboten wurde. 1993 mit dem Friedensnobelpreis ausgezeichnet, wurde Walesa 1990 zum Präsidenten gewählt.

**Wirtschaft:** Steigender Export und Investitionen waren die wesentlichen Stützen des Wirtschaftsaufschwungs. Die Ausfuhren lagen um 24,8% höher als im Vorjahr, und die Investitionen stiegen um 6% (1993: 2,2%). Die Industrieproduktion wuchs 1994 um 11,9% gegenüber dem Vorjahr, das Bruttoinlandsprodukt nahm um rd. 5% zu. Ende 1994 begann die Privatisierung von 444 staatlichen Unternehmen, die in Aktiengesellschaften umgewandelt werden. Mit 30% war die Arbeitslosigkeit unter der schlecht ausgebildeten Landbevölkerung überdurchschnittlich hoch. Im Juli 1995 lag die Arbeitslosigkeit landesweit bei 16,9%.

Nach dem Rücktritt von Waldemar Pawlak von der Polnischen Bauernpartei (PSL) wurde der Ex-Kommunist Jósef Oleksy von der Demokratischen Linksallianz (SLD) im März 1995 zum neuen Ministerpräsidenten gewählt. Damit wurde der seit Monaten andauernde Konflikt zwischen Präsident Lech Walesa und der Regierung sowie dem Parlament beigelegt. Die Regierung verabschiedete im Mai 1995 einen Gesetzentwurf zur Entschädigung von Personen, die unter dem früheren kommunistischen Regime enteignet wurden. Der Wirtschaftsaufschwung setzte sich 1995 fort.

**Regierungskrise:** Pawlak legte im Februar 1995 nach einer Kraftprobe mit Walesa sein Amt nieder. Der Präsident hatte gedroht, das Parlament aufzulösen, falls die Regierungskoalition aus SLD und PSL nichts gegen Korruption und schleppende Reformen unternähme. Walesa setzte seine Kandidaten für das Innen-, Außen- und Verteidigungsressort durch, bevor er der Regierungsneubildung zustimmte. Grund für die seit Jahren schwelende Krise zwischen Präsident und Regierung sowie Parlament ist die unklare Abgrenzung der Kompetenzen in der polnischen Verfassung. Eine Verfassungsreform wird nicht vor der 1995 stattfindenden Präsidentschaftswahl abgeschlossen sein.

## Portugal

| | |
|---|---|
| **Lage** Europa, Karte S. 473, A 6 | |
| **Fläche** 92 389 km² (WR 109) | |
| **Einwohner** 9,82 Mio (WR 73) | |
| **Einwohner/km²** 106,3 (1993) | |
| **Bev.-Wachstum/Jahr** 0% Ø | |
| **Pkw.-Kennzeichen** P | |

**Hauptstadt** Lissabon (831 000 Einwohner)

**Sprache** Portugiesisch

**Religion** Katholisch (94,5%), protestantisch (0,6%)

**Währung** 1 Escudo (ESC) = 100 Centavos

| | |
|---|---|
| **BSP/Kopf** 9130 $ (1993) | **Urbanisierung** 35% |
| **Inflation** 5,2% (1994) | **Alphabetisierung** 87% |
| **Arbeitslos.** 6,8% (1994) | **Einw. pro Arzt** 348 |

**Reg.-Chef** Anibal Cavaco Silva (seit 1985) * 15. 7. 1939

**Staatsob.** Mário Alberto Soáres (seit 1986) * 7. 12. 1924

**Staatsform** Parlamentarische Republik

**Parlament** Nationalversammlung mit 230 für vier Jahre gewählten Abgeordneten; 135 Sitze für Sozialdemokraten, 72 für Sozialisten, 17 für Linksbündnis, 5 für Demokratisch Soziales Zentrum, 1 für Partei der Nationalen Solidarität (Wahl von 1991)

535

Der seit 1985 regierende Ministerpräsident Aníbal Cavaco Silva von den liberal-konservativ orientierten Sozialdemokraten (PDS) kündigte im Januar 1995 seinen Rücktritt als Regierungschef zum Ende der Legislaturperiode an. 1994 verzeichnete P. ein Wirtschaftswachstum in Höhe von 1,1%

**Neue Kandidaten:** Im März bildete Cavaco Silva das Kabinett um, nachdem Verteidigungsminister Joaquim Fernando Nogueira (PDS) im Februar von seinem Amt zurückgetreten war. Nogueiras Rücktritt steht im Zusammenhang mit seiner Wahl zum neuen Vorsitzenden und Spitzenkandidaten seiner Partei bei den Parlamentswahlen im Oktober 1995. Er tritt gegen den Kandidaten der Sozialistischen Partei (PS), António Guterres an. 1996 endet die Amtszeit von Staatspräsident Mário Soáres (PS). Als aussichtsreichster Bewerber bei den Wahlen für das höchste Staatsamt im Januar 1996 gilt der Bürgermeister von Lissabon, Jorge Sampaio (PS).

**Wirtschaft:** 1994 betrug das Wirtschaftswachstum 1,1%. Die Teuerungsrate erreichte 1994 mit 5,2% den niedrigsten Stand seit 1964. P. leidet unter einem Wohlstandsgefälle zwischen industrialisierter Küstenregion und landwirtschaftlich geprägtem Hinterland. Bauern in P. hatten Mitte der 90er Jahre das niedrigste Einkommen im EU-Vergleich.

Dem Bürgerkrieg zwischen der Bevölkerungsmehrheit der Hutu (85%) und den Tutsi fielen 1994/95 rd. eine Mio Menschen zum Opfer. Weltbank und Kreditgeberländer sagten im Januar 1995 rd. 600 Mio Dollar (846 Mio DM) Aufbauhilfe zu. Nach Eroberung des größten Teils von R. erklärte die Tutsi-Armee Patriotische Front Ruandas (FPR) im Juli 1994 das Ende des seit 1990 andauernden Guerillakriegs. Als Zeichen der Versöhnung setzte sie die gemäßigten Hutu-Politiker Pasteur Bizimungu und Faustin Twagiramungu als Staats- und Regierungschef ein. Im Juli 1994 flohen Hunderttausende aus Angst vor Racheakten nach Zaïre, wo im Mai 1995 nach UNO-Schätzungen 1,2 Mio Ruander lebten. An Hunger und Epidemien starben in den Lagern täglich Tausende Menschen. Im April 1995 verübten Tutsi-Soldaten ein Massaker in einem Hutu-Flüchtlingslager in Kibeho und töteten rd. 2000 Menschen.

Im April 1995 wurde in R. der erste Völkermordprozeß gegen Beteiligte an dem 1994 begangenen Massaker an 1 Mio Tutsi-Zivilisten eröffnet. Insgesamt stehen rd. 30 000 Verdächtige vor Gericht. Im Juni begann in Tansania das vom UNO-Sicherheitsrat eingesetzte R.-Tribunal.

→ Hutu und Tutsi → Kriegsverbrechertribunal

---

| R | **Ruanda** |
|---|---|

| **Lage** Afrika, Karte S. 477, D 4 |
|---|
| **Fläche** 26 271 km² (WR 144) |
| **Einwohner** 7,6 Mio (WR 88) |
| **Einwohner/km²** 288,7 (1993) |
| **Bev.-Wachstum/Jahr** 2,1% ∅ |
| **Pkw.-Kennzeichen** RWA |

| **Hauptstadt** Kigali (237 800 Einwohner) |
|---|
| **Sprache** *Französisch, Kinyarwanda,* Kisuaheli |
| **Religion** Katholisch (65%), protest. (9%), moslem. (9%) |
| **Währung** 1 Rwanda-Franc (RF) = 100 Centimes |

| **BSP/Kopf** 210 $ (1993) | **Urbanisierung** 6% |
|---|---|
| **Inflation** 9,5% (1992) | **Alphabetisierung** 50% |
| **Arbeitslos.** k. A. | **Einw. pro Arzt** 40 610 |

| **Reg.-Chef** Faustin Twagiramungu (seit Juli 1994) * 1955 |
|---|
| **Staatsob.** Pasteur Bizimungu (seit Juli 1994) * 4. 3. 1951 |
| **Staatsform** Präsidiale Republik |
| **Parlament** Nationalrat mit 70 für fünf Jahre gewählten Abgeordneten; FPR und zwölf kleinere Parteien (Wahl vom November 1994) |

---

| | **Rumänien** |
|---|---|

| **Lage** Europa, Karte S. 473, F 6 |
|---|
| **Fläche** 237 500 km² (WR 80) |
| **Einwohner** 22,8 Mio (WR 39) |
| **Einwohner/km²** 95,6 (1993) |
| **Bev.-Wachstum/Jahr** 0,4% ∅ |
| **Pkw.-Kennzeichen** RO |

| **Hauptstadt** Bukarest (2,3 Mio Einwohner) |
|---|
| **Sprache** *Rumänisch,* Ungarisch, Deutsch |
| **Religion** Rumänisch-orthod. (86,8%), katholisch (5%) |
| **Währung** 1 Lei (l) = 100 Bani |

| **BSP/Kopf** 1140 $ (1993) | **Urbanisierung** 55% |
|---|---|
| **Inflation** 61,7% (1994) | **Alphabetisierung** 97% |
| **Arbeitslos.** 10,9% (1994) | **Einw. pro Arzt** 560 |

| **Reg.-Chef** Nicolae Văcăroiu (seit 1992) * 3. 12. 1943 |
|---|
| **Staatsob.** Ion Iliescu (seit 1989) * 3. 3. 1930 |
| **Staatsform** Republik |
| **Parlament** Volksdeputiertenkammer mit 327 Abgeordneten; 117 Sitze für Demokratische Front des Nationalen Heils, 82 für Demokratische Konvention, 43 für Nationale Heilsfront, 30 für Partei der Nationalen Einheit, 27 für Dem. Union der Ungarn, 28 für andere (Wahl von 1992) |

Im Dezember 1994 scheiterte der sechste Mißtrauensantrag der Opposition binnen 24 Monaten gegen die linksorientierte Regierung unter Ministerpräsident Nicolae Văcăroiu (parteilos). Ihr wurde Versagen in der Wirtschaftspolitik und Korruption vorgeworfen. Das rumänische Abgeordnetenhaus billigte im März 1995 einen Gesetzesentwurf zur Massenprivatisierung. Bis Februar 1996 sollen rd. 3000 Staatsbetriebe verkauft werden. Im Juni 1995 stellte R. einen Antrag auf Mitgliedschaft in der Europäischen Union.

**Minderheitenproblem:** Mitte 1994 beteiligte Văcăroiu die nationalistische Partei der Nationalen Einheit (PUNR), die sich gegen mehr Rechte für die ungarische Minderheit ausspricht, an seiner Regierung. Die mit 1,6 Mio Menschen stärkste Minderheit fordert für Gebiete mit überwiegend ungarischer Bevölkerung u. a. die Gleichstellung der ungarischen und der rumänischen Sprache sowie regionale Autonomie. R. deutet die Autonomiebestrebungen als ersten Schritt auf dem Weg zum Anschluß der ungarisch dominierten Gebiete an Ungarn.

**Privatisierung:** Haupthindernis im Reformprozeß war 1995 die zögerlich voranschreitende Privatisierung von Staatsbetrieben. Nach dem Gesetz zur Massenprivatisierung sollen 60% des Kapitals der privatisierten Betriebe gegen Eigentumszertifikate und Privatisierungs-Coupons kostenlos an die Bevölkerung ausgegeben werden. Im Juni 1995 eröffnete erstmals seit 1945 eine Börse in Bukarest.

**Wirtschaft:** Die wirtschaftliche Talfahrt seit der Abkehr vom Kommunismus 1989 konnte 1994 weiter gebremst werden. Das Wirtschaftswachstum, das 1992 noch –13,6% betrug, erreichte 3,4% (1993: 1%). Die Inflationsrate sank Anfang 1995 auf 70% (Juni 1994: 110%). 1994 unterstützte der Internationale Währungsfonds (IWF) das zweitgrößte Reformland außerhalb der ehemaligen UdSSR mit 454 Mio Dollar (640 Mio DM).

**Rumänien: Staatsoberhaupt Ion Iliescu**
* 3. 3. 1930 in Oltenita. Iliescu wurde 1971 ZK-Sekretär für Propaganda und Erziehung. Differenzen mit Parteichef Nicolae Ceaușescu führten zu seiner schrittweisen Entmachtung. Nach Ceaușescus Sturz wählte ihn der Rat der Front zur nationalen Rettung 1989 zum provisorischen Staatschef, 1990 wurde Iliescu als Präsident bestätigt.

## Rußland

| | |
|---|---|
| **Lage** Asien, Karte S. 479, B 1 | |
| **Fläche** 17 075 000 km² (WR 1) | |
| **Einwohner** 148,0 Mio (WR 6) | |
| **Einwohner/km²** 8,7 (1993) | |
| **Bev.-Wachstum/Jahr** 0,5% ⌀ | |
| **Pkw.-Kennzeichen** RUS | |

| | |
|---|---|
| **Hauptstadt** Moskau (8,8 Mio Einwohner) | |
| **Sprache** *Russisch,* Sprachen der Bevölkerungsgruppen | |
| **Religion** Christlich (82%), moslemisch | |
| **Währung** 1 Rubel (Rbl) = 100 Kopeken | |
| **BSP/Kopf** 2340 $ (1993) | **Urbanisierung** 74% |
| **Inflation** 220–360% (1994) | **Alphabetisierung** 98,7 |
| **Arbeitslos.** 7,1% (Ende 1994) | **Einw. pro Arzt** 210 |
| **Reg.-Chef** Wiktor S. Tschernomyrdin (seit 1992) * 1938 | |
| **Staatsob.** Boris Nikolajew Jelzin (seit 1991) * 1. 2. 1931 | |
| **Staatsform** Bundesrepublik | |

**Parlament** Duma mit 450 Abgeordneten; 70 Sitze für Rußlands Wahl, 64 für Liberaldemokratische Partei, 48 für kommunistische Partei, 33 für Agrar-Partei, 23 für Frauen Rußlands, 23 für Jawlinski-Block, 19 für Einheit und Eintracht, 14 für Demokr. Partei, 150 für andere (Wahl von 1993)

Im Juni 1995 erzwangen tschetschenische Rebellen mit einer Geiselnahme in der russischen Stadt Budjonnowsk Friedensverhandlungen mit der russischen Regierung. Der Einmarsch russischer Truppen in die abtrünnige Kaukasus-Republik Tschetschenien verschärfte 1994/95 die innenpolitischen Spannungen zwischen Parlament und Regierung. Die Duma sprach der Regierung unter Wiktor Tschernomyrdin im Juni 1995 mit 241 gegen 209 Stimmen das Mißtrauen aus. Drei Minister traten daraufhin zurück. Ein zweiter Mißtrauensantrag, der zur Auflösung der Regierung geführt hätte, scheiterte. Aus Protest gegen die angestrebte Osterweiterung der NATO sagte Moskau seine Teilnahme an dem NATO-Programm Partnerschaft für den Frieden erst mit halbjähriger Verzögerung im Mai 1995 zu. Beim schwersten Erdbeben in der russischen Pazifik-Region starben im Mai 1995 auf der Insel Sachalin mehr als 2000 Menschen.

**Soldaten gegen Separatisten:** Im Dezember 1994 befahl Präsident Boris Jelzin den Militäreinsatz in der Teilrepublik Tschetschenien, die 1991 einseitig ihre Unabhängigkeit von R. proklamiert hatte. Im Februar 1995 eroberten russische Truppen die Hauptstadt Grosny. Bis Mitte 1995 verlagerten sich die Kämpfe in die südlichen Bergregionen. Nach offiziellen Angaben fielen bis Juli 1995 rd. 2000 russische Soldaten und 9500 tschetschenische Rebellen. Unter der Zivilbevölkerung gab es 25 000 Opfer. An der tadschikisch-afghanischen Grenze verteidigen 24 000 GUS-Soldaten, zumeist Russen, die moskauorientierte tadschikische Regierung gegen islamische Aufständische. Die 5000 Mann starke 14. Armee unter General Alexander Lebed soll in Moldawien verhindern, daß die Region unter rumänischen Einfluß gerät. Insgesamt sind in den GUS-Staaten 120 000 russische Soldaten stationiert. Angesichts der hohen Zahl von Wehrdienstverweigerern und Fahnenflüchtigen verlängerte Jelzin im April 1995 den Wehrdienst von 18 auf 24 Monate.

**Spannungen:** Das von kommunistischen und nationalistischen Kräften befürwortete Eingreifen in Tschetschenien schürte die innenpolitischen Spannungen. Die Demokraten warnten vor dem Rückfall in die Diktatur. Sie befürchteten, daß die russische Machtpolitik das Auseinanderfallen der Föderation beschleunigt. 1995 bestand R. aus 21 autonomen Republiken und 59 autonomen Kreisen.

**Neues Bündnis:** Im Mai 1995 gründete Ministerpräsident Tschernomyrdin die Bewegung Unser Haus – Rußland (NDR), der sich Regierungsmitglieder, Gouverneure und Verwaltungschefs einzelner Regionen anschlossen. Ziel des Mitte-Rechts-Wahlbündnisses, das von Jelzin unterstützt wird und bei den Parlamentswahlen im Dezember 1995 antritt, ist die Stabilisierung von R. Für die Präsidentschaftswahlen im Juni 1996 kündigte neben Jelzin, dem Rechtsradikalen Wladimir Schirinowski, dem früheren russischen Vizepräsidenten Alexander Ruzkoi auch Ex-Präsident Michail Gorbatschow seine Kandidatur an.

**NATO-Osterweiterung:** Die 1994/95 angestrebte Osterweiterung der NATO stieß auf den Widerstand von R., das eine Kräfteverschiebung zugunsten des Westens und die Spaltung Europas befürchtete. Lebed prophezeite einen Dritten Weltkrieg, falls die früheren Sowjet-Verbündeten Polen, Tschechische Republik, Slowakei und Ungarn in das Verteidigungsbündnis aufgenommen würden.

**Wirtschaft:** Der Krieg in Tschetschenien und der Verfall der russischen Währung im Oktober 1994 machten erste Fortschritte bei der Stabilisierung der russischen Wirtschaft zunichte. Der Rubel büßte gegenüber dem Dollar rd. 30% seines Wertes ein. Hinter dem Kurseinbruch vermuteten in- und ausländische Beobachter eine bewußt herbeigeführte Krise, die auf den Sturz der Regierung abzielte. Jelzin entließ Zentralbankchef Wiktor Geraschtschenko und Wirtschaftsminister Alexander Schochin. Bis November 1994 wurden rd. 80% der zur Privatisierung anstehenden 135 000 Unternehmen verkauft. Wichtige Teile der Wirtschaft, wie Rüstung, Nachrichtenwesen, Energiewirtschaft und Atomanlagenbau bleiben davon ausgenommen. Die Auslandsverschuldung betrug 1994 rd. 112,7 Mrd Dollar (158,9 Mrd DM). Zwischen 1995 und 1997 anstehende Schuldenrückzahlungen belasten den Staatshaushalt zusätzlich mit 38,5 Mrd Dollar (54,3 Mrd DM). Der Internationale Währungsfonds (IWF) sagte im April 1995 Kredite in Höhe von 6,8 Mrd Dollar (9,6 Mrd DM) zu.

→ NATO → Tschetschenien

 **Saint Kitts und Nevis**

| Lage Mittelam., Karte S. 476, G 3 | |
|---|---|
| Fläche 269 km² (WR 185) | |
| Einwohner 41 800 (WR 185) | |
| Einwohner/km² 155 (1993) | |
| Bev.-Wachstum/Jahr 0% Ø | |
| Pkw.-Kennzeichen k. A. | |

| | |
|---|---|
| Hauptstadt Basseterre (15 000 Einwohner) | |
| Sprache *Englisch,* kreolische Dialekte | |
| Religion Protestantisch (76,4%), katholisch (10,7%) | |
| Währung 1 Ostkaribischer Dollar (EC$) = 100 Cents | |

| BSP/Kopf 4410 $ (1993) | Urbanisierung 49% |
|---|---|
| Inflation 2,9% (1990) | Alphabetisierung 98% |
| Arbeitslos. ca. 15% (1991) | Einw. pro Arzt 1498 |

| | |
|---|---|
| Reg.-Chef Kennedy Alphonse Simmonds (seit 1980) *1936 | |
| Staatsob. Königin Elizabeth II. (seit 1983) * 21. 4. 1926 | |
| Staatsform Parlament. Monarchie im Commonwealth | |
| Parlament Nationalversammlung mit 12 für fünf Jahre gewählten Abgeordneten; 4 Sitze für People's Action Movement, 1 für Nevis Reformation Party, 4 für Labour Party, 3 für andere (Wahl von 1993) | |

**Rußland: Präsident Boris N. Jelzin**
\* 1. 2. 1931 in Butka (Sibirien). Der Bauingenieur wurde 1981 in das ZK der KPdSU gewählt. Nach Kritik am Regime verlor er 1987 alle hohen Parteiämter. Zwei Jahre später wählten ihn die Moskauer gegen den kommunistischen Kandidaten in den Deputiertenkongreß. 1990 verließ Jelzin die KPdSU, ein Jahr später wurde er zum Präsidenten gewählt.

##  Saint Lucia

| | |
|---|---|
| **Lage** Mittelam., Karte S. 476, H 4 | |

**Lage** Mittelam., Karte S. 476, H 4

**Fläche** 617 km² (WR 175)

**Einwohner** 136 000 (WR 173)

**Einwohner/km²** 220 (1993)

**Bev.-Wachstum/Jahr** 1,7% Ø

**Pkw.-Kennzeichen** WL

**Hauptstadt** Castries (52 000 Einwohner)

**Sprache** *Englisch*, Patois (kreolisches Französisch)

**Religion** Katholisch (79%), protestantisch (15,5%)

**Währung** 1 Ostkaribischer Dollar (EC$) = 100 Cents

| | |
|---|---|
| **BSP/Kopf** 3040 $ (1993) | **Urbanisierung** 46% |
| **Inflation** 5,0% (1992) | **Alphabetisierung** 80% |
| **Arbeitslos.** 16,7% (1991) | **Einw. pro Arzt** 2521 |

**Reg.-Chef** John Compton (seit 1982) * 1. 5. 1926

**Staatsob.** Königin Elizabeth II. (seit 1979) * 21. 4. 1926

**Staatsform** Parlament. Monarchie im Commonwealth

**Parlament** Senat mit 11 ernannten und Abgeordnetenhaus mit 17 für fünf Jahre gewählten Mitgliedern; 11 Sitze für konservative United Workers Party, 6 für sozialistische St. Lucia Labour Party (Wahl von 1992)

##  Salomonen

**Lage** Ozeanien, Karte S. 481, E 3

**Fläche** 28 370 km² (WR 140)

**Einwohner** 349 000 (WR 164)

**Einwohner/km²** 12,3 (1993)

**Bev.-Wachstum/Jahr** 3,4% Ø

**Pkw.-Kennzeichen** k. A.

**Hauptstadt** Honiara (35 000 Einwohner)

**Sprache** *Englisch*, Pidgin-Englisch

**Religion** Christlich (96,7%), Baha'i (0,4%), animist. (0,2%)

**Währung** 1 Salomonen-Dollar (SI$) = 100 Cents

| | |
|---|---|
| **BSP/Kopf** 740 $ (1993) | **Urbanisierung** 16% |
| **Inflation** 7,0% (1993) | **Alphabetisierung** 54% |
| **Arbeitslos.** k. A. | **Einw. pro Arzt** 9852 |

**Reg.-Chef** Solomon Mamaloni (seit Nov. 1994) * 1943

**Staatsob.** Königin Elizabeth II. (seit 1978) * 21. 4. 1926

**Staatsform** Parlament. Monarchie im Commonwealth

**Parlament** Nationalparlament mit 47 für fünf Jahre gewählten Abgeordneten; 28 Sitze für Group for National Unity, 4 für People's Alliance Party, 6 für Unabhängige, 3 für National Action Party, 2 für Salomon Island Labour Party, 4 für andere (Wahl von 1993)

##  Saint Vincent/Grenadinen

**Lage** Mittelam., Karte S. 476, H 4

**Fläche** 389 km² (WR 181)

**Einwohner** 109 000 (WR 175)

**Einwohner/km²** 280,2 (1993)

**Bev.-Wachstum/Jahr** 1,2% Ø

**Pkw.-Kennzeichen** WV

**Hauptstadt** Kingstown (26 500 Einwohner)

**Sprache** *Englisch*, kreolisches Englisch

**Religion** Protestantisch (80,5%), katholisch (11,6%)

**Währung** 1 Ostkaribischer Dollar (EC$) = 100 Cents

| | |
|---|---|
| **BSP/Kopf** 2120 $ (1993) | **Urbanisierung** 25% |
| **Inflation** 3,1% (1992) | **Alphabetisierung** 85% |
| **Arbeitslos.** 19,0% (1992) | **Einw. pro Arzt** 2690 |

**Reg.-Chef** James Mitchell (seit 1984) * 15. 3. 1931

**Staatsob.** Königin Elizabeth II. (seit 1979) * 21. 4. 1926

**Staatsform** Parlament. Monarchie im Commonwealth

**Parlament** Senat mit 6 ernannten und Abgeordnetenhaus mit 15 für fünf Jahre gewählten Abgeordneten; 12 für New Democratic Party, 3 für United Labour Party (Wahl vom Februar 1994)

##  Sambia

**Lage** Afrika, Karte S. 477, D 6

**Fläche** 752 614 km² (WR 38)

**Einwohner** 8,5 Mio (WR 81)

**Einwohner/km²** 11,3 (1993)

**Bev.-Wachstum/Jahr** 2,8% Ø

**Pkw.-Kennzeichen** Z

**Hauptstadt** Lusaka (982 000 Einwohner)

**Sprache** *Englisch*, Bantusprachen

**Religion** Christlich (72%), animistisch (27%)

**Währung** 1 Kwacha (K) = 100 Ngwee

| | |
|---|---|
| **BSP/Kopf** 370 $ (1993) | **Urbanisierung** 42% |
| **Inflation** 187,0% (1993) | **Alphabetisierung** 73% |
| **Arbeitslos.** k. A. | **Einw. pro Arzt** 10 920 |

**Reg.-Chef** Frederick Chiluba (seit 1991) * 30. 4. 1943

**Staatsob.** Frederick Chiluba (seit 1991) * 30. 4. 1943

**Staatsform** Präsidiale Republik

**Parlament** Nationalversammlung mit 150 für fünf Jahre gewählten Abgeordneten; 120 Sitze für Bewegung für eine Mehrparteiendemokratie, 26 für Vereinigte Nationale Unabhängigkeitspartei, 4 für Nationalpartei (Wahl von 1991/93)

539

##  Samoa-West

**Lage** Ozeanien, Karte S. 481, G 3
**Fläche** 2831 km² (WR 164)
**Einwohner** 163 000 (WR 171)
**Einwohner/km²** 57,6 (1993)
**Bev.-Wachstum/Jahr** 0,3% Ø
**Pkw.-Kennzeichen** WS

**Hauptstadt** Apia (32 000 Einwohner)
**Sprache** Samoanisch, Englisch
**Religion** Protestantisch (70,9%), katholisch (22,3%)
**Währung** 1 Tala (WS$) = 100 Sene

| | |
|---|---|
| **BSP/Kopf** 980 $ (1993) | **Urbanisierung** 23% |
| **Inflation** 1,7% (1993) | **Alphabetisierung** 100% |
| **Arbeitslos.** k. A. | **Einw. pro Arzt** 3584 |

**Reg.-Chef** Tofilau Eti Alesana (seit 1988) * 7. 7. 1921
**Staatsob.** Malietroa Tanumafili II. (seit 1962) * 4. 1. 1913
**Staatsform** Parl. Häuptlingsaristokratie im Commonwealth
**Parlament** Gesetzgebende Versammlung mit 49 für fünf Jahre gewählten Mitgliedern; 30 Sitze für Human Rights Protection, 16 für Samoa National Development, 3 für Unabhängige (Wahl von 1991)

## ★ ★ São Tomé und Príncipe

**Lage** Afrika, Karte S. 477, C 4
**Fläche** 1001 km² (WR 168)
**Einwohner** 125 000 (WR 174)
**Einwohner/km²** 124,9 (1993)
**Bev.-Wachstum/Jahr** 2,1% Ø
**Pkw.-Kennzeichen** k. A.

**Hauptstadt** São Tomé (43 000 Einwohner)
**Sprache** *Portugiesisch,* Crioulo
**Religion** Katholisch (81%), protestantisch, animist. (19%)
**Währung** 1 Dobra (Db) = 100 Céntimos

| | |
|---|---|
| **BSP/Kopf** 350 $ (1993) | **Urbanisierung** 41% |
| **Inflation** 21,2% (1993) | **Alphabetisierung** 67% |
| **Arbeitslos.** k. A. | **Einw. pro Arzt** 2819 |

**Reg.-Chef** Carlos da Graça (seit Oktober 1994)
**Staatsob.** Miguel Trovoada (seit 1991) * 1936
**Staatsform** Präsidiale Republik
**Parlament** Nationalversammlung mit 55 Abgeordneten; 27 Sitze für Bewegung für die Befreiung von São Tomé, 14 für Demokratische Annäherungspartei, 14 für Demokratische Unabhängige Tat (Wahl vom Oktober 1994)

## San Marino

**Lage** Europa, Karte S. 473, D 6
**Fläche** 61,2 km² (WR 188)
**Einwohner** 27 044 (WR 188)
**Einwohner/km²** 394 (1993)
**Bev.-Wachstum/Jahr** 0,3% Ø
**Pkw.-Kennzeichen** RSM

**Hauptstadt** San Marino (4178 Einwohner)
**Sprache** Italienisch
**Religion** Katholisch (95,2%)
**Währung** Italienische Lira (Lit)

| | |
|---|---|
| **BSP/Kopf** 8356 $ (1993) | **Urbanisierung** 90% |
| **Inflation** 7,1% (1992) | **Alphabetisierung** 98% |
| **Arbeitslos.** 3,6% (1992) | **Einw. pro Arzt** 375 |

**Reg.-Chef** Staatsrat (10 Mitglieder)
**Staatsob.** Zwei regierende Kapitäne (Wechsel alle 6 Mon.)
**Staatsform** Parlamentarische Republik
**Parlament** Großer und allgemeiner Rat mit 60 für fünf Jahre gewählten Mitgliedern; 26 Sitze für Christdemokraten, 14 für Sozialisten, 11 für Linksdemokraten, 4 für Volksallianz, 3 für Demokratische Bewegung, 2 für Kommunisten (Wahl von 1993)

## Saudi-Arabien

**Lage** Naher Osten, Karte S. 478, D 4
**Fläche** 2 240 000 km² (WR 13)
**Einwohner** 17,4 Mio (WR 51)
**Einwohner/km²** 7,8 (1993)
**Bev.-Wachstum/Jahr** 3,3% Ø
**Pkw.-Kennzeichen** S.–A.

**Hauptstadt** Riadh (1,6 Mio Einwohner)
**Sprache** *Arabisch,* Englisch
**Religion** Moslemisch (98,8%), Christen (0,8)
**Währung** 1 Saudi-Riyal (SRI) = 20 Qirshes

| | |
|---|---|
| **BSP/Kopf** 8050 $ (1993) | **Urbanisierung** 77% |
| **Inflation** ca. –0,6% (1994) | **Alphabetisierung** 62% |
| **Arbeitslos.** k. A. | **Einw. pro Arzt** 523 |

**Reg.-Chef** König Fahd ibn Abd al-Asis (seit 1982) * 1920
**Staatsob.** König Fahd ibn Abd al-Asis (seit 1982) * 1920
**Staatsform** Absolute Monarchie
**Parlament** Konsultativrat mit 60 vom König ernannten Mitgliedern (seit August 1993), Parteien verboten

Als Folge des niedrigen Ölpreises auf dem Weltmarkt geriet die saudische Wirtschaft 1994/95 unter Druck. Erstmals in der modernen Geschichte von S. beschnitt die Regierung mit dem Haushalt 1995 den Lebensstandard der Bevölkerung.

Das Jahr 1994 schloß mit einem Etatfehlbetrag in Rekordhöhe von 10,6 Mrd Dollar (14,9 Mrd DM). Der Börsenindex fiel um 30%. Die Verschuldung von S. wurde auf 120 Mrd Dollar (169 Mrd DM) geschätzt. Der Haushalt von März 1995 sah Ausgabenkürzungen um 6,2% auf 40 Mrd Dollar (56,4 Mrd DM) vor, den niedrigsten Stand seit 1989. Mit Erhöhung der Treibstoff-, Strom- und Wasserpreise sowie der Einführung von Gebühren für die bislang freien Inlandsgespräche sollen 2,4 Mrd Dollar (3,4 Mrd DM) in die Staatskasse fließen.

Im Oktober 1994 nahmen Sicherheitskräfte 157 Personen fest, die öffentlich Reformen verlangt hatten, u. a. auch islamische Geistliche. Die Regimekritiker warfen dem auf 7000 Personen angewachsenen Königshaus Mißwirtschaft, Verschwendungssucht, Unterdrückung und Korruption vor. Viele unter ihnen gehörten dem 1993 von einem ehemaligen Vertrauensmann des Königs gegründeten verbotenen Komitee der Verteidigung der legitimen Rechte (CDDL) an.

Das wirtschaftlich stärkste skandinavische Land trat am 1. 1. 1995 der EU bei. Bei der Parlamentswahl im Oktober 1994 konnten die Sozialdemokraten ihren Stimmenanteil um 7,7 Prozentpunkte auf 45,4% steigern. Der Sozialdemokrat Ingvar Carlsson löste den Konservativen Carl Bildt ab, der als Ministerpräsident einer Minderheitsregierung vorstand. Bildts Partei erhielt 22,2% (1991: 21,9%) der Stimmen.

52,2% der Schweden stimmten im November 1994 für den Beitritt zur EU. S. wird als sog. Nettozahler mehr in den EU-Haushalt einzahlen als zurückerhalten. Die strengen schwedischen Umweltstandards und das staatliche Verkaufsmonopol für Alkohol bleiben erhalten. Staatliche Subventionen für Bauern entfallen.

Vertrauensverlust in die Wirtschafts- und Finanzpolitik der neuen Regierung führte im März 1995 zu Kursverlusten der Krone und erhöhte die Staatsverschuldung (1994: 13% des BIP). Der im April verabschiedete Nachtragshaushalt sah Kürzungen bei den Arbeitslosenbezügen und im Gesundheitsbereich von 80% auf 75% vor. Finanzmittel für Infrastruktur und die Bauwirtschaft sowie eine Senkung der Mehrwertsteuer auf Lebensmittel von 21% auf 12% sollen die Wirtschaft ankurbeln.

## Schweden

| | | |
|---|---|---|
| **Lage** Europa, Karte S. 473, E 3 | |  |
| **Fläche** 449 964 km² (WR 55) | | |
| **Einwohner** 8,73 Mio (WR 77) | | |
| **Einwohner/km²** 21,2 (1992) | | |
| **Bev.-Wachstum/Jahr** 0,4% Ø | | |
| **Pkw.-Kennzeichen** S | | |
| **Hauptstadt** Stockholm (692 954 Einwohner) | | |
| **Sprache** Schwedisch | | |
| **Religion** Luther. (88,2%), kath. (1,7%), Pfingstkirche (1,1%) | | |
| **Währung** 1 Schwedische Krone (skr) = 100 Öre | | |
| **BSP/Kopf** 24 740 $ (1993) | **Urbanisierung** 84% | |
| **Inflation** 2,2% (1994) | **Alphabetisierung** 100% | |
| **Arbeitslos.** 8,0% (1994) | **Einw. pro Arzt** 395 | |
| **Reg.-Chef** Ingvar Carlsson (seit Okt. 1994) * 9. 11. 1934 | | |
| **Staatsob.** König Carl XVI. Gustav (seit 1973) * 30. 4. 1946 | | |
| **Staatsform** Parlamentarische Monarchie | | |

**Parlament** Reichstag mit 349 für vier Jahre gewählten Mitgliedern; 161 Sitze für Sozialdemokratische Arbeiterpartei, 80 für Konservative, 27 für Zentrumspartei, 26 für Liberale Volkspartei, 22 für Linkspartei, 18 für Grüne, 15 für Christdemokraten (Wahl vom September 1994)

## Schweiz

| | | |
|---|---|---|
| **Lage** Europa, Karte S. 473, C 5 | | |
| **Fläche** 41 293 km² (WR 132) | | |
| **Einwohner** 7,0 Mio (WR 91) | | |
| **Einwohner/km²** 1700 (1994) | | |
| **Bev.-Wachstum/Jahr** 0,6% Ø | | |
| **Pkw.-Kennzeichen** CH | | |
| **Hauptstadt** Bern (135 000 Einwohner) | | |
| **Sprache** Deutsch, Französisch, Italienisch, Rätoromanisch | | |
| **Religion** Katholisch (47,2%), protestantisch (43,5%) | | |
| **Währung** 1 Schweizer Franken (sfr) = 100 Rappen | | |
| **BSP/Kopf** 35 760 $ (1993) | **Urbanisierung** 63% | |
| **Inflation** 0,9% (1994) | **Alphabetisierung** 100% | |
| **Arbeitslos.** 4,7% (1994) | **Einw. pro Arzt** 630 | |
| **Reg.-Chef** Bundesrat aus 7 gleichberechtigten Mitgliedern | | |
| **Staatsob.** Kaspar Villiger (seit Januar 1995) * 5. 2. 1941 | | |
| **Staatsform** Parlamentarische Bundesrepublik | | |

**Parlament** Nationalrat mit 200 und Ständerat mit 46 für vier Jahre gewählten Abgeordneten; im Nationalrat 44 Sitze (Ständerat: 18) für Freisinnig-Demokratische Partei, 43 (3) für Sozialdemokratische Partei, 37 (16) für Christlich-Demokratische Volkspartei, 76 (9) für andere (Wahl von 1991)

**Schweiz: Bundespräsident Kaspar Villiger**
* 5. 2. 1941 in Pfeffikon. 1971–1982 war das FDP-Mitglied Angehöriger des Großen Rates des Kantons Luzern. 1982 trat er in den Nationalrat ein, 1987 wechselte er in den Ständerat. 1989 wurde Villinger in den Bundesrat gewählt, wo er das Verteidigungsministerium übernahm. 1994 war er Vizepräsident, 1995 wurde er für ein Jahr Bundespräsident.

Die wirtschaftlich stark international ausgerichtete S. bemühte sich 1995, die aufgrund der Absage an einen Beitritt zum Europäischen Wirtschaftsraum EWR entstandenen Nachteile aufzufangen. Mitte 1995 begann die Regierung mit den Arbeiten an einer für 1998 geplanten Verfassungsreform, durch die u. a. Volksabstimmungen erschwert werden sollen. Im Oktober 1995 finden Parlamentswahlen statt. Nach einer Rezession Anfang der 90er Jahre stieg die Wirtschaftsleistung 1994 um 1,8%.
**Euro-Skepsis:** Im Dezember 1992 stimmte die Bevölkerung gegen den freien Verkehr von Personen, Waren, Dienstleistungen und Kapital zwischen dem Wirtschaftsbündnis EFTA, dem die S. angehört, und der EU im Europäischen Wirtschaftsraum (EWR). Wegen der aus der Absage an Europa entstandenen Standortnachteile investierten Schweizer Unternehmen 1994 mehr Geld im Ausland als im Jahr zuvor. Allein nach Deutschland flossen 1994 rd. 1,8 Mrd DM, mehr als doppelt soviel wie 1993. Im Dezember 1994 begannen Gespräche zwischen der S. und der EU über Öffnung der Agrarmärkte, Zusammenarbeit in den Bereichen Verkehr und Forschung sowie Abbau von Handelshemmnissen. Nachdem ein Referendum gegen den Beitritt zur Welthandelsorganisation WTO nicht zustande gekommen war, beschloß der Bundesrat im Mai den Beitritt zum 1. 7. 1995.
**Ausländer:** Im Januar 1995 trat ein Gesetz in Kraft, das rassistische Äußerungen unter Strafe stellt. Mit dem Gesetz versuchte die Regierung, die Zunahme fremdenfeindlicher Gewalttaten und das Auftreten rechtsextremer Organisationen einzudämmen. 72,8% der Bevölkerung votierten im Dezember 1994 für Zwangsmaßnahmen im Ausländerrecht. Behörden erhielten einen größeren Spielraum, Asylsuchende und Ausländer ohne Aufenthaltsgenehmigung in Haft zu nehmen oder auszuweisen. 1994 stieg der Ausländeranteil an der Wohnbevölkerung auf 18,6% (1993: 18,1%).

## Senegal

| | |
|---|---|
| **Lage** Afrika, Karte S. 477, A 3 | |
| **Fläche** 196 712 km² (WR 85) | |
| **Einwohner** 7,9 Mio (WR 85) | |
| **Einwohner/km²** 40,2 (1993) | |
| **Bev.-Wachstum/Jahr** 2,6% Ø | |
| **Pkw.-Kennzeichen** SN | |

| | |
|---|---|
| **Hauptstadt** Dakar (1,73 Mio Einwohner) | |
| **Sprache** *Französisch,* Wolof, Stammesdialekte | |
| **Religion** Moslemisch (94%), christlich (4,9%) | |
| **Währung** CFA-Franc (FCFA) | |
| **BSP/Kopf** 750 $ (1993) | **Urbanisierung** 41% |
| **Inflation** 32,3% (1994) | **Alphabetisierung** 38% |
| **Arbeitslos.** k. A. | **Einw. pro Arzt** 17 650 |
| **Reg.-Chef** Habib Thiam (seit 1991) * 21. 1. 1933 | |
| **Staatsob.** Abdou Diouf (seit 1981) * 7. 9. 1935 | |
| **Staatsform** Präsidiale Republik | |
| **Parlament** Nationalversammlung mit 120 für fünf Jahre gewählten Abgeordneten; 84 Sitze für Sozialistische Partei, 27 für Demokratische Partei, 9 für andere (Wahl von 1993) | |

## Seychellen

| | |
|---|---|
| **Lage** Afrika, Karte S. 477, F 5 | |
| **Fläche** 455 km² (WR 178) | |
| **Einwohner** 71 300 (WR 181) | |
| **Einwohner/km²** 157 (1993) | |
| **Bev.-Wachstum/Jahr** 0,6% Ø | |
| **Pkw.-Kennzeichen** SY | |

| | |
|---|---|
| **Hauptstadt** Victoria (24 000 Einwohner) | |
| **Sprache** Kreolisch, Englisch, Französisch | |
| **Religion** Katholisch (88,6%), anglikan. (8,5%), hind. (0,4%) | |
| **Währung** 1 Seychellen-Rupie (SR) = 100 Cents | |
| **BSP/Kopf** 6370 $ (1993) | **Urbanisierung** 59% |
| **Inflation** 3,3% (1992) | **Alphabetisierung** 60% |
| **Arbeitslos.** k. A. | **Einw. pro Arzt** 992 |
| **Reg.-Chef** France-Albert René (seit 1976) * 16. 11. 1935 | |
| **Staatsob.** France-Albert René (seit 1977) * 16. 11. 1935 | |
| **Staatsform** Unabhängige Republik im Commonwealth | |
| **Parlament** Nationalversammlung mit 33 für fünf Jahre gewählten Abgeordneten; 28 Sitze für Sozialistische Partei (SPPF), 4 für Demokratische Partei (DP), 1 für Vereinte Opposition (Wahl von 1993) | |

## Sierra Leone

**Lage** Afrika, Karte S. 477, A 4

**Fläche** 71 740 km² (WR 116)

**Einwohner** 4,5 Mio (WR 109)

**Einwohner/km²** 62,6 (1993)

**Bev.-Wachstum/Jahr** 2,6% Ø

**Pkw.-Kennzeichen** WAL

**Hauptstadt** Freetown (470 000 Einwohner)

**Sprache** *Englisch,* sudanesische Sprachen, Krio

**Religion** Animist. (51,5%), moslem. (39,4%), christl. (8,1%)

**Währung** 1 Leone (LE) = 100 Cents

| | |
|---|---|
| **BSP/Kopf** 150 $ (1993) | **Urbanisierung** 34% |
| **Inflation** unter 15% (1993) | **Alphabetisierung** 21% |
| **Arbeitslos.** k. A. | **Einw. pro Arzt** 13 150 |

**Reg.-Chef** Valentine Strasser (seit 1992) * 1965

**Staatsob.** Valentine Strasser (seit 1992) * 1965

**Staatsform** Präsidiale Republik im Commonwealth

**Parlament** Repräsentantenhaus mit 127 Abgeordneten; nach Putsch vom April 1992 aufgelöst

## Singapur

**Lage** Ostasien, Karte S. 480, B 5

**Fläche** 641,4 km² (WR 174)

**Einwohner** 2,88 Mio (WR 128)

**Einwohner/km²** 4481 (1993)

**Bev.-Wachstum/Jahr** 2,0% Ø

**Pkw.-Kennzeichen** SGP

**Hauptstadt** Singapur (2,87 Mio Einwohner)

**Sprache** Englisch, Malaiisch, Chinesisch, Tamil

**Religion** Buddh. Taoisten (53,9%), moslem. (15,4%)

**Währung** 1 Singapur-Dollar (S$) = 100 Cents

| | |
|---|---|
| **BSP/Kopf** 19 850 $ (1993) | **Urbanisierung** 100% |
| **Inflation** 3,6% (1994) | **Alphabetisierung** 92% |
| **Arbeitslos.** 0% (1994) | **Einw. pro Arzt** 711 |

**Reg.-Chef** Goh Chok Tong (seit 1990) * 1941

**Staatsob.** Ong Teng Cheong (seit 1993) * 22. 1. 1936

**Staatsform** Parlamentarische Republik

**Parlament** Abgeordnetenhaus mit 81 für fünf Jahre gewählten Mitgliedern; 77 Sitze für People's Action Party, 3 für Singapore Democratic Party, 1 für Workers Party (Wahl von 1991)

## Slowakei

**Lage** Europa, Karte S. 473, D 5

**Fläche** 49 036 km² (WR 126)

**Einwohner** 5,3 Mio (WR 99)

**Einwohner/km²** 108,7 (1993)

**Bev.-Wachstum/Jahr** 0,6% Ø

**Pkw.-Kennzeichen** SK

**Hauptstadt** Bratislava (445 000 Einwohner)

**Sprache** Slowakisch

**Religion** Kath. (60,3%), protestant. (7,9%), jüdisch

**Währung** 1 slowakische Krone (SK) = 100 Haleru

| | |
|---|---|
| **BSP/Kopf** 1950 $ (1993) | **Urbanisierung** 57% |
| **Inflation** 13,4% (1994) | **Alphabetisierung** 100% |
| **Arbeitslos.** 14,8% (1994) | **Einw. pro Arzt** 328 |

**Reg.-Chef** Vladimír Mečiar (seit Dez.1994) * 26. 7. 1942

**Staatsob.** Michal Kováč (seit 1993) * 5. 8. 1930

**Staatsform** Republik

**Parlament** Nationalrat mit 150 Abgeordneten; 61 Sitze für Nationalisten, 18 für Linke Demokraten, 17 für Ungar. Koalition, 17 für Christdem, 37 für andere (Wahl vom Okt. 1994)

Der im März 1994 als Ministerpräsident gestürzte Vladimír Mečiar von der nationalistischen Bewegung für eine Demokratische Slowakei (HZDS) gewann im Oktober vorzeitige Neuwahlen und löste den Übergangspremier Jozef Moravčik von der Demokratischen Partei (DU) ab. Der Machtkampf zwischen Mečiar und Staatsoberhaupt Michal Kováč lähmte bis Mitte 1995 die Politik. 1994 legte das Bruttoinlandsprodukt erstmals seit der Trennung von der Tschechischen Republik 1992 wieder zu (+ 3%).

**Neue Regierung:** Neuwahlen waren notwendig geworden, nachdem das Parlament Mečiar, dessen autoritären Führungsstil Kováč kritisiert hatte, im März das Vertrauen entzogen hatte. Mečiars Partei bildete im Dezember eine Regierungskoalition mit der linksextremen Bewegung der Arbeiter der Slowakei (ZRS) und der rechtsextremen Slowakischen Nationalpartei (SNS). Schlüsselpositionen des Parlaments, der Exekutive und der staatlichen Medien besetzte Mečiar mit Gefolgsleuten. Die EU kritisierte die undemokratische Entwicklung in der S. und verweigerte einen 1994 bewilligten Kredit in Höhe von 246 Mio Dollar (346 Mio DM).

**Machtkampf:** Im April 1995 setzte Mečiar seinen Vertrauten Ivan Lexa als neuen Chef des Geheimdienstes durch. Mečir und Kovács sowie Regierung und Opposition warfen einander Bespitzelung und

## Slowakei: Ministerpräsident Vladimír Mečiar

* 26. 7. 1942 in Zvolen. Der in den 70er Jahren als Reformer aus der KP ausgeschlossene Jurist wurde 1990 Ministerpräsident der slowakischen Landesregierung. Der HZDS-Vorsitzende wurde 1992 Ministerpräsident, im März 1994 vom Nationalrat gestürzt und übernahm nach dem Wahlsieg seiner Partei im Oktober 1994 erneut das Amt.

den Aufbau illegaler Geheimdienststrukturen vor. Per Gesetzesänderung entzog die Regierung dem Staatsoberhaupt die Kompetenz, den Geheimdienstchef zu ernennen. Mečiar will Kováč aus dem Amt drängen. Er strebt selbst das Präsidentenamt mit erweiterten Machtbefugnissen an. Das politische System soll in ein auf seine Person zugeschnittenes Präsidialsystem umgewandelt werden.

**Wirtschaft:** Mečiar verschob die von Moravčik eingeleitete zweite Phase der Privatisierung, welche die Großunternehmen betrifft, auf Mitte 1995. Staatsfirmen im Wert von 2,25 Mrd DM sollen veräußert werden. Mit rd. 450 Mio Dollar (635 Mio DM) verdreifachten sich 1994 die Auslandsinvestitionen in der S. gegenüber dem Vorjahr.

##  Slowenien

| | |
|---|---|
| **Lage** Europa, Karte S. 473, D 6 | |
| **Fläche** 20 256 km² (WR 150) | |
| **Einwohner** 2,0 Mio (WR 137) | |
| **Einwohner/km²** 98,7 (1993) | |
| **Bev.-Wachstum/Jahr** 0,3% Ø | |
| **Pkw.-Kennzeichen** SLO | |

**Hauptstadt** Ljubljana (323 300 Einwohner)

**Sprache** Slowenisch

**Religion** Katholisch (90%), moslemisch (0,7%)

**Währung** 1 Tolar (SLT) = 100 Stotin

| | |
|---|---|
| **BSP/Kopf** 6490 $ (1993) | **Urbanisierung** 49% |
| **Inflation** 18,3% (1994) | **Alphabetisierung** 99% |
| **Arbeitslos.** ca. 14,5% (1994) | **Einw. pro Arzt** 496 |

**Reg.-Chef** Janez Drnovšek (seit 1992) * 17. 5. 1950

**Staatsob.** Milan Kučan (seit 1990) * 14. 1. 1941

**Staatsform** Republik

**Parlament** Staatsversammlung mit 90 Abgeordneten; 30 Sitze für LDS, 15 für SKD, 14 für ZLSD, 11 für SLS, 6 für SDS, 4 für DS, 4 für SNS, 6 für andere (Wahl von 1992)

## ☆ Somalia

| | | |
|---|---|---|
| **Lage** Afrika, Karte S. 477, F 4 | | |
| **Fläche** 637 000 km² (WR 41) | | |
| **Einwohner** 8,0 Mio (WR 84) | | |
| **Einwohner/km²** 12,6 (1993) | | |
| **Bev.-Wachstum/Jahr** 2,9% Ø | | |
| **Pkw.-Kennzeichen** SP | | |

**Hauptstadt** Mogadischu (1,0 Mio Einwohner)

**Sprache** Somali, Arabisch, Englisch

**Religion** Moslemisch (99,8%), christlich (0,1%)

**Währung** 1 Somalia-Shilling (SoSh)

| | |
|---|---|
| **BSP/Kopf** 638 $ (1993) | **Urbanisierung** 37% |
| **Inflation** ca. 36% (1992) | **Alphabetisierung** 24% |
| **Arbeitslos.** k. A. | **Einw. pro Arzt** 19 071 |

**Reg.-Chef** Omar Arte Ghaleb (seit 1991) * 1930

**Staatsob.** Ali Mahdi Muhammad (seit 1991)

**Staatsform** Präsidiale Republik

**Parlament** Volksversammlung Ende 1991 aufgelöst

Im März 1995 zogen die letzten der 37 000 UNO-Soldaten ab, die seit September 1992 in das ostafrikanische Land entsandt worden waren. Die Blauhelme halfen bei der Überwindung der Hungersnot, scheiterten aber an der Entwaffnung der Bürgerkriegsparteien. Die bewaffneten Auseinandersetzungen zwischen rivalisierenden Clans dauerten bis Mitte 1995 an.

Nach dem Sturz von Diktator Siad Barre begann 1991 der Bürgerkrieg in S. Die Rebellenorganisation Vereinigter Somalischer Kongreß (USC) ernannte Ali Mahdi Muhammad vom Hawiye-Clan zum neuen Staatsoberhaupt. USC-Generalsekretär Muhammad Farah Aidid vom Clan der Habr Gedir beanspruchte ebenfalls die Führung. Kämpfe zwischen beiden Clans und den verbündeten Sippen führten zur Aufhebung der staatlichen Ordnung und lösten eine Hungersnot aus. Nach Anschlägen von Aidid-Rebellen auf UNO-Truppen wandelte sich die ursprünglich humanitäre Mission zum militärischen Konflikt. Nach dem Abzug der UNO-Soldaten wurde Aidid im Juni 1995 als USC-Chef abgesetzt. Er widersetzte sich dem Parteibeschluß und rief sich selbst zum Präsidenten aus.

In der seit 1991 nach Unabhängigkeit strebenden Nordprovinz Somaliland starben Ende 1994 bei Gefechten zwischen rivalisierenden Milizen der Somalischen Nationalbewegung (SNM) zahlreiche Menschen, 25 000 waren auf der Flucht.

## Spanien

| | |
|---|---|
| **Lage** Europa, Karte S. 477, A 6 | |
| **Fläche** 504 783 km² (WR 50) | |
| **Einwohner** 39,1 Mio (WR 28) | |
| **Einwohner/km²** 77,5 (1993) | |
| **Bev.-Wachstum/Jahr** 0,7% Ø | |
| **Pkw.-Kennzeichen** E | |

**Hauptstadt** Madrid (2,9 Mio Einwohner)

**Sprache** Spanisch, Katalanisch, Baskisch, Galizisch

**Religion** Katholisch (97,0%), protestantisch (0,4%)

**Währung** Peseta (Pta)

| | |
|---|---|
| **BSP/Kopf** 13 590 $ (1993) | **Urbanisierung** 79% |
| **Inflation** 3,9% (1994) | **Alphabetisierung** 96% |
| **Arbeitslos.** 24,4% (1994) | **Einw. pro Arzt** 257 |

**Reg.-Chef** Felipe González Márquez (seit 1982) * 5. 3.1942

**Staatsob.** König Juan Carlos I. (seit 1975) * 5. 1. 1938

**Staatsform** Parlamentarische Monarchie

**Parlament** Cortes aus Abgeordnetenhaus mit 350 und Senat mit 208 für vier Jahre gewählten Abgeordneten; im Abgeordnetenhaus 159 Sitze für Sozialisten, 141 für Konservative Volkspartei, 18 für Vereinigte Linke, 17 für Katalanische Nationalpartei, 15 für andere (Wahl von 1993)

Bei Kommunal- und Regionalwahlen erlitt die regierende Sozialistische Arbeiterpartei (PSOE) im Mai 1995 eine Niederlage zugunsten der rechtsliberalen Volkspartei (PP). Durch eine Abhöraffäre und durch Regierungsskandale im Zusammenhang mit der baskischen Terrororganisation ETA geriet die Minderheitsregierung unter Ministerpräsident Felipe González Márquez (PSOE) 1995 unter Druck. Die Arbeitslosenquote war 1994 mit 24,4% die höchste in Europa.

**Wahlen:** Die PP unter Oppositionsführer José María Aznar wurde in 42 von 50 Provinzhauptstädten stärkste Kraft. Mit 35,9% der Stimmen erhielt sie rd. 10% mehr als bei den Kommunalwahlen 1991. Die PSOE errang 30,8% (1991: 38,4%). Bei den Wahlen in 13 der insgesamt 17 Regionen gewann die PP in zehn Parlamenten die Mehrheit.

**Affären:** Im Juni 1995 trat der Chef des Geheimdienstes zurück, nachdem bekannt geworden war, daß seine Behörde sieben Jahre lang verfassungswidrig Telefongespräche von Unternehmern, Ministern und von König Juan Carlos abgehört hat. Unter dem Druck des Koalitionspartners Katalanischen Nationalpartei bildete González im Juli sein Kabinett um. Im Dezember 1994 gerieten Beamte und sozialistische Politiker in Verdacht, in den 80er Jahren 26 Morde der Anti-ETA-Terrorgruppe GAL unterstützt bzw. gedeckt zu haben. Spekulationen über eine Verwicklung von González und die vorzeitige Parlamentsauflösung führten zu Kurseinbrüchen am Aktienmarkt.

**Dürrekatastrophe:** Die in Andalusien seit 1990 herrschende Dürre führte im März 1995 zur Ausdehnung der Wassersperre auf bis zu 19 Stunden am Tag. Die Hälfte der Getreide-, Oliven- und Wein-ernte für 1995 ist verloren.

**Fischereistreit:** Die Auseinandersetzung um die Fangquoten für 1995 in den internationalen Gewässern vor Neufundland eskalierte im März 1995, als Kanadier ein spanisches Schiff aufbrachten und den Fang beschlagnahmten. Im April einigten sich die EU und Kanada auf die Erhöhung des hauptsächlich von S. und Portugal gefischten europäischen Anteils von 3400 t auf 11 070 t.

**Wirtschaft:** Die Tourismusbranche erzielte 1994 mit 61,4 Mio Urlaubern ein Rekordergebnis. Die dreimalige Abwertung der Peseta (zuletzt im März 1995) förderte den Export (1994: + 26%) und verteuerte die Importe (+ 22%). Die Fortsetzung der Sparpolitik soll das Haushaltsdefizit 1995 von 6,7% des BIP (1994) auf 5,9% senken. Privatisierungen sollen 1995 rd. 7,8 Mrd DM einbringen.

→ ETA → Fischereistreit

## Sri Lanka

| | |
|---|---|
| **Lage** Asien, Karte S. 479, C 6 |  |
| **Fläche** 65 610 km² (WR 119) | |
| **Einwohner** 17,6 Mio (WR 50) | |
| **Einwohner/km²** 268,3 (1993) | |
| **Bev.-Wachstum/Jahr** 1,1% Ø | |
| **Pkw.-Kennzeichen** CL | |

**Hauptstadt** Colombo (615 000 Einwohner)

**Sprache** *Singhalesisch, Tamilisch,* Englisch

**Religion** Buddh. (69,3%), hind. (15,5%), moslem. (7,6%)

**Währung** 1 Sri-Lanka-Rupie (SLRe) = 100 Cents

| | |
|---|---|
| **BSP/Kopf** 600 $ (1993) | **Urbanisierung** 22% |
| **Inflation** 11,7% (1993) | **Alphabetisierung** 88,6% |
| **Arbeitslos.** 14,4% (1990) | **Einw. pro Arzt** 5870 |

**Reg.-Chef** Sirimavo Bandaranaike (seit Nov. 1994) * 1916

**Staatsob.** Chandrika Kumaratunga (seit Nov. 1994) * 1945

**Staatsform** Präsidiale Republik

**Parlament** Nationalversammlung mit 225 für sechs Jahre gewählten Abgeordneten; 105 Sitze für People's Alliance, 94 für United National Party, 7 für Sri Lanka Muslim Congress, 19 für andere (Wahl vom August 1994)

Im April 1995 brach die tamilische Befreiungsbewegung Liberation Tigers of Eelam (LTTE) die Friedensgespräche mit der Regierung ab und nahm den bewaffneten Kampf wieder auf. Die Regierung unternahm im Juli eine großangelegte Gegenoffensive. Nach ihrem Wahlsieg im August 1994 wurde die Kandidatin der linksgerichteten People's Alliance (PA), Chandrika Kumaratunga, im November zur Staatspräsidentin gewählt. Sie löste die seit 1978 regierende United National Party (UNP) ab. Die LTTE kämpft seit 1983 für einen eigenen Staat, da sie sich von der singhalesischen Bevölkerungsmehrheit (Anteil: 74%) unterdrückt fühlt. 35 000 Tamilen fielen den Kämpfen bis Mitte 1995 zum Opfer, auf Regierungsseite kamen bis zu 15 000 Soldaten ums Leben. Im Januar 1995 hatten sich LTTE und Regierung auf einen Waffenstillstand geeinigt, der den Tamilen weitgehende Autonomie zusichert.

Bei den Parlamentswahlen wurde die PA stärkste Kraft (105 von 225 Sitzen), die UNP erreichte 94 Sitze. Nach ihrer Wahl zur Präsidentin gab Kumaratunga im November ihr Amt als Regierungschefin an ihre Mutter Sirimavo Bandaranaike ab, die bereits 1960–1977 als Premierministerin amtierte.
→ Tamilen

**Südafrika: Staatspräsident Nelson Mandela**
* 18. 7. 1918 in Umtata (Transkei). Der ANC-Führer und Apartheidgegner wurde 1962 verhaftet und zu lebenslanger Haftstrafe verurteilt. 1990 aus der Haft entlassen, wurde Mandela 1991 zum Präsidenten des ANC gewählt. 1993 erhielt er den Friedensnobelpreis und wurde 1994 nach dem Wahlsieg des ANC Staatspräsident von Südafrika.

Der Wandel vom Apartheidregime zur Gesellschaft ohne Rassenschranken verlief bis Mitte 1995 weitgehend friedlich. Die Regierung unter dem seit Mai 1994 amtierenden Nelson Mandela leitete soziale und wirtschaftliche Reformen ein. Der Streit um die Autonomie der Provinz KwaZulu/Natal führte bis Mitte 1995 zu gewalttätigen Ausschreitungen. Erstmals seit fünf Jahren Rezession wuchs 1994/95 die Wirtschaft. Im Juni 1995 schaffte das Verfassungsgericht die Todesstrafe ab.

**Reformen:** Zu dem unter Mandela 1994 eingeleiteten Umbau- und Entwicklungsprogramm (RDP) gehört u. a. die kostenlose medizinische Betreuung schwangerer Frauen und von Kindern unter fünf Jahren sowie ein Programm zum Bau von Kliniken. 5,4 Mio Kinder erhielten Mitte 1995 kostenlose Schulspeisung. Insbes. in den schwarzen Townships wurden Häuser gebaut, Wasserleitungen verlegt und die Elektrifizierung vorangetrieben.

**Verfassungsstreit:** Im April 1995 erklärte die konservative Zulu-Partei Inkatha-Freiheitspartei (IFP) die vorläufige Einstellung ihrer Mitarbeit an der für Mitte 1996 geplanten Verfassung. Hintergrund war der Streit um die von Inkatha-Chef Mangosuthu Buthelezi geforderte Autonomie für die von der Inkatha dominierten Provinz KwaZulu/Natal sowie internationale Vermittlung in Verfassungsstreitfragen, die Mandela zugesichert, aber nicht eingehalten hatte. Während der ANC für eine starke Zentralregierung eintritt, verlangt Inkatha mehr Rechte für die Provinzen. Bei politischen Gewalttaten starben 1994 nach Angaben von Menschenrechtsorganisationen in KwaZulu/Natal mehr als 900 Menschen.

**Wirtschaft:** Im letzten Quartal 1994 wuchs die Wirtschaft um 6,4% (1. Quartal: – 3,6%). Zwar stieg die Zahl der Beschäftigten, doch waren 1994 4,7 Mio Menschen (32,6%) ohne Arbeit, in mehrheitlich schwarzen Gebieten bis zu 47%.
→ ANC → Inkatha

## Südafrika

| | |
|---|---|
| **Lage** Afrika, Karte S. 477, D 7 | |
| **Fläche** 1 225 815 km² (WR 24) | |
| **Einwohner** 40,8 Mio (WR 27) | |
| **Einwohner/km²** 33,3 (1993) | |
| **Bev.-Wachstum/Jahr** 2,2% Ø | |
| **Pkw.-Kennzeichen** ZA | |

**Hauptstadt** Pretoria (1,03 Mio Einwohner)

**Sprache** *Afrikaans, Englisch,* Bantu-Sprachen

**Religion** Christl. (67,9%), hinduist. (1,3%), moslem. (1,1%)

**Währung** 1 Rand (R) = 100 Cents

| | |
|---|---|
| **BSP/Kopf** 2980 $ (1993) | **Urbanisierung** 50% |
| **Inflation** 9,0% (1994) | **Alphabetisierung** 61% |
| **Arbeitslos.** 32,6% (1994) | **Einw. pro Arzt** 1271 |

**Reg.-Chef** Nelson Rolihlahla Mandela (seit Mai 1994) *1918

**Staatsob.** Nelson Rolihlahla Mandela (seit Mai 1994) * 1918

**Staatsform** Republik

**Parlament** Abgeordnetenhaus mit 400 Mitgliedern; 252 Sitze für Afrikanischer Nationalkongreß, 82 für Nationalpartei, 43 für Inkatha-Freiheitspartei, 9 für Freiheitsfront, 7 für Demokratie-Partei, 5 für Pan-Afrikanischer Kongreß, 2 für Christdemokratische Partei (Wahl von April 1994)

##  Sudan

| | |
|---|---|
| **Lage** Afrika, Karte S. 477, E 3 | |
| **Fläche** 2 505 890 km² (WR 10) | |
| **Einwohner** 25,0 Mio (WR 37) | |
| **Einwohner/km²** 10,0 (1993) | |
| **Bev.-Wachstum/Jahr** 2,7% Ø | |
| **Pkw.-Kennzeichen** SUDAN | |

**Hauptstadt** Khartum (476 000 Einwohner)

**Sprache** *Arabisch,* Englisch, hamitische und nilot. Dialekte

**Religion** Moslem. (74,7%), animist. (17,1%), christl. (8,2%)

**Währung** 1 Sud. Pfund (sud £) = 100 Piastres

| | |
|---|---|
| **BSP/Kopf** 400 $ (1992) | **Urbanisierung** 23% |
| **Inflation** 95,0% (1993) | **Alphabetisierung** 27% |
| **Arbeitslos.** ca. 12% (1990) | **Einw. pro Arzt** 9369 |

**Reg.-Chef** Umar Hassan Ahmad al-Baschir (seit 1989)

**Staatsob.** Umar Hassan Ahmad al-Baschir (seit 1989)

**Staatsform** Republik

**Parlament** Verfassunggebende Versammlung seit Putsch 1989 aufgelöst, Übergangsparlament 300 Mitglieder (im Februar 1992 vom Staatsoberhaupt einberufen); freie Wahlen in einem Verfassungsdekret vom November 1993 angekündigt

##  Swasiland

| | |
|---|---|
| **Lage** Afrika, Karte S. 477, D 7 | |
| **Fläche** 17 364 km² (WR 153) | |
| **Einwohner** 814 000 (WR 151) | |
| **Einwohner/km²** 46,9 (1993) | |
| **Bev.-Wachstum/Jahr** 3,6% Ø | |
| **Pkw.-Kennzeichen** SD | |

**Hauptstadt** Mbabane (38 300 Einwohner)

**Sprache** *Englisch,* Si-Swati

**Religion** Christl. (48,1%), trad. Rel. (28,9%), anim. (20,9%)

**Währung** 1 Lilangeni (E) = 100 Cents

| | |
|---|---|
| **BSP/Kopf** 1050 $ (1993) | **Urbanisierung** 32% |
| **Inflation** 13,4% (1992) | **Alphabetisierung** 67% |
| **Arbeitslos.** k. A. | **Einw. pro Arzt** 7971 |

**Reg.-Chef** Prinz Mbilini (seit November 1993)

**Staatsob.** König Mswati III. (seit 1986) * April 1968

**Staatsform** Monarchie

**Parlament** Nationalversammlung mit 55 gewählten und 10 vom König ernannten, Senat mit 10 gewählten und 20 vom König ernannten Abgeordneten; nur beratende Funktion, politische Parteien verboten

##  Surinam

| | |
|---|---|
| **Lage** Südamerika, Karte S. 475, D 2 | |
| **Fläche** 163 820 km² (WR 90) | |
| **Einwohner** 420 000 (WR 159) | |
| **Einwohner/km²** 2,5 (1993) | |
| **Bev.-Wachstum/Jahr** 1,6% Ø | |
| **Pkw.-Kennzeichen** SME | |

**Hauptstadt** Paramaribo (200 000 Einwohner)

**Sprache** *Niederländisch,* Hindustani, Javanisch, Englisch

**Religion** Christlich (39,6%), hind. (26,0%), moslem. (18,6%)

**Währung** 1 Surinam-Gulden (Sf) = 100 Cents

| | |
|---|---|
| **BSP/Kopf** 1180 $ (1993) | **Urbanisierung** 65% |
| **Inflation** 143,5% (1993) | **Alphabetisierung** 95% |
| **Arbeitslos.** 20% (1993) | **Einw. pro Arzt** 1348 |

**Reg.-Chef** Jules Ajodhia (seit 1991)

**Staatsob.** Ronald R. Venetiaan (seit 1991) * 18. 6. 1936

**Staatsform** Präsidiale Republik

**Parlament** Nationalversammlung mit 51 für fünf Jahre gewählten Abgeordneten; 30 Sitze für die Front für Demokratie und Entwicklung, 12 für Nationaldemokratische Partei, 9 für andere (Wahl von 1991)

##  Syrien

| | |
|---|---|
| **Lage** Naher Osten, Karte S. 478, C 2 | |
| **Fläche** 185 180 km² (WR 86) | |
| **Einwohner** 13,4 Mio (WR 58) | |
| **Einwohner/km²** 72,4 (1993) | |
| **Bev.-Wachstum/Jahr** 3,3% Ø | |
| **Pkw.-Kennzeichen** SYR | |

**Hauptstadt** Damaskus (1,45 Mio Einwohner)

**Sprache** *Arabisch,* Kurdisch, Armenisch

**Religion** Moslemisch (88%), christlich (12%)

**Währung** 1 syr. Pfund (syr. £) = 100 Piastres

| | |
|---|---|
| **BSP/Kopf** 1250 $ (1993) | **Urbanisierung** 50% |
| **Inflation** 14% (1993) | **Alphabetisierung** 65% |
| **Arbeitslos.** 6,8% (1991) | **Einw. pro Arzt** 1037 |

**Reg.-Chef** Mahmud Zubi (seit 1987) * 1938

**Staatsob.** Hafiz Assad (seit 1971) * 6. 10. 1930

**Staatsform** Präsidiale Republik

**Parlament** Volksversammlung mit 250 für vier Jahre gewählten Abgeordneten; 167 Sitze für die von der regierenden Baath-Partei dominierten Nationalen Front, 83 für unabhängige Kandidaten (Wahl vom August 1994)

##  Tadschikistan

| | |
|---|---|
| **Lage** Asien, Karte S. 479, C 4 | |
| **Fläche** 143 100 km² (WR 93) | |
| **Einwohner** 5,7 Mio (WR 95) | |
| **Einwohner/km²** 39,8 (1993) | |
| **Bev.-Wachstum/Jahr** 2,5% Ø | |
| **Pkw.-Kennzeichen** TD | |

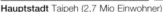

**Hauptstadt** Duschanbe (582 000 Einwohner)

**Sprache** Tadschikisch, Russisch, Usbekisch

**Religion** Moslemisch

**Währung** 1 Rubel (Rbl) = 100 Kopeken

| | |
|---|---|
| **BSP/Kopf** 470 $ (1993) | **Urbanisierung** 31% |
| **Inflation** 2350% (1993) | **Alphabetisierung** 2% |
| **Arbeitslos.** 10–20% (1991) | **Einw. pro Arzt** 362 |

**Reg.-Chef** Dschamsched Karmow (seit Dez. 1994) * 1940

**Staatsob.** Emomali Rachmanow (seit 1992) * 1952

**Staatsform** Republik

**Parlament** 181 Abgeordnete, 60 Sitze für Kommunisten, 60 für Chefs von Kolchosen und region. Verwaltungen, Opposition nicht zugelassen (Wahl vom Febr./März 1995)

##  Taiwan

| | |
|---|---|
| **Lage** Ostasien, Karte S. 480, D 3 | |
| **Fläche** 36 000 km² (WR 134) | |
| **Einwohner** 20,9 Mio (WR 42) | |
| **Einwohner/km²** 582 (1993) | |
| **Bev.-Wachstum/Jahr** 1,1% Ø | |
| **Pkw.-Kennzeichen** RC | |

**Hauptstadt** Taipeh (2,7 Mio Einwohner)

**Sprache** Chinesisch, Fukien-Dialekte

**Religion** Buddh. (44%), taoist. (33%), christl. (6,5%)

**Währung** 1 Neuer Taiwan-Dollar (NT $) = 100 Cents

| | |
|---|---|
| **BSP/Kopf** 10 566 $ (1993) | **Urbanisierung** 75% |
| **Inflation** 4,1% (1994) | **Alphabetisierung** 93% |
| **Arbeitslos.** 1,6% (1994) | **Einw. pro Arzt** 802 |

**Reg.-Chef** Lien Chan (seit 1993) * 27. 8. 1936

**Staatsob.** Lee Teng-hui (seit 1988) * 15. 1. 1923

**Staatsform** Republik

**Parlament** Legislativ-Yüan mit 161 Abgeordneten; 102 Sitze für KMT, 50 für Demokraten (DPP), 1 für Sozialdemokraten (CSP), 8 für Parteilose (Wahl von 1992)

Der Guerillakrieg an der Grenze zu Afghanistan nahm im April 1995 an Intensität zu und brachte den im September 1994 eingeleiteten Friedensprozeß in T. zum Erliegen. Der seit 1992 andauernde Bürgerkrieg forderte bis Mitte 1995 rd. 60 000 Tote, 500 000 Menschen waren auf der Flucht. Nach als undemokratisch eingestuften Präsidentschaftswahlen im November 1994 sowie Parlamentswahlen im Februar und März 1995 baute der kommunistische Präsident Emomali Rachmanow seine autoritäre Machtposition aus.

Etwa 20 000 vorwiegend russische GUS-Soldaten sind seit 1992 in T. stationiert. Sie bewahren die moskautreue Regierung vor dem Sturz durch die moslemischen Rebellen. Nach einer Offensive der Regierungstruppen im April 1995 einigten sich Rachmanow und der Führer der Islamischen Widerstandsbewegung, Said Abdullo Nuri, im Mai auf eine Verlängerung der Waffenruhe und die Aufnahme von Friedensgesprächen.

Unter Benachteiligung der Opposition gewann Rachmanow die Präsidentschaftswahlen mit rd. 60% der Stimmen. Per Volksabstimmung befürworteten die Tadschiken zugleich eine neue Verfassung, die dem Präsidenten u. a. das Recht einräumt, Minister zu ernennen und die Wirtschaftspolitik zu bestimmen. Bei den Parlamentswahlen setzten sich von Rachmanow unterstützte Kandidaten durch.

Bis Mitte 1995 betrieb T. vergeblich seine Aufnahme in die UNO. Das Land, das sich 1949 von China abgespalten hatte, wurde Anfang 1995 nur von 29 Staaten anerkannt. Bei drei Regionalwahlen im Dezember 1994 verbuchte die seit der Staatsgründung regierende Kuomintang (KMT) zwei Siege, verlor jedoch Mandate und die Mehrheit in der Hauptstadt Taipeh an die oppositionelle Demokratische Progressive Partei (DPP).

T. und die Volksrepublik China einigten sich im August 1994 auf eine Regelung der Fischereirechte in der Straße von Formosa. Die Volksrepublik China erkannte erstmals die taiwanesische Rechtsprechung an. Eine schriftliche Fixierung der Vereinbarung verhinderte ein militärischer Zwischenfall im November. Taiwanesische Artillerie beschoß ein Dorf in der Provinz Fujian. China wertete das Ereignis als brutalen Übergriff, während T. den Beschuß als versehentlich bezeichnete.

Das Schwellenland nahm 1993 unter den größten Handelsnationen Rang 14 ein. Die Elektroindustrie belegte mit 11 Mrd Dollar (15,5 Mrd DM) Umsatz weltweit den fünften Platz. Die Inselrepublik war 1992 viertgrößter Handelspartner Chinas. Anfang 1995 hob die Regierung das Verbot direkter Schiffahrtsverbindungen zwischen T. und China auf, um den Hafen Gaoxing zu einem Transitzentrum und zum Konkurrenten von Hongkong zu machen.

# Tansania

**Lage** Afrika, Karte S. 477, E 5

**Fläche** 942 799 km² (WR 30)

**Einwohner** 26,5 Mio (WR 36)

**Einwohner/km²** 28,2 (1993)

**Bev.-Wachstum/Jahr** 3,0% Ø

**Pkw.-Kennzeichen** EAT

**Hauptstadt** Dodoma (204 000 Einwohner)

**Sprache** Suaheli, Englisch, Stammessprachen

**Religion** Christlich (34%), moslemisch (33%)

**Währung** 1 Tanzania Shilling (TSh) = 100 Cents

| | |
|---|---|
| **BSP/Kopf** 90 $ (1993) | **Urbanisierung** 22% |
| **Inflation** ca. 28% (1994) | **Alphabetisierung** 85% |
| **Arbeitslos.** 30–40% (1994) | **Einw. pro Arzt** 24 970 |

**Reg.-Chef** Cleopa David Msuya (seit Dez. 1994) * 1931

**Staatsob.** Ali Hassan Mwinyi (seit 1985) * 8. 5. 1925

**Staatsform** Präsidiale föderative Republik

**Parlament** Nationalversammlung mit 216 für fünf Jahre gewählten und 75 nach verschiedenen Verfahren ernannten Abgeordneten; sämtliche per Wahl vergebene Sitze für Einheitspartei Revolutionäre Staatspartei (Wahl von 1990)

---

Die Nationalpartei Chart Thai unter Banharn Silpaarcha gewann im Juli 1995 die vorgezogene Parlamentswahl. Banharn löste Chuan Leekpai von der Demokratischen Partei (DP) als Ministerpräsident ab. Im Januar 1995 stimmte die Nationalversammlung für demokratische Änderungen an der 1991 von der Militärjunta erlassenen Verfassung. Die Wirtschaft verzeichnete 1994 mit 8,4% eine der höchsten Steigerungsraten in der asiatisch-pazifischen Region.

Nach einem Korruptionsskandal war Chuans Koalitionsregierung im Mai 1995 auseinandergebrochen. Bei der Wahl erreichte seine Partei 86 Sitze (1992: 79), die Nationalpartei 92 Sitze (77). Banharn bildete eine Koalitionsregierung aus sieben Parteien, die bereits im Kabinett des 1991 vom Militär gestürzten Chatichai Choonhavan vertreten waren. Das US-Außenministerium beschuldigte Kabinettsmitglieder mit Drogen- und Mädchenhandel in Verbindung zu stehen.

Der mit 43 Mrd Dollar (60,6 Mrd DM) starke Export, hohe Inlandsnachfrage und private Investitionen waren 1994 die Stützen des Wirtschaftswachstums. Arbeitsintensive Branchen, wie die im asiatisch-pazifischen Raum führende thailändische Autoindustrie, trugen zu diesem Erfolg bei.

---

# Thailand

**Lage** Ostasien, Karte S. 480, B 4

**Fläche** 513 115 km² (WR 49)

**Einwohner** 57,8 Mio (WR 18)

**Einwohner/km²** 110,5 (1992)

**Bev.-Wachstum/Jahr** 1,3% Ø

**Pkw.-Kennzeichen** T

**Hauptstadt** Bangkok (5,62 Mio Einwohner)

**Sprache** Thai, Englisch, Chinesisch, regionale Idiome

**Religion** Buddh. (94,3%), moslem. (4,0%), christl. (0,5%)

**Währung** 1 Baht (B) = 100 Stangs

| | |
|---|---|
| **BSP/Kopf** 1840 $ (1992) | **Urbanisierung** 23% |
| **Inflation** 5% (1994) | **Alphabetisierung** 93% |
| **Arbeitslos.** 3,3% (1993) | **Einw. pro Arzt** 4360 |

**Reg.-Chef** Banharn Silpa-archa (seit Juli 1995) * 1932

**Staatsob.** König Rama IX. Bhumibol Adulayedej (seit 1946)

**Staatsform** Konstitutionelle Monarchie

**Parlament** Nationalversammlung mit 391 für fünf Jahre gewählten Abgeordneten; 92 Sitze für Chart Thai, 86 für Samakki Tham, 57 für New Aspiration, 53 für Chart Pattana, 23 für Palang Dharma, 80 für andere (Wahl vom Juli 1995)

---

# Togo

**Lage** Afrika, Karte S. 477, B 4

**Fläche** 56 785 km² (WR 122)

**Einwohner** 3,8 Mio (WR 118)

**Einwohner/km²** 67,1 (1993)

**Bev.-Wachstum/Jahr** 3,1% Ø

**Pkw.-Kennzeichen** RT

**Hauptstadt** Lomé (700 000 Einwohner)

**Sprache** Französisch, Ewe, Kabyè

**Religion** Animist. (50%), christl. (35%), moslem. (15%)

**Währung** CFA-Franc (FCFA)

| | |
|---|---|
| **BSP/Kopf** 340 $ (1993) | **Urbanisierung** 29% |
| **Inflation** 0,4% (1991) | **Alphabetisierung** 43% |
| **Arbeitslos.** k. A. | **Einw. pro Arzt** 12 992 |

**Reg.-Chef** Edem Kodjo (seit April 1994) * 23. 5. 1938

**Staatsob.** Gnassingbé Eyadéma (seit 1967) * 26. 12. 1935

**Staatsform** Präsidiale Republik

**Parlament** Nationalversammlung mit 81 Abgeordneten; 34 Sitze für Comité d'action pour la Renouveau, 35 für Rassemblement du Peuple, 6 für Union toglaise pour la Démocratie, 3 für andere, 3 nicht vergeben (Wahl vom Februar 1994)

##  Tonga

| | |
|---|---|
| **Lage** Ozeanien, Karte S. 481, G 4 |  |
| **Fläche** 779 km² (WR 170) | |
| **Einwohner** 94 500 (WR 177) | |
| **Einwohner/km²** 121,3 (1993) | |
| **Bev.-Wachstum/Jahr** 1,5% Ø | |
| **Pkw.-Kennzeichen** k. A. | |

**Hauptstadt** Nuku'alofa (21 000 Einwohner)

**Sprache** *Tonga,* Englisch

**Religion** Christlich (92%), Baha'i (4%)

**Währung** 1 La'anga (T$) = 100 Jenti

| | |
|---|---|
| **BSP/Kopf** 1530 $ (1993) | **Urbanisierung** 31% |
| **Inflation** 3,0% (1993) | **Alphabetisierung** 93% |
| **Arbeitslos.** 13% (1989) | **Einw. pro Arzt** 2130 |

**Reg.-Chef** Baron Vaea von Houma (seit 1991) * 1921

**Staatsob.** König Taufa'ahau Tupou IV. (seit 1965) * 1918

**Staatsform** Konstitutionelle Monarchie im Commonwealth

**Parlament** Gesetzgebende Versammlung mit 31 für drei Jahre, darunter 9 vom Volk gewählten Abgeordneten, König und Kronrat aus 12 Personen, 9 von Adelsfamilien ernannten Abgeordneten, 6 für Bewegung für Demokratie, 3 für Unabhängige (Wahl von 1993)

## Tschad

| | |
|---|---|
| **Lage** Afrika, Karte S. 477, C 3 | |
| **Fläche** 1 284 000 km² (WR 20) | |
| **Einwohner** 6,1 Mio (WR 93) | |
| **Einwohner/km²** 4,8 (1993) | |
| **Bev.-Wachstum/Jahr** 2,6% Ø | |
| **Pkw.-Kennzeichen** k. A. | |

**Hauptstadt** N'Djaména (529 500 Einwohner)

**Sprache** Französisch, Arabisch

**Religion** Moslem. (40,4%), christl. (33%), animist. (26,6%)

**Währung** CFA-Franc (FCFA)

| | |
|---|---|
| **BSP/Kopf** 200 $ (1993) | **Urbanisierung** 32% |
| **Inflation** –5,6% (1994) | **Alphabetisierung** 30% |
| **Arbeitslos.** k. A. | **Einw. pro Arzt** 30 030 |

**Reg.-Chef** Djimasta Koibla (seit April 1995)

**Staatsob.** Idriss Déby (seit 1990) * 1952

**Staatsform** Präsidiale Republik

**Parlament** 57köpfiges Übergangsparlament von Nationalkonferenz gewählt (seit April 1993), Parlaments- und Präsidentschaftswahlen nach neuer Verfassung für 1996 geplant

##  Trinidad und Tobago

| | |
|---|---|
| **Lage** Mittelam., Karte S. 476, H 4 |  |
| **Fläche** 5128 km² (WR 162) | |
| **Einwohner** 1,25 Mio (WR 147) | |
| **Einwohner/km²** 243,6 (1993) | |
| **Bev.-Wachstum/Jahr** 0,9% Ø | |
| **Pkw.-Kennzeichen** TT | |

**Hauptstadt** Port of Spain (51 000 Einwohner)

**Sprache** *Englisch,* Patois, Spanisch, Französisch

**Religion** Christl. (70%), hinduist. (23%), mosl. (6%)

**Währung** 1 Trinidad-u.-Tobago-Dollar (TT$) = 100 Cents

| | |
|---|---|
| **BSP/Kopf** 3830 $ (1993) | **Urbanisierung** 66% |
| **Inflation** ca. 15% (1994) | **Alphabetisierung** 96% |
| **Arbeitslos.** 19,7% (1994) | **Einw. pro Arzt** 1543 |

**Reg.-Chef** Patrick Augustus Manning (seit 1991) * 1946

**Staatsob.** Noor Mohamed Hassanali (seit 1987) * 1918

**Staatsform** Präsidiale Republik im Commonwealth

**Parlament** Senat mit 31 vom Präsidenten ernannten und Repräsentantenhaus mit 36 für fünf Jahre gewählten Abgeordneten; 21 Sitze für Nationale Bewegung des Volkes, 13 für Vereinigter Nationalkongreß, 2 für Allianz für den Nationalen Wiederaufbau (Wahl von 1991)

## Tschechische Republik

| | |
|---|---|
| **Lage** Europa, Karte S. 473, D 5 |  |
| **Fläche** 78 864 km² (WR 114) | |
| **Einwohner** 10,3 Mio (WR 69) | |
| **Einwohner/km²** 131,0 (1992) | |
| **Bev.-Wachstum/Jahr** 0,2% Ø | |
| **Pkw.-Kennzeichen** CZ | |

**Hauptstadt** Prag (1,21 Mio Einwohner)

**Sprache** Tschechisch, Slowakisch

**Religion** Christl. (43,3%), konfessionslos (39,7%)

**Währung** 1 Krone = 100 Haleru

| | |
|---|---|
| **BSP/Kopf** 2710 $ (1993) | **Urbanisierung** 78% |
| **Inflation** 10,2% (1994) | **Alphabetisierung** 100% |
| **Arbeitslos.** 3,1% (1994) | **Einw. pro Arzt** 311 |

**Reg.-Chef** Václav Klaus (seit 1993) * 19. 6. 1941

**Staatsob.** Václav Havel (seit 1993) * 5. 10. 1936

**Staatsform** Republik

**Parlament** Nationalrat mit 200 für vier Jahre gewählten Abgeordneten; 76 Sitze für konservative ODS, 35 für kommunistischen Linksblock, 16 für Sozialdemokraten, 16 für Liberalsoziale, 15 für Christdemokraten, 42 für andere (Wahl von 1992)

Der schrittweise Wechsel von der Plan- zur Marktwirtschaft erreichte 1994/95 mit dem Abschluß der Privatisierung von Staatsbetrieben einen Teilerfolg. Staatspräsident Václav Havel und die aus vier Parteien gebildete Mitte-Rechts-Koalition des konservativen Regierungschefs Václav Klaus wollen zum Jahreswechsel 1995/96 den EU-Beitritt beantragen. Der Fremdenverkehr steigerte 1994 den Umsatz im Vergleich zum Vorjahr um 40%.

**Sudetendeutsche:** Das Verfassungsgericht in Brünn (Brno) wies im März 1995 die Klage eines enteigneten tschechischen Bürgers deutscher Nationalität gegen ein Dekret des früheren Präsidenten Edvard Beneš zurück. 1945 hatte Beneš die Entrechtung und entschädigungslose Enteignung der 3,5 Mio Deutschen in Böhmen, Mähren, der Slowakei sowie Hunderttausender Ungarn verfügt.

**Entschädigung:** 200 000 zu Unrecht vom kommunistischen Regime Verfolgte wurde zwischen 1989 und 1995 rehabilitiert und entschädigt. Im November 1994 erließ die Regierung ein Gesetz, zur Entschädigung von NS-Opfer durch die T. 17 000 ehemalige KZ-Häftlinge sind davon betroffen.

**Wirtschaft:** Die T. galt 1994 als zahlungskräftigster ehemaliger Ostblockstaat. 1994 zahlte die T. vorzeitig Kredite in Höhe von 470 Mio Dollar (663 Mio DM) an den Internationalen Währungsfonds (IWF) zurück. Das Wirtschaftswachstum (1994: 2,7%) wurde insbes. vom privaten Konsum getragen. Mit Ausnahme der Mieten, dem öffentlichen Nahverkehr und dem privaten Energieverbrauch waren die Preise freigegeben. Die Regulierung der Löhne (1994: maximal 15% Lohnsteigerung) soll in den kommenden Jahren schrittweise entfallen.

**Privatisierung:** 1994 wurden 861 Staatsbetriebe verkauft (1993: 1300). Mit dem Verkauf von 27% Anteilen des staatlichen Fernmeldemonopolbetriebs SPT Telecom (Staatsanteil Anfang 1995: 71%) an einen Auslandsinvestor plante die T. 1995 eine der größten Privatisierungen in Mitteleuropa.

**Tschechische Republik: Staatspräsident, Václav Havel** * 5. 10. 1936 in Prag. Der regimekritische Dramatiker, Mitbegründer der Menschenrechtsgruppe Charta 77, wurde 1979 zu viereinhalb Jahren Haft verurteilt. 1989 wurde er erstes nichtkommunistisches Staatsoberhaupt der Tschechoslowakei seit 1948. 1993 wählte ihn das Parlament der Tschechischen Republik (seit 1993) zum ersten Präsidenten.

## Ⓖ Tunesien

| | |
|---|---|
| **Lage** Afrika, Karte S. 477, C 1 | |
| **Fläche** 164 150 km² (WR 89) | |
| **Einwohner** 8,5 Mio (WR 82) | |
| **Einwohner/km²** 52 (1993) | |
| **Bev.-Wachstum/Jahr** 2,2% Ø | |
| **Pkw.-Kennzeichen** TN | |

**Hauptstadt** Tunis (2,3 Mio Einwohner)

**Sprache** *Arabisch,* Tunesisch, Französisch

**Religion** Moslemisch (99,4%), christl. (0,3%), jüd. (0,1%)

**Währung** 1 Tunesischer Dinar (tD) = 1000 Millimes

| | |
|---|---|
| **BSP/Kopf** 1720 $ (1993) | **Urbanisierung** 57% |
| **Inflation** 5% (1994) | **Alphabetisierung** 65% |
| **Arbeitslos.** 16% (1993) | **Einw. pro Arzt** 1870 |

**Reg.-Chef** Hamed Karoui (seit 1989) * 30. 12. 1927

**Staatsob.** Zain al-Abidin Ben Ali (seit 1987) * 3. 9. 1936

**Staatsform** Präsidiale Republik

**Parlament** Nationalversammlung mit 163 für fünf Jahre gewählten Abgeordneten; 144 Sitze für Sozialisten (RCD), 10 für Sozialdemokraten (MDS), 4 für Kommunisten (MR), 3 für Panarabische Unionisten (UDU), 2 für Radikale Reformer (PUP; Wahl vom März 1994)

## ☪ Türkei

| | |
|---|---|
| **Lage** Naher Osten, Karte S. 478, B 1 | |
| **Fläche** 779 452 km² (WR 36) | |
| **Einwohner** 59,9 Mio (WR 16) | |
| **Einwohner/km²** 76,8 (1993) | |
| **Bev.-Wachstum/Jahr** 1,9% Ø | |
| **Pkw.-Kennzeichen** TR | |

**Hauptstadt** Ankara (2,6 Mio Einwohner)

**Sprache** *Türkisch,* Kurdisch

**Religion** Moslemisch (99,2%), christlich (0,3%)

**Währung** 1 Türkische Lira (TL) = 100 Kurus

| | |
|---|---|
| **BSP/Kopf** 2970 $ (1993) | **Urbanisierung** 61% |
| **Inflation** 125,5% (1994) | **Alphabetisierung** 81% |
| **Arbeitslos.** 10,5% (1994) | **Einw. pro Arzt** 1180 |

**Reg.-Chef** Tansu Çiller (seit 1993) * 1946

**Staatsob.** Süleyman Demirel (seit 1993) * 6. 10. 1924

**Staatsform** Parlamentarische Republik

**Parlament** Große Nationalversammlung mit 450 für fünf Jahre gewählten Abgeordneten; 175 Sitze für Konservative, 95 für Rechtskonservative, 52 für Sozialdemokraten, 38 für Islamische Fundamentalisten, 16 für Republikaner, 14 für Nationalisten, 60 für andere (Wahl von 1991)

**Türkei: Ministerpräsidentin Tansu Çiller**
* 1946 in Istanbul, Prof. Dr. Die Wirtschaftswissenschaftlerin trat 1990 der konservativen Partei des Rechten Weges (DYP) bei. Süleyman Demirel (DYP) nahm sie 1991 als Wirtschaftsministerin in sein Kabinett auf. Am 14. 6. 1993 wurde Tansu Çiller als erste Frau in der Geschichte des Landes von Staatspräsident Demirel zur Regierungschefin ernannt.

In der bisher größten Militäroperation gegen die Kurden marschierte die T. im März 1995 in den Nordirak ein, um Rebellen der linksextremen Arbeiterpartei Kurdistans (PKK) zu bekämpfen. Militäroperationen, Menschenrechtsverletzungen und das Scheitern einer Verfassungsreform belasteten das Verhältnis der T. zum westlichen Ausland. Das von Rekordinflation (1994: 125,5%; 1993: 66%) betroffene Land unter der konservativen Premierministerin Tansu Çiller (DYP) strebt für 1996 die Zollunion mit der EU an.

**Offensiven:** Im Mai 1995 zog die T. die letzten von 35 000 Soldaten aus dem Nachbarland ab. Im Juli drangen erneut türkische Truppen auf irakisches Gebiet vor. Die Offensiven richteten sich gegen ca. 2500 im Grenzgebiet vermutete PKK-Rebellen. Der Norden des Irak dient der PKK, die für das Selbstbestimmungsrecht der Kurden in der T. kämpft, als Rückzugsgebiet.

**Keine Demokratisierung:** Im Juli scheiterte eine Reform der Verfassung, die noch aus der Zeit der Militärdiktatur stammt, am Widerstand der konservativen Opposition und einflußreicher Militärs. Die EU hatte die Demokratisierung des Grundgesetzes als Voraussetzung für eine Zollunion mit der T. gefordert. Menschenrechtsorganisationen beklagten eine Verschlechterung der Verhältnisse unter Çiller. Angaben der unabhängigen Menschenrechtsorganisation Amnesty International zufolge fielen 1994 rd. 400 Menschen politischen Morden zum Opfer (1991: 20).

**Wirtschaft:** Privatisierungen und die geplante Zollunion mit der EU sollen den wirtschaftlichen Niedergang aufhalten. Mit 64,5 Mrd Dollar (90,9 Mrd DM), 50% des jährlichen Bruttoinlandsprodukts, war die T. 1994 im Ausland verschuldet. Im November beschloß das Parlament die Privatisierung von rd. 100 Betrieben und Banken im Wert von 60 Mrd Dollar (84,6 Mrd DM).

→ Aleviten → Kurden

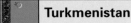

## Turkmenistan

| | | |
|---|---|---|
| **Lage** Asien, Karte S. 479, B 3 | | |
| **Fläche** 488 100 km² (WR 51) | | |
| **Einwohner** 4,3 Mio (WR 114) | | |
| **Einwohner/km²** 8,8 (1993) | | |
| **Bev.-Wachstum/Jahr** 2,1% Ø | | |
| **Pkw.-Kennzeichen** TMN | | |
| **Hauptstadt** Aschchabad (517 000 Einwohner) | | |
| **Sprache** Turkmenisch | | |
| **Religion** Moslemisch | | |
| **Währung** 1 Manat = 100 Tenge | | |
| **BSP/Kopf** 1230 $ (1992) | **Urbanisierung** 45% |
| **Inflation** ca. 1600% (1993) | **Alphabetisierung** k. A. |
| **Arbeitslos.** ca. 6–20% (1991) | **Einw. pro Arzt** 274 |
| **Reg.-Chef** Separmurad Nijasow (seit 1992) * 19. 2. 1940 | | |
| **Staatsob.** Separmurad Nijasow (seit 1990) * 19. 2. 1940 | | |
| **Staatsform** Republik | | |
| **Parlament** Majlis mit 50 für fünf Jahre gewählten Abgeordneten; 50 Sitze für Demokratische Partei DPT (Wahl vom Dezember 1994) | | |

## Tuvalu

| | | |
|---|---|---|
| **Lage** Ozeanien, Karte S. 481, F 3 | | |
| **Fläche** 24 km² (WR 189) | | |
| **Einwohner** 9500 (WR 191) | | |
| **Einwohner/km²** 395,8 (1992) | | |
| **Bev.-Wachstum/Jahr** 2,2% Ø | | |
| **Pkw.-Kennzeichen** k. A. | | |
| **Hauptstadt** Vaiaku (3000 Einwohner) | | |
| **Sprache** Tuvalu, Englisch | | |
| **Religion** Protest. (96,9%), kath. (0,2%), adventist. (1,4%) | | |
| **Währung** 1 Australischer Dollar (A$) = 100 Cents | | |
| **BSP/Kopf** 2000 $ (1992) | **Urbanisierung** 34% |
| **Inflation** 2% (1992) | **Alphabetisierung** 95% |
| **Arbeitslos.** 4% (1989) | **Einw. pro Arzt** 2261 |
| **Reg.-Chef** Kamuta Laa tasi (seit 1993) | | |
| **Staatsob.** Königin Elizabeth II. (seit 1978) * 21. 4. 1926 | | |
| **Staatsform** Konstitutionelle Monarchie im Commonwealth | | |
| **Parlament** Ältestenrat mit 12 für vier Jahre gewählten Abgeordneten; keine politischen Parteien im europäischen Sinn; traditionelle Familien- und Sippenverbände (Wahl von 1993) | | |

## Uganda

| | |
|---|---|
| **Lage** Afrika, Karte S. 477, E 4 | |
| **Fläche** 241 040 km² (WR 78) | |
| **Einwohner** 17,7 Mio (WR 49) | |
| **Einwohner/km²** 73,6 (1993) | |
| **Bev.-Wachstum/Jahr** 3,0% Ø | |
| **Pkw.-Kennzeichen** EAU | |

**Hauptstadt** Kampala (773 000 Einwohner)

**Sprache** *Englisch, Swahili,* Luganda

**Religion** Katholisch (49,6%), protest. (28,7%), mosl. (6,6%)

**Währung** 1 Uganda-Shilling (USh) = 100 Cents

| | |
|---|---|
| **BSP/Kopf** 180 $ (1993) | **Urbanisierung** 12% |
| **Inflation** 52,4% (1992) | **Alphabetisierung** 48% |
| **Arbeitslos.** ca. 15% | **Einw. pro Arzt** 20 300 |

**Reg.-Chef** Kintu Musoke (seit November 1994)

**Staatsob.** Yoweri Museveni (seit 1986) * 1943

**Staatsform** Präsidiale Republik

**Parlament** Nationalversammlung seit 1985 aufgelöst; seit 1989 provisorisches Parlament mit 98 Mitgliedern, Ergebnis der Wahl zur verfassunggebenden Versammlung mit 214 Sitzen: 145 Sitze für Anhänger der Nationalen Widerstandsbewegung (NRM), 69 für andere (Wahl vom März 1994)

## Ukraine

| | |
|---|---|
| **Lage** Europa, Karte S. 473, F 5 | |
| **Fläche** 603 700 km² (WR 43) | |
| **Einwohner** 52,3 Mio (WR 22) | |
| **Einwohner/km²** 86,6 (1993) | |
| **Bev.-Wachstum/Jahr** 0,4% Ø | |
| **Pkw.-Kennzeichen** UA | |

**Hauptstadt** Kiew (2,65 Mio Einwohner)

**Sprache** Ukrainisch, Russisch

**Religion** Ukrainisch-orthod., griechisch-kath., russ.-orthod.

**Währung** 1 Karbowanez = 100 Kopeken

| | |
|---|---|
| **BSP/Kopf** 2210 $ (1993) | **Urbanisierung** 68% |
| **Inflation** 501% (1994) | **Alphabetisierung** 95% |
| **Arbeitslos.** ca. 0,3% (1994) | **Einw. pro Arzt** 230 |

**Reg.-Chef** Jewgenij Martschuk (seit März 1995) * 1940

**Staatsob.** Leonid Kutschma (seit Juli 1994) * 1938

**Staatsform** Republik

**Parlament** Oberster Rat mit 338 für vier Jahre gewählten Abgeordneten, 86 Sitze für Kommunisten (KP), 20 für Nationaldemokraten (Ruch), 18 für Linke (BP), 14 für Sozialisten (SP), 8 für Nationaldemokraten (URP), 5 für Rechte (KUN), 170 für Parteilose, 17 für andere (Wahl vom April 1994)

**Ukraine: Staatspräsident Leonid Kutschma**
* 9. 8. 1939 in Tschajkino (Gebiet Tschernigow). Der Maschinenbauer leitete ab 1986 eines der größten Rüstungskombinate der früheren UdSSR. 1990 erhielt er ein Mandat im ukrainischen Parlament. 1992 wurde er Ministerpräsident (Rücktritt 1993). 1994 gewann Kutschma die Wahl zum Staatspräsidenten gegen Leonid Krawtschuk.

Politische Instabilität und wirtschaftliche Misere kennzeichneten 1995 die Situation in dem zweitgrößten Land Europas. Eine sog. Verfassungsvereinbarung im Juni und die Bildung einer neuen Regierung im Juli 1995 legte den Machtkampf zwischen dem seit Mitte 1994 amtierenden Präsidenten Leonid Kutschma und dem Parlament bei.

**Präsident gestärkt:** Wichtigster Teil der Vereinbarung war das sog. Gesetz über die Machtverteilung, das dem Präsidenten zusätzliche Vollmachten erteilte, um sein wirtschaftliches Reformprogramm voranzutreiben. Er erhielt das Recht, die Regierung zu ernennen, ohne das Parlament zu befragen. Prokommunistische Kräfte hatten im Mai 1995 die Abstimmung über das Gesetz blockiert.

**Regierung:** Der Kompetenzstreit blockierte die Bildung einer neuen Regierung, nachdem das Parlament im April dem im März 1995 ernannten Regierungschef Jewgenij Martschuk das Mißtrauen ausgesprochen hatte. Der Regierung wurde Versagen bei der Umsetzung von Kutschmas Wirtschaftsreform vorgeworfen.

**Flotte:** Rußland und die U. einigten sich im Juni auf die Teilung der Schwarzmeerflotte. Rußland erhält das Recht, den ukrainischen Schwarzmeerhafen Sewastopol auf der Krim zu benutzen. Die Einigung war Voraussetzung für einen von beiden Ländern angestrebten Freundschaftsvertrag.

**Wirtschaft:** Im April 1995 setzte Kutschma einen Haushalt durch, dessen wichtigste Ziele die Eindämmung der Inflation, die Stärkung des Exports und die Privatisierung von Staatsbetrieben sind. Die Regierung will den Verkauf kleinerer Unternehmen 1995 abschließen sowie 8000 große und mittlere Betriebe bis 1997 privatisieren. Ausgabenkürzungen sollen u. a. das Budgetdefizit auf 3,3% des BIP senken (1994: 8,6%). Der Internationale Währungsfonds (IWF) gewährte der U. Kredite in Höhe von 1,96 Mrd Dollar (2,76 Mrd DM).
→ Atomwaffen → Krim

## Ungarn

| | |
|---|---|
| **Lage** Europa, Karte S. 473, E 6 | |
| **Fläche** 93 033 km² (WR 108) | |
| **Einwohner** 10,3 Mio (WR 70) | |
| **Einwohner/km²** 110,7 (1993) | |
| **Bev.-Wachstum/Jahr** 0,0% Ø | |
| **Pkw.-Kennzeichen** H | |

| | |
|---|---|
| **Hauptstadt** Budapest (1,99 Mio Einwohner) | |
| **Sprache** Ungarisch | |
| **Religion** Kath. (64,1%), protest. (23,3%), jüdisch (0,9%) | |
| **Währung** 1 Forint (Ft) = 100 Filler | |

| | |
|---|---|
| **BSP/Kopf** 3350 $ (1993) | **Urbanisierung** 66% |
| **Inflation** 21,2% (1994) | **Alphabetisierung** 99% |
| **Arbeitslos.** 10,9% (1994) | **Einw. pro Arzt** 344 |

| | |
|---|---|
| **Reg.-Chef** Gyula Horn (seit Juli 1994) * 5. 7. 1932 | |
| **Staatsob.** Árpád Göncz (seit 1990) * 10. 2. 1922 | |
| **Staatsform** Parlamentarische Republik | |

**Parlament** Nationalversammlung mit 386 Abgeordneten; 209 Sitze für Sozialistische Partei, 69 Sitze für Freidemokraten, 38 für Demokratisches Forum, 26 für Kleinlandwirte-Partei, 22 für Christlich-Demokratische Volkspartei, 20 für Junge Demokraten, 2 für andere (Wahl vom Mai 1994)

Im Juli 1994 bildete der Sozialist Gyula Horn (MSzP), dessen Partei bei den Wahlen im Mai 54,1% der Stimmen gewonnen hatte, eine Regierungskoalition mit dem liberalen Bund Freier Demokraten (SzDSz). Sie löste die seit 1990 regierende konservative Koalitionsregierung ab. Der Wahlerfolg der Sozialisten beruhte auf der Unzufriedenheit weiter Bevölkerungsteile mit ihrer wirtschaftlichen Situation seit der Umwandlung der Plan- in eine Marktwirtschaft. Im Kampf gegen Staatsverschuldung, Haushaltsdefizit und die negative Handelsbilanz verabschiedete die Regierung im März 1995 ein finanzpolitisches Notprogramm.

**Ungarn: Ministerpräsident Gyula Horn**
* 5. 7. 1932 in Budapest, Dr. oec. Horn war 1983–1985 Abteilungsleiter im ZK der Kommunistischen Partei und wurde 1985 Vollmitglied sowie stellvertretender Außenminister. Als Außenminister (1989/90) war er maßgeblich an der Öffnung des Landes zum Westen beteiligt. Der Vorsitzende der Sozialistischen Partei (MSzP) wurde 1994 Regierungschef.

**Grundlagenvertrag:** Im März 1995 schloß U. einen Grundlagenvertrag mit der Slowakei, der u. a. gegenseitige Anerkennung der Grenzen und Respektierung der Minderheitsrechte vorsah. Die Frage nach dem Minderheitenstatus hatte zu Spannungen zwischen U. und der Slowakei geführt, wo rd. 600 000 Ungarn leben. Von den ca. 10 Mio Einwohnern Ungarns sind 100 000 Slowaken. Ein entsprechender Vertrag mit Rumänien kam wegen Differenzen in der Minderheitenfrage nicht zustande.

**Wirtschaft:** Erstmals seit 1987 nahm das ungarische Bruttoinlandsprodukt (BIP) 1994 wieder zu. Gleichzeitig stieg die Auslandsverschuldung 1994 gegenüber dem Vorjahr um 3,5 Mrd Dollar (4,9 Mrd DM) auf 28 Mrd Dollar (39,5 Mrd DM). U. hat damit die höchste Pro-Kopf-Verschuldung in den osteuropäischen Reformstaaten. Das im März beschlossene Programm sah die Beschränkung des Kinder- und Erziehungsgeldes auf Bedürftige, die Einführung von Studiengebühren, die Abwertung der Landeswährung um 9% sowie Sonderzölle von 8% für importierte Konsumgüter vor. Zur Beschleunigung der Privatisierung von Staatsbetrieben faßte die Regierung im Mai 1995 die beiden ungarischen Privatisierungsbehörden in einer einzigen Behörde zusammen.

## Uruguay

| | |
|---|---|
| **Lage** Südamerika, Karte S. 475, D 6 | |
| **Fläche** 176 215 km² (WR 88) | |
| **Einwohner** 3,1 Mio (WR 125) | |
| **Einwohner/km²** 17,5 (1993) | |
| **Bev.-Wachstum/Jahr** 0,6% Ø | |
| **Pkw.-Kennzeichen** ROU | |

| | |
|---|---|
| **Hauptstadt** Montevideo (1,31 Mio Einwohner) | |
| **Sprache** Spanisch | |
| **Religion** Katholisch (66%), protest. (2%), jüdisch (0,8%) | |
| **Währung** 1 Peso Uruguayo = 100 Centésimos | |

| | |
|---|---|
| **BSP/Kopf** 3830 $ (1993) | **Urbanisierung** 89% |
| **Inflation** 44% (1994) | **Alphabetisierung** 96% |
| **Arbeitslos.** 9,1% (1994) | **Einw. pro Arzt** 341 |

| | |
|---|---|
| **Reg.-Chef** Julio Maria Sanguinetti (seit März 1995) * 1936 | |
| **Staatsob.** Julio Maria Sanguinetti (seit März 1995) * 1936 | |
| **Staatsform** Präsidiale Republik | |

**Parlament** Senat mit 30 und Abgeordnetenhaus mit 99 für fünf Jahre gewählten Abgeordneten; im Abgeordnetenhaus 34 Sitze für Colorados, 31 für Blancos, 30 für Frente Amplio, 4 für Nuevo Espacio (Wahl vom November 1994)

## USA

| | |
|---|---|
| **Lage** Nordam., Karte S. 474, E 6 | |
| **Fläche** 9 529 063 km² (WR 4) | |
| **Einwohner** 257,9 Mio (WR 3) | |
| **Einwohner/km²** 27,0 (1993) | |
| **Bev.-Wachstum/Jahr** 1,0% Ø | |
| **Pkw.-Kennzeichen** USA | |

**Hauptstadt** Washington D. C. (626 000 Einwohner)

**Sprache** Englisch

**Religion** Protest. (52,7%), kathol. (26,2%), mosl. (1,9%)

**Währung** 1 US-Dollar (US$) = 100 Cents

| | |
|---|---|
| **BSP/Kopf** 24 740 $ (1993) | **Urbanisierung** 89% |
| **Inflation** 2,1% (1994) | **Alphabetisierung** 96% |
| **Arbeitslos.** 6,1% (1994) | **Einw. pro Arzt** 341 |

**Reg.-Chef** Bill Clinton (seit 1993) * 19. 8. 1946

**Staatsob.** Bill Clinton (seit 1993) * 19. 8. 1946

**Staatsform** Präsidiale Bundesrepublik

**Parlament** Kongreß aus Senat mit 100 für sechs Jahre und Repräsentantenhaus mit 435 für zwei Jahre gewählten Abgeordneten; im Repräsentantenhaus 230 Sitze für Republikaner, 204 für Demokraten, 1 für Unabhängigen (Wahl vom November 1994)

**USA: Präsident Bill Clinton**
* 19. 8. 1946 in Hope (Arkansas). Der Demokrat war 1976–1980 Justizminister in seinem Heimatstaat. 1978–80 war Clinton Gouverneur von Arkansas und wurde 1983 wieder in dieses Amt gewählt. Nach seinem Wahlsieg über den Republikaner George Bush im November 1992 trat Clinton im Januar 1993 das Präsidentenamt an.

Bei Kongreß- und Gouverneurswahlen im November 1994 erlitt die Demokratische Partei von Präsident Bill Clinton eine Niederlage. Ein von Rechtsextremisten verübter Bombenanschlag forderte am 19. 4. 1995 in Oklahoma City 167 Todesopfer. Der Kursverlust des Dollars und das wachsende Handelsbilanzdefizit gefährdeten Anfang 1995 den seit 1992 andauernden Wirtschaftsaufschwung.

**Republikaner gestärkt:** Zum ersten Mal seit 40 Jahren verfügten die Republikaner nach ihrem Wahlsieg in beiden Kongreßkammern über die Mehrheit. Bei den Wahlen zum Senat (je zwei Vertreter pro Bundesstaat) verbesserten sich die Republikaner um neun auf 53 Sitze, die Demokraten errangen 47 Mandate (1992: 56). Ins Repräsentantenhaus (Vertretung der Bundesstaaten entsprechend der Einwohnerzahl) wurden 230 republikanische (1992: 178) und 204 demokratische (1992: 256) Abgeordnete gewählt. Bei den Gouverneurswahlen in 36 Bundesstaaten verloren die Demokraten elf Posten und stellten landesweit 18 Gouverneure, die Republikaner 31. Als Folge seiner Wahlniederlage griff Clinton Ziele der Republikaner auf und kündigte die Erhöhung der Verteidigungsausgaben um 25 Mrd Dollar (35,3 Mrd DM) bis zum Jahr 2001 sowie Steuererleichterungen für die Mit-

telklasse an. In einem sog. Kontrakt mit Amerika treten die Republikaner u. a. für die Erhöhung der Verteidigungsausgaben um 60 Mrd Dollar (84,6 Mrd DM) bis 2001 ein. Steuersenkungen sollen durch Ausgabenkürzungen im sozialen Bereich finanziert werden. Im April 1995 verabschiedete der Senat Kürzungen bei Sozialprogrammen in Höhe von 16 Mrd Dollar (22,6 Mrd DM). Clinton legte im Juni sein Veto ein.

**Terrorismus:** Eine 1800 kg schwere Autobombe, die vor einem neunstöckigen Verwaltungsgebäude gezündet wurde, zerstörte den Komplex fast vollständig. Die Ermittlungsbehörden nahmen ein Mitglied der paramilitärischen Wehrsportgruppe Michigan Militia unter Tatverdacht fest. Nach Schätzungen von Experten gehören ca. 100 000 US-Amerikaner den 300 rechtsradikalen Milizen an, die in 47 der 50 Bundesstaaten operieren. Die Rechtsextremisten verbreiten rassistisch-neonazistische Ideologien und rufen zum Kampf gegen den Staat auf. Zwei Wochen nach dem Attentat verabschiedete der Kongreß einen Gesetzentwurf zur Terrorismus-Bekämpfung, der die Ausweitung der Befugnisse der Bundespolizei vorsah.

**Iran-Embargo:** Im Mai verhängte Clinton ein Handelsembargo gegen den Iran, das sowohl Erdölkäufe durch US-Firmen als auch Ausfuhren amerikanischer Waren verbot. Als Begründung nannte Clinton die Unterstützung des internationalen Terrorismus, die Torpedierung der Friedensbemühungen im Nahen Osten und den Versuch des Iran, in den Besitz von Atomwaffen zu gelangen.

**Machtwechsel in Haiti:** Nachdem die USA in Verhandlungen mit den haitianischen Militärmachthabern deren Rücktritt und die Wiedereinsetzung des rechtmäßigen Präsidenten Jean Bertrand Aristide erreicht hatten, landeten im September 1994 rd. 15 000 US-Soldaten zur Aufrechterhaltung der Ordnung auf der Karibikinsel. Sie wurden im April 1995 von einem 6000 Mann starken UNO-Kommando abgelöst. Im Juni 1995 fanden in Haiti Parlaments- und Kommunalwahlen statt.

**Kuba:** Die US-Regierung hob im April 1995 das 1962–1994 praktizierte Verfahren auf, das Kubanern als politischen Flüchtlingen automatisch Asyl gewährte. 20 000 Kuba-Flüchtlinge, die seit August 1994 auf dem US-Militärstützpunkt Guantánamo/Kuba interniert waren, durften in die USA einreisen. Weitere Bootsflüchtlinge, welche die US-Küstenwache aufgreift, werden künftig unverzüglich nach Kuba zurückgeschickt.

**Wirtschaft:** Mit 4% Wachstum (1993: 3,1%), einem Rückgang der Arbeitslosenquote um 0,7% und 2,1% (1993: 3,0%) Inflationsrate zog die US-Wirtschaft 1994 positive Bilanz. Dennoch führten das hohe Haushaltsdefizit (2,4% des BIP) und ausgebliebene Zinserhöhungen zu einem Vertrauensverlust in den Dollar, der im März 1995 mit 1,3755 DM seinen historischen Tiefstand erreichte.

**Handelskrieg:** Um Japan zu veranlassen, seinen Markt für US-Produkte zu öffnen, drohte Clinton im Mai Strafzölle für japanische Autos auf dem US-Markt an. Im Juni lenkte Japan ein und stimmte einem verbesserten Zugang ausländischer Automarken sowie einer Liberalisierung des japanischen Marktes für Autoersatzteile zu. 1994 betrug das US-Handelsdefizit gegenüber Japan 165,9 Mrd Dollar (234 Mrd DM).

## Vanuatu

**Lage** Ozeanien, Karte S. 481, F 4

**Fläche** 12 190 km² (WR 155)

**Einwohner** 160 000 (WR 172)

**Einwohner/km²** 13,1 (1993)

**Bev.-Wachstum/Jahr** 2,6% ∅

**Pkw.-Kennzeichen** k. A.

**Hauptstadt** Port Vila (19 400 Einwohner)

**Sprache** *Englisch, Französisch,* Bislama

**Religion** Presbyt. (36,7%), angl. (15,1%), kath. (14,8%)

**Währung** 1 Vatu (VT) = 100 Centimes

| | |
|---|---|
| **BSP/Kopf** 1230 $ (1993) | **Urbanisierung** 18% |
| **Inflation** 3% (1992) | **Alphabetisierung** 53% |
| **Arbeitslos.** 0,5% (1989) | **Einw. pro Arzt** 7345 |

**Reg.-Chef** Maxime Carlot Korman (seit 1991) * 1942

**Staatsob.** Jean-Marie Leyé (seit März 1994)

**Staatsform** Parlamentarische Republik im Commonwealth

**Parlament** Einkammerparlament mit 46 für vier Jahre gewählten Abgeordneten; 20 Sitze für Union des Partis Modérés (UPM), 10 für Vanuaaku Pati (VAP), 9 für National United Party (NUP), 4 für Parti progressiste mélasien, 1 für Tan Union, 2 nicht vergeben (Wahl von 1991)

## Usbekistan

**Lage** Asien, Karte S. 479, C 3

**Fläche** 447 400 km² (WR 56)

**Einwohner** 21,2 Mio (WR 41)

**Einwohner/km²** 47 (1993)

**Bev.-Wachstum/Jahr** 2,2% ∅

**Pkw.-Kennzeichen** Usb

**Hauptstadt** Taschkent (2,2 Mio Einwohner)

**Sprache** *Usbekisch,* Russisch

**Religion** Moslemisch

**Währung** Usbekistan-Sum (U.S.)

| | |
|---|---|
| **BSP/Kopf** 970 $ (1993) | **Urbanisierung** 40% |
| **Inflation** 1300% (1994) | **Alphabetisierung** k. A. |
| **Arbeitslos.** ca. 0,3% (1994) | **Einw. pro Arzt** 290 |

**Reg.-Chef** Abdulhoshim Mutalow (seit 1992) * 27. 4. 1947

**Staatsob.** Islam Karimow (seit 1991) * 30. 1. 1938

**Staatsform** Republik

**Parlament** Oberster Sowjet mit 250 Sitzen; 243 für Kommunisten, 7 für Opposition (Wahl vom Dez. 1994/Jan. 1995)

## Vatikanstadt

**Lage** Europa, Karte S. 473, D 6

**Fläche** 0,44 km² (WR 192)

**Einwohner** 749 (WR 192)

**Einwohner/km²** 1886 (1992)

**Bev.-Wachstum/Jahr** k. A.

**Pkw.-Kennzeichen** V

**Hauptstadt** Vatikanstadt (830 Einwohner)

**Sprache** Lateinisch, Italienisch

**Religion** Katholisch

**Währung** Italienische Lira (Lit)

| | |
|---|---|
| **BSP/Kopf** k. A. | **Urbanisierung** 100% |
| **Inflation** k. A. | **Alphabetisierung** 100% |
| **Arbeitslos.** k. A. | **Einw. pro Arzt** k. A. |

**Reg.-Chef** Kardinalstaatssekr. Angelo Sodano (seit 1991)

**Staatsob.** Papst Johannes Paul II. (seit 1978) * 18. 5. 1920

**Staatsform** Souveränes Erzbistum, Wahlmonarchie

##  Venezuela

| | |
|---|---|
| **Lage** Südamerika, Karte S. 475, C 1 | 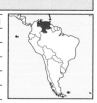 |
| **Fläche** 912 050 km² (WR 32) | |
| **Einwohner** 20,7 Mio (WR 43) | |
| **Einwohner/km²** 22,7 (1993) | |
| **Bev.-Wachstum/Jahr** 2,2% Ø | |
| **Pkw.-Kennzeichen** YV | |

**Hauptstadt** Caracas (1,29 Mio Einwohner)

**Sprache** Spanisch, indianische Sprachen

**Religion** Katholisch (90%), protestantisch (8%)

**Währung** 1 Bolivar (vB) = 100 Céntimos

| | |
|---|---|
| **BSP/Kopf** 2840 $ (1993) | **Urbanisierung** 84% |
| **Inflation** ca. 70,8% (1994) | **Alphabetisierung** 92% |
| **Arbeitslos.** 8,7% (1994) | **Einw. pro Arzt** 590 |

**Reg.-Chef** Rafael Caldera Rodriguez (seit 1994) * 1916

**Staatsob.** Rafael Caldera Rodriguez (seit 1994) * 1916

**Staatsform** Präsidiale Bundesrepublik

**Parlament** Senat mit 44 Vertretern und Abgeordnetenkammer mit 203 für fünf Jahre gewählten Abgeordneten; 55 für Demokratische Aktion, 53 für Christdemokraten, 40 für Radikale Sache, 26 für Nationale Konvergenz, 24 für Sozialistische Bewegung, 5 für andere (Wahl von 1993)

## ★ Vietnam

| | |
|---|---|
| **Lage** Ostasien, Karte S. 480, B 4 | |
| **Fläche** 331 033 km² (WR 64) | |
| **Einwohner** 70,9 Mio (WR 13) | |
| **Einwohner/km²** 214,2 (1993) | |
| **Bev.-Wachstum/Jahr** 2,1% Ø | |
| **Pkw.-Kennzeichen** VN | |

**Hauptstadt** Hanoi (3,1 Mio Einwohner)

**Sprache** Vietnamesisch

**Religion** Buddh. (55,3%), kathol. (7,0%), moslem. (1,0%)

**Währung** 1 Dong (D) = 10 Hào = 100 Xu

| | |
|---|---|
| **BSP/Kopf** 170 $ (1993) | **Urbanisierung** 20% |
| **Inflation** ca. 14,4% (1994) | **Alphabetisierung** 88% |
| **Arbeitslos.** ca. 20% (1993) | **Einw. pro Arzt** 2843 |

**Reg.-Chef** Vo Van Kiet (seit 1991) * 23. 11. 1922

**Staatsob.** Le Duc Anh (seit 1992) * 1920

**Staatsform** Sozialistische Republik (seit 1980)

**Parlament** Nationalversammlung mit 395 für fünf Jahre gewählten Abgeordneten; sämtliche Sitze für Kandidaten der von der Kommunistischen Partei und Massenorganisation dominierten Einheitsliste (Wahl von 1992)

##  Vereinigte Arabische Emirate

| | |
|---|---|
| **Lage** Naher Osten, Karte S. 478, F 4 |  |
| **Fläche** 83 600 km² (WR 113) | |
| **Einwohner** 2,0 Mio (WR 138) | |
| **Einwohner/km²** 23,8 (1993) | |
| **Bev.-Wachstum/Jahr** 2,0% Ø | |
| **Pkw.-Kennzeichen** UAE | |

**Hauptstadt** Abu Dhabi (363 400 Einwohner)

**Sprache** *Arabisch,* Englisch, Hindi, Urdu, Farsi

**Religion** Moslemisch (94,9%), christlich (3,8%)

**Währung** 1 Dirham (DH) = 100 Fils

| | |
|---|---|
| **BSP/Kopf** 21 430 $ (1993) | **Urbanisierung** 78% |
| **Inflation** 3,6% (1994) | **Alphabetisierung** 73% |
| **Arbeitslos.** 1,3% (1994) | **Einw. pro Arzt** 618 |

**Reg.-Chef** Scheich Maktum ibn Raschid al-Maktum (1979)

**Staatsob.** Scheich Said ibn Sultan An-Nahajan (seit 1971)

**Staatsform** Föderation von sieben Emiraten

**Parlament** Föderative Nationalversammlung mit 40 Mitgliedern, die von den Oberhäuptern der einzelnen Emirate für zwei Jahre ernannt werden, nur beratende Funktion, keine Parteien

##  Weißrußland

| | |
|---|---|
| **Lage** Europa, Karte S. 473, F 4 | |
| **Fläche** 207 600 km² (WR 83) | |
| **Einwohner** 10,3 Mio (WR 71) | |
| **Einwohner/km²** 49,6 (1993) | |
| **Bev.-Wachstum/Jahr** 0,6% Ø | |
| **Pkw.-Kennzeichen** BY | |

**Hauptstadt** Minsk (1,63 Mio Einwohner)

**Sprache** Weißrussisch, Russisch

**Religion** Russisch-orthodox (60%)

**Währung** 1 Weißrussischer Rubel = 100 Kopeken

| | |
|---|---|
| **BSP/Kopf** 2870 $ (1993) | **Urbanisierung** 67% |
| **Inflation** 2300% (1994) | **Alphabetisierung** 98% |
| **Arbeitslos.** 2,1% (1994) | **Einw. pro Arzt** 250 |

**Reg.-Chef** Michail Tschigir (seit Juli 1994) * 1948

**Staatsob.** Alexander Lukaschenko (seit Juli 1994) * 1954

**Staatsform** Republik

**Parlament** Oberster Sowjet mit Mehrheit der ehemaligen Kommunisten (Wahl von März 1990, Wahl im Mai 1995 scheiterte an zu geringer Wahlbeteiligung)

Die erste freie Parlamentswahl seit der Unabhängigkeit des Landes 1991 scheiterte im Mai 1995 an zu geringer Wahlbeteiligung. Bei einem gleichzeitig abgehaltenen Referendum erhielt der im Juli 1994 gewählte Staatspräsident Alexander Lukaschenko mehr Vollmachten. Der reformfeindliche Präsident tritt für eine engere Bindung an Rußland ein. 1994 erreichte die Inflation 2300%.

**Wahlen:** Bei zwei Urnengängen lag die Wahlbeteiligung in vielen Landesteilen unter den erforderlichen 50%. Lukaschenko hatte zum Wahlboykott aufgerufen, um die demokratische Legitimierung des Parlaments zu schwächen und dadurch seine eigene Position zu stärken. Insgesamt wurden 120 Abgeordnete gewählt. Laut Verfassung kann sich die Volksvertretung konstituieren, wenn 174 der 260 Abgeordneten gewählt sind. Das kommunistisch dominierte Parlament arbeitet bis zu einem möglichen dritten Wahlgang im Herbst weiter.

**Mehr Macht:** Bei der von Lukaschenko durchgesetzten Volksabstimmung befürworteten 77% eine Verfassungsänderung, die dem Präsidenten das Recht zur vorzeitigen Auflösung des Parlaments erteilt. 83% der Wähler stimmten u. a. für die Aufwertung des Russischen zur zweiten Amtssprache, 82% für die wirtschaftliche Vereinigung mit Rußland. Im Januar 1995 hatte Lukaschenko die Einstellung von acht regierungskritischen Zeitungen nach Korruptionsberichten angeordnet.

**Wirtschaft:** Lukaschenko, der sich gegen die Marktwirtschaft aussprach, ließ Privatisierungen von Staatsunternehmen im März 1995 stoppen. 80% der weißrussischen Unternehmen befanden sich Mitte 1995 im Staatsbesitz. Produktionsschwerpunkte bildeten Feinmechanik, Optik und Militärtechnik. Im Oktober 1994 sagte Rußland eine geplante Währungsunion mit W. ab. Experten hatten vor einer Belastung für die russische Währung gewarnt. W. ist mit 2 Mrd Dollar (2,8 Mrd DM, 40% des BIP) im Ausland verschuldet.

## Zaïre

| | |
|---|---|
| **Lage** Afrika, Karte S. 477, C 5 | |
| **Fläche** 2 345 095 km² (WR 12) | |
| **Einwohner** 42,5 Mio (WR 26) | |
| **Einwohner/km²** 18,1 (1993) | |
| **Bev.-Wachstum/Jahr** 3,0% Ø | |
| **Pkw.-Kennzeichen** ZRE | |
| **Hauptstadt** Kinshasa (3,8 Mio Einwohner) | |
| **Sprache** *Französisch,* Swahili, Luba, Kikongo, Lingola | |
| **Religion** Katholisch (47,9%), protestantisch (28,7%) | |
| **Währung** 1 Zaïre (Z) = 100 Makuta | |

| | |
|---|---|
| **BSP/Kopf** 130 $ (1992) | **Urbanisierung** 40% |
| **Inflation** 4579% (1993) | **Alphabetisierung** 72% |
| **Arbeitslos.** 20-30% (1993) | **Einw. pro Arzt** 23 193 |

| | |
|---|---|
| **Reg.-Chef** Joseph Kengo Wa Dondo (seit Juni 1994) *1935 | |
| **Staatsob.** Mobuto Sésé-Séko (seit 1965) * 14. 10. 1930 | |
| **Staatsform** Präsidiale Republik | |
| **Parlament** Übergangsparlament 740 Mitglieder (seit Januar 1994) | |

## Zentralafrikanische Republik

| | |
|---|---|
| **Lage** Afrika, Karte S. 477, D 4 | |
| **Fläche** 622 436 km² (WR 42) | |
| **Einwohner** 3,0 Mio (WR 125) | |
| **Einwohner/km²** 4,8 (1993) | |
| **Bev.-Wachstum/Jahr** 2,5% Ø | |
| **Pkw.-Kennzeichen** RCA | |
| **Hauptstadt** Bangui (597 000 Einwohner) | |
| **Sprache** *Französisch,* Sangho, Bantu, Sudansprachen | |
| **Religion** Animistisch (57%), christlich (35%), moslem. (8%) | |
| **Währung** CFA-Franc (FCFA) | |

| | |
|---|---|
| **BSP/Kopf** 390 $ (1993) | **Urbanisierung** 48% |
| **Inflation** – 0,3% (1992) | **Alphabetisierung** 38% |
| **Arbeitslos.** k. A. | **Einw. pro Arzt** 25 890 |

| | |
|---|---|
| **Reg.-Chef** Jean-Luc Mandaba (seit 1993) | |
| **Staatsob.** Ange-Félix Patasse (seit 1993) * 25. 1. 1937 | |
| **Staatsform** Präsidiale Republik | |
| **Parlament** Nationalversammlung mit 85 für fünf Jahre gewählten Abgeordneten; 34 Sitze für MLPC, 13 für RDC, 7 für FPP, 7 für PLD, 6 für ADP, 18 für andere (Wahl von 1993) | |

**Weißrußland: Staatspräsident Alexander Lukaschenko**
* 30. 8. 1954 in Kopys (Gebiet Witebsk). Lukaschenko war Kolchosvorsitzender, politischer Instrukteur bei den KGB-Grenztruppen und politischer Kommissar bei einer Armee-Einheit. 1990 zog er ins weißrussische Parlament ein. 1994 wurde er zum ersten Präsidenten der Republik gewählt. Lukaschenko tritt für eine engere Bindung an Rußland ein.

## Zimbabwe

**Lage** Afrika, Karte S. 477, D 6

**Fläche** 390 757 km² (WR 59)

**Einwohner** 10,7 Mio (WR 65)

**Einwohner/km²** 27,3 (1993)

**Bev.-Wachstum/Jahr** 2,1% Ø

**Pkw.-Kennzeichen** ZW

**Hauptstadt** Harare (1,18 Mio Einwohner)

**Sprache** Englisch, Bantu-Sprachen

**Religion** Animist. (40%), protest. (18%), afrik. Kirche (14%)

**Währung** 1 Zimbabwe-Dollar (Z$) = 100 Cents

| | |
|---|---|
| **BSP/Kopf** 490 $ (1993) | **Urbanisierung** 30% |
| **Inflation** 27,6% (1993) | **Alphabetisierung** 67% |
| **Arbeitslos.** 44% (1993) | **Einw. pro Arzt** 7110 |

**Reg.-Chef** Robert Gabriel Mugabe (seit 1980) * 21. 2. 1925

**Staatsob.** Robert Gabriel Mugabe (seit 1987) * 21. 2. 1925

**Staatsform** Präsidiale Republik

**Parlament** Abgeordnetenhaus mit 30 ernannten und 120 für sechs Jahre gewählten Abgeordneten; unter den gewählten Mitgliedern 117 Sitze für Zimbawe African National Union, 2 für Zimbabwe Unity Movement, 1 für Zanu-Ndonga (Wahl von 1990)

 ## Zypern

**Lage** Naher Osten, Karte S. 478, B 2

**Fläche** 9251 km² (WR 160)

**Einwohner** 764 000 (WR 152)

**Einwohner/km²** 82,6 (1993)

**Bev.-Wachstum/Jahr** 0,8% Ø

**Pkw.-Kennzeichen** CY

**Hauptstadt** Nikosia (166 500 Einwohner)

**Sprache** *Griechisch, Türkisch,* Englisch

**Religion** Christlich (80%), moslemisch (18,6%)

**Währung** 1 Zypern-Pfund (Z£) = 100 Cents

| | |
|---|---|
| **BSP/Kopf** 10 380 $ (1993) | **Urbanisierung** 69% |
| **Inflation** 5,3% (1994) | **Alphabetisierung** 95% |
| **Arbeitslos.** 2,7% (1993) | **Einw. pro Arzt** 476 |

**Reg.-Chef** Glafkos Klerides (seit 1993) * 24. 4. 1919

**Staatsob.** Glafkos Klerides (seit 1993) * 24. 4. 1919

**Staatsform** Präsidiale Republik

**Parlament** Repräsentantenhaus mit 80 für fünf Jahre gewählten Abgeordneten; 20 Sitze für Demokratische Sammlung, 18 für Kommunisten, 11 für Demokratische Partei, 7 für sozialistische Demokratische Union, 24 reservierte Sitze für türkische Zyprioten (Wahl von 1991)

## Die deutschen Bundesländer

| Rang | Land | Einw. (Mio) |
|---|---|---|
| 1 | Nordrhein-Westfalen | 17,79 |
| 2 | Bayern | 11,86 |
| 3 | Baden-Württemberg | 10,23 |
| 4 | Niedersachsen | 7,65 |
| 5 | Hessen | 5,96 |
| 6 | Sachsen | 4,59 |
| 7 | Rheinland-Pfalz | 3,95 |
| 8 | Berlin | 3,46 |
| 9 | Sachsen-Anhalt | 2,80 |
| 10 | Schleswig-Holstein | 2,70 |
| 11 | Brandenburg | 2,53 |
| 12 | Thüringen | 2,53 |
| 13 | Mecklenburg-Vorp. | 1,83 |
| 14 | Hamburg | 1,70 |
| 15 | Saarland | 1,08 |
| 16 | Bremen | 0,68 |
| | Insgesamt | 81,34 |

Stand: 1995

Der Teil Bundesländer Deutschland enthält Informationen zu den 16 deutschen Ländern. Die Angaben konzentrieren sich auf politische und wirtschaftliche Entwicklungen im Berichtszeitraum von August 1994 bis Juli 1995. Jeder Artikel beginnt mit einer Zusammenstellung von Strukturdaten auf dem letztverfügbaren Stand, in Klammern ist die Rangstelle für Fläche und Einwohner innerhalb der Bundesrepublik Deutschland angegeben. Mit Foto und Kurzbiographie werden der Ministerpräsident des Bundeslandes, für anstehende Wahlen auch der Kandidat der Opposition vorgestellt. Eine Tabelle nennt alle Regierungsmitglieder mit Parteizugehörigkeit und Amtsantrittsdatum.

Der Teil österreichische Bundesländer und Schweizer Kantone enthält Informationen zu den neun österreichischen Ländern und 26 Schweizer Kantonen und Halbkantonen. Die Angaben konzentrieren sich auf politische und wirtschaftliche Entwicklungen im Berichtszeitraum von August 1994 bis Juli 1995. Jeder Artikel beginnt mit einer Zusammenstellung der Strukturdaten auf dem letztverfügbaren Stand, in Klammern ist die Rangstelle für Fläche und Einwohner innerhalb des Staates angegeben. Inflationsraten werden in Österreich und in der Schweiz auf Bundesländer-Ebene bzw. auf kantonaler Ebene nicht erhoben.

Für jedes österreichische Bundesland wird der Landeshauptmann mit Foto und Kurzbiographie vorgestellt. Eine Tabelle nennt alle Regierungsmitglieder. Für die Schweiz geben die Regierungstabellen Auskunft über die Regierungsmitglieder der fünf Stadtkantone. Die Angabe Amtssprache informiert über die landsmannschaftliche Ausrichtung des Kantons.

# Baden-Württemberg

**Fläche** 35 741 km² (Rang 3/D)

**Einwohner** 10,23 Mio (Rang 3/D)

**Hauptstadt** Stuttgart

**Arbeitslosigkeit** 7,5% (1994)

**Inflation** 3,0% (1994)

**Reg.-Chef** Erwin Teufel (CDU)

**Parlament** Landtag mit 146 für vier Jahre gewählten Abgeordneten; 64 Sitze für CDU, 46 für SPD, 15 für Republikaner, 13 für Bündnis 90/Grüne, 8 FDP (nächste Wahl: 24. 3. 1996)

Im Februar 1995 setzte die seit 1992 regierende große Koalition aus CDU und SPD unter Ministerpräsident Erwin Teufel (CDU) mit Hilfe der FDP eine Parlaments- und Verfassungsreform durch, die u. a. den Umweltschutz als Staatsziel benennt. Auf Steuerausfälle in Höhe von 2,4 Mrd DM infolge der Wirtschaftskrise beschloß die Regierung Ende 1994 einen Sparhaushalt und verhängte eine Haushaltssperre. Mit 5701 Straftaten (Bundesdurchschnitt: 8038) je 100 000 Einwohnern wies B. die bundesweit niedrigste Kriminalitätsrate auf.

**Verfassungsreform:** Mit der nötigen Zweidrittelmehrheit, gegen die Stimmen von Bündnis 90/Die

Grünen und Republikanern, wurde die Legislaturperiode des Landtags von vier auf fünf Jahre verlängert. Das Parlament kann sich auf Beschluß von zwei Dritteln der Abgeordneten selbst auflösen, wenn dies zuvor von einem Viertel der Abgeordneten beantragt wurde. Als Staatsziele werden der Schutz von Behinderten vor Benachteiligung sowie die Stärkung der EU in die Verfassung aufgenommen. EU-Bürger erhalten das aktive und passive Wahlrecht auf kommunaler Ebene.

**Erfolg für CDU:** Bei der Bundestagswahl am 16. 10. 1994 errang die baden-württembergische CDU, die im Landesdurchschnitt 43,3% (1990: 46,5%) erreichte, erstmals alle 37 Direktmandate. Die SPD legte mit 30,7% (1990: 29,1%) leicht zu. Auf Bündnis 90/Die Grünen entfielen 9,6% (1990: 5,7%), auf die FDP 9,9% (1990: 12,3%).

**Streit um Deckert-Urteil:** Im Mai 1995 wurde der Mannheimer Richter Rainer Orlet auf eigenen Wunsch in den Ruhestand versetzt. Orlet kam einer Richteranklage durch den Landtag zuvor. Er hatte die international kritisierte Urteilsbegründung gegen NPD-Chef Günter Deckert verfaßt und ihm darin positive Charaktereigenschaften attestiert. Das Mannheimer Landgericht hatte den Rechtsradikalen im Juni 1994 wegen Volksverhetzung und Aufstachelung zum Rassenhaß zu einer Freiheitsstrafe von einem Jahr auf Bewährung verurteilt. Im

**Baden-Württemberg: Ministerpräsident Erwin Teufel**
* 4. 9. 1939 in Rottweil, deutscher Politiker (CDU). Der Diplom-Verwaltungswirt wurde 1972 Staatssekretär im Innenministerium. 1974 wechselte er ins Landwirtschafts-, 1976 ins Umweltministerium. 1978 wurde er Chef der CDU-Landtagsfraktion. Teufel übernahm 1991 das Amt des Ministerpräsidenten. 1992 bildete er eine Koalition aus CDU und SPD.

**Baden-Württemberg: Wirtschaftsminister Dieter Spöri**
* 15. 5. 1943 in Stuttgart, deutscher Politiker (SPD). Der Diplom-Volkswirt war Abgeordneter des Deutschen Bundestages (1976–1988). 1988 und 1992 führte er die SPD als Spitzenkandidat in die Landtagswahlen. Im Juni 1992 wurde Spöri Wirtschaftsminister in der Koalitionsregierung mit der CDU. Die SPD benannte ihn im Mai 1995 erneut als Spitzenkandidaten.

## Baden-Württemberg: Regierung

| Ressort | Name (Partei) | Amtsantritt |
|---|---|---|
| Ministerpräsident | Erwin Teufel (CDU) | 1991 |
| Wirtschaft und stellv. Ministerpräs. | Dieter Spöri (SPD) | 1992 |
| Inneres | Frieder Birzele (SPD) | 1992 |
| Finanzen | Gerhard Mayer-Vorfelder (CDU) | 1991 |
| Arbeit, Gesundheit und Sozialordnung | Helga Solinger (SPD) | 1992 |
| Justiz | Thomas Schäuble (CDU) | 1992 |
| Kultus und Sport | Annette Schavan (CDU) | 1995 |
| Wissenschaft, Forschung | Klaus von Trotha (CDU) | 1991 |
| Ländlicher Raum, Ernährung, Landwirtschaft, Forsten | Gerhard Weiser (CDU) | 1976 |
| Umwelt | Harald B. Schäfer (SPD) | 1992 |
| Familie, Frauen, Bildung, Kunst | Brigitte Unger-Soyka (SPD) | 1992 |
| Verkehr | Hermann Schaufler (CDU) | 1992 |
| Staatsministerium | Erwin Vetter (CDU) | 1992 |

Dezember 1994 hob der Bundesgerichtshof das Urteil wegen rechtsfehlerhafter Erwägungen auf. Das Landgericht Karlsruhe verurteilte Deckert am 23. 4. 1995 zu zwei Jahren Haft ohne Bewährung.

**KKW ohne Genehmigung:** Der Verwaltungsgerichtshof Mannheim hob im April 1995 auf Klage von Anwohnern und der Stadt Heidelberg die Dauerbetriebsgenehmigung für das Kernkraftwerk Obrigheim auf. Die Prüfung des seit 1968 betriebenen Reaktors hatte Sicherheitsmängel ergeben.

**Streit um Pfingstmontag:** Als einziges Bundesland hatte B. im November 1994 die Streichung des Pfingstmontags als bezahlten Feiertag zur Finanzierung der Pflegeversicherung beschlossen. Gegen die Abschaffung rief der baden-württembergische Schaustellerverband zu einem Volksbegehren auf, der Zustimmung von 1,2 Mio Bürgern bedarf.

**Sparzwang:** Der im November 1994 aufgestellte Landesetat sieht für 1995 Ausgaben in Höhe von 60,6 Mrd DM und für 1996 von 64,4 Mrd DM vor. Die Neuverschuldung soll auf 2,1 Mrd DM (1995) und 1,7 Mrd DM (1996) begrenzt werden. Mit einem realen Anstieg des Bruttoinlandsprodukts von 2,3% entsprach B. 1994 dem Bundesdurchschnitt.

## Bayern

| | |
|---|---|
| **Fläche** 70 545 km² (Rang 1/D) | |
| **Einwohner** 11,86 Mio (Rang 2/D) | |
| **Hauptstadt** München | |
| **Arbeitslosigkeit** 7,2% (1994) | |
| **Inflation** 2,6% (1994) | |
| **Reg.-Chef** Edmund Stoiber (CSU) | |

**Parlament** Landtag mit 204 für vier Jahre gewählten Abgeordneten; 120 Sitze für CSU, 70 für SPD, 14 für Bündnis 90/Die Grünen (nächste Wahl: 1998)

Bei der Landtagswahl am 25. 9. 1994 behauptete die CSU unter Ministerpräsident Edmund Stoiber (seit 1993) mit 52,8% (1990: 54,9%) ihre absolute Mehrheit. B. war 1994 mit 17% Anteil an der nationalen Wirtschaftsleistung nach Nordrhein-Westfalen das ökonomisch zweitstärkste Bundesland und hatte den geringsten Anteil an Erwerbslosen.

**CSU-Erfolg:** Im Landtag verfügt die seit 1957 in B. regierende CSU über 120 (1990: 127) der 204 Mandate. Die SPD steigerte sich auf 30,0% (1990: 26,0%) und errang 70 (1990: 58) Sitze. Während Bündnis 90/Die Grünen (6,1%; 1990: 6,4%) mit 14 (1990: 12) Abgeordneten in den Landtag zurückkehrten, scheiterte die FDP mit 2,8% (1990: 5,2%)

**Bayern: Ministerpräsident Edmund Stoiber**
* 28. 9. 1941 in Oberaudorf, deutscher Politiker (CSU). Nach dem Studium der Rechts- und Politikwissenschaften zog Stoiber 1974 in den Landtag ein. 1978–1983 war er CSU-Generalsekretär. Stoiber leitete 1982–1986 die Bayerische Staatskanzlei. 1988 wurde er Innenminister, im Mai 1993 Regierungschef. Im Oktober 1994 gewann er die Landtagswahl.

ebenso wie die im April 1995 vom bayerischen Verfassungsschutz als rechtsextremistisch eingestuften Republikaner mit 3,9% (1990: 4,9%) an der Fünf-Prozent-Hürde.

**Volksbegehren:** In einem Referendum soll im Oktober 1995 über die Einfügung eines kommunalpolitischen Bürgerbegehrens und Bürgerentscheids in die Landesverfassung abgestimmt werden. Im Februar 1995 hatte das Volksbegehren „Mehr Demokratie" in Bayern die Unterstützung von 13,7% der Wahlberechtigten in allen sieben bayerischen Regierungsbezirken erreicht. Die CSU will einen eigenen Gesetzentwurf vorlegen. Danach soll u. a. die Gemeinde oder der Landkreis über die Zulässigkeit eines Bürgerbegehrens entscheiden.

**Diäten:** Im Mai 1995 stoppte die unabhängige Diätenkommission eine vom Landtag geplante Diätenerhöhung. Die Bezüge der Abgeordneten sollten um 27% von 8700 auf 11 087 DM, die steuerfreie Aufwandspauschale (bisher: 4711 DM) sollte von 4255 DM bis 5182 DM gestaffelt werden. Schon vor der geplanten Erhöhung lag B. mit 13 411 DM an der Spitze der Abgeordnetenbezüge in den Bundesländern. Die Diätenkommission schlägt vor, die im Juli 1995 vorgesehene Anhebung der Grundentschädigung auf 10,2% bzw. 889 DM zu begrenzen (dann: 9589 DM).

**„Käseschachtel"-Affäre:** Im Mai 1995 trat der Vorsitzende der CSU-Fraktion im Münchener Stadtrat, Gerhard Bletschacher, von allen politischen Ämtern zurück. Ihm wurde vorgeworfen, dem Verein Stille Hilfe für Südtirol Spenden in Höhe von 4,8 Mio DM entzogen und seiner Kartonagefabrik zugeführt zu haben.

**Plutoniumschmuggel:** Das Landgericht München verurteilte im Juli 1995 drei Plutoniumschmuggler zu mehrjährigen Haftstrafen und kritisierte die Provokation des Vorgangs durch V-Leute des Bundesnachrichtendienstes. Im August 1994 hatte die Polizei auf dem Flughafen München II 363 g hochreines Plutonium 239 sichergestellt und einen Kolumbianer und zwei Spanier festgenommen. Es handelte sich um die bisher größte Menge atomwaffentauglichen Materials, welches illegal in die Bundesrepublik geschafft wurde.

**AKW Niederaichbach:** Im August 1994 war der 1974 nach nur 18,3 Betriebstagen vom Netz genommene Atommeiler bei Landshut als weltweit erstes stillgelegtes Atomkraftwerk frei von Radioaktivität. Die 1986 begonnene Demontage kostete rd. 280 Mio DM. Der konventionelle Abriß der Gebäudereste erfolgt 1995.

**Metallstreik:** Im März 1995 einigten sich IG Metall und Arbeitgeber nach zweiwöchigem Arbeitskampf auf einen Pilotabschluß für die westdeutsche Metallbranche. Der bis Ende 1996 laufende Tarifvertrag sah u. a. eine Anhebung von Löhnen und Gehältern um rd. 4% und die Einführung der 35-Stunden-Woche ab Oktober 1995 vor. Der Ausstand war der erste Stahlstreik in B. seit 1954.

**Wirtschaft:** Mit einem Anstieg des realen Bruttoinlandsprodukts (BIP) um 2,9% auf 513 Mrd DM lag B. 1994 in der Wachstumsrate an der zweiten Stelle aller westdeutschen Flächenländer. Konjunkturimpulse gingen vom Baugewerbe aus, wo die Beschäftigtenzahl im Monatsdurchschnitt auf 253 471 (1993: 249 558) stieg. 14,7 Mio Gästeankünfte bei rd. 59 Mio Übernachtungen bedeuteten bei den Gästezahlen im Sommer 1994 einen Rückgang gegenüber 1993 um 1,4%. Die Zahl der Konkurse in B. stieg auf 2946 (1993: 2569).

## Berlin

| | |
|---|---|
| **Fläche** 889 km² (Rang 14/D) | |
| **Einwohner** 3,46 Mio (Rang 8/D) | |
| **Arbeitslos.** 13,3% (West 1994) 13,0% (Ost 1994) | |
| **Inflation** 2,8% (West 1994) (Ost k. A.) | |
| **Reg.-Chef** Eberhard Diepgen (CDU) | |

**Parlament** Abgeordnetenhaus mit 241 für fünf Jahre gewählten Abgeordneten; 100 Sitze für CDU, 76 für SPD, 21 PDS, 19 Bündnis 90/Grüne (AL)/UFV, 18 FDP, 4 Neues Forum/Bürgerbew., 3 Fraktionsl. (nächste Wahl: 22. 10. 1995)

Im Juni 1995 stimmte das Abgeordnetenhaus mit der erforderlichen Zweidrittelmehrheit der zur Jahrtausendwende geplanten Fusion mit Brandenburg zu. Die Sozialsenatorin Ingrid Stahmer (SPD) setzte sich bei einer Mitgliederbefragung als Spitzenkandidatin der Sozialdemokraten für die Wahl zum Abgeordnetenhaus im Oktober 1995 durch. Mit einem realen Anstieg des Bruttoinlandsprodukts um 0,6% bildete B. 1994 das Schlußlicht unter den deutschen Bundesländern.

**Fusion in Sicht:** Am 6. 4. 1995 wurde ein Staatsvertragsentwurf über die Gründung des Bundeslandes Berlin-Brandenburg unterzeichnet. B. bleibt eine Einheitsgemeinde und soll die finanzielle Sonderstellung nach dem sog. Stadtstaatenprivileg von 1999 an für 15 Jahre behalten. Nach der Zustimmung durch beide Landesparlamente im Juni 1995 sollen die Bürger beider Länder endgültig über den Zusammenschluß und den Zeitpunkt (1999 oder 2002) entscheiden. In jedem der Länder muß eine Mehrheit der Abstimmenden, zumindest ein Viertel der Wahlberechtigten, die Vereinbarung billigen.

**Stahmer gewählt:** Bei der Urwahl für das Amt des Bürgermeisterkandidaten unter den 24 000 SPD-Mitgliedern setzte sich im Februar 1995 Sozialsenatorin Ingrid Stahmer mit 56,7% gegen den früheren Regierenden Bürgermeister Walter Momper durch. Wegen fehlenden Rückhalts in seiner Partei trat im November 1994 Ditmar Staffelt als SPD-Landesvorsitzender und Fraktionsvorsitzender im Abgeordnetenhaus zurück. Neuer Fraktionsvorsitzender wurde Klaus Böger, zum Parteichef wurde im Dezember 1994 der Reinickendorfer Bezirksbürgermeister Detlef Dzembritzki gewählt. Die SPD lehnte jede Koalition mit der PDS oder eine Tolerierung durch die SED-Nachfolgepartei ab.

**Machtkampf bei der FDP:** Ein Landesparteitag distanzierte sich im Januar 1995 mit großer Mehrheit

### Bayern: Regierung

| Ressort | Name (Partei) | Amtsantritt |
|---|---|---|
| Ministerpräsident | Edmund Stoiber (CSU) | 1993 |
| Unterricht, Kultus, Wissenschaft, Kunst, stellv. Ministerpräs. | Hans Zehetmair (CSU) | 1986 |
| Inneres | Günther Beckstein (CSU) | 1993 |
| Justiz | Hermann Leeb (CSU) | 1993 |
| Finanzen | Georg von Waldenfels (CSU) | 1990 |
| Wirtschaft, Verkehr und Technologie | Otto Wiesheu (CSU) | 1993 |
| Arbeit u. Sozialordnung, Familie, Frauen, Gesundheit | Barbara Stamm (CSU) | 1994 |
| Landesentwicklung und Umweltfragen | Thomas Goppel (CSU) | 1994 |
| Bundesangelegenh. | Ursula Männle (CSU) | 1994 |
| Chef/Staatskanzlei | Erwin Huber (CSU) | 1994 |

von den sog. Berliner Thesen einer rechtskonservativen Gruppe um den ehemaligen Generalbundesanwalt Alexander von Stahl. Die Berliner FDP-Führung unter Bundeswirtschaftsminister Günter Rexrodt sah sich durch gezielte Mitgliederwanderungen herausgefordert. Partei-Eintritte und Übertritte brachten in Tempelhof, Neukölln und Reinickendorf linksliberale Mehrheiten zu Fall.

**Kein Entschädigungsanspruch:** Nach einer Entscheidung des Bundesverwaltungsgerichts vom 13. 2. 1995 haben Alteigentümer von 991 Grundstücken und 589 Unternehmen, die 1949 im damaligen Ostberlin aufgrund der sog. Liste 3 (Besitz von „Kriegsverbrechern und Nazi-Aktivisten") enteignet wurden, keinen Anspruch auf Rückgabe. Die Grundstücke bleiben in öffentlichem Besitz.

**Flughafenstreit:** Im Juni 1995 entschieden der Bund und die Länder B. und Brandenburg, bis Ende 1995 eine private Finanzierbarkeit der Verkehrsanbindung des 45 km südlich von B. gelegenen Standortes Sperenberg zu prüfen. Zugleich soll der frühere Ostberliner Flughafen Schönefeld ausgebaut werden, damit auf den Betrieb von Tempelhof verzichtet werden kann. Das Land Brandenburg und die Berliner SPD-Fraktion favorisierten einen Neubau in Sperenberg, wo im Unterschied zu Schönefeld ein 24-Stunden-Betrieb möglich ist. Die Ko-

| Berlin: Regierung | | |
|---|---|---|
| Ressort | Name (Partei) | Amts-antritt |
| Reg. Bürgermeister | Eberhard Diepgen (CDU) | 1991 |
| Bürgermeisterin, Senatorin für Arbeit und Frauen | Christine Bergmann (SPD) | 1991 |
| Inneres | Dieter Heckelmann (CDU) | 1991 |
| Finanzen | Elmar Pieroth (CDU) | 1991 |
| Soziales, Jugend und Familie[1] | Ingrid Stahmer (SPD) | 1991 |
| Wissenschaft und Forschung | Manfred Erhardt (CDU) | 1991 |
| Justiz | Lore M. Peschel-Gutzeit (SPD) | 1994 |
| Wirtschaft und Technologie | Norbert Meisner (SPD) | 1991 |
| Kulturelle Angelegenheiten | Ulrich Roloff-Momin (parteilos) | 1991 |
| Schule, Berufsbildung, Sport | Jürgen Klemann (CDU) | 1991 |
| Gesundheit | Peter Luther (CDU) | 1991 |
| Bau- und Wohnungswesen | Wolfgang Nagel (SPD) | 1991 |
| Verkehr, Betriebe | Herwig Haase (CDU) | 1991 |
| Stadtentwicklung, Umweltschutz | Volker Hassemer (CDU) | 1991 |
| Bundes-, Europa-angelegenheiten | Peter Radunski (CDU) | 1991 |

1) Jugend und Familie kommissarisch seit 1994

**Berlin: Regierender Bürgermeister Eberhard Diepgen**
\* 13. 11. 1941 in Berlin, deutscher Politiker (CDU). 1971 wurde Diepgen ins Westberliner Abgeordnetenhaus gewählt. 1980 übernahm er den Fraktionsvorsitz. Von 1984 bis 1989 war er Regierender Bürgermeister von Berlin/West. 1989 unterlag Diepgen gegen Walter Momper (SPD), den er im Dezember 1990 wieder ablöste.

**Berlin: Sozialsenatorin und Spitzenkandidatin der SPD Ingrid Stahmer**
\* 16. 9. 1942 in Mittersill bei Zell am See, deutsche Politikerin (SPD). Die Stadträtin für Sozialwesen und Stellvertetende Bürgermeisterin von Charlottenburg (seit 1981) wurde 1989 Senatorin für Gesundheit und Soziales im rot-grünen Senat unter Walter Momper (SPD). Im Februar 1995 wurde sie zur SPD-Spitzenkandidatin gewählt.

sten belaufen sich auf rd. 15 Mrd DM. Dafür müßten jedoch über 3000 ha Wald gerodet werden. Ein Ausbau des Flughafens Schönefeld ist nach Angaben von Bundesverkehrsminister Matthias Wissmann (CDU) wegen der günstigeren Verkehrsanbindung rd. 1,4 Mrd DM billiger als ein Neubau. Experten bezweifelten Ende 1994 die von den Neubau-Befürwortern für das Jahr 2004 veranschlagte Zahl von rd. 25 Mio Fluggästen. 1994 zählten die drei Berliner Flughäfen 10,27 Mio Fluggäste.

**Hauptstadtplanung:** Nach einem vom Bundeskabinett im März 1995 gebilligten Konzept soll nur für das Bundeskanzleramt ein Neubau im Spreebogen entstehen. Die Ministerien und die Kopfstellen der in Bonn verbleibenden Ressorts beziehen grundsanierte Altbauten. Ein im Frühjahr 1995 vorgelegter Bericht des Bundesrechnungshofes beziffert die Kosten für Fehlplanungen beim Bau des Regierungsviertels auf rd. 1 Mrd DM.

**Verkehr:** Das Land B. fördert den Ausbau des öffentlichen Personennahverkehrs bis 1998 mit rd.

1,2 Mrd DM, darunter die U 1 vom Schlesischen Tor bis zur Warschauer Brücke, die U 2 von Vinetastraße bis Pankow-Kirche und die U 8 von Leinestraße bis Hermannstraße.

**Reichstagsverhüllung:** Der US-amerikanisch-bulgarische Künstler Christo verhüllte im Sommer 1995 für zwei Wochen den Reichstag mit 100 000 m² silbrigglänzendem Polypropylen. 5 Mio Besucher sahen das Kunstwerk. B. verbuchte zusätzliche Einnahmen von 0,5 Mrd DM.

**Wirtschaft:** Das Ende der vereinigungsbedingten Sonderkonjunktur und die Abwanderung der vormals hochsubventionierten Fertigungsbetriebe ins Umland führte zum Rückgang des Wirtschaftswachstums. Durch den Umzug der Bundesregierung und die Vereinigung mit Brandenburg könnten nach einer Studie der Bankgesellschaft Berlin bis 2004 durch Zusatzinvestitionen von rd. 208 Mrd DM bis zu 700 000 neue Arbeitsplätze entstehen.

**Haushalt:** Der im Dezember 1994 gebilligte Doppelhaushalt 1995/96 weist erstmals seit Einführung der Berlinhilfe des Bundes 1950 keinen Bundeszuschuß mehr aus. Ab 1995 erhält B. Mittel aus dem Länderfinanzausgleich (1995: 8,6 Mrd DM; 1996: 8,8 Mrd DM). Der Haushalt für 1995 hat ein Volumen von 42,9 Mrd DM (1994: 43,3 Mrd DM), für 1996 sind 44,0 Mrd DM vorgesehen.

## Brandenburg

| Fläche | 29 481 km² (Rang 5/D) |
|---|---|
| Einwohner | 2,53 Mio (Rang 11/D) |
| Hauptstadt | Potsdam |
| Arbeitslosigkeit | 15,3% (1994) |
| Inflation | 3,0% (1994) |
| Reg.-Chef | Manfred Stolpe (SPD) |

**Parlament** Landtag mit 88 für fünf Jahre gewählten Abgeordneten; 52 Sitze für SPD, 18 für CDU, 18 für PDS (nächste Wahl: 1999)

Bei der Landtagswahl am 11. 9. 1994 erhielt die SPD unter Ministerpräsident Manfred Stolpe die absolute Mehrheit. Über die zur Jahrtausendwende geplante Fusion mit Berlin, der das Parlament von B. am 22. 6. 1995 mit der erforderlichen Zweidrittelmehrheit zustimmte, sollen endgültig die Bürger beider Länder im Mai 1996 in einer Volksabstimmung entscheiden. Beim realen Wirtschaftswachstum bildete B. 1994 mit 7,6% das Schlußlicht unter den fünf neuen Ländern.

**Absolute SPD-Mehrheit:** Die Sozialdemokraten errangen 54,1% (1990: 38,2%) der Stimmen und 52 der 88 Sitze im brandenburgischen Landtag. Erstmals wurden die Abgeordneten für eine fünfjährige Legislaturperiode gewählt. Die CDU fiel auf 18,7% (1990: 29,4%) und lag gleichauf mit der PDS (1990: 13,4%). Die FDP verfehlte mit 2,2% (1990: 6,6%) ebenso wie Bündnis 90/Die Grünen mit 2,9% (1990: 9,3%) den Wiedereinzug in das Parlament. Die sog. Ampelkoalition aus SPD, FDP und Bündnisgrünen war im März 1994 am Streit um die Bewertung von Stolpes Stasi-Kontakten zerbrochen. Im Oktober 1994 bestätigte der Landtag in Potsdam Stolpe mit 53 von 86 abgegebenen Stimmen in seinem Amt. Dem elfköpfigen Kabinett gehören weiterhin zwei parteilose Minister an.

**Ja zur Länderehe:** Am 6. 4. 1995 wurde der Entwurf des Staatsvertrages über die Fusion der Länder Berlin und B. unterzeichnet. Sie soll 1999 oder 2002 erfolgen. Potsdam wird Hauptstadt, Regierungs- und Parlamentssitz des geplanten Bundeslandes Berlin-Brandenburg. Bis zum Jahr 2002 soll B. die Neuverschuldung gegenüber 1994 um 3 Mrd DM verringern. Die Zahl der Landesbediensteten soll 159 000 nicht übersteigen. Da beide Landesparlamente der Fusion zugestimmt haben, entscheiden die Bürger beider Länder am 5. 5. 1996 endgültig über den Zusammenschluß und den Zeitpunkt.

**Gemeinsame Landesplanung:** Unabhängig von der Fusion soll ab 1996 eine Landesplanungsbehörde mit 84 Mitarbeitern aus B. und 16 aus Berlin

| Brandenburg: Regierung | | |
|---|---|---|
| Ressort | Name (Partei) | Amtsantritt |
| Ministerpräsident | Manfred Stolpe (SPD) | 1990 |
| Wirtschaft, Mittelstand, Technologie | Burkhard Dreher (SPD) | 1994 |
| Arbeit, Soziales, Gesundheit und Frauen | Regine Hildebrandt (SPD) | 1990 |
| Ernährung, Landwirtschaft, Forsten | Edwin Zimmermann (SPD) | 1990 |
| Bildung, Jugend und Sport | Angelika Peter (SPD) | 1994 |
| Wissenschaft, Forschung, Kultur | Steffen Reiche (SPD) | 1994 |
| Umwelt, Raumordnung, Naturschutz | Matthias Platzeck (Bündnis 90/Die Grünen) | 1990 |
| Stadtentwicklung, Wohnen, Verkehr | Hartmut Meyer (SPD) | 1993 |

**Brandenburg: Minister-präsident Manfred Stolpe**
\* 16. 5. 1936 in Stettin, deutscher Politiker (SPD). Nach seinem juristischen Examen (1959) übernahm Stolpe 1969 das Sekretariat des Bundes der evangelischen Kirchen in der DDR. Ab 1982 war er Konsistorialpräsident der Kirche in Berlin-Brandenburg. 1990 wurde er erster SPD-Ministerpräsident in Ostdeutschland, seit 1994 regiert er mit absoluter Mehrheit.

ihre Arbeit aufnehmen. Ziel ist die ausgewogene Verteilung der Entwicklungschancen in Berlin und B.

**Überlastete Justiz:** In B. fehlten Mitte 1995 rd. 200 Richterstellen. Die 414 Richter, davon 140 ehemalige DDR-Juristen, erledigten 1994 rd. 100 000 Rechtsstreitigkeiten. Im gleichen Zeitraum kamen rd. 120 000 neue Fälle hinzu. Etwa 70 000 Vollstreckungsaufträge waren Anfang 1995 unerledigt, da von 120 Stellen für Gerichtsvollzieher nur 60 besetzt waren.

**Umweltpolitik:** Die Landesregierung von B. beschloß im April 1995 einen Gesetzentwurf über die Gründung des deutsch-polnischen Nationalparks Untere Oder. Ein rd. 60 km langer Flächengürtel am Oderufer von Hohensaaten bis kurz vor Stettin soll in ein Naturschutzgebiet umgewandelt werden. In der Flußaue wurden 268 Pflanzen- und 226 Vogelarten nachgewiesen. Im März 1995 wurde der Windpark Rüdersdorfer Halde in Betrieb genommen. Die zwei Windräder haben eine Leistung von je 600 KW. Mitte 1995 sind in B. 82 Windräder mit einer Leistung von rd. 15 MW im Einsatz.

**Flughafenneubau:** Bis Ende 1995 soll B. die Finanzierung eines Flughafenneubaus in Sperenberg, rd. 45 km südlich von Berlin, durch private Investoren prüfen. Die Landesregierung von B. lehnt als Ergebnis eines im November 1994 abgeschlossenen Raumordnungsverfahrens eine Erweiterung des früheren Ostberliner Flughafens Schönefeld ab, weil dort wegen der Lärmbelastung kein 24-Stunden-Betrieb möglich ist.

**Konversionspolitik:** Im Juni 1994 übernahm B. vom Bund rd. 92 000 ha Land, das von der Westgruppe der russischen Streitkräfte genutzt worden war. Darunter sind 77 Kasernen, elf Flugplätze und über 13 000 Wohnungen. Zugleich übernahm B. die auf ehemaligem Militärgelände befindlichen Altlasten. Die Kosten für die erforderliche Dekontaminierung werden auf rd. 20 Mrd DM geschätzt. Bis Frühjahr 1995 investierte B. in

die Flächenkonversion von Militärgelände 100 Mio DM, hinzu kamen 22,5 Mio DM aus EU-Mitteln.

**Braunkohle:** Im Juni 1995 stoppte das Landesverfassungsgericht in Potsdam die Ausweitung des Braunkohleabbaus in der Niederlausitz. Das von der Zerstörung bedrohte Dorf Horno wird zunächst nicht geräumt. Für die Auflösung einer Gemeinde ist ein Landesgesetz erforderlich. Sie darf laut Gerichtsbeschluß nicht aufgrund einer Regierungsverordnung erfolgen.

**Haushalt gebilligt:** Der Haushalt 1995 weist gegenüber 1994 eine Steigerung um 0,5% auf 20,35 Mrd DM auf. Die Neuverschuldung sinkt von 5,66 Mrd DM (1994) auf 2,99 Mrd DM. Der Anteil der Investitionen macht mit 6,4 Mrd DM 31,3% des Etats aus. B. ist 1994 mit 15,1 Mrd DM verschuldet.

## Bremen

| | |
|---|---|
| **Fläche** 404 km² (Rang 16/D) | |
| **Einwohner** 0,68 Mio (Rang 16/D) | |
| **Arbeitslosigkeit** 13,7% (1994) | |
| **Inflation** k. A. | |
| **Reg.-Chef** Henning Scherf (SPD) | |
| **Parlament** Bürgerschaft mit 100 für | |

vier Jahre gewählten Abgeordneten
37 Sitze für SPD, 37 für CDU, 14 für Bündnis 90/Die Grünen, 12 für Arbeit für Bremen (nächste Wahl: 1999)

Das seit 1945 schlechteste Ergebnis für die SPD führte nach der Bürgerschaftswahl vom 14. 5. 1995 zum Rücktritt von Bürgermeister Klaus Wedemeier. Nachfolger wurde der ehemalige Bildungs- und Justizsenator Henning Scherf (SPD), der im Juli eine große Koalition mit der CDU einging. Die seit 1991 amtierende Ampel-Koalition aus SPD, FDP

**Bremen: Präsident des Senats Henning Scherf**
\* 31. 10. 1938 in Bremen, Dr. jur., deutscher Politiker (SPD). Scherf wurde 1972 SPD-Landesvorsitzender. Er leitete das Finanzressort (1978–1979) und war Senator für Soziales und Jugend (1979–1990). In der Ampelkoalition wurde Scherf 1991 Senator für Bildung, Wissenschaft, Justiz und Verfassung. Im Juli 1995 wurde er zum Senatspräsidenten gewählt.

**Bremen: Finanzsenator Ulrich Nölle**
\* 8. 8. 1944 in Dortmund, deutscher Politiker (CDU). Nölle war 1977–1981 Vorstandsmitglied der Sparkasse Hannover, seit 1981 der Sparkasse Bremen. 1991 trat er in die CDU ein und wurde Mitglied der Bremischen Bürgerschaft. 1991 und 1995 war er CDU-Spitzenkandidat bei Bürgerschaftswahlen. In der SPD/CDU-Koalition ist er Stellvertretender Senatspräsident.

und Bündnis 90/Die Grünen war im Februar zerbrochen. Mit einer Arbeitslosenquote von 13,7% hatte B. 1994 den höchsten Anteil an Erwerbslosen unter den westdeutschen Bundesländern.

**Wahlergebnis:** Die SPD behauptete sich mit 33,4% (1991: 38,8%) als stärkste Partei vor der CDU, die unter Ulrich Nölle mit 32,6% (1991: 30,7%) ihr bestes Ergebnis seit 1983 erreichte. Mit jeweils 37 Mandaten liegen SPD (1991: 41) und CDU (1991: 32) gleichauf. Bündnis 90/Die Grünen steigerten sich auf 13,1% (1991: 11,4%) und 14 Sitze (1991: 11). Die FDP scheiterte mit 3,4% (1991: 9,5%) ebenso an der Fünf-Prozent-Klausel wie die rechtsradikale DVU mit 2,5% (1991: 6,2%). Auf Anhieb erfolgreich war die Liste Arbeit für Bremen/Bremerhaven (AFB) mit 10,7%. Die AFB war

| Bremen: Regierung | | |
|---|---|---|
| Ressort | Name (Partei) | Amtsantritt |
| Bürgermeister, Präs. des Senats, Kirchen, Justiz, Verfassung | Henning Scherf (SPD) | 1995 |
| Finanzen, Personal, Zweiter Bürgerm. | Ulrich Nölle (CDU) | 1995 |
| Inneres | Ralf H. Borttscheller (CDU) | 1995 |
| Wirtschaft, Mittelstand, Technologie, Europa | Hartmut Perschau (CDU) | 1995 |
| Bildung, Wissenschaft, Kunst, Sport | Bringfriede Kahrs (SPD) | 1995 |
| Frauen, Gesundheit, Jugend, Soziales, Umweltschutz | Christine Wischer (SPD) | 1995 |
| Bau, Verkehr und Stadtentwicklung | Bernt Schulte (CDU) | 1995 |
| Häfen, überreg. Verkehr, Außenhandel, Arbeit | Uwe Beckmeyer (SPD) | 1991 |

im Januar 1995 von früheren SPD-Mitgliedern auf Initiative von Friedrich Rebers gegründet worden und stellt zwölf Abgeordnete. Die Stadtverordnetenversammlung von Bremerhaven wählte im Mai 1995 Manfred Richter (FDP) mit 24 von 42 Stimmen zum Oberbürgermeister. Richter ist das einzige liberale Stadtoberhaupt in Deutschland. Er tritt seine achtjährige Amtszeit im Dezember 1995 an.

**SPD-Urabstimmung:** Um die Nachfolge Wedemaiers bewarb sich neben Scherf der frühere Chef der Senatskanzlei, Hans-Helmut Euler (SPD). Die rd. 9700 SPD-Mitglieder entschieden sich bei einer Urwahl am 11. 6. mit Zweidrittelmehrheit für Scherf als Kandidaten. Die Mitglieder favorisierten außerdem die große Koalition mit 39 Stimmen Mehrheit gegenüber einer rot-grünen Koalition.

**„Piepmatz"-Affäre:** Die Ampel-Koalition scheiterte im Februar 1995 am Streit um die eigenmächtige Ausweisung eines Naturschutzgebietes durch die von Ralf Fücks (Bündnis 90/Die Grünen) geführte Umweltbehörde. CDU und FDP lasteten ihm an, ein vom Land erworbenes Wiesengrundstück von 6500 ha ohne Rücksprache mit dem Senat bei der EU als Vogelschutzgebiet angemeldet zu haben. Das Grundstück ist ein Teil der Hemelinger Marsch, die geschützten Tieren Lebensraum bietet. Fücks trat am 23. 2. zurück, nachdem ihm 54 Abgeordnete – darunter auch fünf Sozialdemokraten – auf Antrag der CDU das Mißtrauen aussprachen.

**Wirtschaft:** Das reale Bruttoinlandsprodukt (BIP) stieg 1994 um 2,9%. Das kleinste Bundesland lag im Ländervergleich hinter Rheinland-Pfalz und gleichauf mit Bayern an der Spitze. Das BIP pro Erwerbstätigem lag mit rd. 108 000 DM rd. 5% über dem westdeutschen Durchschnitt. 1994 hatte B. mit 25 141 DM die größte Schuldenlast pro Einwohner unter den deutschen Bundesländern (Gesamtsumme: 17,1 Mrd DM).

# Hamburg

| | |
|---|---|
| **Fläche** 755 km² (Rang 15/D) | |
| **Einwohner** 1,70 Mio (Rang 14/D) | |
| **Arbeitslosigkeit** 9,8% (1994) | |
| **Inflation** 3,0% (1994) | |
| **Reg.-Chef** H. Voscherau (SPD) | |
| **Parlament** Bürgerschaft mit 121 | |

für vier Jahre gewählten Abgeordneten; 58 Sitze für SPD, 36 für CDU, 20 für Grüne/GAL, 5 für STATT Partei, 2 Fraktionslose (nächste Wahl: 1997)

Seit der Bürgerschaftswahl 1993 wird H. von einem Kooperationssenat aus SPD und STATT-Partei unter dem Ersten Bürgermeister Henning Voscherau (SPD) regiert. Die Krise der STATT-Partei, die im Juni 1995 in der Bürgerschaft ihren Fraktionsstatus verlor, belastete die Regierungsarbeit. Das reale Bruttoinlandsprodukt wuchs 1994 in H. um 2,2% (Durchschnitt der alten Bundesländer: 2,3%).

**Regierung geschwächt:** Nach internen Streitigkeiten traten der Parteigründer Markus Wegner und Alterspräsident Klaus Scheelhaase aus der siebenköpfigen STATT-Partei-Fraktion aus. Mit dem Verlust der Fraktionsstärke (Mindestanzahl: 6 Abgeordnete) verschieben sich die Kräfteverhältnisse in den wichtigen Ausschüssen Haushalt und Verfassung zugunsten der Opposition. Die STATT-Partei kooperiert mit der SPD, da die Satzung der Partei eine Koalition untersagt. Im November 1994 war Markus Wegner von den Bürgerschaftsabgeordneten der STATT-Partei als Fraktionsvorsitzender abgesetzt worden. Ihm wurde u. a. ein autoritärer Führungsstil zum Vorwurf gemacht. Nachfolger als Fraktionschef wurde Achim Reichert.

**Polizeiskandal:** Im März 1995 wurde der Landespolizeidirektor Heinz Krappen in den Ruhestand versetzt. Ihm wurde vorgeworfen, den damaligen Innensenator Werner Hackmann (SPD) im Frühjahr

**Hamburg: Erster Bürgermeister Henning Voscherau**
\* 13. 8. 1941 in Hamburg, Dr. jur., deutscher Politiker (SPD). Voscherau wurde 1974 in die Hamburger Bürgerschaft gewählt und hatte den Vorsitz der SPD-Fraktion inne (1982–1987). 1988 löste er Klaus von Dohnanyi (SPD) als Ersten Bürgermeister der Hansestadt ab.1993 verlor die SPD unter Führung Voscheraus die absolute Mehrheit der Mandate.

1994 nicht hinreichend über ausländerfeindliche Übergriffe von Polizeibeamten im Bereich der Polizeiwache 11 informiert zu haben. Hackmann war nach Bekanntwerden der Vorfälle im September 1994 zurückgetreten. Zu seinem Nachfolger wählte die Bürgerschaft im September 1994 Hartmuth Wrocklage (SPD).

**Parlamentsreform:** Der Verfassungsausschuß der Bürgerschaft beschloß im April 1995 die Abschaffung des sog. Feierabendparlaments. Die Abgeordneten sollen künftig statt einer steuerfreien Aufwandsentschädigung von 1920 DM eine Vergütung von 4000 DM plus 600 DM steuerfreie Aufwandsentschädigung erhalten. Strittig ist u. a. die Zahl der Wahlkreise und die Anzahl der Stimmen. SPD und CDU wollen das Ein-Stimmen-Wahlrecht beibehalten, STATT-Partei und Grün Alternative Liste (GAL) ein Zwei-Stimmen-Wahlrecht einführen.

**Hafenstraße:** Die Bürgerschaft billigte im Februar 1995 mit 66 gegen 49 Stimmen einen Verkauf der ehemals besetzten Häuser im Stadtteil St. Pauli an einen privaten Investor. Die sechs Häuser und zwei Freiflächen sollen zum gutachterlich ermittelten Verkehrswert von 4 Mio DM veräußert werden.

**Schulgesetz:** Im Februar 1995 legte Schulsenatorin Rosemarie Raab (SPD) einen Plan vor, nach dem bis zum Jahr 2000 flächendeckend die Halbtags-Grundschule eingeführt werden soll. Die Kinder sollen von montags bis freitags von 8 bis 13 Uhr die Schule besuchen.

**Erzbistum:** Im Januar 1995 wurde der ehemalige Bischof von Osnabrück, Ludwig Averkamp, in sein Amt als Erzbischof des neugeschaffenen katholischen Bistums Hamburg eingeführt. In der neuen Diözese leben rd. 410 000 Katholiken. Sie umfaßt H., Schleswig-Holstein und den mecklenburgischen Teil von Mecklenburg-Vorpommern.

**Finanzen:** Der Haushalt 1995 sieht bereinigte Gesamtausgaben von 17,9 Mrd DM vor. Dies entspricht einer Zuwachsrate von 4,5% gegenüber

## Hamburg: Regierung

| Ressort | Name (Partei) | Amtsantritt |
|---|---|---|
| Erster Bürgermeister | Henning Voscherau (SPD) | 1988 |
| Wirtschaft, Zweiter Bürgermeister | Erhard Rittershaus[1] (parteilos) | 1993 |
| Inneres | Hartmuth Wrockläge (SPD) | 1994 |
| Finanzen | Ortwin Runde (SPD) | 1993 |
| Arbeit, Gesundheit und Soziales | Helgrit Fischer-Menzel (SPD) | 1993 |
| Justiz | Klaus Hardraht[1] (parteilos) | 1993 |
| Wissenschaft und Forschung | Leonhard Hajen (SPD) | 1991 |
| Kultur, Gleichstell. | Christina Weiss (parteil.) | 1991 |
| Schule, Jugend und Berufsbildung | Rosemarie Raab (SPD) | 1987 |
| Umwelt | Fritz Vahrenholt (SPD) | 1991 |
| Bau | Eugen Wagner (SPD) | 1983 |
| Chef der Senatskanzlei und Stadtentwicklung | Thomas Mirow (SPD) | 1991 |

1) Von der STATT Partei nominiert

1994 (17,1 Mrd DM). Das Defizit im Betriebshaushalt (1995: 1,1 Mrd DM) soll bis 1997 um Einsparungen in Höhe von 600 Mio DM und Einnahmeerhöhungen von 200 Mio DM entlastet werden. **Wirtschaft:** 1994 wurden im Hafen 68,3 Mio t Seegüter umgeschlagen (1993: 65,7 Mio t). Während das Massengutaufkommen stagnierte, nahm der Stück- und Sackgutumschlag um 8% zu. Etwa 80% des Stückguts werden mit Containern umgeschlagen. Unter den deutschen Großstädten hatte H. nach einer Marktanalyse 1994 mit 31,9 Mrd DM das größte Kaufkraftvolumen für den Einzelhandel.

## Hessen

| | |
|---|---|
| **Fläche** 21 114 km² (Rang 7/D) | |
| **Einwohner** 5,96 Mio (Rang 5/D) | |
| **Hauptstadt** Wiesbaden | |
| **Arbeitslosigkeit** 8,2% (1994) | |
| **Inflation** 3,1% (1994) | |
| **Reg.-Chef** Hans Eichel (SPD) | |

**Parlament** Landtag mit 110 für vier Jahre gewählten Abgeordneten; 45 Sitze für CDU, 44 für SPD, 13 für Bündnis 90/Grüne, 8 für FDP (nächste Wahl: 1999)

**Hessen: Ministerpräsident Hans Eichel**
\* 24. 12. 1941 in Kassel, deutscher Politiker (SPD). 1975 wurde Eichel Oberbürgermeister von Kassel. Als erster Bürgermeister in Deutschland erprobte er 1981 eine Zusammenarbeit mit den Grünen. 1989 wurde Eichel zum Landesvorsitzenden der SPD gewählt. Nach der Landtagswahl 1991 löste er Walter Wallmann (CDU) als hessischer Ministerpräsident ab.

Bei den Landtagswahlen am 19. 2. 1995 behauptete sich die seit 1991 von Ministerpräsident Hans Eichel (SPD) geführte rot-grüne Landesregierung. Nach einer Serie von sieben verlorenen Landtagswahlen im Jahr 1994 schaffte die FDP mit 7,5% (1991: 7,4%) den Wiedereinzug ins Landesparlament. Die Landesregierung verhängte nach Steuermindereinnahmen in Höhe von 1,4 Mrd DM im März 1995 eine Haushaltssperre. Ihr unterliegen 20% der ungebundenen Landesausgaben wie z. B. Investitionszuschüsse, sächliche Verwaltungskosten oder Bauausgaben.

**CDU stärkste Kraft:** Die CDU unter Bundesinnenminister Manfred Kanther errang mit 39,2% (1991: 40,2%) 45 (1991: 46) Sitze im Landtag. Die Koalition aus Sozialdemokraten (38,0%, 44 Mandate; 1991: 40,8%, 46 Mandate) und Bündnis 90/Die Grünen (11,2%, 13 Mandate; 1991: 8,8%, zehn Mandate) baute ihre Mehrheit auf vier Sitze (1991: 2) aus. Die FDP behauptete acht Mandate.

**Eichel bestätigt:** Der Landtag bestätigte Hans Eichel im April 1995 mit 57 gegen 53 Stimmen als Ministerpräsidenten. In dem um zwei auf acht Minister verkleinerten Kabinett übernahm mit Rupert von Plottnitz, der das Justizministerium leitet, erstmals ein grüner Politiker ein sog. klassisches Ressort.

**Keine Wahlrechtsänderung:** In einer Volksabstimmung lehnten die Wähler im Februar 1995 die Herabsetzung des passiven Wahlalters von 21 auf 18 Jahre mit 62,7% ab. Eine entsprechende Verfassungsänderung hatte der Landtag im November 1994 beschlossen. H. bleibt neben Bayern das einzige Bundesland, in dem eine Kandidatur für den Landtag erst nach Vollendung des 21. Lebensjahres möglich ist.

**Wechsel in Frankfurt/M.:** Bei der ersten Direktwahl des Stadtoberhauptes am 25. 6. 1995 unterlag Oberbürgermeister Andreas von Schoeler (SPD) der CDU-Kandidatin Petra Roth, die im ersten Wahlgang 51,9% der Stimmen auf sich vereinigte. Im März 1995 hatten Bündnis 90/Die Grünen die Koalition mit der SPD aufgekündigt, nachdem der Versuch einer Wiederwahl der von den Grünen no-

| **Hessen: Regierung** | | |
|---|---|---|
| **Ressort** | **Name (Partei)** | **Amts-antritt** |
| Ministerpräsident | Hans Eichel (SPD) | 1991 |
| Justiz und Europaangelegenheiten, stellv. Ministerpräs. | Rupert von Plottnitz (Bündnis 90/Die Grünen) | 1995 |
| Inneres , Landwirtschaft, Naturschutz | Gerhard Bökel (SPD) | 1994 |
| Finanzen | Karl Starzacher (SPD) | 1995 |
| Kultus | Hartmut Holzapfel (SPD) | 1991 |
| Wissenschaft und Kunst | Christine Hohmann-Dennhardt (SPD) | 1995 |
| Wirtschaft, Verkehr, Landesentwickl. | Lothar Klemm (SPD) | 1995 |
| Umwelt, Energie, Jugend, Familie, Gesundheit | Iris Blaul (Bündnis 90/Die Grünen) | 1991 |
| Frauen, Arbeit, Soziales | Barbara Stolterfoht (SPD) | 1995 |

minierten Gesundheitsdezernentin Margarethe Nimsch im Stadtparlament an rechtsgerichteten SPD-Abweichlern gescheitert war. Andreas von Schoeler ließ sich daraufhin abwählen, um sich der Direktwahl der Bürger zu stellen.

**Sommersmog:** Erstmals wurde am 26. 7. 1994 in H., dem bis dahin einzigen Bundesland mit einer entsprechenden Verordnung, Ozonalarm ausgelöst. Der Grenzwert liegt bei 215 Mikrogramm je $m^3$ Luft. Die Regelung, die fast 80% der Autofahrer befolgten, sieht ein Tempolimit von 90 km/h auf Autobahnen und 80 km/h auf Landstraßen vor. Zwei im Mai 1995 von Umweltministerin Iris Blaul (Bündnis 90/Die Grünen) vorgelegte Studien kamen zu dem Ergebnis, daß die Geschwindigkeitsbeschränkungen nur marginale Auswirkungen auf die Ozonkonzentration hatten.

**Flughafenausbau:** Im Oktober 1994 wurde nach zehn Jahren Planung und Errichtung der Terminal 2 auf dem Rhein-Main-Flughafen eröffnet, der die Abfertigungskapazität um 25% steigert. Der Bau kostete rd. 2,5 Mrd DM. Die rotgrüne Koalition beschloß im März 1995, daß keine neue Start- und Landebahnen errichtet werden sollen. Mit 35,1 Mio Fluggästen wurden 1994 in Frankfurt mehr als ein Drittel aller Passagiere auf deutschen Flughäfen (101,6 Mio) abgefertigt.

**Lehrerstreik:** Trotz eines Verbots von Kultusminister Hartmut Holzapfel (SPD) traten im März 1995 zahlreiche hessische Lehrer in einen eintägigen Warnstreik. Ihr Protest richtete sich gegen eine geplante Arbeitszeitverlängerung.

**Haushalt:** Mit einem Volumen von 37,7 Mrd DM stieg der Haushalt 1995 um 8,5%. Die reinen Landesausgaben stiegen um 3,3%. Die zusätzliche Ausgabensteigerung ist Ergebnis des erhöhten Länderanteils zur Finanzierung des Aufbaus in den neuen Bundesländern (1995: 3,6 Mrd DM). Die Schulden wuchsen um 2,3 Mrd DM auf 36,8 Mrd DM. Der Landesrechnungshof mahnte im März 1995 eine baldige Haushaltskonsolidierung an. Mit einem Anteil von 43,2% liegt der Anteil der Personalausgaben im Haushalt von H. über dem Niveau der alten Bundesländer (40,8%).

**Wirtschaft:** Mit einem realen Anstieg des Bruttoinlandsprodukts (BIP) von 2,6% lag H. 1994 an dritter Stelle der westdeutschen Flächenländer. Mit einem BIP pro Kopf der Erwerbstätigen von 112 537 DM rangiert H. nach Hamburg an zweiter Stelle. Wichtigster Konjunkturmotor war die Automobilindustrie. Mit einer Arbeitslosenquote von 8,2% lag H. unter den deutschen Bundesländern an drittletzter Stelle.

## Mecklenburg-Vorpommern

| | |
|---|---|
| **Fläche** | 23 170 km² (Rang 6/D) |
| **Einwohner** | 1,83 Mio (Rang 13/D) |
| **Hauptstadt** | Schwerin |
| **Arbeitslosigkeit** | 17,0% (1994) |
| **Inflation** | 3,7% (1994) |
| **Reg.-Chef** | Berndt Seite (CDU) |

**Parlament** Landtag mit 71 für vier Jahre gewählten Abgeordneten; 30 Sitze für CDU, 23 für SPD, 18 für PDS, (nächste Wahl: 1998)

Bei den Landtagswahlen am 16. 10. 1994 büßte die bisherige Koalition aus CDU und FDP ihre Mehrheit ein. Im November einigten sich CDU und SPD auf eine große Koalition unter Führung von Berndt Seite (CDU), der seit März 1992 Ministerpräsident von M. ist. Mit einem realen Wachstum des Bruttoinlandsprodukts 1994 um 8,2% rangierte M. unter den neuen Bundesländern (Durchschnitt: 9,2%) auf dem vierten Platz.

**Regierungsbildung:** Die CDU wurde mit 37,7% (1990: 38,3%) stärkste Partei. Die SPD erreichte 29,5% (1990: 27,0%) und die PDS 22,7% (1990: 15,7%). FDP und Bündnis 90/Die Grünen scheiterten an der Fünf-Prozent-Klausel. Im November vereinbarten CDU und SPD eine Koalition, in der beide Parteien je vier Minister stellen. Im Koalitionsvertrag wurde der Kreditfinanzierungsrahmen für den Landeshaushalt, der zu den umstrittensten Themen zählte, auf 1,7 Mrd DM begrenzt. Nach Billigung der Koalitionsvereinbarung durch Sonderparteitage beider Parteien wurde Seite im Dezember 1994 mit 43 gegen 24 Stimmen bei vier Enthaltungen als Regierungschef bestätigt. Der SPD-Vorsitzende Harald Ringstorff übernahm das Wirtschaftsressort sowie das Amt des stellvertretenden Ministerpräsidenten. Sein Nachfolger als Fraktionschef wurde Gottfried Timm.

**Mecklenburg-Vorpommern: Ministerpräsident Berndt Seite**
* 22. 4. 1944 in Hahnswalde (Schlesien), Dr. med. vet., deutscher Politiker (CDU). Seite gehörte 1989 zum Neuen Forum und wechselte 1990 zur CDU. 1990 wurde Seite zum Landrat im Kreis Röbel und 1991 zum Generalsekretär der Landes-CDU gewählt. Im März 1992 löste er Alfred Gomolka (CDU) als Ministerpräsident ab.

**SPD-PDS-Gespräche:** Während die CDU nach der Wahl ein Bündnis mit der SPD anstrebte, ließ Ringstorff seine Bereitschaft erkennen, mit der SED-Nachfolgepartei PDS über die Tolerierung einer SPD-Minderheitsregierung zu sprechen. Die Kontakte, in deren Verlauf auch grundsätzliche Differenzen beider Parteien vor dem Hintergrund der Zwangsvereinigung von SPD und KPD zur SED 1946 erörtert wurden, stießen auf Kritik der Unionsparteien und des SPD-Bundesvorsitzenden Rudolf Scharping.

**SPD-Bürgermeister in Rostock:** Die Rostocker Bürgerschaft wählte im Mai 1995 Arno Pöker (SPD) für sieben Jahre zum Oberbürgermeister. Die Wahl war nötig geworden, nachdem Dieter Schröder (SPD) sein Amt aus gesundheitlichen Gründen niedergelegt hatte. Um das Amt hatte sich auch der frühere Bundesverkehrsminister Günther Krause (CDU) beworben, der im Mai zum CDU-Kreisvorsitzenden in Rostock gewählt wurde. In den Ausbau des Rostocker Hafens wurden bis 1994 rd. 400 Mio DM investiert.

**Neuer Schönberg-Ausschuß:** Im Dezember 1994 billigte der Landtag auf Antrag der PDS die Errichtung eines Untersuchungsausschusses zur Prüfung der Verträge über die Mülldeponie in Schönberg. M. hatte die Sondermülldeponie von der Treuhand erworben und verpachtet. Aus den Verträgen mit privaten Nutzern entstand dem Land ein Schaden von 100 Mio DM.

**Polizeiaffären:** Im Herbst 1994 wurden Kontakte von leitenden Polizeibeamten des Landes M. zum Rostocker Rotlichtmilieu bekannt. In diesem Zusammenhang geriet der politisch verantwortliche Innenminister Rudi Geil (CDU) in die Kritik. Ende November 1994 wurden der Leiter des Landeskriminalamtes, Siegfried Kordus, und Innen-Staatssekretär Klaus Baltzer in den Ruhestand versetzt.

**DDR-Vergangenheit:** Im März 1995 lehnte der Landtag eine von der PDS geforderte Novellierung des Stasi-Unterlagengesetzes ab. Die PDS hatte u. a. eine Einschränkung der Auskunftspflicht bei Überprüfungen der Angehörigen des öffentlichen Dienstes verlangt. CDU und SPD vereinbarten im Koalitionsvertrag ein parteiübergreifendes Projekt Leben in der DDR, Leben nach 1989 – Aufarbeitung und Versöhnung. Beide Parteien legten u. a. fest, daß die Überprüfung im öffentlichen Dienst wegen Stasi-Kontakten an landeseinheitliche Kriterien und Einzelfallprüfung geknüpft sein soll.

**Wirtschaftsförderung:** Zur Verbesserung der wirtschaftlichen Rahmenbedingungen will die Landesregierung die maritime Verbundwirtschaft mit dem

| Mecklenburg-Vorpommern: Regierung | | |
|---|---|---|
| Ressort | Name (Partei) | Amts-antritt |
| Ministerpräsident | Berndt Seite (CDU) | 1992 |
| Wirtschaft und stellv. Ministerpräs. | Harald Ringstorff (SPD) | 1994 |
| Inneres | Rudi Geil (CDU) | 1993 |
| Finanzen | Bärbel Kleedehn (CDU) | 1990 |
| Justiz | Rolf Eggert (SPD) | 1994 |
| Landwirtschaft, Naturschutz | Martin Brick (CDU) | 1990 |
| Bau, Raumordnung und Umweltschutz | Jürgen Seidel (CDU) | 1994 |
| Soziales | Hinrich Kuessner (SPD) | 1994 |
| Kultur | Regine Marquardt (parteilos) | 1994 |

Schiffbau als Mittelpunkt stärken. Die rd. 4 Mrd DM teure Ostsee-Autobahn A 20 (Lü-beck–Stettin) soll gebaut werden. Die Streckenführung, vor allem die Querung des Flusses Peene östlich der Stadt Jarmen, ist aus ökologischen Gründen umstritten. Weitere Projekte sind u. a. die geplante Transrapid-Strecke Hamburg–Berlin mit einem Haltepunkt in Parchim und der Bau von Flugplätzen in Neubrandenburg, Barth und Heringsdorf. Die Wirtschaftsförderung in dem am dünnsten besiedelten Bundesland wird auf zwei Förderinstrumente konzentriert: Die Gemeinschaftsaufgabe Verbesserung der regionalen Wirtschaftsstruktur (Förderungsvolumen 1995: 875 Mio DM) und das Landesaufbauprogramm für kleinere und mittlere Betriebe (1995: rd. 85 Mio DM).

**Urlauberrekord:** Die Beherbergungsbetriebe in M. verzeichneten 1994 mit 2,4 Mio Gästen einen Zuwachs von 10,7%. Die Auslastung der Bettenkapazität betrug 41%. Gegenüber 1993 wurde das Bettenangebot um rd. 20% erhöht. Die Zahl der Campingurlauber wuchs 1994 um 13,1% auf 823 000. Im Durchschnitt blieben die Gäste vier Tage in M.

**Wirtschaftsentwicklung:** Während der Umsatz der Industrie um 19,0% wuchs, ging die Zahl der Beschäftigen um 2,8 Prozentpunkte zurück. Mit einer Arbeitslosenquote von 17,0% hatte M. 1994 die zweithöchste Erwerbslosenrate in Deutschland. Die Zahl der Erwerbstätigen wuchs mit 734 000 gegenüber 1993 um 0,7 Prozentpunkte. Täglich pendeln 365 000 Berufstätige nach Schleswig-Holstein, Hamburg und Niedersachsen. Mit rd. 4500 Agrarbetrieben blieb die Zahl der Höfe stabil. 57% der landwirtschaftlich genutzten Fläche in M. wird von 10% der Betriebe mit einer Fläche von jeweils über 1000 ha bewirtschaftet.

## Niedersachsen

| | |
|---|---|
| **Fläche** 47 600 km² (Rang 2/D) | |
| **Einwohner** 7,65 Mio (Rang 4/D) | |
| **Hauptstadt** Hannover | |
| **Arbeitslosigkeit** 10,7% (1994) | |
| **Inflation** 3,4% (1994) | |
| **Reg.-Chef** Gerhard Schröder (SPD) | |

**Parlament** Landtag mit 161 für vier Jahre gewählten Abgeordneten; 81 Sitze für SPD, 67 für CDU, 13 für Bündnis 90/Die Grünen (nächste Wahl: 1998)

Die Landesregierung von Ministerpräsident Gerhard Schröder (SPD), die im Parlament über die absolute Mehrheit der Mandate verfügt, geriet im Frühjahr 1995 durch die „Familienfilz"-Affäre um Umweltministerin Monika Griefahn (SPD) unter Druck. Während das reale Bruttoinlandsprodukt 1994 um 2,3% gegenüber dem Vorjahr zunahm, stieg die Arbeitslosenquote auf den zweithöchsten Wert unter den deutschen Flächenländern.

**„Familienfilz"-Affäre:** Nach einem entlastenden Gutachten des früheren Bundesverfassungsrichters Helmut Simon nahm Umweltministerin Griefahn im April 1995 ihre Arbeit wieder auf. Im März war bekanntgeworden, daß sich Griefahn im Aufsichtsrat der Gesellschaft für die Weltausstellung in Hannover (EXPO 2000) für ein Konzept des EPEA-Umweltinstituts eingesetzt haben soll. Leiter des Instituts ist ihr Mann Michael Braungart. Daraufhin suspendierte Regierungschef Schröder die Ministerin bis zur Klärung der Vorwürfe. Ein Untersuchungsausschuß des Landtages soll die Affäre klären. Entlassungsanträge von CDU und Bündnis 90/Die Grünen scheiterten an der Einstimmen-Mehrheit der SPD im Landtag.

**Atomtransport:** Am 25. 4. 1995 wurde der erste CASTOR-Behälter mit neun abgebrannten Brennstäben per Bahn aus dem badischen Kernkraftwerk

**Niedersachsen: Ministerpräsident Gerhard Schröder**
* 7. 4. 1944 in Mossenberg (Westfalen), deutscher Politiker (SPD). Schröder war von 1978 bis 1980 Bundesvorsitzender der Jungsozialisten, von 1980 bis 1986 Mitglied des Bundestags, von 1986 bis 1990 niedersächsischer Fraktionsvorsitzender der SPD, 1990 Ministerpräsident Niedersachsens. Seit 1994 regiert Schröder mit der absoluten Mehrheit der Sitze .

Philippsburg in das niedersächsische Zwischenlager Gorleben überführt. Ein Großaufgebot von Polizei und Bundesgrenzschutz brach teilweise mit Wasserwerfereinsatz die Sitzblockaden der Demonstranten. Die Kosten für den Transport lagen bei rd. 55 Mio DM. Der CASTOR-Transport war im November 1994 vom Verwaltungsgericht Lüneburg untersagt, im Januar 1995 vom Oberverwaltungsgericht Lüneburg erlaubt worden. Mit der Einwilligung zum CASTOR-Transport beugte sich N. einer Weisung des Bundesumweltministeriums.

**Schröder auch SPD-Chef:** Im Juli 1994 wählte die niedersächsische SPD Ministerpräsident Schröder mit 165 von 190 Stimmen als Nachfolger von Johann Bruns zum Landesvorsitzenden. Im Juni 1994 hatte der niedersächsische Landtag mit 83 gegen 76 Stimmen bei einer Enthaltung Schröder als Regierungschef bestätigt.

**Funke-Affäre:** Im Dezember 1994 mußte Landwirtschaftsminister Karl-Heinz Funke (SPD) sein Amt für sechs Tage ruhen lassen. Anlaß für die zeitweilige Beurlaubung war der Vorwurf, Funke habe eine gefälschte Spesenquittung eingereicht. Ein von der Staatsanwaltschaft Hannover eingeleitetes Ermittlungsverfahren wurde eingestellt.

**Kommunalwahlrecht:** Ein SPD-Parteitag beschloß im März 1995, die sog. kommunale Doppelspitze, die Tätigkeit von Verwaltungschefs neben Bürgermeistern und Landräten, spätestens im Jahr 2001 abzuschaffen. Die Bürgermeister sollen direkt gewählt werden, Räte und Kreistage als oberste Organe der kommunalen Selbstverwaltung mit erweiterten Zuständigkeiten erhalten bleiben. Geplant ist außerdem, das Wahlalter für Kommunalwahlen von 18 auf 16 Jahre abzusenken.

**Ozonalarm:** Im Mai 1995 wurde nach Überschreiten der Luftkonzentration über dem Grenzwert von 215 Mikrogramm je m³ erstmals Ozonalarm in N. verhängt. Nach Messungen hielten sich lediglich 20% der Autofahrer an das vorgesehene Tempolimit (90 km/h auf Autobahnen, 80 km/h auf Landstraßen). Die Ozonverordnung war im August 1994 beschlossen worden. Die Polizei verhängte keine Bußgelder bei Geschwindigkeitsüberschreitungen.

**Haushalt:** Im Juni 1995 billigte die Landesregierung die Sparvorschläge von Finanzminister Hinrich Swieter (SPD). Angesichts eines Haushaltsfehlbetrages von rd. 660 Mio DM soll bis Mitte 1995 jedes Ministerium 10% seines Einzelhaushalts einsparen. Erstmals sind auch Einschnitte in Leistungsgesetze vorgesehen. Der Doppelhaushalt 1995/96 hat 1995 ein Gesamtvolumen von 39,4 Mrd DM, für 1996 sind Gesamtausgaben von 40,7

## Niedersachsen: Regierung

| Ressort | Name (Partei) | Amts-antritt |
|---|---|---|
| Ministerpräsident | Gerhard Schröder (SPD) | 1990 |
| Inneres, stellv. Ministerpräs. | Gerhard Glogowski (SPD) | 1990 |
| Finanzen | Hinrich Swieter (SPD) | 1990 |
| Soziales | Walter Hiller (SPD) | 1990 |
| Wirtschaft, Techno-logie, Verkehr | Peter Fischer (SPD) | 1990 |
| Justiz | Heidi Alm-Merk (SPD) | 1990 |
| Wissenschaft Kultur | Helga Schuchardt (parteilos, für SPD) | 1990 |
| Kultus | Rolf Wernstedt (SPD) | 1990 |
| Ernährung, Land-wirtschaft, Forsten | Karl-Heinz Funke (SPD) | 1990 |
| Umwelt | Monika Griefahn (SPD) | 1990 |
| Frauen | Christa Bührmann (SPD) | 1994 |
| Chef/Staatskanzlei | Willi Waike (SPD) | 1994 |

**Nordrhein-Westfalen: Ministerpräsident Johannes Rau**
* 16. 1. 1931 in Wuppertal, deutscher Politiker (SPD). Rau wurde1958 in den nordrhein-westfälischen Landtag gewählt. 1969/70 war er Oberbürgermeister von Wuppertal. Seit 1977 ist er Vorsitzender der SPD in Nordrhein-Westfalen, seit 1978 Ministerpräsident. Nach dem Verlust der absoluten Mehrheit im Mai 1995 führt er eine rot-grüne Koalition.

Mrd DM vorgesehen. Die Netto-Kreditaufnahme (1994: 2,9 Mrd DM) steigt 1995 auf 3,8 Mrd DM und soll 1996 auf 2,8 Mrd DM reduziert werden. Einsparungen sind u. a. im Wohnungsbau, bei der Stadtsanierung und im Bildungswesen vorgesehen.

**Lemwerder konsolidiert:** Das vom Land N. gegründete Flugzeugwartungswerk Aircraft Services Lemwerder GmbH (ASL) nahm im Januar 1995 die Arbeit auf. Es soll die Arbeitsplätze von rd. 1100 Beschäftigten sichern, die in dem vor der Schließung stehenden Airbus-Werk der Deutschen Aerospace (DASA) tätig waren. Im Juni 1995 erwarb der indonesische Luftfahrtkonzern Nusantara Aircraft Industries 25,01% der ASL-Anteile von N. und trug zur Konsolidierung des Unternehmens bei. Die Übernahme des DASA-Werks durch N. war im Juni 1994 vereinbart worden.

## Nordrhein-Westfalen

**Fläche** 34 072 km² (Rang 4/D)

**Einwohner** 17,79 Mio (Rang 1/D)

**Hauptstadt** Düsseldorf

**Arbeitslosigkeit** 10,7% (1994)

**Inflation** 2,9% (1994)

**Reg.-Chef** Johannes Rau (SPD)

**Parlament** Landtag mit 221 für fünf Jahre gewählten Abgeordneten; 108 Sitze für SPD, 89 für CDU, 24 für Bündnis 90/Die Grünen (nächste Wahl: 2000)

Bei der Landtagswahl am 14. 5. 1995 verfehlte die seit 1980 allein regierende SPD unter Ministerpräsident Johannes Rau die absolute Mehrheit der Stimmen und Mandate. SPD und Bündnis 90/Die Grünen einigten sich im Juli nach der Billigung des Koalitionsvertrages durch ihre Landesparteitage auf die Bildung einer rot-grünen Koalition. In der neuen Landesregierung leiten Bündnis 90/Die Grünen die Ministerien für Umwelt und Wohnungsbau. Mit einer Steigerung des realen Bruttoinlandsprodukts von 1,9% (1993: − 2,1%) lag N. 1994 an letzter Stelle der westdeutschen Flächenländer.

**Landtagswahl:** Die SPD fiel mit 46,0% (1990: 50,0%) auf den Stand von 1970 zurück und erreichte 108 (1990: 123) Mandate. Die CDU steigerte ihren Stimmenanteil auf 37,7% (1990: 36,7%) und stellt 89 (1990: 90) Abgeordnete. Bündnis 90/Die Grünen verdoppelten mit 10,0% ihren Stimmenanteil und erreichten 24 (1990: 12) Sitze, während die FDP mit 4,0% (1990: 5,8%) wie zuletzt 1980 an der Fünf-Prozent-Hürde scheiterte.

**Garzweiler II:** Zu den wichtigsten Streitpunkten bei den im Mai 1995 aufgenommenen Koalitionsgesprächen gehörte das rheinische Braunkohlevorhaben Garzweiler II. In dem rd. 48 km² großen Tagebaugebiet südlich von Mönchengladbach sollen rd. 8000 Menschen aus 13 Ortschaften umgesiedelt werden, um ab dem Jahr 2006 rd. 1,3 Mrd t Braunkohle fördern zu können. Die Landtagsfraktion von Bündnis 90/Die Grünen reichten im Mai 1995 beim Verfassungsgerichtshof in Münster gegen Garzweiler II wegen Versäumnissen beim Genehmigungsverfahren Organklage ein. Die Landesregierung hatte die Genehmigung per Ministererlaß erteilt. Der Koalitionsvertrag sieht vor, daß der gesamte Tagebau nach dem Jahr 2000 erneut auf seine energiewirtschaftliche Notwendigkeit, seine Auswirkungen für die Umwelt und auf seine sozialen Folgen überprüft wird. Ein Rahmenbetriebsplan wird erst genehmigt werden, wenn über die Klagen gegen Garzweiler II entschieden ist. Bis dahin sollen keine Umsiedlungen stattfinden. Zwischen den Koalitionspartnern bestanden unterschiedliche Auslegungen über die getroffene Vereinbarung. Während die SPD damit rechnete, daß Garzweiler II realisiert wird, gingen Bündnis 90/Die Grünen von einer Niederschlagung des Projekts aus. Sie verknüpften das Aus für Garzweiler II mit der Koalitionsfrage.

**Koalitionsvertrag:** Gegen den Willen von Bündnis 90/Die Grünen setzte die SPD die Bahnanbindung des Flughafens Köln/Bonn durch. Die Trasse führt durch das Naturschutzgebiet Wahner Heide. Bündnis 90/Die Grünen erreichten die verbindliche Verankerung der Frauenförderung in der Wirtschafts-, Struktur- und Arbeitsmarktpolitik von N. Außerdem einigten sich die Koalitionspartner auf einen weiteren Stellenabbau im öffentlichen Dienst.

**Kommunalwahl:** Im Oktober 1994 blieb die SPD mit 42,3% (1989: 43,0%) im Landesdurchschnitt stärkste Kraft vor der CDU mit 40,3% (1989: 37,5%). Bündnis 90/Die Grünen verbesserten sich auf 10,2% (1989: 8,3%), während die FDP 3,8% (1989: 6,5%) erreichte. In 16 Gemeinden und Kreisen kam es zu schwarz-grünen Bündnissen.

**Arbeitsmarkt:** Mit 7,3 Mio Erwerbstätigen im Jahresdurchschnitt (1993: 7,4 Mio) ging die Beschäftigung um 1,1% zurück. Von 1987 bis 1994 gingen rd. 36 000 Arbeitsplätze in der Landwirtschaft und über 220 000 im produzierenden Gewerbe verloren. N. hatte 1994 einen Anteil von 25% an der Wirtschaftskraft der alten Bundesländer.

| Nordrhein-Westfalen: Regierung | | |
|---|---|---|
| Ressort | Name (Partei) | Amts-antritt |
| Ministerpräsident | Johannes Rau (SPD) | 1978 |
| Wohnen und Bauen, stellv. Ministerpräs. | Michael Vesper (Bündnis 90/Die Grünen) | 1995 |
| Inneres | Franz-Josef Kniola (SPD) | 1995 |
| Wirtschaft | Wolfgang Clement (SPD) | 1995 |
| Finanzen | Heinz Schleußer (SPD) | 1988 |
| Justiz | Fritz Behrens (SPD) | 1995 |
| Arbeit und Soziales | Franz Müntefering (SPD) | 1992 |
| Umwelt | Bärbel Höhn (Bündnis 90/Die Grünen) | 1995 |
| Wissenschaft | Anke Brunn (SPD) | 1985 |
| Stadtentwickl. Kultur, Sport | Ilse Brusis (SPD) | 1995 |
| Bundes- und Europafragen | Manfred Dammeyer (SPD) | 1995 |
| Gleichstellung von Mann und Frau | Ilse Ridder-Melchers (SPD) | 1995 |
| Schule, Weiterbild. | Gabriele Behler (SPD) | 1995 |

## Rheinland-Pfalz

| | |
|---|---|
| **Fläche** 19 852 km² (Rang 9/D) | |
| **Einwohner** 3,95 Mio (Rang 7/D) | |
| **Hauptstadt** Mainz | |
| **Arbeitslosigkeit** 8,4% (1994) | |
| **Inflation** k. A. | |
| **Reg.-Chef** Kurt Beck (SPD) | |

**Parlament** Landtag mit 101 für fünf Jahre gewählten Abgeordneten; 47 Sitze für SPD, 40 für CDU, 7 für FDP, 7 für Bündnis 90/Die Grünen (nächste Wahl: 1996)

Der bisherige SPD-Fraktionsvorsitzende Kurt Beck löste im Oktober 1994 den als Oppositionsführer nach Bonn gewechselten Rudolf Scharping (SPD) als Ministerpräsident an der Spitze der einzigen sozialliberalen Koalition auf Bundesländerebene ab. Mit einem realen Wachstum des Bruttoinlandsprodukts von 3,4% nahm R. 1994 unter den westdeutschen Flächenländern die Spitzenstellung ein.

**Regierungsumbildung:** Der Landtag in Mainz wählte am 26. 10. 1994 Kurt Beck (SPD) mit 54 gegen 47 Stimmen zum Ministerpräsidenten. Die Zahl der Landesministerien wurde von elf auf acht reduziert. Das Gleichstellungsministerium und das Landwirtschaftsressort wurden aufgelöst und in andere Ministerien eingegliedert. Das vormalige Ministerium für Europa- und Bundesratsangelegenheiten wurde in die Zuständigkeit eines Staatssekretärs übertragen.

**Modernisierung der Verwaltung:** Zu den wichtigsten Reformvorhaben der Landesregierung zählt eine Verwaltungsreform. In den Landesbehörden soll die Haushaltsführung durch Budgetierung und Controlling dezentralisiert werden. Bis 2001 ist der Abbau von 3500 Landesbediensteten geplant. Zur Finanzierung der Beamtenpensionen (1995: 27 800 Pensionäre) will Regierungschef Beck 1996 einen

**Rheinland-Pfalz: Ministerpräsident Kurt Beck**
\* 5. 2. 1949 in Bad Bergzabern, deutscher Politiker (SPD). 1972 trat er in die SPD ein und wurde 1979 Mitglied des Landtags. Von 1985 bis 1991 war er Parlamentarischer Geschäftsführer, von 1991 bis 1993 Vorsitzender der SPD-Landtagsfraktion. Als Nachfolger von Rudolf Scharping (SPD) wurde er im Oktober 1994 Regierungschef der sozialliberalen Koalition.

**Rheinland-Pfalz: CDU-Vorsitzender Johannes Gerster**
* 2. 1. 1941 in Mainz, deutscher Politiker. 1960 trat er in die CDU ein und wurde 1972 Bundestagsabgeordneter. 1987 wurde er innenpolitischer Sprecher,1992 stellvertretender Vorsitzender der Unionsfraktion im Bundestag. Im Dezember 1993 Wahl zum Parteivorsitzenden der rheinland-pfälzischen CDU und zum Spitzenkandidaten für die Landtagswahl 1996.

Fonds gründen, der durch rd. 400 Mio DM aus dem geplanten Verkauf des Landesanteils an der Provinzal-Versicherung finanziert werden soll. Die Pensionsgrenze für Lehrer (Durchschnitt: 60 Jahre) und Polizisten (Durchschnitt: 53 Jahre) soll auf 65 Jahre angehoben werden.

**Truppenabzug:** Am 30. 9. 1994 gab die US-Luftwaffe den Fliegerhorst Bitburg in der Eifel an die Bundesrepublik zurück. Die Zahl der alliierten Soldaten verringerte sich von 81 000 (1990) auf rd. 45 000 (1994). Im gleichen Zeitraum wurden ca. 19 000 der ehemals 40 000 zivilen Arbeitsplätze abgebaut. Um die rd. 340 Mio m² militärisch genutzten Flächen für zivile Aufgaben umzustellen, stehen 1995 rd. 240 Mio DM Landesmittel bereit. Zu den größten Projekten zählte der frühere Militärflughafen Hahn, der als ziviler Fracht- und Charterflughafen fortgeführt werden soll.

**Schulgesetz:** Die Landesregierung plant, das Angebot an integrierten Gesamtschulen zu erweitern, wobei jeweils der Elternwille beachtet werden soll.

Ein Entwurf vom Januar 1995 gibt u. a. Eltern das Recht, am Unterricht ihrer Kinder teilzunehmen. Der Hochschulzugang soll über eine qualifizierte Berufsausbildung (z. B. Meisterbrief) möglich sein.
**Ausländerbeiräte gewählt:** Im November 1994 fanden erstmals landesweit in 55 Städten, Gemeinden und Landkreisen Wahlen zu den kommunalen Ausländerbeiräten statt. Die Beteiligung unter den rd. 200 000 Ausländern lag bei 23,5%.
**Wirtschaft:** Die gesamtwirtschaftliche Arbeitsproduktivität wuchs 1994 mit 4,3 % stärker als der westdeutsche Durchschnitt. R. ist das größte weinbautreibende Bundesland. 1994 wurden rd. 7,1 Mio Hektoliter Wein und Traubenmost erzeugt. In der Handwerksdichte rangierte R. mit 90 Betrieben auf 10 000 Einwohner auf dem dritten Platz.

## Saarland

| | |
|---|---|
| **Fläche** 2570 km² (Rang 13/D) | |
| **Einwohner** 1,08 Mio (Rang 15/D) | |
| **Hauptstadt** Saarbrücken | |
| **Arbeitslosigkeit** 12,1% (1994) | |
| **Inflation** 3,0% (1994) | |
| **Reg.-Chef** Oskar Lafontaine (SPD) | |

**Parlament** Landtag mit 51 für fünf Jahre gewählten Abgeordneten; 27 Sitze für SPD, 21 für CDU, 3 für Bündnis 90/Die Grünen (nächste Wahl: 1999)

Bei den Landtagswahlen am 16. 10. 1994 behauptete die SPD unter dem seit 1985 als Ministerpräsident amtierenden Oskar Lafontaine trotz Stimmenverlusten die absolute Mehrheit der Mandate. Mit einer Arbeitslosenquote von 12,1% (1993: 11,2%) stand das S. 1994 an der Spitze der westdeutschen Flächenländer. Der hochverschuldete kleinste deutsche Flächenstaat (Schuldenstand 1994: 14,2 Mrd DM) will bis 1998 rd. 1000 der 30 000 Stellen im Landesdienst streichen.
**Landtagswahl:** Die SPD errang mit 49,4% (1990: 54,4%) 27 der 51 Sitze im Landtag. Die von Bundesumweltminister Klaus Töpfer geführte CDU steigerte sich auf 38,6% (1990: 33,4%). Bündnis 90/Die Grünen gelang mit 5,5% (1990: 2,6%) erstmals der Einzug ins Parlament, während die FDP mit 2,1% (1990: 5,6%) an der Fünf-Prozent-Hürde scheiterte. Um die Landtagswahl gemeinsam mit der Bundestagswahl durchführen zu können, löste sich das Landesparlament im August 1994 erstmals in der 47jährigen Geschichte des S. mit 46 von 51 Stimmen selbst auf.

## Rheinland-Pfalz: Regierung

| Ressort | Name (Partei) | Amtsantritt |
|---|---|---|
| Ministerpräsident | Kurt Beck (SPD) | 1994 |
| Wirtschaft, Verkehr, Landwirtschaft, stellv. Ministerpräs. | Rainer Brüderle (FDP) | 1991 |
| Inneres und Sport | Walter Zuber (SPD) | 1991 |
| Finanzen | Gernot Mittler (SPD) | 1993 |
| Arbeit, Soziales, Gesundheit | Florian Gerster (SPD) | 1994 |
| Justiz | Peter Caesar (FDP) | 1991 |
| Kultur, Jugend, Familie u. Frauen | Rose Götte (SPD) | 1991 |
| Bildung, Wissenschaft, Weiterbild. | Jürgen Zöllner (SPD) | 1991 |
| Umwelt und Forsten | Klaudia Martini (SPD) | 1991 |

**Saarland: Ministerpräsident Oskar Lafontaine**
* 16. 9. 1943 in Saarlouis, deutscher Politiker (SPD). Von 1976 bis 1985 war er Bürgermeister von Saarbrücken, seit 1985 ist er Ministerpräsident des Saarlands. 1987 wurde Lafontaine stellvertretender Vorsitzender der Bundes-SPD, 1990 übernahm er die Kanzlerkandidatur. Am 9. 11. 1994 wurde er zum dritten Mal zum saarländischen Regierungschef gewählt.

**Regierung:** Mit sechs statt bisher acht Ministerposten bildet das saarländische Kabinett die kleinste deutsche Landesregierung. Als Teil der Sparmaßnahmen der öffentlichen Hand wurden die Ressorts Wirtschaft und Finanzen sowie Wissenschaft und Bildung zusammengelegt und dem Ressort Umwelt die Zuständigkeit für Energie und Verkehr übertragen, die bisher beim Wirtschaftsressort lag.

**Pressegesetz:** Im Dezember 1994 scheiterte im Landtag ein Antrag von CDU und Bündnis 90/Grüne zur Rücknahme des Pressegesetzes. Die im Juni 1994 in Kraft getretene Regelung sieht eine Erweiterung des Rechts auf Gegendarstellung vor. Redaktionelle Zusätze unmittelbar im Anschluß an die Gegendarstellung sind nicht mehr zulässig.

**Sparmaßnahmen:** Um den Landeshaushalt zu entlasten, verlieren die rd. 17 000 Beamten die Möglichkeit, mit 62 Jahren in den Ruhestand zu gehen. Nach Protesten der Gewerkschaften verzichtete Lafontaine auf die vorgesehene Festsetzung der Lebensarbeitszeit für Beamte auf 65 Jahre. An den Schulen im S. soll durch eine Änderung der Stundentafel ohne Kürzung der Pflichtstundenzahl der Lehrer die Fünftagewoche eingeführt werden.

**Wirtschaftslage:** Das S. erhält von 1994 bis 1998 von Bund und Ländern zusätzlich 8 Mrd DM zur Unterstützung der von den Krisenbranchen Kohle und Stahl geprägten Wirtschaft. Mit einem realen Anstieg des Bruttoinlandsprodukts von 2,3% lag das S. 1994 unter den deutschen Flächenländern an vorletzter Stelle. Für die rd. 12 000 Beschäftigten in der Stahlindustrie des S. galt bis Ende August 1995 eine einjährige Lohnerhöhungspause. Die 35-Stunden-Woche bei vollem Lohnausgleich wurde am 1. 4. 1995 eingeführt. Der Schuldenstand wird im Haushaltsetat 1995 um 460 Mio DM auf 13,7 Mrd DM gesenkt.

 **Sachsen**

| | |
|---|---|
| **Fläche** 18 412 km² (Rang 10/D) | |
| **Einwohner** 4,59 Mio (Rang 6/D) | |
| **Hauptstadt** Dresden | |
| **Arbeitslosigkeit** 15,7% (1994) | |
| **Inflation** 3,4% (1994) | |
| **Reg.-Chef** Kurt Biedenkopf (CDU) | |

**Parlament** Landtag mit 120 für vier Jahre gewählten Abgeordneten; 77 Sitze für CDU, 22 für SPD, 21 für PDS (nächste Wahl: 1998)

Bei der Landtagswahl am 11. 9. 1994 baute die CDU unter dem seit 1990 amtierenden Ministerpräsidenten Kurt Biedenkopf (CDU) die absolute Mehrheit der Stimmen und Mandate aus. Am 10. 7. 1995 trat der stellvertretende Bundesvorsitzende der CDU und sächsische Innenminister Heinz Eggert von seinen Parteiämtern zurück, nachdem ihn frühere Mitarbeiter der sexuellen Belästigung beschuldigt hatten. Mit einem Wachstum des realen Bruttoinlandsprodukts (BIP) um 10,4% stand S. 1994 an zweiter Stelle der deutschen Bundesländer (BIP pro Kopf: 21 600 DM).

**Mehrheit für Biedenkopf:** Die CDU steigerte sich auf 58,1% (1990: 53,8%) und 77 der 120 Mandate, während die SPD mit 16,6% (1990: 19,1%) und 22 Sitzen ihre Stellung als zweitstärkste politische Kraft gegenüber der PDS behaupten konnte (16,5%; 1990: 10,2%), die 21 Mandate erreichte. Bündnis 90/Die Grünen scheiterten mit 4,1% (1990: 5,6%) ebenso an der Fünf-Prozent-Hürde wie die FDP mit 1,7% (1990: 5,3%).

**Eggert-Rücktritt:** Eggert, der sein Landtagsmandat behielt, bestritt die Vorwürfe. Eine im Auftrag von Biedenkopf durchgeführte Untersuchung zur Klärung der Anschuldigungen brachte keine neuen

| Saarland: Regierung | | |
|---|---|---|
| **Ressort** | **Name (Partei)** | **Amtsantritt** |
| Ministerpräsident | Oskar Lafontaine (SPD) | 1985 |
| Inneres und Sport | Friedel Läpple (SPD) | 1985 |
| Wirtschaft und Finanzen | Christiane Krajewski (SPD) | 1990 |
| Justiz | Arno Walter (SPD) | 1985 |
| Bildung, Kultur, Wissenschaft | Diether Breitenbach (SPD) | 1985 |
| Frauen, Arbeit, Gesundheit, Soziales | Marianne Granz (SPD) | 1990 |
| Umwelt, Energie, Verkehr | Willy Leonhardt (SPD) | 1994 |

Erkenntnisse. Mit der vorübergehenden Führung des Innenressorts beauftragte Biedenkopf Justizminister Steffen Heitmann (CDU).

**Streit um Frauenkirche:** Im März 1995 lehnte die CDU-Fraktion im Landtag den Plan der Landesregierung ab, 1996 für den Wiederaufbau der 1945 zerstörten Dresdner Frauenkirche 25 Mio DM aus dem Verkaufserlös der Liegenschaften des ehemaligen DDR-Rundfunks bereitzustellen. Die im Juni 1 994 gegründete Stiftung Frauenkirche veranschlagte die Netto-Baukosten zur Wiederherstellung des S akralbaus auf 250 Mio DM. Sie sollen in erster Linie durch Spenden aufgebracht werden. Im Mai 1995 wurde eine Zehn-Mark-Gedenkmünze für die Frauenkirche aufgelegt. Der Verkauf soll 45 Mio DM einbringen.

**Private Bahn:** Die Privatisierung des Personennahverkehrs der Deutschen Bahn AG begann im März 1995 mit drei Strecken im Vogtland. Das 112 km lange Streckennetz betreibt die Regental-Bahnbetriebs-GmbH aus Viechtach (Bayern).

**Umweltkriminalität:** Die Zahl der registrierten Delikte stieg 1994 auf 1089 Fälle (1993: 548). Die häufigsten Delikte waren umweltgefährdende Abfallbeseitigung (497 Fälle) und Gewässerverunreinigung (353). Um Umweltstraftäter dingfest zu machen, soll die Polizei künftig nicht nur die Elbe, sondern auch Industrieflächen und mögliche wilde Deponien überwachen.

**Pflegeversicherung:** Im November 1994 lehnte die CDU-Fraktion im Landtag die Streichung eines Feiertags zur Finanzierung der 1995 in Kraft getretenen Pflegeversicherung ab. Begründet wurde dies mit den vergleichsweise wenigen Feiertagen in S. Damit tragen die Arbeitnehmer die Belastungen der Pflegeversicherung in voller Höhe.

**Haushalt:** Der Etat 1995 hat ein Volumen von 31,3 Mrd DM (1994: 30,7 Mrd DM). Die Netto-Neuverschuldung liegt mit 1,9 Mrd DM deutlich unter dem Vorjahresansatz von 6,3 Mrd DM. Erstmals decken

| Sachsen: Regierung | | |
|---|---|---|
| Ressort | Name (Partei) | Amts-antritt |
| Ministerpräsident | Kurt Biedenkopf (CDU) | 1990 |
| Justiz, Inneres[1] | Steffen Heitmann (CDU) | 1990 |
| Finanzen | Georg Milbradt (CDU) | 1990 |
| Soziales, Gesundheit, Familie | Hans Geisler (CDU) | 1990 |
| Wirtschaft, Arbeit | Kajo Schommer (CDU) | 1990 |
| Wissenschaft, Kunst | Hans Joachim Meyer (CDU) | 1990 |
| Landwirtschaft, Ernährung u. Forsten | Rolf Jähnichen (CDU) | 1990 |
| Umwelt | Arnold Vaatz (CDU) | 1992 |
| Kultus | Matthias Rößler (CDU) | 1994 |
| Gleichstellung | Friederike de Haas (CDU) | 1994 |
| Staatssekr. f. Bundes- und Europaangelegenheiten | Günter Ermisch (CDU) | 1990 |

1) Inneres nach dem Rücktritt von Heinz Eggert (CDU) kommissarisch seit 10. 7. 1995

die Steuereinnahmen mehr als die Hälfte der Ausgaben. Um bis zu 5000 Lehrerstellen im Grund- und Mittelschulbereich einzusparen, beschloß die Landesregierung im Mai 1995, den Lehrkräften außertarifliche Abfindungen von bis zu 60 000 DM anzubieten.

**Investitionen:** Etwa ein Drittel der Ausgaben im Etat 1995 sind für Investitionen vorgesehen. Bis Ende 1994 wurden über 9700 Investitionsvorhaben mit einem Gesamtvolumen von 46,3 Mrd DM durch öffentliche Gelder in Höhe von 11,2 Mrd DM gefördert. Zu den größten Investitionsvorhaben zählte das im Mai 1995 eröffnete Logistik-Zentrum des Großversenders Quelle in Leipzig (rd. 1 Mrd DM) und die Siemens-Chipfabrik bei Dresden (rd. 2,7 Mrd DM).

## Sachsen-Anhalt

| | |
|---|---|
| **Fläche** 20 444 km² (Rang 8/D) | |
| **Einwohner** 2,80 Mio (Rang 9/D) | |
| **Hauptstadt** Magdeburg |  |
| **Arbeitslosigkeit** 17,6% (1994) | |
| **Inflation** 3,0% (1994) | |
| **Reg.-Chef** Reinhard Höppner (SPD) | |

**Parlament** Landtag mit 99 für vier Jahre gewählten Abgeordneten; 37 Sitze für CDU, 36 für SPD, 21 für PDS, 5 für Bündnis 90/Die Grünen (nächste Wahl: 1998)

**Sachsen: Ministerpräsident Kurt Biedenkopf**
* 28. 1. 1930 in Ludwigshafen, Prof. Dr. jur., deutscher Politiker (CDU). Der Rektor der Bochumer Ruhr-Universität (1966–1969) war Generalsekretär der CDU (1973–1977) und von 1986 bis 1987 Vorsitzender der CDU Nordrhein-Westfalen. 1990 wurde er sächsischer Ministerpräsident. Im Oktober 1994 wurde er als Regierungschef einer CDU-Alleinregierung bestätigt.

Seit Juli 1994 wird S. von einer rot-grünen Minderheitsregierung unter Reinhard Höppner (SPD) geführt, die auf die Tolerierung durch die PDS angewiesen ist. Arbeitsplatzverluste im Braunkohletagebau und in der chemischen Industrie ließen die Erwerbslosigkeit 1994 auf den Spitzenwert unter allen Bundesländern ansteigen. Mit einem realen Anstieg des Bruttoinlandsprodukts von 8,4% lag S. unter den ostdeutschen Ländern an dritter Stelle.
**Regierungsbildung:** Am 21. 7. 1994 wählte der Landtag Höppner im dritten Wahlgang mit 48 von 95 Stimmen zum Ministerpräsidenten. Bei der Landtagswahl am 26. 6. 1994 hatte die CDU ihren Koalitionspartner FDP verloren. Das Angebot des bisherigen Regierungschefs Christoph Bergner (CDU), eine große Koalition zu bilden, lehnte Höppner ab. Wirtschaftsminister Jürgen Gramke (SPD) legte im November 1994 mit dem Hinweis auf die Abhängigkeit der Landesregierung von der PDS sein Amt nieder. Sein Nachfolger wurde im Februar 1995 Klaus Schucht (SPD).
**Atom-Müll-Endlagerung:** Im Februar 1995 wurden gegen den Widerstand von Kernkraftgegnern drei Container mit schwach radioaktivem Abfall aus dem Kernkraftwerk Philippsburg (Baden-Württemberg) in das einzige deutsche Atommüll-Endlager Morsleben transportiert. Die CDU/CSU/FDP- Bundesregierung erklärte im Mai 1995, künftig auch mittelradioaktives Material einlagern zu wollen, während die Landesregierung an ihrer Absicht festhielt, das Lager zu schließen. Sie befürchtete u. a. eine radioaktive Verseuchung des Grundwassers. Rechtliche Grundlage ist eine Dauerbetriebsgenehmigung der damaligen DDR von 1986.
**Bürgerkriegsflüchtlinge:** Als erstes Bundesland beschloß S. im April 1995, allen Bürgerkriegsflüchtlingen aus Bosnien-Herzegowina eine Aufenthaltsbefugnis zu erteilen. Bis dahin war dies nur möglich, wenn die Betreffenden vor der Einreise nach S. eine Genehmigung des Innenministeriums

| Sachsen-Anhalt: Regierung | | |
|---|---|---|
| Ressort | Name (Partei) | Amts-antritt |
| Ministerpräsident | Reinhard Höppner (SPD) | 1994 |
| Umwelt, Raum-ordnung, stellv. Ministerpräs. | Heidrun Heidecke (Bündnis 90/Die Grünen) | 1994 |
| Inneres | Manfred Püchel (SPD) | 1994 |
| Finanzen | Wolfgang Schaefer (SPD) | 1994 |
| Arbeit, Soziales, Gesundheit | Gerlinde Kuppe (SPD) | 1994 |
| Wirtschaft und Technologie | Klaus Schucht (SPD) | 1995 |
| Ernährung, Land-wirtschaft, Forsten | Helmut Rehhahn (SPD) | 1994 |
| Kultus | Karl-Heinz Reck (SPD) | 1994 |
| Wohnungswesen, Städtebau, Verkehr | Jürgen Heyer (SPD) | 1994 |

oder eines anderen Bundeslandes erhalten hatten. Die Dauer der Aufenthaltsbefugnis soll von sechs Monaten auf ein Jahr verlängert werden.
**Kulturerbe:** Im März 1995 wurde die über 1000 Jahre alte Stadt Quedlinburg von der UNO-Kulturorganisation UNESCO in die 440 Kultur- und Naturdenkmäler umfassende Liste des Weltkultur- und Naturerbes der Menschheit aufgenommen. Die Erhaltung und Sanierung der angegriffenen Bausubstanz, vor allem der rd. 1200 Fachwerkhäuser, wird nach Schätzungen über 1 Mrd DM kosten.
**Autobahnbau:** Die Landesregierung billigte im Oktober 1994 den Bau der rd. 2,3 Mrd DM teuren Südharzautobahn A 82. Die etwa 200 km lange Trasse, deren Nutzen umstritten ist, soll 2003 den Ballungsraum Halle/Leipzig mit der A 7 zwischen Göttingen und Kassel verbinden.
**Truppenübungsplatz:** Gegen den Widerstand der Landesregierung übernahm die Bundeswehr im August 1994 von der russischen Armee den Truppenübungsplatz Colbitz-Letzlinger Heide. Die Landesregierung wollte das 23 000 ha große Gelände einer zivilen Nutzung zuführen.
**Chemieindustrie:** Im April 1995 beteiligte sich der US-Konzern Dow Chemical mit 80% an drei Unternehmen im ostdeutschen Chemiedreieck. Die Buna GmbH, die Sächsische Olefinwerke GmbH (Böhlen) und die Leuna-Polyolefine GmbH in Merseburg werden zum BSL Olefinverbund GmbH zusammengefaßt. An den drei Standorten sollen bis zum Jahr 2000 rd. 4 Mrd DM investiert und über 3000 von 5600 Arbeitsplätzen gesichert werden.
**Haushalt:** Der im März 1995 vom Landtag gebilligte Haushalt für 1995 hat ein Volumen von 21,7

**Sachsen-Anhalt: Ministerpräsident Reinhard Höppner**
* 2. 12. 1948 in Haldensleben bei Magdeburg, Dr. rer. nat., deutscher Politiker (SPD). Seit 1971 in der Leitung der Kirchenprovinz Sachsen der Evangelischen Kirche wurde er 1980 Präses. 1989 war er Vizepräsident der DDR-Volkskammer. 1990 Fraktionschef der SPD in Sachsen-Anhalt. 1994 bildete er als Ministerpräsident eine rot-grüne Minderheitsregierung.

579

Mrd DM (Ausgaben 1994: 20,6 Mrd DM). Wegen der um 3,3 Mrd DM höheren Einnahmen aus der Neuregelung des Länderfinanzausgleichs konnte die Neuverschuldung gegenüber 1994 auf 2,5 Mrd DM (1994: 4,9 Mrd DM) verringert werden. Für die Zustimmung zum Etat setzte die PDS durch, daß bis 1998 beim Verfassungsschutz 51 der bisher 131 Stellen fortfallen sollen.

## Schleswig-Holstein

| | |
|---|---|
| **Fläche** 15 738 km² (Rang 12/D) | |
| **Einwohner** 2,70 Mio (Rang 10/D) |  |
| **Hauptstadt** Kiel | |
| **Arbeitslosigkeit** 9,0% (1993) | |
| **Inflation** k. A. | |
| **Reg.-Chefin** Heide Simonis (SPD) | |

**Parlament** Landtag mit 89 für vier Jahre gewählten Abgeordneten; 45 Sitze für SPD, 32 für CDU, 5 für FDP, 3 für DLHV, 1 für SSW, 3 Fraktionslose (nächste Wahl: 1996)

Erstmals seit Bestehen der Bundesrepublik wurde das nördlichste Bundesland 1995 mit 481 Mio DM zum Geberland im Länderfinanzausgleich. Ursache sind die überdurchschnittlich gute Konjunkturentwicklung und höhere Steuereinnahmen. Seit 1988 wird S. mit absoluter Mehrheit von der SPD regiert, Ministerpräsidentin ist seit 1993 Heide Simonis (SPD). Im Mai 1995 war die Synagoge in Lübeck zum zweitenmal innerhalb von 14 Monaten Ziel eines Brandattentats.
**Barschel-Untersuchung:** Ohne neue Erkenntnisse endete im Januar 1995 ein Informationsaustausch der Staatsanwaltschaft und der deutschen Geheimdienste über die Ermittlungen zum Tod des schleswig-holsteinischen Ministerpräsidenten Uwe Barschel (CDU) 1987 in Genf. Im Dezember 1994 hatte die Staatsanwaltschaft Lübeck ein Ermittlungsverfahren aufgenommen, weil es für ein Fremdverschulden am Tod Barschels zureichende tatsächliche Anhaltspunkte gebe.
**Schubladen-Affäre:** Seit März 1993 versucht ein Untersuchungsausschuß des Landtages, die Hintergründe der Geldzahlung des ehemaligen SPD-Landesvorsitzenden Günter Jansen an den früheren Barschel-Medienreferenten Reiner Pfeiffer zu klären. Im Frühjahr 1995 war strittig, ob Abhörprotokolle der ehemaligen DDR-Staatssicherheit zur Aufklärung der Affäre verwertet werden sollen. Im März 1995 wurden illegale Mitschnitte von Telefongesprächen zwischen SPD-Politikern bekannt,

**Schleswig-Holstein: Ministerpräsidentin Heide Simonis**
* 4. 7. 1943 in Bonn, deutsche Politikerin (SPD). 1969 trat sie in die SPD ein und wurde 1971 Ratsfrau in Kiel. 1976 wurde sie Mitglied des Bundestags, 1988 Finanzministerin in Schleswig-Holstein unter Regierungschef Björn Engholm (SPD). Nach dessen Rücktritt übernahm Heide Simonis 1993 als erste Frau in Deutschland die Führung einer Landesregierung.

**Schleswig-Holstein: Spitzenkandidat der CDU Ottfried Hennig**
* 1. 3. 1937 in Königsberg/Ostpreußen, Dr. jur., deutscher Politiker (CDU). Hennig war von 1972 bis 1973 CDU-Bundesgeschäftsführer und von 1982 bis 1991 Staatssekretär im Bundesministerium für innerdeutsche Beziehungen. 1989 wurde Hennig zum CDU-Vorsitzenden, 1992 zum CDU-Fraktionschef in Schleswig-Holstein gewählt.

bei denen es um die mögliche Beeinflussung der Zeugenaussage Pfeiffers vor dem Ausschuß ging.
**Volksabstimmungen:** Im April 1995 billigte der Landtag ein Gesetz über die Ausgestaltung der

| Schleswig-Holstein: Regierung | | |
|---|---|---|
| **Ressort** | **Name (Partei)** | **Amtsantritt** |
| Ministerpräsidentin | Heide Simonis (SPD) | 1993 |
| Finanzen u. Energie stellv. Ministerpräs. | Claus Möller (SPD) | 1993 |
| Inneres | Ekkehard Wienholtz (SPD) | 1995 |
| Arbeit, Soziales, Jugend, Gesundheit | Heide Moser (SPD) | 1993 |
| Wirtschaft, Technik, Verkehr | Peer Steinbrück (SPD) | 1993 |
| Justiz | Klaus Klingner (SPD) | 1988 |
| Wissenschaft, Forschung und Kultur | Marianne Tidick (SPD) | 1990 |
| Ernährung, Landwirtschaft, Fischerei | Hans Wiesen (SPD) | 1988 |
| Natur, Umwelt | Edda Müller (parteilos) | 1994 |
| Frauen, Bildung, Weiterbildung, Sport | Gisela Böhrk (SPD) | 1988 |
| Bundes- u. Europaangelegenheiten | Gerd Walter (SPD) | 1992 |

Volksgesetzgebung. Für eine Volksinitiative (Antrag an das Parlament) sind mindestens 20 000 Unterschriften nötig, Volksbegehren (Antrag auf Herbeiführung eines Volksentscheids) bedürfen der Zustimmung von mindestens 100 000 Wahlberechtigten. Ein Volksentscheid (Beschlußfassung über ein Gesetz) muß von 25% der Wahlberechtigten (rd. 500 000 Bürgern) unterstützt werden.

**Direktwahl:** Ein SPD-Landesparteitag beschloß im Mai 1995, daß in S. bei der Kommunalwahl 1998 die elf Landräte, vier Oberbürgermeister sowie die rd. 100 hauptamtlichen Bürgermeister direkt gewählt werden sollen. Die 1000 ehrenamtlichen Bürgermeister werden weiterhin durch die Gemeindevertretungen bestimmt.

**Truppenabbau:** Bei der geplanten Verkleinerung der Bundeswehr ist S. bundesweit am stärksten betroffen. Der Personalbestand soll ab 1995 schrittweise um 6900 auf 51 200 Mann verringert werden.

**Elbquerung:** Zwischen den drei SPD-regierten Bundesländern S., Hamburg und Niedersachsen ist der Trassenverlauf einer Autobahn über die Elbe strittig. S. befürwortet aus strukturpolitischen Gründen eine westliche Umgehung Hamburgs im Raum Glückstadt. Hamburg und Niedersachsen schlagen eine Ostquerung bei Geesthacht vor. Die Kosten einer Westquerung werden auf rd. 2,5 Mrd DM veranschlagt, eine Ostquerung kostet rd. 500 Mio DM. Geplant ist die private Finanzierung durch eine Nutzungsgebühr.

**Frauenförderung:** Das Verwaltungsgericht von S. verwarf im März 1995 das Gesetz zur Gleichstellung der Frauen im öffentlichen Dienst, welches der Landtag im Dezember 1994 verabschiedet hatte, als unvereinbar mit dem Verfassungs- und Bundesrecht. Das Urteil richtete sich insbes. gegen die Vorschrift des Gesetzes, weibliche Bewerber vorrangig zu fördern, wenn Frauen in dem betreffenden Amtsbereich unterrepräsentiert sind.

**Haushalt:** Mit Nettoausgaben von 13,7 Mrd DM (1994: 13,3 Mrd DM) wuchs der Landesetat 1995 um 3,1%. Die Nettokreditaufnahme beläuft sich auf 1,1 Mrd DM (1994: 1,3 Mrd DM). 11,9% der Ausgaben sind für Investitionen vorgesehen, die Personalausgaben stellten mit 5,4 Mrd DM (1994: 5,3 Mrd DM) 39,3% der Nettoausgaben. Mit 9,7 Mrd DM wuchsen 1994 die Steuereinnahmen des Landes gegenüber dem Vorjahr um 9,1%. Von den rd. 245 Mio DM aus der Übertragung der Provinzial-Versicherung vom Land auf die Sparkassen sollen 1995 die Neuverschuldung abgebaut, ein Pensionslastenfonds (Volumen: 100 Mio DM) errichtet und Investitionen finanziert werden.

**Wirtschaft:** Das Bruttoinlandsprodukt (BIP) betrug 1994 in S. 104,1 Mrd DM. Mit einem realen Anstieg des BIP von 2,6% stand S. unter den westdeutschen Flächenländern 1994 an vierter Stelle. Im verarbeitenden Gewerbe nahm die Beschäftigtenzahl mit 163 000 gegenüber 1993 um 4,7% ab.

**Tourismus:** Die Zahl der Urlauber ging im Sommerhalbjahr 1994 mit rd. 2,7 Mio Gästen und 16,1 Mio Übernachtungen gegenüber 1993 um 1,2% bzw. 3,0% zurück. Ursache ist u. a. die zunehmende Konkurrenz durch Mecklenburg-Vorpommern. Die durchschnittliche Verweildauer der Besucher in S. betrug sechs Tage.

 **Thüringen**

| **Fläche** 16 175 km² (Rang 11/D) |
| **Einwohner** 2,53 Mio (Rang 12/D) |
| **Hauptstadt** Erfurt |
| **Arbeitslosigkeit** 16,5% (1994) |
| **Inflation** 3,8% (1994) |
| **Reg.-Chef** Bernhard Vogel (CDU) |

**Parlament** Landtag mit 88 für vier Jahre gewählten Abgeordneten; 42 Sitze für CDU, 29 für SPD, 17 für PDS (nächste Wahl: 1998)

Bei der Landtagswahl am 16. 10. 1994 büßte die Regierungskoalition aus CDU und FDP ihre Mehrheit ein. Der seit 1992 als Ministerpräsident amtierende Bernhard Vogel (CDU) bildete im November 1994 eine große Koalition mit der SPD. Die Landesverfassung, die T. neben Bayern und Sachsen als dritten deutschen Freistaat etabliert, wurde in einer Volksabstimmung im Oktober 1994 mit 70,1% der Stimmen angenommen. Mit einem realen Anstieg des Bruttoinlandsprodukts (BIP) von 11,8% wies T. das stärkste Wachstum aller Bundesländer auf (Durchschnitt neue Bundesländer: 9,2%, alte Bundesländer: 2,3%).

**CDU vorn:** Mit 42,6% (1990: 45,4%) blieb die CDU stärkste Partei vor der SPD (29,6%; 1990: 22,8%) und der PDS mit (16,6%; 1990: 9,7%). Die FDP (3,2%; 1990: 9,3%) und Bündnis 90/Die Grünen (4,5%; 1990: 6,5%) scheiterten an der Fünf- Prozent-Klausel. Bei der gleichzeitig stattfindenden Bundestagswahl errang die CDU mit einem Landesdurchschnitt von 41% (1990: 45,2%) alle zwölf Direktmandate.

**Große Koalition:** Am 30. 11. 1994 bestätigte der Landtag mit 67 von 87 Stimmen Vogel als Mini-

**Thüringen: Ministerpräsident Bernhard Vogel**
* 19. 12. 1932 in Göttingen, Dr. phil., deutscher Politiker (CDU). Von 1967 bis 1976 war Vogel Kultusminister von Rheinland-Pfalz. 1976 wurde er Ministerpräsident. 1988 wurde Vogel als CDU-Landesvorsitzender abgewählt. Im Februar 1992 übernahm er das Amt des Ministerpräsidenten von Thüringen und führt seit November 1994 eine CDU/SPD-Koalition.

sterpräsidenten. CDU und SPD verständigten sich auf die Bildung von acht statt bis dahin zehn Ministerien, die je zur Hälfte von CDU und SPD besetzt werden. Hinzu kommt ein Minister für Bundesangelegenheiten mit Sitz in der Staatskanzlei. Hauptstreitpunkt bei den Koalitionsgesprächen war die Besetzung des Innenministeriums, das die SPD übernahm.

**Verfassung:** Die neue Landesverfassung enthält als plebiszitäre Elemente Bürgeranträge, Volksbegehren und Volksentscheide. Sie erteilt dem Staat den Auftrag, für ausreichend Arbeit und Wohnraum zu sorgen.

**Neue Parteiführungen:** Im November 1994 wurde Regierungschef Vogel mit 93,8% im Amt des CDU-Landesvorsitzenden bestätigt. Die SPD wählte im Dezember 1994 als Nachfolger der Bundestagsabgeordneten Gisela Schröter den Fraktionsvorsitzenden Gerd Schuchardt zum Landesvorsitzenden. Neue Vorstandssprecher von Bündnis 90/Die Grünen wurden im März 1995 Katrin Göring-Eckart und Olaf Möller.

**Diäten:** Gegen die Stimmen der PDS billigte der Landtag im Februar 1995 eine in ihrer Höhe umstrittene Diätenerhöhung um 43%. Die Bezüge der Abgeordneten steigen rückwirkend zum November 1994 von 4900 auf 7007 DM pro Monat. Hinzu kommt eine steuerfreie Aufwandspauschale von 2367 DM. Die Anhebung erfolgt unter Bezug auf Artikel 54 der Landesverfassung, wonach die Entwicklung der Bruttoeinkommen bei der Anpassung der Diäten berücksichtigt wird.

**Waldbesitz:** Als erstes der fünf neuen Bundesländer schloß im März 1995 T. die Rückübertragung von Kommunalwald ab. Seit 1990 gingen mehr als 80 000 ha staatlichen Waldbesitzes wieder in den Besitz von Städten und Gemeinden über.

**Rechtsradikalismus:** Im Oktober 1994 verurteilte das Amtsgericht Weimar die ersten sieben von insgesamt 23 Jugendlichen und Heranwachsenden aus der rechtsradikalen Szene, die im Juli 1994 die thüringische KZ-Gedenkstätte Buchenwald geschändet hatten, zu Arrest- und Haftstrafen. Die Tat hatte für weltweites Aufsehen gesorgt.

**Haushalt:** Der Haushalt 1995 weist mit 18,95 Mrd DM gegenüber 1994 ein um 7,4% höheres Ausgabenvolumen auf. Die Netto-Neuverschuldung beträgt 1,5 Mrd DM. Mit einer Kreditfinanzierungsquote von 7,9% (1994: 23,9%) ist T. nach Sachsen das am wenigsten verschuldete neue Bundesland. Die Steuereinnahmen konnten auf 8,7 Mrd DM verdoppelt werden. Die Investitionsquote beläuft sich auf 32,7%. Von den rd. 70 000 Stellen im Landesdienst sollen zur Entlastung des Landeshaushalts bis Ende 1996 rd. 4500 abgebaut werden. Mit einer Schließung aller kommunalen Einrichtungen am 26. 1. 1995 machten die Städte und Gemeinden auf ihre Finanzlage aufmerksam. Die Kommunen fordern 300 Mio DM mehr als die 3,87 Mrd DM, die ihnen 1995 zufließen.

**Wirtschaft:** Mehr als zwei Drittel der Industriearbeitsplätze (1991: rd. 400 000) gingen bis Mitte 1995 verloren. Mit 16,5% Erwerbslosigkeit wies T. 1994 den dritthöchsten Wert unter den deutschen Bundesländern auf. Zur Verbesserung der Infrastruktur sollen die sog. Waldautobahn A 81 von Erfurt nach Schweinfurt und die A 73 von Suhl nach Lichtenfels dienen. Die Fertigstellung ist für 2005 vorgesehen. Der Autobahnbau mit neun Tunnels und 184 Brücken stößt wegen befürchteter Schäden am ökologischen Gleichgewicht des Thüringer Waldes auf den Protest von Umweltschützern.

| Thüringen: Regierung | | |
|---|---|---|
| **Ressort** | **Name (Partei)** | **Amtsantritt** |
| Ministerpräsident | Bernhard Vogel (CDU) | 1992 |
| Wissenschaft, Forschung, Kultur, stellv. Ministerpräs. | Gerd Schuchardt (SPD) | 1994 |
| Wirtschaft, Infrastr. | Franz Schuster (CDU) | 1994 |
| Inneres | Richard Dewes (SPD) | 1994 |
| Finanzen | Andreas Trautvetter (SPD) | 1990 |
| Justiz, Europa | Otto Kretschmer (SPD) | 1994 |
| Kultus | Dieter Althaus (CDU) | 1992 |
| Landwirtschaft, Umwelt | Volker Sklenar (CDU) | 1990 |
| Soziales, Gesundh. | Irene Ellenberger (SPD) | 1994 |
| Bundesangelegenh. (Staatskanzlei) | Christine Lieberknecht (CDU) | 1994 |

# Burgenland

**Fläche** 3965 km² (Rang 7/A)

**Einwohner** 273 076 (Rang 9/A)

**Hauptstadt** Eisenstadt

**Arbeitslosigkeit** 7,7% (1994)

**Landeshauptmann** Karl Stix (SPÖ) * 24. 10. 1939

**Parlament** Landtag mit 36 für fünf Jahre gewählten Abgeordneten; 17 Sitze für SPÖ, 15 für ÖVP, 4 für F (nächste Wahl: 1996)

## Burgenland: Regierung

| Ressort | Name (Partei) | Amts-antritt |
|---|---|---|
| Landeshauptmann und Finanzen | Karl Stix (SPÖ) | 1991 |
| Gemeinden, Jugend, stellv. Landeshauptmann | Gerhard Jellasitz (ÖVP) | 1993 |
| Wirtschaft, Verkehr | Eduard Ehrenhöfler (ÖVP) | 1987 |
| Krankenanstalten, Wohnbau, Raum-ordnung | Hermann Fister (SPÖ) | 1991 |
| Bauwesen | Josef Tauber (SPÖ) | 1993 |
| Land- und Forst-wirtschaft | Paul Rittsteuer (ÖVP) | 1987 |
| Kultur, Gesundheit, Soziales | Christa Prets (SPÖ) | 1994 |

Die Koalitionsregierung aus SPÖ und ÖVP bereitete 1994/95 Wirtschaftsprojekte vor, die nach dem EU-Beitritt Österreichs 1995 aus EU-Mitteln gefördert werden. Mit dem EU-Beitritt wurde die burgenländische Grenze EU-Außengrenze. Verschärfte Kontrollen senkten die Zahl der illegalen Grenzgänger aus Ungarn und der Slowakei von 6447 (1992) auf 3170 (1994). Das Bruttoinlandsprodukt (BIP) erhöhte sich 1994 gegenüber dem Vorjahr um 5% (österreichischer Durchschnitt: 2,7 %), die Industrieproduktion um 7% (4%).

**EU-Zuschüsse:** Das B. ist von der EU als sog. Ziel-1-Gebiet anerkannt worden. Dadurch erhalten Projekte, die von der EU-Kommission für Regionalpolitik bewilligt werden, ein Drittel der Kosten von der EU. Zwei Drittel tragen zu gleichen Teilen das Land B. und die Republik Österreich. Im außerordentlichen Budget des Landes sind für solche Vorhaben 1995 rd. 200 Mio öS (28,5 Mio DM) eingeplant. Die in der ersten Stufe vorgesehenen Förderprogramme wurden im April 1995 in Brüssel übergeben. Eines der bedeutendsten Projekte ist die Errichtung eines Lyocell-Faserwerks der Lenzing AG im Grenzort Heiligenkreuz. Die Planung der 1,5 Mrd öS (215 Mio DM) teuren Industrieanlage führte zu Protesten bei den oberösterreichischen Arbeitnehmern des Konzerns, die eine Ver-

**Burgenland: Landeshauptmann Karl Stix**
* 24. 10. 1939 in Wiener Neustadt (Niederösterreich), österreichischer Politiker (SPÖ). Der Bezirkssekretär und Landesparteisekretär der SPÖ wurde 1975 Abgeordneter der SPÖ im burgenländischen Landtag und war 1977–1982 geschäftsführender Klubobmann der SPÖ. Ab 1982 war Stix Landesrat für Finanzen, 1991 wurde er Landeshauptmann.

lagerung von Arbeitsplätzen ins B. befürchteten. Der Baubeginn in Heiligenkreuz war für August 1995 geplant.

**Wirtschaft:** Im Oktober 1994 erstellte die Österreichische Raumordnungskonferenz für das B. ein regionalwirtschaftliches Konzept. Ziel war der Ausgleich von Standortnachteilen gegenüber den ehemals kommunistischen Reformländern. Das Konzept empfahl eine Lean-production-Strategie, d. h. ausländische Niedriglöhne sollen durch preiswertere Produktionsmethoden ausgeglichen werden. In der Slowakei bzw. der Tschechischen Republik lagen die Löhne 1994 gegenüber dem B. im Verhältnis 1:13.

**Wirtschaftspark:** In den Grenzorten Kittsee bzw. Jarovce/Slowakei wird im Mai 1995 mit dem Inter-City-Park ein grenzüberschreitender Wirtschaftspark fertiggestellt, dessen Schwerpunkt auf dem Dienstleistungssektor liegt. Die Unternehmen kommen aus der Slowakei. Insgesamt 1000 Arbeitsplätze sollen geschaffen werden. In Siegendorf nahe der ungarischen Grenze wird am Standort der ehemaligen Zuckerfabrik auf 1,1 Mio m² die Gewerbezone Ost entstehen. Der wichtigste Ansiedler ist die Firma Grundig Austria.

**Verkehr:** Im März 1995 schloß das B. mit den Österreichischen Bundesbahnen (ÖBB) ein Zehnjahresabkommen mit einem Vertragsvolumen von 15,2 Mio öS (2,2 Mio DM). Beginnend mit dem Winterfahrplan 1995/96 erweitern die ÖBB ihre tägliche Zugstrecke um 900 km. Eine Nahverkehrsstudie hatte 1994 ergeben, daß 30 000 Burgenländer nach Wien pendeln, aber nur 6000 bis 7000 öffentliche Verkehrsmittel benutzen.

# Kärnten

**Fläche** 9533 km² (Rang 5/A)

**Einwohner** 559 264 (Rang 6/A)

**Hauptstadt** Klagenfurt

**Arbeitslosigkeit** 8,1% (1994)

**Landeshauptmann** Christof Zernatto (ÖVP) * 11. 6. 1949

**Parlament** Landtag mit 36 für fünf Jahre gewählten Abgeordneten; 14 Sitze für SPÖ, 13 für F, 9 für ÖVP (nächste Wahl: 1999)

**Kärnten: Landeshauptmann Christof Zernatto**
* 11. 6. 1949 in Wolfsberg (Kärnten), Dr. jur., österreichischer Politiker (ÖVP). 1986–1989 war Zernatto als Abgeordneter des Nationalrats Bereichssprecher für Gesundheit. 1989 wurde er Landesparteiobmann der ÖVP und Landeshauptmann-Stellvertreter in Kärnten. Im Juni 1991 löste er Jörg Haider (FPÖ) als Regierungschef in Kärnten ab.

Das von einer ÖVP-SPÖ-Koalition regierte Bundesland unter Landeshauptmann Christof Zernatto (ÖVP) litt 1995 unter dem Arbeitsplatzabbau in den traditionellen Grundstoffindustrien und einem Rückgang der Touristenzahlen. Die politische Auseinandersetzung in der zweiten Jahreshälfte 1994 um die Position des Wirtschaftslandesrates endete mit dem Rückzug des ursprünglich von der FPÖ nominierten Robert Rogner.

**EU-Beitritt:** Nach den EU-Richtlinien sind 80% von K. als sog. Ziel-5b-Gebiet einzustufen, d. h. der ländliche Raum muß durch beschleunigte Anpassung der Agrarstrukturen im Rahmen der gemeinsamen Agrarpolitik saniert werden. Eines der wichtigsten Projekte für EU-Förderung war Mitte 1995 das Vorhaben des italienischen Flachglasveredler Sangallo im Raum Arnoldstein. Das Unternehmen will mit einer Investition von 1,5 Mrd öS (215 Mio DM) 170 Arbeitsplätze schaffen.

**Tourismus:** Eine im Februar 1995 vorgelegte Studie wies nach, daß der Tourismus in K. 1994 mit 45% Anteil an der Wirtschaftsförderung (1993: 60%) überproportional hoch subventioniert wurde. Der Tourismus hielt einen Anteil von 6% am Regionalprodukt. Durch die Wirtschaftsrezession gingen die Buchungen von Individualtouristen aus der Bundesrepublik zurück. Mitte 1995 hatten nur 6% der Hotels Verträge mit Reisebüros.

**Forschungsmüdigkeit:** In K. wurden 1994 lediglich 0,85% der Investitionen für Forschung ausgegeben (österreichischer Durchschnitt: 2%). Wirtschaftsanalysen empfehlen eine Zusammenarbeit mit dem Forschungspotential in Slowenien und drängen auf Bereitstellung von Grundstücken für Industrieansiedlungen. 1994 trug die Industrie 14,6% zum BIP bei. Bei den Löhnen belegte K. den vorletzten Platz vor dem Burgenland.

**Bildung:** Im Herbst 1995 beginnen in der Stadt Spittal/Drau Fachhochschullehrgänge für Bauingenieurwesen und für Elektronik. Die Universität Klagenfurt erwarb im Mai 1995 mit Hilfe des Wissenschaftsministeriums den Nachlaß des Philosophen Sir Karl Popper, wodurch in Klagenfurt ein neuer Forschungsschwerpunkt entstehen wird.

## Kärnten: Regierung

| Ressort | Name (Partei) | Amtsantritt |
|---|---|---|
| Landeshauptmann, Finanzen, Personal | Christof Zernatto (ÖVP) | 1991 |
| Gesundh., Schulen, Sport, Kultur, stellv. Landeshauptmann | Michael Ausserwinkler (SPÖ) | 1994 |
| Verkehr, Straßen, Tourism., Gewerbe, Wirtschaftsförd., stellv. Landeshaupt. | Karl-Heinz Grasser (F) | 1994 |
| Soziales, Familie, Kindergärten | Karin Achatz (SPÖ) | 1990 |
| Land-, Forstwirtsch., Energie | Robert Lutschounig (ÖVP) | 1994 |
| Natur, Umwelt | Elisabeth Sickl (F) | 1994 |
| Raumordnung, Wohnungen, Straßen, Gemeinden | Dietfried Haller (SPÖ) | 1994 |

# Niederösterreich

**Fläche** 19 173 km² (Rang 1/A)

**Einwohner** 1,51 Mio (Rang 2/A)

**Hauptstadt** St. Pölten

**Arbeitslosigkeit** 6,5% (1994)

**Landeshauptmann** Erwin Pröll (ÖVP) * 24. 12. 1946

**Parlament** Landtag mit 56 für fünf Jahre gewählten Abgeordneten; 26 Sitze für ÖVP, 20 für SPÖ, 7 für F, 3 für Liberales Forum (nächste Wahl: 1998)

Die Übersiedlung der Landesbehörden von Wien in die neue Hauptstadt St. Pölten tritt Mitte 1995 in die entscheidende Phase. Bis 1996 sollen alle Dienststellen in das 5,5 Mrd öS (780 Mio DM) teure Verwaltungsviertel umgezogen sein. Das Wirtschaftswachstum in N. lag 1994 mit 4,4% über dem österreichischen Durchschnitt (2,7%). Bei den Gemeinderatswahlen im März 1995 verloren die Großparteien· ÖVP (47,1%) und SPÖ (33,8%) Stimmen an Kleinparteien und Bürgerlisten.

**Wirtschaft:** Der BIP-Anteil des Landes verzeichnete für das dritte Quartal 1994 einen Anstieg von 4,7% (österreichischer Durchschnitt: 2,7%). N. produziert 1994/95 ein Drittel des österreichischen Energiebedarfes, wobei 90% des Erdöls und 62% des Erdgases zu N. kommen. Zu den sechs Industrie- und Gewerbezentren kommt 1995 in Gmünd ein Gewerbepark hinzu, der mit EU-Fördermitteln rechnen kann.

**Verkehr:** Im Frühjahr 1995 begannen die Arbeiten für die Errichtung eines Donauhafens in Ybbs. Bauherr ist die Firma Alois Schaufler GmbH, die 100 Mio öS (14 Mio DM) investiert. Der mit einem Schienenanschluß ausgestattete Hafen soll im September 1995 fertiggestellt sein. 80% seiner Kapazität werden der Region zur Verfügung stehen.

**Tourismus:** In der Gemeinde Payerbach an der Rax wurde 1994 rd. 70° C heißes mineralisches Thermalwasser gefunden. Im Februar 1995 wurde mit Probebohrungen begonnen. Den Ausbau eines Thermalzentrums beziffert die Gemeinde mit einem Kostenrahmen von 500 Mio öS (77 Mio DM). Im touristisch unterentwickelten Waldviertel sollen 1995 in Litschau, Moorbad Harbach, Waidhofen/Thaya, Großsiegharts, Gars am Kamp und Maria Taferl sechs Golf-Anlagen entstehen.

**Umweltschutz:** Im Mai 1995 fällte die Landesregierung einen Grundsatzentscheid zur Beseitigung der jährlich anfallenden 300 000 t Restmüll. Statt einer Deponie sollen Müllverbrennungsanlagen er-

richtet werden, deren Abwärme für Fernheizung genutzt werden soll. Als mögliche Standorte sind St. Pölten, Zistersdorf und Peisching im Gespräch.

**Wissenschaft:** Ab September 1995 bietet die Donauuniversität in Krems in Kooperation mit der TU Wien und der Oakland University (USA) eine Postgraduate-Ausbildung zum Engineering Manager an. In ein Neutronenforschungsprogramm, das jährlich 600–1000 internationale Wissenschaftler nach N. bringen soll, investiert Österreich in der 1995 laufenden Planungsphase Bundesmittel in Höhe von 300 Mio öS (43 Mio DM).

## Niederösterreich: Regierung

| Ressort | Name (Partei) | Amtsantritt |
|---|---|---|
| Landeshauptmann Personal, Inneres, Straßenbau, Kultur | Erwin Pröll (ÖVP) | 1992 |
| Kunst, Sport, Jugend, Frauen, stellv. Landeshauptmann[1] | Liese Prokop (ÖVP) | 1981 |
| Bauwesen, Gemeinden, Berufsschulen stellv. Landeshaupt.[2] | Ernst Höger (SPÖ) | 1980 |
| Finanzen | Edmund Freibauer (ÖVP) | 1992 |
| Umwelt, Landwirtschaft | Franz Blochberger (ÖVP) | 1981 |
| Wirtschaft, Fremdenverkehr | Ernest Gabmann (ÖVP) | 1992 |
| Soziales, Schulen | Traude Votruba (SPÖ) | 1981 |
| Gesundheit, Naturschutz, Jugend | Ewald Wagner (SPÖ) | 1991 |
| Wasser, Baurecht, Veranstaltung, Film | Hans-Jörg Schimanek (F) | 1993 |

1) stellv. Landeshauptmann seit 1992; 2) stellv. Landeshauptmann seit 1986

**Niederösterreich:**
**Landeshauptmann Erwin Pröll**
* 24. 12. 1946 in Radlbrunn bei Ziersdorf (Niederösterreich), Dr. agr., österreichischer Politiker (ÖVP). Ab 1972 arbeitete Pröll als wirtschaftspolitischer Referent in der Bauernbundzentrale. 1980 wurde er Agrarlandesrat, 1981 Finanzlandesrat. 1992 übernahm Pröll den Parteivorsitz der niederösterreichischen ÖVP und das Amt des Landeshauptmanns.

## Oberösterreich

**Fläche** 11 979 km$^2$ (Rang 4/A)

**Einwohner** 1,38 Mio (Rang 3/A)

**Hauptstadt** Linz

**Arbeitslosigkeit** 5,4% (1994)

**Landeshauptmann** Josef Pühringer (ÖVP) * 30. 10. 1949

**Parlament** Landtag mit 56 für sechs Jahre gewählten Abgeordneten; 26 Sitze für ÖVP, 19 für SPÖ, 11 für F (nächste Wahl: 1997)

Im März 1995 löste Josef Pühringer (ÖVP) den Amtsinhaber Josef Ratzenböck (ÖVP) auf dessen eigenen Wunsch als Landeshauptmann ab. O. legte im Februar 1995 bei der Europäischen Bank für Wirtschaft und Entwicklung (EBRD) in London Protest gegen den Bau des KKW Mochovce/Slowakei ein. Das Institut soll das KKW mit Krediten finanzieren. Gemeinsam mit Böhmen und Bayern startete O. 1995 das Euregio-Projekt, das 1 Mrd öS (135 Mio DM) Fördermittel aus Brüssel erhält.

**EU-Förderung:** Das Euregio-Projekt soll die traditionelle Glasproduktion fördern. Geplant ist zudem die touristische und kulturelle Vermarktung durch eine gemeinsame Museumsstraße. Auftakt war im Mai 1995 ein internationales Symposium über Glas im bayerischen Frauenau. Im Mai 1995 wurde in Brüssel eine ständige Vertretung des Landes eröffnet. Im April 1995 waren Projekte eingereicht worden, für die O. EU-Fördermittel in Höhe von 280 Mio öS (40 Mio DM) jährlich erwartet.

**Gesetzgebung:** Als erstes österreichisches Bundesland beschloß O. im Mai 1995, Seniorenorganisationen in das allgemeine Begutachtungsverfahren von Landesgesetzen, sofern Seniorenanliegen betroffen sind, einzubinden.

**Wirtschaft:** Die Belegschaft des Zellstoffwerkes Lenzing billigte bei einer Urabstimmung im Mai 1995 die Errichtung des Lyocell-Werkes in Heiligenkreuz (Burgenland) mit 55%. Als Gegenleistung mußten die Eigentümer ein Standortsicherungspaket bewilligen, das u. a. die Zusicherung für den Verbleib der Forschungsabteilung in O. enthält. Die AMAG (Austria Metallwerke AG) befindet sich seit Juli 1994 auf Sanierungskurs. Ob das Werk Ranshofen bestehen bleibt, war Mitte 1995 ungeklärt. Der Rechnungshof kritisierte das Management, das 13,5 Mrd öS (1,9 Mrd DM) Zuschuß verbrauchte, und empfahl eine Schließung.

**Naturschutz:** Ein Gesetz vom Februar 1995 erweiterte das Naturschutzgesetz um neue Kompeten-

zen. Hinzu kamen der Schutz von Seen und Fließgewässern sowie der verstärkte Schutz des Grünlandes. Zusätzlich richtete die Landesregierung eine Naturschutz-Hotline ein.

**Verkehr:** Im April 1995 entschied die steirische Regierung gegen die sog. ennsnahe Trasse der Pyhrnautobahn zwischen O. und Steiermark. Trotz Bürgerprotesten gegen die nicht umweltfreundliche Alternativtrasse wird von O. weitergebaut. Im Raum Linz wurde im Februar 1995 ein Verkehrsverbund geschaffen, der 48 Unternehmen umfaßt.

| Oberösterreich: Regierung | | |
|---|---|---|
| Ressort | Name (Partei) | Amts-antritt |
| Landeshauptmann, Kultur, Presse, Bildung, Kultus, Sport | Josef Pühringer (ÖVP) | 1995 |
| Finanzen, Gewerbe, Wirtschaft, stellv. Landeshauptmann[1] | Christoph Leitl (ÖVP) | 1990 |
| Gemeinden, Lebensmittelpolizei, stellv. Landeshauptm.[1] | Fritz Hochmair (SPÖ) | 1982 |
| Veterinärwesen, Wasserbau, -recht | Hans Achatz (F) | 1991 |
| Jugendwohlf., Sanitätsd., Sozialhilfe Sozialvers., Verkehr | Josef Ackerl (SPÖ) | 1995 |
| Land- u. Forstwirtschaft | Leopold Hofinger (ÖVP) | 1978 |
| Wohnungswesen, Naturschutz, Verwaltungspolizei | Barbara Prammer (SPÖ) | 1995 |
| Umwelt, Zivildienst, Jugendförd., Frauen | Walter Aichinger (ÖVP) | 1995 |
| Hoch-, Straßenbau, Baurecht, Familie | Franz Hiesl (ÖVP) | 1995 |

1) stellv. Landeshauptmann seit 1995

**Oberösterreich: Landeshauptmann Josef Pühringer**
* 30. 10. 1949 in Linz (Oberösterreich), Dr. jur., österreichischer Politiker (ÖVP). Pühringer war von 1974 bis 1983 Landesobmann der Jungen Volkspartei in Oberösterreich und von 1986 bis 1987 Landesparteisekretär der ÖVP. 1987 wurde er Landesrat für Kultur, Straßenbau, Umweltschutz und Sport, 1990 stellvertretender Landeshauptmann von Oberösterreich.

## Salzburg

**Fläche** 7154 km² (Rang 6/A)

**Einwohner** 502 960 (Rang 7/A)

**Hauptstadt** Salzburg

**Arbeitslosigkeit** 4,0% (1994)

**Landeshauptmann** Hans Katschthaler (ÖVP) * 13. 3. 1933

**Parlament** Landtag mit 36 für fünf Jahre gewählten Abgeordneten; 14 Sitze für ÖVP, 11 für SPÖ, 8 für F, 3 für Bürgerliste (nächste Wahl: 1999)

### Salzburg: Regierung

| Ressort | Name (Partei) | Amts-antritt |
|---|---|---|
| Landeshauptmann Personal-, Rechts-fragen, Bildung | Hans Katschthaler (ÖVP) | 1989 |
| Wohnungswesen, Soz. Verwaltung, stellv. Landeshaupt. | Gerhard Buchleitner (SPÖ) | 1989 |
| Jugendförd., Finan-zen, Energie, stellv. Landeshauptm.[1] | Arno Gasteiger (ÖVP) | 1984 |
| Bau-, Straßen-, Energierecht, Raumordnung | Karl Schnell (F) | 1992 |
| Wasserrecht, Bau-wesen, Verkehr, Kultur, Umwelt | Othmar Raus (SPÖ) | 1984 |
| Land- u. Forstwirt-schaft, Arbeitsrecht, | Rupert Wolfgruber (ÖVP) | 1991 |
| Gesundheit, Natur-schutz, Jugendwohlf. | Robert Thaller (F) | 1994 |

1) Stellv. Landeshauptmann seit 1989

Das österreichische Bundesland mit den besten Wirtschaftsdaten verbuchte 1994 eine Produktionssteigerung von 4,6% (österreichischer Durchschnitt: 4,0%). Ein 1994/95 fertiggestelltes regionalwirtschaftliches Entwicklungskonzept soll bis zum Jahr 2000 rd. 580 Mio öS (83 Mio DM) EU-Förderungsmittel ins Land bringen.
**Entwicklungskonzept für EU:** Schwerpunkt des Konzepts soll der Qualitätstourismus sein, zudem waren Mitte 1995 ein Holztechnologiezentrum in Mariapfarr und ein Biomasse-Fernheizwerk in Tamsweg geplant. Die EU stufte den Lungau als besonders förderungswürdiges sog. Ziel-5b-Gebiet ein. Die Landesregierung rechnete nach dem EU-Beitritt 1995 mit einem zusätzlichen Defizit von 500 Mio öS (71,5 Mio DM), 300 Mio öS (43 Mio DM) fließen in die Kassen der EU.

**Salzburg: Landeshauptmann Hans Katschthaler**
\* 13. 3. 1933 Embach bei Lend (Salzburg), Dr. phil., österreichischer Politiker (ÖVP). Katschthaler ist seit 1973 politisch in der ÖVP tätig und zog 1974 in die Landesregierung ein. 1977 wurde er zum stellvertretenden Landeshauptmann gewählt. Ab 1984 arbeitete er als Finanzreferent der Landesregierung. 1989 wurde er Landeshauptmann.

**Wirtschaft:** Die Wertschöpfung pro Einwohner betrug 300 000 öS (43 000 DM). Der österreichische Durchschnitt lag bei 264 000 öS (37 000 DM). Im März 1995 betrug die Arbeitslosenquote in S. 4,6% (Österreich: 7,6%).
**Fachhochschulen:** Ab September 1995 wird der Fachhochschulbereich in der Stadt S. um einen Kurs für Telekommunikationstechnik und Telekommunikationssysteme erweitert.

## Steiermark

**Fläche** 16 387 km² (Rang 2/A)
**Einwohner** 1,20 Mio (Rang 4/A)
**Hauptstadt** Graz
**Arbeitslosigkeit** 8,1% (1994)
**Landeshauptmann** Josef Krainer (ÖVP) \* 26. 8. 1930

**Parlament** Landtag mit 56 für fünf Jahre gewählten Abgeordneten; 26 Sitze für ÖVP, 21 für SPÖ, 9 für F (nächste Wahl: 1996)

Bei den Gemeinderatswahlen am 26. 3. 1995 mußten die Großparteien zugunsten von Kleinparteien und lokalen Listen Verluste hinnehmen. ÖVP und SPÖ verloren jeweils 2,3% und erreichten 42,1% bzw. 38,3%. Die F legten 2,8% zu und erhielten 11,3%. Die steirische ÖVP akzeptierte im Widerspruch zur Bundespartei die rechtsnationalen Freiheitlichen (F) als möglichen Koalitionspartner. Die

### Steiermark: Regierung

| Ressort | Name (Partei) | Amts-antritt |
|---|---|---|
| Landeshauptmann, Kultur, Gemeinden | Josef Krainer (ÖVP) | 1980 |
| Pflichtschulen, Forschung, stellv. Landeshauptm. | Peter Schachner-Blazizek (SPÖ) | 1990 |
| Wirtschaft, stellv. Landeshauptmann | Waltraud Klasnic (ÖVP) | 1993 |
| Personal, Sport, Naturschutz | Gerhard Hirschmann (ÖVP) | 1993 |
| Land-, Forstwirtsch. | Erich Pöltl (ÖVP) | 1991 |
| Finanzen | Hans-Joachim Ressel (SPÖ) | 1991 |
| Wohnbau, Landes-planung | Michael Schmid (F) | 1991 |
| Gesundheit, | Dieter Strenitz (SPÖ) | 1987 |
| Soziales | Anna Rieder (SPÖ) | 1994 |

**Steiermark: Landeshauptmann Josef Krainer**
* 26. 8. 1930 in Graz, Dr. jur., österreichischer Politiker (ÖVP). Nach dem Studium der Politischen Wissenschaften in Georgia/USA führte Krainer von 1969 bis 1971 den Steirischen Bauernbund. 1970 wurde er Nationalratsabgeordneter, 1972 Landesparteiobmann der ÖVP. 1980 übernahm Krainer das Amt des Landeshauptmanns in der Steiermark.

Industrieproduktion der S. stieg 1994 gegenüber dem Vorjahr um 4,5% (österreichischer Durchschnitt: 4,0%).

**Wirtschaft:** Graz entwickelte sich 1994/95 zum Zentrum der Autoindustrie. Ab September 1995 wird bei Steyr-Daimler-Puch Graz eine neue Voyager-Generation gebaut. Seit September 1994 läuft die Produktion von Jeep Grand Cherokee für Chrysler, die im März 1995 mit täglich 63 Fahrzeugen ihre Vollauslastung erreichte. Für 1995 ist eine Produktion von 20 000 Jeeps geplant. Mitte 1995 wurde ein neues Konzept für die Grazer Messe, die bisher eine Allround-Messe war, entwickelt. Im Hinblick auf die Konkurrenz zu Ljubljana/Slowenien und Zagreb/Kroatien ist eine Spezialisierung auf eine Technologie-Know-how- Börse geplant.

**Tourismus:** Eine Initiative zur Ankurbelung des Tourismus in der Region Semmering führte im Winter 1994/95 zu einem Besucheranstieg. Die Einrichtung einer Skischaukel steigerte die Zahl der Tagestouristen von 120 000 (Saison 1993/94) auf 350 000. Für die Obersteiermark wurden spezielle Kulturangebote erarbeitet, z. B. Neuberger Kulturtage, Brahms-Museum in Mürzzuschlag und Peter Roseggers Waldheimat am Alpl.

Nach dem EU-Beitritt im Januar 1995 will das Land T. unter Landeshauptmann Wendelin Weingartner (ÖVP) die wirtschaftliche Zusammenarbeit mit den italienischen Regionen Südtirol und der Provinz Trentino vorantreiben. Im Mai 1995 wurde eine Arbeitsgruppe installiert, die bis Oktober einen verfassungsrechtlichen Rahmen für die Europaregion Tirol ausarbeiten soll.

**Europäische Union:** Anfang 1995 bestellte T. einen Landesbotschafter für Brüssel, der gemeinsam mit einem Kollegen aus Südtirol und dem Trentino die Interessen der Europaregion Tirol vertreten soll. Die EU stufte die Bezirke Lienz, Imst und Landeck als Ziel-5b-Gebiete ein, d. h. als Regionen, deren Entwicklung und Strukturanpassung mit EU-Mitteln gefördert wird.

**Wirtschaft:** In Innsbruck-Süd entstand im Mai 1995 auf dem Areal einer ehemaligen Schottergrube nach dem Konzept der Tiroler Betriebsansiedlungsgesellschaft Tech-Tirol der Gewerbepark Mutters (GPM). Zehn Unternehmen wurden angesiedelt. Eine 1995 gestartete 9 Mio öS (1,3 Mio DM) teure Imagekampagne soll weitere Industrieansiedlungen in T. fördern. Auf dem Mieminger Plateau ist für die zweite Jahreshälfte 1995 mit EU-Fördermitteln das Projekt Euro-Cryst, ein europäisches Kristallzüchtungs- und Forschungslabor, geplant. Der Metallurgiekonzern Plansee, ein zu 93% exportorientiertes Unternehmen, sieht sich nach dreijähriger Stagnation 1994/95 einer verbes-

## Tirol

| | |
|---|---|
| **Fläche** | 12 648 km² (Rang 3/A) |
| **Einwohner** | 654 753 (Rang 5/A) |
| **Hauptstadt** | Innsbruck |
| **Arbeitslosigkeit** | 5,6% (1994) |

**Landeshauptmann** W. Weingartner (ÖVP) * 7. 2. 1937

**Parlament** Landtag mit 36 für fünf Jahre gewählten Abgeordneten; 19 Sitze für ÖVP, 7 für SPÖ, 6 für F, 4 für die Grüne Alternative (nächste Wahl: 1999)

### Tirol: Regierung

| Ressort | Name (Partei) | Amtsantritt |
|---|---|---|
| Landeshauptmann, Außenbeziehungen, Tourismus, Personal | Wendelin Weingärtner (ÖVP) | 1993 |
| Finanzen, Land-, Forstwirt., Natursch., stellv. L.-Hauptm. | Ferdinand Eberle (ÖVP) | 1994 |
| Soziales und Straßenpolizei, Stellv. Landeshauptmann | Herbert Prock (SPÖ) | 1994 |
| Wirtschaft, Raumordnung, Gemeinden | Konrad Streiter (ÖVP) | 1994 |
| Gesundheit, Familie, Frauen, Wohnbau- | Elisabeth Zanon (ÖVP) | 1994 |
| Umwelt, Abfallwirtschaft | Eva Lichtenberger (Grüne) | 1994 |
| Verkehr, Straßenbau | Johannes Lugger (F) | 1991 |
| Kultur, Wohnbauförd. Erwachsenenbild., Schulen, Sport | Fritz Astl (ÖVP) | 1989 |

**Tirol: Landeshauptmann Wendelin Weingartner**
* 7. 2. 1937 in Innsbruck, Dr. jur., österreichischer Politiker (ÖVP). Weingartner war seit 1963 Beamter der Landesregierung und wechselte 1984 in die Direktion der Hypobank. 1989 wurde er ÖVP-Mitglied und Finanzlandesrat in Tirol. 1991 wurde er zum Landesparteiobmann designiert, 1993 zum Nachfolger von Alois Partl als Landeshauptmann gewählt.

**Vorarlberg: Landeshauptmann Martin Purtscher**
* 12. 11. 1928 in Thüringen (Vorarlberg), Dr. jur., österreichischer Politiker (ÖVP). Der Manager in der Privatwirtschaft wurde 1964 Landtagsabgeordneter und war 1974–1987 Präsident des Landtages, 1988–1989 amtierte er als Präsident der Arbeitsgemeinschaft Alpenländer. Seit 1990 ist er Vorstandsmitglied der Versammlung der Regionen Europas.

serten Nachfrage aus den USA und Asien gegenüber. Mehr als 67% des Gesamtumsatzes wurden 1994 in den EU-Ländern erzielt.

**Tourismus:** In der Fremdenverkehrsbranche, dem wichtigsten Wirtschaftszweig des Landes, lag im August 1994 die Nächtigungsziffer um 13,7% unter dem Ergebnis des Vorjahres. In der Wintersaison 1994/95 fiel die Zahl der Liftbenutzer trotz guter Schneelage gegenüber dem Vorjahr um 10%, in der Weihnachtszeit lagen die Verluste bei 25%. 1995 werden die Tiroler Skigebiete von 1225 Seilbahnen und Liften erschlossen, den Touristen stehen 5600 ha Pistenfläche zur Verfügung. Die Transitbelastung durch das Inntal und die Brennerautobahn hielt 1994/95 mit täglich rd. 3000 LKWs und 5000 Privatautos unvermindert an.

## Vorarlberg

| | |
|---|---|
| **Fläche** 2601 km² (Rang 8/A) | |
| **Einwohner** 340 570 (Rang 8/A) | |
| **Hauptstadt** Bregenz | |
| **Arbeitslosigkeit** 5,7% (1994) | |

**Landeshauptmann** Martin Purtscher (ÖVP) * 12. 11. 1928

**Parlament** Landtag mit 36 für fünf Jahre gewählten Abgeordneten; 20 Sitze für ÖVP, 7 für F, 6 für SPÖ, 3 für Grüne, (nächste Wahl: 1999)

Die seit 1945 regierende konservative ÖVP unter Martin Purtscher behauptete bei der Landtagswahl vom 18. 9. 1994 mit 49,9% der Stimmen und 20 Mandaten ihre Position als stärkste Partei und setzte die Koalition mit der rechtsnationalen FPÖ (ab Januar 1995: Die Freiheitlichen) fort. Die FPÖ wurde mit 18,4% vor der SPÖ (16,3%) zweitstärkste politische Kraft. Die Grünen erreichten 7% und gewannen ein Mandat hinzu.

**Gemeinderatswahlen:** Bei dem Urnengang vom 2. 4. 1995 verbuchte die ÖVP in den Städten Gewinne (z. B. Bregenz: + 10,2%, Dornbirn: + 7%), die SPÖ verlor landesweit 5,6%. Die F konnten nicht zulegen, die Grünen erreichten 2,4%. Das Liberale Forum schaffte in 80% der Gemeinden, in denen es antrat, den Einzug in den Gemeinderat.

**Europäische Union:** Zur Nutzung der Vorteile des 1995 erfolgten EU-Beitritts gründete V. im September 1994 die Wirtschaftsstandort Voralberg GesmbH im Wirtschaftspark in Götzis (Schweiz). Diese Institution soll Schweizer Unternehmen bei Betriebsansiedlungen in V. unterstützen, wobei neben dem EU-Standortvorteil noch die Verfügbarkeit von hochqualifizierten Arbeitskräften hervorgehoben wird. Damit kann das Nicht-EU-Mitglied Schweiz im EU-Gebiet tätig werden. Das zu 60% exportorientierte Industrieland erwirtschaftete 1994 eine Exportquote von 100 000 öS (13 000 DM). Der österreichischer Durchschnitt lag bei 50 000 öS (6500 DM).

### Vorarlberg: Regierung

| Ressort | Name (Partei) | Amtsantritt |
|---|---|---|
| Landeshauptmann, Wirtschaft, Personal, Europa, Außenbez. | Martin Purtscher (ÖVP) | 1987 |
| Landesstatthalter, Finanzen, Gesetzgeb. | Herbert Sausgruber (ÖVP) | 1989 |
| Verkehr, Raumplanung, Baurecht | Manfred Rein (ÖVP) | 1984 |
| Bau, Abfallwirtsch., Gewässerschutz | Hubert Gorbach (F) | 1993 |
| Kultur, Sozialwesen, Sport | Hans-Peter Bischof (ÖVP) | 1993 |
| Landwirtschaft, Umwelt | Erich Schwärzler (ÖVP) | 1993 |
| Schule, Wissensch. Jugend, Familie | Eva Maria Waibel (ÖVP) | 1995 |

**Tourismus:** Die Wintersaison 1994/95 erbrachte ein Nächtigungsminus von 5,7%. Die Bereitstellung öffentlicher Verkehrsmittel für die Wintertouristen führte in der Saison 1994/95 zu einer Verringerung des Individualverkehrs. Etwa 14 000 Skifahrer benutzten Skizüge, mehr als 1 Mio Urlauber reiste in Skibussen an. Die Renovierung des 1838 als Kornhaus erbauten Theaters am Kornmarkt in Bregenz wurde im Februar 1995 abgeschlossen.

## Wien

Fläche 415 km² (Rang 9/A)

Einwohner 1,60 Mio (Rang 1/A)

Hauptstadt Wien

Arbeitslosigkeit 7,1% (1994)

Landeshauptmann Michael Häupl (SPÖ) * 14. 9. 1949

Parlament Landtag mit 100 für fünf Jahre gewählten Abgeordneten; 52 Sitze für SPÖ, 23 für F, 18 für ÖVP, 7 für Grüne (nächste Wahl: 1996)

Im November 1994 löste der bisherige Umweltstadtrat Michael Häupl (SPÖ) den aus Altersgründen ausscheidenden Helmut Zilk (SPÖ) als Landeshauptmann und Bürgermeister ab. 1996 wird sich Häupl einer Wahl stellen. 1994 verbuchte die Stadt 123 Mrd öS (17,5 Mrd DM) Einnahmen, denen 133 Mrd öS (19 Mrd DM) Ausgaben gegenüberstanden. Damit reduzierte sich das prognostizierte Defizit um 2 Mrd öS (280 Mio DM). Infolge antizyklischer Investitionen, insbes. auf dem Wohnbausektor, stieg die Schuldenlast von 38 Mrd öS (5,5 Mrd DM) auf 45,2 Mrd öS (6,7 Mrd DM).

**Osthilfe:** Zur wirtschaftlichen Unterstützung der osteuropäischen Reformstaaten hatte W. seit 1989 Ausfallgarantien für Projekte im Umfang von 1,13 Mrd öS (160 Mio DM) abgegeben. Das Projekt des

**Wien: Landeshauptmann Michael Häupl**
* 14. 9. 1949 in Altlengbach (Niederösterreich), Dr. phil., österreichischer Politiker (SPÖ). Der Biologe arbeitete seit 1975 im Naturhistorischen Museum in Wien und wurde 1988 Stadtrat für Umwelt, Freizeit und Sport. Seit 1993 ist Häupl SPÖ-Landesvorsitzender in Wien. Im November 1994 löste er Helmut Zilk (SPÖ) an der Spitze der Stadt- und Landesregierung ab.

| Wien: Regierung | | |
|---|---|---|
| Ressort | Name (Partei) | Amts-antritt |
| Landeshauptmann u. Bürgermeister | Michael Häupl (SPÖ) | 1994 |
| Finanzen u. Wirtschaft, Vizebürgerm. | Rudolf Edlinger (SPÖ) | 1994 |
| Bildung, Jugend, Familie, Soziales, Frauen, Vizebürgerm. | Grete Laska (SPÖ) | 1994 |
| Wohnbau | Werner Faymann (SPÖ) | 1994 |
| Umwelt, Verkehr | Fritz Svihalek (SPÖ) | 1994 |
| Inneres, Personal, öffentl. Verkehr | Johann Hatzl (SPÖ) | 1979 |
| Gesundheit, | Sepp Rieder (SPÖ) | 1990 |
| Stadtplanung, Außenbeziehungen | Hannes Swoboda (SPÖ) | 1988 |
| Kultur | Ursula Pasterk (SPÖ) | 1987 |

Nicht amtsführ. Stadträte: Christoph Chorherr (Grüne), Lothar Gintersdorfer (F), Bernh. Görg (ÖVP), Maria Hampel-Fuchs (ÖVP), Hilmar Kabas (F), Karin Landauer (F)

ehemaligen SPÖ-Agrarministers Erich Schmidt in Polen ging Ende 1994 in Konkurs. Im Februar 1995 mußte W. 125 Mio öS (16,5 Mio DM) Ausfallhaftung leisten. Da weitere Projekte in Polen gefährdet sind, stoppte Finanzstadtrat Rudolf Edlinger (SPÖ) im Frühjahr 1995 die Osthilfe.

**Arbeitsmarkt:** Zur Bekämpfung der Frauenarbeitslosigkeit (Mai 1995: 24 000) startete die Stadt im August 1995 ein spezielles Ausbildungsprogramm. Nach Markterhebungen werden Kurse für Telefonmarketing, Auftragsabwicklung im Osthandel und Technische Qualitätssicherung angeboten. Im Dezember 1994 gab es mit 18 744 Lehr- stellen 2,4% weniger als 1993. Die Anzahl der Lehrbetriebe ging um 3,2% auf 4956 zurück.

**Verkehr:** Im öffentlichen Verkehr sahen die Planungen Mitte 1995 die Verlängerung bestehender Linien in urbane Entwicklungsgebiete jenseits der Donau und im Süden der Stadt vor. Im Frühjahr 1995 wurde die U 6 bis Siebenhirten verlängert. Intervallverkürzungen intensivieren das Verkehrsangebot. Der Wiener Flughafen Schwechat wird den Pier West im Frühjahr 1996, drei Monate früher als geplant, eröffnen.

**Tourismus:** Bei den Übernachtungszahlen wies W. Zuwächse auf. Von Januar bis März 1995 wurde gegenüber dem Vorjahreszeitraum ein Plus von 8% erzielt. Von 1,13 Mio ausländischen Gästen kamen 233 000 aus der Bundesrepublik Deutschland. Die mit rd. 33 % höchste Steigerungsquote wiesen Reisende aus den GUS-Ländern auf.

## Aargau

| | |
|---|---|
| **Fläche** 1404 km² (Rang 10/CH) | |
| **Einwohner** 524 100 (Rang 4/CH) | |
| **Hauptstadt** Aarau | |
| **Arbeitslosigkeit** 3,3% (1994) | |
| **Amtssprache** Deutsch | |

**Regierungschef** Peter Wertli (CVP) * 4. 7. 1943

**Parlament** Großer Rat mit 200 für vier Jahre gewählten Abgeordneten; 44 Sitze für SPS, 41 für FDP, 36 für SVP, 35 für CVP, 19 für AP, 8 für EVP, 7 für GP, 5 für LdU, 3 für SD, 2 für Sonstige (nächste Wahl: 1997)

## Appenzell-Innerrhoden

| | |
|---|---|
| **Fläche** 172 km² (Rang 25/CH) | |
| **Einwohner** 14 700 (Rang 26/CH) | |
| **Hauptstadt** Appenzell | |
| **Arbeitslosigkeit** 1,2% (1994) | |
| **Amtssprache** Deutsch | |

**Regierungschef** Arthur Löpfe (CVP) * 25. 12. 1942

**Parlament** Großer Rat mit 61 jährlich gewählten Abgeordneten; an der Wahl nehmen keine Parteien teil. Die Mehrheit der Abgeordneten steht der CVP nahe.

## Appenzell-Außerrhoden

| | |
|---|---|
| **Fläche** 242 km² (Rang 23/CH) | |
| **Einwohner** 53 400 (Rang 21/CH) | |
| **Hauptstadt** Herisau | |
| **Arbeitslosigkeit** 2,6% (1994) | |
| **Amtssprache** Deutsch | |

**Regierungschef** Hans Höhener (FDP) * 4. 1. 1947

**Parlament** Kantonsrat mit 58 jährlich gewählten Abgeordneten; an der Wahl nehmen keine Parteien teil, die große Mehrheit der Abgeordneten ist jedoch der Freisinnig-Demokratischen Partei (FDP) zuzurechnen

## Basel-Landschaft

| | |
|---|---|
| **Fläche** 517 km² (Rang 18/CH) | |
| **Einwohner** 251 400 (Rang 10/CH) | |
| **Hauptstadt** Liestal | |
| **Arbeitslosigkeit** 3,6% (1994) | |
| **Amtssprache** Deutsch | |

**Regierungschef** Andreas Koellreuter (FDP) * 15. 10. 1947

**Parlament** Landrat mit 90 für vier Jahre gewählten Abgeordneten; 25 Sitze für FDP, 24 für SPS, 13 für CVP, 11 für SVP, 7 für SD, 6 für GP, 4 für EVP (nächste Wahl: 1999)

Im April 1995 nahm die Landsgemeinde, die Versammlung aller Wahlbürger, die neue Verfassung von A. an. Die Gemeinden erhalten das Recht, das aktive Stimm- und Wahlrecht für Ausländer einzuführen. Die Mindestzahl für Volksinitiativen wird von 58 auf 300 Unterschriften erhöht.

Mittels einer Volksinitiative kann jeder stimmberechtigte Bürger auf politischer Ebene eigene Anträge vorbringen. Ist die festgelegte Zahl von Unterschriften erreicht, muß das Begehren der Volksabstimmung unterbreitet werden. Im Gegensatz zur Volksinitiative birgt das Referendum die Möglichkeit für jeden stimmberechtigten Bürger, Beschlüsse von Regierung und Parlament anzufechten. Die Zahl der für Referenden und Volksinitiativen nötigen Unterschriften variiert in den Kantonen mit geheimer Abstimmung von 300 (Uri) bis 12 000 (Waadt) für Referenden und von 300 (Uri) bis 15 000 (Bern) für Volksinitiativen. Die neue Kantonsverfassung ist durch die sog. Volksdiskussion, die Möglichkeit aller im Kanton ansässigen Einwohner, eigene Vorschläge einzubringen, demokratisch breit abgestützt.

Am 20. 2. 1995 wurde der Landrat, das Kantonsparlament, neu gewählt. Die Wahl stärkte die Rechtsparteien. Auf dem Parteitag der FDP vom April 1995 wurde Christian Miesch, einer der beiden amtierenden Nationalräte der Freisinnigen, nicht mehr nominiert.

**Wahlen:** Die Parteien des Zentrums, FDP und CVP, verloren jeweils zwei Mandate, während mit den Schweizer Demokraten und der Schweizerischen Volkspartei die Gruppierungen des rechten Randes jeweils zwei Mandate gewannen. Auch die SPS gewann zwei Sitze, die Grünen verloren die gleiche Zahl an Abgeordnete. Stabil blieben die Parteienverhältnisse im Laufental, das seit einem Kantonswechsel vom Kanton Bern zu B. am 1. 1. 1994 erstmals an einer Gesamtwahl im Baselbiet teilnahm. Die dort 1994 gewählten sechs Abgeordneten wurden sämtlich in ihren Ämtern bestätigt.

**Nationalratsnomination:** Im ersten Wahlgang der Nominierung für den Nationalrat, die große Kammer des eidgenössischen Parlaments, erhielt Nationalrat Christian Miesch 70 der 197 gültigen Stimmen. Er erreichte unter den insgesamt zwölf

Kandidierenden den elften Platz und verzichtete daher auf eine weitere Kandidatur. Miesch, der den rechten Flügel der kantonalen FDP vertritt, war von den Parteitagsdelegierten populistisches Verhalten und mangelnde Parteidisziplin vorgeworfen worden. Mit Spitzenresultaten wurden die Parteipräsidentin der Freisinnigen, Béatrice Geier (163 Stimmen) und die erstmals kandidierende Sabine Pegoraro-Meier (154 Stimmen) nominiert. Mit 124 Stimmen erreichte Hansruedi Gysin, der zweite amtierende Nationalrat der FDP, den dritten Platz.

## Basel-Stadt

| Basel-Stadt: Regierung | | |
|---|---|---|
| **Ressort** | **Name (Partei)** | **Amts-antritt** |
| Regierungspräs.[1] Polizei- u. Militär | Jörg Schild (FDP) | 1992 |
| Erziehung | Hans-Rudolf Striebel (FDP) | 1984 |
| Justiz | Hans Martin Tschudi (DSP) | 1994 |
| Finanzen | Ueli Vischer (LDP) | 1992 |
| Bauwesen | Christoph Stutz (CVP) | 1992 |
| Gesundheit | Veronica Schaller (SPS) | 1992 |
| Wirtschaft, Soziales | Mathias Feldges (SPS) | 1984 |

1) Regierungspräsident seit 1995

**Fläche** 37 km² (Rang 26/CH)

**Einwohner** 197 700 (Rang 14/CH)

**Hauptstadt** Basel

**Arbeitslosigkeit** 5,7% (1994)

**Amtssprache** Deutsch

**Regierungschef** Jörg Schild (FDP) * 31. 3. 1946

**Parlament** Großer Rat mit 130 auf vier Jahre gewählten Abgeordneten; 32 Sitze für SPS, 21 für FDP, 17 für LDP, 15 für CVP, 10 für DSP, 8 für SD, 6 für POB, 6 für EVP, 5 für Frauenliste, 3 für LdU, 3 für GP, 3 für AP, 1 für PdA (nächste Wahl: 1996)

B. bewirbt sich für das Jahr 2001 zusammen mit seinem Umland um den von der Europäischen Union vergebenen Titel einer Kulturhauptstadt Europas. Im April 1995 legte die Regierung das neue Leitbild für die Basler Museen vor. Dieses sieht eine Konzentration der finanziellen Mittel auf die großen Kulturinstitute vor. Anstelle des vorzeitig zurückgetretenen Erziehungs- und Kulturdirektors Hans-Rudolf Striebel (FDP) wurde am 21. 5. 1995 Stefan Cornaz in die Regierung gewählt. Am Basler Biozentrum wurde erstmals ein Gen isoliert, welches bei Lebewesen die Entstehung des Auges steuert. Der Entdeckung wird große wissenschaftliche Bedeutung beigemessen. **Kulturstadt:** Am 29. 3. 1995 gab die Regierung von B. ihre Bewerbung um den Titel der Kulturhauptstadt Europas für das Jahr 2001 bekannt. In die Bewerbung ist auch der Nachbarkanton Basel-Landschaft mit eingeschlossen. Möglich wäre nach Ansicht der beiden Regierungen auch ein gemeinsames Auftreten mit dem niederländischen Rotterdam, das sich ebenfalls um den Titel beworben hat. Das Jahr 2001 besitzt für B. als 500. Jahrestag des Beitritts zur Eidgenossenschaft auch nationale Bedeutung. Mit der Bewerbung soll das nationale Jubiläum unter das Zeichen Europas gestellt werden.

**Museumsleitbild:** Das Stadt- und Münstermuseum wird mit dem Historischen Museum zusammengelegt, die Sammlung des Stadtmuseums und dessen Sachmittel bleiben dadurch erhalten. Über die Verwendung der Sammlung des Münstermuseums sollen Gespräche mit der Evangelisch-reformierten Kirche aufgenommen werden. Das Museum für Gestaltung wird geschlossen, dessen Bestände bleiben jedoch erhalten. Geprüft wird eine private Trägerschaft. Das neue Leitbild ist Ergebnis des von der Regierung im April 1994 vorgelegten Maßnahmenplans über Einsparungen im Kulturbereich. **Wahlen:** Striebel hatte am 24. 1. 1995 seinen vorzeitigen Rücktritt aus Altersgründen bekanntgegeben. Er war seit 1984 in der Regierung und zusammen mit Mathias Feldges (SPS) der amtsälteste Regierungsrat. Gegen den von der FDP nominierten Stefan Cornaz trat im März 1995 ein aus 13 meist parteiunabhängigen Frauen gebildetes Frauenkomitee auf. Cornaz erhielt 66% der Stimmen. Er wird sein Amt am 1. 9. 1995 antreten.

**Gen-Forschung:** Dem unter der Leitung von Walter Gehring stehenden Biologen-Team gelang es im Herbst 1994, durch die Isolierung des Hauptkontrollgens Fliegen zu züchten, welche an verschiedenen Körperteilen bis zu 14 Augen aufwiesen. Durch die Entdeckung des Urtyps des Auges scheint eine der großen Fragen der Evolutionsforschung gelöst. Die Identifizierung eines Hauptkontrollgens für die Entwicklung eines Organs, eines sog. Master-Gens, war bis dahin weltweit einzigartig.

## Bern

| | |
|---|---|
| **Fläche** 5962 km² (Rang 2/CH) | |
| **Einwohner** 943 600 (Rang 2/CH) | |
| **Hauptstadt** Bern | |
| **Arbeitslosigkeit** 4,1% (1994) | |
| **Amtssprache** Deutsch, Französisch | |
| **Regierungschef** Dori Schaer (SPS) * 12. 7. 1942 | |

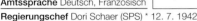

**Parlament** Großer Rat mit 200 auf vier Jahre gewählten Abgeordneten; 71 Sitze für SVP, 54 für SPS, 35 für FDP, 10 für GP, 7 für EVP, 6 für AP, 5 für GB, 3 für CVP, 3 für EDU, 2 für LdU, 2 für SD, 2 für Sonstige (nächste Wahl: 1998)

In der Volksabstimmung vom 12. 3. 1995 bewilligte die Bevölkerung der Stadt Bern den von der Regierung vorgelegten Haushalt, lehnte jedoch deren Pläne für eine Beibehaltung des bestehenden Gemeindesteuersatzes ab. Im April 1995 gab die Regierung des Kantons B. den Rechnungsabschluß für 1994 bekannt. Mit 253 Mio sfr (303,5 Mio DM) ist das Defizit des strukturschwachen Kantons etwa doppelt so hoch wie budgetiert. Das Stadtparlament beschloß am 27. 4. 1995 eine Geschlechterquote. Danach dürfen Männer bzw. Frauen zu höchstens 60% in der 80köpfigen Legislative vertreten sein.

**Städtisches Budget:** Die drei von der rot-grünen Stadtregierung seit dem 28. 11. 1993 vorgelegten Haushaltsentwürfe waren in Volksabstimmungen abgelehnt worden, obwohl nur das erste Budget eine Steuererhöhung vorgesehen hatte. Für das vorangegangene Haushaltsjahr mußte das städtische Budget daher vom Kanton verfügt werden, wobei der Steuersatz um 4,3% angehoben wurde. Als Konsequenz legte die städtische Regierung

| Bern : Regierung | | |
|---|---|---|
| **Ressort** | **Name (Partei)** | **Amts-antritt** |
| Reg.-Präsidentin[1] Bau, Verkehr, Energie | Dori Schaer (SPS) | 1992 |
| Volkswirtschaft | Elisabeth Zölch (SVS) | 1994 |
| Justiz, Gemeinde, Kirchen | Mario Annoni (FDP) | 1990 |
| Finanzen | Hans Lauri (SVP) | 1994 |
| Gesundh., Fürsorge | Hermann Fehr (SPS) | 1990 |
| Polizei, Militär | Peter Widmer (FDP) | 1990 |
| Erziehung | Peter Schmidt (SVP) | 1979 |

1) Regierungspräsidentin seit 1995

für den Haushalt 1995 ein Budget vor, das den Stimmberechtigten die Wahl zwischen dem bestehenden, vom Kanton angeordneten, und einem um den entsprechenden Prozentsatz niedrigeren Steuersatz ließ. Das von der Bevölkerung bewilligte Budget sieht ein Defizit von 44,2 Mio sfr (53 Mio DM) vor.

**Kantonshaushalt:** Für 1994 hatte die Regierung ein Defizit von 128 Mio sfr (153,5 Mio DM) budgetiert. Daß der reale Fehlbetrag etwa doppelt so hoch ausfiel, führte die Regierung primär auf konjunkturell bedingte Steuerausfälle von 70 Mio sfr (84 Mio DM) zurück. Eine Belastung bildeten u. a. die administrativen Kosten des Kantonswechsels des Laufentals vom 1. 1. 1994, die mit 37,5 Mio sfr (45 Mio DM) zu Buche schlugen.

**Geschlechterquote:** Der Stadtrat nahm den Antrag, der auf eine Motion der SPS aus dem Jahr 1991 zurückgeht, mit 40 zu 31 Stimmen an. Wird die Quote von 32 Mandaten nicht erreicht, müssen die Sitze in derjenigen Partei, in der das untervertretene Geschlecht ein Mandat am knappsten verpaßt hat, umverteilt werden. Ende Juni 1995 sind in B. 34 Frauen im Stadtrat vertreten.

## Freiburg

| | |
|---|---|
| **Fläche** 1670 km² (Rang 8/CH) | |
| **Einwohner** 222 100 (Rang 12/CH) | |
| **Hauptstadt** Freiburg/Fribourg | |
| **Arbeitslosigkeit** 5,9% (1994) | |
| **Amtssprache** Französisch, Deutsch | |
| **Regierungschef** Michel Pittet (CVP) * 11. 7. 1941 | |

**Parlament** Großer Rat/Grand Conseil mit 130 für fünf Jahre gewählten Abgeordneten; 46 Sitze für CVP, 29 für SPS, 24 für FDP, 10 für SVP, 9 für CSP, 7 für DSP, 4 für GP, 1 für Sonstige (nächste Wahl: 1996)

Am 5. 10. 1994 starben 48 Mitglieder einer Orden des Sonnentempels genannten Sekte beim Brand mehrerer Chalets in Cheiry sowie beim oberhalb Martigny (Kanton Wallis) gelegenen Weiler Les Granges. Während die Toten im Wallis keine Anzeichen von Gewaltanwendung aufwiesen, wurden bei fast allen Leichen in Cheiry Schußspuren festgestellt. Die Hintergründe der Tat waren Mitte 1995 noch nicht abschließend geklärt. Der von den Untersuchungsbehörden anfänglich geäußerten Annahme eines kollektiven Selbstmords steht die Vermutung einer Auseinandersetzung unter den führenden Mitgliedern der Sekte entgegen.

# Genf

| | |
|---|---|
| **Fläche** 284 km² (Rang 21/CH) | |
| **Einwohner** 386 600 (Rang 6/CH) | |
| **Hauptstadt** Genf/Genève | |
| **Arbeitslosigkeit** 7,6% (1994) | |
| **Amtssprache** Französisch | |
| **Regierungschef** Olivier Vodoz (LPS) * 28. 1. 1948 | |

**Parlament** Großer Rat/Grand Conseil mit 100 für vier Jahre gewählten Abgeordneten; 28 Sitze für LPS, 21 für PdA, 15 für SPS, 15 für FDP, 13 für CVP, 8 für GP (nächste Wahl: 1997)

Die Wahlen ins kommunale Parlament vom 2. 4. 1995 brachten der Linken Sitzgewinne, während die bürgerlichen Parteien und die Grünen Mandate einbüßten. Bei der Wahl in die städtische Exekutive vom 7. 5. 1995 gelang es der CVP nicht, das 1991 an die Grünen verlorene Mandat zurückzugewinnen. Die fünfköpfige Stadtregierung bleibt mit drei Mitgliedern mehrheitlich rot-grün. Vom 9. 3. bis 13. 3. 1995 fand in G. der 65. internationale Automobilsalon statt, die größte jährliche Automobilmesse Europas. Messepräsident Jean-Marie Revaz unterstrich die Bedeutung der Automobilwirtschaft für die in der Schweiz ansässigen Zulieferbetriebe.

**Wahlen:** Mit 44 der 80 Sitze verfügt die Linke, SPS und die aus drei sozialistisch orientierten Parteien bestehende Linksallianz, erstmals seit 1945 über die Mehrheit im Stadtparlament. Die bürgerlichen Parteien, CVP, FDP und Liberale, verloren vier Mandate. Die Grünen büßten drei ihrer elf Sitze ein. Bei der Wahl in die Stadtregie-

rung wurden die vier erneut kandidierenden Exekutivmitglieder in ihrem Amt bestätigt. Anstelle seiner zurückgetretenen Parteikollegin Madeleine Rossi (Liberale) wurde Pierre Muller gewählt. Die Wahlbeteiligung lag jeweils bei rund 30%.

**Automobilsalon:** Die alljährliche Ausstellung findet seit 1924 statt. Auf der um 16 000 auf 57 000 m² vergrößerten Ausstellungsfläche wurden Modelle von 1200 Marken aus 37 Ländern vorgestellt, darunter 32 Weltpremieren.

## Genf: Regierung

| Ressort | Name (Partei) | Amts-antritt |
|---|---|---|
| Regierungspräs.[1] Finanzen, Militär | Olivier Vodoz (LPS) | 1989 |
| Erziehung | Martine Brunschwig-Graf (LPS) | 1993 |
| Justiz, Polizei | Gérard Ramseyer (FDP) | 1993 |
| Bauwesen | Philippe Joye (CVP) | 1993 |
| Inneres, Gemeinden, Landwirtsch. | Claude Haegi (LPS) | 1989 |
| Wirtschaft | Jean-Philippe Maitre (CVP) | 1985 |
| Soziales, Gesundheit | Guy-Olivier Segond (FDP) | 1989 |

1) Regierungspräsident seit 1995

## Glarus

| | |
|---|---|
| **Fläche** 684 km² (Rang 17/CH) | |
| **Einwohner** 39 300 (Rang 22/CH) | |
| **Hauptstadt** Glarus | |
| **Arbeitslosigkeit** 2,0% (1994) | |
| **Amtssprache** Deutsch | |
| **Regierungschef** Christoph Stüssi (SVP) * 25. 1. 1938 | |

**Parlament** Landrat mit 80 auf vier Jahre gewählten Abgeordneten; 23 Sitze für FDP, 23 für SVP, 15 für CVP, 15 für SPS, 3 für GP, 1 für Sonstige (nächste Wahl: 1998)

## Graubünden

| | |
|---|---|
| **Fläche** 7106 km² (Rang 1/CH) | |
| **Einwohner** 184 300 (Rang 15/CH) | |
| **Hauptstadt** Chur | |
| **Arbeitslosigkeit** 1,9% (1994) | |
| **Amtssprache** Deutsch, Rätor., Ital. | |
| **Regierungschef** Peter Aliesch (FDP) * 26. 11. 1946 | |

**Parlament** Großer Rat mit 120 auf drei Jahre gewählten Abgeordneten; 42 Sitze für SVP, 39 für CVP, 24 für FDP, 8 für SPS, 3 für CSP, 2 für DSP, 2 für Sonstige (nächste Wahl: 1997)

Im Herbst 1994 bestimmte G. seine beiden Vertreter im Ständerat, der Kantonskammer des schweizerischen Parlaments. Diese werden seit 1934 von den bürgerlichen Parteien SVP und CVP gestellt. Die Zahl der Übernachtungen ging im Winter 1994/95 um 11% zurück. Hauptgrund ist nach Angaben des Hotelierverbands der hohe Kurs des Schweizer Frankens und die Einführung der Mehrwertsteuer von 6,5% ab 1. 1. 1995.

**Ständeratswahlen:** Im ersten Wahlgang vom 25. 9. 1994 wurde anstelle der zurückgetretenen Luregn Mathias Cavelty (CVP) und Ulrich Gadient (SVP) einzig Christoffel Brändli (SVP) gewählt. Der zweite bürgerliche Kandidat, Theo Maissen (CVP), verpaßte die erforderliche absolute Mehrheit ebenso wie Andrea Hämmerle (SPS) und Johannes Flury (FDP). Nachdem sich die Bürgerlichen auf Maissen als ihren alleinigen Kandidaten geeinigt hatten, entschied dieser den zweiten Wahlgang vom 16. 10. 1994 mit rund 65% der Stimmen für sich. Die Stimmbeteiligung betrug 36,4% bzw. 21%.

**Tourismus:** Der stark auf den Fremdenverkehr ausgerichtete Kanton G. erlitt von allen Schweizer Feriengebieten die stärksten Einbußen. Die kantonale Fraktion der FDP kündigte daher im April 1995 die Lancierung einer Volksinitiative an. Damit soll der Satz der Mehrwertsteuer für die Hotellerie auf 2% gesenkt werden. Im Juni 1995 beschloß die Bundesregierung für die Hotellerie einen Steuersatz von 3%. Der Verkehrsverein G. und der Hotelierverband initiierten in Zusammenarbeit mit den Schweizerischen Transportunternehmungen im Juni 1995 das Pilot- projekt Graubünden Ferienbillet. Gäste, die bei den über 60 angeschlossenen Hotels ein Arrangement buchen, können künftig innerhalb der Schweiz kostenlos mit den öffentlichen Verkehrsmitteln an- und abreisen.

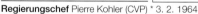
## Jura

| | |
|---|---|
| **Fläche** 837 km² (Rang 14/CH) | |
| **Einwohner** 69 000 (Rang 20/CH) | |
| **Hauptstadt** Delémont | |
| **Arbeitslosigkeit** 6,4% (1994) | |
| **Amtssprache** Französisch | |

**Regierungschef** Pierre Kohler (CVP) * 3. 2. 1964

**Parlament** Parlement mit 60 auf vier Jahre gewählten Abgeordneten; 22 Sitze für CVP, 15 für FDP, 12 für SPS, 8 für CSP, 2 für Combat socialiste, 1 für SVP (n. Wahl: 1998)

Im Oktober und November 1994 wurden Regierung und Parlament neu gewählt. Während die Wahlen in die Regierung umfangreiche personelle Veränderungen auslösten und den bürgerlichen Parteien einen Sitzgewinn eintrugen, erbrachten die Parlamentswahlen nur geringe Veränderungen. Nach dem Kanton Bern bewilligte auch der J. sowie die Stimmberechtigten der Gemeinde Vellerat deren Kantonswechsel vom Kanton Bern zum Kanton J. Die jurassische Polizei machte die Öffentlichkeit im April 1995 auf die steigende

Zahl minderjähriger Drogendealer und -konsumenten an den kantonalen Schulen aufmerksam.

**Wahlen:** Drei der fünf amtierenden Regierungsmitglieder durften für die Wahlen in die Regierung des Kantons J. nicht mehr kandidieren, da sie seit der Gründung des Kantons 1978 im Amt waren und die vorgeschriebene Amtszeitbeschränkung von vier Legislaturperioden erreicht hatten. Im zweiten Wahlgang am 6. 11. 1994 wurde die amtierende Erziehungsrätin Odile Montavon vom links-alternativen Combat socialiste abgewählt. Für sie zieht Anita Rion (FDP) in die Regierung. Die CVP konnte ihre Mehrheit von drei Sitzen behaupten. Anstelle der Christlich-Sozialen (CSP) ist die SPS wieder in der Exekutive vertreten. Bei den Parlamentswahlen vom 23. 10. 1994 gewann die CVP auf Kosten des Combat socialiste einen Sitz, die übrigen Parteien konnten ihre Mandatszahlen halten.

**Jura-Konflikt:** Am 12. 3. 1995 befürwortete die Berner Bevölkerung den Kantonswechsel des 70 Personen zählenden Vellerat mit einer Mehrheit von 84,3%. Die Stimmbeteiligung lag bei 37%. Am 18. 6. nahm die Gemeinde selbst den Kantonswechsel mit 41 von 42 gültigen Stimmen an. Am 25. 6. 1995 stimmte der Kanton J. mit 92% der Stimmen zu. Formal muß der Kantonswechsel noch von der Schweizer Bevölkerung in einer Volksabstimmung gebilligt werden. Vellerat hatte seit der Gründung des J. für eine Loslösung von Bern gekämpft.

**Drogenproblem:** Nach Angaben der jurassischen Polizei wird in der Hauptstadt Delémont und ihrem Umland gegen über 50 Jugendliche zwischen 14 und 17 Jahren wegen unerlaubten Drogenkonsums ermittelt. Gegen sieben Verdächtige läuft ein Verfahren wegen Handels mit z. T. großen Mengen von Drogen.

## Luzern

| | |
|---|---|
| **Fläche** 1492 km² (Rang 9/CH) | |
| **Einwohner** 337 700 (Rang 7/CH) | |
| **Hauptstadt** Luzern | |
| **Arbeitslosigkeit** 3,6% (1994) | |
| **Amtssprache** Deutsch | |

**Regierungschef** Ulrich Fässler (FDP) * 28. 11. 1943

**Parlament** Großer Rat mit 170 für vier Jahre gew. Abgeordneten; 76 Sitze für CVP, 51 für FDP, 18 für SPS, 11 für SVP, 11 für Grünes Bündnis, 3 für Sonstige (n. Wahl: 1999)

Gewinnerin der Gesamterneuerungswahlen vom 2. 4. 1995 ist die rechtsbürgerliche Schweizerische Volkspartei (SVP). Im Kantonsparlament erreichte sie auf Anhieb Fraktionsstärke. Bei der Regierungsratswahl wurden alle Kandidaten der bürgerlichen Sechserliste im ersten Wahlgang gewählt. Der siebte Regierungssitz fiel im zweiten Wahlgang vom 7. 5. 1995 an Paul Huber (SPS). Bei Ausschreitungen während eines Meisterschaftsspiels in der obersten Fußballiga zwischen dem FC Luzern und dem FC Basel wurden am 9. 4. 1995 mehrere Zuschauer schwer verletzt.

**Wahlen:** Die erstmals im Kanton L. kandidierende SVP ist mit elf Mitgliedern im Parlament vertreten. Der Luzerner Kantonalverband der Partei wurde 1992 gegründet. Der Zuwachs der SVP ging zu Lasten der beiden anderen bürgerlichen Parteien. Die CVP verlor vier Sitze, bleibt aber mit 76 Mandaten stärkste Fraktion. Die FDP verlor sechs ihrer 57 Sitze. Die Grünen mußten zwei Mandate abgeben, die SPS gewann zwei Sitze hinzu. Um den siebten Regierungssitz bewarben sich im zweiten Wahlgang der bisherige Regierungsrat Paul Huber (SPS) und Hans Ulrich Buehler von der SVP. Mit 72% der Stimmen konnte die SPS ihr Mandat behaupten. Die Regierung des Kantons L. besteht seit 1959 aus vier Vertretern der CVP, zweien der FDP und einem der SP.

**Hooliganismus:** Zu den Ausschreitungen war es nach einer Auswärtsniederlage des FC Basel in der Nationalliga A gekommen. Aus dem Basler Block waren Anhänger und Spieler des FCL mit Steinen und Leuchtraketen attackiert worden. 15 Zuschauer erlitten Verbrennungen und Kopfverletzungen. Die Krawalle in L. waren die bisher schwersten Auseinandersetzungen zwischen rivalisierenden Fan-Clubs in der Schweiz.

## Neuenburg

| | |
|---|---|
| **Fläche** 796 km² (Rang 15/CH) |  |
| **Einwohner** 164 500 (Rang 16/CH) | |
| **Hauptstadt** Neuenburg/Neuchâtel | |
| **Arbeitslosigkeit** 6,5% (1994) | |
| **Amtssprache** Französisch | |

**Regierungschef** Pierre Hirschy (LPS) * 21. 1. 1947

**Parlament** Großer Rat/Grand Conseil mit 115 für vier Jahre gewählten Abgeordneten; 39 Sitze für SPS, 38 für LPS, 29 für FDP, 5 für GP, 4 für PdA (nächste Wahl: 1997)

## Nidwalden

| | |
|---|---|
| **Fläche** 276 km² (Rang 22/CH) |  |
| **Einwohner** 36 000 (Rang 23/CH) | |
| **Hauptstadt** Stans | |
| **Arbeitslosigkeit** 2,7% (1994) | |
| **Amtssprache** Deutsch | |

**Regierungschef** Edi Engelberger (FDP) * 26. 1. 1940

**Parlament** Landrat mit 60 auf vier Jahre gewählten Abgeordneten; 33 Sitze für CVP, 21 für FDP, 6 für Grüne Partei/Demokratisches Nidwalden (nächste Wahl: 1998)

An einer außerordentlichen Versammlung der Landsgemeinde vom 23. 10. 1994 beschlossen die Stimmberechtigten eine Reform dieser Institution. Die Wahlen in die Kantonsregierung und den Ständerat, der Kantonskammer im Bundesparlament, Verfassungsänderungen sowie wichtige Sachvorlagen werden künftig der Landsgemeinde entzogen und in geheimer Abstimmung entschieden. Die Reform wurde gegen die Empfehlung der Regierungsparteien angenommen.

## Obwalden

| | |
|---|---|
| **Fläche** 492 km² (Rang 19/CH) | |
| **Einwohner** 31 100 (Rang 25/CH) | |
| **Hauptstadt** Sarnen | |
| **Arbeitslosigkeit** 2,0% (1994) | |
| **Amtssprache** Deutsch | |

**Regierungschef** Adalbert Durrer (CVP) * 17. 11. 1950

**Parlament** Kantonsrat mit 55 für vier Jahre gewählten Abgeordneten; 27 Sitze für CVP, 14 für FDP, 10 für CSP, 4 für Sonstige (nächste Wahl: 1998)

### Luzern : Regierung

| Ressort | Name (Partei) | Amtsantritt |
|---|---|---|
| Schultheiß[1] Militär, Polizei, Umweltschutz | Ulrich Fässler (FDP) | 1989 |
| Bauwesen | Max Pfister (FDP) | 1995 |
| Erziehung und Kultur | Brigitte Mürner (CVP) | 1987 |
| Finanzen | Kurt Meyer (CVP) | 1995 |
| Gesundheit, Soziales | Klaus Fellmann (CVP) | 1987 |
| Justiz | Paul Huber (SPS) | 1987 |
| Volkswirtschaft | Anton Schwingruber (CVP) | 1995 |

1) Schultheiß seit 1995

Die Landsgemeinde wählte am 30. 4. 1995 die offizielle Kandidatin der FDP, Elisabeth Gander-Hofer, in die Regierung. Bei der offenen Abstimmung durch Handerheben erhielt der inoffizielle, nicht von der Partei nominierte Gegenkandidat Mario Amstutz (FDP) nur wenige Stimmen. Frau Gander ersetzt ihren zurückgetretenen Parteikollegen Toni Wolfisberg. Sie übernimmt dessen Ressort für Militär und Polizei. Elisabeth Gander-Hofer ist neben Maria Küchler-Flury (CVP) die zweite Frau in der Kantonsregierung.

## St. Gallen

**Fläche** 2015 km² (Rang 6/CH)

**Einwohner** 440 700 (Rang 5/CH)

**Hauptstadt** Sankt Gallen

**Arbeitslosigkeit** 3,3% (1994)

**Amtssprache** Deutsch

**Regierungschef** Peter Schönenberger (CVP) * 31. 5. 1940

**Parlament** Großer Rat mit 180 auf vier Jahre gewählten Abgeordneten; 69 Sitze für CVP, 45 für FDP, 30 für SPS, 19 für AP, 9 für LdU, 5 für GP, 2 für EVP, 1 für SD (nächste Wahl: 1996)

Das Domkapitel wählte am 28. 3. 1995 Ivo Führer zum neuen Bischof des Bistums S. Er ersetzte den aus Altersgründen zurückgetretenen Otmar Mäder. Im Januar 1995 trat Walter Fischbacher aus der Freisinnig-Demokratischen Partei (FDP) des Kantons S. aus. Der wegen antisemitischer Äußerungen in die Kritik geratene Fischbacher kam einem Parteiausschluß zuvor.
**Bischofswahl:** Die Nominierung des neuen Bischofs wurde von Papst Johannes Paul II. bestätigt. Im Gegensatz zu den üblichen Gepflogenheiten hatte der Vatikan dem Domkapitel die umgehende öffentliche Bekanntgabe des Namens des Gewählten untersagt und ein Erstbenachrichtigungsrecht für sich beansprucht. Führer, der Neuerungen gegenüber als aufgeschlossen gilt, ist der zehnte Bischof des Bistums S. Dieses wurde 1847 errichtet und umfaßt den Kanton S. und die beiden Appenzell.
**Parteiaustritt:** Fischbacher hatte anläßlich der eidgenössischen Volksabstimmung über den Beitritt der Schweiz zur Konvention gegen Rassismus vom 25. 9. 1994 ein Schreiben unterzeichnet, in welchem die Konvention als Teil einer jüdisch dirigierten Politik zur Eroberung der Weltherrschaft bezeichnet wurde. Die Veröffentlichung hatte

zum Rücktritt des kantonalen Parteipräsidenten Jakob Göldi und zu Parteiaustritten geführt. Nachdem sich der Präsident der eidgenössischen FDP, Franz Steinegger, gegen den Verbleib Fischbachers in der Partei ausgesprochen hatte, drohte die Kantonalpartei im Januar 1995 mit einem Ausschlußverfahren. Fischbacher bestritt den Vorwurf des Antisemitismus.

## Schaffhausen

**Fläche** 298 km² (Rang 20/CH)

**Einwohner** 74 000 (Rang 19/CH)

**Hauptstadt** Schaffhausen

**Arbeitslosigkeit** 4,2% (1994)

**Amtssprache** Deutsch

**Regierungschef** Peter Briner (FDP) * 1. 11. 1943

**Parlament** Großer Rat mit 80 auf vier Jahre gewählten Abgeordneten; 20 Sitze für SPS, 19 für SVP, 17 für FDP, 7 für AP, 5 für CVP, 5 für SLP, 3 für GP, 1 für EVP, 1 für Grünes Bündnis, 2 für Sonstige (nächste Wahl: 1996)

## Schwyz

**Fläche** 907 km² (Rang 13/CH)

**Einwohner** 120 600 (Rang 17/CH)

**Hauptstadt** Schwyz

**Arbeitslosigkeit** 2,3% (1994)

**Amtssprache** Deutsch

**Regierungschef** Egon Bruhin (FDP) * 29. 1. 1940

**Parlament** Kantonsrat mit 100 auf vier Jahre gewählten Abgeordneten; 48 Sitze für CVP, 34 für FDP, 11 für SPS, 5 für SVP, 2 für Sonstige (nächste Wahl: 1996)

## Solothurn

**Fläche** 791 km² (Rang 16/CH)

**Einwohner** 237 100 (Rang 11/CH)

**Hauptstadt** Solothurn

**Arbeitslosigkeit** 4,4% (1994)

**Amtssprache** Deutsch

**Regierungschef** Cornelia Füeg (FDP) * 5. 6. 1941

**Parlament** Kantonsrat mit 144 für vier Jahre gewählten Abgeordneten; 54 Sitze für FDP, 39 für CVP, 36 für SPS, 8 für GP, 7 für AP (nächste Wahl: 1997)

# Tessin

**Fläche** 2811 km² (Rang 5/CH)

**Einwohner** 302 400 (Rang 8/CH)

**Hauptstadt** Bellinzona

**Arbeitslosigkeit** 6,5% (1994)

**Amtssprache** Italienisch

**Regierungschef** Alex Pedrazzini (CVP) * 6. 10. 1951

**Parlament** Großer Rat/Gran Consilio mit 90 für vier Jahre gewählten Abgeordneten; 30 Sitze für FDP, 25 für CVP, 16 für Lega dei Ticinesi, 15 für SPS, 4 für Sonstige (nächste Wahl: 1999)

Die Regierungs- und Großratswahlen vom 2. 4. 1995 brachten einen Erfolg der Lega dei Ticinesi (Tessiner Liga). Die rechtsgerichtete Protestpartei stellt mit Marco Borradori erstmals einen der fünf Regierungsräte. Mit Marina Masoni (FDP) ist zum ersten Mal eine Frau in der Regierung vertreten. Mit dem T. soll auch der italienischsprachige Landesteil der Schweiz eine Universität erhalten. Ein früheres Projekt für den Bau eines Hochschulzentrums war 1986 in der Volksabstimmung gescheitert.

**Wahlen:** Die drei erneut kandidierenden Regierungsräte Giuseppe Buffi (FDP), Alex Pedrazzini (CVP) und Pietro Martinelli (SPS) konnten ihre Sitze verteidigen. Mit dem Einzug von Marina Masoni hielt die FDP ihren zweiten Regierungssitz, während das zweite Mandat der CVP an die Lega dei Ticinesi fiel. Im Parlament konnte die Lega ihre Mandatszahl um vier auf 16 Abgeordnete steigern, CVP und SPS erlitten mit je zwei Sitzverlusten leichte Einbußen. Stärkste Fraktion bleibt die FDP, die einen Parlamentarier mehr stellt. Mit einem Sitz ist der rechtsgerichtete Polo della Libertá (Freiheitspool) erstmals vertreten. Die Wahlbeteiligung lag bei 75%.

**Universität:** Im Oktober 1994 präsentierte die Kantonsregierung ihre Pläne für die Errichtung einer Universität. Vorgesehen sind eine Architekturakademie in Mendrisio sowie eine Abteilung für Wirtschafts- und Kommunikationswissenschaften in Lugano. Im Mai 1995 sprach sich die zuständige Kommission der FDP auf Bundesebene für die Schaffung einer Universität im T. aus. Das entsprechende Begehren wurde auf dem FDP-Parteitag im Juni 1995 von den Delegierten im neuen Parteiprogramm verankert. Das T. ist die einzige der drei großen Sprachregionen der Schweiz ohne eigene Universität.

# Thurgau

**Fläche** 1013 km² (Rang 12/CH)

**Einwohner** 220 400 (Rang 13/CH)

**Hauptstadt** Frauenfeld

**Arbeitslosigkeit** 3,0% (1994)

**Amtssprache** Deutsch

**Regierungschef** Hermann Lei (FDP) * 25. 4. 1937

**Parlament** Großer Rat mit 130 für vier Jahre gewählten Abgeordneten; 32 Sitze für SVP, 26 für CVP, 23 für FDP, 23 für SPS, 10 für GP, 10 für AP, 6 für EVP (nächste Wahl: 1996)

# Uri

**Fläche** 1075 km² (Rang 11/CH)

**Einwohner** 35 900 (Rang 24/CH)

**Hauptstadt** Altdorf

**Arbeitslosigkeit** 1,6% (1994)

**Amtssprache** Deutsch

**Regierungschef** Alberik Ziegler (SPS) * 16. 7. 1935

**Parlament** Landrat mit 64 auf vier Jahre gewählten Abgeordneten; 36 Sitze für CVP, 17 für FDP, 7 für SPS, 4 für Sonstige (nächste Wahl: 1996)

# Waadt

**Fläche** 3219 km² (Rang 4/CH)

**Einwohner** 601 600 (Rang 3/CH)

**Hauptstadt** Lausanne

**Arbeitslosigkeit** 7,5% (1994)

**Amtssprache** Französisch

**Regierungschef** Claude Ruey (LPS) * 29. 11. 1949

**Parlament** Großer Rat/Grand Conseil mit 200 für vier Jahre gewählten Abgeordneten; 68 Sitze für FDP, 55 für SPS, 41 für LPS, 17 für SVP, 10 für GP, 7 für PdA, 2 für Sonstige (nächste Wahl: 1998)

Anstelle des wegen einer Steueraffäre vorzeitig zurückgetretenen Jean-Claude Rosset (Liberale) wurde am 12. 3. 1995 der Kommunist Bernard Métraux in die Stadtregierung gewählt. In einer gleichzeitig abgehaltenen kantonalen Volksabstimmung befürwortete die Bevölkerung die Errichtung eines Endlagers für Atommüll im Wellenberg (Kanton Nidwalden).

**Stadtratswahl:** Dem Liberalen Philippe Vuillemin gelang es mit 43,1% der Stimmen nicht, den Regierungssitz seiner Partei zu verteidigen. Mit Métraux, der 55,6% der Stimmen auf sich vereinigen konnte und das Polizeiministerium leiten wird, zieht erstmals seit 1934 wieder ein Vertreter der kommunistisch ausgerichteten Arbeiterpartei (POP) in die Exekutive Lausannes ein. Die Liberalen sind seit 1893 erstmals nicht mehr in der Stadtregierung vertreten. Die Lausanner Exekutive setzt sich aus fünf Mitgliedern des rot-grünen Spektrums und zwei Bürgerlichen zusammen. Die Wahlbeteiligung lag bei 26,7%.

**Atomendlager:** 73,4% der Stimmberechtigten sprachen sich für die Errichtung des Endlagers im Wellenberg aus. Die Stimmbeteiligung lag bei 27,4%. Gegen die Aufnahme von Probebohrungen in der Gemeinde Ollon, im eigenen Kanton, hatten sich 1984 bei einer Volksabstimmung 69,2% der Waadtländer Bevölkerung gewandt. Konsultativabstimmungen in Fragen der Atomenergie sind im Kanton W. seit 1981 verfassungsrechtlich festgeschrieben, auch wenn sie nicht den eigenen Kanton betreffen.

Am 13. 11. 1994 wurden die Vertreter im Ständerat, der Kantonskammer des eidgenössischen Parlaments, sowie die kantonale Regierung und das kantonale Parlament neu gewählt. Die Wahlbeteiligung lag bei 48%. Bei der Ständeratswahl wurde im zweiten Wahlgang vom 18. 12. 1994 der bisherige Vertreter der FDP, Andreas Iten und neu Peter Bieri (CVP) gewählt. Im Dezember 1994 schaffte ein Personalgesetz den Beamtenstatus und den Amtseid für das Staatspersonal ab.

Bei den Regierungsratswahlen ergaben sich keine parteipolitischen Veränderungen. Alle Regierungsräte kandidierten erneut und erreichten ihre Wiederwahl. Damit sind weiterhin die CVP mit drei, die FDP mit zwei und die SPS sowie die Sozialistisch-grüne Alternative mit je einem Sitz vertreten. Mit Ruth Schwerzmann (FDP) wurde erstmals eine Frau in die Zuger Exekutive gewählt. Bei der Wahl in den 80köpfigen Kantonsrat verloren CVP und SPS drei bzw. zwei Sitze. Die FDP konnte drei Mandate gewinnen, während die SVP erstmals ins Parlament einzog. Mit drei Mandaten erreichte sie Fraktionsstärke. Die Wahlbeteiligung lag bei 39,5%.

## Wallis

| | |
|---|---|
| **Fläche** 5226 km² (Rang 3/CH) | |
| **Einwohner** 269 600 (Rang 9/CH) | |
| **Hauptstadt** Sitten/Sion | |
| **Arbeitslosigkeit** 7,4% (1994) | |
| **Amtssprache** Französisch, Deutsch | |

**Regierungschef** Bernard Bornet (CVP) * 29. 9. 1936

**Parlament** Großer Rat/Grand Conseil mit 130 auf vier Jahre gewählten Abgeordneten; 61 Sitze für CVP, 34 für FDP, 16 für SPS, 14 für CSP, 5 für LPS (nächste Wahl: 1997)

## Zug

| | |
|---|---|
| **Fläche** 238 km² (Rang 24/CH) | |
| **Einwohner** 90 300 (Rang 18/CH) | |
| **Hauptstadt** Zug | |
| **Arbeitslosigkeit** 3,5% (1994) | |
| **Amtssprache** Deutsch | |

**Regierungschef** Urs Bichler (SPS) * 4. 5. 1950

**Parlament** Kantonsrat mit 80 auf vier Jahre gewählten Abgeordneten; 33 Sitze für CVP, 28 für FDP, 9 für SPS, 7 für GB/Alternative, 3 für SVP (nächste Wahl: 1998)

## Zürich

| | |
|---|---|
| **Fläche** 1728 km² (Rang 7/CH) | |
| **Einwohner** 1,17 Mio (Rang 1/CH) | |
| **Hauptstadt** Zürich | |
| **Arbeitslosigkeit** 4,5% (1994) | |
| **Amtssprache** Deutsch | |

**Regierungschef** Ernst Homberger (FDP) * 23. 7. 1937

**Parlament** Kantonsrat mit 180 auf vier Jahre gewählten Abgeordneten; 46 Sitze für FDP, 45 für SPS, 40 für SVP, 16 für GP, 11 für CVP, 9 für EVP, 6 für LdU, 3 für SD, 3 für FP, 1 für Frauen machen Politik (nächste Wahl: 1999)

Am 14. 2. 1995 wurde die offene Drogenszene um den ehemaligen Bahnhof Letten von der Polizei geräumt. Die Aktion verlief ohne Zwischenfälle. Die Gesamterneuerungswahlen vom 2. 4. 1995 erbrachten einen Erfolg für die Schweizerische Volkspartei (SVP) und die Frauen. Mit Rita Fuhrer (SVP) und Verena Diener (Grüne) sind erstmals seit der Einführung des Stimm- und Wahlrechts für Frauen 1971 zwei weibliche Mitglieder in der Kantonsregierung vertreten. Gegen Raphael Huber, den Chef der Abteilung Wirtschaftswesen in der Finanzdirektion Z., wurde im Juni 1995 ein Gerichtsverfahren wegen Bestech-

| Zürich: Regierung | | |
|---|---|---|
| Ressort | Name (Partei) | Amts-antritt |
| Regierungspräs. Volkswirtschaft | Ernst Homberger[1] (FDP) | 1995 |
| Inneres, Justiz | M. Leuenberger (SPS) | 1992 |
| Polizei, Militär | Rita Fuhrer (SVP) | 1995 |
| Finanzen | Eric Honegger (FDP) | 1987 |
| Gesundh., Fürsorge | Verena Diener (Grüne) | 1995 |
| Erziehungswesen | Ernst Buschor[2] (CVP) | 1995 |
| Öffentliche Bauten | Hans Hofmann (SVP) | 1987 |

1) Regierungsmitglied seit 1992; 2) Reg. mitglied s. 1993

lichkeit aufgenommen. Laut Anklage beläuft sich die Bestechungssumme auf 2,4 Mio sfr (2,9 Mio DM). Es handelt sich mutmaßlich um den größten jemals in der Schweiz aufgedeckten Bestechungsfall. In der Volksabstimmung vom 25. 9. 1994 billigte die Bevölkerung mit 73,2% der Stimmen das neue Opernhausgesetz.

**Drogenpolitik:** Die Duldung der offenen Drogenszene mit rd. 1000 Schwerstabhängigen hatte die Stadt Z. national wie international in die Kritik gebracht. Eine im betroffenen Stadtkreis 5 gebildete Bürgerwehr forderte von der Stadtregierung ultimativ die Räumung des Letten. Das von der Exekutive erarbeitete Konzept sah im Vorfeld der „Paukenschlag" benannten Polizeiaktion eine verschärfte Repression gegen die rd. 500 afrikanischen und arabischen Drogenhändler vor. Durch verstärkte Polizeipräsenz in den betroffenen Quartieren konnte bis Mitte 1995 auch die Neubildung einer offenen Drogenszene in der Stadt Z. verhindert werden. Kritiker bemängelten, daß die Räumung lediglich eine Verlagerung des Drogenproblems in andere Stadtteile bzw. in Privatwohnungen zur Folge hat. Die Aktion wurde von einem bundesweit ausgerichteten Programm flankiert, das in mehreren Städten und Strafanstalten die ärztlich kontrollierte staatliche Abgabe von Heroin an 800 Schwerstsüchtige vorsieht.

**Wahlen:** Alle fünf bürgerlichen Regierungsräte wurden wiedergewählt. Die Kandidatin der SPS, Vreni Müller-Hemmi, erreichte zwar die absolute Mehrheit, schied aber mit dem achtbesten Resultat innerhalb der siebenköpfigen Regierung als überzählig aus. Die Sitze der aus Altersgründen zurückgetretenen Hedi Lang (SPS) und Alfred Gilgen (LdU) gingen an die SVP bzw. die Grünen. Die SVP hatte ihren zweiten Regierungssitz 1991 an die SPS verloren, die Grünen sind erstmals in der Kantonsregierung von Z. vertreten.

Die Parlamentswahlen erbrachten Verluste für die bürgerlichen Parteien der Mitte, FDP und CVP. Gewinne konnte neben der SVP (plus drei Mandate) auch die SPS (plus zwei Sitze) verbuchen. Die Grünen verloren vier ihrer 20 Mandate. Der links-bürgerliche Landesring der Unabhängigen (LdU) konnte die Zahl seiner Parlamentsabgeordneten auf sechs verdreifachen. Die Wahlbeteiligung lag bei 36,7%.

**Bestechungsaffäre:** Huber soll als Leiter der kantonalen Bewilligungsstelle für Gastwirtschaftsbetriebe gegen finanzielle Zuwendungen Betriebsbewilligungen und Alkohollizenzen erteilt haben. Der Angeklagte hält sich seit Prozeßbeginn in Italien auf. Im Mai 1995 wurde in der Affäre erstmals im Kanton Z. eine parlamentarische Untersuchungskommission eingesetzt. Ihr gehören elf Mitglieder aller Regierungsparteien sowie der EVP an. Hauptaufgabe der Kommission ist es, die Rolle des früheren Regierungsrats und Finanzdirektors Jakob Stucki (SVP) als ehemaliger Chef Hubers zu durchleuchten.

**Parteigründung:** Im November 1994 gründeten vorwiegend ehemalige FDP- und EVP-Mitglieder aus Unzufriedenheit mit der Politik der kantonalen FDP die Partei Die Liberalen Kanton Zürich. Die neue Partei tritt für Föderalismus, Marktwirtschaft, Kostenkontrolle sowie die Senkung der Unternehmen- und Einkommensteuer ein. Sie strebt u. a. die individuelle Freiheit in der Wahl des Fortbewegungsmittels bei schwerpunktmäßiger Förderung der Investitionen im öffentlichen Verkehr an.

**Opernhaus:** Nach dem sog. Opernhausgesetz werden das Opernhaus, das Schauspielhaus, die Tonhalle und das Kunsthaus der Stadt Z. vom Kanton übernommen. Das Kantonsparlament erhält die Befugnis, für jeweils vier Jahre einen Rahmenkredit zu beschließen. Als ersten Kredit bewilligte der Kantonsrat im April 1994 dem Opernhaus bis zur Spielzeit 1999/2000 einen Beitrag von rd. 316,5 Mio sfr (380 Mio DM). Die Subventionen an die weniger bedeutenden Kulturinstitute der Stadt werden eingestellt.

**Single-Haushalte:** Ein Bericht des Statistischen Amts der Stadt Z. kam im August 1994 auf Grundlage der Volkszählung von 1990 zu dem Ergebnis, daß die Zahl der Einpersonenhaushalte in der größten Stadt der Schweiz bei über 37% (1980: 33%) liegt. In 32% der Haushalte lebte 1990 ein Paar, davon 10% ohne Trauschein. Die Anzahl der Personen pro Haushalt lag 1990 bei 2,17 (Durchschnitt Schweiz: 2,33).

# Berlin

Berlin

☎ 0 30    ✉ Bereich 10/12...   🚗 B

ℹ️ Martin-Luther-Str. 105, 10825 B.    ☎ 2123–4

## Verkehr

🚗 403/1000 Einw. (47*)   P 2 DM je angef. 30 min

🏍 54 Anschlußstellen    🚆 96 IC-Züge/Tag

✈ Schönefeld, Tegel, Tempelhof (Vom Hbf.: 60 min)

P+R Mo–Sa; Umweltticket: 80/89 DM/M. (Ost/West)

## Index

| 👫 3 475 392 (1*) | ⬜ 889,1 km² (1*) | 🚗 3909 (2*) |
|---|---|---|

Arbeitslose: 13,6%    Ausländer: 12,2%; davon Türken 33,1%

Schulden/Einwohner: 10 387 DM / Insgesamt: 36,1 Mrd DM (1*)

🏛 35   🎭 4   Uni 3 / Studenten: 119 619   Hochschulen: 14 / 30 402

## Politik   CDU/SPD (seit 1990); 177 von 241 Sitzen

| Partei | CDU | SPD | PDS | FDP | Grüne/AL | B.90/Gr. |
|---|---|---|---|---|---|---|
| 1990: % / Sitze | 40,4/101 | 30,4/76 | 9,2/23 | 7,1/18 | 5,0/12 | 4,4/11 |
| 1989: % / Sitze | 37,8/55 | 37,3/55 | –/– | 3,9/– | 11,8/17 | –/– |

Oberbürgermeister: Eberhard Diepgen (CDU, seit 1991; * 1941)

---

Der alphabetisch geordnete Städteteil enthält Informationen zu den 50 größten Städten in Deutschland sowie zu den jeweils acht größten Städten in Österreich und in der Schweiz. Alle Orte sind direkt miteinander vergleichbar. Rangzahlen hinter den wichtigsten Daten (Einwohner, Fläche, Einwohner pro km², PKW pro 1000 Einwohner, Schulden) sind mit * markiert und erlauben eine sofortige Einordnung. Alle Daten wurden bei den Stadtverwaltungen ermittelt und sind auf dem aktuellsten Stand.

Jede Städtetabelle gliedert sich in vier Teile:

▷ Zu den Grundinformationen gehören u. a. Kreiszugehörigkeit, Telefonvorwahl, Postleitzahlbereich sowie eine Kontaktadresse, über die Interessenten zusätzliche Informationen anfordern können

▷ Der Index nennt für jede Stadt die Kerndaten (Einwohner, Fläche, Einwohner pro km²) sowie aktuelle Angaben wie Arbeitslosenquote, Ausländeranteil an der Bevölkerung und Verschuldung pro Einwohner

▷ Die Rubrik Verkehr enthält Informationen zur Verkehrsanbindung und zeigt, wie umweltfreundlich jede Großstadt ist (Parkgebühren, P+R-Systeme, Umwelttickets für öffentliche Verkehrsmittel)

▷ Die Rubrik Politik nennt Regierungspartei(en) und (Ober-)Bürgermeister sowie die Ergebnisse der letzten beiden Kommunalwahlen. So werden politische Entwicklungen und Verschiebungen in der Parteienlandschaft jeder Großstadt deutlich.

## Symbole

☎   Telefonvorwahl

✉   Postleitzahlbereich

🚗   Kfz-Kennzeichen

ℹ️   Informationsadresse

🚗   PKW-Dichte

P   Parkgebühren

🏍   Autobahn-Anschluß

🚆   Zugverbindungen

✈   Nächster Flughafen

👫   Einwohner

⬜   Fläche

🚗   Einwohner/km²

🏛   Theater

🎭   Oper

Uni   Universitäten

# Aachen

Nordrhein-Westfalen, Reg.-Bez. Köln, Stadtkreis

☎ 02 41　　　🖂 Bereich 52...　　🚗 AC

ℹ Atrium, Elisenbrunnen, 52062 A.　　☎ 1 80 29 61

| Index | | |
|---|---|---|
| 👫 255 151 (30*) | ⬜ 160,8 km² (28*) | 📏 1587 (34*) |
| Arbeitslose: 13,3% | Ausländer: 13,0%; davon Türken 25,8% | |
| Schulden/Einwohner: 4470 DM / Insgesamt: 1,10 Mrd DM (19*) | | |
| 🏛 3　 🎓 1　 Uni 1 / Studenten: 36 819　 Hochschulen: 3 / 8757 | | |

| Verkehr | | | Politik | SPD/Grüne (seit 1989); 30 von 59 Sitzen | | | | |
|---|---|---|---|---|---|---|---|---|
| 🚌 516/1000 Einw. (11*) | P 2 DM/h | | Partei | CDU | SPD | B.90/Gr. | FDP | REP |
| 🛤 12 Anschlußstellen | 🚆 14 IC-Züge/Tag | | 1994: % / Sitze | 45,5/29 | 36,4/23 | 11,9/7 | 3,5/– | –/– |
| ✈ Köln-Bonn (Anfahrt vom Hbf.: 75 min) | | | 1989: % / Sitze | 40,7/26 | 38,5/24 | 10,9/6 | 5,4/3 | 4,4/– |
| P+R Sa; Umweltticket: Regenbg.-Ticket (58 DM/Monat) | | | Oberbürgermeister: Jürgen Linden (SPD, seit 1989; * 1947) | | | | | |

# Augsburg

Bayern, Reg.-Bez. Schwaben, Stadtkreis

☎ 08 21　　　🖂 Bereich 86...　　🚗 A

ℹ Bahnhofstraße 7, 86150 A.　　☎ 50 20 70

| Index | | |
|---|---|---|
| 👫 263 838 (28*) | ⬜ 147,1 km² (32*) | 📏 1793 (32*) |
| Arbeitslose: 8,2% | Ausländer: 17,1%; davon Türken 36,7% | |
| Schulden/Einwohner: 1955 DM / Insgesamt: 516 Mio DM (39*) | | |
| 🏛 3　 🎓 1　 Uni 1 / Studenten: 13 971　 Hochschulen: 1 / 3811 | | |

| Verkehr | | | Politik | CSU (seit 1990); 27 von 60 Sitzen; wechselnde Mehrheiten | | | | |
|---|---|---|---|---|---|---|---|---|
| 🚌 516/1000 Einw. (12*) | P 3 DM/h | | Partei | CSU | SPD | B.90/Gr. | Freiheit | FDP | Sonstige |
| 🛤 4 Anschlußstellen | 🚆 95 IC-Züge/Tag | | 1990: % / Sitze | 43,0/27 | 28,4/17 | 10,8/6 | 10,0/6 | 2,5/1 | 5,3/3 |
| ✈ Augsburg (Anfahrt vom Hbf: 30 min) | | | 1984: % / Sitze | 39,9/20 | 44,9/28 | 4,2/2 | –/– | 1,3/– | 15,0/10 |
| P+R Mo–Sa; Umweltticket: Umwelt-Abo (57 DM/Monat) | | | Oberbürgermeister: Peter Menacher (CSU, seit 1990; * 1939) | | | | | |

# Berlin

Berlin

☎ 0 30　　　🖂 Bereich 10/12...　　🚗 B

ℹ Martin-Luther-Str. 105, 10825 B.　　☎ 2123–4

| Index | | |
|---|---|---|
| 👫 3 475 392 (1*) | ⬜ 889,1 km² (1*) | 📏 3909 (2*) |
| Arbeitslose: 13,6% | Ausländer: 12,2%; davon Türken 33,1% | |
| Schulden/Einwohner: 10 387 DM / Insgesamt: 36,1 Mrd DM (1*) | | |
| 🏛 35　 🎓 4　 Uni 3 / Studenten: 119 619　 Hochschulen: 14 / 30 402 | | |

| Verkehr | | | Politik | CDU/SPD (seit 1990); 177 von 241 Sitzen | | | | |
|---|---|---|---|---|---|---|---|---|
| 🚌 403/1000 Einw. (47*) | P 2 DM je angef. 30 min | | Partei | CDU | SPD | PDS | FDP | Grüne/AL | B.90/Gr. |
| 🛤 54 Anschlußstellen | 🚆 96 IC-Züge/Tag | | 1990: % / Sitze | 40,4/101 | 30,4/76 | 9,2/23 | 7,1/18 | 5,0/12 | 4,4/11 |
| ✈ Schönefeld, Tegel, Tempelhof (Vom Hbf.: 60 min) | | | 1989: % / Sitze | 37,8/55 | 37,3/55 | –/– | 3,9/– | 11,8/17 | –/– |
| P+R Mo–Sa; Umweltticket: 80/89 DM/M. (Ost/West) | | | Oberbürgermeister: Eberhard Diepgen (CDU, seit 1991; * 1941) | | | | | |

# Bielefeld

Nordrhein-Westfalen, Reg.-Bez. Detmold, Stadtkreis

☎ 05 21　　　🖂 Bereich 33...　　🚗 BI

ℹ Niederwall 23, 33602 B.　　☎ 17 88 99

| Index | | |
|---|---|---|
| 👫 324 953 (18*) | ⬜ 257,68 km² (9*) | 📏 1261 (45*) |
| Arbeitslose: 11,3% | Ausländer: 15,2%; davon Türken 37,4% | |
| Schulden/Einwohner: 3999 DM / Insgesamt: 1,3 Mrd DM (15*) | | |
| 🏛 4　 🎓 1　 Uni 1 / Studenten: 17 454　 Hochschulen: 4 / 7136 | | |

| Verkehr | | | Politik | SPD/Grüne (seit 1994); 36 von 65 Sitzen | | | | |
|---|---|---|---|---|---|---|---|---|
| 🚌 540/1000 Einw. (7*) | P 1,50–2 DM/h | | Partei | SPD | CDU | Grüne | FDP | Sonstige |
| 🛤 7 Anschlußstellen | 🚆 36 IC-Züge/Tag | | 1994: % / Sitze | 41,3/28 | 36,3/24 | 12,5/8 | 2,5/– | 7,4/5 |
| ✈ Paderborn (45 km); Hannover (110 km) | | | 1989: % / Sitze | 39,0/27 | 34,6/24 | 10,1/6 | 6,5/4 | 9,8/6 |
| P+R Mo–Sa; Umweltticket: Umweltabo (58 DM/Monat) | | | Oberbürgermeisterin: Angelika Dopheide (SPD, seit 1994; * 1947) | | | | | |

# Bochum

Nordrhein-Westfalen, Reg.-Bez. Arnsberg, Stadtkreis

☎ 02 34          ✉ Bereich 44...          🚗 BO

ℹ Bahnhofsplatz, 44728 B.          ☎ 1 30 31

## Verkehr

🚌 436/1000 Einw. (39*)   P 1,50 DM/h

🏍 15 Anschlußstellen   🚄 60 IC-Züge/Tag

✈ Dortmund-Wickede (25 km); Düsseldorf (50 km)

P+R Mo–Sa; Umweltticket: Ticket 2000 (73,20 DM/M.)

## Index

👥 408 200 (16*)          ▭ 145,4 km²(33*)          📈 2813 (7*)

Arbeitslose: 13,5%          Ausländer: 8,6%; davon Türken 40,0%

Schulden/Einwohner: 3164 DM / Insgesamt: 1,3 Mrd DM (16*)

🏛 3   🎭 –   Uni 1 / Studenten: 36 297   Hochschulen: 4 / 8429

## Politik   SPD (seit 1946); 38 von 69 Sitzen

| Partei | SPD | CDU | B.90/Gr. | FDP |
|---|---|---|---|---|
| 1994: % / Sitze | 50,5/38 | 29,4/22 | 12,6/9 | 1,7/– |
| 1989: % / Sitze | 54,1/40 | 26,5/19 | 11,3/8 | 3,6/– |

Oberbürgermeister: Ernst Otto Stüber (SPD, seit 1994; * 1940)

# Bonn

Nordrhein-Westfalen, Reg.-Bez. Köln, Stadtkreis

☎ 02 28          ✉ Bereich 53...          🚗 BN

ℹ Münsterstraße 20, 53103 B.          ☎ 77 34 66/7

## Verkehr

🚌 544/1000 Einw. (6*)   P bis 5 DM/h

🏍 17 Anschlußstellen   🚄 102 IC-Züge/Tag

✈ Köln-Bonn (Anfahrt vom Hbf.: Bus 670, 30 min)

P+R Mo–Sa; Umweltticket: 9-Uhr-Karte (58,30 DM/M.)

## Index

👥 313 067 (20*)          ▭ 141,2 km²(36*)          📈 2217 (19*)

Arbeitslose: 7,3*%          Ausländer: 13,1*%; davon Türken 15,2*%

Schulden/Einwohner: 4663 DM / Insgesamt: 1,38 Mrd DM (14*)

🏛 6   🎭 1   Uni 1 / Studenten: 37 000   Hochschulen: 2 / 400

## Politik   SPD/Grüne (seit 1994); 36 von 67 Sitzen

| Partei | CDU | SPD | B.90/Gr. | FDP | REP |
|---|---|---|---|---|---|
| 1994: % / Sitze | 41,1/31 | 35,3/26 | 13,6/10 | 4,6/– | 0,3/– |
| 1989: % / Sitze | 40,5/32 | 30,5/24 | 11,1/9 | 9,5/6 | 4,9/– |

Oberbürgermeisterin: Bärbel Dieckmann (SPD, seit 1994; *1949)

# Braunschweig

Niedersachsen, Reg.-Bez. Braunschweig, Stadtkreis

☎ 05 31          ✉ Bereich 38...          🚗 BS

ℹ Bohlweg (Pavillon), 38100 B.          ☎ 273 55-30/1

## Verkehr

🚌 481/1000 Einw. (26*)   P 2 DM/h

🏍 16 Anschlußstellen   🚄 67 IC-Züge/Tag

✈ BS-Waggum (10 km); Hannover (70 km)

P+R Umweltticket: City-Monatskarte (62 DM/Monat)

## Index

👥 251 820 (31*)          ▭ 192 km²(21*)          📈 1311 (41*)

Arbeitslose: 11,8%          Ausländer: 6,6%; davon Türken 41,5%

Schulden/Einwohner: 3111 DM / Insgesamt: 783 Mio DM (24*)

🏛 8   🎭 4   Uni TU / Studenten: 16 238   Hochschulen: 3 / 2124

## Politik   SPD/FDP/Grüne (seit 1991); 31 von 57 Sitzen

| Partei | CDU | SPD | B.90/Gr. | FDP | Sonstige |
|---|---|---|---|---|---|
| 1991: % / Sitze | 43,7/25 | 40,5/23 | 8,8/5 | 5,7/3 | 1,3/1 |
| 1986: % / Sitze | 44,8/25 | 42,3/24 | 7,6/4 | 3,5/2 | 1,8/1 |

Oberbürgermeister: Werner Steffens (SPD, seit 1991; * 1937)

# Bremen

Bremen

☎ 04 21          ✉ Bereich 28...          🚗 HB

ℹ Hillmannplatz 6, 28195 B.          ☎ 3 08 00 - 0

## Verkehr

🚌 483/1000 Einw. (24*)   P 2-3 DM/h

🏍 10 Anschlußstellen   🚄 65 IC-Züge/Tag

✈ Bremen (Vom Hbf.: S 5, 20 min)

P+R Sa; Umweltticket: Bremer Karte (58 DM/Monat)

## Index

👥 549 979 (10*)          ▭ 326,7 km²(4*)          📈 1688 (33*)

Arbeitslose: 12,8%          Ausländer: 12,4%; davon Türken 38,3%

Schulden für Land Bremen: 17,15 Mrd DM (3*)

🏛 3   🎭 1   Uni 1 / Studenten: 16 785   Hochschulen: 3 / 7785

## Politik   SPD/CDU (seit 1995); 58 von 80 Sitzen

| Partei | SPD | CDU | B.90/Gr. | AFB | FDP |
|---|---|---|---|---|---|
| 1995: % / Sitze | 33,4/29 | 32,6/29 | 13,1/12 | 10,7/10 | 3,4/– |
| 1991: % / Sitze | 38,3/32 | 31,4/26 | 11,9/10 | –/– | 9,6/8 |

Erster Bürgermeister: Henning Scherf (SPD, seit 1995; * 1938)

# Chemnitz

Sachsen, Reg.-Bez. Chemnitz, Kreis Chemnitz

☎ 03 71    ✉ Bereich 09...    🚗 C

ℹ️ Straße der Nationen 3, 09111 C.    ☎ 6 20 51

### Index

👥 273 234 (23*)    ▢ 141,5 km² (35*)    🔲 1931 (28*)

Arbeitslose: 13,3%    Ausländer: 1,7%; davon Vietnamesen 31,8%

Schulden/Einwohner: 1958 DM / Insgesamt: 535 Mio DM (38*)

🏛 2   🎓 1   Uni 1 / Studenten: 5198

| Verkehr | Politik | SPD (seit 1994); 21 von 60 Sitzen; wechselnde Mehrheiten | | | | |
|---|---|---|---|---|---|---|
| 🚌 553/1000 Einw. (3*)   P 0,50–2 DM/h | Partei | SPD | CDU | PDS | B.90/Gr. | Sonstige |
| 🚗 2 Anschlußstellen   🚆 – IC-Züge/Tag | 1994: % / Sitze | 34,6/21 | 24,6/15 | 21,8/13 | 9,5/6 | 9,5/5 |
| ✈ Dresden-Klotzsche (80 km); Leipzig-Halle (90 km) | 1990: % / Sitze | 17,7/14 | 38,2/30 | 16,5/13 | 9,9/8 | 17,7/15 |
| P+R – ; Nahverkehrskarte (45 DM/Monat) | Oberbürgermeister: Peter Seifert (SPD, seit 1993; * 1941) | | | | | |

# Dortmund

Nordrhein-Westfalen, Reg.-Bez. Arnsberg, Stadtkreis

☎ 02 31    ✉ Bereich 44...    🚗 DO

ℹ️ Königswall 20, 44137 D.    ☎ 14 03 41

### Index

👥 605 584 (7*)    ▢ 280,3 km² (7*)    🔲 2160 (22*)

Arbeitslose: 15,3%    Ausländer: 11,9%; davon Türken 39,3%

Schulden/Einwohner: 2408 DM / Insgesamt: 1,4 Mrd DM (13*)

🏛 2   🎓 1   Uni 1 / Studenten: 25 037   Hochschulen: 1 / 8349

| Verkehr | Politik | SPD (seit 1952); 46 von 83 Sitzen | | | | |
|---|---|---|---|---|---|---|
| 🚌 435/1000 Einw. (40*)   P 0,50-3 DM/h | Partei | SPD | CDU | B.90/Gr. | FDP | REP |
| 🚗 12 Anschlußstellen   🚆 98 IC-Züge/Tag | 1994: % / Sitze | 51,4/46 | 30,4/27 | 12,2/10 | 2,1/– | 1,9/– |
| ✈ DO-Wickede (Vom Hbf.: Bus SB 47, 30 min) | 1989: % / Sitze | 52,9/47 | 25,7/23 | 9,8/8 | 3,9/– | 6,3/5 |
| P+R Do+Sa; Umweltticket: Ticket 2000 (73,20 DM/M.) | Oberbürgermeister: Günter Samtlebe (SPD, seit 1973; * 1926) | | | | | |

# Dresden

Sachsen, Reg.-Bez. Dresden, Stadtkreis

☎ 03 51    ✉ Bereich 01...    🚗 DD

ℹ️ Goetheallee 18, 01309 D.    ☎ 4 91 92-0

### Index

👥 470 681 (15*)    ▢ 225,8 km² (13*)    🔲 2085 (24*)

Arbeitslose: 11,5%    Ausländer: 2,3%; davon Polen 15,3%

Schulden/Einwohner: 2645 DM / Insgesamt: 1,2 Mrd DM (1,2*)

🏛 18   🎓 1   Uni 1 / Studenten: 18 860   Hochschulen: 5 / 3058

| Verkehr | Politik | CDU (seit 1990); 25 von 70 Sitzen | | | | |
|---|---|---|---|---|---|---|
| 🚌 473/1000 Einw. (29*)   P 1-2 DM/h | Partei | CDU | PDS | SPD | B.90/Gr. | Sonstige |
| 🚗 4 Anschlußstellen   🚆 20 IC-Züge/Tag | 1994: % / Sitze | 34,2/25 | 22,2/16 | 14,7/11 | 8,3/6 | 20,6/12 |
| ✈ DD-Klotzsche (Vom Hbf.: Bus City Liner, 40 min) | 1990: % / Sitze | 39,3/51 | 15,3/20 | 9,6/13 | 11,9/16 | 23,9/30 |
| P+R –; Umweltticket: City-Card (38 DM/Monat) | Oberbürgermeister: Herbert Wagner (CDU, seit 1990; * 1948) | | | | | |

# Duisburg

Nordrhein-Westfalen, Reg.-Bez. Düsseldorf, Stadtkreis

☎ 02 03    ✉ Bereich 47...    🚗 DU

ℹ️ Königstraße 53, 47051 D.    ☎ 3 05 25 - 0

### Index

👥 536 627 (11*)    ▢ 232,8 km² (11*)    🔲 2305 (15*)

Arbeitslose: 15,3%    Ausländer: 16,1%; davon Türken 60,7%

Schulden/Einwohner: 14 419 DM / Insgesamt: 7,7 Mrd DM (4*)

🏛 –   🎓 1   Uni 1 / Studenten: 15 909   Hochschulen: 2 / 850

| Verkehr | Politik | SPD (seit 1948); 46 von 75 Sitzen | | | |
|---|---|---|---|---|---|
| 🚌 429/1000 Einw. (42*)   P 1–2 DM/h | Partei | SPD | CDU | B.90/Gr. | FDP |
| 🚗 27 Anschlußstellen   🚆 93 IC-Züge/Tag | 1994: % / Sitze | 58,5/46 | 28,7/22 | 8,7/7 | 1,7/– |
| ✈ Düsseldorf (22 km); Dortmund (60 km) | 1989: % / Sitze | 61,9/49 | 26,4/20 | 7,7/6 | 3,4/– |
| P+R Mo–Fr; Umweltticket: Ticket 2000 (73,20 DM/Monat) | Oberbürgermeister: Josef Krings (SPD, seit 1975; * 1926) | | | | |

# Düsseldorf

Nordrhein-Westfalen, Reg.-Bez. Düsseldorf, Stadtkreis

☎ 02 11 ✉ Bereich 40... 🚗 D

ℹ Konrad-Adenauer-Platz, 40210 D. ☎ 1 72 02 - 0

**Index**

👥 572 382 (8*) ▢ 217,0 km²( 14*) ▨ 2638 (11*)

Arbeitslose: 11,8% Ausländer: 15,5%; davon Türken 17,3%

Schulden/Einwohner: 6154 DM / Insgesamt: 3,5 Mrd DM (7*)

🏛 10 🎭 1 Uni 1 / Studenten: 17 827 Hochschulen: 4 / 12 405

## Verkehr

🚌 497/1000 Einw. (18*) P 1–4 DM/h

🚃 13 Anschlußstellen 🚄 95 IC-Züge/Tag

✈ Düsseldorf (Vom Hbf.: S 7, 11 min)

P+R Mo–Sa; Umweltticket: Ticket 2000 (73,20 DM/M.)

## Politik SPD/Grüne (seit 1984); 48 von 83 Sitzen

| Partei | SPD | CDU | B.90/Gr. | REP | FDP |
|---|---|---|---|---|---|
| 1994: % / Sitze | 41,5/37 | 39,7/35 | 12,7/11 | 1,8/0 | 3,8/0 |
| 1989: % / Sitze | 39,7/33 | 37,5/32 | 9,9/8 | 6,2/5 | 6,0/5 |

Oberbürgermeisterin: Marie-Luise Smeets (SPD, 1994; * 1936)

# Erfurt

Thüringen, Stadtkreis

☎ 03 61 ✉ Bereich 99... 🚗 EF

ℹ Krämerbrücke 3, 99084 E. ☎ 56 23 436

**Index**

👥 213 171 (38*) ▢ 269 km²(8*) ▨ 792 (50*)

Arbeitslose: 14,2% Ausländer: 1,2%; davon Vietnamesen 25,5%

Schulden/Einwohner: 1165,12 DM / Insgesamt: 237 Mio DM (48*)

🏛 4 🎭 1 Uni 1 Hochschulen: 4 / Studenten: 3284

## Verkehr

🚌 397/1000 Einw. (48*) P 2 DM/h

🚃 2 Anschlußstellen 🚄 18 IC-Züge/Tag

✈ EF-Bindersleben (Vom Hbf.: S 3/S 1, 20 min)

P+R –; Umweltticket: 37,50 DM/Monat

## Politik CDU (seit 1990); 17 von 54 Sitzen; wechselnde Mehrheiten

| Partei | CDU | SPD | PDS | B.90/Gr. | Sonstige |
|---|---|---|---|---|---|
| 1994: % / Sitze | 32,2/17 | 26,6/14 | 23,2/13 | 10,7/6 | 7,3/– |
| 1990:% / Sitze | 44,2/70 | 20,7/36 | 16,0/25 | 5,7/15 | 13,4/14 |

Oberbürgermeister: Manfred Ruge (CDU, seit 1990; * 1945)

# Essen

Nordrhein-Westfalen, Reg.-Bez. Düsseldorf, Stadtkreis

☎ 02 01 ✉ Bereich 45... 🚗 E

ℹ Norbertstraße 2, 45127 E. ☎ 72 44 - 401

**Index**

👥 619 554 (6*) ▢ 210,3 km²(16*) ▨ 2946 (6*)

Arbeitslose: 13% Ausländer: 8,9%; davon Türken 32%

Schulden/Einwohner: 3056 DM / Insgesamt: 1,9 Mrd DM (11*)

🏛 4 🎭 1 Uni 1 / Studenten: 21 746

## Verkehr

🚌 467/1000 Einw. (30*) P 2 DM/h

🚃 17 Anschlußstellen 🚄 79 IC-Züge/Tag

✈ Düsseldorf (30 km); Dortmund (40 km)

P+R Mo–Sa; Umweltticket: Ticket 2000 (73,20 DM/M.)

## Politik SPD (seit 1956); 43 von 83 Sitzen

| Partei | SPD | CDU | B.90/Gr. | FDP |
|---|---|---|---|---|
| 1994: % / Sitze | 49,3/44 | 33,6/30 | 10,9/9 | 2,8/– |
| 1989: % / Sitze | 50,5/43 | 32,4/28 | 9,8/8 | 5,1/4 |

Oberbürgermeisterin: Annette Jäger (SPD, seit 1989; * 1937)

# Frankfurt/M.

Hessen, Reg.-Bez. Darmstadt, Stadtkreis

☎ 0 69 ✉ Bereich 60–65... 🚗 F

ℹ Kaiserstraße 52, 60329 F. ☎ 212-3 58 73

**Index**

👥 654 388 (5*) ▢ 248,3 km²( 10*) ▨ 2635 (12*)

Arbeitslose: 7,9% Ausländer: 28,4%; davon ehem. Jugosl. 24,8%

Schulden/Einwohner: 9891 DM / Insgesamt: 6,5 Mrd DM (5*)

🏛 8 🎭 1 Uni 1 / Studenten: 36 699 Hochschulen: 4 / 11 034

## Verkehr

🚌 506/1000 Einw. (15*) P 4 DM/h

🚃 30 Anschlußstellen 🚄 143 IC-Züge/Tag

✈ Frankfurt/M. (Anfahrt vom Hbf.: 12 min)

P+R Mo–So; Monatsticket: 96 DM/Monat

## Politik SPD/Grüne (seit 1989); 48 von 93 Sitzen

| Partei | CDU | SPD | B.90/Gr. | REP | FDP |
|---|---|---|---|---|---|
| 1993: % / Sitze | 33,4/35 | 32,0/33 | 14,0/15 | 9,3/10 | 4,4/– |
| 1989: % / Sitze | 36,6/36 | 40,1/40 | 10,2/10 | –/– | 4,8/– |

Oberbürgermeisterin: Petra Roth (CDU, seit 1995; * 1944)

# Freiburg/Br.

Baden-Württemberg, Reg.-Bez. Freiburg, Stadtkreis

☎ 07 61    ✉ Bereich 79...    🚗 FR

ℹ️ Rotteckring 14, 79098 F.     ☎ 3 68 90 - 0

## Index

👥 197 384 (40*)    ▭ 153 km² (31*)    📊 1293 (43*)

Arbeitslose: 9,6%     Ausländer: 11%; davon ehemal. Jugosl. 13,7%

Schulden/Einwohner: 3068 DM / Insgesamt: 600 Mio DM (33*)

🏛 3   🎭 1   Uni 1 / Studenten: 24 000   Hochschulen: 4 / 6500

### Verkehr

🚌 418/1000 Einw. (43*)   P 2–5 DM/h

🚈 3 Anschlußstellen    🚄 42 IC-Züge/Tag

✈ Basel-Mulhouse-Freiburg (Anfahrt vom Hbf.: 45 min)

P+R Mo–Sa; Umweltticket: Regiokarte (59 DM/Monat)

### Politik   SPD (seit 1984); 11 von 48 Sitzen; wechselnde Mehrheiten

| Partei | CDU | B.90/Gr. | SPD | FDP | Sonstige |
|---|---|---|---|---|---|
| 1994: % / Sitze | 24,8/13 | 23,1/12 | 21,8/11 | 5,0/2 | 25,3/10 |
| 1989: % / Sitze | 26,8/14 | 20,0/10 | 25,6/13 | 6,9/3 | 20,7/8 |

Oberbürgermeister: Rolf Böhme (SPD, seit 1982; * 1934)

---

# Gelsenkirchen

Nordrhein-Westfalen, Reg.-Bez. Münster, Stadtkreis

☎ 02 09    ✉ Bereich 45...    🚗 GE

ℹ️ Ebertstraße 19, 45879 G.     ☎ 2 33 76

## Index

👥 294 913 (21*)    ▭ 104,8 km² (42*)    📊 2813 (8*)

Arbeitslose: 14,7%     Ausländer: 14,10%; davon Türken 60,46%

Schulden/Einwohner: 2145 DM / Insgesamt: 632 Mio DM (31*)

🏛 –   🎭 1   Uni –   Hochschulen: 2 / Studenten: 2045

### Verkehr

🚌 484/1000 Einw. (23*)   P 2 DM/h

🚈 37 Anschlußstellen    🚄 13 IC-Züge/Tag

✈ Essen-Mülheim (15 km); Düsseldorf (50 km)

P+R Mo–Sa; Umweltticket: Ticket 2000 (73,20 DM/M.)

### Politik   SPD (seit 1946); 38 von 67 Sitzen

| Partei | SPD | CDU | B.90/Gr. | FDP | Sonstige |
|---|---|---|---|---|---|
| 1994: % / Sitze | 55,7/40 | 28,9/20 | 9,8/7 | 1,4/– | 3,9/– |
| 1989: % / Sitze | 53,0/38 | 25,9/18 | 9,5/6 | 2,5/– | 7,4/5 |

Oberbürgermeister: Kurt Bartlewski (SPD, seit 1989; * 1930)

---

# Hagen

Nordrhein-Westfalen, Reg.-Bez. Arnsberg, Stadtkreis

☎ 0 23 31    ✉ Bereich 58...    🚗 HA

ℹ️ Rathaus, 58043 H.     ☎ 207 - 33 83

## Index

👥 216 157 (36*)    ▭ 160,4 km² (29*)    📊 1348 (39*)

Arbeitslose: 12,3%     Ausländer: 14,2%; davon Türken 34,6%

Schulden/Einwohner: 2319 DM / Insgesamt: 501 Mio DM (41*)

🏛 1   🎭 –   Uni 1 / Studenten: 55 685   Hochschulen: 2 / 1316

### Verkehr

🚌 413/1000 Einw. (46*)   P 2 DM/h

🚈 7 Anschlußstellen    🚄 35 IC-Züge/Tag

✈ Düsseldorf (Anfahrt vom Hbf.: 55 min)

P+R 6; Umweltticket: Ticket 2000 (73,20 DM/Monat)

### Politik   SPD (seit 1994); 31 von 59 Sitzen

| Partei | SPD | CDU | B.90/Gr. | FDP | REP |
|---|---|---|---|---|---|
| 1994: % / Sitze | 48,7/31 | 35,5/23 | 8,2/5 | 3,2/– | 2,5/– |
| 1989: % / Sitze | 47,6/29 | 32,1/19 | 7,7/4 | 5,2/3 | 7,2/4 |

Oberbürgermeister: Dietmar Thieser (SPD, seit 1989; * 1952)

---

# Halle

Sachsen-Anhalt, Reg.-Bez. Halle, Stadtkreis

☎ 03 45    ✉ Bereich 06...    🚗 HAL

ℹ️ Steinweg 7, 06110 H.     ☎ 2024700

## Index

👥 289 909 (22*)    ▭ 135,4 km² (38*)    📊 2141 (23*)

Arbeitslose: 11,4%     Ausländer: 2,14%; davon Vietnamesen 18,4%

Schulden/Einwohner: 713 DM / Insgesamt: 207 Mio DM (49*)

🏛 3   🎭 1   Uni 1 / Studenten: 11 711   Hochschulen: 2 / 1994

### Verkehr

🚌 386/1000 Einw. (49*)   P 1-2 DM/h

🚈 2 Anschlußstellen    🚄 2 IC-Züge/Tag

✈ Leipzig-Halle (Anfahrt vom Hbf.: Bus, 30 min)

P+R –; Umweltticket: Monatskarte (45 DM)

### Politik   CDU (seit 1990); 13 von 56 Sitzen; wechselnde Mehrheiten

| Partei | PDS | SPD | CDU | FDP. | B.90/Gr. | Sonstige |
|---|---|---|---|---|---|---|
| 1994: % / Sitze | 26,0/15 | 24,7/14 | 23,3/13 | 9,0/5 | 6,3/3 | 10,7/6 |
| 1990: % / Sitze | 17,2/28 | 21,8/35 | 32,2/51 | 12,2/20 | 14,2/22 | 2,4/4 |

Oberbürgermeister: Klaus Peter Rauen (CDU, seit 1991; * 1935)

# Hamburg

Hamburg

☎ 0 40    ✉ Bereich 20–22...   🚗 HH

ℹ️ Burchardstraße 14, 20095 H.     ☎ 3 00 51 - 0

### Verkehr

🚌 419/1000 Einw. (44*)   P 1–4 DM/h

🚉 35 Anschlußstellen    🚄 123 IC-Züge/Tag

✈️ HH-Fuhlsbüttel (Vom Hbf.: Flughafen, Bus, 30 min)

P·R Mo–Sa; Umweltticket: CC-Karte (62,50 DM/Monat)

### Index

👫 1 716 993 (2*)     ▭ 755,3 km² (2*)     📉 2273 (17*)

Arbeitslose: 10,7%     Ausländer: 15,5%; davon Türken 27%

Schulden/Einwohner: 14 852 / Land HH insgesamt: 25,5 Mrd DM (2*)

🏛 42   📕 1   Uni 4 / Studenten: 49 206   Hochschulen: 5 / 15 157

### Politik   SPD/STATT Partei (seit 1993); 63 von 121 Sitzen

| Partei | SPD | CDU | B.90/Gr./GAL | STATT | FDP |
|---|---|---|---|---|---|
| 1993: % / Sitze | 40,4/58 | 25,1/36 | 13,5/19 | 5,6/5 | 4,2/– |
| 1991: % / Sitze | 48,0/61 | 35,1/44 | 7,2/9 | –/– | 5,4/7 |

Erster Bürgermeister: Henning Voscherau (SPD, seit 1988; * 1941)

# Hamm

Nordrhein-Westfalen, Reg.-Bez. Arnsberg, Stadtkreis

☎ 0 23 81   ✉ Bereich 59...   🚗 HAM

ℹ️ Bahnhofsplatz, 59065 H.     ☎ 2 85 25

### Verkehr

🚌 490/1000 Einw. (22*)   P 2 DM/h

🚉 5 Anschlußstellen    🚄 40 IC-Züge/Tag

✈️ Münster/Dortmund (Anfahrt vom Hbf.: 50 min)

P·R –; Umweltticket: Hammer Karte (55 DM/Monat,

### Index

👫 188 798 (43*)     ▭ 226,4 km² (12*)     📉 834 (49*)

Arbeitslose: 11,9%     Ausländer: 10,7%; davon Türken 57,7%

Schulden/Einwohner: 2106 DM / Insgesamt: 400 Mio DM (45*)

🏛 –   📕 –   Uni –

### Politik   SPD/Grüne (seit 1994); 30 von 59 Sitzen

| Partei | SPD | CDU | B.90/Gr. | FWG | REP |
|---|---|---|---|---|---|
| 1994: % / Sitze | 41,5/26 | 42,1/26 | 6,6/4 | 5,2/3 | 1,9/– |
| 1989: % / Sitze | 45,2/29 | 35,8/22 | 7,1/4 | –/– | 7,1/4 |

Oberbürgermeister: Jürgen Wieland (SPD, seit 1994; * 1936)

# Hannover

Niedersachsen, Reg.-Bez. Hannover, Stadtkreis

☎ 05 11   ✉ Bereich 30...   🚗 H

ℹ️ Ernst-August-Platz 2, 30159 H.     ☎ 3 01 40

### Verkehr

🚌 451/1000 Einw. (35*)   P 2–4 DM/h

🚉 8 Anschlußstellen    🚄 104 IC-Züge/Tag

✈️ H-Langenhagen (Vom Hbf.: Flughafen-Bus, 30 min)

P·R Mo–Sa; Umweltticket: Großraum-Ticket (80 DM)

### Index

👫 517 800 (12*)     ▭ 204,1 km² (18*)     📉 2619 (13*)

Arbeitslose: 12,3%     Ausländer: 13,5%; davon Türken 32,9%

Schulden/Einwohner: 4362 DM / Insgesamt: 2,3 Mrd DM (9*)

🏛 16   📕 1   Uni 1 / Studenten: 31 039   Hochschulen: 5 / 12 895

### Politik   SPD (seit 1949); 27 von 65 Sitzen; wechselnde Mehrheiten

| Partei | SPD | CDU | Gr./GABL | FDP | REP | Sonstige |
|---|---|---|---|---|---|---|
| 1991: % / Sitze | 41,6/27 | 34,5/21 | 9,6/6 | 6,1/4 | 3,4/2 | 4,8/5 |
| 1986: % / Sitze | 47,1/31 | 38,7/26 | 8,2/5 | 4,8/3 | –/– | 1,2/– |

Oberbürgermeister: Herbert Schmalstieg (SPD, seit 1972; * 1943)

# Herne

Nordrhein-Westfalen, Reg.-Bez. Arnsberg, Stadtkreis

☎ 0 23 23/25 ✉ Bereich 44..   🚗 HER

ℹ️ Friedrich-Ebert-Platz 2, 44623 H.     ☎ 16-0

### Verkehr

🚌 478/1000 Einw. (27*)   P 1,50 DM/h

🚉 7 Anschlußstellen    🚄 – IC-Züge/Tag

✈️ Dortmund-Wickede (40 km)

P·R Mo–Sa; Umweltticket: Ticket 2000 (73,20 DM/Monat)

### Index

👫 181 344 ( 44*)     ▭ 51,4 km² (50*)     📉 3528 (3*)

Arbeitslose: 14,7%     Ausländer: 12,3%; davon Türken 59%

Schulden/Einwohner: 1960 DM / Insgesamt: 355,4 Mio DM (46*)

🏛 –   📕 –   Uni –

### Politik   SPD (seit 1948); 36 von 59 Sitzen

| Partei | SPD | CDU | B.90/Gr. | REP | FDP |
|---|---|---|---|---|---|
| 1994: % / Sitze | 58,0/36 | 28,8/18 | 9,3/5 | 2,6/– | 1,3/– |
| 1989: % / Sitze | 56,6/37 | 26,7/17 | 8,7/5 | –/– | 2,2/– |

Oberbürgermeister: Wolfgang Becker (SPD, seit 1994; * 1938)

# Karlsruhe

Baden-Württemberg, Reg.-Bez. Karlsruhe, Stadtkreis

☎ 07 21 ⌧ Bereich 76... 🚗 KA

ℹ Bahnhofplatz 6, 76137 K. ☎ 35 53 - 0

### Index

👫 269 585 (24*) ⬛ 173,5 km² (24*) 🏞 1554 (36*)

Arbeitslose: 7,2% Ausländer: 11,8%; davon Türken 20,5%

Schulden/Einwohner: 2000 DM / Insgesamt: 540,5 Mio DM (36*)

🏛 4 🎭 1 Uni 1 / Studenten: 20 574 Hochschulen: 6 / 9120

### Verkehr

🚋 556/1000 Einw. (556*) P 2–4 DM/h

🛣 9 Anschlußstellen 🚄 124 IC-Züge/Tag

✈ Stuttgart (85 km; Anfahrt vom Hbf.: 90 min)

P+R Mo–Sa; Umweltticket: Umwelt-Monatskarte (56 DM)

### Politik  CDU (seit 1975); 22 von 54 Sitzen; wechselnde Mehrheiten

| Partei | CDU | SPD | B.90/Gr. | FDP | Sonstige |
|---|---|---|---|---|---|
| 1994: % / Sitze | 37,8/22 | 28,4/16 | 13,6/8 | 6,3/3 | 13,9/5 |
| 1989: % / Sitze | 37,3/27 | 30,9/22 | 10,8/7 | 8,4/6 | 12,6/6 |

Oberbürgermeister: Gerhard Seiler (CDU, seit 1986; * 1930)

---

# Kassel

Hessen, Reg.-Bez. Kassel, Stadtkreis

☎ 05 61 ⌧ Bereich 34... 🚗 KS

ℹ Königsplatz 53, 34117 K. ☎ 70 77 07

### Index

👫 201 650 (39*) ⬛ 106,7 km² (41*) 🏞 1890 (29*)

Arbeitslose: 14,5% Ausländer: 14,7%; davon Türken 35,1%

Schulden/Einwohner: 4240 DM / Insgesamt: 831 Mio DM (23*)

🏛 2 🎭 1 Uni 1 Hochschulen: 1 / Studenten: 17 807

### Verkehr

🚋 442/1000 Einw. (38*) P 1 DM/h

🛣 7 Anschlußstellen 🚄 93 IC-Züge/Tag

✈ Kassel-Calden (25 km; Anfahrt vom Hbf.: 32 min)

P+R Mo–Sa; Umweltticket: –

### Politik  CDU (seit 1993); 28 von 71 Sitzen; wechselnde Mehrheiten

| Partei | CDU | SPD | B.90/Gr. | FDP | REP |
|---|---|---|---|---|---|
| 1993: % / Sitze | 36,9/28 | 29,8/22 | 14,0/11 | 7,7/6 | 5,4/4 |
| 1989: % / Sitze | 29,5/21 | 50,5/36 | 12,3/9 | 6,6/5 | –/– |

Oberbürgermeister: Georg Lewandowski (CDU, seit 1993; * 1944)

---

# Kiel

Schleswig-Holstein, Stadtkreis

☎ 04 31 ⌧ Bereich 24... 🚗 KI

ℹ Sophienblatt 30, 24103 K. ☎ 67 91 00

### Index

👫 242 715 (33*) ⬛ 111,9 km² (40*) 🏞 2169 (21*)

Arbeitslose: 12,3% Ausländer: 8,0%; davon Türken 43,1%

Schulden/Einwohner: 2969 DM / Insgesamt: 721 Mio DM (27*)

🏛 4 🎭 1 Uni 1 / Studenten: 22 867 Hochschulen: 1 / 6066

### Verkehr

🚋 494/1000 Einw. (21*) P 2 DM/h

🛣 1 Anschlußstelle 🚄 8 IC-Züge/Tag

✈ Kiel-Holtenau (Vom Hbf.: Bus 44, 30 min)

P+R – Umweltticket:  (68 DM/Monat)

### Politik  SPD, B.90/Gr. (seit 1994); 28 von 49 Sitzen

| Partei | SPD | CDU | B.90/Gr. | S-U-K | FDP |
|---|---|---|---|---|---|
| 1994: % / Sitze | 39,3/20 | 31,1/16 | 15,1/8 | 9,5/5 | 3,9/– |
| 1990: % / Sitze | 51,3/26 | 32,8/17 | 7,8/4 | –/– | 5,4/2 |

Oberbürgermeister: Otto Kelling (SPD, seit 1992; * 1949)

---

# Köln

Nordrhein-Westfalen, Reg.-Bez. Köln, Stadtkreis

☎ 02 21 ⌧ Bereich 50... 🚗 K

ℹ Unter Fettenhennen 19, 50667 K. ☎ 2 21 - 33 40

### Index

👫 1 006 874 (4*) ⬛ 405,1 km² (3*) 🏞 2485 (14*)

Arbeitslose: 13,5% Ausländer: 22,5%; davon Türken 42,7%

Schulden/Einwohner: 4965 DM / Insgesamt: 5,0 Mrd DM (6*)

🏛 30 🎭 1 Uni 1 / Studenten: 50 403 Hochschulen: 9 / 27 696

### Verkehr

🚋 444/1000 Einw. (37*) P 2 DM/Std.

🛣 23 Anschlußstellen 🚄 139 IC-Züge/Tag

✈ Köln-Bonn (Vom Hbf.: Bus 170, 30 min)

P+R Mo–Sa; Umweltticket: Umweltkarte (46 DM/Monat)

### Politik  SPD (seit 1956); 42 von 91 Sitzen; wechselnde Mehrheiten

| Partei | SPD | CDU | B.90/Gr. | FDP | REP |
|---|---|---|---|---|---|
| 1994: % / Sitze | 42,5/42 | 33,9/33 | 16,2/16 | 3,5/– | 0,7/– |
| 1989: % / Sitze | 42,1/41 | 30,5/30 | 11,7/11 | 7,0/6 | 7,4/7 |

Oberbürgermeister: Norbert Burger (SPD, seit 1980; * 1932)

# Krefeld

Nordrhein-Westfalen, Reg.-Bez. Düsseldorf, Stadtkreis

☎ 0 21 51 ✉ Bereich 47... 🚗 KR

ℹ Theaterplatz 1, 47798 K. ☎ 2 92 90

| **Index** | | |
|---|---|---|
| 👫 246 779 (32*) | 🔲 137,5 km² (37*) | 🔲 1795 (31*) |
| Arbeitslose: 12,8% | Ausländer: 14,6%; davon Türken 38,8% | |
| Schulden/Einwohner: 3039 DM / Insgesamt: 750 Mio DM (26*) | | |
| 🏛 1 🎭 1 Uni – Hochschulen: 1 / Studenten: 3602 | | |

| **Verkehr** | **Politik** CDU (seit 1994); 30 von 59 Sitzen |
|---|---|

| | | | | |
|---|---|---|---|---|
| 🚌 452/1000 Einw. (34*) P 1–2 DM/h | Partei | CDU | SPD | B.90/Gr. | FDP |

| | | | | | |
|---|---|---|---|---|---|
| 🚃 9 Anschlußstellen 🚄 – IC-Züge/Tag | 1994: % / Sitze | 46,8/30 | 36,2/23 | 9,4/6 | 3,0/– |
| ✈ Düsseldorf (20 km) | 1989: % / Sitze | 42,6/26 | 39,6/25 | 8,2/5 | 5,8/3 |
| P+R 8; Umweltticket: Ticket 2000 (73,20 DM/Monat) | Oberbürgermeister: Dieter Pützhofen (CDU, seit 1994; * 1942) | | | | |

# Leipzig

Sachsen, Reg.-Bez. Leipzig, Kreis Leipzig

☎ 03 41 ✉ Bereich 04... 🚗 L

ℹ Sachsenplatz 1, 04109 L. ☎ 7 10 40

| **Index** | | |
|---|---|---|
| 👫 487 669 (14*) | 🔲 153,1 km² (30*) | 🔲 3185 ( 4*) |
| Arbeitslose: 11,5% | Ausländer: 3,0%; davon Polen 23,4% | |
| Schulden/Einwohner: 1367 DM / Insgesamt: 671 Mio DM (29*) | | |
| 🏛 9 🎭 2 Uni 1 / Studenten: 17 029 Hochschulen: 5 / 5613 | | |

| **Verkehr** | **Politik** SPD/B.90/Gr./CDU (seit 1990); 48 von 70 Sitzen |
|---|---|

| | | | | | | |
|---|---|---|---|---|---|---|
| 🚌 384/1000 Einw. (50*) P 1 DM/h | Partei | SPD | CDU | PDS | B.90/Gr. | FDP/BFD | Sonstige |
| 🚃 9 Anschlußstellen 🚄 31 IC-Züge/Tag | 1994: % / Sitze | 29,9/21 | 23,4/17 | 22,9/16 | 13,8/10 | 3,4/2 | 6,5/4 |
| ✈ Leipzig/Halle (Vom Hbf.: Flughafen-Bus, 30 min) | 1990: % / Sitze | 35,3/45 | 26,8/34 | 13,0/17 | 11,2/15 | 5,3/7 | 8,4/10 |
| P+R tägl.; Umweltticket: Bunt-As (60 DM/Monat) | Oberbürgermeister: Hinrich Lehmann-Grube (SPD, seit 1990; * 1932) | | | | | | |

# Leverkusen

Nordrhein-Westfalen, Reg.-Bez. Köln, Stadtkreis

☎ 02 14 ✉ Bereich 51... 🚗 LEV

ℹ Weiherstr. 11, 51311 L. ☎ 32 43 45

| **Index** | | |
|---|---|---|
| 👫 161 128 (49*) | 🔲 78,8 km² ( 47*) | 🔲 2045 (25*) |
| Arbeitslose: 10,9% | Ausländer: 11,5%; davon ehem. Jugosl. 25,1% | |
| Schulden/Einwohner: 2586 DM / Insgesamt: 417 Mio DM (43*) | | |
| 🏛 – 🎭 – Uni – | | |

| **Verkehr** | **Politik** wechselnde Mehrheiten |
|---|---|

| | | | | | | |
|---|---|---|---|---|---|---|
| 🚌 497/1000 Einw. (19*) P 1–3 DM/h | Partei | SPD | CDU | B.90/Gr. | Bürgerl. | FDP | REP |
| 🚃 4 Anschlußstellen 🚄 – IC-Züge/Tag | 1994: % / Sitze | 37,4/24 | 37,1/24 | 10,0/6 | 8,8/5 | 3,9/– | 2,0/– |
| ✈ Düsseldorf (25 km); Köln-Bonn (25 km) | 1989: % / Sitze | 41,4/25 | 37,2/23 | 7,9/4 | –/– | 7,2/4 | 6,4/3 |
| P+R – ; Umweltticket: – | Oberbürgermeister: Walter Mende (SPD, seit 1994; * 1944) | | | | | | |

# Lübeck

Schleswig-Holstein, Stadtkreis

☎ 04 51 ✉ Bereich 23... 🚗 HL

ℹ Beckergrube 95, 23552 L. ☎ 12-2 81 09

| **Index** | | |
|---|---|---|
| 👫 216 074 (37*) | 🔲 214,1 km² (15*) | 🔲 1009 (47*) |
| Arbeitslose: 11,6% | Ausländer: 7,7%; davon Türken 38% | |
| Schulden/Einwohner: 3540 DM / Insgesamt: 765 Mio DM (25*) | | |
| 🏛 1 🎭 1 Uni 1 / Studenten: 1625 Hochschulen: 2 / 3390 | | |

| **Verkehr** | **Politik** SPD (seit 1990); 23 von 49 Sitzen; wechselnde Mehrheiten |
|---|---|

| | | | | | |
|---|---|---|---|---|---|
| 🚌 432/1000 Einw. (41*) P 2–4 DM/h | Partei | SPD | CDU | B.90/Gr. | STATT-P. | REP |
| 🚃 5 Anschlußstellen 🚄 10 IC-Züge/Tag | 1994: % / Sitze | 41,3/23 | 31,7/18 | 10,5/5 | 6,1/3 | 3,1/– |
| ✈ HH-Fuhlsbüttel (Anfahrt vom Hbf. ca. 60 min) | 1990: % / Sitze | 45,1/24 | 38,4/21 | 5,5/2 | –/– | –/– |
| P+R Sa; Umweltticket: Pfiffi-Bus (65 DM/Monat) | Bürgermeister: Michel Bouteiller (SPD, seit 1988; * 1943) | | | | | |

# Ludwigshafen

Rheinland-Pfalz, Reg.-Bez. Rheinh.-Pfalz, Stadtkreis

☎ 06 21    ✉ Bereich 67...    🏛 LU

ℹ Hauptbahnhof, 67059 L.    ☎ 51 20 35

### Verkehr

🚌 510/1000 Einw. (13*)    🅿 2 DM/h

🛣 5 Anschlußstellen    🚄 4 IC-Züge/Tag

✈ Frankfurt/M. (Anfahrt vom Hbf.: 65 min)

P+R –; Umweltticket: –

### Index

👥 171 297 (46*)    ▢ 77,6 km² (48*)    📊 2207 (20*)

Arbeitslose: 8,2%    Ausländer: 18,1%; davon Türken 31,7%

Schulden/Einwohner: 3134 DM / Insgesamt: 536,8 Mio DM (37*)

🏛 –    📺 –    Uni –    Hochschulen: 2 / Studenten: 2860

### Politik   SPD/Grüne (seit 1994); 34 von 60 Sitzen

| Partei | SPD | CDU | B.90/Gr. | REP | FDP |
|---|---|---|---|---|---|
| 1994: % / Sitze | 45,0/29 | 33,9/22 | 7,0/5 | 5,6/4 | 2,5/– |
| 1989: % / Sitze | 53,2/33 | 28,3/18 | 7,1/4 | 3,1/2 | 3,5/2 |

Oberbürgermeister: Wolfgang Schulte (SPD, seit 1993; * 1947)

# Magdeburg

Sachsen-Anhalt, Magdeburg, Stadtkreis

☎ 03 91    ✉ Bereich 39...    🏛 MD

ℹ Alter Markt, 39104 M.    ☎ 5 41 47 04

### Verkehr

🚌 482/1000 Einw. (25*)    🅿 1 DM/h

🛣 3 Anschlußstellen    🚄 45 IC-Züge/Tag

✈ nur Kleinflugzeuge (Anfahrt vom Hbf.: 15 min)

P+R –; Umweltticket: Monats-Karte (50 DM/Monat)

### Index

👥 266 115 (26*)    ▢ 192,8 km² (20*)    📊 1379 (38*)

Arbeitslose: 13,9%    Ausländer: 2,2%; davon Vietnamesen 13,1%

Schulden/Einwohner: 1333,20 DM / Insgesamt: 315,8 Mio DM (47*)

🏛 6    📺 –    Uni 1 / Studenten: 5798    Fach-Hochschulen: 1/ 1634

### Politik   SPD/B.90/Gr. (seit 1990); 24 von 56 Sitzen; wechselnde Mehrh.

| Partei | SPD | CDU | PDS | B.90/Gr. | Sonstige |
|---|---|---|---|---|---|
| 1994: % / Sitze | 32,4/18 | 21,4/12 | 27,1/15 | 10,5/6 | 8,6/5 |
| 1990: % / Sitze | 33,0/50 | 31,3/47 | 16,1/24 | 8,2/12 | 11,4/17 |

Oberbürgermeister: Willi Polte (SPD, seit 1990; * 1938)

# Mainz

Rheinland-Pfalz, Reg.-Bez. Rheinh.-Pfalz, Stadtkreis

☎ 0 61 31    ✉ Bereich 55...    🏛 MZ

ℹ Bahnhofstraße 15, 55116 MZ    ☎ 2 86 21- 0

### Verkehr

🚌 549/1000 Einw. (4*)    🅿 1–2 DM/h

🛣 8 Anschlußstellen    🚄 126 IC-Züge/Tag

✈ Frankfurt 27 km (Anfahrt vom Hbf.: S 14, 20 min)

P+R Mo-So; Umweltticket: Monatskarte 79 DM

### Index

👥 188 980 (42*)    ▢ 97,7 km² (44*)    📊 1934 (27*)

Arbeitslose: 6,7%    Ausländer: 17,25%; davon Türken 20%

Schulden/Einwohner: 2698 DM / Insgesamt: 510 Mio DM (40*)

🏛 1    📺 1    Uni 1 / Studenten: 29 248    Hochschulen: 3 / 4476

### Politik   SPD (seit 1948); 21 von 60 Sitzen; wechselnde Mehrheiten

| Partei | CDU | SPD | B.90/Gr. | FDP | REP |
|---|---|---|---|---|---|
| 1994: % / Sitze | 39,0/25 | 33,8/21 | 11,6/7 | 7,3/5 | 3,8/2 |
| 1989: % / Sitze | 33,5/21 | 40,6/26 | 12,0/7 | 7,6/5 | 2,7/– |

Oberbürgermeister: Herman-Hartmut Weyel (SPD, seit 1987; * 1933)

# Mannheim

Baden-Württemberg, Reg.-Bez. Karlsruhe, Stadtkreis

☎ 06 21    ✉ Bereich 68...    🏛 MA

ℹ Kaiserring 10-16, 68161 M.    ☎ 10 10 11

### Verkehr

🚌 500/1000 Einw. (17*)    🅿 2 DM/h

🛣 4 Anschlußstellen    🚄 104 IC-Züge/Tag

✈ Mannheim-Neuostheim; Frankfurt/M. (100 km)

P+R –; Umweltticket: –

### Index

👥 324 020 (19*)    ▢ 145,0 km² (34*)    📊 2235 (18*)

Arbeitslose: 11,6%    Ausländer: 20,0%; davon Türken 32,7%

Schulden/Einwohner: 3804 DM / Insgesamt: 1,2 Mrd DM (18*)

🏛 1    📺 1    Uni 1 / Studenten: 12 412    Hochschulen: 6 / 5790

### Politik   SPD (seit 1966); 18 von 48 Sitzen; wechselnde Mehrheiten

| Partei | SPD | CDU | B.90/Gr. | ML. | REP | FDP |
|---|---|---|---|---|---|---|
| 1994: % / Sitze | 35,3/18 | 32,4/17 | 12,9/6 | 6,3/3 | 5,3/2 | 3,1/1 |
| 1989: % / Sitze | 33,1/17 | 26,7/14 | 10,9/5 | 11,9/5 | 8,8/3 | 4,7/2 |

Oberbürgermeister: Gerhard Widder (SPD, seit 1983; * 1940)

## Mönchengladbach

| | Index |
|---|---|
| | 🏢 269 207 (25*)    ☐ 170,4 km² (25*)    1580 (35*) |
| Nordrhein-Westfalen, Reg.-Bez. Düsseldorf, Stadtkreis | Arbeitslose: 11,3%    Ausländer: 10%; davon Türken 35,3% |
| ☎ 0 21 61/66   ✉ Bereich 41...   🚗 MG | Schulden/Einwohner: 3349 DM / Insgesamt: 901 Mio DM (22*) |
| ℹ️ Bismarckstraße 23, 41061 M.   ☎ 2 20 01 | 🏛 1   🎭 1   Uni –   Hochschulen: 1 / Studenten: 5887 |

| Verkehr | Politik   CDU/SPD (seit 1989); 57 von 67 Sitzen | | | | | |
|---|---|---|---|---|---|---|
| 🚌 526/1000 Einw. (10*)   P 1–2 DM/h | Partei | CDU | SPD | B.90/Gr. | FDP | REP |
| 🚏 10 Anschlußstellen   🚂 – IC-Züge/Tag | 1994: % / Sitze | 43,5/31 | 37,3/26 | 10,3/7 | 5,1/3 | –/– |
| ✈ Mönchengladbach (Vom Hbf.: Bus 10, 16 min) | 1989: % / Sitze | 42,6/31 | 36,5/26 | 8,0/5 | 7,1/5 | 4,4/– |
| P+R Mo–Sa; Umweltticket: Ticket 2000 (73,20 DM/M.) | Oberbürgermeister: Heinz Feldhege (CDU, seit 1984; * 1929) | | | | | |

## Mülheim a. d. Ruhr

| | Index |
|---|---|
| | 🏢 177 048 (45*)    ☐ 91,3 km² (45*)    1938 (26*) |
| Nordrhein-Westfalen, Reg.-Bez. Düsseldorf, Stadtkreis | Arbeitslose: 9,9%    Ausländer: 9,0%; davon Türken 36,4% |
| ☎ 02 08   ✉ Bereich 45...   🚗 MH | Schulden/Einwohner: 3214 DM / Insgesamt: 569 Mio DM (35*) |
| ℹ️ Viktoriastr. 17–19, 45466 M.   ☎ 4 55 99 02 | 🏛 1   🎭 –   Uni – |

| Verkehr | Politik   CDU/Grüne (seit 1994); 33 von 59 Sitzen | | | | | |
|---|---|---|---|---|---|---|
| 🚌 496/1000 Einw. (20)   P 2 DM/h | Partei | SPD | CDU | B.90/Gr. | FDP | REP |
| 🚏 10 Anschlußstellen   🚂 – IC-Züge/Tag | 1994: % / Sitze | 40,7/26 | 37,4/24 | 14,7/9 | 3,7/– | 1,2/– |
| ✈ Essen/Mülheim (Anfahrt vom Hbf.: 5 km, 10 min) | 1989: % / Sitze | 50,0/31 | 28,8/17 | 12,3/7 | 6,6/4 | –/– |
| P+R – ; Umweltticket: Ticket 2000 (73,20 DM/Monat) | Oberbürgermeister: Hans-Georg Specht (CDU, seit 1994; * 1940) | | | | | |

## München

| | Index |
|---|---|
| | 🏢 1 323 624 (3*)    ☐ 310,4 km² (5*)    4264 (1*) |
| Bayern, Reg.-Bez. Oberbayern, Stadtkreis | Arbeitslose: 6,2%    Ausländer: 21,2%; davon ehem. Jugosl. 30,0% |
| ☎ 0 89   ✉ Bereich 80...   🚗 M | Schulden/Einwohner: 2127 DM / Insgesamt: 2,7 Mrd DM (8*) |
| ℹ️ Sendlinger Straße 1, 80331 M.   ☎ 23 91 - 1 | 🏛 27   🎭 48   Uni 3 / Studenten: 85 892   Hochschulen: 5 / 2741 |

| Verkehr | Politik   SPD/Grüne/Splittergr. (seit 1994); 41 von 80 Sitzen | | | | | |
|---|---|---|---|---|---|---|
| 🚌 464/1000 Einw. (31*)   P 5 DM/h | Partei | CSU | SPD | B.90/Gr. | REP | FDP | Sonstige |
| 🚏 38 Anschlußstellen   🚂 80 IC-Züge/Tag | 1994: % / Sitze | 35,5/30 | 34,4/29 | 10,1/9 | 5,1/4 | 4,2/3 | 10,7/5 |
| ✈ München (Anfahrt vom Hbf.: S 8; 45 min) | 1990: % / Sitze | 30,1/25 | 42,0/36 | 9,5/8 | 7,3/6 | 5,3/4 | 5,8/1 |
| P+R Mo–Sa; Umweltticket: Grüne Karte (59–79 DM/Mo.) | Oberbürgermeister: Christian Ude (SPD, seit 1993; * 1947) | | | | | |

## Münster

| | Index |
|---|---|
| | 🏢 263 678 (29*)    ☐ 302,8 km² (6*)    871 (48*) |
| Nordrhein-Westfalen, Reg.-Bez. Münster, Stadtkreis | Arbeitslose: 8,1%    Ausländer: 7,0%; davon Türken 11,1% |
| ☎ 02 51   ✉ Bereich 48...   🚗 MS | Schulden/Einwohner: 1867 DM / Insgesamt: 499 Mio DM (42*) |
| ℹ️ Klemensstr. 1, 48127 M.   ☎ 4 92 - 27 01 | 🏛 4   🎭 1   Uni 1 / Studenten: 44 641   Hochschulen: 6 / 8355 |

| Verkehr | Politik   CDU (seit 1984); 30 von 67 Sitzen; wechselnde Mehrheiten | | | | |
|---|---|---|---|---|---|
| 🚌 464/1000 Einw. (32*)   P 4 DM/h | Partei | CDU | SPD | B.90/Gr. | FDP |
| 🚏 2 Anschlußstellen   🚂 41 IC-Züge/Tag | 1989: % / Sitze | 43,4/30 | 35,1/24 | 12,2/8 | 8,3/5 |
| ✈ MS/Osnabrück (Anfahrt vom Hbf.: Bus, 30 min) | 1994: % / Sitze | 44,1/32 | 32,7/23 | 16,7/12 | –/– |
| P+R Mo–Sa; Umweltticket: Münsterkarte (55 DM/Monat) | Oberbürgermeisterin: Marion Tüns (SPD, seit 1994; * 1946) | | | | |

# Neuss

Nordrhein-Westfalen, Reg.-Bez. Düsseldorf, Stadtkreis

☏ 0 21 31     ✉ Bereich 41...    🚗 NE

ℹ Markt 4, 41460 N.     ☏ 27 32 42

### Index

👥 149 290 (50*)     ⬜ 99,5 km² ( 43*)     1501 (37*)

Arbeitslose: 8,8%     Ausländer: 13,9%; davon Türken 36,3%

Schulden/Einwohner: 4678 DM / Insgesamt: 698 Mio DM (28*)

🏛 1   Ⅴ –   Uni –

### Verkehr

🚌 528/1000 Einw. (9*)   P 2–3 DM/h

🚊 11 Anschlußstellen    🚄 – IC-Züge/Tag

🚆 Düsseldorf (15 km, Anfahrt mit S 8/S 7; 35 min)

P+R Mo–Sa; Umweltticket: Ticket 2000 (73,20 DM/Mo.)

### Politik   CDU (seit 1994); 31 von 59 Sitzen

| Partei | CDU | SPD | B.90/Gr. | FDP |
|---|---|---|---|---|
| 1994: % / Sitze | 48,3/31 | 37,3/23 | 7,9/5 | 3,9/– |
| 1989: % / Sitze | 48,3/29 | 37,0/22 | 8,2/5 | 6,5/3 |

Bürgermeister: Bertold Reinartz (CDU, seit 1987; * 1946)

# Nürnberg

Bayern, Reg.-Bez. Mittelfranken, Stadtkreis

☏ 09 11     ✉ Bereich 90...    🚗 N

ℹ Hauptmarkt 18, 90403 N.     ☏ 23 36 - 35

### Index

👥 496 341 (13*)     ⬜ 185,81 km² (22*)     2671 (10*)

Arbeitslose: 9,4%     Ausländer: 15,4%; davon Türken 29,9%

Schulden/Einwohner: 3043 DM / Insgesamt: 1,52 Mrd DM (12*)

🏛 5   Ⅴ 1   Uni 1 / Studenten: 7216   Hochschulen: 3 / 9410

### Verkehr

🚌 478/1000 Einw. (28*)   P 5 DM/h Zentrum

🚊 12 Anschlußstellen    🚄 77 IC-Züge/Tag

🚆 Nürnberg (Vom Hbf.: Bus 20, 20 min)

P+R Mo–Sa; Umweltticket: MobiCard (81 DM/Monat)

### Politik   SPD/Grüne (seit 1982); 38 von 70 Sitzen

| Partei | SPD | CSU | B.90/Gr. | REP | FDP | Sonstige |
|---|---|---|---|---|---|---|
| 1990: % / Sitze | 43,1/32 | 36,3/26 | 8,3/6 | 6,7/4 | 3,4/2 | 2,1/– |
| 1984: % / Sitze | 46,1/34 | 41,1/30 | 5,8/4 | –/– | 2,4/1 | 4,3/1 |

Oberbürgermeister: Peter Schönlein (SPD, seit 1987; * 1939)

# Oberhausen

Nordrhein-Westfalen, Reg.-Bez. Düsseldorf, Stadtkreis

☏ 02 08     ✉ Bereich 46...    🚗 OB

ℹ Willy-Brandt-Platz 4, 46045 O.     ☏ 850 750

### Index

👥 225 551 (35*)     ⬜ 77,0 km² (49*)     2989 (5*)

Arbeitslose: 13,6%     Ausländer: 10,8%; davon Türken 43%

Schulden/Einwohner: 2532 DM / Insgesamt: 571 Mio DM (34*)

🏛 –   Ⅴ –   Uni –

### Verkehr

🚌 504/1000 Einw. (16*)   P 2 DM/h

🚊 15 Anschlußstellen    🚄 16 IC-Züge/Tag

🚆 Düsseldorf (30 km)

P+R –; Umweltticket: Ticket 2000 (73,20 DM/Monat)

### Politik   SPD (seit 1952) 37 von 59 Sitzen

| Partei | SPD | CDU | B.90/Gr./Bunte Liste | FDP |
|---|---|---|---|---|
| 1994: % / Sitze | 57,7/37 | 29,4/18 | 7,0/4 | 2,8/– |
| 1989: % / Sitze | 57,8/35 | 29,0/17 | 8,0/4 | 5,2/3 |

Oberbürgermeister: Friedhelm van den Mond (SPD, seit 1979; * 1932)

# Osnabrück

Niedersachsen, Reg.-Bez. Weser-Ems, Stadtkreis

☏ 05 41     ✉ Bereich 49...    🚗 OS

ℹ Krahnstr. 58, 49074 O.     ☏ 3 23 - 22 02

### Index

👥 161 156 (48*)     ⬜ 119,8 km² (39*)     1345 (40*)

Arbeitslose: 12,3%     Ausländer: 9,7%; davon Türken 27,7%

Schulden/Einwohner: 2489 DM / Insgesamt: 401 Mio DM (44*)

🏛 2   Ⅴ 1   Uni 1 / Studenten: 14 323   Hochschulen: 3 / 4889

### Verkehr

🚌 538/1000 Einw. (8*)   P 2–3 DM/h

🚊 13 Anschlußstellen    🚄 37 IC-Züge/Tag

🚆 Münster/Osnabrück (Anfahrt vom Hbf.: Bus 35 min)

P+R – ; Umweltticket: Umweltabo (38 DM/Monat)

### Politik   SPD/Grüne (seit 1991); 27 von 51 Sitzen

| Partei | CDU | SPD | Grüne | FDP |
|---|---|---|---|---|
| 1991: % / Sitze | 41,0/21 | 40,7/21 | 11,7/6 | 6,6/3 |
| 1986: % / Sitze | 45,7/24 | 41,9/21 | 7,8/4 | 4,3/2 |

Oberbürgermeister: Hans-Jürgen Fip (SPD, seit 1991; * 1940)

# Rostock

Mecklenburg-Vorpommern, Stadtkreis

☎ 03 81   ⌧ Bereich 18...   🚗 HRO

ℹ Schnickmannstr. 13/14, 18055 R.   ☎ 4 59 08 60

## Index

👫 230 919 (34*)   ⬜ 180,7 km² (23*)   📈 1278 (44*)

Arbeitslose: 12,4%   Ausländer: 1,7%; davon Rumänen 20,4%

Schulden/Einwohner: 818 DM / Insgesamt: 189 Mio DM (50*)

🏛 1   🎭 -   Uni 1 / Studenten: 8395   Hochschulen: 1/287

## Verkehr

🚗 421/1000 Einw. (43*)   P 2 DM/h

🚆 3 Anschlußstellen   🚄 2 IC-Züge/Tag

✈ Kronskamp (Anfahrt vom Hbf.: 25 min)

P+R Mo–Sa; Umweltticket: –

## Politik   SPD/CDU (seit 1994); 27 von 53 Sitzen

| Partei | PDS | SPD | CDU | Bünd. 90 | Sonstige | FDP/BFD |
|---|---|---|---|---|---|---|
| 1994: % / Sitze | 33,2/20 | 27,3/16 | 18,3/11 | 10,7/6 | 10,5/– | –/– |
| 1990: % / Sitze | 22,8/30 | 28,0/37 | 22,8/30 | 13,5/17 | 8,2/10 | 4,5/6 |

Oberbürgermeister: Arno Pöker (SPD, seit 1995; * 1959)

---

# Saarbrücken

Saarland, Stadtverband Saarbrücken

☎ 06 81   ⌧ Bereich 61...   🚗 SB

ℹ Großherz.-Friedr.-Str. 1, 66111 S.   ☎ 9 05 - 12 25

## Index

👫 189 921 (41*)   ⬜ 167,1 km² (27*)   📈 1137 (46*)

Arbeitslose: 14,3%   Ausländer: 11,1%; davon Italiener 23,1%

Schulden/Einwohner: 3355 DM / Insgesamt: 637 Mio DM (30*)

🏛 2   🎭 -   Uni 1 / Studenten: 19 489   Hochschulen: 6 / 4507

## Verkehr

🚗 509/1000 Einw. (14*)   P 2 DM/h

🚆 19 Anschlußstellen   🚄 9 IC-Züge/Tag

✈ Saarbrücken-Ensheim (Anfahrt vom Hbf.: 20 min)

P+R Mo–Sa; Umweltticket: Zeit-Karte (58 DM/Monat)

## Politik   SPD/FDP (seit 1994); 33 von 63 Sitzen

| Partei | SPD | CDU | B.90/Gr. | FDP | REP |
|---|---|---|---|---|---|
| 1994: % / Sitze | 44,2/30 | 32,1/22 | 11,7/8 | 5,3/3 | –/– |
| 1989: % / Sitze | 47,3/32 | 28,4/19 | 7,5/4 | 9,0/6 | 5,7/2 |

Oberbürgermeister: Hajo Hoffmann (SPD, seit 1991; * 1945)

---

# Solingen

Nordrhein-Westfalen, Reg.-Bez. Düsseldorf, Stadtkreis

☎ 02 12   ⌧ Bereich 42...   🚗 SG

ℹ Cronenberger Straße, 42651 S.   ☎ 2 90 - 23 33

## Index

👫 165 404 (47*)   ⬜ 89,45 km² (46*)   📈 1849 (30*)

Arbeitslose: 9,0%   Ausländer: 14,5%; davon Türken 34,6%

Schulden/Einwohner: 3697 DM / Insgesamt: 612 Mio DM (32*)

🏛 –   🎭 –   Uni –

## Verkehr

🚗 575/1000 Einw. (1*)   P 1–2 DM/h

🚆 3 Anschlußstellen   🚄 30 IC-Züge/Tag

✈ Düsseldorf (Anfahrt vom Hbf. SG-Ohligs: 35 min)

P+R Mo–Sa; Umweltticket: Ticket 2000 (61 DM/Monat)

## Politik   SPD/Grüne (seit 1989); 30 von 59 Sitzen

| Partei | SPD | CDU | FDP | B.90/Gr. |
|---|---|---|---|---|
| 1994: % / Sitze | 41,3/25 | 40,0/25 | 6,8/4 | 8,3/5 |
| 1989: % / Sitze | 41,6/26 | 34,6/22 | 12,0/7 | 7,4/4 |

Oberbürgermeister: Gerd Kaimer (SPD, seit 1984; * 1926)

---

# Stuttgart

Baden-Württemberg, Reg.-Bez. Stuttgart, Stadtkreis

☎ 07 11   ⌧ Bereich 70...   🚗 S

ℹ Königstraße 1A, 70173 S.   ☎ 22 28 - 240

## Index

👫 568 427 (9*)   ⬜ 207,3 km² (17*)   📈 2741 (9*)

Arbeitslose: 8,5%   Ausländer: 23,8%; davon ehem. Jugosl. 32,5%

Schulden/Einwohner: 3899 DM / Insgesamt: 2,2 Mrd DM (10*)

🏛 13   🎭 1   Uni 2 / Studenten: 26 032   Hochschulen: 6 / 6031

## Verkehr

🚗 545/1000 Einw. (5*)   P 2–4 DM/h

🚆 7 Anschlußstellen   🚄 97 IC-Züge/Tag

✈ Stuttgart (Vom Hbf.: S 2, 3, 27 min)

P+R Mo–Sa; Umweltticket: –

## Politik   CDU (seit 1974); 20 von 60 Sitzen; wechselnde Mehrheiten

| Partei | CDU | SPD | B.90/Gr. | FDP | REP | Sonstige |
|---|---|---|---|---|---|---|
| 1994: % / Sitze | 31,4/20 | 26,2/16 | 17,3/11 | 7,5/4 | 7,2/4 | 10,5/5 |
| 1989: % / Sitze | 31,2/20 | 28,3/18 | 12,4/7 | 10,2/6 | 9,5/6 | 5,4/3 |

Oberbürgermeister: Manfred Rommel (CDU, seit 1974; * 1928)

## Wiesbaden

Hessen, Reg.-Bez. Darmstadt, Stadtkreis

☎ 06 11   ✉ Bereich 65...   🚗 WI

ℹ Rheinstr. 15, 65028 W.   ☎ 1 72 97 80

### Index

👥 264 364 (27*)   ☐ 203,9 km² (19*)   📏 1297 (42*)

Arbeitslose: 7,3%   Ausländer: 17,6 %; davon Türken 25,5%

Schulden/Einwohner: 4252 DM / Insgesamt: 1,1 Mrd DM (20*)

🏛 3   ⛪ 1   Uni –   Hochschulen: 1 / Studenten: 8130

### Verkehr

🚌 460/1000 Einw. (33*)   P 2 DM/h

🚗 10 Anschlußstellen   🚆 46 IC-Züge/Tag

✈ Frankfurt/M. (28 km, Anfahrt vom Hbf.: 27 min)

P+R Mo–Sa; Umweltticket: Monatskarte (86 DM/Monat)

### Politik   SPD/CDU/FDP (seit 1993); 60 von 81 Sitzen

| Partei | SPD | CDU | REP | B.90/Gr. | FDP | Sonstige |
|---|---|---|---|---|---|---|
| 1993: % / Sitze | 33,7/29 | 28,9/25 | 13,1/10 | 11,9/10 | 7,0/6 | 5,4/1 |
| 1989: % / Sitze | 49,5/41 | 33,4/27 | –/– | 8,8/7 | 7,0/6 | –/– |

Oberbürgermeister: Achim Exner (SPD, seit 1985; * 1944)

## Wuppertal

Nordrhein-Westfalen, Reg.-Bez. Düsseldorf, Stadtkreis

☎ 02 02   ✉ Bereich 42...   🚗 W

ℹ Infozentr. Döppersberg, 42103 W.   ☎ 5 63 22 70

### Index

👥 386 615 (17*)   ☐ 168,4 km² (26*)   📏 2296 (16*)

Arbeitslose: 11,3%   Ausländer: 13,5%; davon Türken 29,5%

Schulden/Einwohner: 2374 DM / Insgesamt: 911 Mio DM (21*)

🏛 2   ⛪ 1   Uni 1 / Studenten: 17 000   Hochschulen: 3 / 994

### Verkehr

🚌 445/1000 Einw. (36*)   P 2–3 DM/h

🚗 11 Anschlußstellen   🚆 37 IC-Züge/Tag

✈ Düsseldorf (40 km, Anfahrt vom Hbf.: 60 min)

P+R Mo–Sa; Umweltticket: Ticket 2000 (73 DM/Monat)

### Politik   SPD/Grüne (seit 1994); 38 von 67 Sitzen

| Partei | SPD | CDU | B.90/Gr. | FDP | Sonstige |
|---|---|---|---|---|---|
| 1994: % / Sitze | 40,5/30 | 39,1/29 | 11,6/8 | 4,6/– | 4,2/– |
| 1989: % / Sitze | 44,3/32 | 32,8/23 | 9,4/6 | 9,5/6 | 4,0/– |

Oberbürgermeisterin: Ursula Kraus (SPD, seit 1984; * 1930)

# Graz

Steiermark, Reg.-Bez. Graz, kreisfrei

☎ 03 16   ✉ 8010   🚗 G

ℹ️ Hans-Sachs-Gasse 10, 8010 G.   ☎ 83 52 41

## Verkehr

🚗 478/1000 Einw. (1*)  P 2,57 DM/h

🏍 3 Anschlußstellen  🚆 34 IC-Züge/Tag

✈ Graz (10 km vom Zentrum)

P+R Mo–Sa; Umweltticket: 37,10 DM/Monat

## Index

👫 237 810 (2*)   ⬛ 127,6 km² (3*)   🔲 1864 (4*)

Arbeitslose: 4,0%   Ausländer: 5,0%; davon ehem. Jugosl. 42%

Schulden/Einwohner: 184 DM / Insgesamt: 43,7 Mio DM (7*)

🏛 1  🎭 1  Uni 2 / Studenten: 54 815  Hochschulen: 1 / 1255

### Politik  SPÖ (seit 1985); 21 von 56 Sitzen; wechselnde Mehrheiten

| Partei | SPÖ | ÖVP | FPÖ | ALG | Sonstige |
|---|---|---|---|---|---|
| 1993: % / Sitze | 34,7/21 | 26,1/15 | 20,1/12 | 5,2/3 | 13,9/5 |
| 1988: % / Sitze | 42,5/25 | 31,9/19 | 11,8/7 | 4,9/2 | 8,9/3 |

Bürgermeister: Alfred Stingl (SPÖ, seit 1985; * 1939)

---

# Innsbruck

Tirol, Reg.-Bez. Innsbruck-Stadt, kreisfrei

☎ 05 12   ✉ Bereich 60..   🚗 I

ℹ️ Burggraben 3, 6020 I.   ☎ 5 98 50

## Verkehr

🚗 391/1000 Einw. (6*)  P 1,40 DM/h

🏍 3 Anschlußstellen  🚆 52 IC-Züge/Tag

✈ Innsbruck (5 km)

P+R Mo–Fr; Umweltticket: Monatskarte (51 DM)

## Index

👫 118 112 (5*)   ⬛ 105,0 km² (5*)   🔲 1125 (6*)

Arbeitslose: 4,2%   Ausländer: 11,6%; davon ehem. Jugosl. 33,8%

Schulden/Einwohner: 3389 DM / Insgesamt: 400 Mio DM (3*)

🏛 3  🎭 1  Uni 1 / Studenten: 25 700  Hochschulen: 1 / 91

### Politik  Für Innsbruck, SPÖ, ÖVP, FPÖ, GRÜ (seit 1994); 38 v. 40 Sitzen

| Partei | SPÖ | F. Innsb. | ÖVP | FPÖ | Sonstige |
|---|---|---|---|---|---|
| 1994: % / Sitze | 26,6/11 | 22,8/10 | 18,9/8 | 12,7/5 | 19,0/6 |
| 1989: % / Sitze | 26,8/12 | –/– | 31,0/14 | 13,1/5 | 29,1/9 |

Bürgermeister: Herwig van Staa (Für Innsbruck, seit 1994; * 1942)

---

# Klagenfurt

Kärnten, Reg.-Bez. Klagenfurt-Stadt, kreisfrei

☎ 04 63   ✉ 9020   🚗 K

ℹ️ Rathaus, Neuer Platz 1, 9020 K.   ☎ 5 37 - 2 23

## Verkehr

🚗 467/1000 Einw. (3*)  P 1,43 DM/h

🏍 1 Anschlußstelle  🚆 18 IC-Züge/Tag

✈ Klagenfurt (5 km vom Zentrum)

P+R Mo–Sa; Umweltticket (28,50 DM/Monat)

## Index

👫 90 657 (6*)   ⬛ 120,1 km² (4*)   🔲 756 (7*)

Arbeitslose: 5,2%   Ausländer: 6,7%; davon ehemal. Jugosl. 66,6%

Schulden/Einwohner: 1854 DM / Insgesamt: 168,1 Mio DM (5*)

🏛 1  🎭 –  Uni 1 / Studenten: 6025

### Politik  SPÖ/ÖVP/FPÖ (seit 1973); 43 von 45 Sitzen

| Partei | SPÖ | ÖVP | FPÖ | VGÖ | Sonstige |
|---|---|---|---|---|---|
| 1991: % / Sitze | 40,2/19 | 31,3/14 | 21,2/10 | 4,2/2 | 3,2/– |
| 1985: % / Sitze | 38,3/18 | 46,8/22 | 9,9/4 | 4,2/1 | 2,7/– |

Bürgermeister: Leopold Guggenberger (ÖVP, seit 1973; * 1918)

---

# Linz

Oberösterreich, Reg.-Bez. Linz, kreisfrei

☎ 07 32   ✉ Bereich 40..   🚗 L

ℹ️ Hauptplatz 34, 4020 L.   ☎ 23 93/1770

## Verkehr

🚗 477/1000 Einw. (2*)  P 1,40 DM/h

🏍 11 Anschlußstellen  🚆 50 IC-Züge/Tag

✈ Linz Hörsching (17 km; vom Hbf.: 20 min)

P+R –; Umweltticket: Monatskarte (54 DM)

## Index

👫 213 395 (3*)   ⬛ 96,1 km² (6*)   🔲 2212 (2*)

Arbeitslose: 6,1%   Ausländer: 10,2%; davon ehemal. Jugosl. 51%

Schulden/Einwohner: 1564 DM / Insgesamt: 318 Mio DM (4*)

🏛 6  🎭 1  Uni 1 / Studenten: 23 024  Hochschulen: 2 / 843

### Politik  SPÖ/ÖVP/FPÖ (seit 1991); 56 von 61 Sitzen

| Partei | SPÖ | ÖVP | FPÖ | VGö | GAL | KPÖ |
|---|---|---|---|---|---|---|
| 1991: % / Sitze | 44,8/29 | 24,7/15 | 19,4/12 | 5,9/3 | 4,4/2 | 0,9/– |
| 1985: % / Sitze | 52,3/33 | 31,7/20 | 5,2/3 | –/– | 8,9/4 | 2,0/1 |

Bürgermeister: Franz Dobusch (SPÖ, seit 1988; * 1951)

615

# Salzburg

Salzburg, Reg.-Bez. Salzburg-Stadt, kreisfrei

☎ 06 62   ✆ Bereich 50...   🚗 S

ℹ Auerspergstraße 7, 5020 S.   ☎ 88 987 - 0

**Index**

👥 144 970 (4*)   ▢ 65,6 km²(7*)   🗺 2210 (3*)

Arbeitslose: 2,1%   Ausländer: 17,2%; ehemal. Jugosl. 37,3%

Schulden/Einwohner: 3720 DM / Insgesamt: 540 Mio DM (2*)

🏛 32   🍷 4   Uni 1 / Studenten: 12 362   Hochschulen: 1 / 1653

**Verkehr**

🚗 429/1000 Einw. (4*)   P 2 DM/h

🛣 6 Anschlußstellen   🚆 47 IC-Züge/Tag

✈ Salzburg (Anfahrt vom Hbf.: 30 min)

P+R Mo–Sa; Umweltticket: 24 Stunden (4,30 DM)

**Politik**   ÖVP (seit 1992); 11 von 40 Sitzen; wechselnde Mehrheiten

| Partei | SPÖ | ÖVP | Bürgerliste | FPÖ | Sonstige |
|---|---|---|---|---|---|
| 1992: % / Sitze | 28,0/12 | 24,8/11 | 16,5/7 | 14,5/6 | 16,2/4 |
| 1987: % / Sitze | 49,3/21 | 22,6/9 | 10,1/4 | 15,1/6 | 2,9/– |

Bürgermeister: Josef Dechant (ÖVP, seit 1992; * 1942)

# Villach

Kärnten, Reg.-Bez. Villach-Stadt, kreisfrei

☎ 0 42 42   ✆ Bereich 95..   🚗 VI

ℹ Europaplatz 2, 9500 V.   ☎ 2 44 44

**Index**

👥 56 531 (8*)   ▢ 134,8 km²(2*)   🗺 419 (8*)

Arbeitslose: 5,6%   Ausländer: 7,9%; davon ehemal. Jugosl. 68%

Schulden/Einwohner: 2216 DM / Insgesamt: 125,3 Mio DM (6*)

🏛 2   🍷   Uni –/Studenten: –

**Verkehr**

🚗 424/1000 Einw. (5*)   P 1,40 DM/h

🛣 14 Anschlußstellen   🚆 14 IC-Züge/Tag

✈ Klagenfurt (45 km; Anfahrt vom Hbf.: 30 min)

P+R Mo–Sa; Umweltticket: –

**Politik**   SPÖ (seit 1949); 24 von 45 Sitzen

| Partei | SPÖ | FPÖ | ÖVP | Grüne | Sonstige |
|---|---|---|---|---|---|
| 1991: % / Sitze | 49,9/24 | 22,0/10 | 16,7/8 | 4,6/2 | 6,9/1 |
| 1985: % / Sitze | 53,8/26 | 10,9/3 | 27,4/10 | 8,9/3 | –/– |

Bürgermeister: Helmut Manzenreiter (SPÖ, seit 1987; * 1946)

# Wels

Oberösterreich, Reg.-Bez. Wels-Stadt, kreisfrei

☎ 0 72 42   ✆ 4600   🚗 WE

ℹ Stadtplatz 55, 4600 W.   ☎ 4 34 95

**Index**

👥 59 492 (7*)   ▢ 46,0 km²(8*)   🗺 1265 (5*)

Arbeitslose: 4,3%   Ausländer: 11%

Schulden/Einwohner: k. A. / Insgesamt: k. A.

🏛 1   🍷 –   Uni –

**Verkehr**

🚗 k. A./1000 Einw.   P 1,40 DM/h

🛣 3 Anschlußstellen   🚆 3 IC-Züge/Tag

✈ Hörsching (25 km)

P+R –; Umweltticket: –

**Politik**   SPÖ (seit 1985); 18 von 36 Sitzen

| Partei | SPÖ | ÖVP | FPÖ | GAL |
|---|---|---|---|---|
| 1991: % / Sitze | 49,2/18 | 21,4/8 | 21,1/8 | 5,8/2 |
| 1985: % / Sitze | 54,5/21 | 30,8/12 | 6,6/2 | 6,9/1 |

Bürgermeister: Karl Bregartner (SPÖ, seit 1982; * 1933)

# Wien

Wien, Reg.-Bez. Wien, Kreis Wien-Stadt

☎ 1   ✆ Bereich 10..   🚗 W

ℹ Obere Augartenstraße 40   ☎ 2 11 14 - 0

**Index**

👥 1 639 581 (1*)   ▢ 415,0 km²(1*)   🗺 3958 (1*)

Arbeitslose: 7,1%   Ausländer: 18,2%; davon ehem. Jugosl. 42,5%

Schulden/Einwohner: 3940 DM / Insgesamt: 6,5 Mrd DM (1*)

🏛 13   🍷 3   Uni 5 / Studenten: 122 532   Hochschulen: 3 / 3652

**Verkehr**

🚗 357/1000 Einw. (7*)   P 1,70–5,00 DM/h

🛣 4 Anschlußstellen   🚆 104 IC-Züge/Tag

✈ Wien-Schwechat (25 km, Anfahrt vom Hbf.: 35 min)

P+R Mo–Sa; Monatskarte (71,50 DM)

**Politik**   SPÖ (seit 1918); 52 von 100 Sitzen

| Partei | SPÖ | FPÖ | ÖVP | Grüne | Sonstige |
|---|---|---|---|---|---|
| 1991: % / Sitze | 47,8/52 | 22,5/23 | 18,1/18 | 9,1/7 | 2,5/– |
| 1987: % / Sitze | 54,9/62 | 9,7/8 | 28,4/30 | 5,2/– | 2,6/– |

Bürgermeister: Michael Häupl (SPÖ, seit 1994; * 1949)

# Basel

Kanton Basel-Stadt

☎ 0 61    ⌧ Bereich 40...    🚗 BS

ℹ Schifflände 5, 4001 B.    ☎ 2 61 50 50

## Index

👫 177 000 (2*)    ⬚ 23,9 km² (8*)    7421 (1*)

Arbeitslose: 5,3%    Ausländer: 27,9%; davon Italiener 25%

Schulden/Einwohner: 27 515 DM / Kanton und Stadt: 5,4 Mrd DM (1*)

🏛 4   🎭 1   Uni 1 / Studenten: 8031

### Verkehr

🚗 297/1000 Einw. (7*)   P 1,20 DM/h

🚆 8 Anschlußstellen    🚆 k. A. IC-Züge/Tag

✈ Basel-Mulhouse (6 km; Anfahrt vom Hbf.: 15 min)

P+R –; Umweltticket (67 DM/Monat)

### Politik
SP (seit 1984); 32 von 130 Sitzen; wechselnde Mehrheiten

| Partei | SP | FDP | LDP | CVP | DSP | Sonstige |
|---|---|---|---|---|---|---|
| 1992: % / Sitze | 22,2/32 | 15,1/21 | 12,1/17 | 10,2/15 | 7,8/10 | 32,7/35 |
| 1988: % / Sitze | 18,3/27 | 13,9/19 | 11,0/15 | 10,6/15 | 8,2/9 | 38,0/45 |

Regierungspräsident: Jörg Schild (FDP, seit 1995; * 1946)

---

# Bern

Bern, Amtsbezirk Bern

☎ 0 31    ⌧ Bereich 30...    🚗 BE

ℹ Hauptbahnhof, 3001 B.    ☎ 311 66 11

## Index

👫 131 595 (4*)    ⬚ 51,6 km² (6*)    2550 (3*)

Arbeitslose: 5,1%    Ausländer: 18,7%; davon Italiener 26,5%

Schulden/Einwohner: k. A. / Insgesamt: k. A.

🏛 2   🎭 1   Uni 1 / Studenten: 10 200

### Verkehr

🚗 360/1000 Einw. (6*)   P 2,95 DM/h

🚆 4 Anschlußstellen    🚆 85 IC-Züge/Tag

✈ Zürich-Kloten (120 km), Genf-Cointrin (120 km)

P+R Mo–Sa; Umweltticket: Bäre-Abi (70 DM/Monat)

### Politik
Liste Rot-Grün-Mitte (seit 1992); 42 von 80 Sitzen

| Partei | Parteien Liste Rot-Grün-Mitte | Parteien Bürgerliste |
|---|---|---|
| 1992: % / Sitze | 51,3/42 | 31,6/26 |
| 1988: % / Sitze | 48,6/39 | 35,3/29 |

Stadtpräsident: Klaus Baumgartner (SP, seit 1993; * 1937)

---

# Genf

Genf, Reg.-Bez. Genf

☎ 0 22    ⌧ Bereich 12...    🚗 GE

ℹ Place du Molard, 1200 G.    ☎ 311 99 70

## Index

👫 175 630 (3*)    ⬚ 159,0 km² (2*)    1105 (7*)

Arbeitslose: 7,6%    Ausländer: 43,5%; davon Portugiesen 18,7%

Schulden/Einwohner: 10 050 DM / Insgesamt: 1,7 Mrd DM (3*)

🏛 22   🎭 1   Uni 1 / Studenten: 13 766

### Verkehr

🚗 492/1000 Einw. (1*)   P 2,40 DM/h

🚆 3 Anschlußstellen    🚆 65 IC-Züge/Tag

✈ Genf (6 km)

P+R –; Umweltticket: Stadtticket (96 DM/Monat)

### Politik
Liberale (seit 1983); 21 von 80 Sitzen; wechselnde Mehrheiten

| Partei | Liberale | SPS | Kommunisten | FDP | Sonstige |
|---|---|---|---|---|---|
| 1995: Sitze | 19 | 18 | 18 | 9 | 16 |
| 1991: Sitze | 21 | 15 | 14 | 10 | 20 |

Bürgermeister: Alain Vaissade (GPS, seit 1995; * 1946)

---

# Lausanne

Vaud, Reg.-Bez. Vaud, Kreis Lausanne

☎ 0 21    ⌧ Bereich 10...    🚗 VD

ℹ Avenue de Rhodanie 2, 1000 L.    ☎ 6 17 14 27

## Index

👫 125 264 (5*)    ⬚ 54,8 km² (5*)    2286 (5*)

Arbeitslose: 9,5%    Ausländer: 32,4%; davon Italiener 19,8%

Schulden/Einwohner: 13 074 DM / Insgesamt: 1791 Mio DM (2*)

🏛 1   🎭 –   Uni 1 / Studenten: 8508   Hochschulen: 1 / 4174

### Verkehr

🚗 401/1000 Einw. (3*)   P 1,20 DM/40 min

🚆 7 Anschlußstellen    🚆 42 IC-Züge/Tag

✈ Genf (75 km)

P+R Mo–So; Umweltticket: –

### Politik
SPS/FDP/LDP (seit 1950); 74 von 100 Sitzen

| Partei | SPS | FDP | LDP | GPS | Sonstige |
|---|---|---|---|---|---|
| 1993: % / Sitze | 32 | 27 | 15 | 11 | 15 |
| 1989: % / Sitze | 30 | 25 | 16 | 16 | 13 |

Bürgermeisterin: Yvette Jaggi (SPS, seit 1990; * 1941)

# Luzern

Luzern, Reg.-Bez. Luzern

☎ 0 41   ☒ Bereich 60..   🚗 LU

ℹ️ Frankenstraße 1, 6002 L.   ☎ 51 71 71

### Index

👫 63 100 (8*)   ▢ 24,2 km² (7*)   🔲 2478 (4*)

Arbeitslose: 6,0%   Ausländer: 19,0%; davon ehem. Jugosl. 33,8%

Schulden/Einwohner: 132 DM / Insgesamt: 78,4 Mio DM (7*)

🏛 1   Ⅴ –   Uni –

### Verkehr

🚌 135/1000 Einw. (8*)   P 2,50 DM/h

🚙 2 Anschlußstellen   🚆 8 IC-Züge/Tag

✈ Zürich-Kloten (60 km; Anfahrt vom Hbf.: 60 min)

P+R –; Umweltticket: –

### Politik   LPL/CVP/SP (seit 1984); 33 von 40 Sitzen

| Partei | LPL | CVP | SP | GB | Sonstige |
|---|---|---|---|---|---|
| 1991: % / Sitze | 35,1/14 | 22,6/10 | 20,2/9 | 11,7/5 | 10,4/2 |
| 1989: % / Sitze | 34,3/14 | 24,2/10 | 14,7/6 | 16,3/7 | 10,5/3 |

Stadtpräsident: Franz Kurzmeyer (LPL, seit 1984; * 1935)

# St. Gallen

St. Gallen, Reg.-Bez. St. Gallen

☎ 0 71   ☒ Bereich 90..   🚗 SG

ℹ️ Bahnhofplatz 1a, 9001 St. G.   ☎ 22 62 62

### Index

👫 72 179 (7*)   ▢ 394,0 km² (1*)   🔲 183 (8*)

Arbeitslose: 3,8%   Ausländer: 25,5%; davon Italiener 6%

Schulden/Einwohner: 2340 DM / Insgesamt: 168,9 Mio DM (5*)

🏛 1   Ⅴ –   Uni – Hochschulen: 2 / Studenten: 4300

### Verkehr

🚌 486/1000 Einw. (2*)   P 2,30 DM/h

🚙 4 Anschlußstellen   🚆 16 IC-Züge/Tag

✈ Zürich-Kloten (85 km)

P+R Mo–So; Umweltticket: Stadtpass (58 DM/Monat)

### Politik   CVP (seit 1972); 14 von 63 Sitzen; wechselnde Mehrheiten

| Partei | CVP | FDP | SP | LdU | AP | Sonstige |
|---|---|---|---|---|---|---|
| 1992: Sitze | 14 | 14 | 11 | 7 | 7 | 10 |
| 1988: Sitze | 19 | 14 | 10 | 7 | 5 | 9 |

Stadtammann: Heinz Christen (SP, seit 1981; * 1941)

# Winterthur

Zürich, Reg.-Bez. Winterthur

☎ 0 52   ☒ 8400   🚗 ZH

ℹ️ Verkehrsbüro, 8401 W.   ☎ 2 12 00 88

### Index

👫 90 000 (6*)   ▢ 68,0 km² (4*)   🔲 1319 (6*)

Arbeitslose: 4,0%   Ausländer: 22,4%; davon Italiener 35,9%

Schulden/Einwohner: 1840 DM / Insgesamt: 165,6 Mio DM (6*)

🏛 4   Ⅴ –   Uni –

### Verkehr

🚌 367/1000 Einw. (4*)   P 1,10 DM/h

🚙 5 Anschlußstellen   🚆 64 IC-Züge/Tag

✈ Zürich-Kloten (15 km)

P+R Mo–Sa; Umweltticket: –

### Politik   SP (seit 1986); 18 von 60 Sitzen; wechselnde Mehrheiten

| Partei | SP | FDP | SVP | CVP | EVP | Sonstige |
|---|---|---|---|---|---|---|
| 1994: % / Sitze | 29,0/18 | 20,7/12 | 12,9/8 | 8,0/5 | 7,1/5 | 22,3/12 |
| 1990: % / Sitze | 27,3/17 | 17,4/11 | 9,9/6 | 8,7/5 | 9,1/5 | 27,6/16 |

Stadtpräsident: Martin Haas (FDP, seit 1990; * 1935)

# Zürich

Zürich, Reg.-Bez. Zürich

☎ 01   ☒ Bereich 80..   🚗 ZH

ℹ️ Bahnhofsbrücke 1, 8001 Z.   ☎ 2 11 40 00

### Index

👫 360 848 (1*)   ▢ 91,9 km² (3*)   🔲 3927 (2*)

Arbeitslose: 5,9%   Ausländer: 27,5%; davon ehem. Jugosl. 22,9%

Schulden/Einwohner: 2302 DM / Insgesamt: 831 Mio DM (4*)

🏛 12   Ⅴ 1   Uni 1 / Studenten: 19 129   Hochschulen: 1 / 11 444

### Verkehr

🚌 366/1000 Einw. (5*)   P 1,20 DM/h

🚙 12 Anschlußstellen   🚆 165 IC-Züge/Tag

✈ Zürich-Kloten (10 km; Anfahrt vom Hbf.: 10–15 min)

P+R Mo–Sa; Umweltticket: Regenbogenk. (81 DM/Mo.)

### Politik   SP (seit 1986); 43 von 125 Sitzen; wechselnde Mehrheiten

| Partei | SP | FDP | SVP | CVP | Sonstige |
|---|---|---|---|---|---|
| 1994: % / Sitze | 34,4/43 | 22,4/28 | 15,2/19 | 8,0/10 | 20,0/25 |
| 1990: % / Sitze | 37,6/47 | 20,0/25 | 5,6/7 | 9,6/12 | 27,2/34 |

Stadtpräsident: Josef Estermann (SP, seit 1990; * 1947)

### Arturo Benedetti Michelangeli

Italienischer Pianist, * 5. 1. 1920 in Brescia/Italien, † 12. 6. 1995 in Lugano/Schweiz. B. galt als einer der bedeutendsten Pianisten dieses Jahrhunderts. Der Perfektionist strebte technische Vollkommenheit mit unvergleichlich klarem Anschlag an. Sein Repertoire war auf wenige Komponisten beschränkt. Bei Claude Debussy und Maurice Ravel setzte B. mit seinem Spiel Maßstäbe. Konzerte des Italieners waren ebenso umjubelt wie skandalträchtig. Häufig sagte er kurzfristig ab oder ließ sein Publikum Stunden warten.

### Max Bill

Schweizer Maler, Bildhauer, Architekt und Kunsttheoretiker, * 22. 12. 1908 in Winterthur, † 9. 12. 1994 in Berlin. B. war einer der wichtigsten Vertreter der Konkreten Kunst. Grundsätze seines Werkes waren die Rückbesinnung auf einfache, klare Formen und die Überzeugung, Kunst auf der Basis der Mathematik entwickeln zu können. Seine Experimente mit Farbfeldquadraten bereiteten Op-art und Farbfeldmalerei den Weg. Der Student am Bauhaus (1927–1929) konzipierte in den 50er Jahren die Ulmer Hochschule für Gestaltung als Fortsetzung der Bauhaus-Idee.

### Sergej Bondartschuk

Sowjetischer Filmregisseur und Schauspieler, * 25. 9. 1929 in Belosjorka (heute: Odessa/Ukraine), † 20. 10. 1994 in Moskau. B. war von den 40er Jahren bis Mitte der 80er Jahre eine führende Figur des sowjetischen Filmschaffens. Als Schauspieler verkörperte er vorwiegend patriotisch gefärbte Heldenrollen, als Regisseur verlegte er sich auf Literaturverfilmungen in aufwendigem Kolossalstil. Seine Adaption von Leo Tolstois Roman „Krieg und Frieden" wurde 1966 mit dem Oscar für den besten ausländischen Film ausgezeichnet.

### Adolf Butenandt

Deutscher Biochemiker, * 24. 3. 1903 in Lehe, † 18. 1. 1995 in München. B. schuf mit der Isolierung und Erforschung des weiblichen Geschlechtshormons Östron (1929) und des Schwangerschaftshormons Progesteron (1934) die Voraussetzung für die Entwicklung der Anti-Baby-Pille. 1931 gelang ihm die Reindarstellung des ersten männlichen Sexualhormons Androsteron, 1935 folgte die Synthese des Testosterons. Zusammen mit Leopold Ružička wurde B. 1939 mit dem Nobelpreis für Chemie ausgezeichnet, den er auf Anordnung von Adolf Hitler nicht annehmen durfte (überreicht 1949). 1960–1972 war B. Präsident der Max-Planck-Gesellschaft.

### Cab Calloway

US-amerikanischer Bandleader und Jazzsänger, * 25. 12. 1907 in New York, † 19. 11. 1994 in Hockessin (Delaware/USA). Als einer der ersten farbigen Stars im US-Showbusiness unterhielt C. über sechs Jahrzehnte sein Publikum als Sänger, Orchesterchef und Schauspieler. Während seines Engagements im legendären Cotton Club in Harlem/New York 1931–1939 und in den 40er Jahren prägte er den Jazz. C. galt als Hauptvertreter des Harlem Jump, einer Variante des weißen Swing. Zu seinen Hits gehört „Minnie the Moocher" (1931), mit der berühmten Scat-Phrase „Hi-de-hi-de-ho".

### Elias Canetti

Deutschsprachiger Schriftsteller bulgarischer Herkunft, * 25. 7. 1905 in Rustschuk/Bulgarien, † 14. 8. 1994 in Zürich/Schweiz. C. zählt zu den großen Literaten des 20. Jh. Erst in den 60er Jahren gelangte er mit der Neuauflage seines 1935 erschienenen Romans „Die Blendung" zu literarischen Ehren. 1981 erhielt er den Literaturnobelpreis. Die Studie „Masse und Macht" (1939–1960) gilt als sein Hauptwerk.

Sergej Bondartschuk

Cab Calloway

Elias Canetti

□ 1911: Übersiedlung nach England. □ 1913: Umzug nach Wien, Deutsch als vierte Muttersprache. □ 1924–1929: Chemiestudium mit Promotion. □ 1938: Emigration nach London. □ 1968: „Die Stimmen von Marrakesch" (Reisebericht). □ 1972: Büchner-Preis. □ 1977: „Die gerettete Zunge", erster Band der autobiographischen Trilogie („Fakkel im Ohr", 1980, „Das Augenspiel", 1985).

Eberhard Feik

## Milovan Djilas

Jugoslawischer Politiker und Schriftsteller, * 12. 6. 1911 in Polja bei Kolašin (Montenegro), † 20. 4. 1995 in Belgrad/Jugoslawien. D. wandelte sich vom rigorosen Vorkämpfer und Chefideologen des jugoslawischen Kommunismus zu einem seiner prominentesten Kritiker. Als Mitglied des Zentralkomitees der KP (ab 1938) stieg er bis zum stellvertretenden Staatschef (1953) auf. Ab 1954 wurde er dreimal zu Gefängnisstrafen verurteilt (begnadigt 1966). Von der marxistischen Ideologie sagte er sich endgültig in seinem Buch „Die unvollkommene Gesellschaft" (1969) los.

Egon Franke

## Juan Manuel Fangio

Argentinischer Rennfahrer, * 26. 6. 1911 in Balcarce/Argeninien, † 17. 7. 1995 in Buenos Aires/Argentinien. F. wird im Autorennsport als größter Rennfahrer aller Zeiten verehrt. Fünfmal wurde er Formel-1-Weltmeister (1951, 1954–1957), u. a. mit dem legendären Mercedes-„Silberpfeil". Er gewann 24 Grand-Prix-Titel, eine bis 1995 unübertroffene Leistung. In Argentinien wurde F. als Nationalheld und Symbol für beruflichen Aufstieg gefeiert.

Hanns Joachim Friedrichs

## Eberhard Feik

Deutscher Schauspieler, Regisseur und Drehbuchautor, * 23. 11. 1943 in Chemnitz, † 18. 10. 1994 in Oberried im Schwarzwald. Dem Fernsehpublikum war F. vor allem als Kommissar Thanner und Pendant zum cholerischen Frauenhelden Schimanski (Götz George) bekannt. Die beiden Polizisten waren das populärste „Tatort"-Duo in der fast 30jährigen Geschichte der ARD-Serie, für die F. auch Drehbücher schrieb. Am Theater stand er als Schauspieler auf der Bühne und führte Regie in Dramen von Henrik Ibsen, Bert Brecht, William Shakespeare und Friedrich Schiller.

## Egon Franke

Deutscher Politiker (SPD), * 11. 4. 1913 in Hannover, † 26. 4. 1995 in Hannover. F. war Mitbegründer der SPD nach dem Zweiten Weltkrieg. Wegen seines Widerstands gegen die NS-Herrschaft wurde er 1935 inhaftiert, und kam 1943–1945 ins Strafbataillon „999". F. gehörte dem Deutschen Bundestag von 1951 bis 1986 an. Unter den SPD-Bundeskanzlern Willy Brandt und Helmut Schmidt setzte er 1969–1982 als Minister für innerdeutsche Beziehungen politische Akzente.

## Hanns Joachim Friedrichs

Deutscher Fernsehjournalist, * 15. 3. 1927 in Hamm in Westfalen, † 28. 3. 1995 in Hamburg. F. prägte in der 1985 neu konzipierten ARD-Nachrichtensendung „Tagesthemen" (bis 1991) eine in Deutschland neue Nachrichtenmoderation, er wurde Markenzeichen der Sendung. Über die pure Informationsvermittlung hinaus ordnete F. ein und zeigte Hintergrund auf. Sein journalistisches Credo war, Distanz zum Gegenstand der Betrachtung zu wahren. F. galt als Garant für kompetenten Journalismus in klarer, verständlicher Sprache.
□ 1950–1955: Redakteur der BBC/London. □ 1957–1963: Reporter, Moderator, Autor beim WDR/Köln. □ 1969–1972: ZDF-„heute". □ 1973–1981: „Aktuelles Sportstudio". □ 1981–1985: ZDF-Korrespondent New York.

## James William Fulbright

US-amerikanischer Politiker, * 9. 4. 1905 in Sumner (Montana/USA), † 9. 2. 1995 Washington/USA. Mit dem nach ihm benannten Austauschprogramm, das 1946–1995 ca. 200 000 Stipendiaten aus 120 Ländern ein Auslandsstudium ermöglichte, trug der demokratische Senator aus Arkansas wesentlich zur Völkerverständigung nach dem Zweiten Weltkrieg bei. Als Kongreßabgeordneter legte er mit der Fulbright-Resolution, die 1943 eine friedenssichernde Weltorganisation fordete, die Basis zur Gründung der UNO.

## Rory Gallagher

Irischer Musiker, * 2. 3. 1949 in Ballyshannon/Irland, † 15. 3. 1995 in London. G. galt als einer der besten weißen Bluesrock-Musiker. Erste Erfolge feierte der Sänger und Gitarrist als 16jähriger mit seinem Trio Taste 1965 im Starclub in Hamburg. Kritiker und Fans stellten den exzellenten Live-Musiker auf eine Stufe mit Eric Clapton. Seine Ablehnung jeden Showgehabes machten den Iren zum ersten sog. Antistar.

## Vitas Gerulaitis

US-amerikanischer Tennisspieler, * 26. 7. 1954 in New York, † 18. 9. 1994 in Southampton/Großbritannien. 1977 bis 1982 gehörte G. zu den zehn besten Tennisprofis der Welt. Der Serve-and-Volley-Spieler gewann 14 Einzeltitel, holte zweimal mit dem US-Team den Daviscup (1978, 1979) und gewann 1975 das Doppel in Wimbledon. Seine beste ATP-Weltranglistenposition erreichte er im Juni 1979 mit Rang 3.

## Alexander Boris Godunow

Russischer Tänzer, * 28. 11. 1949 auf der Insel Sachalin/Rußland, † 18. 5. 1995 in New York. G. war neben Rudolf Nurejew und Michail Baryschnikow führender Tänzer des klassischen Balletts. 1967–1979 war er Mitglied des Moskauer Bolschoi-Balletts und tanzte u. a. Hauptrollen in „Schwanensee" und „Giselle". Nach einer Tournee des Balletts in New York kehrte er 1979 nicht in die UdSSR zurück und wurde erster Solist beim American Ballet Theatre (bis 1982).

## Gordy

eigtl. Reiner Kohler, deutscher Travestiestar, * 22. 12. 1944 in Tuttlingen, † 18. 1. 1995 in Tuttlingen. Der gelernte Koch war Teil des Travestie-Duos „Mary und Gordy", das Anfang der 80er Jahre einem großen Publikum in Deutschland bekannt wurde. Fernsehengagements des Duos trugen dazu bei, die Travestie vom Ruch des Anstößigen zu befreien. Auf dem Höhepunkt ihres Erfolgs 1988 trennte sich Mary alias Georg Preusse von G., um eine Solokarriere zu starten.

## Günter Guillaume

DDR-Spion, * 1. 2. 1927 in Berlin, † 10. 4. 1995 in Berlin. Die Enttarnung von G. als Agent der DDR im April 1974 führte am 7. 5. zum Rücktritt des Bundeskanzlers Willy Brandt (SPD). Über die Frankfurter SPD kam G. 1970 ins Kanzleramt (1973 persönlicher Referent Brandts). Wegen schweren Landesverrats wurde G. 1975 zu 13, seine Frau zu acht Jahren Haft verurteilt. Beide wurden im Austausch gegen bundesdeutsche Agenten 1981 in die DDR abgeschoben.

Alexander Boris Godunow

## Wolfgang Harich

Deutscher Philosoph, * 9. 12. 1923 in Königsberg (heute: Kaliningrad/Rußland), † 15. 3. 1995 in Berlin. Der Literaturwissenschaftler kritisierte mangelnde Liberalität in der DDR-Kulturpolitik und trat für Reformen der SED ein. 1957 wurde der Mitherausgeber der „Deutschen Zeitschrift für Philosophie" wegen angeblicher Bildung einer staatsfeindlichen Gruppe zu zehn Jahren Zuchthaus verurteilt, 1964 vorzeitig entlassen. 1990 wurde H., der vorübergehend in Österreich und der Bundesrepublik lebte, rehabilitiert.

## Hermann Henselmann

Deutscher Architekt, * 3. 2. 1905 in Roßla (Harz), † 19. 1. 1995 in Berlin.

Günter Guillaume

1945 wurde der Bauhaus-Schüler Direktor der Staatlichen Hochschule für Baukunst in Weimar. 1953–1958 prägte er die Neugliederung Ostberlins als Stadtarchitekt. Zu seinen wichtigsten Bauten zählen das Haus des Lehrers am Berliner Alexanderplatz, der Zeiss-Turm in Jena und das Kongreß-Kristall in Halle. Auch der Berliner Fernsehturm wurde nach seinen Plänen realisiert. H. war für die Errichtung von Wohnungen in industriell gefertigten Plattenbauten mitverantwortlich.

Patricia Highsmith

## Iwan D. Herstatt

Deutscher Bankier, * 16. 12. 1913 in Köln, † 9. 6. 1995 in Köln. Der Name H. ist untrennbar mit dem größten Bankenkonkurs der Nachkriegsgeschichte verbunden. Die 1955 wiedergegründete Privatbank häufte mit Devisengeschäften Verluste von 1,2 Mrd DM an und war im Sommer 1984 bankrott. H. beteuerte seine Unschuld. Wegen Untreue wurde er zu zwei Jahren Haft auf Bewährung verurteilt.

## Patricia Highsmith

US-amerikanische Schriftstellerin, * 19. 1. 1921 in Fort Worth/USA, † 4. 2. 1995 in Locarno/Schweiz. H., die als literarisch anspruchsvollste Krimi-Autorin der Welt galt, feierte ihren ersten Erfolg mit „Zwei Fremde im Zug" (1950), 1951 von Alfred Hitchcock verfilmt. Zu ihren meistverkauften Büchern zählen die Romane mit der Hauptfigur Tom Ripley, der bei seinen Morden immer ungestraft davonkommt. H. legte stets Wert darauf, daß ihre Werke nicht in erster Linie Thriller, sondern psychologische Romane sind.

Rose Kennedy

## Rose Kennedy

US-amerikanische Präsidentenmutter, * 22. 7. 1890 in Boston (Massachusetts/USA), † 2. 1. 1995 in Hyannis Port (Massachusetts/USA). K. war Matriarchin einer der einflußreichsten Familien der USA. Sie war Gattin eines Millionärs und Botschafters in London (ab 1938) und Mutter eines Präsidenten und eines Präsidentenanwärters sowie eines Senators. Die Tragödien, die ihr Leben begleiteten, verstärkten den Mythos, der sich um die politisch erfolgreichste Dynastie der USA rankte. Sie verlor vier ihrer neun Kinder, darunter John F. (1963), durch Attentate.

## Burt Lancaster

US-amerikanischer Schauspieler * 2. 11. 1913 in New York/USA, † 21. 10. 1994 in Los Angeles (Kalifornien/USA). Mit der Rolle des ungestümen Draufgängers gelang dem ehemaligen Trapezkünstler in „Rächer der Unterwelt" (1946, Regie: Robert Siodmak) der Durchbruch. In den 50er Jahren spielte L. hauptsächlich Rebellen und eigensinnige Querköpfe. Für die Darstellung des leidenschaftlichen Predigers „Elmer Gantry" (1960) erhielt L. einen Oscar. In John Frankenheimers „Der Gefangene von Alcatraz" (1962) spielte er die für ihn typische Rolle des Gegenpols zur bürgerlichen Gesellschaft. Als Charakterdarsteller brillierte er 1963 in Luchino Viscontis „Der Leopard".

## Werner Liebrich

Deutscher Fußballspieler, * 18. 1. 1927 in Kaiserslautern, † 20. 3. 1995 in Kaiserslautern. Der größte sportliche Erfolg des Abwehrspielers war der Gewinn der Fußball-Weltmeisterschaft 1954 in Bern/Schweiz. Damals galt der 16malige Nationalspieler (1951–1956) als weltbester Stopper (Mittelverteidiger). Trotz eines Angebots vom AC Mailand 1950 blieb L. während seiner gesamten Karriere beim 1. FC Kaiserslautern, mit dem er 1951 und 1953 deutscher Fußballmeister wurde.

## Eugen Loderer

Deutscher Gewerkschafter, * 28. 5. 1920 in Heidenheim an der Brenz, † 9. 2. 1995 in München. Als Chef der

Burt Lancaster

IG Metall (1972–1983) führte der gelernte Metallgewebemacher die größte Einzelgewerkschaft der Welt fünfmal in den Streik. Unter dem Aspekt der Besitzstandswahrung stimmte L. die Gewerkschaften angesichts der Wirtschaftskrise von 1974 auf niedrigere Tarifabschlüsse ein. Er konzentrierte sich auf die Verkürzung der Arbeitszeit und die Verbesserung der Arbeitsbedingungen als Gewerkschaftsziele.

## Louis Ferdinand, Prinz von Preußen

Enkel des letzten deutschen Kaisers Wilhelm II., * 9. 11. 1907 in Potsdam, † 25. 9. 1994 in Bremen. L. rückte 1933 nach der unebenbürtigen Heirat des erstgeborenen Enkels Wilhelms II. an die erste Stelle der Erbfolge. 1932–1935 war er in den USA in der Autoindustrie tätig, ab 1935 für die Lufthansa. 1940 wurde L. mit dem sog. Prinzenerlaß wie alle Mitglieder der königlichen Familie aus der Wehrmacht ausgeschlossen. In der Folge trat er mit verschiedenen Widerstandsgruppen in Kontakt. Nach dem Tod seines Vaters wurde er 1951 Chef des Hauses Hohenzollern und verwaltete den Besitz.

## Gustav Lübbe

Deutscher Verleger, * 12. 4. 1918 in Engter (heute: Bramsche) bei Osnabrück, † 18. 5. 1995 in Bergisch Gladbach. Seine berufliche Laufbahn begann L. 1946 als Journalist. 1953 übernahm er den Kölner Romanheft-Verlag Bastei, mit dem er 1954 nach Bergisch Gladbach umsiedelte. Mit Zeitschriften, Romanheftreihen, Rätselausgaben, Taschenheftserien sowie Jugend- und Kinderzeitschriften stieg der Verlag zu einem der größten Belieferer des deutschen Pressehandels auf. 1963 startete L. das Bastei-Lübbe-Taschenbuchprogramm und gründete den Gustav Lübbe Verlag, der u. a. Bücher von Autoren wie James A. Michener und Hardy Krüger sowie Reihen z. B. zu Geschichte und Kunst veröffentlicht.

## Linus Pauling

US-amerikanischer Chemiker, * 28. 2. 1901 in Portland (Oregon/USA), † 19. 8. 1994 in Big Sur (Kalifornien/USA). Als bisher einziger Wissenschaftler erhielt P. zwei ungeteilte Nobelpreise. 1954 wurde seine Arbeit über Bindung und Struktur von Molekülen ausgezeichnet, 1962 erhielt er den Friedensnobelpreis für sein Engagement gegen Atomtests. Der Chemiker gilt als Wegbereiter der Molekularbiologie. Der breiten Öffentlichkeit wurde er mit seiner Vitamin-Theorie bekannt, nach der die Vitamine C, A und E das Immunsystem bei der Bekämpfung von Infektionen unterstützen.

## Fred Perry

Britischer Tennisspieler, * 18. 5. 1909 in Stockport/Großbritannien, † 31. 1. 1995 in Melbourne/Australien. P. dominierte in den 30er Jahren durch seine athletische Spielweise das Tennis. Erst nach einem Weltmeistertitel im Tischtennis wandte er sich 1929 dem weißen Sport zu. 1934–1936 gewann der populäre Spieler drei Einzeltitel in Wimbledon, ohne in den Finalen einen einzigen Satz abzugeben. P. holte bei den großen internationalen Turnieren insgesamt acht Einzel-, zwei Doppel- und vier Mixed-Titel. 1936 wurde er Profi und gründete in Los Angeles/ USA einen Tennisclub.

## Karl Popper

Sir (ab 1985), britischer Philosoph österreichischer Herkunft, * 28. 7. 1902 in Wien, † 17. 9. 1994 in Croydon bei London. Als Begründer und bedeutendster Vertreter des kritischen Rationalismus vertrat P. eine zentrale Idee: Der Wahrheit bzw. der wissenschaftlichen Erkenntnis kann sich der Mensch nur schrittweise über Versuche und Entwürfe nähern. Keine Hypothese lasse sich endgültig beweisen. Nach P. ist nichts prognostizierbar, weshalb er gegen große geschichtliche Umwälzun-

Louis Ferdinand, Prinz von Preußen

Linus Pauling

Karl Popper

gen wie Revolutionen eintrat und statt dessen für Reformen in kleinen Schritten plädierte.
□ 1945: „Die offene Gesellschaft und ihre Feinde". □ 1972: „Objektive Erkenntnis. Ein evolutionärer Entwurf" (deutsch 1973).

## Lewis T. Preston

US-Bankier, * 5. 8. 1926 in New York, † 4. 5. 1995 in Washington D. C. 1951 trat der Harvard-Absolvent in die renommierte US-Bank J. P. Morgan ein, deren Vorstandsvorsitz er 1980 übernahm. 1991 wurde P. Präsident der Weltbank. In seine Amtszeit fiel die Integration der Staaten Osteuropas. P. trieb das Engagement der Weltbank in Südafrika, Vietnam und dem Mittleren Osten voran. Er reorganisierte die UNO-Sonderorganisation zur Förderung der Wirtschaft und machte die Institutionsarbeit transparenter, indem er z. B. Kontrollinstanzen für Projekte in Entwicklungsländern einführte.

## Ginger Rogers

Ginger Rogers

Eigtl. Virginia Katherine McMath, US-amerikanische Tänzerin und Schauspielerin, * 16. 7. 1911 in Independence (Missouri/USA), † 25. 4. 1995 in Rancho Mirage (Kalifornien/USA). R. war der große Star des US-amerikanischen Musikfilms der 30er Jahre. Mit ihrem Partner Fred Astaire wurde sie in Filmen wie „Top Hat/Ich tanze mich in dein Herz hinein" (1935), „Swing Time" (1936) und „Shall we dance" (1937) zum klassischen Filmtanzpaar. R. übernahm auch ernste Rollen, u. a. in Filmen von Howard Hawks und Billy Wilder, und wurde 1940 für den Liebesfilm „Kitty Foyle" (Regie: Sam Wood) mit dem Oscar ausgezeichnet.

## Wilma Rudolph

Wilma Rudolph

US-amerikanische Sprinterin, * 23. 6. 1940 in Clarkesville (Tennessee/USA), † 12. 11. 1994 in Nashville (Tennessee/USA). R. war die erste US-Amerikanerin, die bei Olympischen Spielen drei Goldmedaillen gewann: 1960 in Rom siegte sie über 100 m, 200 m und mit der 4 x 100-m-Staffel. Vier Jahre zuvor in Melbourne/Australien hatte die „Schwarze Gazelle", wie R. wegen ihres ästhetischen Laufstils genannt wurde, mit der Sprintstaffel bereits Bronze gewonnen. Obwohl sie infolge einer Kinderlähmung erst mit sieben Jahren gehen lernte, war sie als Jugendliche eine der besten Basketballspielerinnen Tennessees.

## Heinz Rühmann

Deutscher Schauspieler, * 7. 3. 1902 in Essen, † 3. 10. 1994 am Starnberger See. In seiner fast 70jährigen Theater-, Film- und Fernsehkarriere spielte R., einer der beliebtesten Schauspieler Deutschlands, jugendliche Liebhaber, Komödianten und Charakterrollen. Zum Markenzeichen wurde für R. die schnoddrig-gedehnte Sprechweise. Seine Popularität verdankte er insbes. der Verkörperung des „kleinen Mannes", der sich mit spitzbübischer List, jungenhaftem Charme und Trotz gegen die Widrigkeiten des Lebens behauptet.
□ 1930: „Die Drei von der Tankstelle". □ 1937: „Der Mann, der Sherlock Holmes war" und „Der Mustergatte". □ 1941: „Quax, der Bruchpilot". □ 1944: „Die Feuerzangenbowle". □ 1953: „Warten auf Godot". □ 1955: „Charleys Tante". □ 1956: „Der Hauptmann von Köpenick". □ 1966: „Maigret und sein größter Fall". □ 1976: „Gefundenes Fressen". □ 1993: „In weiter Ferne, so nah".

## Jonas Edward Salk

US-amerikanischer Mediziner und Bakteriologe, * 28. 10. 1914 in New York, † 23. 6. 1995 in La Jolla (Kalifornien/USA). S. entwickelte 1954 aus abgetöteten Poliomyelitis-Viren den ersten Impfstoff gegen Kinderlähmung. Die S.-Impfung wurde in den 60er Jahren durch die Polio-Schluckimpfung des US-amerikanischen Arztes Albert Sabin verdrängt, der abgeschwächte lebende Viren verabreichte. Seit den 80er Jahren arbeitete S. an der Bekämpfung der Immunschwächekrankheit Aids.

Heinz Rühmann

## Mohammed Siad Barre

Somalischer Diktator, * 1919 im Lugh-Distrikt/Somalia, † 2. 1. 1995 in Lagos/Nigeria. 1969 stellte sich der Generalmajor der somalischen Armee an die Spitze eines Putsches, verbot alle Parteien und setzte die Verfassung außer Kraft. S. wurde Präsident des Obersten Revolutionsrates und Chef der Streitkräfte. 1976 gründete er die Sozialistische Revolutionspartei und wurde Staatspräsident. Er überstand mehrere Putschversuche, verhängte 1980 den Ausnahmezustand und ließ Regimekritiker brutal verfolgen. 1991 stürzten rivalisierende Clans den Diktator, der ins nigerianische Exil floh.

## Sabine Sinjen

Deutsche Theater- und Filmschauspielerin, * 18. 8. 1942 in Itzehoe, † 18. 5. 1995 in Berlin. In ihrer Karriere erreichte S. eine große schauspielerische Bandbreite, neben Auftritten in Unterhaltungsfilmen übernahm sie dramatische Krimirollen und Charakterrollen in Bühnenklassikern. Nach ihrem Filmdebüt als 14jährige in Josef von Bakys „Die Frühreifen" (1957) wurde S. zum gefragten Nachwuchsstar, mit Hauptrollen in Ulrich Schamonis Filmen „Es" (1965), „Alle Jahre wieder" (1967) und „Wir zwei" (1969) zum Star des Jungen Deutschen Films. Nach einer Krebsoperation 1984, bei der sie das rechte Auge verlor, schaffte sie ein Comeback.

## Joe Slovo

Südafrikanischer Jurist und Politiker, * 23. 5. 1926 in Obelai (Litauen), † 6. 1. 1995 in Johannesburg (Südafrika). Bekannt wurde S., seit 1942 Mitglied der Kommunistischen Partei Südafrikas (SACP), als Verteidiger in politischen Prozessen. Nach dem Verbot der SACP 1950 wurde er 1956 für zwei Jahre inhaftiert. 1963 floh er aus Südafrika und engagierte sich im Exil für die SACP und gegen die Apartheidpolitik der weißen Bevölkerungsminderheit Südafrikas. 1986 wurde er in London Generalsekretär der Exil-SACP. Als in seiner Heimat Opposition zugelassen wurden, kehrte S. 1990 zurück und wurde einer der einflußreichsten Vordenker für den Demokratieprozeß Südafrikas.

## Jessica Tandy

US-amerikanische Schauspielerin britischer Herkunft, * 9. 6. 1909 in London, † 11. 9. 1994 in Easton (Connecticut/USA). Die dreimal mit dem angesehensten US-Theaterpreis Tony Award ausgezeichnete Bühnenschauspielerin gelangte erst im Alter von 80 Jahren zu Filmehren. Für die Titelrolle in „Miss Daisy und ihr Chauffeur" (Regie: Bruce Beresford) erhielt sie einen Oscar. Zu ihren legendären Bühnenrollen zählt die Blanche in Tennessee Williams „Endstation Sehnsucht" (1947).

## Harry Tisch

Deutscher Gewerkschafter und Politiker, * 28. 3. 1927 in Heinrichswalde, † 18. 6. 1995 in Berlin. Der ehemalige Vorsitzende der DDR-Gewerkschaft FDGB war der erste SED-Spitzenfunktionär, der von einem bundesdeutschen Gericht verurteilt wurde. Wegen Veruntreuung von Gewerkschaftsgeldern erhielt T. 1991 eine 18monatige Freiheitsstrafe. Der gelernte Bauschlosser machte nach KPD-Beitritt 1945 als Weggefährte Erich Honeckers eine Parteikarriere, die 1975 im FDGB-Vorsitz sowie in der Mitgliedschaft im SED-Politbüro und DDR-Staatsrat gipfelte. Nach der Wende 1989 erzwang die Gewerkschaftsbasis seinen Rücktritt.

## Lana Turner

Eigentlich Julia Jean Turner, US-amerikanische Schauspielerin, * 8. 2. 1920 (nach anderen Quellen 1921) in Wallace (Idaho/USA), † 29. 6. 1995 in Century City (Kalifornien/USA). Schauspielpartner Mickey Rooney prägte 1940 die Bezeichnung Glamour Girl für T., den nur von ferne verehrten

Sabine Sinjen

Joe Slovo

Jessica Tandy

Werner Veigel

Harold Wilson

Manfred Wörner

schillernden Star. Mit zahlreichen Filmen, in denen sie mehr durch ihre Erscheinung als durch Tiefe der Darstellung auffiel, und mit ihrem skandalträchtigen Privatleben eroberte sie in den 40er und 50er Jahren Kinoleinwände und Titelseiten der Regenbogenpresse. 1958 wurde sie für ihre Rolle in „Peyton Place" für den Oscar nominiert. Beste Kritiken erntete sie 1959 als Charakterdarstellerin in „Solange es Menschen gibt" von Douglas Sirk.

□ 1941: „Ziegfeld Girl" (Regie: Robert Z. Leonard). □ 1946: „Im Netz der Leidenschaften" (Regie: Tay Garnett). □ 1951: „Die drei Musketiere" (Regie: George Sidney).

## Werner Veigel

Deutscher Nachrichtensprecher, * 9. 11. 1928 in Den Haag/Niederlande, † 2. 5. 1995 Hamburg. Aufgewachsen in den Niederlanden als Sohn eines deutschen Kaufmanns wurde V. 1950 Rundfunksprecher beim niederländischen Radiosender Hilversum. 1954 wechselte er als Ansager und Nachrichten- bzw. Sportsprecher zum Nordwestdeutschen Rundfunk nach Hamburg, wo er ab 1961 auch als Sprecher und Moderator für das Fernsehen tätig war. 1987 wurde er nach Karl-Heinz Köpcke Chefsprecher der ARD-„Tagesschau".

## Harold Wilson

Sir (ab 1976), Lord Wilson of Rievaulx (ab 1983), britischer Politiker, * 11. 3. 1916 in Huddersfield (Yorkshire), † 24. 5. 1995 in London. Mit vier Wahlsiegen war W. der erfolgreichste Premierminister der britischen Labour Party. Er führte die Partei nach 13 Jahren Opposition 1964 zur Regierung mit dem Versprechen, durch staatliche Lenkung Gesellschaft und Wirtschaft zu modernisieren. Mit seinem Bemühen, die ökonomische und die Haushaltskrise zu überwinden (Preis- und Lohnstopp-Gesetz), scheiterte W. an Gewerkschaften und innerparteilichen Flügelkämpfen. Als herausragende Leistung seiner Amtszeit gilt der EG-Beitritt Großbritanniens 1975.

## Lia Wöhr

Deutsche Schauspielerin, Regisseurin und Produzentin, * 26. 6. 1911 in Frankfurt/M.,† 15. 11. 1994 in Frankfurt/M. Als Wirtin in der TV-Eppelwoi-Schänke „Zum Blauen Bock" an der Seite von Heinz Schenk oder als Putzfrau Siebenhals in der Fernsehfamilie „Hesselbach" war W. einem Millionenpublikum vertraut. 1956 wurde sie beim Hessischen Rundfunk als erste Frau Programmproduzentin. 1984 erhielt sie den Friedrich-Stoltze-Preis.

## Manfred Wörner

Deutscher Politiker, * 24. 8. 1934 in Stuttgart, † 13. 8. 1994 in Brüssel/Belgien. W., erster deutscher NATO-Generalsekretär seit 1988, führte das westliche Verteidigungsbündnis durch die Phase der Neuorientierung nach dem kalten Krieg. Unter seiner Leitung rückten Konfliktverhütung und Krisenmanagement ins Zentrum der NATO-Doktrin.

□ 1965: Wahl in den Bundestag. □ 1969–1972: Stellvertretender Vorsitzender der CDU/CSU-Fraktion. □ 1973: Mitglied des CDU-Bundesvorstands. □ 1976–1982: Vorsitzender des Verteidigungsausschusses. □ 1982–1988: Bundesverteidigungsminister. □ 1988: Generalsekretär der NATO.

## Terence Young

Britischer Filmregisseur, * 20. 6. 1915 in Schanghai/China, † 7. 9. 1994 in Cannes/Frankreich. Mit seinem Hauptdarsteller Sean Connery etablierte Terence Young in den ersten James-Bond-Verfilmungen „James Bond jagt Dr. No" (1962), „Liebesgrüße aus Moskau" (1963) und „Feuerball" (1965) den unverwechselbaren Stil des weltweit erfolgreichen Agententhriller nach der Romanvorlage von Ian Fleming. Die 007-Erfolge brachten Y. den Ruf des routinierten Action-Regisseurs ein. Daß er auch psychologische Spannung inszenieren konnte, stellte er in „Warte bis es dunkel ist" (1967) mit Audrey Hepburn unter Beweis.

Das Sachregister verzeichnet alle Stichwörter, die im Lexikon zu finden sind, mit einer **halbfett** gesetzten Seitenangabe. Auch wichtige Begriffe, die im Text behandelt werden, sind mit der entsprechenden Seitenzahl genannt.

Das Personenregister enthält alle Namen, die im Lexikon auftauchen. Werden die Personen mit Bild und Biographie vorgestellt, erscheint die Seitenzahl **halbfett**.

## Sachregister

### A

# Personenregister

## A

Abacha, Sani 530
Abbas, Abu 326
Abdulghani, Abdulaziz 513
Achatz, Hans 586
Achatz, Karin 584
Achu, Simon Achidi 515
Ackerl, Josef 586
Adami, Edward Fenech 524
Adams, Gerry **229**
Adhikari, Man Mohan 528
Afewerki, Issayas 499
Ahtisaari, Martti 499
Aichinger, Walter 586
Ajodhia, Jules 547
Akajew, Askar 517
Akihito Tsuyu No Mija 513
Albert II., König 488
Alesana, Tofilau Eti 540
Aliesch, Peter 594
Alijew, Gajdar 486
Alm-Merk, Heidi 574
Althaus, Dieter 582
Amadou, Hama 530
Andreotti, Giulio 269
Annoni, Mario 593
Anyaoku, E. Chukwuemeka 104
Aptidon, Hassan Gouled 498
Arafat, Jasir **298**, 326
Arap Moi, Daniel 516
Arens, Willi 114
Aristide, Jean Bertrand **506**
Arthur, Owen 488
Asahara, Shoko 49
Assad, Hafiz 547
Astl, Fritz 588
Ausserwinkler, Michael 584
Aust, Stefan **287**
Averkamp, Ludwig 569
Aznar, José María 153, 545

## B

Badinter, Robert 312
Bagger, Hartmut **92**
Bagratjan, Grant 485
Balaguer, Joaquín 498
Balladares, Ernesto P. 533
Baltzer, Klaus 572
Bandaranaike, Sirimavo 545
Bangemann, Martin **158**
Banham Silpa-archa 549
Bardini, Taisir 326
Barros, Adwaldo C. B. des 428
Barschel, Uwe 580
Bartlewski, Kurt 606
Baschir, Umar Hassan Ahmad al- 547
Bashford, Mike 395
Basler, Mario 189
Baumgartner, Klaus 617
Beatrix, Königin 529
Beck, Kurt **575**

Beckenbauer, Franz **192**
Becker, Gert 432
Becker, Wolfgang 607
Beckmann, Reinhold **192**
Beckmeyer, Uwe 568
Beckstein, Günther 564
Bedjaoui, Mohammed 429
Bellamy, Carol 429
Bellion, Uta 203
Ben Ali, Zain al-Abidin 551
Benedetti Michelangeli, Arturo **619**
Berger, Hans 114
Bergmann, Christine 565
Bergner, Christoph 578
Berisha, Salih 483
Berlusconi, Silvio 272
Bertini, Catherine 429
Bhumibol Adulayedej, Rama IX. 549
Bhutto, Benazir 532
Bhutto, Murtaza 532
Bichler, Urs 599
Bildt, Carl 541
Bill, Max **619**
Bird, Lester Bryant 484
Birendra Bir Bikram Schah Dev 528
Birzele, Friedel 562
Bischof, Hans-Peter 589
Bischoff, Manfred 157
Bisky, Lothar 322
Biswas, Abdur Rahman 488
Biya, Paul 515
Bizimungu, Pasteur 536
Bjerregard, Ritt **158**
Blanc, Jacques 349
Blaul, Iris 570
Bletschacher, Gerhard 563
Blix, Hans 428
Blochberger, Franz 585
Blüm, Norbert **88**
Bode, Thilo 203
Bodenmann, Peter 393
Boesak, Allan 25
Böger, Klaus 564
Bogsch, Arpad 429
Bohl, Friedrich **88**
Böhme, Rolf 606
Böhmer, Hans-Rudolf 91
Bohn, Jürgen 172
Böhrk, Gisela 580
Bökel, Gerhard 570
Bolger, James Brendan 528
Bolkiah, Muda Hassanal 492
Bondartschuk, Sergej **619**
Bongo, Omar 501
Bonino, Emma **158**
Bonnici, Ugo Mifsud 524
Borchert, Jochen **88**
Bordón, José Octavio 485
Bornet, Bernard 599
Borttscheller, Ralf H. 568
Bötsch, Wolfgang **88**, 329
Boubakar, Sidi Mohamed Ould 524
Bouteiller, Michel 609

Braun, Egidius **190**
Braungart, Michael 573
Brazauskas, Algirdas 522
Bregartner, Karl 616
Breitenbach, Diether 577
Brick, Martin 572
Briner, Peter 597
Brittan, Leon **158**
Brizan, George 502
Brockhouse, Bertram N. 297
Broek, Hans van den **158**
Brüderle, Rainer 172, 576
Bruhin, Egon 597
Brundtland, Gro Harlem 530
Bruns, Johann 573
Brunschwig-Graf, Martine 594
Bruton, John **161**, 509
Bubis, Ignatz **27**
Buchleitner, Gerhard 587
Bührmann, Christa 574
Burger, Norbert 608
Buschor, Ernst 600
Busek, Erhard 313, 531
Butenandt, Adolf **619**
Buthelezi, Mangosuthu **222**, 427, 546
Butros Ghali, Butros **427**

## C

Caesar, Peter 576
Calderón Sol, Armando 498
Calloway, Cab **619**
Camdessus, Michel 226
Canetti, Elias **619**
Cardoso, Fernando Henrique 491
Carl XVI. Gustav 541
Carlos 413
Carlsson, Ingvar **161**, 541
Caspers, Albert 432
Castro, Fidel **520**
Cavaco Silva, Aníbal **161**, 535
Carvalho Veiga, Carlos A. W. de 516
Chamorro, Violeta Barrios de 529
Chan, Julius 533
Chiluba, Frederick 539
Chirac, Jacques 500
Chissano, Joaquim Alberto 527
Chrétien, Jean 515
Christen, Heinz 618
Christo 352, 566
Çiller, Tansu 552
Claes, Willy **291**
Clinton, Bill **555**
Compton, John 539
Conté, Lansana 504
Costa, Manuel Saturnino da 505
Cotti, Flavio 107
Cottier, Anton **108**
Crawford, Cindy 283
Cresson, Edith **158**

Crockett, Andrew 64
Cromme, Gerhard 432
Cronauer, Harald 577
Crvenkovski, Branko 525
Cutileiro, José **461**

## D

Daniels, Hans 575
David, Cathérine **119**
Déby, Idriss 550
Dechant, Josef 616
Deckert, Günter 50, 562
Dehaene, Jean-Luc **161**, 488
Demirel, Süleyman 551
Deng Xiaoping 494
Detharding, Herbert **148**
Deus Rogado S. Pinheiro, João de **158**
Deutch, John **103**
Dewes, Richard 582
Dieckmann, Bärbel 574, 603
Diener, Verena 600
Diepgen, Eberhard **565**, 602
Dietrich, Thomas 85
Dijoud, Paul 526
Dini, Lamberto **161**, 511
Diouf, Abdou 542
Diouf, Jacques 428
Djilas, Milovan **620**
Djohar, Said Muhammad 517
Dobusch, Franz 615
Dohlus, Horst 347
Dopheide, Angelika 602
Dormann, Jürgen **99**, 432
Dowdeswell, Elizabeth 429
Dowiyogo, Bernard 528
Dreher, Burkhard 566
Drnovšek, Janez 544
Dudajew, Dschochar **422**
Durán Ballén, Sixto 498
Dürr, Heinz **61**
Durrer, Adalbert 596
Dzembritzki, Detlef 564

## E

Eberle, Ferdinand 588
Edlinger, Rudolf 590
Eggert, Heinz 577, 578
Eggert, Rolf 572
Ehrenhöfler, Eduard 583
Eichel, Hans **570**
Elizabeth II. 484, 487, 488, 489, 502, 503, 512, 515, 528, 533, 538, 539
Ellenberger, Irene 582
Engelberger, Edi 596
Engelhardt, Klaus **240**
Erhardt, Manfred 565
Ermisch, Günter 578
Esquivel, Manuel 489
Estermann, Josef 618
Euler, Hans-Helmut 568
Evangelista, Linda 283
Exner, Achim 614
Eyadéma, Gnassingbé 549

# Bildquellenverzeichnis

# Das unentbehrliche Lexikon: Eine biografische Wanderung durch unser Jahrhundert

**D**ie Gedanken, Taten und Werke von rund 3500 Frauen und Männern aus allen Kontinenten bilden den Grundstock des »Harenberg Personenlexikons 20. Jahrhundert«. In Wort und Bild treten Persönlichkeiten von Konrad Adenauer bis Tina Turner, von Brigitte Bardot bis Stefan Zweig auf.

Viele Artikel werden durch einen Datenblock ergänzt, der wichtige Stationen in Leben und Werk auf dem aktuellsten Stand notiert. Wo immer sinnvoll, verweisen Literaturangaben auf weitere Quellen.

Die informativen Biografien und eindrucksvollen Fotografien des Lexikons bestätigen: Menschen haben die Welt verändert. Das zufällige, durch das Alphabet bestimmte Nebeneinander der porträtierten Personen läßt eine zweite Ebene von Bezügen und Verflechtungen entstehen, die einen zusätzlichen Reiz besitzt.

Künste und Kultur, Wissenschaften und Ökonomie, Politik und Medien, Sport, Gesellschaft und Unterhaltung bilden ein schillerndes Kaleidoskop.

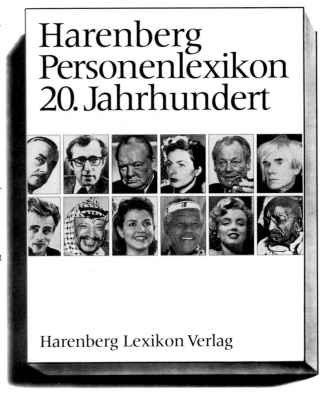

Harenberg
Personenlexikon
20. Jahrhundert

Harenberg Lexikon Verlag

**1023 Seiten, 3000 Abbildungen**
**DM 49,80/öS 398,–/sFr 49,80**
**ISBN 3-611-00395-6**

# Harenberg Lexikon Verlag

**44018 Dortmund • Postfach 10 18 52**